# SARAH LARK

## *Im Land der weißen Wolke*

ROMAN

BASTEI LÜBBE TASCHENBUCH
Band 15 713

1.+ 2. Auflage: August 2007
3. Auflage: Oktober 2007
4. Auflage: November 2007
5. Auflage: Mai 2008
6. Auflage: Juni 2008
7. Auflage: Juli 2008
8. Auflage: August 2008
9. Auflage: Dezember 2008
10. Auflage: Mai 2009
11. Auflage: Juni 2009
12. Auflage: Juli 2009

Vollständige Taschenbuchausgabe

Bastei Lübbe Taschenbücher
in der Verlagsgruppe Lübbe

Originalausgabe

Dieses Werk wurde vermittelt durch
die Literarische Agentur Thomas Schlück GmbH, 30827 Garbsen
Lektorat: Wolfgang Neuhaus/Melanie Blank-Schröder
Titelillustration: R. Ian Lloyd/Masterfile
Einbandgestaltung: Bettina Reubelt
Satz: SatzKonzept, Düsseldorf
Druck und Verarbeitung: GGP Media GmbH, Pößneck
Printed in Germany
ISBN: 978-3-404-15713-6

Sie finden uns im Internet unter
www.luebbe.de
Bitte beachten Sie auch: www.lesejury.de

Der Preis dieses Bandes versteht sich einschließlich
der gesetzlichen Mehrwertsteuer.

# *Im Land der weißen Wolke*

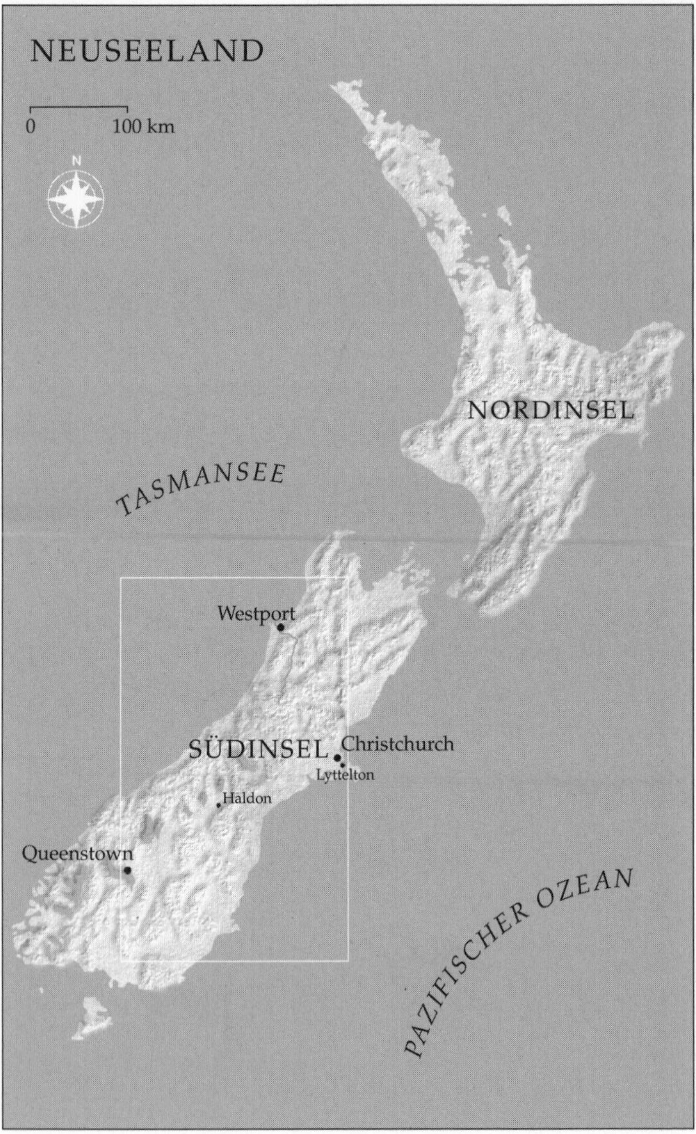

NEUSEELAND

0 100 km

N

NORDINSEL

TASMANSEE

Westport

SÜDINSEL

Christchurch

Lyttelton

Haldon

Queenstown

PAZIFISCHER OZEAN

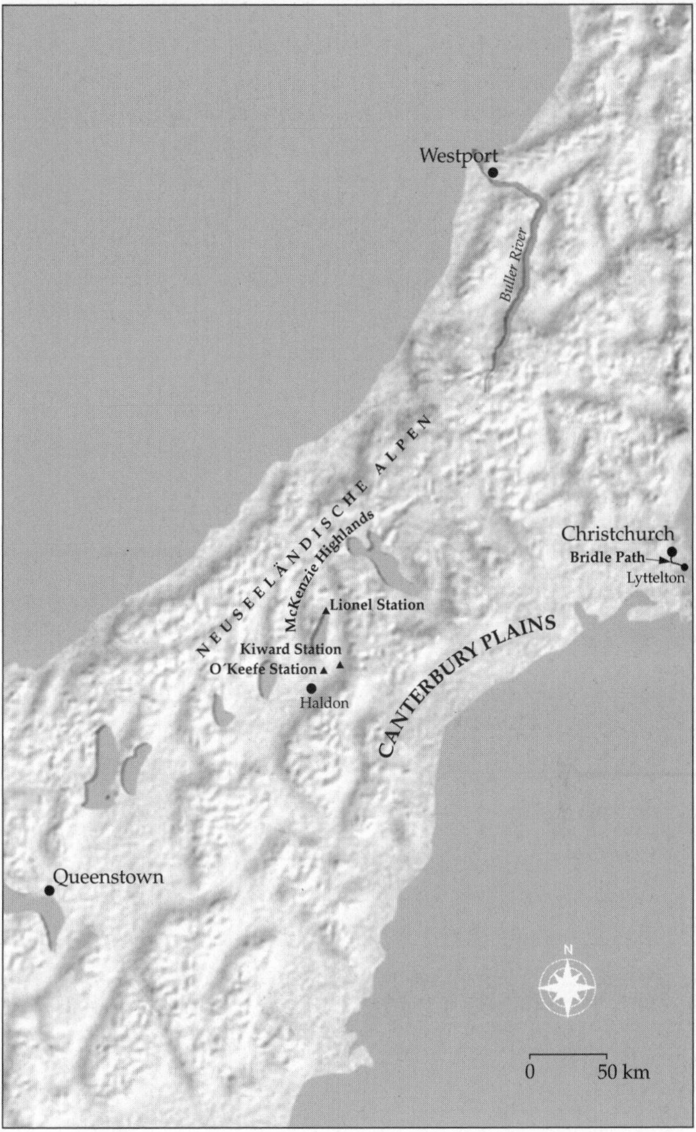

Westport
Buller River
NEUSEELÄNDISCHE ALPEN
McKenzie Highlands
Christchurch
Bridle Path
Lyttelton
Lionel Station
Kiward Station
O´Keefe Station
Haldon
CANTERBURY PLAINS
Queenstown
N
0
50 km

# AUFBRUCH

*London, Powys, Christchurch 1852*

# 1

*Die anglikanische Kirche in Christchurch, Neuseeland, sucht ehrbare, in Haushalt und Kindererziehung bewanderte junge Frauen, die interessiert sind, eine christliche Ehe mit wohl beleumundeten, gut situierten Mitgliedern unserer Gemeinde einzugehen.*

Helens Blick blieb kurz an der unscheinbaren Anzeige auf der letzten Seite des Kirchenblättchens haften. Die Lehrerin hatte das Heftchen kurz überflogen, während ihre Schüler sich still mit einer Grammatikübung beschäftigten. Lieber hätte Helen ein Buch gelesen, doch Williams ständige Fragen rissen sie ständig aus der Konzentration. Auch jetzt wieder hob sich der braune Wuschelkopf des Elfjährigen von seiner Arbeit.

»Im dritten Absatz, Miss Davenport, heißt es da *das* oder *dass?*«

Helen schob ihre Lektüre seufzend beiseite und erklärte dem Jungen zum x-ten Mal in dieser Woche den Unterschied zwischen Relativ- und Konsekutivsatz. William, der jüngere Sohn ihres Arbeitgebers Robert Greenwood, war ein niedliches Kind, aber nicht gerade mit Geistesgaben gesegnet. Er brauchte bei jeder Aufgabe Hilfe, vergaß Helens Erklärungen schneller, als diese sie geben konnte, und verstand sich eigentlich nur darauf, rührend hilflos dreinzuschauen und Erwachsene mit süßer Knabensopranstimme zu umgarnen. Lucinda, Williams Mutter, fiel immer wieder darauf herein. Wenn der Junge sich an sie schmiegte und irgendeine kleine gemeinsame Unternehmung vorschlug, strich Lucinda regelmäßig alle Nachhilfestunden, die Helen ansetzte. Deshalb konnte William bis jetzt nicht flüssig lesen, und schon einfachste Rechtschreibübungen überforderten ihn hoffnungslos. Daran, dass der Junge ein College wie Eaton oder Oxford besuchte, wie sein Vater es sich erträumte, war nicht zu denken.

Der sechzehnjährige George, Williams älterer Bruder, machte sich gar nicht erst die Mühe, Verständnis zu heucheln. Er verdrehte vielsagend die Augen und wies auf eine Stelle im Lehrbuch, in der genau der Satz als Beispiel stand, an dem William jetzt schon seit einer halben Stunde herumtüftelte. George, ein schlaksiger, hoch aufgeschossener Junge, war mit seiner Übersetzungsaufgabe aus dem Lateinischen bereits fertig. Er arbeitete stets schnell, wenn auch nicht immer fehlerfrei; die klassischen Fächer langweilten ihn. George konnte es gar nicht erwarten, eines Tages in die Import-Export-Firma seines Vaters einzusteigen. Er träumte von Reisen in ferne Länder und Expeditionen zu den neuen Märkten in den Kolonien, die sich unter der Herrschaft der Königin Viktoria beinahe stündlich erschlossen. George war zweifellos zum Kaufmann geboren. Er bewies schon jetzt Verhandlungsgeschick und wusste seinen beträchtlichen Charme gezielt einzusetzen. Mitunter gelang es ihm, damit sogar Helen einzuwickeln und die Schulstunden zu verkürzen. Einen solchen Versuch machte er auch heute, nachdem William endlich verstanden hatte, worum es ging – oder wenigstens, wo er die Lösung abschreiben konnte. Helen griff daraufhin nach Georges Heft, um seine Arbeit zu kontrollieren, doch der Junge schob es provozierend beiseite.

»Oooch, Miss Davenport, wollen Sie das jetzt wirklich noch mal durchkauen? Der Tag ist doch viel zu schön zum Lernen! Spielen wir lieber eine Runde Krocket ... Sie sollten an Ihrer Technik arbeiten. Sonst stehen Sie beim Gartenfest wieder nur herum, und keiner der jungen Herren bemerkt Sie. Dann machen Sie niemals Ihr Glück durch eine Heirat mit einem

Grafen und müssen bis ans Ende Ihrer Tage hoffnungslose Fälle wie Willy unterrichten!«

Helen verdrehte die Augen, warf einen Blick aus dem Fenster und runzelte beim Anblick der dunklen Wolken die Stirn.

»Netter Einfall, George, aber es ziehen Regenwolken auf. Bis wir hier aufgeräumt haben und im Garten sind, werden sie sich genau über unseren Köpfen entleeren, und das dürfte mich kaum anziehender für adelige Herren machen. Wie kommst du eigentlich auf den Gedanken, ich hätte diesbezügliche Absichten?«

Helen versuchte, eine betont desinteressierte Miene aufzusetzen. Das konnte sie sehr gut: Wenn man als Gouvernante in Londoner Familien der Oberschicht arbeitete, lernte man als Erstes, das eigene Mienenspiel zu beherrschen. Helens Rolle bei den Greenwoods war weder die eines Familienmitglieds noch einer gewöhnlichen Angestellten. Sie nahm an den gemeinsamen Mahlzeiten und oft auch an der Freizeitgestaltung der Familie teil, hütete sich aber davor, ungefragt eigene Meinungen zu äußern oder sich anderweitig auffällig zu verhalten. Deshalb konnte auch keine Rede davon sein, dass Helen sich bei Gartenfesten unbeschwert unter die jüngeren Gäste mischte. Stattdessen hielt sie sich abseits, plauderte höflich mit den Damen und beaufsichtigte unauffällig ihre Zöglinge. Natürlich streiften ihre Blicke dabei gelegentlich die Gesichter der jüngeren männlichen Gäste, und manchmal gab sie sich einem kurzen, romantischen Tagtraum hin, in dem sie mit einem gut aussehenden Viscount oder Baronet durch den Park seines Herrenhauses spazierte. Aber das konnte George doch unmöglich bemerkt haben!

George zuckte die Schultern. »Na, immerhin lesen Sie Heiratsanzeigen!«, sagte er frech und wies mit versöhnlichem Grinsen auf das Kirchenblättchen. Helen schalt sich selbst, weil sie es offen neben ihrem Pult hatte liegen lassen. Natürlich hatte der gelangweilte George hineingesehen, während sie William auf die Sprünge geholfen hatte.

»Und Sie sind doch sehr hübsch«, schmeichelte George. »Warum sollten Sie keinen Baronet heiraten?«

Helen verdrehte die Augen. Sie wusste, dass sie George tadeln sollte, doch sie war eher belustigt. Wenn der Knabe so weitermachte, würde er es zumindest bei den Damen weit bringen, und auch in der Geschäftswelt würde man seine geschickten Schmeicheleien zu schätzen wissen. Doch ob es ihm in Eaton weiterhalf? Außerdem hielt Helen sich für immun gegen solch plumpe Komplimente. Sie wusste, dass sie nicht im klassischen Sinne schön war. Ihre Züge waren ebenmäßig, aber wenig auffällig; ihr Mund war ein bisschen zu schmal, ihre Nase zu spitz, und ihre ruhigen grauen Augen blickten ein wenig zu skeptisch und entschieden zu gelehrt in die Welt, um das Interesse eines reichen, jungen Lebemanns zu wecken. Helens schönstes Attribut war ihr hüftlanges, glattes und seidiges Haar, dessen sattes Braun leicht ins Rötliche spielte. Vielleicht hätte sie damit Aufsehen erregen können, hätte sie es offen im Wind wehen lassen, wie manche Mädchen es bei den Picknicks und Gartenfesten taten, die Helen im Gefolge der Greenwoods besuchte. Die mutigeren der jungen Ladys erklärten beim Spaziergang mit ihren Bewunderern schon mal, ihnen sei zu heiß, und nahmen den Hut ab, oder sie taten so, als wehte der Wind ihr Hütchen weg, wenn sie sich von einem jungen Mann über den See im Hydepark rudern ließen. Dann schüttelten sie ihr Haar, befreiten es wie zufällig von Bändern und Spangen und ließen die Männer die Pracht ihrer Locken bewundern.

Helen hätte sich nie dazu überwinden können. Als Tochter eines Pfarrers war sie streng erzogen und trug ihr Haar geflochten und aufgesteckt, seit sie ein kleines Mädchen war. Hinzu kam, dass sie früh hatte erwachsen werden müssen: Ihre Mutter war gestorben, als Helen zwölf war, worauf der

Vater seine älteste Tochter kurzerhand mit der Führung des Haushalts und der Erziehung der drei jüngeren Geschwister beauftragt hatte. Reverend Davenport interessierte sich nicht für Probleme zwischen Küche und Kinderzimmer, ihm lagen allein die Arbeit für seine Gemeinde und die Übersetzung und Auslegung religiöser Schriften am Herzen. Helen hatte er immer nur dann mit seiner Aufmerksamkeit bedacht, wenn sie ihm dabei Gesellschaft leistete – und nur durch die Flucht in Vaters Studierzimmer unter dem Dach konnte sie dem lautstarken Treiben in der Wohnung der Familie entgehen. So hatte es sich fast von selbst ergeben, dass Helen die Bibel schon auf Griechisch las, als ihre Brüder gerade die erste Fibel durchackerten. In ihrer gestochen schönen Handschrift schrieb sie die Predigten ihres Vaters ab und kopierte seine Artikelentwürfe für das Mitteilungsblatt seiner großen Gemeinde in Liverpool. Viel Zeit für sonstige Zerstreuungen fand sich da nicht. Während Susan, Helens jüngere Schwester, Wohltätigkeitsbasare und Kirchenpicknicks hauptsächlich dazu nutzte, junge Honoratioren der Gemeinde kennen zu lernen, half Helen beim Verkauf der Waren, buk Torten und schenkte Tee aus. Das Ergebnis war vorauszusehen: Susan heiratete gleich mit siebzehn den Sohn eines bekannten Arztes, während Helen nach dem Tod ihres Vaters gezwungen war, eine Stelle als Hauslehrerin anzunehmen. Von ihrem Gehalt unterstützte sie zudem das Jura- und Medizinstudium ihrer zwei Brüder. Das Erbe ihres Vaters reichte nicht aus, den Jungen eine angemessene Ausbildung zu finanzieren, zumal beide sich keine allzu große Mühe gaben, das Studium zu einem raschen Abschluss zu bringen. Mit einem Anflug von Zorn dachte Helen daran, dass ihr Bruder Simon erst letzte Woche wieder durch eine Prüfung gerasselt war.

»Baronets heiraten normalerweise Baronessen«, antwortete sie jetzt ein wenig ungehalten auf Georges Frage. »Und was das hier angeht ...«, sie wies auf das Kirchenblatt, »habe ich den Artikel gelesen, nicht die Anzeige.«

George enthielt sich einer Antwort, grinste aber vielsagend. Der Artikel handelte von Wärmeanwendung bei Arthritis. Sicher hochinteressant für die älteren Mitglieder der Gemeinde, aber Miss Davenport litt bestimmt noch nicht unter Gelenkschmerzen.

Immerhin schaute seine Lehrerin jetzt auf die Uhr und kam dabei zu dem Schluss, den Nachmittagsunterricht doch schon zu beenden. In einer knappen Stunde würde das Abendessen aufgetragen. Und wenn George auch höchstens fünf Minuten brauchte, sich fürs Essen zu kämmen und umzuziehen, und Helen kaum länger benötigte, war es bei William stets eine längere Prozedur, ihn aus dem tintenverschmierten Schulkittel in einen vorzeigbaren Anzug zu stecken. Helen dankte dem Himmel, dass sie wenigstens nicht damit gestraft war, sich um Williams Erscheinungsbild kümmern zu müssen. Das übernahm eine Kinderfrau.

Die junge Gouvernante schloss die Stunde mit allgemeinen Bemerkungen über die Wichtigkeit der Grammatik, denen beide Jungen nur mit halbem Ohr lauschten. Gleich darauf sprang William begeistert auf, ohne seine Hefte und Schulbücher eines weiteren Blickes zu würdigen.

»Ich muss schnell noch Mummy zeigen, was ich gemalt habe!«, verkündete er, womit die Arbeit des Aufräumens erfolgreich auf Helen abgewälzt war. Die konnte schließlich nicht riskieren, dass William in Tränen aufgelöst zu seiner Mutter floh und ihr von irgendwelchen himmelschreienden Ungerechtigkeiten der Lehrerin berichtete. George warf einen Blick auf Williams ungelenke Zeichnung, die seine Mutter gleich sicher mit Begeisterungsausbrüchen quittieren würde, und zuckte resigniert die Schultern. Dann packte er rasch seine Sachen zusammen, bevor auch er hinausging. Helen bemerkte, dass er ihr dabei einen fast mitleidigen Blick zuwarf.

Sie ertappte sich dabei, an Georges Bemerkung von eben zu denken: »Wenn Sie keinen Mann finden, müssen Sie sich für den Rest Ihres Lebens mit hoffnungslosen Fällen wie Willy herumärgern.«

Helen griff nach dem Kirchenblättchen. Eigentlich wollte sie es wegwerfen, überlegte es sich dann aber anders. Beinahe verstohlen steckte sie es in die Tasche und nahm es mit auf ihr Zimmer.

Robert Greenwood hatte nicht viel Zeit für seine Familie, doch die gemeinsamen Abendessen mit Frau und Kindern waren ihm heilig. Die Anwesenheit der jungen Gouvernante störte ihn dabei nicht. Im Gegenteil, er fand es oft anregend, Miss Davenport ins Gespräch mit einzubeziehen und ihre Ansichten zu Fragen des Weltgeschehens, der Literatur und der Musik zu erfahren. Miss Davenport verstand deutlich mehr von diesen Dingen als seine Gattin, deren klassische Bildung zu wünschen übrig ließ. Lucindas Interessen beschränkten sich auf den Haushalt, die Vergötterung ihres jüngeren Sohnes und die Mitarbeit in den Damenkomitees diverser Wohltätigkeitsorganisationen.

Auch an diesem Abend lächelte Robert Greenwood freundlich, als Helen eintrat, und schob ihr den Stuhl zurecht, nachdem er die junge Lehrerin förmlich begrüßt hatte. Helen erwiderte das Lächeln, achtete aber darauf, Mrs. Greenwood dabei mit einzuschließen. Auf keinen Fall durfte sie den Verdacht erregen, mit ihrem Arbeitgeber zu flirten, auch wenn Robert Greenwood ein unzweifelhaft attraktiver Mann war. Er war groß und schlank, hatte ein schmales, intelligentes Gesicht und forschende braune Augen. Der braune Dreiteiler mit der goldenen Uhrkette kleidete ihn hervorragend, und seine Manieren standen denen der Gentlemen aus den Adelsfamilien, mit denen die Greenwoods gesellschaftlichen Umgang pflegten, in nichts nach. Ganz anerkannt waren sie in diesen Kreisen allerdings nicht; sie galten als Emporkömmlinge. Robert Greenwoods Vater hatte sein florierendes Unternehmen praktisch aus dem Nichts aufgebaut, und sein Sohn mehrte den Wohlstand und bemühte sich um gesellschaftliches Ansehen. Dazu hatte auch seine Heirat mit Lucinda Raiford beigetragen, die aus einer verarmten Adelsfamilie stammte – was vor allem auf die Vorliebe ihres Vaters für Glücksspiel und Pferderennen zurückzuführen war, wie man in der feinen Gesellschaft munkelte. Mit dem bürgerlichen Stand fand Lucinda sich nur widerwillig ab und neigte als Reaktion auf den gesellschaftlichen Abstieg ein wenig zum Protzen. So fielen die Empfänge und Gartenfeste der Greenwoods immer ein wenig üppiger aus als vergleichbare Ereignisse bei anderen Honoratioren der Londoner Gesellschaft. Die anderen Damen genossen das, zerrissen sich aber nichtsdestotrotz die Mäuler darüber.

Auch heute wieder, zu dem schlichten Abendessen mit der Familie, hatte Lucinda sich ein wenig zu festlich herausgeputzt. Sie trug ein elegantes Kleid aus fliederfarbener Seide, und mit ihrer Frisur musste ihre Zofe stundenlang beschäftigt gewesen sein. Lucinda plauderte über ein Treffen des Damenkomitees für das örtliche Waisenhaus, an dem sie an diesem Nachmittag teilgenommen hatte, doch viel Resonanz erhielt sie nicht; weder Helen noch Mr. Greenwood waren sonderlich interessiert.

»Und, was habt ihr mit diesem schönen Tag angefangen?«, wandte Mrs. Greenwood sich schließlich an ihre Familie. »Dich brauche ich wohl gar nicht erst zu fragen, Robert, vermutlich waren es wieder nur Geschäfte, Geschäfte, Geschäfte.« Sie bedachte ihren Mann mit einem Blick, der wohl liebevoll nachsichtig wirken sollte.

Mrs. Greenwood war der Meinung, dass ihr und ihren gesellschaftlichen Verpflichtungen seitens ihres Gatten zu wenig Aufmerksamkeit geschenkt wurde. Nun verzog er unwillig das Gesicht. Wahrscheinlich lag Robert eine unfreundliche Antwort auf der Zunge, denn seine Geschäfte ernährten nicht nur die Familie, sondern machten auch Lucindas Mitarbeit in den diversen Damenkomitees erst möglich. Helen bezweifelte jedenfalls, dass Mrs. Greenwoods überragende organisatorische Fähigkeiten für ihre Wahl gesorgt hatten – eher die Spendenfreudigkeit ihres Gatten.

»Ich hatte ein sehr interessantes Gespräch mit einem Wollproduzenten aus Neuseeland, und ...«, begann Robert mit Blick auf seinen ältesten Sohn, doch Lucinda sprach einfach weiter, wobei sie diesmal vor allem William mit ihrem nachsichtigen Lächeln bedachte.

»Und ihr, meine lieben Söhne? Sicher habt ihr im Garten gespielt, nicht wahr? Hast du George und Miss Davenport wieder beim Krocket geschlagen, William, mein Liebling?«

Helen starrte angestrengt auf ihren Teller, bemerkte aber aus dem Augenwinkel, wie George in seiner typischen Art gen Himmel zwinkerte, als riefe er einen verständnisvollen Engel um Beistand an. Tatsächlich war es William nur ein einziges Mal gelungen, mehr Punkte zu machen als sein älterer Bruder, und damals war George schwer erkältet gewesen. Gewöhnlich brachte sogar Helen den Ball geschickter durch die Tore als William, obwohl sie sich meist unbeholfener anstellte, als sie war, um den Kleinen gewinnen zu lassen. Mrs. Greenwood wusste das zu schätzen, während Mr. Greenwood sie tadelte, wenn er die Täuschung bemerkte.

»Der Junge muss sich daran gewöhnen, dass das Leben hart mit Versagern umspringt!«, sagte er streng. »Er muss verlieren lernen, nur dann wird er letztendlich siegen!«

Helen bezweifelte, dass William jemals siegen würde, auf welchem Gebiet auch immer, doch ihr flüchtiger Anflug von Mitleid mit dem unglücklichen Kind wurde gleich von dessen nächster Bemerkung zunichte gemacht.

»Ach, Mummy, Miss Davenport hat uns gar nicht spielen lassen!«, sagte William mit kummervoller Miene. »Wir haben den ganzen Tag im Haus gesessen und gelernt, gelernt, gelernt.«

Natürlich warf Mrs. Greenwood Helen sofort einen missbilligenden Blick zu. »Ist das wahr, Miss Davenport? Sie wissen doch, dass die Kinder frische Luft brauchen! In diesem Alter können sie noch nicht den ganzen Tag über den Büchern sitzen!«

In Helen kochte es, doch sie durfte William nicht der Lüge bezichtigen. Zu ihrer Erleichterung mischte George sich ein.

»Das stimmt doch gar nicht. William hatte wie jeden Tag seinen Spaziergang nach dem Mittagessen. Aber da hat es gerade ein bisschen geregnet, und er mochte nicht rausgehen. Die Nanny hat ihn zwar einmal um den Park gezerrt, aber zum Krocketspielen sind wir vor dem Unterricht nicht mehr gekommen.«

»Dafür hat William gemalt«, versuchte Helen abzulenken. Vielleicht kam Mrs. Greenwood ja auf seine museumsreife Zeichnung zu sprechen und vergaß den Ausgang. Doch die Rechnung ging leider nicht auf.

»Trotzdem, Miss Davenport: Wenn das Wetter mittags nicht mitspielt, müssen Sie eben nachmittags eine Pause einlegen. In den Kreisen, in denen William sich einmal bewegen wird, ist Körperertüchtigung fast ebenso wichtig wie geistige Förderung!«

William schien den Tadel für seine Lehrerin zu genießen, und Helen dachte wieder einmal an besagte Anzeige …

George schien Helens Gedanken zu lesen. Als hätte es das Gespräch mit William und seiner Mutter nicht gegeben, griff er die letzte Bemerkung seines Vaters wieder auf. Helen hatte diesen Kunstgriff schon mehrmals bei Vater und Sohn bemerkt und bewunderte zumeist die elegante Überleitung.

Diesmal jedoch trieb ihr Georges Bemerkung die Röte ins Gesicht.

»Miss Davenport interessiert sich für Neuseeland, Vater.«

Helen schluckte krampfhaft, als sich alle Blicke auf sie richteten.

»Ach, wirklich?«, fragte Robert Greenwood gelassen. »Denken Sie an Auswanderung?« Er lächelte. »Dann ist Neuseeland eine gute Wahl. Keine übermäßige Hitze und keine malariaträchtigen Sümpfe wie in Indien. Keine blutrünstigen Eingeborenen wie in Amerika. Keine Sprösslinge krimineller Siedler wie in Australien …«

»Tatsächlich?«, fragte Helen und freute sich, das Gespräch wieder auf neutraleren Boden bringen zu können. »Wurde Neuseeland nicht auch durch Sträflinge besiedelt?«

Mr. Greenwood schüttelte den Kopf. »Aber nein. Die dortigen Gemeinden wurden fast durchweg von braven britischen Christenmenschen gegründet, und so ist es noch heute. Womit ich natürlich nicht sagen will, dass es dort keine zweifelhaften Subjekte gibt. Vor allem in die Walfängerlager an der Westküste dürfte es so manchen Gauner verschlagen haben, und die Schafschererkolonnen werden auch nicht gerade aus lauter Ehrenmännern bestehen. Aber Neuseeland ist ganz gewiss kein Sammelbecken des gesellschaftlichen Abschaums. Die Kolonie ist auch noch jung. Sie wurde erst vor wenigen Jahren eigenständig …«

»Aber die Eingeborenen sind gefährlich!«, warf George ein. Offensichtlich wollte jetzt auch er mit seinem Wissen glänzen – und für kriegerische Auseinandersetzungen, das wusste Helen aus dem Unterricht, hatte er ein Faible und ein ausgezeichnetes Gedächtnis. »Es gab noch vor einiger Zeit Kämpfe, nicht wahr, Dad? Hast du nicht davon erzählt, dass einem deiner Handelspartner die gesamte Wolle abgebrannt wurde?«

Mr. Greenwood nickte seinem Sohn wohlgefällig zu. »Richtig, George. Aber das ist vorbei – im Grunde seit zehn Jahren, auch wenn gelegentlich noch Scharmützel aufflackern. Es ging auch nicht um die grundsätzliche Anwesenheit der Siedler. Was das angeht, waren die Eingeborenen immer fügsam. Eher wurden Landverkäufe angezweifelt – und wer will ausschließen, dass unsere Landnehmer da nicht tatsächlich den einen oder anderen Stammeshäuptling übervorteilt haben? Doch seit die Queen unseren guten Captain Hobson als Generalleutnant herübergeschickt hat, werden diese Streitigkeiten behoben. Der Mann ist ein genialer Stratege. 1840 hat er sechsundvierzig Häuptlinge einen Vertrag unterschreiben lassen, in dem sie sich zu Untertanen der Königin erklären. Die Krone hat seitdem bei sämtlichen Landverkäufen Vorkaufsrecht. Leider haben nicht alle mitgespielt, und es halten ja wohl auch nicht alle Siedler Frieden. Deshalb kommt es schon mal zu kleinen Unruhen. Aber im Grunde ist das Land sicher – also keine Angst, Miss Davenport!« Mr. Greenwood zwinkerte Helen zu.

Mrs. Greenwood runzelte die Stirn. »Sie erwägen doch nicht wirklich, England zu verlassen, Miss Davenport?«, fragte sie verdrießlich. »Sie denken wohl nicht ernstlich daran, diese unsägliche Anzeige zu beantworten, die der Pfarrer im Gemeindeblatt veröffentlicht hat? Gegen die ausdrückliche Empfehlung unseres Damenkomitees, wie ich betonen möchte!«

Helen kämpfte schon wieder mit dem Erröten.

»Was für eine Anzeige?«, erkundigte sich Robert und wandte sich dabei direkt an Helen. Die aber druckste nur herum.

»Ich ... ich weiß gar nicht so richtig, worum es geht. Da war nur eine Notiz ...«

»Eine Gemeinde in Neuseeland sucht heiratswillige Mädchen«, klärte George seinen Vater auf. »Wie es aussieht, herrscht in diesem Südseeparadies Frauenmangel.«

»George!«, tadelte Mrs. Greenwood entsetzt.

Mr. Greenwood lachte. »Südseeparadies? Na, das Klima ist eher dem in England vergleichbar«, verbesserte er seinen Sohn. »Aber es ist doch kein Geheimnis, dass es in Übersee mehr Männer als Frauen gibt. Abgesehen vielleicht von Australien, wo der weibliche Abschaum der Gesellschaft gelandet ist: Betrügerinnen, Diebinnen, Hur... äh, leichte Mädchen. Aber wenn es um freiwillige Auswanderung geht, sind unsere Damen weniger abenteuerlustig als die Herren der Schöpfung. Entweder sie gehen mit ihren Ehemännern oder gar nicht. Ein typischer Charakterzug des schwachen Geschlechts.«

»Eben!«, stimmte Mrs. Greenwood ihrem Gatten zu, während Helen sich auf die Zunge biss. Sie war gar nicht so sehr von der männlichen Überlegenheit überzeugt. Da brauchte sie nur William anzuschauen oder an das sich endlos hinschleppende Studium ihrer Brüder zu denken. Gut versteckt in ihrem Zimmer verwahrte Helen sogar ein Buch der Frauenrechtlerin Mary Wollstonecraft, aber das musste sie unbedingt für sich behalten – Mrs. Greenwood hätte sie sofort entlassen. »Es ist wider die weibliche Natur, sich ohne männlichen Schutz auf schmutzige Auswandererschiffe zu begeben, in feindlichen Landen Quartier zu nehmen und womöglich noch Tätigkeiten auszuüben, die Gott den Männern vorbehalten hat. Und christliche Frauen nach Übersee zu schicken, um sie dort zu verheiraten, grenzt ja wohl an Mädchenhandel!«

»Nun, man schickt die Frauen ja nicht unvorbereitet«, warf Helen ein. »Die Anzeige sieht gewiss vorherige briefliche Kontakte vor. Und es war ausdrücklich von wohl beleumundeten, gut situierten Herren die Rede.«

»Ich dachte, Sie hätten die Anzeige gar nicht bemerkt«, spottete Mr. Greenwood, doch sein nachsichtiges Lächeln nahm den Worten die Schärfe.

Helen errötete erneut. »Ich ... äh, könnte sein, dass ich sie kurz überflogen habe ...«

George grinste.

Mrs. Greenwood schien den kurzen Wortwechsel gar nicht mitbekommen zu haben. Sie war längst bei einem anderen Aspekt der Neuseelandproblematik.

»Viel ärger als der so genannte Frauenmangel in den Kolonien erscheint mir das Dienstbotenproblem«, erklärte sie. »Wir haben heute im Waisenhauskomitee ausführlich darüber debattiert. Offensichtlich finden die besseren Familien in ... wie heißt dieser Ort noch? Christchurch? Jedenfalls, sie finden dort kein ordentliches Personal. Vor allem Dienstmädchen sind rar.«

»Was durchaus als Begleiterscheinung des allgemeinen Frauenmangels zu deuten sein kann«, bemerkte Mr. Greenwood. Helen verkniff sich ein Lächeln.

»Auf jeden Fall wird unser Komitee ein paar unserer Waisenmädchen hinüberschicken«, fuhr Lucinda fort. »Wir haben vier oder fünf brave kleine Dinger um die zwölf Jahre, die alt genug sind, sich ihren Lebensunterhalt selbst zu verdienen. Hierzulande finden wir kaum eine Anstellung für sie. Die Leute hier nehmen lieber etwas ältere Mädchen. Aber da drüben sollte man sich die Finger danach schlecken ...«

»*Das* hat mir jetzt aber deutlich mehr den Anschein von Mädchenhandel als die Ehevermittlung«, wandte ihr Gatte ein.

Lucinda warf ihm einen giftigen Blick zu.

»Wir handeln nur im Interesse der Mädchen!«, behauptete sie und faltete geziert ihre Serviette zusammen.

Helen hatte da so ihre Zweifel. Wahrscheinlich hatte man sich kaum die Mühe gemacht, diesen Kindern auch nur ein Mindestmaß jener Fertigkeiten zu vermitteln, die man von Dienstmädchen in guten Häusern erwartete. Insofern konnte man die armen kleinen Dinger allenfalls als Küchenhilfen gebrauchen, und da bevorzugten die Köchinnen natürlich kräftige Bauernmädchen statt schlecht ernährte Zwölfjährige aus dem Armenhaus.

»In Christchurch haben die Mädchen Aussichten auf eine gute Anstellung. Und wir schicken sie natürlich nur in wohl beleumundete Familien ...«

»Natürlich«, bemerkte Robert spöttisch. »Ich bin sicher, ihr werdet mit den künftigen Dienstherren der Mädchen eine mindestens ebenso umfangreiche Korrespondenz führen wie die heiratswilligen jungen Damen mit ihren künftigen Gatten.«

Mrs. Greenwood runzelte indigniert die Stirn. »Du nimmst mich nicht erst, Robert!«, tadelte sie ihren Mann.

»Selbstverständlich nehme ich dich ernst, meine Liebe.« Mr. Greenwood lächelte. »Wie könnte ich dem ehrenwerten Waisenhauskomitee etwas anderes unterstellen als die besten und lautersten Absichten. Außerdem werdet ihr eure kleinen Zöglinge ja wohl nicht ohne jede Aufsicht nach Übersee schicken. Vielleicht findet sich unter den heiratswilligen jungen Damen eine vertrauenswürdige Person, die sich für einen kleinen Zuschuss des Komitees an den Kosten für die Überfahrt um die Mädchen kümmert ...«

Mrs. Greenwood äußerte sich nicht dazu, und Helen schaute wieder krampfhaft auf ihren Teller. Sie hatte den schmackhaften Braten kaum angerührt, mit dessen Zubereitung die Köchin vermutlich den halben Tag verbracht hatte. Doch den forschenden, amüsierten Seitenblick Mr. Greenwoods bei dessen letzter Bemerkung hatte Helen sehr wohl bemerkt. Das Ganze warf völlig neue Fragen auf. Beispielsweise hatte Helen sich bisher gar nicht vor Augen geführt, dass eine Überfahrt nach Neuseeland natürlich auch bezahlt werden wollte. Konnte man ohne schlechtes Gewissen seinen künftigen Gatten dafür aufkommen lassen? Oder erwarb er damit schon Rechte an einer Frau, die ihm eigentlich erst zustanden, wenn von Angesicht zu Angesicht das Jawort gesprochen war?

Nein, diese ganze Neuseeland-Geschichte war verrückt. Helen musste sie sich aus dem Kopf schlagen. Es war ihr nicht bestimmt, eine eigene Familie zu haben. Oder doch?

Nein, sie durfte nicht mehr daran denken!

Doch in Wahrheit dachte Helen Davenport in den nächsten Tagen an nichts anderes mehr …

# 2

»Wollen Sie die Herde gleich sehen, oder nehmen wir erst mal einen Drink?«

Lord Terence Silkham begrüßte seinen Besucher mit einem kräftigen Händedruck, den Gerald Warden nicht minder fest erwiderte. Lord Silkham hatte nicht so recht gewusst, wie er sich einen Mann vorstellen sollte, der ihm von der Züchtervereinigung in Cardiff als »Schaf-Baron« aus Übersee avisiert worden war. Doch was er nun sah, gefiel ihm nicht schlecht. Der Mann war für das Wetter in Wales zweckmäßig, aber durchaus modisch gekleidet. Seine Breeches waren von elegantem Schnitt und aus gutem Stoff, der Regenmantel aus englischer Produktion. Klare blaue Augen blickten aus einem großflächigen, ein wenig kantigen Gesicht, das zum Teil von einem breitkrempigen, für die Gegend typischen Hut verdeckt wurde. Darunter lugte volles braunes Haar hervor, nicht kürzer und nicht länger getragen, als es in England üblich war. Kurz und gut, nichts an der Erscheinung Gerald Wardens erinnerte auch nur im Entferntesten an die »Cowboys« aus den Groschenheftchen, in denen einige Dienstboten seiner Lordschaft – und zum Entsetzen seiner Gattin auch seine ungeratene Tochter Gwyneira! – gelegentlich schmökerten. Die Verfasser dieser Schundliteratur schilderten blutrünstige Kämpfe amerikanischer Siedler mit hasserfüllten Eingeborenen, und die ungelenken Zeichnungen zeigten verwegene Jünglinge mit langem, ungezähmtem Haarschopf, Stetson, Lederhosen und seltsam geformten Stiefeln, an denen angeberisch lange Sporen befestigt waren. Obendrein waren die Viehtreiber schnell mit ihrer Waffe bei der Hand, die man »Colt« nannte und die in Halftern an lockeren Gürteln getragen wurden.

Lord Silkhams heutiger Gast jedoch trug keine Waffe am Gürtel, sondern eine Taschenflasche Whiskey, die er jetzt aufschraubte und seinem Gastgeber anbot.

»Ich würde sagen, das hier reicht fürs Erste zur Stärkung«, sagte Gerald Warden mit tiefer, angenehmer, befehlsgewohnter Stimme. »Heben wir uns weitere Drinks für die Verhandlungen auf, wenn ich die Schafe gesehen habe. Und was das angeht, machen wir uns besser rasch auf den Weg, bevor es wieder regnet. Hier, bitte.«

Silkham nickte und nahm einen kräftigen Zug aus der Flasche. Erstklassiger Scotch! Kein billiger Fusel. Auch das nahm den hochgewachsenen, rothaarigen Lord für seinen Besucher ein. Er nickte Gerald zu, griff nach seinem Hut und seiner Reitpeitsche und stieß einen leisen Pfiff aus. Als hätten sie darauf gewartet, stoben drei lebhafte, schwarz- und braunweiße Hütehunde aus den Ecken des Stalles, in denen sie Schutz vor dem unbeständigen Wetter gesucht hatten. Offensichtlich brannten sie darauf, sich den Reitern anzuschließen.

»Sind Sie den Regen nicht gewohnt?«, erkundigte sich Lord Terence, während er auf sein Pferd stieg. Ein Bediensteter hatte ihm seinen kräftigen Hunter vorgeführt, als er Gerald Warden begrüßt hatte. Geralds Pferd wirkte noch frisch, obwohl er an diesem Morgen bereits die weite Strecke von Cardiff nach Powys geritten war. Sicher ein Mietpferd, aber unzweifelhaft aus einem der besten Ställe der Stadt. Ein weiterer Hinweis darauf, wie der Ausdruck »Schaf-Baron« zustande kam. Warden war sicher nicht adelig, schien aber reich zu sein.

Jetzt lachte er und glitt ebenfalls in den Sattel seines eleganten Braunen. »Im Gegenteil, Silkham, im Gegenteil ...«

Lord Terence schluckte, beschloss dann aber, dem anderen die respektlose Anrede nicht übel zu nehmen. Woher der

Mann auch kommen mochte, waren »Mylords« und »Myladys« anscheinend eine unbekannte Gattung.

»Wir haben ungefähr dreihundert Regentage im Jahr. Genau genommen ist das Wetter in den Canterbury Plains ganz ähnlich wie hier, zumindest im Sommer. Die Winter sind milder, aber es reicht für erstklassige Wollqualität. Und das gute Gras macht die Schafe fett. Wir haben Gras im Überfluss, Silkham! Hektar um Hektar! Die Plains sind ein Paradies für Viehzüchter.«

Zu dieser Jahreszeit konnte man auch in Wales nicht über Mangel an Gras klagen. Wie ein Samtteppich bedeckte das üppige Grün die Hügel bis weit in die Berge hinein. Auch die wilden Ponys konnten sich jetzt daran erfreuen und brauchten nicht herunter in die Täler zu kommen, um auf Silkhams Grasland zu naschen. Seine Schafe, noch nicht geschoren, fraßen sich kugelrund. Wohlgefällig betrachteten die Männer eine Herde von Mutterschafen, die zum Ablammen in der Nähe des Herrenhauses untergebracht waren.

»Prächtige Tiere!«, lobte Gerald Warden. »Robuster als Romneys und Cheviots. Dabei sollen sie eine mindestens gleich gute Wollqualität liefern!«

Silkham nickte. »Welsh-Mountain-Schafe. Im Winter laufen sie zum Teil frei in den Bergen. Die bringt so leicht nichts um. Und wo liegt nun Ihr Wiederkäuer-Paradies? Sie müssen entschuldigen, aber Lord Bayliff sprach nur von ›Übersee‹.«

Lord Bayliff war Vorsitzender der Schafzüchtervereinigung und hatte Warden den Kontakt mit Silkham vermittelt. Der Schaf-Baron, so hatte in seinem Brief gestanden, gedenke ein paar Herdbuchschafe zu erwerben, um damit seine eigene Zucht in Übersee zu veredeln.

Warden lachte dröhnend. »Und das ist ein weiter Begriff! Lassen Sie mich raten ... wahrscheinlich sahen Sie Ihre Schäfchen schon irgendwo im Wilden Westen von Indianerpfeilen durchbohrt! Aber da brauchen Sie sich keine Sorgen zu machen. Die Tiere bleiben sicher auf dem Boden des Britischen Empire. Mein Anwesen liegt in Neuseeland, in den Canterbury Plains auf der Südinsel. Grasland, wohin das Auge reicht! Sieht ganz ähnlich aus wie hier, nur größer, Silkham, ungleich größer!«

»Nun, dies hier ist auch nicht gerade ein Kleinbauernhof«, bemerkte Lord Terence indigniert. Was bildete dieser Kerl sich ein, Silkham Farms wie eine Klitsche darzustellen! »Ich habe um die dreißig Hektar Weideland.«

Gerald Warden grinste wieder. »Kiward Station hat um die vierhundert«, trumpfte er auf. »Allerdings ist noch nicht alles gerodet, da liegt noch einiges an Arbeit vor uns. Dennoch ist es ein prächtiges Anwesen. Und wenn dazu noch ein Zuchtstock der besten Schafe kommt, sollte es sich eines Tages als Goldgrube erweisen. Romney und Cheviot, gekreuzt mit Welsh Mountain – da liegt die Zukunft, glauben Sie mir!«

Silkham wollte ihm da nicht widersprechen. Er gehörte zu den besten Schafzüchtern von Wales, wenn nicht ganz Britanniens. Unzweifelhaft würden Tiere aus seiner Zucht jede Population verbessern. Inzwischen sah er auch die ersten Exemplare der Herde, die er Warden zugedacht hatte. Es waren alles junge Mutterschafe, die bislang noch nicht gelammt hatten. Dazu zwei junge Widder bester Abstammung.

Lord Terence pfiff den Hunden, die sofort darangingen, die verstreut auf einer riesigen Weide grasenden Schafe einzutreiben. Dazu umrundeten sie die Tiere in relativ großem Abstand und sorgten fast unmerklich dafür, dass die Schafe sich in direkter Linie auf die Männer zubewegten. Dabei ließen sie die Herde jedoch nie ins Rennen kommen – sobald sie sich in die gewünschte Richtung in Bewegung setzte, ließen die Hunde sich zu Boden fallen und warteten in einer Art Lauerstellung ab, ob ein Tier aus der Reihe tanzte. Geschah das, griff der zuständige Hütehund sofort ein.

Gerald Warden beobachtete fasziniert, wie selbstständig die Hunde vorgingen.

»Unglaublich. Was ist das für eine Rasse? ›Sheepdogs‹?«

Silkham nickte. »Border Collies. Sie haben das Treiben im Blut und brauchen kaum Ausbildung. Und die hier sind noch gar nichts. Da müssten Sie mal Cleo sehen – eine Spitzenhündin, die einen Trial nach dem anderen gewinnt!« Silkham sah sich suchend um. »Wo steckt sie überhaupt? Ich wollte sie eigentlich mitnehmen. Jedenfalls habe ich das meiner Lady versprochen. Damit Gwyneira nicht wieder ... oh nein!« Der Lord hatte sich suchend nach der Hündin umgesehen, nun aber verweilte sein Blick auf einem Pferd und seinem Reiter, die aus Richtung des Wohnhauses rasch näher kamen. Dabei machten sie sich nicht die Mühe, die Wege zwischen den Schafkoppeln zu benutzen oder die Tore zu öffnen und hindurchzureiten. Stattdessen setzte das kräftige braune Pferd ohne zu zögern über alle Zäune und Mauern hinweg, die Silkhams Koppeln begrenzten. Als es näher kam, bemerkte Warden auch den kleinen schwarzen Schatten, der sich nach Kräften mühte, mit Pferd und Reiter Schritt zu halten. Teilweise sprang der Hund über die Hindernisse, teilweise hüpfte er die Mauern wie Treppen hinauf oder tauchte einfach unter der untersten Zaunlatte durch. Jedenfalls war das schwanzwedelnde, eifrige Etwas schließlich vor dem Reiter auf der Schafkoppel und übernahm gleich die Führung des Trios. Dabei schienen die Schafe fast Gedanken zu lesen. Wie auf ein einziges Kommando der Hündin formierten sie sich zu einer geschlossenen Gruppe und stoppten brav vor den Männern, ohne sich dabei auch nur eine Minute zu erregen. Unaufgeregt senkten die Schafe die Köpfe erneut ins Gras, bewacht von Silkhams drei Hütehunden. Der kleine Neuankömmling kam derweil Beifall heischend zu Silkham und schien über das ganze freundliche Colliegesicht zu strahlen. Allerdings sah die Hündin die Männer nicht direkt an. Ihr Blick richtete sich eher auf den Reiter des braunen Pferdes, der eben hinter den Männern zum Schritt durchparierte und anhielt.

»Guten Morgen, Vater!«, sagte eine helle Stimme. »Ich wollte dir Cleo bringen. Ich dachte, du brauchst sie.«

Gerald Warden blickte ebenfalls zu dem Jungen auf und wollte ihm gerade ein paar lobende Worte zu seinem eleganten Parforceritt sagen. Dann aber stockte er, als er den Damensattel bemerkte, dazu ein verschlissenes, dunkelgraues Reitkleid sowie die Fülle des nachlässig im Nacken zusammengebundenen, flammendroten Haares. Möglicherweise hatte das Mädchen die Locken vor dem Ritt züchtig aufgesteckt, wie es Brauch war, aber sehr viel Mühe konnte sie sich damit nicht gemacht haben. Andererseits hätte sich bei diesem wilden Ritt wohl fast jeder Knoten gelöst.

Lord Silkham blickte wenig begeistert. Immerhin erinnerte er sich jetzt daran, das Mädchen vorzustellen.

»Mr. Warden – meine Tochter Gwyneira. Und ihre Hündin Cleopatra, der vorgeschobene Grund ihres Kommens. Was machst du hier, Gwyneira? Wenn ich mich recht erinnere, sprach deine Mutter von einer Französisch-Lektion heute Nachmittag ...«

Gewöhnlich hatte Lord Terence den Stundenplan seiner Tochter nicht im Kopf, doch Madame Fabian, Gwyneiras französische Hauslehrerin, litt an einer ausgeprägten Hundeallergie. Lady Silkham pflegte ihren Gatten deshalb stets zu erinnern, Cleo vor dem Unterricht aus dem Umkreis seiner Tochter zu entfernen, was nicht einfach war. Die Hündin klebte an ihrer Herrin wie Pech und Schwefel und war nur durch besonders interessante Hüte-Aufgaben von ihr wegzulocken.

Gwyneira zuckte anmutig die Schultern. Sie saß tadellos gerade, aber locker und völlig sicher zu Pferde und hielt ihre kleine, kräftige Stute gelassen am Zügel.

»Das war vorgesehen, ja. Aber die arme Madame hatte einen schlimmen Asthma-Anfall. Wir mussten sie zu Bett bringen, sie konnte kein Wort sprechen. Woher sie das nur immer hat! Mutter achtet doch so gewissenhaft darauf, dass kein Tier in ihre Nähe kommt ...«

Gwyneira versuchte, gleichmütig dreinzublicken und Bedauern zu heucheln, doch ihr ausdrucksvolles Gesicht spiegelte eher einen gewissen Triumph. Warden hatte jetzt Zeit, sich das Mädchen näher anzusehen: Es hatte einen sehr hellen Teint mit leichter Neigung zu Sommersprossen, ein herzförmiges Gesicht, das unschuldig süß gewirkt hätte, wäre der ein wenig volle und breite Mund nicht gewesen, der Gwyneiras Zügen etwas Sinnliches verlieh. Vor allem wurde ihr Gesicht von großen, ungewöhnlich blauen Augen beherrscht. Indigoblau, erinnerte sich Gerald Warden. So hieß das in den Farbkästen, mit denen sein Sohn einen Großteil seiner Zeit vertrödelte.

»Und Cleo ist nicht zufällig noch mal durch den Salon gelaufen, nachdem die Hausmädchen dort jedes Hundehaar einzeln entfernt hatten, bevor Madame sich aus ihren Räumen traute?«, fragte Silkham streng.

»Ach, das glaube ich nicht«, meinte Gwyneira mit sanftem Lächeln, das ihrer Augenfarbe einen wärmeren Ton verlieh. »Ich habe sie vor der Stunde persönlich in den Stall gebracht und ihr eingeschärft, dass sie dort auf dich zu warten hat. Aber sie saß noch vor Igraines Box, als ich zurückkam. Ob sie wohl etwas geahnt hat? Hunde sind manchmal sehr einfühlsam ...«

Lord Silkham erinnerte sich an das dunkelblaue Samtkleid, das Gwyneira beim Lunch getragen hatte. Wenn sie Cleo in diesem Aufzug in die Ställe gebracht und sich vor ihr niedergehockt hatte, um ihr Anweisungen zu geben, dürften ausreichend Hundehaare daran haften geblieben sein, um die arme Madame für drei Wochen außer Gefecht zu setzen.

»Wir reden später noch darüber«, bemerkte Silkham in der Hoffnung, dass seine Frau dann die Aufgabe des Anklägers und Richters übernehmen würde. Jetzt, vor seinem Besucher, wollte er Gwyneira nicht weiter zusammenstauchen. »Wie finden Sie die Schafe, Warden? Ist es das, was Sie sich vorgestellt haben?«

Gerald Warden wusste, dass er jetzt zumindest der Form halber von einem Tier zum anderen gehen und Wollqualität, Bau und Futterzustand begutachten sollte. Tatsächlich hegte er allerdings keinen Zweifel an der erstklassigen Qualität der Mutterschafe. Alle waren groß und wirkten gesund und wohlgenährt, und ihre Wolle wuchs gleich nach der Schur wieder nach. Vor allem würde es die Ehre eines Lord Silkham unter keinen Umständen zulassen, einen Käufer aus Übersee zu betrügen. Eher würde er ihm die besten Tiere überlassen, um seinen Ruf als Züchter auch in Neuseeland zu wahren. Insofern blieb Geralds Blick zunächst auf Silkhams außergewöhnlicher Tochter haften. Sie erschien ihm sehr viel interessanter als die Zuchttiere.

Gwyneira hatte sich jetzt ohne Hilfe aus dem Sattel gleiten lassen. Eine schneidige Reiterin wie sie konnte wahrscheinlich auch ohne Hilfestellung in den Sattel steigen. Im Grunde wunderte sich Gerald, dass sie überhaupt den Seitsattel gewählt hatte; wahrscheinlich bevorzugte sie das Reiten im Herrensitz. Aber vielleicht hätte dies ja das Fass zum Überlaufen gebracht. Lord Silkham schien ohnehin nicht begeistert, das Mädchen zu sehen, und auch ihr Verhalten gegenüber der französischen Gouvernante schien alles andere als ladylike.

Gerald dagegen gefiel das Mädchen. Wohlgefällig betrachtete er Gwyneiras zierliche, an den richtigen Stellen jedoch ausreichend gerundete Figur. Das Mädchen war zweifellos voll entwickelt, obwohl es sehr jung war, sicher kaum älter als siebzehn. Überhaupt schien Gwyn noch recht kindlich zu sein; erwachsene Ladys brachten meist nicht so viel Interesse für Pferde und Hunde auf. Allerdings war Gwyneiras Umgang mit den Tieren weit entfernt von weiblichem Herumtändeln. Jetzt wehrte sie lachend das Pferd ab, das eben versuchte, seinen ausdrucksvollen Kopf an ihrer Schulter zu scheuern. Die Stute war deutlich kleiner als Lord Silkhams Hunter, äußerst stämmig, aber doch elegant. Ihr geschwungener Hals und ihr kurzer Rücken erinnerten Gerald an die spanischen und neapolitanischen Pferde, die ihm auf seinen Reisen auf dem Kontinent mitunter angeboten wurden. Für Kiward Station jedoch befand er sie allesamt als zu groß und vielleicht auch zu sensibel. Schon den Bridle Path vom Schiffsanleger nach Christchurch hätte er ihnen nicht zumuten wollen. Dieses Pferd jedoch ...

»Sie haben ein hübsches Pony, Mylady«, bemerkte Gerald Warden. »Ich habe eben seine Springmanier bewundert. Reiten Sie mit dem Pferd auch Jagden?«

Gwyneira nickte. Bei der Erwähnung ihrer Stute strahlten ihre Augen ähnlich auf wie eben, als es um die Hündin ging.

»Das ist Igraine«, sagte sie ungezwungen. »Sie ist ein Cob. Die typischen Pferde für diese Gegend, sehr trittsicher und ebenso gute Kutsch- wie Reitpferde. Sie wachsen frei im Bergland auf.« Gwyneira zeigte auf die zerklüfteten Berge, die im Hintergrund der Weiden aufragten – eine raue Umwelt, die zweifellos ein robustes Naturell verlangte.

»Aber nicht gerade das typische Damenpferd, oder?«, sagte Gerald lächelnd. Er hatte schon andere junge Ladys in England reiten sehen. Die meisten bevorzugten leichte Vollblutpferde.

»Kommt darauf an, ob die Dame reiten kann«, beschied ihn Gwyneira. »Ich kann nicht klagen ... Cleo, nun bleib doch mal von meinen Füßen weg!«, rief sie der kleinen Hündin zu, nachdem sie fast über das Tier gestolpert wäre. »Du hast es ja gut gemacht, alle Schafe sind da! Aber das war nun wirklich keine schwierige Aufgabe.« Sie wandte sich Silkham zu. »Soll Cleo die Widder eintreiben, Vater? Sie langweilt sich.«

Doch Lord Silkham wollte zunächst seine Mutterschafe vorführen. Und auch Gerald zwang sich nun, die Tiere genauer in Augenschein zu nehmen. Gwyneira ließ ihr Pferd währenddessen grasen und kraulte die Hündin. Schließlich nickte ihr Vater ihr zu.

»Also gut, Gwyneira, dann zeig Mr. Warden den Hund. Du brennst doch nur darauf, ein bisschen anzugeben. Kommen Sie, Warden, wir müssen ein Stück reiten. Die jungen Widder sind in den Hügeln.«

Wie Gerald erwartet hatte, machte Silkham keine Anstalten, seiner Tochter in den Sattel zu helfen. Gwyneira bewältigte die schwierige Aufgabe, zunächst den linken Fuß in den Bügel zu stellen und dann das rechte Bein elegant übers Sattelhorn zu schwingen, voller Anmut und ganz selbstverständlich, wobei ihre Stute so regungslos stand wie eine Statue. Als sie dann antrat, fielen Gerald ihre hohen, eleganten Bewegungen auf. Das Mädchen und das Pferd gefielen ihm gleichermaßen, und auch die kleine, dreifarbige Hündin faszinierte ihn. Während des Rittes zu den Widdern erfuhr er, dass Gwyneira die Hündin selbst trainiert und schon diverse Hütewettbewerbe mit ihr gewonnen hatte.

»Die Schäfer können mich schon nicht mehr leiden«, erklärte Gwyneira mit unschuldigem Lächeln. »Und die Frauenvereinigung hat die Frage aufgeworfen, ob es überhaupt schicklich sei, dass ein Mädchen einen Hund vorführt. Aber was soll daran unschicklich sein? Ich stehe doch nur herum und mache vielleicht mal ein Tor auf und zu.«

Tatsächlich genügten ein paar Handbewegungen und ein geflüsterter Befehl, um die gut geschulten Hütehunde des Lords auszuschicken. Gerald Warden sah zunächst gar keine Schafe auf dem großen Areal, dessen Zauntor Gwyneira diesmal lässig vom Sattel aus geöffnet hatte, statt einfach darüberzuspringen. Auch dabei bewährte sich das kleinere Pferd; Silkham und Warden wäre es schwer gefallen, sich von ihren großen Tieren herunterzubeugen.

Cleo und die anderen Hunde brauchten nur wenige Minuten, um die Herde zu sammeln, obwohl die jungen Schafböcke sich viel aufmüpfiger gebärdeten als die ruhigen Mutterschafe. Einige brachen während des Treibens aus oder stellten sich den Hunden sogar kämpferisch entgegen, was die Sheepdogs aber nicht aus dem Konzept brachte. Cleo wedelte begeistert mit dem Schwanz, als sie sich auf einen knappen Ruf hin wieder zu ihrer Besitzerin gesellte. Die Schafböcke standen nun alle in relativ geringer Entfernung. Silkham wies Gwyneira zwei davon an, die Cleo sofort in atemberaubender Geschwindigkeit von den anderen trennte.

»Die hier habe ich für Sie vorgesehen«, erklärte Lord Silkham seinem Besucher. »Beste Herdbuchtiere, erstklassige Abstammung. Ich kann Ihnen nachher auch die Vatertiere zeigen. Sie wären sonst bei mir in die Zucht gegangen und hätten sicher eine Menge Preise geholt. Aber so ... Ich denke, Sie werden meinen Namen als Züchter in den Kolonien erwähnen. Und das ist mir wichtiger als die nächste Auszeichnung in Cardiff.«

Gerald Warden nickte ernst. »Worauf Sie sich verlassen können. Prächtige Tiere! Ich kann die Nachzucht mit meinen Cheviots kaum erwarten! Aber wir sollten auch über die Hunde sprechen! Nicht, dass wir in Neuseeland keine Sheepdogs hätten. Aber ein Tier wie diese Hündin und dazu ein passender Rüde wären mir einiges Geld wert.«

Gwyneira, die ihre Hündin anerkennend gestreichelt hatte, hörte diese Bemerkung. Sogleich warf sie sich zornig herum und funkelte den Neuseeländer an. »Wenn Sie meinen Hund kaufen wollen, verhandeln Sie besser mit mir, Mr. Warden! Aber ich sag es Ihnen gleich: Nicht für all Ihr Geld können Sie Cleo bekommen. Die gehört zu mir! Ohne mich geht sie nirgendwohin. Sie könnten sie auch gar nicht führen, denn sie hört nicht auf jeden.«

Lord Silkham schüttelte missbilligend den Kopf. »Gwyneira, wie benimmst du dich?«, fragte er streng. »Selbstverständlich können wir Mr. Warden ein paar Hunde verkaufen. Es muss ja nicht dein Liebling sein.« Er blickte Warden an. »Ich würde Ihnen ohnehin zu ein paar Jungtieren aus dem letzten Wurf raten, Mr. Warden. Cleo ist nicht der einzige Hund, mit dem wir Trials gewinnen.«

Aber der beste, dachte Gerald. Und für Kiward Station war das Beste gerade gut genug. In den Ställen und im Haus. Wenn blaublütige Mädchen doch genauso einfach zu erwerben wären wie Herdbuchschafe! Als die drei zurück zum Haus ritten, schmiedete Warden bereits Pläne.

Gwyneira zog sich zum Abendessen sorgfältig um. Nach der Sache mit Madame wollte sie nicht noch einmal auffallen. Ihre Mutter hatte ihr eben schon die Hölle heiß gemacht. Dabei kannte sie die Vorträge der Lady längst auswendig: Wenn sie sich weiterhin so wild gebärdete und mehr Zeit in den Ställen und auf dem Pferderücken verbrachte als in den Schulstunden, fände sie nie einen Mann. Nun war es nicht zu leugnen, dass Gwyneiras Französischkenntnisse zu wünschen übrig ließen. Und das galt auch für ihre hausfraulichen Fähigkeiten. Gwyneiras Handarbeiten sahen nie so aus, als könnte man sein Heim damit schmücken – tatsächlich ließ der Pfarrer sie vor den Kirchenbasaren sogar unauffällig verschwinden, statt sie zum Verkauf anzubieten. Für die Planung großer Festessen und ausführliche Besprechungen mit der Köchin zu Fragen wie »Lachs oder Zander?« hatte das Mädchen ebenfalls wenig Sinn. Gwyneira aß, was auf den Tisch kam; welche Gabeln und Löffel sie zu welchem Gericht benutzen sollte, wusste sie zwar, hielt das Ganze aber im Grunde für Unsinn. Wozu die Tafel stundenlang schmücken, wenn dann in wenigen Minuten alles aufgegessen war? Und dann die Sache mit den Blumenarrangements! Seit einigen Monaten gehörte der

Blumenschmuck im Salon und im Esszimmer zu Gwyneiras Obliegenheiten. Aber leider genügte ihr Geschmack meist nicht den Ansprüchen – etwa, wenn sie Feldblumen pflückte und auf die Vasen verteilte, wie es ihr gefiel. Sie fand das hübsch, doch ihre Mutter wäre bei dem Anblick fast in Ohnmacht gefallen. Erst recht, als sie auf den Gräsern auch noch eine versehentlich mit eingeschleppte Spinne entdeckte. Seitdem schnitt Gwyneira die Blumen unter Aufsicht des Gärtners im Rosengarten von Silkham Manor und arrangierte sie mit Hilfe von Madame. Um diese lästige Pflicht war das Mädchen heute allerdings herumgekommen. Die Silkhams hatten nicht nur Gerald Warden zu Gast, sondern auch Gwyneiras älteste Schwester Diana und deren Ehemann. Diana liebte Blumen und beschäftigte sich seit ihrer Heirat fast ausschließlich mit dem Anlegen des ausgefallensten und gepflegtesten Rosengartens in ganz England. Heute hatte sie eine Auswahl der schönsten Blüten für ihre Mutter mitgebracht und auch gleich geschickt in Vasen und auf Körbe verteilt. Gwyneira seufzte. So gut würde ihr das nie gelingen. Falls Männer sich bei der Auswahl ihrer Gattin wirklich davon leiten ließen, müsste sie wohl als alte Jungfer sterben. Gwyneira hatte allerdings das Gefühl, als wäre der Blumenschmuck sowohl ihrem Vater als auch Dianas Ehemann Jeffrey herzlich egal. Auch Gwyneiras Stickereien hatte bislang noch kein männliches Wesen – außer dem wenig begeisterten Pfarrer – einen Blick gegönnt. Warum also konnte sie die jungen Herren nicht lieber mit ihren wahren Begabungen beeindrucken? Auf der Jagd zum Beispiel würde sie Bewunderung erregen: Gwyneira verfolgte den Fuchs meist schneller und erfolgreicher als die restliche Jagdgesellschaft. Das aber schien die Männer ebenso wenig für sie einzunehmen wie ihr geschickter Umgang mit den Hütehunden. Zwar äußerten die Herren sich anerkennend, doch ihr Blick war oft ein wenig missbilligend, und beim abendlichen Ball tanzten sie mit anderen Mädchen.

Aber das konnte ebenso gut mit Gwyneiras dürftiger Mitgift zusammenhängen. Das Mädchen machte sich da keine Illusionen – als letzte von drei Töchtern hatte sie nicht viel zu erwarten. Zumal auch ihr Bruder dem Vater auf der Tasche lag. John Henry »studierte« in London. Gwyneira fragte sich nur, welches Fach. Solange er noch auf Silkham Manor lebte, hatte er den Wissenschaften nicht mehr abgewinnen können als seine jüngere Schwester, und die Rechnungen, die er aus London schickte, waren viel zu hoch, als dass es sich allein um die Anschaffung von Büchern handeln konnte. Ihr Vater bezahlte stets widerspruchslos und murmelte höchstens etwas von »Hörner abstoßen«, doch Gwyneira war sich klar darüber, dass das viele Geld von ihrer Mitgift abging.

Trotz dieser Widrigkeiten machte sie sich keine allzu großen Sorgen um ihre Zukunft. Vorerst ging es ihr gut, und irgendwann würde ihre rührige Mutter auch einen Gatten für sie auftreiben. Schon jetzt beschränkten die Abendeinladungen ihrer Eltern sich fast ausschließlich auf befreundete Ehepaare, die rein zufällig Söhne im passenden Alter hatten. Manchmal brachten sie die jungen Männer gleich mit, häufiger erschienen allerdings die Eltern allein, und noch öfter kamen nur die Mütter zum Tee. Das hasste Gwyneira besonders, denn dabei wurden alle Fähigkeiten abgeprüft, die Mädchen angeblich dringend brauchten, um einem hochherrschaftlichen Haushalt vorzustehen. Man erwartete, dass Gwyneira kunstvoll den Tee servierte – wobei sie einmal leider Lady Bronsworth verbrüht hatte. Sie war erschrocken, als ihre Mutter ausgerechnet während dieser schwierigen Transaktion die faustdicke Lüge auftischte, Gwyneira hätte die Teekuchen selbst gebacken.

Nach dem Tee griff man zum Stickrahmen, wobei Lady Silkham Gwyneira sicherheitshalber ihren eigenen zusteckte, auf dem das Petit-Point-Kunstwerk fast vollendet war, und unterhielt sich dabei über das letzte Buch von Mr. Bulwer-Lytton. Für Gwyneira war diese Lektüre eher ein Schlafmittel; sie hatte es noch nie geschafft, auch nur einen dieser Schinken zu Ende zu lesen. Immerhin kannte sie ein paar Wörter wie »erbaulich« und »erhabene Ausdruckskraft«, die man in diesem Zusammenhang immer wieder anbringen konnte. Außerdem sprachen die Damen natürlich über Gwyneiras Schwestern und ihre wundervollen Ehemänner, wobei sie angelegentlich die Hoffnung äußerten, dass bald auch Gwyneira mit einer ähnlich guten Partie gesegnet würde. Gwyneira selbst wusste nicht, ob sie sich das wünschte. Sie fand ihre Schwäger langweilig, und Dianas Gatte war fast alt genug, um ihr Vater zu sein. Man munkelte, dass die Ehe vielleicht deshalb noch nicht mit Kindern gesegnet war, wobei Gwyneira die Zusammenhänge hier nicht ganz klar waren. Allerdings musterte man ja auch ältere Zuchtschafe aus ... Sie kicherte, als sie Dianas gestrengen Gatten Jeffrey mit dem Widder Cesar verglich, den ihr Vater gerade widerwillig aus der Zucht genommen hatte.

Und dann Larissas Ehemann Julius! Der stammte zwar aus einer der besten Adelsfamilien, war aber schrecklich farblos und blutleer. Gwyneira erinnerte sich, dass ihr Vater nach dem ersten Kennenlernen verstohlen etwas von »Inzucht« gemurmelt hatte. Immerhin hatten Julius und Larissa bereits einen Sohn – der aber auch schon wie ein Gespenst aussah. Nein, das alles waren nicht die Männer, von denen Gwyneira träumte. Ob das Angebot in Übersee wohl besser war? Dieser Gerald Warden machte einen ganz lebhaften Eindruck, obwohl er natürlich zu alt für sie war. Aber er kannte sich immerhin mit Pferden aus, und er hatte ihr nicht das Angebot gemacht, ihr in den Sattel zu helfen. Ritten Frauen in Neuseeland vielleicht ungestraft im Herrensitz? Gwyneira ertappte sich manchmal beim Träumen über den Romanheftchen der Dienstboten. Wie es wohl sein mochte, mit einem der schneidigen amerikanischen Cowboys um die Wette zur reiten? Ihm herzklopfend bei einem Pistolenduell zuzusehen? Und die Pionierfrauen dort im Westen griffen auch durchaus selbst mal zur Waffe! Gwyneira hätte ein von Indianern umzingeltes Fort jederzeit Dianas Rosengarten vorgezogen.

Jetzt zwängte sie sich aber erst mal in ein Korsett, das sie noch enger einschnürte als das alte Ding, das sie beim Reiten trug. Sie hasste diese Quälerei, aber wenn sie in den Spiegel sah, gefiel ihr die extrem schlanke Taille. Keine ihrer Schwestern war so zierlich. Und das himmelblaue Seidenkleid stand ihr auch ganz hervorragend. Es ließ ihre Augen noch mehr strahlen und betonte das leuchtende Rot ihres Haars. Wie schade, dass sie es aufstecken musste. Und wie mühsam für die Zofe, die schon mit Kämmen und Haarspangen bereitstand! Gwyneiras Haar war von Natur aus lockig; wenn Feuchtigkeit in der Luft lag, wie fast immer in Wales, kräuselte es sich besonders und war schwer zu zähmen. Gwyneira musste oft stundenlang still sitzen, bis die Zofe es vollständig gebändigt hatte. Und dabei fiel ihr Stillsitzen schwerer als alles andere.

Seufzend ließ Gwyneira sich auf dem Frisierstuhl nieder und machte sich auf eine langweilige halbe Stunde gefasst. Doch dann fiel ihr Blick auf das unscheinbare Heftchen, das neben den Frisierutensilien auf dem Tisch lag. *In den Händen der Rothaut* lautete der reißerische Titel.

»Ich hab mir gedacht, Mylady wünscht ein wenig Kurzweil«, bemerkte die junge Zofe und lächelte Gwyneira im Spiegel an. »Aber es ist sehr gruselig! Sophie und ich konnten die ganze Nacht nicht schlafen, nachdem wir es einander vorgelesen hatten!«

Gwyneira hatte schon nach dem Heftchen gegriffen. Sie gruselte sich nicht so schnell.

Gerald Warden langweilte sich derweil im Salon. Die Herren nahmen einen Drink vor dem Essen. Eben hatte Lord Silkham ihm seinen Schwiegersohn Jeffrey Riddleworth vorgestellt. Lord Riddleworth, erklärte er Warden, habe in der Indischen Kronkolonie gedient und sei erst vor zwei Jahren hochdekoriert nach England heimgekehrt. Diana Silkham war seine zweite Frau, die erste war in Indien verstorben. Warden wagte nicht zu fragen, woran, aber mit ziemlicher Sicherheit war die Dame weder an Malaria noch an einem Schlangenbiss verschieden – es sei denn, sie hätte erheblich mehr Schneid und Bewegungsfreude besessen als ihr Gatte. Riddleworth jedenfalls schien die Regimentsunterkünfte während seiner ganzen Zeit in Indien nicht verlassen zu haben. Über das Land konnte er nicht mehr erzählen, als dass es außerhalb der englischen Refugien laut und schmutzig war. Die Einheimischen hielt er durchweg für Lumpenpack, allen voran die Maharadschas, und außerhalb der Städte war sowieso alles tiger- und schlangenverseucht.

»Einmal hatten wir so eine Natter sogar in unserer Unterkunft«, erklärte Riddleworth angewidert und zwirbelte seinen gepflegten Schnauzbart. »Ich habe das Biest natürlich sofort erschossen, obwohl der Kuli meinte, es sei nicht giftig. Aber kann man diesen Leuten trauen? Wie ist das bei Ihnen, Warden? Haben Ihre Dienstboten dieses widerliche Gezücht unter Kontrolle?«

Gerald dachte belustigt daran, dass Riddleworth' Schüsse im Haus vermutlich mehr Schaden angerichtet hatten, als selbst ein Tiger jemals hätte zustande bringen können. Er traute dem kleinen, wohlgenährten Oberst kaum zu, einen Schlangenkopf mit einem Schuss zu treffen. Auf jeden Fall hatte der Mann sich eindeutig das falsche Land als Wirkungsbereich ausgesucht.

»Unsere Dienstboten sind mitunter ein wenig ... äh, gewöhnungsbedürftig«, sagte Gerald. »Wir setzen meist Eingeborene ein, denen die englische Lebensart doch sehr fremd ist. Aber mit Schlangen und Tigern haben wir nichts zu tun. In ganz Neuseeland gibt es keine Schlangen. Und ursprünglich gab es auch kaum Säugetiere. Erst die Missionare und Siedler brachten Nutzvieh, Hunde und Pferde auf die Inseln.«

»Keine wilden Tiere?«, fragte Riddleworth stirnrunzelnd. »Kommen Sie, Warden, Sie wollen uns doch nicht weismachen, dass es dort vor der Besiedlung wie am vierten Tag der Schöpfung ausgesehen hat.«

»Es gibt Vögel«, berichtete Gerald Warden. »Große, kleine, dicke, dünne, fliegende, laufende ... ach ja, und ein paar Fledermäuse. Ansonsten natürlich Insekten, aber die sind auch nicht sehr gefährlich. Sie müssen sich also anstrengen, wollen Sie auf Neuseeland umgebracht werden, Mylord. Es sei denn, Sie greifen auf zweibeinige Räuber mit Feuerwaffen zurück.«

»Vermutlich auch auf solche mit Macheten, Dolchen und Krummschwertern, was?«, fragte Riddleworth lachend. »Also, mir ist es ein Rätsel, wie jemand sich freiwillig in eine solche Wildnis begeben kann! Ich war froh, als ich die Kolonien verlassen konnte.«

»Unsere Maoris sind meist friedlich«, meinte Warden gelassen. »Ein seltsames Volk ... fatalistisch und leicht zufrieden zu stellen. Sie singen, tanzen, schnitzen Holz und kennen kein nennenswertes Waffenhandwerk. Nein, Mylord, ich bin sicher, auf Neuseeland hätten Sie sich eher gelangweilt als gefürchtet ...«

Riddleworth wollte eben aufbrausend erklären, dass er während seines Aufenthalts in Indien selbstverständlich keinen Tropfen Angstschweiß verloren hatte. Aber dann wurden die Herren durch Gwyneiras Eintreffen unterbrochen. Das Mädchen betrat den Salon – und schaute verwirrt, als es Mutter und Schwester nicht unter den Anwesenden entdeckte.

»Bin ich zu früh?«, fragte Gwyneira, statt ihren Schwager zunächst angemessen zu begrüßen.

Der guckte denn auch entsprechend beleidigt, während Gerald Warden kaum den Blick von Gwyneiras Erscheinung wenden konnte. Das Mädchen war ihm vorhin schon hübsch erschienen, aber jetzt, in dem festlichen Staat, erkannte er sie als wahre Schönheit. Die blaue Seide betonte ihren hellen Teint und ihr kräftiges rotes Haar. Die strengere Frisur betonte den edlen Schnitt ihres Gesichts. Und dazu diese verwegenen Lippen und die leuchtend blauen Augen mit ihrem wachen, fast herausfordernd wirkenden Ausdruck! Gerald war hingerissen.

Aber dieses Mädchen passte nicht hierher. Er konnte sie sich unmöglich an der Seite eines Mannes wie Jeffrey Riddleworth vorstellen. Gwyneira war eher der Typ, der sich Schlangen um den Hals legte und Tiger zähmte.

»Nein, nein, du bist pünktlich, Kind«, meinte Lord Terence mit einem Blick auf die Uhr. »Deine Mutter und deine Schwester verspäten sich. Wahrscheinlich waren sie wieder zu lange im Garten …«

»Waren Sie denn nicht im Garten?«, wandte Gerald Warden sich an Gwyneira. Eigentlich hätte er eher sie im Freien vermutet als ihre Mutter, die er vorhin als etwas steif und gelangweilt kennen gelernt hatte.

Gwyneira zuckte die Schultern. »Ich mache mir nicht viel aus Rosen«, bekannte sie, obwohl sie damit nochmals Jeffreys Unwillen und sicher auch den ihres Vaters erregte. »Wenn es Gemüse wäre, oder sonst etwas, das nicht sticht …«

Gerald Warden lachte, wobei er die säuerlichen Mienen Silkhams und Riddleworth' ignorierte. Der Schaf-Baron fand das Mädchen entzückend. Sie war natürlich nicht die Erste, die er auf dieser Reise in die alte Heimat einer unauffälligen Musterung unterzog, aber bislang hatte sich keine der jungen englischen Ladys so natürlich und ungezwungen gegeben.

»Na, na, Mylady!«, neckte er sie. »Konfrontieren Sie mich da wirklich mit den Schattenseiten der Englischen Rosen?

Sollte sich hinter milchweißer Haut und rotgoldenem Haar Stacheligkeit verbergen?«

Der Ausdruck »Englische Rose« für den auf den britischen Inseln verbreiteten, hellhäutigen und rothaarigen Mädchentyp war auch auf Neuseeland bekannt.

Gwyneira hätte eigentlich erröten müssen, lächelte aber nur. »Es ist auf jeden Fall sicherer, Handschuhe zu tragen«, bemerkte sie und sah aus dem Augenwinkel, wie ihre Mutter nach Luft schnappte.

Lady Silkham und ihre älteste Tochter, Lady Riddleworth, waren eben eingetreten und hatten Wardens und Gwyneiras kurzen Wortwechsel gehört. Beide wussten offensichtlich nicht, was sie mehr schockieren sollte: Wardens Unverschämtheit oder Gwyneiras schlagfertige Antwort.

»Mr. Warden, meine Tochter Diana, Lady Riddleworth.« Lady Silkham beschloss schließlich, die Angelegenheit einfach zu übergehen. Der Mann besaß zwar keinen gesellschaftlichen Schliff, doch er hatte ihrem Gatten eben die Zahlung eines kleinen Vermögens für eine Schafherde und einen Wurf junger Hunde zugesagt. Das würde Gwyneiras Mitgift sichern – und Lady Silkham freie Hand geben, das Mädchen schleunigst unter die Haube zu bringen, bevor die Kunde über ihr freches Mundwerk sich womöglich herumsprach.

Diana begrüßte den Besucher aus Übersee würdevoll. Sie war Gerald Warden als Tischdame zugewiesen, was dieser schnell bedauerte. Das Essen mit den Riddleworths verlief mehr als langweilig. Während Gerald kurze Stichworte gab und so tat, als lausche er Dianas Ausführungen über Rosenzucht und Gartenausstellungen, beobachtete er weiterhin Gwyneira. Abgesehen von ihrem losen Mundwerk war ihr Benehmen untadelig. Sie wusste, wie man sich in Gesellschaft verhielt und plauderte artig, wenn auch offensichtlich gelangweilt mit ihrem Tischherrn Jeffrey. Brav antwortete sie auf die Fragen ihrer Schwester, die ihre Fortschritte in französischer Konversation und das Befinden der werten Madame Fabian betrafen. Letztere bedauerte zutiefst, dem heutigen Abendessen aus Krankheitsgründen fernbleiben zu müssen. Sie hätte sonst zu gern mit ihrer früheren Lieblingsschülerin Diana geplaudert.

Erst als das Dessert serviert war, kam Lord Riddleworth auf seine Frage von vorhin zurück. Offensichtlich ging das Tischgespräch inzwischen selbst ihm auf die Nerven. Diana und ihre Mutter waren mittlerweile dazu übergegangen, sich über gemeinsame Bekannte auszutauschen, die sie durchweg »reizend« fanden und deren »wohlgeratene« Söhne sie offensichtlich für eine Verbindung mit Gwyneira in Betracht zogen.

»Sie haben immer noch nicht erzählt, wie es Sie einst nach Übersee verschlagen hat, Mr. Warden. Sind Sie im Auftrag der Krone gegangen? Womöglich im Gefolge des fabelhaften Captain Hobson?«

Gerald Warden schüttelte lächelnd den Kopf und ließ zu, dass der Diener sein Weinglas noch einmal füllte. Er hatte dem hervorragenden Tropfen bisher nur zurückhaltend zugesprochen. Später würde es noch ausreichend von Lord Silkhams hervorragendem Scotch geben, und wenn er auch nur den Schatten einer Chance haben wollte, seine Pläne zu verwirklichen, brauchte er einen klaren Kopf. Ein leeres Glas würde allerdings Aufmerksamkeit erregen. Also nickte er dem Diener zu, griff zunächst aber nach seinem Wasserglas.

»Ich bin wohl zwanzig Jahre vor Hobson gesegelt«, gab er dann zur Antwort. »Zu einer Zeit, als es auf den Inseln noch rauer zuging. Besonders in den Walfangstationen und bei den Robbenjägern ...«

»Aber Sie sind doch Schafzüchter!«, warf Gwyneira eifrig ein. Endlich ein interessantes Thema! »Sie haben nicht wirklich Wale gejagt?«

Gerald lachte grimmig. »Und ob ich auf Walfang war, Mylady. Drei Jahre lang auf der *Molly Malone* ...«

Mehr wollte er darüber wohl nicht erzählen, aber jetzt runzelte Lord Silkham die Stirn.

»Ach, kommen Sie, Warden, Sie verstehen zu viel von Schafen, als dass ich Ihnen die Räubergeschichten abkaufe! Das haben Sie doch nicht auf einem Walfänger gelernt!«

»Natürlich nicht«, antwortete Gerald gelassen. Die Schmeichelei prallte völlig von ihm ab. »Tatsächlich stamme ich aus den Yorkshire Dales, und mein Vater war Schäfer ...«

»Aber Sie haben das Abenteuer gesucht!« Das war Gwyneira. Ihre Augen blitzten vor Aufregung. »Sie sind bei Nacht und Nebel aufgebrochen und haben das Land verlassen, und ...«

Wieder war Gerald Warden belustigt und begeistert zugleich. Dieses Mädchen war eindeutig die Richtige, auch wenn es verwöhnt war und völlig falsche Vorstellungen hegte.

»Ich war vor allem das zehnte von elf Kindern«, stellte er richtig. »Und ich mochte nicht mein Leben damit verbringen, anderer Leute Schafe zu hüten. Mein Vater wollte mich mit dreizehn in Lohn geben. Aber ich heuerte stattdessen als Schiffsjunge an. Hab die halbe Welt gesehen. Die Küsten Afrikas, Amerika, das Kap ... bis ins Nordmeer sind wir gesegelt. Und schließlich nach Neuseeland. Und das gefiel mir am besten. Keine Tiger, keine Schlangen ...« Er zwinkerte Lord Riddleworth zu. »Das Land noch weitgehend unerschlossen und ein Klima wie in meiner Heimat. Letztlich sucht man wohl doch seine Wurzeln.«

»Und dann haben Sie Wale und Robben gejagt?«, fragte Gwyneira nochmals ungläubig. »Nicht gleich mit Schafen angefangen?«

»Schafe bekommt man nicht umsonst, kleine Lady«, sagte Gerald Warden lächelnd. »Wie ich heute wieder einmal erfahren durfte. Um die Herde Ihres Vaters zu erwerben, müsste man mehr als einen Wal ausschlachten! Und das Land war zwar billig, aber ganz umsonst gaben die Maori-Häuptlinge es auch nicht her ...«

»Maoris sind die Eingeborenen?«, fragte Gwyneira begierig.

Gerald Warden nickte. »Das heißt so viel wie ›Moa-Jäger‹. Die Moas waren riesige Vögel, aber die Jäger waren offenbar zu eifrig. Auf jeden Fall sind die Biester ausgestorben. Wir Einwanderer nennen uns übrigens ›Kiwis‹. Der Kiwi ist auch ein Vogel. Ein neugieriges, aufdringliches und höchst lebendiges Tier. Man kann dem Kiwi nicht entkommen. Auf Neuseeland ist er überall. Aber fragen Sie mich jetzt nicht, wer auf die Idee gekommen ist, uns ausgerechnet nach dem Kiwi zu benennen.«

Ein Teil der Tischgesellschaft lachte, allen voran Lord Silkham und Gwyneira. Lady Silkham und die Riddleworths waren wohl eher indigniert, dass sie hier mit einem ehemaligen Hütejungen und Walfänger tafelten, auch wenn er es inzwischen zu einem Schaf-Baron gebracht hatte.

Lady Silkham hob denn auch bald die Tafel auf und zog sich mit ihren Töchtern in den Salon zurück, wobei Gwyneira sich nur widerwillig von der Herrenrunde trennte. Endlich hatte sich das Gespräch einmal um interessantere Themen gedreht als die immer gleiche Gesellschaft und Dianas unsäglich langweilige Rosen. Jetzt sehnte sie sich danach, sich in ihre Räume zurückziehen zu dürfen, wo *In den Händen der Rothaut*, halb gelesen auf sie wartete. Die Indianer hatten die Heldin, die Tochter eines Kavallerieoffiziers, gerade entführt. Vor Gwyneira lagen jedoch noch mindestens zwei Tassen Tee in Gesellschaft ihrer weiblichen Verwandtschaft. Seufzend ergab sie sich in ihr Schicksal.

Im Herrenzimmer bot Lord Terence inzwischen Zigarren an. Gerald Warden überzeugte auch dabei durch Kennerschaft, indem er die beste kubanische Sorte auswählte. Lord Riddleworth griff eher wahllos in die Schachtel. Dann verbrachten sie eine endlos lange halbe Stunde damit, die letzten Entscheidungen der Königin in Bezug auf die britische Landwirtschaft zu diskutieren. Sowohl Silkham als auch Riddleworth hielten es für bedauernswert, dass die Queen deutlich auf Industrialisierung und Außenhandel setzte, statt die traditionelle Wirtschaft zu stärken. Gerald Warden äußerte sich nur vage dazu. Erstens hatte er wenig Ahnung, und zweitens war es ihm ziemlich egal. Der Neuseeländer lebte erst wieder auf, als Riddleworth einen bedauernden Blick auf das Schachspiel warf, das aufgebaut auf einem Beistelltischchen wartete.

»Schade, dass wir heute nicht zu unserer Partie kommen, aber wir wollen unseren Gast natürlich nicht langweilen«, bemerkte der Lord.

Gerald Warden verstand die Untertöne. Wäre er ein wirklicher Gentleman, so versuchte Riddleworth ihm zu vermitteln, würde er sich jetzt unter vorgeschobenen Gründen in seine Räume zurückziehen. Doch Gerald war kein Gentleman. Diese Rolle hatte er jetzt zur Genüge gespielt; so langsam musste er zur Sache kommen.

»Warum wagen wir stattdessen nicht ein kleines Kartenspiel?«, schlug er mit unschuldigem Lächeln vor. »Man spielt doch sicher auch Black Jack in den Salons der Kolonien, nicht wahr, Riddleworth? Oder bevorzugen Sie ein anderes Spiel? Poker?«

Riddleworth sah ihn entsetzt an. »Ich bitte Sie! Black Jack ... Poker ... So etwas mag man in den Spelunken der Hafenstädte spielen, aber doch nicht unter Gentlemen.«

»Also, ich spiele gern mal eine Partie«, erklärte Silkham. Dabei schien er nicht nur aus Höflichkeit Wardens Partei zu ergreifen; er blickte tatsächlich begehrlich auf den Kartentisch. »Während meiner Militärzeit habe ich es oft gespielt, aber hier findet sich ja kaum eine gesellige Runde, in der nicht nur über Schafe und Pferde gefachsimpelt wird. Auf, Jeffrey! Du kannst als Erster geben. Und sei nur nicht geizig. Ich weiß, du hast ein reiches Salär. Wollen doch mal sehen, ob ich mir heute etwas von Dianas Mitgift zurückholen kann!«

Der Lord sprach ziemlich unverblümt. Er hatte während des Essens dem Wein gut zugesprochen und anschließend den ersten Scotch rasch heruntergeschüttet. Nun wies er die anderen Männer eifrig an, Platz zu nehmen. Gerald Warden setzte sich zufrieden, Riddleworth noch immer zögernd. Widerwillig griff er nach den Karten und mischte eher ungeschickt.

Gerald stellte sein Glas beiseite. Er musste jetzt hellwach sein. Erfreut bemerkte er, dass der leicht angetrunkene Lord Terence gleich mit recht hohem Einsatz eröffnete. Gerald ließ ihn bereitwillig gewinnen. Eine halbe Stunde später lag ein kleines Vermögen in Münzen und Scheinen vor Lord Terence und Jeffrey Riddleworth. Letzterer war darüber leicht aufgetaut, auch wenn er immer noch nicht begeistert wirkte. Silkham schenkte vergnügt Whiskey nach.

»Verlieren Sie nicht das Geld für meine Schafe!«, warnte er Gerald. »Eben haben Sie schon einen weiteren Wurf Hunde verspielt!«

Gerald Warden lächelte. »Wer nicht wagt, der nicht gewinnt«, sagte er und erhöhte noch einmal den Einsatz. »Was ist, Riddleworth, ziehen Sie mit?«

Auch der Oberst war zwar nicht mehr nüchtern, aber von Natur aus misstrauisch. Gerald Warden wusste, dass er ihn auf Dauer loswerden musste – möglichst ohne dabei allzu viel Geld zu verlieren. Als Riddleworth seinen Gewinn jetzt wirklich noch einmal auf eine Karte setzte, schlug Gerald zu.

»Black Jack, mein Freund!«, sagte er fast bedauernd, als er das zweite Ass auf den Tisch legte. »Einmal musste meine Pechsträhne ja enden! Auf ein Neues! Kommen Sie, Riddleworth, holen Sie sich Ihr Geld doppelt zurück!«

Riddleworth stand verärgert auf. »Nein, ich steige aus. Hätte ich eben schon tun sollen. Tja, wie gewonnen, so zerronnen. Noch mehr werfe ich Ihnen jedenfalls nicht in den Rachen. Und du solltest auch aufhören, Schwiegervater. Dann hast du zumindest noch einen kleinen Gewinn gemacht.«

»Du redest wie meine Frau«, bemerkte Silkham, wobei seine Stimme schon unsicher klang. »Und was heißt ›kleiner Gewinn‹? Ich hab vorhin nicht mitgezogen. Ich hab noch all mein Geld. Und mein Glück hält an! Heute ist überhaupt mein Glückstag, nicht, Warden? Heute hab ich mal richtig Glück!«

»Dann wünsche ich weiterhin viel Spaß«, sagte Riddleworth eisig.

Gerald Warden atmete auf, als er aus dem Zimmer ging. Jetzt hatte er freie Bahn.

»Dann verdoppeln Sie doch mal Ihren Gewinn, Silkham!«, ermunterte er den Lord. »Wie viel sind das jetzt? Fünfzehntausend insgesamt? Donnerwetter, Sie haben mich bislang um mehr als zehntausend Pfund erleichtert! Wenn Sie das mal zwei nehmen, haben Sie glatt noch mal den Preis für Ihre Schafe!«

»Aber ... aber wenn ich verliere, ist alles weg«, kamen dem Lord nun doch Bedenken.

Gerald Warden zuckte die Schultern. »Das ist das Risiko. Aber wir können es ja klein halten. Sehen Sie, ich gebe Ihnen jetzt eine Karte und mir ebenfalls. Sie schauen drunter, ich decke auf – und dann entscheiden Sie. Wenn Sie das Spiel nicht machen wollen, gut. Aber ich kann natürlich auch ablehnen, nachdem ich meine erste Karte gesehen habe!« Er lächelte.

Silkham nahm die Karte unsicher in Empfang. Verstieß diese Möglichkeit nicht gegen die Regeln? Ein Gentleman sollte keine Auswege suchen und keine Risiken scheuen. Fast verstohlen warf er dann aber trotzdem einen Blick auf die Karte.

Eine Zehn! Abgesehen von einem Ass hätte es nicht besser sein können.

Gerald, der die Bank hielt, deckte seine Karte auf. Eine Dame. Die zählte drei Punkte. Ein eher ungünstiger Start. Der Neuseeländer runzelte die Stirn und schien zu zweifeln.

»Mein Glück scheint wirklich nicht anzuhalten«, seufzte er. »Und wie ist es bei Ihnen? Spielen wir, oder lassen wir es?«

Silkham war plötzlich äußerst begierig, weiterzuspielen.

»Ich hätte gern noch eine Karte!«, erklärte er.

Gerald Warden schaute resigniert auf seine Dame. Er schien mit sich zu ringen, gab dann aber doch eine weitere Karte aus.

Die Pik-Acht. Insgesamt 18 Punkte. Ob das reichte? Silkham brach der Schweiß aus. Aber wenn er jetzt noch eine Karte nahm, bestand die Gefahr, dass er sich überkaufte. Also Bluff. Der Lord bemühte sich um ein ausdrucksloses Gesicht.

»Ich bin fertig«, erklärte er kurz.

Gerald deckte eine weitere Karte auf. Eine Acht. Bislang also elf Zähler. Der Neuseeländer griff erneut zu den Karten.

Silkham hoffte inständig auf ein Ass. Dann hätte Gerald sich überkauft. Aber auch sonst standen die Chancen nicht schlecht. Nur eine Acht oder eine Zehn konnten den Schaf-Baron retten.

Gerald zog – einen weiteren König.

Er stieß scharf die Luft aus.

»Wenn ich jetzt hellsehen könnte ...«, seufzte er. »Aber egal, weniger als fünfzehn werden Sie nicht haben, das kann ich mir nicht vorstellen. Also Risiko!«

Silkham zitterte, als Gerald die letzte Karte nahm. Die Gefahr, sich zu überkaufen, war riesig. Aber dann fiel Herz-Vier.

»Neunzehn«, zählte Gerald. »Und ich passe. Karten auf den Tisch, Mylord!«

Silkham deckte resigniert sein Blatt auf. Ein Zähler Rückstand. Er war so nahe dran gewesen!

Gerald Warden schien das genauso zu sehen. »Haarscharf, Mylord, haarscharf! Das schreit nach Revanche. Ich weiß, ich bin verrückt, aber das können wir so nicht stehen lassen. Noch ein Spiel.«

Silkham schüttelte den Kopf. »Ich hab kein Geld mehr. Das war ja nicht nur mein Gewinn, das war mein gesamter Einsatz. Wenn ich noch mehr verspiele, bringe ich mich ernstlich in Schwierigkeiten. Kommt nicht in Frage, ich höre auf.«

»Aber ich bitte Sie, Mylord!« Gerald mischte die Karten. »Mit steigendem Risiko macht es doch erst richtig Spaß! Und der Einsatz ... warten Sie, wir spielen um die Schafe! Ja, die Schafe, die Sie mir verkaufen wollen! Selbst wenn es dann schief geht, verlieren Sie nichts. Denn wenn ich jetzt nicht aufgetaucht wäre, um die Schafe zu kaufen, hätten Sie das Geld schließlich auch nicht gehabt!« Gerald Warden zeigte sein gewinnendes Lächeln und ließ die Karten geschmeidig durch die Hände gleiten.

Lord Silkham leerte sein Glas und machte Anstalten, sich zu erheben. Dabei schwankte er leicht, doch die Worte kamen ihm noch klar von den Lippen: »Das könnte Ihnen so passen, Warden! Zwanzig der besten Zuchtschafe dieser Insel für ein paar Kartentricks? Nein, ich höre auf. Ich habe genug verloren. Bei Ihnen in der Wildnis sind solche Spiele vielleicht gang und gäbe, aber hier behalten wir einen kühlen Kopf!«

Gerald Warden hob die Whiskeyflasche und füllte noch einmal die Gläser.

»Ich hätte Sie für mutiger gehalten«, meinte er bedauernd. »Oder besser, für draufgängerischer. Aber das ist vielleicht typisch für uns Kiwis – auf Neuseeland gilt nur der als Mann, der etwas wagt.«

Lord Silkham runzelte die Stirn. »Sie können den Silkhams kaum Feigheit vorwerfen. Wir haben immer tapfer gekämpft, der Krone gedient und ...« Dem Lord fiel es sichtlich schwer, gleichzeitig die rechten Worte zu finden und aufrecht zu stehen. Er ließ sich erneut in seinen Sessel sinken. Betrunken aber war er noch nicht. Bislang konnte er diesem Glücksritter Paroli bieten!

Gerald Warden lachte. »Auch wir in Neuseeland dienen der Krone. Die Kolonie entwickelt sich zu einem bedeutenden Wirtschaftsfaktor. Auf die Dauer werden wir England alles zurückgeben, was die Krone bislang in uns investiert hat. Die Königin ist da nämlich mutiger als Sie, Mylord. Sie spielt ihr Spiel, und sie gewinnt. Kommen Sie, Silkham! Sie wollen doch jetzt nicht aufgeben? Ein paar gute Karten, und Sie bekommen die Schafe doppelt bezahlt!«

Mit diesen Worten warf er zwei verdeckte Karten vor Silkham auf den Tisch. Der Lord wusste selbst nicht recht, warum er zugriff. Das Risiko war zu groß, aber der Gewinn verlockend. Wenn er wirklich gewann, wäre Gwyneiras Mitgift nicht nur gesichert, sondern hoch genug, auch die besten Familien des Landes zufrieden zu stellen. Während er die Karten langsam aufnahm, sah er seine Tochter als Baronin ... wer weiß, vielleicht sogar als Hofdame der Königin ...

Eine Zehn. Das war gut. Wenn die andere nun ... Silkhams Herz klopfte heftig, als er nach der Karo-Zehn auch noch die Pik-Zehn aufdeckte. 20 Punkte. Das war kaum zu schlagen.

Triumphierend sah er Gerald an.

Gerald Warden hob seine erste Karte vom Stapel. Pik-Ass. Silkham stöhnte. Aber das hieß nichts. Die nächste Karte konnte eine Zwei oder eine Drei sein, und dann war die Wahrscheinlichkeit groß, dass Warden sich überkaufte.

»Sie können noch aussteigen«, meinte Gerald.

Silkham lachte. »Oh nein, mein Freund, so haben wir nicht gewettet. Jetzt machen Sie Ihr Spiel! Ein Silkham steht zu seinem Wort.«

Gerald nahm langsam eine weitere Karte.

Silkham wünschte sich plötzlich, den Stapel selbst gemischt zu haben. Andererseits ... er hatte Gerald beim Mischen beobachtet, da war nichts falsch gelaufen. Was immer jetzt geschah, Betrug konnte man Warden nicht vorwerfen.

Gerald Warden drehte die Karte um.

»Tut mir Leid, Mylord.«

Silkham starrte wie hypnotisiert auf die Herz-Zehn, die vor ihm auf dem Tisch lag. Das Ass zählte elf, die Zehn machte die Einundzwanzig voll.

»Dann kann ich Sie nur beglückwünschen«, sagte der Lord steif. In seinem Glas war noch Whiskey, und er kippte ihn rasch hinunter. Als Gerald nachfüllen wollte, hielt er die Hand über sein Glas.

»Ich hatte schon zu viel, danke. Es ist Zeit, dass ich aufhöre ... mit dem Trinken und dem Spielen, bevor ich meine Tochter nicht nur um ihre Mitgift, sondern meinen Sohn auch noch um Haus und Hof bringe.« Silkhams Stimme klang erstickt. Wieder versuchte er aufzustehen.

»Ich dachte mir so etwas ...«, bemerkte Gerald im Plauderton und füllte zumindest sein eigenes Glas. »Das Mädchen ist Ihre Jüngste, nicht wahr?«

Silkham nickte bitter. »Ja. Und vorher habe ich bereits zwei ältere Töchter unter die Haube gebracht. Haben Sie eine Ahnung, was das kostet? Diese letzte Hochzeit wird mich ruinieren. Zumal jetzt, da ich die Hälfte meines Kapitals verspielt habe.«

Der Lord wollte gehen, doch Gerald schüttelte den Kopf und hob die Whiskeyflasche. Langsam floss die goldgelbe Versuchung in Silkhams Glas.

»Nein, Mylord«, sagte Gerald, »so können wir das nicht stehen lassen. Es lag nicht in meiner Absicht, Sie zu ruinieren oder gar die kleine Gwyneira um ihre Mitgift zu bringen. Wagen wir ein letztes Spiel, Mylord. Ich setze die Schafe noch einmal ein. Wenn Sie diesmal gewinnen, ist alles wie gehabt.«

Silkham lachte spöttisch. »Und was setze ich dagegen? Den Rest meiner Herde? Vergessen Sie's!«

»Wie wäre es mit ... mit der Hand Ihrer Tochter?«

Gerald Warden sprach ruhig und gelassen, doch Silkham fuhr auf, als hätte Warden ihn geschlagen.

»Sie sind nicht bei Trost! Sie wollen doch nicht ernstlich um Gwyneira werben? Das Mädchen könnte Ihre Tochter sein.«

»Eben das würde ich mir von ganzem Herzen wünschen!« Gerald versuchte, so viel Aufrichtigkeit und Wärme in seine Stimme und seinen Blick zu legen, wie er konnte. »Denn meine Werbung gilt selbstverständlich nicht für mich, sondern für meinen Sohn Lucas. Er ist zweiundzwanzig Jahre alt, mein einziger Erbe, wohlerzogen, gut gewachsen und gewandt. Ich könnte mir Gwyneira hervorragend an seiner Seite vorstellen.«

»Aber ich nicht!«, gab Silkham rüde zurück, stolperte und suchte Halt in seinem Sessel. »Gwyneira ist von hohem Adel. Sie könnte einen Baron heiraten!«

Gerald Warden lachte. »Fast ohne Mitgift? Und machen Sie sich nichts vor, ich habe das Mädchen gesehen. Sie ist nicht gerade das, wonach sich die Mütter von Baronets die Finger lecken.«

Lord Silkham fuhr auf. »Gwyneira ist eine Schönheit!«

»Stimmt«, beschwichtigte Gerald. »Und sicher ist sie die Zierde einer jeden Fuchsjagd. Ob sie sich aber im Palast genauso gut machen würde? Sie ist ein wildes junges Ding, Mylord. Es wird Sie den doppelten Preis kosten, das Mädchen an den Mann zu bringen.«

»Ich sollte Sie fordern!«, stieß Silkham wütend hervor.

»Ich fordere Sie doch schon.« Gerald Warden hob die Karten. »Los, diesmal mischen Sie.«

Silkham griff nach seinem Glas. Seine Gedanken rasten. Das hier widersprach allen guten Sitten. Er konnte seine Tochter nicht im Kartenspiel einsetzen. Dieser Warden hatte den

Verstand verloren! Andererseits ... ein solcher Handel konnte nicht gelten. Spielschulden waren Ehrenschulden, aber ein Mädchen war kein zulässiger Wetteinsatz. Wenn Gwyneira Nein sagte, konnte niemand sie zwingen, auf ein Schiff nach Übersee zu steigen. Und es musste ja auch gar nicht so weit kommen. Diesmal würde er gewinnen. Einmal musste das Glück sich ja wenden.

Silkham mischte die Karten – nicht bedächtig wie sonst, sondern schnell, wie im Rausch, als wollte er dieses entwürdigende Spiel rasch hinter sich bringen.

Fast wütend warf er Gerald eine Karte hin. Den Rest des Stapels umklammerte er mit zitternden Händen.

Der Neuseeländer deckte sein Blatt auf, ohne eine Regung zu zeigen. Herz-Ass.

»Das ist ...« Silkham sprach nicht weiter. Stattdessen zog er selbst. Pik-Zehn. Gar nicht so schlecht. Der Lord versuchte, mit ruhiger Hand zu geben, zitterte dann aber so, dass die Karte vor Gerald auf den Tisch fiel, ehe der Neuseeländer danach greifen konnte.

Gerald Warden machte gar nicht erst den Versuch, die Karte zunächst verdeckt zu halten. Gelassen legte er den Herz-Buben neben das Ass.

»Black Jack«, sagte er ruhig. »Werden Sie Wort halten, Mylord?«

# 3

Helen hatte mehr als nur leichtes Herzklopfen, als sie jetzt vor dem Büro des Gemeindepfarrers von St. Clement stand. Dabei war sie nicht zum ersten Mal hier, und eigentlich fühlte sie sich meist sogar sehr wohl in diesen Räumen, die so sehr den Amtsstuben ihres Vater glichen. Reverend Thorne war zudem ein alter Freund des verstorbenen Reverend Davenport. Er hatte Helen vor einem Jahr zu der Stellung bei den Greenwoods verholfen und ihre Brüder sogar einige Wochen in seiner Familie beherbergt, bevor zuerst Simon und dann John ein Zimmer in ihrer Studentenverbindung fanden. Die Jungen waren triumphierend ausgezogen, doch Helen war darüber nicht so begeistert gewesen. Während Thorne und seine Gattin ihre Brüder nicht nur kostenlos bei sich wohnen ließen, sondern auch ein wenig beaufsichtigten, kostete die Unterkunft in den Verbindungshäusern Geld und ermöglichte den Studenten mancherlei Kurzweil, die ihrem wissenschaftlichen Fortkommen nicht unbedingt zuträglich war.

Helen klagte dem Reverend oft ihr Leid darüber. Fast jeden ihrer freien Nachmittage verbrachte sie im Hause der Thornes.

Bei ihrem heutigen Besuch erwartete sie jedoch kein entspanntes Teetrinken mit dem Reverend und seiner Familie, und aus seinem Amtszimmer klang auch nicht das dröhnende, fröhliche »Herein mit Gott!«, mit dem der Geistliche seine Schäfchen sonst begrüßte. Stattdessen erklang eine befehlsgewohnte Frauenstimme aus dem Büro, nachdem Helen sich endlich überwunden hatte zu klopfen. In den Räumen des Reverends residierte an diesem Nachmittag Lady Juliana

Brennan, Gattin eines pensionierten Leutnants aus dem Stab des William Hobson, ehemals Gründungsmitglied der anglikanischen Gemeinde Christchurch und neuerdings wieder Stütze der Londoner Gesellschaft. Die Dame hatte auf Helens Schreiben geantwortet und diesen Termin im Gemeindeamt mit ihr vereinbart. Sie wollte die »ehrbaren, in Haushalt und Kindererziehung bewanderten« Frauen, die sich auf ihre Anzeige hin beworben hatten, unbedingt selbst in Augenschein nehmen, bevor sie ihnen den Weg zu den »wohl beleumundeten und gut situierten Mitgliedern« der Siedlung Christchurch ebnete. Zum Glück war sie dabei flexibel. Helen hatte nur alle zwei Wochen einen Nachmittag frei, und sie hätte Mrs. Greenwood nur ungern um zusätzlichen Ausgang gebeten. Lady Brennan aber hatte gleich zugestimmt, als Helen ihr diesen Freitagnachmittag für das Treffen vorschlug.

Jetzt rief sie die junge Frau herein und betrachtete wohlgefällig, dass Helen gleich beim Eintreten einen ehrfurchtsvollen Knicks machte.

»Lassen Sie das, Kindchen, ich bin nicht die Queen«, bemerkte sie dann allerdings kühl, woraufhin Helen rot anlief.

Dabei fielen ihr die Ähnlichkeiten zwischen der gestrengen Queen Viktoria und der ebenfalls eher rundlichen und dunkel gewandeten Lady Brennan auf. Beide schienen nur in Ausnahmesituationen zu lächeln und das Leben sonst vor allem als gottgesandte Bürde anzunehmen, unter der man möglichst offensichtlich zu leiden hatte. Helen bemühte sich, ebenso streng und ausdruckslos zu erscheinen. Sie hatte noch einmal im Spiegel überprüft, ob sich auf ihrem Weg durch den Wind und den Regen auf den Straßen Londons keine noch so winzige Strähne aus ihrem straff zum Knoten gewundenen Haar gelöst hatte. Der größte Teil der strengen Frisur wurde ohnehin von ihrem schlichten, dunkelblauen Hut verdeckt, der Helen notdürftig vor dem Regen geschützt hatte und jetzt vollständig durchnässt war. Den ebenso nassen Mantel hatte sie immerhin im Vorzimmer abgeben können. Darunter trug sie einen blauen Tuchrock und eine sorgfältig gestärkte, helle Rüschenbluse. Helen wollte unbedingt einen guten, möglichst distinguierten Eindruck erwecken. Lady Brennan dürfte sie auf keinen Fall für eine leichtsinnige Glücksritterin halten.

»Sie wollen also auswandern?«, fragte die Lady geradeheraus. »Eine Pfarrerstochter, obendrein in guter Stellung, wie ich sehe. Was lockt Sie nach Übersee?«

Helen überlegte ihre Antwort sorgfältig. »Mich lockt nicht das Abenteuer, Mylady«, bemerkte sie. »Ich bin zufrieden in meiner Stellung, und meine Herrschaft behandelt mich gut. Aber ich sehe jeden Tag das Glück in ihrer Familie, und mein Herz brennt vor Sehnsucht, selbst einmal im Mittelpunkt einer solch liebenden Gemeinschaft zu stehen.«

Hoffentlich empfand die Dame das nicht als übertrieben. Helen selbst hatte fast lachen müssen, als sie sich diese Sätze zurechtgelegt hatte. Schließlich waren die Greenwoods nicht gerade ein Musterbeispiel für Harmonie – und das Allerletzte, was Helen sich wünschte, wäre ein Sprössling wie William.

Doch Mrs. Brennan wirkte recht angetan von Helens Antwort. »Und hier in der Heimat sehen Sie keine Möglichkeiten dafür?«, erkundigte sie sich. »Sie glauben, keinen Gatten finden zu können, der Ihren Ansprüchen genügt?«

»Ich weiß nicht, ob meine Ansprüche zu groß sind«, meinte Helen vorsichtig. Tatsächlich hatte sie vor, später noch einige Fragen zu den »wohl beleumundeten, gut situierten Mitgliedern« der Gemeinde Christchurch zu stellen. »Aber meine Mitgift ist sicher klein. Ich kann wenig sparen, Mylady. Bislang habe ich meine Brüder bei ihren Studien unterstützt, da blieb nichts übrig. Und ich bin siebenundzwanzig. Viel Zeit für die Suche nach einem Gatten bleibt mir da nicht mehr.«

»Und Ihre Brüder benötigen Ihre Unterstützung nun nicht

mehr?«, wollte Lady Brennan wissen. Offensichtlich unterstellte sie Helen, sich durch die Auswanderung ihren familiären Pflichten entziehen zu wollen. Ganz Unrecht hatte sie damit nicht. Helen hatte es gründlich satt, ihre Brüder zu finanzieren.

»Meine Brüder stehen kurz vor dem Abschluss ihrer Studien«, behauptete sie. Das war nicht einmal gelogen: Wenn Simon noch einmal durchfiel, würde man ihn der Universität verweisen, und um John stand es nicht viel besser. »Aber ich sehe keine Chancen, dass sie danach ihrerseits für meine Mitgift aufkommen. Weder ein Rechtsreferendar noch ein Assistenzarzt verdienen viel Geld.«

Lady Brennan nickte. »Werden Sie Ihre Familie denn nicht vermissen?«, erkundigte sie sich dann griesgrämig.

»Meine Familie wird aus meinem Ehemann und – so Gott will – unseren Kindern bestehen«, erklärte Helen fest. »Ich will meinem Gatten beim Aufbau seines Heims in der Fremde zur Seite stehen. Da werde ich kaum Zeit haben, der alten Heimat nachzutrauern.«

»Sie scheinen fest entschlossen«, bemerkte die Lady.

»Ich hoffe, dass Gott mich leitet«, meinte Helen demütig und senkte den Kopf. Die Fragen zu den Männern würden warten müssen. Hauptsache, dieser Drache in schwarzer Spitze half ihr weiter! Und wenn die Herren in Christchurch ebenso auf Herz und Nieren geprüft wurden wie die Frauen hier, konnte eigentlich nichts schief gehen. Immerhin zeigte Lady Brennan sich jetzt aufgeschlossener. Sie verriet sogar ein wenig über die Gemeinde Christchurch: »Eine aufstrebende Siedlung, gegründet von ausgesuchten Siedlern, handverlesen durch die Church of England. In absehbarer Zeit wird die Stadt Bischofssitz. Der Bau einer Kathedrale ist geplant, desgleichen eine Universität. Sie werden nichts vermissen, Kindchen. Selbst die Straßen wurden nach englischen Bistümern benannt.«

»Und der Fluss, der durch die Stadt führt, heißt Avon, wie der in Shakespeares Heimatstadt«, fügte Helen hinzu. Sie hatte sich in den letzten Tagen intensiv mit jeder ihr zugänglichen Literatur über Neuseeland beschäftigt und sich dafür sogar den Zorn von Mrs. Greenwood zugezogen: William hatte sich in der London Library zu Tode gelangweilt, als Helen den Jungen erklärt hatte, wie man sich in dieser riesigen Bibliothek zurechtfand. George musste mitbekommen haben, dass der Grund für den Besuch der Bücherei nur vorgeschoben war, doch er hatte Helen nicht verraten und sich gestern sogar erboten, die von ihr ausgeliehenen Bücher in seiner Freizeit zurückzubringen.

»Ganz recht«, bestätigte Lady Brennan zufrieden. »Sie sollten den Avon einmal an Sommernachmittagen sehen, Kindchen, wenn die Menschen am Ufer stehen und den Ruderregatten zuschauen. Man fühlt sich dann wie im guten alten England ...«

Helen beruhigten diese Erzählungen. Zwar war sie fest entschlossen, das Abenteuer zu wagen, was aber nicht hieß, dass sich echter Pioniergeist in ihr regte. Sie hoffte auf einen freundlichen, städtischen Haushalt, einen gepflegten Freundeskreis – alles vielleicht etwas kleiner und weniger prächtig als bei den Greenwoods, aber doch vertraut. Vielleicht war der »wohl beleumundete Mann« ja ein Beamter der Krone oder ein kleiner Kaufmann. Helen war bereit, jedem eine Chance zu geben.

Doch als sie das Büro dann mit dem Brief und der Adresse eines gewissen Howard O'Keefe verließ, Farmer in Haldon, Canterbury, Christchurch, war sie doch ein wenig verunsichert. Sie hatte nie auf dem Lande gelebt; ihre Erfahrungen beschränkten sich auf einen Ferienaufenthalt mit den Greenwoods in Cornwall. Man hatte dort eine befreundete Familie besucht, und dabei war es höchst zivilisiert zugegangen. Allerdings hatte bei Mr. Mortimers Landhaus auch niemand von »Bauernhof« gesprochen, und Mr. Mortimer hatte sich auch nicht einfach »Landwirt« genannt, sondern …

»Gentlemanfarmer«, fiel es Helen endlich ein, woraufhin sie sich gleich besser fühlte. Ja, so hatte der Bekannte der Greenwoods von sich gesprochen. Und das passte sicher auch auf Howard O'Keefe. Helen konnte sich einen schlichten Bauern kaum als gut situiertes Mitglied der besseren Gesellschaft in Christchurch vorstellen.

Helen hätte O'Keefes Brief am liebsten auf der Stelle gelesen, zwang sich aber zur Geduld. Auf keinen Fall konnte sie das Schreiben gleich im Vorzimmer des Reverends aufreißen, und auf der Straße wäre es nass geworden. Also trug sie ihren Schatz ungeöffnet nach Hause und freute sich nur über die gestochen klare Schrift auf dem Umschlag. Nein, so schrieb sicher kein ungebildeter Bauer! Helen überlegte kurz, ob sie sich für den Heimweg zu den Greenwoods eine Droschke leisten sollte, fand dann aber keine und sagte sich schließlich, dass es nun auch nicht mehr lohne. So wurde es spät, und sie hatte gerade noch Zeit, Hut und Mantel abzulegen, bevor das Abendessen serviert wurde. Den wertvollen Brief in der Tasche eilte Helen zu Tisch – und versuchte, Georges neugierige Blicke zu übersehen. Der Junge konnte eins und eins zusammenzählen! Bestimmt ahnte er, wo Helen den Nachmittag verbracht hatte.

Mrs. Greenwood hingegen hegte sicher keinen Verdacht und fragte nicht nach, als Helen von ihrem Besuch beim Pfarrer berichtete.

»Ach ja, ich muss den Reverend auch in der nächsten Woche aufsuchen«, sagte Mrs. Greenwood zerstreut. »Wegen der Waisenkinder für Christchurch. Unser Komitee hat sechs Mädchen ausgewählt, aber der Reverend hält die Hälfte für zu jung, um sie allein auf Reisen zu schicken. Nichts gegen den Reverend, aber er ist manchmal ein bisschen weltfremd! Rechnet sich einfach nicht aus, was die Kinder hier kosten, während sie drüben ihr Glück machen könnten ...«

Helen ließ Mrs. Greenwoods Gerede unkommentiert, und auch Mr. Greenwood schien heute nicht zum Streiten aufgelegt. Wahrscheinlich genoss er die friedliche Stimmung am Tisch, die sicher vor allem darauf zurückzuführen war, dass William rechtschaffen müde wirkte. Da die Schulstunden ausfielen und die Nanny sich auf andere Aufgaben herausredete, hatte man das jüngste Dienstmädchen damit betraut, im Garten mit ihm zu spielen. Das bewegliche kleine Ding hatte ihn beim Ballspiel ordentlich ins Schwitzen gebracht, zum Schluss aber wohlweislich gewinnen lassen. Jetzt war er folglich ruhig und zufrieden.

Auch Helen redete sich auf Müdigkeit heraus, um sich um weiteres Geplauder nach dem Essen herumzudrücken. Meist verbrachte sie aus Höflichkeitsgründen noch eine halbe Stunde mit den Greenwoods vor dem Kamin und arbeitete an irgendeiner Stickerei, während Mrs. Greenwood von ihren endlosen Komitee-Sitzungen berichtete. Heute zog sie sich jedoch gleich zurück und nestelte schon auf dem Weg in ihre Unterkunft den Brief aus der Tasche. Schließlich nahm sie feierlich in ihrem Schaukelstuhl Platz, dem einzigen Möbel, das sie aus ihrem Vaterhaus mit nach London gebracht hatte, und entfaltete das Schreiben.

Schon als Helen die ersten Worte las, wurde ihr warm ums Herz.

*Überaus verehrte Lady,*

*ich wage kaum, das Wort an Sie zu richten, so unfassbar ist es für mich, dass ich Ihre geschätzte Aufmerksamkeit erwecken darf. Der Weg, den ich dazu wähle, ist sicher unkonventionell, aber ich lebe in einem noch jungen Land, in dem wir die alten Bräuche zwar hoch-*

*halten, mitunter aber neue und außergewöhnliche Lösungen finden müssen, wenn ein Problem an unseren Herzen zerrt. In meinem Fall ist es eine tief empfundene Einsamkeit und eine Sehnsucht, die mich oft nicht schlafen lässt. Zwar bewohne ich ein behagliches Haus, doch was ihm fehlt, ist die Wärme, die nur von einer weiblichen Hand geschaffen werden kann. Das Land um mich herum ist von unendlicher Schönheit und Weite, doch all dieser Pracht scheint der Mittelpunkt zu fehlen, der Licht und Liebe in mein Leben bringt. Kurz und gut, ich träume von einem Menschen, der mein Dasein mit mir teilen möchte, der an meinen Erfolgen beim Aufbau meiner Farm teilhat, der aber auch bereit ist, mir zu helfen, Rückschläge zu ertragen. Ja, ich sehne mich nach einer Frau, die bereit wäre, ihr Schicksal mit dem meinen zu verbinden. Ob Sie diese Frau sein könnten? Ich bete zu Gott um ein liebendes weibliches Wesen, dessen Herz meine Worte erweichen können. Doch Sie möchten sicher mehr von mir wissen, als bloß einen Einblick in meine Gedanken und Sehnsüchte zu bekommen. Nun, mein Name ist Howard O'Keefe, und wie Sie dem Namen schon entnehmen, habe ich irische Wurzeln. Aber das ist lange her. Ich kann die Jahre kaum noch zählen, die ich fern der Heimat durch eine oft feindliche Welt treibe. Ich bin kein unerfahrener Jüngling mehr, meine Liebe. Ich habe viel erlebt und auch erlitten. Aber nun habe ich hier auf den Canterbury Plains, in den Ausläufern der Neuseeländischen Alpen, eine Heimat gefunden. Meine Farm ist klein, aber die Schafzucht in diesem Land hat Zukunft, und ich bin sicher, dass ich eine Familie ernähren kann. Die Frau an meiner Seite wünsche ich mir lebensklug und herzlich, geschickt in allen Dingen des Haushalts und willig, unsere Kinder nach christlichen Grundsätzen zu erziehen. Ich werde sie dabei nach bestem Wissen und Gewissen unterstützen, mit der ganzen Kraft eines liebenden Gatten.*

*Könnte es sein, meine verehrte Leserin, dass Sie einen Teil dieser Wünsche und Sehnsüchte teilen? Dann schreiben Sie mir! Ich werde jedes Ihrer Worte aufsaugen wie Wasser in der Wüste, und schon für das Entgegenkommen, diese meine Worte zu lesen, behalten Sie auf ewig einen Platz in meinem Herzen.*

*Ihr untertänigst ergebener*
*Howard O'Keefe*

Nach der Lektüre hatte Helen Tränen in den Augen. Wie wundervoll dieser Mann schreiben konnte! Wie genau er das ausdrückte, was auch Helen so oft bewegte! Auch ihr fehlte ja dieser Mittelpunkt des Lebens. Auch sie wollte sich irgendwo wirklich zu Hause fühlen, eine eigene Familie besitzen und ein Heim, das sie nicht nur für andere verwaltete, sondern dem sie selbst Gestalt und Gesicht verlieh. Gut, sie hatte dabei nicht unbedingt an eine Farm gedacht, eher an einen Stadthaushalt. Doch kleine Kompromisse musste man immer eingehen, gerade wenn man sich auf ein solches Abenteuer einließ. Und in Mortimers Landhaus hatte sie sich ja durchaus wohl gefühlt. Es war sogar nett gewesen, wenn Mrs. Mortimer morgens lachend in den Salon kam, ein Körbchen mit frischen Eiern und einen Strauß bunter Gartenblumen in der Hand. Helen, die meist früh aufstand, hatte ihr dann geholfen, den Frühstückstisch zu decken und die frische Butter und rahmige Milch von Mortimers eigenen Kühen genossen. Auch Mr. Mortimer hatte einen guten Eindruck erweckt, wenn er dann von seinem Morgenritt über die Felder zurückkam, frisch und hungrig von der kühlen Luft, gebräunt von der Sonne. So lebhaft und attraktiv stellte Helen sich auch ihren Howard vor. Ihren Howard! Wie das klang! Wie sich das anfühlte! Helen tanzte fast durch ihre winzige Stube. Ob sie den Schaukelstuhl mit in die neue Heimat nehmen dürfte? Es wäre aufregend, eines Tages ihren Kindern von diesem Augenblick zu erzählen, in dem die Worte ihres Vaters Helen zum ersten Mal erreicht und gleich an ihr Innerstes gerührt hatten...

*Sehr verehrter Mr. O'Keefe,*

*voller Freude und Herzenswärme habe ich heute Ihre Zeilen gelesen. Auch ich habe den Weg zu unserer Bekanntschaft nur zögernd eingeschlagen, doch Gott wird wissen, weshalb er zwei Menschen zueinander führt, die Welten voneinander entfernt leben. Beim Lesen Ihres Briefes schienen mir die Meilen, die uns trennen, allerdings immer schneller zusammenzuschmelzen. Kann es sein, dass wir uns in unseren Träumen schon unendlich oft begegnet sind? Oder sind es nur gemeinsame Erfahrungen und Sehnsüchte, die uns einander nahe scheinen lassen? Auch ich bin kein kleines Mädchen mehr, wurde ich durch den Tod meiner Mutter doch früh gezwungen, Verantwortung zu übernehmen. So bin ich mit der Führung eines großen Haushalts durchaus vertraut. Ich habe meine Geschwister aufgezogen und bin heute in einem Londoner Herrenhaus als Erzieherin in Stellung. Das alles beschäftigt mich viele Stunden am Tag, aber des Nachts spüre ich doch die Leere in meinem Herzen. Ich lebe in einem geschäftigen Haushalt, einer lauten und bevölkerten Stadt, fühlte mich trotz allem aber zur Einsamkeit verdammt, bis mich Ihr Ruf nach Übersee ereilte. Noch bin ich mir unsicher, ob ich es wagen soll, ihm zu folgen. Noch möchte ich mehr wissen über das Land und Ihre Farm, vor allem aber über Sie, Howard O'Keefe! Ich wäre glücklich, wenn wir unsere Korrespondenz fortführen könnten. Wenn auch Sie das Gefühl hätten, in mir eine verwandte Seele erkannt zu haben. Wenn auch Sie beim Lesen meiner Zeilen einen Anflug jener Wärme und Geborgenheit spürten, die ich spenden möchte – einem liebenden Gatten und, so Gott will, einer Schar prächtiger Kinder in Ihrem jungen neuen Land!*

*Vorerst verbleibe ich voller Zuversicht*
*Ihre Helen Davenport*

Helen hatte ihren Brief gleich am nächsten Morgen zur Post gegeben, und wider allen besseren Wissens klopfte ihr Herz schon Tage danach schneller, wann immer sie den Postboten vor dem Haus sah. Sie konnte es dann kaum erwarten, den morgendlichen Unterricht zu beenden und in den Salon zu eilen, wo die Hausdame jeden Morgen die Post für die Familie und auch für Helen auslegte.

»Sie brauchen sich nicht so abzuhetzen, er kann noch nicht geschrieben haben«, bemerkte George eines Morgens, drei Wochen später, als Helen wieder einmal mit rotem Gesicht und fahrigen Bewegungen die Bücher zuschlug, kaum dass sie den Briefträger durch das Fenster des Studierzimmers erspähte. »Ein Schiff nach Neuseeland ist bis zu drei Monaten unterwegs. Das bedeutet für den Postverkehr: drei Monate hin, drei Monate zurück. Falls der Empfänger sofort antwortet und das Schiff direkt zurücksegelt. Sie sehen, es kann ein halbes Jahr dauern, bis Sie von ihm hören.«

Sechs Monate? Helen hätte es selbst ausrechnen können; jetzt aber war sie doch erschrocken. Wie lange würde es angesichts dieser Zeitspannen dauern, bis sie mit Mr. O'Keefe zu irgendeiner Einigung gelangte? Und woher wusste George …?

»Wie kommst du auf Neuseeland, George? Und wer ist ›er‹?«, erkundigte sie sich streng. »Manchmal bist du impertinent! Ich werde dir eine Strafarbeit geben, die dich ausreichend beschäftigt.«

George lachte spitzbübisch. »Vielleicht lese ich ja Ihre Gedanken!«, meinte er frech. »Zumindest bemühe ich mich darum. Aber manches bleibt mir doch verborgen. Oh, ich wüsste zu gern, wer ›er‹ ist! Ein Offizier Ihrer Majestät in der Division von Wellington? Oder ein Schaf-Baron auf der Südinsel? Am besten wäre ein Kaufmann in Christchurch oder Dunedin. Dann könnte mein Vater Sie im Auge behalten, und ich würde immer wissen, wie es Ihnen geht. Aber ich sollte natürlich nicht neugierig sein, schon gar nicht bei so romantischen Dingen. Also geben Sie mir schon die Strafarbeit. Ich werde sie in Demut angehen und obendrein die Peitsche schwingen, damit auch William weiterschreibt. Dann haben Sie Zeit, hinauszugehen und nach der Post zu schauen.«

Helen war knallrot geworden. Aber sie musste ruhig bleiben.

»Deine Fantasie ist überreizt«, bemerkte sie. »Ich erwarte bloß einen Brief aus Liverpool. Eine Tante ist erkrankt …«

George grinste. »Übermitteln Sie ihr meine besten Genesungswünsche«, sagte er steif.

Tatsächlich ließ O'Keefes Antwort auch fast drei Monate nach dem Treffen mit Lady Brennan auf sich warten, und Helen war schon nahe daran, die Hoffnung aufzugeben. Stattdessen erreichte sie eine Nachricht von Reverend Thorne. Er bat Helen an ihrem nächsten freien Nachmittag zum Tee. Er habe, so ließ er ihr übermitteln, wichtige Dinge mit ihr zu besprechen.

Helen ahnte nichts Gutes. Wahrscheinlich ging es um John oder Simon. Wer wusste, was die wieder angestellt hatten! Womöglich war die Geduld ihres Dekans nun wirklich am Ende. Helen fragte sich, was aus ihren Brüdern werden sollte, falls man sie tatsächlich der Universität verwies. Beide hatten niemals körperlich gearbeitet. Es kam also nur eine Anstellung als Büroangestellter in Frage, anfangs wohl nur als Bürodiener. Und das würden beide ganz bestimmt als unter ihrer Würde betrachten. Helen wünschte sich wieder einmal weit fort. Warum schrieb dieser Howard nicht endlich? Und warum waren Schiffe so langsam, wo es doch schon Dampfer gab und man nicht mehr auf günstige Winde angewiesen war!

Der Reverend und seine Gattin empfingen Helen herzlich wie immer. Es war ein wunderschöner warmer Frühlingstag, und Mrs. Thorne hatte den Teetisch im Garten gedeckt. Helen atmete tief die Blumendüfte ein und genoss die Stille. Der

Park der Greenwoods war zwar viel weiträumiger und stilvoller angelegt als der winzige Garten des Reverends, doch hatte sie dort kaum eine ruhige Minute.

Mit den Thornes dagegen konnte man auch gut einmal schweigen. Gelassen genossen die drei ihren Tee und Mrs. Thornes Gurkensandwiches sowie die selbst gebackenen Törtchen. Dann aber kam der Reverend zur Sache.

»Helen, ich will ganz offen sprechen. Ich hoffe, Sie nehmen es mir nicht übel. Natürlich wird hier alles vertraulich behandelt, besonders die Gespräche zwischen Lady Brennan und ihren jungen ... Besucherinnen. Aber Linda und ich wissen natürlich, worum es geht. Und wir hätten schon blind sein müssen, wenn Ihr Besuch bei Lady Brennan uns entgangen wäre.«

Helens Gesicht wurde abwechselnd rot und blass. Darüber also wollte der Reverend reden. Sicher war er der Meinung, dass sie Schande über das Andenken ihres Vaters brächte, wenn sie ihre Familie verließ und ihre Existenz aufgab, um sich auf ein Abenteuer mit einem Unbekannten einzulassen.

»Ich ...«

»Helen, wir sind nicht die Wächter über Ihr Gewissen«, sagte Mrs. Thorne freundlich und legte ihr beruhigend die Hand auf den Arm. »Ich kann sogar sehr gut verstehen, was eine junge Frau zu diesem Schritt treibt, und wir lehnen Lady Brennans Engagement ja auch keineswegs ab. Der Reverend würde ihr sonst kaum seine Amtsräume zur Verfügung stellen.«

Helen fasste sich ein wenig. Also keine Standpauke? Aber was wollten die Thornes dann von ihr?

Beinahe widerstrebend ergriff der Reverend jetzt wieder das Wort. »Ich weiß, dass meine nächste Frage beschämend indiskret ist, und ich wage es kaum, sie zu stellen. Nun, Helen, hat Ihre ... äh, Bewerbung bei Lady Brennan schon etwas ergeben?«

Helen biss sich auf die Lippen. Warum, um Himmels willen, wollte der Reverend das wissen? War ihm irgendetwas über Howard O'Keefe bekannt, das sie wissen musste? War sie – Gott helfe ihr! – einem Betrüger aufgesessen? Über eine solche Schande würde sie niemals hinwegkommen!

»Ich habe auf einen Brief geantwortet«, sagte sie steif. »Ansonsten hat sich weiter nichts getan.«

Der Reverend überschlug kurz die Zeit zwischen der Anzeige und dem heutigen Datum. »Natürlich nicht, Helen, das wäre auch so gut wie unmöglich. Zum einen hätten sich mehr als günstige Winde für die Überfahrt ergeben müssen, zum anderen hätte der junge Mann praktisch am Pier aufs Schiff warten und seinen Brief gleich dem nächsten Kapitän mitgeben müssen. Der normale Postweg geht viel langsamer, glauben Sie mir. Ich stehe in regelmäßigem Briefwechsel mit einem Amtsbruder in Dunedin.«

»Aber ... aber wenn Sie das wissen, was wollen Sie dann?«, brach es aus Helen heraus. »Falls sich zwischen mir und Mr. O'Keefe wirklich etwas ergibt, kann es ein Jahr und länger dauern. Vorerst ...«

»Wir dachten daran, die Sache vielleicht ein wenig zu beschleunigen«, brachte Mrs. Thorne, die deutlich praktischer veranlagte Hälfte des Ehepaares, die Sache auf den Punkt. »Was der Reverend eigentlich fragen wollte ... konnte der Brief dieses Mr. O'Keefe Ihr Herz rühren? Könnten Sie sich wirklich vorstellen, um dieses Mannes willen eine solche Reise zu machen und alle Brücken hinter sich abzubrechen?«

Helen zuckte die Achseln. »Der Brief war wunderschön«, bekannte sie und konnte nicht verhindern, dass ein Lächeln um ihre Lippen spielte. »Ich lese ihn immer wieder, jede Nacht. Und ja, ich könnte mir vorstellen, in Übersee ein neues Leben anzufangen. Es ist meine einzige Chance auf eine Familie. Und ich hoffe inständig, dass Gott mich leitet ... dass er es war, der mich diese Anzeige lesen ließ ... dass er mich gerade diesen Brief empfangen ließ und nicht irgendeinen anderen.«

Mrs. Thorne nickte. »Vielleicht steuert Gott die Dinge wirklich in Ihrem Sinne, Kind«, sagte sie sanft. »Mein Gatte hätte Ihnen nämlich einen Vorschlag zu machen.«

Helen wusste nicht, ob sie vor Freude tanzen oder aus Angst vor der eigenen Courage die Schultern einziehen sollte, als sie die Thornes eine Stunde später verließ und den Weg zu den Greenwoods einschlug. Tief in ihrem Innern brodelte es vor Aufregung, denn eins stand nun fest: Zurück konnte sie nicht mehr. In ungefähr acht Wochen ging ihr Schiff nach Neuseeland.

»Es geht um die Waisenmädchen, die Mrs. Greenwood und ihr Komitee unbedingt nach Übersee schicken wollen.« Helen hatte Reverend Thornes Erklärung noch wörtlich im Sinn. »Es sind halbe Kinder – das älteste dreizehn, das jüngste gerade mal elf. Die Mädchen fürchten sich schon halb zu Tode, wenn sie nur daran denken, hier in London eine Stelle anzutreten. Und nun sollen sie gar nach Neuseeland verschickt werden, zu wildfremden Leuten! Außerdem haben die Jungs im Waisenhaus natürlich nichts Besseres zu tun, als die armen Mädchen zu necken. Sie reden den ganzen Tag von Schiffsuntergängen und Piraten, die Kinder verschleppen. Die Kleinste ist fest davon überzeugt, demnächst im Magen irgendwelcher Kannibalen zu landen, und die Größte spinnt davon, dass man sie als Gespielin eines Sultans in den Orient verkaufen könnte.«

Helen lachte, aber die Thornes blieben ernst.

»Auch wir finden das komisch, aber die Mädchen glauben daran«, sagte Mrs. Thorne seufzend. »Mal ganz abgesehen davon, dass die Überfahrt alles andere als gefahrlos ist. Die Route nach Neuseeland wird nach wie vor ausschließlich von

Segelschiffen befahren, weil die Strecke für Dampfer zu weit ist. Also ist man auf günstigen Wind angewiesen, es kann zu Meutereien kommen, zu Bränden, Epidemien ... Ich kann sehr gut verstehen, dass die Kinder sich fürchten. Sie steigern sich mit jedem Tag, den die Abreise näher rückt, mehr in ihre Hysterie hinein. Die Älteste hat schon um die letzte Ölung vor der Abreise gebeten. Die Damen vom Komitee bekommen natürlich nichts davon mit. Die wissen gar nicht, was sie den Kindern antun. Ich hingegen weiß es, und es belastet mein Gewissen.«

Der Reverend nickte. »Meines nicht minder. Deshalb habe ich den Damen ein Ultimatum gestellt. Das Heim gehört de facto der Gemeinde, das heißt, nominell bin ich der Vorsteher. Die Damen brauchen also meine Zustimmung, um die Kinder zu verschicken. Diese Zustimmung habe ich davon abhängig gemacht, eine Aufsichtsperson mitzuschicken. Und da kommen Sie ins Spiel, Helen. Ich habe den Damen vorgeschlagen, eine der heiratswilligen jungen Frauen, die Christchurch ja auch anfordert, auf Gemeindekosten reisen zu lassen. Dafür übernimmt die betreffende junge Dame die Betreuung der Mädchen. Eine entsprechende Spende ist schon eingegangen, der Betrag wäre gesichert.«

Mrs. Thorne und der Reverend blickten Helen Beifall heischend an. Helen dachte an Mr. Greenwood, der schon vor Wochen eine ähnliche Idee gehabt hatte, und fragte sich, wer wohl der Spender war. Aber letztlich war das egal. Andere Fragen erschienen ihr erheblich drängender!

»Und diese Betreuerin soll ich sein?«, meinte sie unschlüssig. »Aber ich ... wie gesagt, ich habe noch nichts von Mr. O'Keefe gehört ...«

»Das geht den anderen Bewerberinnen nicht anders, Helen«, bemerkte Mrs. Thorne. »Außerdem sind fast alle blutjung, kaum älter als ihre kleinen Zöglinge. Erfahrung mit Kindern hat höchstens eine, die angeblich als Nanny arbeitet.

Wobei ich mich frage, welche gute Familie eine kaum Zwanzigjährige als Kinderfrau beschäftigt! Überhaupt erscheinen mir einige dieser Mädchen von ... nun, eher zweifelhaftem Ruf. Lady Brennan ist sich auch noch keineswegs schlüssig, ob sie allen Bewerberinnen ihren Segen erteilt. Sie dagegen sind eine gefestigte Persönlichkeit. Ich habe keinerlei Bedenken, Ihnen die Kinder anzuvertrauen. Und das Risiko ist gering. Selbst wenn es zu keiner Eheschließung kommt – eine junge Frau mit Ihren Qualifikationen wird sofort eine neue Stellung finden.«

»Sie würden zunächst bei meinem Amtsbruder in Christchurch Unterkunft finden«, erklärte Reverend Thorne. »Ich bin sicher, er kann Ihnen zu einer Anstellung in gutem Hause verhelfen, fall Mr. O'Keefe sich doch nicht als der ... nun, Ehrenmann entpuppt, der er zu sein scheint. Sie müssen sich nur noch entscheiden, Helen. Wollen Sie England wirklich verlassen, oder war die Idee mit der Auswanderung doch nur eine Ausgeburt Ihrer Fantasie? Wenn Sie jetzt Ja sagen, reisen Sie am 18. Juli mit der *Dublin* von London nach Christchurch. Wenn nicht ... nun, dann hat dieses Gespräch nie stattgefunden.«

Helen holte tief Luft.

»Ja«, sagte sie.

# 4

Gwyneira reagierte nicht halb so entsetzt auf Gerald Wardens ungewöhnliche Brautwerbung, wie ihr Vater befürchtet hatte. Nachdem ihre Mutter und ihre Schwester allein auf eine Andeutung hin, das Mädchen nach Neuseeland zu verheiraten, mit hysterischen Anfällen reagiert hatten – wobei sie sich nicht ganz schlüssig schienen, ob die Mesalliance mit dem bürgerlichen Lucas Warden oder die Verbannung in die Wildnis das schlimmere Schicksal wären –, hatte Lord Silkham auch bei Gwyneira mit Tränen und Jammern gerechnet. Das Mädchen schien allerdings eher belustigt, als Lord Terence ihr die Sache mit dem verhängnisvollen Kartenspiel gestand.

»Du musst natürlich nicht gehen!«, schwächte er denn auch gleich ab. »So etwas ist ja gegen alle guten Sitten. Aber ich habe Mr. Warden versprochen, sein Angebot wenigstens in Erwägung zu ziehen …«

»Na, na, Vater!«, tadelte Gwyneira und drohte ihm lachend mit dem Finger. »Spielschulden sind Ehrenschulden! Da kommst du nicht so einfach raus. Zumindest müsstest du ihm meinen Gegenwert in Gold anbieten – oder noch ein paar Schafe. Die nimmt er vielleicht sogar lieber. Versuch es doch mal!«

»Gwyneira, du musst das Ganze schon ernst nehmen!«, mahnte ihr Vater. »Es versteht sich wohl von selbst, dass ich bereits versucht habe, dem Mann die Sache auszureden …«

»Ja?«, fragte Gwyneira neugierig. »Wie viel hast du geboten?«

Lord Terence knirschte mit den Zähnen. Das war eine hässliche Angewohnheit, er wusste es, doch Gwyneira trieb ihn immer wieder zur Verzweiflung.

»Ich habe natürlich gar nichts geboten. Ich habe an Wardens Verständnis und Ehrgefühl appelliert. Aber diese Eigenschaften scheinen bei ihm nicht allzu stark ausgeprägt zu sein ...« Silkham wand sich sichtlich.

»Also willst du mich ohne jeden Skrupel mit dem Sohn eines Gauners verheiraten!«, stellte Gwyneira erheitert fest. »Aber mal ernsthaft, Vater: Was soll ich deiner Meinung nach tun? Den Antrag ablehnen? Oder widerstrebend annehmen? Soll ich würdevoll tun oder demütig? Weinen oder schreien? Vielleicht könnte ich flüchten! Das wäre überhaupt die ehrenhafteste Lösung. Wenn ich bei Nacht und Nebel verschwinde, bist du aus der Sache raus!« Gwyneiras Augen blitzten bei dem Gedanken an so ein Abenteuer. Noch lieber als allein wegzulaufen hätte sie sich allerdings entführen lassen ...

Silkham ballte die Fäuste. »Gwyneira, ich weiß es doch auch nicht! Natürlich wäre es mir peinlich, wenn du ablehntest. Aber es ist mir genauso peinlich, wenn du dich nun verpflichtet fühlst. Und ich würde mir nie verzeihen, wenn du dort drüben unglücklich würdest. Deshalb bitte ich dich ... na ja, vielleicht kannst du den Antrag ... wie soll ich sagen, wohlwollend prüfen?«

Gwyneira zuckte die Schultern. »Na gut. Dann prüfen wir mal. Aber dazu müssen wir meinen möglichen Schwiegervater wohl herholen, nicht wahr? Und Mutter vielleicht auch ... oder nein, das halten ihre Nerven nicht aus. Mutter bringen wir es hinterher bei. Also, wo ist Mr. Warden?«

Gerald Warden hatte in einem Nebenzimmer gewartet. Er fand die Ereignisse, die sich an diesem Tag im Hause Silkham abspielten, recht unterhaltsam. Lady Sarah und Lady Diana hatten zusammen schon sechs Mal um ihr Riechfläschchen gebeten; außerdem klagten sie abwechselnd über nervöse Unruhe und Schwächegefühl. Die Zofen kamen aus der Aufregung kaum heraus. Derzeit ruhte Lady Silkham mit einem Eisbeutel auf der Stirn in ihrem Salon, während Lady Riddleworth ihren Gatten im Gästezimmer anflehte, irgendetwas zu Gwyneiras Rettung zu tun, und sei es, Warden zu fordern. Der Oberst zeigte verständlicherweise wenig Neigung dazu. Er strafte den Neuseeländer lediglich mit Verachtung und schien ansonsten nichts inniger zu wünschen, als das Haus seiner Schwiegereltern baldmöglichst zu verlassen.

Gwyneira selbst nahm die Sache offensichtlich gelassen auf. Silkham hatte sich zwar geweigert, Warden gleich beim Gespräch mit ihr hinzuzuziehen, doch einen Temperamentsausbruch des lebhaften Mädchens hätte man wohl auch nebenan kaum überhört. Als Warden nun ins Herrenzimmer gerufen wurde, fand er Gwyneira denn auch tränenlos, aber mit glänzenden Wangen. Genauso etwas hatte er gehofft: Für Gwyneira kam sein Antrag zwar überraschend, aber sie war sicher nicht abgeneigt. Gespannt richtete sie ihre faszinierend blauen Augen auf den Mann, der auf so ungewöhnliche Weise um sie geworben hatte.

»Gibt es vielleicht ein Bild oder so?« Gwyneira hielt sich nicht mit Vorgeplänkel auf, sondern kam gleich zur Sache. Warden fand sie heute genauso entzückend wie gestern. Ihr schlichter blauer Rock betonte ihre schlanke Figur, die Rüschenbluse ließ sie erwachsener wirken, doch mit dem Aufstecken ihrer prachtvollen roten Mähne hatte sie sich diesmal keine Mühe gemacht. Ihre Zofe hatte nur zwei Strähnen mit einem blauen Samtband am Hinterkopf zusammengebunden, um ihrer Herrin das Haar aus dem Gesicht zu halten. Ansonsten fiel es lockig und offen bis tief über Gwyneiras Rücken.

»Ein Bild?«, fragte Gerald Warden verblüfft. »Na ja ... Lagepläne ... Eine Zeichnung hätte ich da, weil ich einige Details des Hauses noch mit einem englischen Architekten besprechen wollte ...«

Gwyneira lachte auf. Sie wirkte kein bisschen erschüttert oder auch nur verängstigt. »Doch nicht von Ihrem Haus, Mr. Warden! Von Ihrem Sohn! Von ... äh, Lucas. Haben Sie nicht eine Daguerreotypie oder Fotografie?«

Gerald Warden schüttelte den Kopf. »Bedaure, Mylady. Aber Lucas wird Ihnen gefallen. Meine verstorbene Frau war eine Schönheit, und alle sagen, Lucas sei ihr wie aus dem Gesicht geschnitten. Und er ist groß, größer als ich, aber von schmalerer Gestalt. Er hat aschblondes Haar, graue Augen ... und er ist sehr gut erzogen, Lady Gwyneira! Hat mich ein Vermögen gekostet, einen Privatlehrer aus England nach dem anderen ... Manchmal meine ich, wir hätten es da ein wenig ... äh, übertrieben. Lucas ist ... nun, die Gesellschaft ist jedenfalls entzückt von ihm. Und Kiward Station wird Ihnen ebenfalls gefallen, Gwyneira! Das Haus ist nach englischen Vorbildern erbaut. Nicht die üblichen Holzhütten, nein, ein Herrenhaus, errichtet aus grauem Sandstein. Alles vom Feinsten! Und die Möbel lasse ich aus London kommen, von den besten Tischlereien. Ich habe extra einen Dekorateur mit der Auswahl betraut, um ja nichts falsch zu machen. Sie werden nichts vermissen, Mylady! Natürlich ist das Personal nicht so gut geschult wie Ihre hiesigen Zofen, aber unsere Maoris sind willig und lassen sich anlernen. Wir können auch gern einen Rosengarten anlegen, wenn Sie möchten ...«

Er hielt inne, als Gwyneira das Gesicht verzog. Der Rosengarten schien sie eher abzuschrecken.

»Könnte ich Cleo mitbringen?«, erkundigte sich das Mädchen. Die kleine Hündin hatte still unter dem Tisch gelegen, hob jetzt aber den Kopf, als sie ihren Namen hörte. Mit dem Gerald nun schon bekannten, anbetenden Collie-Blick sah sie zu Gwyneira auf.

»Und Igraine auch?«

Gerald Warden überlegte kurz, bevor ihm einfiel, dass Gwyneira von ihrer Stute sprach.

»Gwyneira, doch nicht das Pferd!«, mischte Lord Silkham sich grimmig ein. »Du benimmst dich wie ein Kind! Hier geht es um deine Zukunft, und du machst dir nur Gedanken um dein Spielzeug!«

»Du betrachtest meine Tiere als Spielzeuge?«, fuhr Gwyneira auf, sichtlich gekränkt von der Bemerkung ihres Vaters. »Einen Hütehund, der jeden Wettbewerb gewinnt, und das beste Jagdpferd von Powys?«

Gerald Warden sah seine Chance. »Mylady, Sie können alles mitbringen, was Sie sich wünschen!«, begütigte er und ergriff damit Gwyneiras Partei. »Die Stute wird eine Zierde meiner Ställe sein. Allerdings sollten wir darüber nachdenken, dann auch noch einen passenden Hengst zu erwerben. Und die Hündin ... nun, Sie wissen ja, dass ich gestern schon Interesse angemeldet habe.«

Gwyneira wirkte immer noch erzürnt, doch sie beherrschte sich jetzt eisern und schaffte es sogar, zu scherzen.

»Das also steckt dahinter«, bemerkte sie mit einem spitzbübischen Lächeln, aber ziemlich kalten Augen. »Diese ganze Brautwerbung zielt nur darauf, meinem Vater den preisgekrönten Hütehund abzuluchsen. Nun verstehe ich. Aber ich werde Ihren Antrag dennoch wohlwollend prüfen. Womöglich bin ich Ihnen ja mehr wert als ihm. Zumindest scheinen Sie, Mr. Warden, ein Reitpferd von einem Spielzeug unterscheiden zu können. Erlauben Sie jetzt bitte, dass ich mich zurückziehe. Und du entschuldigst mich ebenfalls, Vater. Ich muss über das alles nachdenken. Wir sehen uns beim Tee, denke ich.«

Gwyneira rauschte hinaus, immer noch von unbestimmter, aber glühender Wut erfüllt. Ihre Augen füllten sich jetzt auch mit Tränen, aber das würde sie niemanden sehen lassen. Wie immer, wenn sie zornig war und Rachepläne schmiedete, schickte sie ihre Zofe fort, kauerte sich in die hinterste Ecke ihres Himmelbettes und zog die Vorhänge zu. Cleo vergewisserte sich noch, dass die Bedienstete wirklich verschwunden war. Dann schlüpfte sie durch eine Falte und schmiegte sich tröstend an ihre Herrin.

»Jetzt wissen wir jedenfalls, was mein Vater von uns hält«, bemerkte Gwyneira und kraulte Cleos weiches Fell. »Du bist bloß ein Spielzeug, und ich bin ein Einsatz beim Black Jack.«

Vorhin, als ihr Vater damit herausgerückt war, hatte sie die Sache mit dem Spieleinsatz gar nicht als so schlimm empfunden. Eigentlich war es eher erheiternd, dass auch ihr Vater einmal derart über die Stränge schlug, und sicher war diese Brautwerbung nicht allzu ernst gemeint. Andererseits – sehr recht wäre es Lord Silkham wohl auch nicht gewesen, hätte Gwyneira sich jetzt einfach geweigert, Wardens Vorschlag zur Kenntnis zu nehmen! Mal ganz abgesehen davon, dass ihr Vater ohnehin ihre Zukunft verspielt hatte; schließlich hatte Warden die Schafe gewonnen, ob mit oder ohne Gwyneira! Und der Erlös der Herde wäre ihre Mitgift gewesen. Nun hätte Gwyneira nicht auf einer Ehe bestanden. Im Gegenteil, eigentlich gefiel es ihr gut auf Silkham Manor, und am liebsten hätte sie eines Tages die Leitung der Farm übernommen. Sie hätte es mit Sicherheit besser gemacht als ihr Bruder, den am ländlichen Leben eigentlich nur die Jagd und gelegentliche Point-to-Point-Rennen interessierten. Als Kind hatte Gwyneira sich diese Zukunft gern in leuchtenden Farben ausgemalt: Sie wollte mit ihrem Bruder auf der Farm leben und sich um alles kümmern, während John Henry seinen Vergnügungen nachging. Damals hatten beide Kinder das für eine gute Idee gehalten.

»Ich werde Rennreiter!«, hatte John Henry erklärt. »Und züchte Pferde!«

»Und ich kümmere mich um die Schafe und Ponys!«, eröffnete Gwyneira ihrem Vater.

Solange die Kinder klein waren, hatte Lord Silkham darüber gelacht und seine Tochter »meine kleine Verwalterin« genannt. Aber je älter die Kinder wurden, je respektvoller die Farmarbeiter von Gwyneira sprachen und je öfter Cleo John Henrys Hütehund bei Wettbewerben schlug, desto weniger gern sah Silkham seine Tochter in den Ställen.

Und heute hatte er behauptet, dass er ihre Arbeit dort als Spielerei betrachtete! Wütend zerknüllte Gwyneira ihr Kissen. Aber dann kam sie ins Grübeln. Hatte Lord Silkham das wirklich so gemeint? War es nicht eher so, dass er Gwyneira als Konkurrenz für seinen Sohn und Erben ansah? Zumindest als Ärgernis und Hemmnis bei seiner Einarbeitung als künftiger Gutsherr? Wenn das der Fall war, hatte sie auf Silkham Manor ganz sicher keine Zukunft! Ob mit oder ohne Mitgift, spätestens bevor ihr Bruder im nächsten Jahr vom College abging, würde ihr Vater sie verheiraten. Ihre Mutter drängte ohnehin darauf; sie konnte es gar nicht erwarten, ihre wilde Tochter endgültig vor den Kamin und an den Stickrahmen zu verbannen. Und angesichts ihrer finanziellen Lage konnte Gwyneira keine Ansprüche stellen. Ganz sicher fand sich kein junger Lord mit einem vergleichbaren Anwesen wie Silkham Manor! Sie musste froh sein, wenn ein Mann wie Oberst Riddleworth für sie abfiel. Und womöglich lief es sogar auf einen Stadthaushalt hinaus, die Ehe mit irgendeinem zweiten oder dritten Sohn einer Adelsfamilie, der sich in Cardiff als Arzt oder Anwalt durchschlug. Gwyneira dachte an tägliche Teegesellschaften, an Sitzungen der Wohltätigkeitskomitees ... und schüttelte sich.

Aber da war ja noch die Brautwerbung des Gerald Warden!

Bislang hatte sie die Reise nach Neuseeland nur als Gedankenspiel gesehen. Ganz reizvoll, aber völlig unmöglich! Allein der Gedanke, sich mit einem Mann auf der anderen Seite der Erde zu verbinden – einem Mann, den zu beschreiben sein eigener Vater nicht mehr als zwanzig Worte fand –, erschien ihr abwegig. Jetzt aber dachte sie ernsthaft an Kiward Station. Eine Farm, auf der sie die Herrin sein würde, eine Pionierfrau wie in den Groschenheftchen! Bestimmt übertrieb Warden mit der Schilderung seiner Salons und der Pracht seines Herrenhauses. Schließlich wollte er bei ihren Eltern einen guten Eindruck machen. Wahrscheinlich war der Farmbetrieb noch im Aufbau. Es musste so sein, sonst brauchte Warden ja keine Schafe zu kaufen! Gwyneira würde Hand in Hand mit ihrem Gatten arbeiten. Sie konnte beim Eintreiben der Schafe helfen und einen Garten anlegen, in dem richtiges Gemüse wuchs statt langweiliger Rosen. Sie sah sich schon schwitzend hinter einem Pflug gehen, den ein starker Cob-Hengst über gerade erst urbar gemachtes Land zog.

Und Lucas ... nun, der war zumindest jung und angeblich gut aussehend. Viel mehr konnte sie kaum verlangen. Auch bei einer Verheiratung in England hätte Liebe schließlich kaum eine Rolle gespielt.

»Was hältst du von Neuseeland?«, fragte sie ihre Hündin und kitzelte deren Bauch. Cleo sah sie verzückt an und schenkte ihr ein Collie-Lächeln.

Gwyneira lächelte zurück.

»Na, also! Einstimmig angenommen!«, kicherte sie. »Das heißt ... Igraine müssen wir noch fragen. Aber wetten, dass sie Ja sagt, wenn ich ihr von dem Hengst erzähle?«

Die Auswahl von Gwyneiras Aussteuer gestaltete sich zu einem langen, zähen Ringen zwischen dem Mädchen und Lady Silkham. Nachdem die Lady sich von ihren zahlreichen Ohnmachtsanfällen nach Gwyneiras Entscheidung erholt hatte, machte sie sich mit dem üblichen Eifer an die Vorbereitung der Hochzeit. Wobei sie natürlich endlos und wortreich bedauerte, dass dieses Ereignis diesmal nicht auf Silkham Manor stattfinden konnte, sondern irgendwo »in der Wildnis«. Immerhin trafen Gerald Wardens lebhafte Beschreibungen seines Herrenhauses in den Canterbury Plains bei ihr auf deutlich mehr Beifall als bei ihrer Tochter. Außerdem trug es zu ihrer Erleichterung bei, dass Gerald an allen Fragen der Aussteuer lebhaft Anteil nahm.

»Selbstverständlich braucht Ihre Tochter ein prächtiges Hochzeitskleid!«, erklärte er zum Beispiel, nachdem Gwyneira den Traum aus weißen Rüschen und meterlanger Schleppe gerade mit den Worten abgelehnt hatte, sie würde sicher zur Trauung reiten müssen, und da störe dieser Staat doch nur.

»Wir werden die Feier entweder in der Kirche in Christchurch zelebrieren, oder, was mir persönlich lieber wäre, im Rahmen einer häuslichen Zeremonie auf meiner Farm. In ersterem Fall wäre die Trauung als solche natürlich festlicher, für den anschließenden Empfang aber würden angemessene Räume und geschultes Personal nur schwer anzumieten sein. Insofern hoffe ich, Reverend Baldwin zu einem Besuch auf Kiward Station überreden zu können. Da kann ich die Gäste in einem stilvolleren Rahmen bewirten. Illustre Gäste, versteht sich. Der Generalleutnant wird zugegen sein, führende Vertreter der Krone, der Kaufmannschaft ... die gesamte bessere Gesellschaft von Canterbury. Gwyneiras Kleid kann deshalb gar nicht kostbar genug sein. Du wirst wunderschön aussehen, mein Kind!«

Gerald klopfte Gwyneira leicht auf die Schulter und verzog sich dann, um mit Lord Silkham die Verschickung der Pferde und Schafe zu besprechen. Die beiden Männer hatten sich gleichermaßen zufrieden darauf geeinigt, das verhängnisvolle Kartenspiel nie wieder zu erwähnen. Lord Silkham sandte die Schafherde und die Hunde als Gwyneiras Mitgift nach Übersee, während Lady Silkham die Verlobung mit Lucas Warden als äußerst passende Verbindung mit einer der ältesten Familien Neuseelands darstellte. Und das stimmte tatsächlich: Die Eltern von Lucas' Mutter hatten zu den allerersten Siedlern auf der Südinsel gehört. Falls in den Salons trotzdem darüber getuschelt wurde, kam es der Lady und ihren Töchtern zumindest nicht zu Ohren.

Gwyneira wäre es auch egal gewesen. Die schleppte sich ohnehin nur lustlos zu den vielen Teegesellschaften, in denen ihre angeblichen »Freundinnen« ihre Auswanderung doppelzüngig als »aufregend« bejubelten, um dann von ihren eigenen künftigen Gatten in Powys oder gar in der Stadt zu schwärmen. Stand einmal kein Besuch an, beharrte Gwyns Mutter darauf, dass sie Stoffproben begutachtete und anschließend stundenlang Modell für die Schneiderinnen stand. Lady Silkham ließ ihr Fest- und Nachmittagskleider anmessen, sorgte sich um elegante Reisekleidung und konnte kaum glauben, dass Gwyneira in den ersten Monaten in Neuseeland eher leichte Sommersachen benötigen würde als Winterkleidung. Doch auf der anderen Seite der Erdkugel, wurde Gerald nicht müde ihr zu versichern, waren die Jahreszeiten nun einmal vertauscht.

Ansonsten musste er immer wieder vermitteln, wenn der Streit »weiteres Nachmittagskleid oder drittes Reitkleid« erneut eskalierte.

»Es kann doch nicht sein«, erregte sich Gwyneira, »dass ich in Neuseeland von einer Teegesellschaft zur anderen gereicht werde, wie in Cardiff! Sie haben gesagt, es wäre ein neues Land, Mr. Warden! Teilweise unerschlossen! Da brauche ich doch keine Seidenkleider!«

Gerald Warden lächelte beiden Kontrahentinnen zu. »Miss Gwyneira, Sie werden auf Kiward Station den gleichen gesellschaftlichen Rahmen vorfinden wie hier, machen Sie sich keine Sorgen«, begann er, obwohl er natürlich wusste, dass es eher Lady Silkham war, die sich Gedanken darüber machte. »Allerdings sind die Entfernungen viel größer. Unser nächster Nachbar, mit dem wir gesellschaftlichen Verkehr pflegen, wohnt vierzig Meilen weit weg. Da besucht man sich nicht zum Nachmittagstee. Außerdem steckt der Straßenbau noch in den Kinderschuhen. Deshalb ziehen wir es vor, zum Besuch unserer Nachbarn zu reiten, statt eine Kutsche zu nehmen. Das heißt allerdings nicht, dass es bei unseren gesellschaftlichen Kontakten weniger zivilisiert zugeht. Sie müssen sich nur eher auf mehrtägige Besuche einrichten, denn Stippvisiten lohnen nicht, und selbstverständlich brauchen Sie auch dazu die angemessene Garderobe.

Ich habe übrigens unsere Schiffspassage gebucht. Wir reisen am 18. Juli mit der *Dublin* von London nach Christchurch. Einen Teil der Laderäume wird man für die Tiere vorbereiten. Möchten Sie heute Nachmittag mitreiten und sich den Hengst ansehen, Miss Gwyneira? Ich glaube, Sie sind in den letzten Tagen kaum aus dem Ankleidezimmer herausgekommen.«

Madame Fabian, Gwyneiras französische Gouvernante, machte sich vor allem Sorgen um den kulturellen Notstand in den Kolonien. Sie bedauerte in allen verfügbaren Sprachen, dass Gwyneira ihre musikalische Ausbildung nicht würde fortführen können, obwohl das Klavierspiel doch die einzige gesellschaftlich anerkannte Tätigkeit war, für die das Mädchen zumindest einen Hauch Talent zeigte. Aber auch hier konnte Gerald die Wogen glätten: Natürlich stand ein Piano in seinem Haus; seine verstorbene Frau hatte exzellent gespielt und auch ihren Sohn in der Kunst unterrichtet. Angeblich war Lucas ein hervorragender Pianist.

Erstaunlicherweise war es auch sonst vor allem Madame Fabian, die dem Neuseeländer weitere Informationen über Gwyneiras künftigen Gatten entlockte. Die kunstbeflissene Lehrerin stellte einfach die richtigen Fragen – wann immer es um Konzerte und Bücher, Theater und Galerien in Christchurch ging, fiel Lucas' Name. Wie es aussah, war Gwyneiras Verlobter überaus kultiviert und künstlerisch begabt. Er malte, musizierte und unterhielt eine ausführliche Korrespondenz mit britischen Wissenschaftlern, wobei es vor allem um die weitere Erforschung der außergewöhnlichen Tierwelt Neuseelands ging. Dieses Interesse hoffte Gwyneira teilen zu können, während ihr die sonstige Beschreibung von Lucas' Neigungen fast schon etwas unheimlich war. Vom Erben einer Schaffarm in Übersee erwartete sie eigentlich weniger schöngeistige Aktivitäten. Die Cowboys der Groschenhefte hätten garantiert nie ein Klavier angerührt. Aber vielleicht übertrieb Gerald Warden ja auch hier. Bestimmt versuchte der Schaf-Baron, seinen Hof und seine Familie im besten Licht darzustellen. Die Wirklichkeit würde rauer und aufregender sein! Gwyneira jedenfalls vergaß ihre Noten, als es endlich Zeit wurde, ihre Aussteuer in Koffer und Kisten zu packen.

Mrs. Greenwood reagierte erstaunlich gelassen auf Helens Kündigung. Doch George sollte nach den Ferien ohnehin ein College besuchen, benötigte also keine Hauslehrerin mehr, und William ...

»Was William angeht, werde ich mich vielleicht nach einer etwas nachsichtigeren Kraft umsehen«, überlegte Mrs. Greenwood. »Er ist ja noch sehr kindlich, darauf muss man Rücksicht nehmen!«

Helen nahm sich zusammen und stimmte ihr geflissentlich zu, während sie schon an ihre neuen kleinen Zöglinge an Bord der *Dublin* dachte. Mrs. Greenwood hatte ihr großzügig gestattet, den sonntäglichen Ausgang zur Messe auszudehnen und die Mädchen in der Sonntagsschule kennen zu lernen. Wie erwartet waren sie zart, unterernährt und eingeschüchtert. Alle trugen saubere, aber mehrfach geflickte graue Kittelkleider, doch selbst bei der Ältesten, Dorothy, zeichneten sich darunter noch keinerlei weibliche Formen ab. Das Mädchen war gerade dreizehn geworden und hatte zehn Jahre ihres kurzen Lebens mit ihrer Mutter im Armenhaus verbracht. Ganz zu Anfang war Dorothys Mutter noch irgendwo angestellt gewesen, aber daran konnte das Mädchen sich nicht mehr erinnern. Sie wusste nur noch, dass ihre Mutter irgendwann krank geworden und schließlich gestorben war. Seitdem lebte sie im Waisenhaus. Vor der Reise nach Neuseeland fürchtete sie sich zu Tode, war andererseits jedoch bereit, alles nur Erdenkliche zu tun, um ihre künftige Herrschaft zufrieden zu stellen. Dorothy hatte erst im Waisenhaus lesen und schreiben gelernt, bemühte sich aber nach Kräften, den Rückstand aufzuholen. Helen beschloss im Stillen, sie auf dem Schiff weiterzuunterrichten. Sie verspürte sofort Sympathie für das zierliche, dunkelhaarige Mädchen, das sicher zu einer Schönheit heranwachsen würde, wenn man es nur ordentlich fütterte und ihm endlich keinen Grund mehr gab, mit gebeugtem Rücken und wie ein geprügeltes Hündchen vor allem und jedem zu kuschen. Daphne, die Zweitälteste, war da schon mutiger. Sie hatte sich lange allein auf der Straße durchgeschlagen, und sicher war es eher Glück als Unschuld gewesen, dass man Daphne letztlich nicht bei irgendeinem Diebstahl erwischte, sondern krank und erschöpft unter einer Brücke fand. Im Waisenhaus behandelte man sie streng. Die Leiterin schien ihr flammend rotes Haar für ein untrügliches Zeichen von Lebenslust, ja Lebensgier zu halten und bestrafte sie für jeden übermütigen Seitenblick. Daphne war das Einzige der sechs Mädchen, das sich freiwillig für die Verschickung nach Übersee gemeldet hatte. Für Laurie und Mary, höchstens zehnjährige Zwillingsschwestern aus Chelsea, galt das sicher nicht. Beide waren nicht die Klügsten, wenn auch brav und halbwegs anstellig, wenn sie erst einmal begriffen hatten, was man von ihnen wollte. Laurie und Mary glaubten jedes Wort, das ihnen die böswilligen kleinen Jungen im Waisenhaus über die schrecklichen Gefahren der Seereise erzählt hatten, und so konnten sie kaum glauben, dass Helen die Überfahrt ohne größere Bedenken antrat. Elizabeth hingegen, eine verträumte Zwölfjährige mit langem, blondem Haar, fand es romantisch, sich auf den Weg zu einem unbekannten Ehemann zu begeben.

»Oh, Miss Helen, es wird sein wie im Märchen!«, flüsterte sie. Elizabeth lispelte ein wenig, wurde deshalb ständig gehänselt und erhob die Stimme nur selten. »Ein Prinz, der auf Sie wartet! Bestimmt verzehrt er sich nach Ihnen und träumt jede Nacht von Ihnen!«

Helen lachte und versuchte, sich aus der Umklammerung ihres jüngsten Zöglings, Rosemary, zu befreien. Rosie war angeblich elf Jahre alt, doch Helen schätzte das völlig eingeschüchterte Kind auf bestenfalls neun. Wer auf den Gedanken gekommen war, dieses verstörte Wesen könnte sich irgendwie selbst seinen Lebensunterhalt verdienen, war ihr schleierhaft. Rosemary hatte sich bisher an Dorothy geklammert. Nun, da sich ein freundlicher Erwachsener anbot, wechselte sie übergangslos zu Helen. Die fand es rührend, Rosies kleine Hand in der ihren zu spüren, wusste aber, dass sie die Anhänglichkeit des Mädchens nicht fördern durfte: Die Kinder waren bereits Dienstherren in Christchurch zugesagt, und so durfte sie in Rosie auf keinen Fall die Hoffnung schüren, sie könnte nach der Reise bei ihr bleiben.

Zumal Helens eigenes Schicksal ja ebenfalls noch völlig ungewiss war. Von Howard O'Keefe hatte sie nach wie vor nichts gehört.

Helen bereitete trotzdem eine Art Aussteuer vor. Sie investierte ihr weniges erspartes Geld in zwei neue Kleider und Unterkleidung und erstand ein wenig Bett- und Tischwäsche für ihr neues Heim. Gegen eine geringe Gebühr durfte sie auch ihren geliebten Schaukelstuhl mit auf die Reise nehmen, und Helen verbrachte Stunden damit, ihn sorgfältig zu verpacken. Schon um ihre Aufregung niederzukämpfen, begann sie früh mit den Reisevorbereitungen und war im Grunde schon vier Wochen vor Antritt der Überfahrt mit allem fertig. Lediglich die unangenehme Pflicht, ihre Familie von der Abreise in Kenntnis zu setzen, verschob sie fast bis zum Schluss. Doch irgendwann ließ es sich nicht länger hinauszögern – und die Reaktion war wie erwartet: Helens Schwester zeigte sich schockiert, ihre Brüder erbost. Wenn Helen nicht mehr gewillt war, für ihren Unterhalt aufzukommen, würden sie wieder bei Reverend Thorne unterschlüpfen müssen. Helen fand, dass es ihnen nur gut täte, und ließ es sie auch ziemlich unverblümt wissen.

Was ihre Schwester anging, nahm Helen deren Tiraden nicht eine Sekunde lang ernst. Susan führte zwar seitenlang aus, wie sehr sie ihre Schwester vermissen würde, und an manchen Stellen zeigte der Brief sogar Spuren von Tränen, die aber wohl eher darauf zurückzuführen waren, dass die Sorge um Johns und Simons Studiengebühren jetzt auf Susans Schultern lasten würde.

Als Susan und ihr Mann schließlich nach London kamen, um »doch noch einmal über die Sache zu reden«, ging Helen gar nicht auf Susans angeblichen Trennungsschmerz ein. Stattdessen erklärte sie, ihre Auswanderung würde an der Beziehung zu Susan kaum etwas ändern. »Viel öfter als zweimal im Jahr haben wir uns bis jetzt doch auch nicht geschrieben«, sagte Helen ein wenig boshaft. »Du hast genug mit deiner Familie zu tun, und mir wird es sicher bald nicht anders gehen.«

Wenn es doch nur endlich einen konkreten Anlass gäbe, daran zu glauben!

Doch Howard hüllte sich nach wie vor in Schweigen. Erst eine Woche vor Helens Abreise, als sie längst aufgegeben hatte, dem Briefträger an jedem Morgen aufzulauern, brachte ihr George einen Briefumschlag mit vielen bunten Marken.

»Hier, Miss Davenport!«, sagte der Junge aufgeregt. »Sie können ihn gleich öffnen. Ich verspreche, ich petze nicht, und ich schaue Ihnen auch nicht über die Schulter. Ich spiele mit William, okay?«

Helen war mit ihren Zöglingen im Garten; die Schulstunden hatte sie bereits beendet. William beschäftigte sich allein damit, den Ball planlos durch die Tore beim Krocket zu schlagen.

»George, du sollst nicht ›okay‹ sagen!«, tadelte Helen gewohnheitsmäßig, während sie mit unziemlicher Hast nach dem Brief griff. »Wo hast du das Wort überhaupt her? Aus diesen Schmuddelheften, die das Personal liest? Lass sie um Himmels willen nicht herumliegen. Wenn William ...«

»William kann nicht lesen«, fiel George ihr ins Wort. »Das wissen wir doch beide, Miss Davenport, egal was Mutter glaubt. Und ich werde nie wieder ›okay‹ sagen, ich versprech's. Lesen Sie jetzt Ihren Brief?« Der Ausdruck auf Georges schmalem Gesicht war unerwartet ernst. Helen hätte eigentlich eher mit seinem üblichen, anzüglichen Grinsen gerechnet.

Aber was sollte es? Selbst wenn er seiner Mutter verriet, dass sie, Helen, während der Arbeit private Briefe las – in einer Woche würde sie auf See sein, wenn nicht ...

Helen riss den Brief mit zitternden Händen auf. Wenn Mr. O'Keefe nun kein Interesse mehr an ihr zeigte ...

*Meine sehr verehrte Miss Davenport!*

*Worte vermögen nicht zu sagen, wie sehr Ihre Zeilen meine Seele berührt haben. Ich habe Ihren Brief nicht mehr aus den Händen gelassen, seit ich ihn vor wenigen Tagen erhielt. Er begleitet mich überall hin, bei der Arbeit auf der Farm, bei den seltenen Ausflügen in die Stadt – wann immer ich danach taste, empfinde ich Trost und eine überschäumende Freude, dass irgendwo, weit fort von mir, ein*

*Herz für mich schlägt. Und ich muss zugeben, dass ich ihn in den dunkelsten Stunden meiner Einsamkeit mitunter verstohlen an die Lippen führe. Dieses Papier, das Sie berührt haben, über das Ihr Atem streifte, ist mir so heilig wie die wenigen Andenken an meine Familie, die ich heute noch wie Schätze hüte.*

*Wie aber soll es nun weitergehen mit uns? Verehrteste Miss Davenport, am liebsten würde ich Ihnen jetzt schon zurufen: Komm! Lassen wir beide unsere Einsamkeit hinter uns! Streifen wir unsere alte Haut der Verzweiflung und Dunkelheit ab! Lass uns gemeinsam neu beginnen!*

*Hier kann man es kaum erwarten, bis sich erste Frühlingsdüfte regen. Das Gras beginnt zu grünen, die Bäume tragen Knospen. Wie gern würde ich diesen Anblick, dieses berauschende Gefühl des erwachenden neuen Lebens mit Ihnen teilen! Dazu jedoch sind schnödere Überlegungen nötig als der Höhenflug aufkeimender Zuneigung. Ich würde Ihnen gern das Geld für die Überfahrt schicken, verehrte Miss Davenport – ach was, liebste Helen! Allerdings wird das warten müssen, bis meine Schafe abgelammt haben und der Ertrag der Farm für dieses Jahr absehbar wird. Schließlich möchte ich unser gemeinsames Leben auf keinen Fall gleich von Anbeginn mit Schulden belasten.*

*Haben Sie, verehrte Helen, Verständnis für diese Bedenken? Können Sie, wollen Sie warten, bis mein Ruf endgültig an Sie ergehen kann? Es gibt nichts, was ich mir auf Erden sehnlicher wünsche.*

*Es verbleibt Ihr über die Maßen ergebener*
*Howard O'Keefe*

Helens Herz schlug so schnell, dass sie meinte, zum ersten Mal im Leben ein Riechfläschchen zu benötigen. Howard wollte sie, er liebte sie! Und nun konnte sie ihm die schönste Überraschung bereiten! Anstelle eines Briefes würde sie selbst zu ihm eilen! Sie war Reverend Thorne unendlich dankbar! Sie war Lady Brennan unendlich dankbar! Ja, sogar George, der ihr eben die Nachricht gebracht hatte ...

»Sind ... sind Sie fertig mit dem Lesen, Miss Davenport?«

In ihrer Versunkenheit hatte Helen nicht bemerkt, dass der Junge immer noch neben ihr stand.

»Haben Sie gute Nachrichten?«

George sah eigentlich nicht so aus, als wollte er sich mit ihr darüber freuen. Im Gegenteil, der Junge wirkte verstört.

Helen betrachtete ihn besorgt, konnte ihr Glück dann aber nicht verhehlen.

»Die besten Nachrichten, die man haben kann!«, sagte sie verzückt.

George erwiderte ihr Lächeln nicht.

»Dann ... will er sie also wirklich heiraten? Er ... er sagt nicht, Sie sollten bleiben, wo Sie sind?«, fragte er tonlos.

»Aber George! Wieso sollte er?« In ihrer Seligkeit vergaß Helen ganz, dass sie ihre Bewerbung auf besagte Anzeige bislang standhaft vor ihren Schülern geleugnet hatte. »Wir passen wundervoll zusammen! Ein äußerst kultivierter junger Mann, der ...«

»Kultivierter als ich, Miss Davenport?«, brach es aus dem Jungen heraus. »Sind Sie sicher, dass er besser ist als ich? Klüger? Belesener? Weil ... wenn es nämlich nur die Liebe ist ... ich ... da kann er Sie nämlich nicht mehr lieben als ich ...«

George drehte sich weg, erschrocken über seine eigene Courage. Helen musste ihn an den Schultern fassen und zu sich umdrehen, um ihm wieder in die Augen zu sehen. Er schien unter ihrer Berührung zu erschauern.

»Aber George, was redest du denn da? Was weißt denn du von Liebe? Du bist sechzehn! Du bist mein Schüler!«, stieß Helen bestürzt hervor – und wusste im gleichen Augenblick, dass sie Unsinn sprach. Warum sollte man mit sechzehn nicht tief empfinden?

»Sieh mal, George, ich habe Howard und dich doch nie im Vergleich gesehen!«, setzte sie noch einmal an. »Oder gar als Konkurrenten. Schließlich wusste ich nicht, dass du ...«

»Das konnten Sie auch nicht wissen!« In Georges klugen braunen Augen spiegelte sich jetzt fast so etwas wie Hoffnung. »Ich hätte ... hätte es Ihnen eher sagen müssen. Schon vor dieser Sache mit Neuseeland. Aber ich hab mich nicht getraut ...«

Helen musste beinahe lächeln. Der Junge wirkte so jung und verletzlich, so ernsthaft in seiner kindischen Verliebtheit. Sie hätte es früher bemerken müssen! Im Nachhinein besehen hatte es viele Situationen gegeben, die darauf hindeuteten.

»Das war ganz richtig und normal, George«, sagte sie jetzt beschwichtigend. »Du hast selbst eingesehen, dass du viel zu jung bist für solche Dinge, und normalerweise hättest du sie nie zur Sprache gebracht. Wir wollen das jetzt auch vergessen ...«

»Ich bin zehn Jahre jünger als Sie, Miss Davenport«, wurde sie von George unterbrochen. »Und natürlich bin ich Ihr Schüler, aber ich bin kein Kind mehr! Ich fange jetzt mit dem Studium an, und in ein paar Jahren werde ich ein angesehener Kaufmann sein. Niemand wird dann nach meinem Alter und dem meiner Gattin fragen.«

»Aber ich frage danach«, sagte Helen sanft. »Ich wünsche mir einen Mann in meinem Alter, der zu mir passt. Es tut mir Leid, George ...«

»Und woher wissen Sie, dass dieser Briefschreiber Ihren Vorstellungen entspricht?«, fragte der Junge gequält. »Warum lieben Sie ihn? Sie haben doch gerade zum ersten Mal einen Brief von ihm erhalten! Hat er sein Alter genannt? Wissen Sie, ob er Sie angemessen ernähren und kleiden kann? Ob es etwas gibt, worüber Sie miteinander reden können? Mit mir und meinem Vater haben Sie sich immer gut unterhalten. Wenn Sie also auf mich warten ... nur ein paar Jahre, Miss

Davenport, bis ich mein Studium beendet habe! Bitte, Miss Davenport! Bitte geben Sie mir eine Chance!«

Der Junge griff unbeherrscht nach ihrer Hand.

Helen riss sich los.

»Es tut mir Leid, George. Es ist nicht so, als würde ich dich nicht mögen, im Gegenteil. Aber ich bin deine Lehrerin, und du bist mein Schüler. Daraus kann nicht mehr werden ... zumal du in ein paar Jahren ganz anders darüber denken wirst.«

Helen stellte sich kurz die Frage, ob Richard Greenwood etwas von der blinden Verliebtheit seines Sohnes geahnt hatte. Verdankte sie ihm die großzügig gespendete Schiffspassage vielleicht auch deshalb, weil er dem Jungen die Hoffnungslosigkeit seiner Vernarrtheit vor Augen führen wollte?

»Ich werde nie anders darüber denken!«, sagte George leidenschaftlich. »Sobald ich volljährig bin, sobald ich eine Familie ernähren kann, werde ich für Sie da sein! Wenn Sie nur warten, Miss Davenport!«

Helen schüttelte den Kopf. Sie musste dieses Gespräch jetzt beenden. »George, selbst wenn ich dich lieben würde, ich kann nicht warten. Wenn ich eine Familie haben will, muss ich die Chance jetzt ergreifen. Howard ist diese Chance. Und ich werde ihm eine gute und treue Gattin sein.«

George blickte sie verzweifelt an. Sein schmales Gesicht spiegelte alle Qualen verschmähter Leidenschaft, und Helen meinte fast, hinter den noch unfertigen Zügen des Jungen das Antlitz jenes Mannes zu erkennen, zu dem George einmal werden würde. Ein liebenswerter, weltkluger Mann, der sich nicht vorschnell verpflichtete – und der seine Versprechen hielt. Helen hätte den Jungen gern tröstend in die Arme genommen, aber das kam natürlich nicht in Frage.

Sie wartete schweigend, bis George sich einen Ruck gab. Helen rechnete damit, dass ihm kindliche Tränen in die Augen stiegen, doch George erwiderte ihren Blick ruhig und fest.

»Ich werde Sie immer lieben!«, erklärte er. »Immer. Egal, wo Sie sein werden und was Sie tun. Egal, wo ich sein werde und was ich tue. Ich liebe Sie, nur Sie allein. Vergessen Sie das nie, Miss Davenport.«

# 5

Die *Dublin* war ein imponierendes Schiff, selbst wenn sie noch nicht unter vollen Segeln stand. Helen und den Waisenmädchen erschien sie groß wie ein Haus, und tatsächlich sollte die *Dublin* in den nächsten drei Monaten deutlich mehr Menschen beherbergen als eine gewöhnliche Mietskaserne. Helen hoffte, dass sie nicht auch ebenso brand- und einsturzgefährdet war, aber zumindest auf Seetüchtigkeit wurden die Schiffe nach Neuseeland vor der Abfahrt überprüft. Die Schiffseigner mussten den Kontrolleuren der Krone nachweisen, dass eine ausreichende Kabinenbelüftung gewährleistet war und dass sie genügend Proviant an Bord hatten. Diese Verpflegung wurde heute zum Teil noch geladen, und Helen ahnte bereits, was ihr blühte, als sie die Fässer voll Pökelfleisch, die Säcke voll Mehl und Kartoffeln und die Pakete voll Schiffszwieback am Anleger stehen sah. Sie hatte schon gehört, dass die Kost an Bord alles andere als abwechslungsreich sei – zumindest für die Passagiere im Zwischendeck. Die Kabinengäste der ersten Klasse wurden da ganz anders verpflegt. Für die, munkelte man, käme sogar ein Koch an Bord.

Das Einsteigen des »gemeinen Volkes« überwachten ein ruppiger Schiffsoffizier und der Bordarzt. Letzterer musterte Helen und die Mädchen kurz, fühlte einmal über die Stirn der Kinder, womit er vermutlich eine fiebrige Erkrankung erkennen wollte, und ließ sich ihre Zungen zeigen. Als dies alles keinen Befund ergab, nickte er dem Offizier zu, der daraufhin die Namen auf einer Liste abstrich.

»Kabine eins im Heckteil«, erklärte er und winkte Helen und die Mädchen schnell weiter. Die sieben tasteten sich durch enge, dunkle Gänge im Bauch des Schiffes, die zudem von aufgeregten Menschen und ihren Habseligkeiten nahezu verstopft waren. Helen hatte nicht viel Gepäck, doch auch die kleine Reisetasche wurde ihr allmählich schwer. Die Mädchen besaßen noch weniger; sie trugen nur ihre Nachtwäsche und je ein Kleid zum Wechseln in einem Bündel bei sich.

Endlich fand sich die Kabine, und die Mädchen purzelten aufatmend hinein. Helen selbst jedoch war alles andere als begeistert von dem winzigen Kämmerchen, das nun für bis zu drei Monate ihre Wohnung sein sollte. Die Einrichtung des extrem niedrigen und dunklen Raums bestand aus einem Tisch, einem Stuhl und sechs Kojen – Etagenbetten, wie Helen entsetzt feststellte, und noch dazu eins zu wenig. Zum Glück waren Mary und Laurie es gewohnt, das Bett zu teilen. Sie nahmen auch gleich eine der mittleren Kojen in Besitz und kuschelten sich dort eng aneinander. Noch immer fürchteten sie sich vor der Reise. Die vielen Menschen und der Lärm an Bord machten ihnen Angst.

Helen störte sich dagegen eher an dem durchdringenden Gestank nach Schafen, Pferden und anderem Getier, der vom Unterdeck zu ihnen hinaufdrang. Ausgerechnet neben und unter Helens Unterkunft hatte man provisorische Pferche für Schafe und Schweine errichtet, sowie Ständer für eine Kuh und zwei Pferde. Helen fand das alles unzumutbar und beschloss, sich zu beschweren. Sie wies ihre Mädchen an, in der Kabine zu warten, und machte sich erneut auf den Weg an Deck. Zum Glück gab es einen kürzeren Weg an die frische Luft als den durchs Zwischendeck, den sie gekommen waren: Direkt vor Helens Kabine führten Stufen hinauf. Inzwischen waren auch provisorische Rampen errichtet worden, um die Tiere einzuladen. Von der Besatzung war am Heck des Schiffes allerdings niemand zu sehen; im Gegensatz zum Eingang am anderen Ende wurde dieser nicht bewacht. Dabei wimmelte es auch hier von Auswandererfamilien, die ihr Gepäck an Bord schleppten und sich weinend und lamentierend von Angehörigen verabschiedeten. Gedränge und Lärm waren unerträglich.

Dann aber teilte sich die Menge an den Stegen, über die Ladung und Vieh an Bord gebracht wurden. Der Grund dafür war leicht zu erkennen: Soeben wurden zwei Pferde verladen, und eines von ihnen war verängstigt. Der kleine, drahtige Mann, dessen blaue Tätowierungen an beiden Armen ihn wohl als Besatzungsmitglied auswiesen, hatte alle Hände voll zu tun, das Tier zu halten. Helen überlegte, ob man den Mann wohl im Rahmen irgendeiner Strafaktion zu dieser berufsfremden Aufgabe verdonnert hatte. Bestimmt besaß er keine Erfahrung mit Pferden, denn er handhabte den kräftigen schwarzen Hengst reichlich ungeschickt.

»Nun komm schon, du schwarzer Teufel, ich hab nicht unendlich Zeit!«, brüllte er das Tier an, das allerdings nicht darauf reagierte. Im Gegenteil, der Rappe zerrte noch entschlossener rückwärts und legte dabei böse die Ohren zurück. Er schien fest entschlossen, keinen Huf auf die gefährlich wackelnde Rampe zu setzen.

Das zweite Pferd, das Helen nur undeutlich hinter ihm erkannte, schien ruhiger zu sein. Vor allem wirkte seine Führerin weit couragierter. Zu ihrer Überraschung erkannte Helen ein zierliches Mädchen in eleganter Reisekleidung. Ungeduldig wartete es mit dem Führstrick einer stämmigen, braunen Stute in der Hand. Als der Hengst noch immer keine Anstalten machte, vorwärts zu gehen, mischte das Mädchen sich ein.

»So wird das nichts, geben Sie ihn mir mal!« Verwundert beobachtete Helen, wie die junge Lady ihre Stute kurzerhand an einen der wartenden Auswanderer übergab und dem Matrosen den Hengst abnahm. Helen rechnete damit, dass das Tier sich losreißen würde; schließlich hatte schon der Mann es kaum halten können. Stattdessen beruhigte der Rappe sich sofort, als das Mädchen geschickt den Führstrick verkürzte und ihn freundlich ansprach.

»So, das machen wir jetzt mal Schritt für Schritt, Madoc! Ich gehe vor, du kommst nach. Und wag es ja nicht, mich umzurennen!«

Helen hielt den Atem an, während der Hengst der jungen Lady tatsächlich folgte – angespannt, aber äußerst manierlich. Das Mädchen lobte und klopfte ihn, als er schließlich sicher an Bord stand. Der Hengst sabberte daraufhin auf ihr dunkelblaues, samtenes Reisekostüm, doch sie schien es gar nicht zu bemerken.

»Wo bleiben Sie denn jetzt mit der Stute!«, rief sie stattdessen wenig damenhaft zu dem Matrosen hinunter. »Igraine tut Ihnen nichts! Gehen Sie einfach vorweg!«

Die braune Stute zeigte sich tatsächlich gelassener als der junge Hengst, obwohl auch sie ein wenig tänzelte. Der Matrose hielt ihren Strick am äußersten Ende. Dabei machte er ein Gesicht, als balanciere er eine Dynamitstange. Immerhin brachte er das Pferd an Bord, und Helen konnte nun auch ihre Beschwerde anbringen. Als das Mädchen und der Mann die Tiere direkt an ihrer Kabine vorbei aufs Unterdeck führten, wandte sie sich an den Matrosen.

»Wahrscheinlich ist es nicht Ihre Schuld, aber jemand muss hier etwas unternehmen. Wir können unmöglich neben den Ställen wohnen. Die Geruchsbelästigung ist kaum zu ertragen! Und was ist, wenn die Biester mal freikommen? Dann sind wir hier unseres Lebens nicht sicher!«

Der Matrose zuckte die Schultern. »Da kann ich nichts machen, Madame. Befehl vom Kapitän. Das Viehzeug muss mit. Und die Kabinenzuteilung ist immer gleich: Alleinreisende Männer vorn, Familien in der Mitte, und alleinreisende Frauen hinten. Da Sie die einzigen alleinreisenden Frauen sind, können Sie mit keinem tauschen. Finden Sie sich damit ab.« Keuchend hastete der Mann hinter der Stute her, die es jetzt offensichtlich eilig hatte, dem Hengst und der jungen Lady zu folgen. Das Mädchen lavierte zunächst den Rappen, dann die Braune in die zwei nebeneinander liegenden Ständer und band sie dort fest. Als sie wieder zum Vorschein kam, war ihr blauer Samtrock mit Heuhalmen und Stroh bedeckt.

»Unpraktisches Zeug!«, schimpfte das Mädchen und versuchte, das Kleid auszuschütteln. Dann gab sie es auf und wandte sich Helen zu.

»Tut mir Leid, wenn die Tiere Sie stören. Aber ausreißen können sie nicht, die Rampen werden abgebaut ... was aber nicht ungefährlich ist. Falls das Schiff sinkt, kriege ich Igraine doch nie hier raus! Aber der Kapitän besteht darauf. Wenigstens soll jeden Tag gemistet werden. Und die Schafe riechen auch nicht mehr so streng, wenn sie erst trocken sind. Außerdem gewöhnt man sich ...«

»Ich werde mich nie daran gewöhnen, in einem Stall zu wohnen!«, meinte Helen hoheitsvoll.

Das Mädchen lachte. »Wo bleibt Ihr Pioniergeist? Sie wollen doch auch auswandern, nicht wahr? Also, ich würde gern die Kabine mit Ihnen tauschen. Aber ich schlafe ganz oben. Mr. Warden hat die Salon-Kabine gebucht. Sind das alles Ihre Kinder?«

Sie warf einen Blick auf die Mädchen, die sich zunächst weisungsgemäß in ihrer Kabine verschanzt hatten, jetzt aber vorsichtig und ein bisschen neugierig herauslugten, als sie Helens Stimme hörten. Besonders Daphne beäugte interessiert sowohl die Pferde als auch die elegante Kleidung der jungen Lady.

»Aber nein«, sagte Helen. »Ich kümmere mich nur während der Überfahrt um die Mädchen. Sie sind Waisenkinder. – Sind das alles Ihre Tiere?«

Das Mädchen lachte. »Nein, nur die Pferde ... eins von den Pferden, genauer gesagt. Der Hengst gehört Mr. Warden. Die Schafe ebenfalls. Wem das andere Viehzeug gehört, weiß ich nicht, aber vielleicht kann man die Kuh ja melken! Dann hätten wir frische Milch für die Kinder. Die sehen aus, als könnten sie es brauchen.«

Helen nickte unglücklich. »Ja, sie sind stark unterernährt. Hoffentlich überleben sie die lange Fahrt, man spricht so viel von Seuchen und Kindersterblichkeit. Aber wir haben wenigstens einen Arzt an Bord. Hoffentlich versteht er sein Geschäft. Übrigens, mein Name ist Helen Davenport.«

»Gwyneira Silkham«, antwortete das Mädchen. »Und das da sind Madoc und Igraine ...« Sie stellte die Pferde so selbstverständlich vor, als handele es sich um Teilnehmer an einer Teegesellschaft. »Und Cleo ... wo steckt sie denn schon wieder? Ah, da ist sie ja. Sie schließt schon wieder Freundschaften.«

Helen folgte Gwyneiras Blick und erkannte ein kleines, haariges Wesen, das sie freundlich anzulächeln schien. Allerdings zeigte es dabei imponierend große Zähne, was es Helen sofort unheimlich machte. Sie erschrak, als sie Rosie neben dem Tier erblickte. Das kleine Mädchen kuschelte sich so vertrauensvoll in sein Fell wie sonst in Helens Rockfalten.

»Rosemary!«, rief Helen alarmiert. Das Mädchen fuhr zusammen und ließ den Hund los. Der wandte sich daraufhin verwundert zu ihr um und hob wie bittend die Pfote.

Gwyneira lachte und machte ebenfalls eine beschwichtigende Handbewegung. »Lassen Sie die Kleine ruhig mit ihr spielen«, meinte sie gelassen zu Helen. »Cleo liebt Kinder, sie wird ihr nichts tun. Tja, ich muss jetzt gehen. Mr. Warden wird warten. Und ich sollte eigentlich gar nicht hier sein, sondern noch etwas Zeit mit meiner Familie verbringen. Deshalb sind meine Eltern und Geschwister ja extra nach London gekommen. Auch wieder so ein Unsinn. Ich habe meine Familie jetzt siebzehn Jahre lang jeden Tag gesehen. Da ist alles gesagt. Aber meine Mutter weint die ganze Zeit, und meine Schwestern heulen zur Gesellschaft mit. Mein Vater badet in Selbstvorwürfen, weil er mich nach Neuseeland schickt, und mein

Bruder ist so neidisch, dass er mir am liebsten an die Gurgel gehen würde. Ich kann's gar nicht erwarten, dass wir ablegen. Was ist mit Ihnen? Ist für Sie keiner gekommen?« Gwyneira sah sich um. Überall sonst auf dem Zwischendeck wimmelte es vor weinenden und lamentierenden Menschen. Letzte Geschenke wurden getauscht, letzte Grüße ausgerichtet. Viele dieser Familien wurden durch die Abreise für immer getrennt.

Helen schüttelte den Kopf. Sie war ganz allein mit einer Droschke vom Haus der Greenwoods aus aufgebrochen. Den Schaukelstuhl, das einzige sperrige Stück, hatte sie gestern schon abholen lassen.

»Ich reise zu meinem Gatten nach Christchurch«, erklärte sie, als würde dies das Fehlen ihrer Angehörigen erklären. Doch auf keinen Fall wollte sie von dieser reichen und offensichtlich privilegierten jungen Frau bedauert werden.

»So? Dann ist Ihre Familie schon in Neuseeland?«, fragte Gwyneira aufgeregt. »Sie müssen mir bei Gelegenheit davon erzählen, ich war nämlich noch nie ... aber jetzt muss ich wirklich los! Bis morgen, Kinder, werdet nicht seekrank! Komm, Cleo!«

Gwyneira wandte sich zum Gehen, aber die kleine Dorothy hielt sie auf. Schüchtern zupfte sie an ihrem Rock.

»Miss, Verzeihung, Miss, aber Ihr Kleid ist ganz schmutzig. Ihre Mama wird sicher schimpfen.«

Gwyneira lachte, sah dann aber doch besorgt an sich herunter. »Du hast Recht. Sie wird Zustände kriegen! Ich bin unmöglich. Nicht mal beim Abschied kann ich mich ordentlich benehmen.«

»Ich kann das abbürsten, Miss. Ich kenne mich aus mit Samt!« Dorothy blickte beflissen zu Gwyneira auf und wies ihr dann zaghaft den Stuhl in ihrer Kabine an.

Gwyneira setzte sich. »Wo hast du das gelernt, Kleines?«, fragte sie dann überrascht, als Dorothy ihr Jackett geschickt mit Helens Kleiderbürste bearbeitete; offenbar hatte das Mädchen vorhin beobachtet, wie Helen ihre Pflegeutensilien in dem winzigen Spind verstaut hatte, der zu jeder Koje gehörte.

Helen seufzte. Beim Kauf der kostbaren Bürsten hatte sie eigentlich nicht daran gedacht, diese zur Beseitigung von Mistspuren zu verwenden.

»Wir kriegen oft abgelegte Kleidung als Spende ins Waisenhaus. Aber wir behalten sie nicht, sie wird verkauft. Vorher muss sie natürlich sauber gemacht werden, und dabei helfe ich immer. Sehen Sie, Miss, jetzt ist es wieder schön!« Dorothy lächelte schüchtern.

Gwyneira suchte in ihren Taschen nach einem Geldstück, um das Mädchen zu belohnen, fand aber nichts, das Kostüm war noch zu neu.

»Ich bringe euch morgen ein Dankeschön mit, versprochen!«, beschied sie Dorothy, als sie sich zum Gehen wandte. »Und du wirst mal eine gute Hausfrau. Oder Zofe bei ganz feinen Leuten! Wir sehen uns!« Gwyneira winkte Helen und den Mädchen zu, als sie leichtfüßig über die Brücke lief.

»Das glaubt die doch selbst nicht!«, meinte Daphne und spuckte hinter ihr aus. »Solche Leute machen ständig Versprechungen, aber dann sieht man sie nie wieder. Du musst immer schauen, dass sie gleich was abdrücken, Dot! Sonst wird das nie was!«

Helen schlug die Augen gen Himmel. Wie war das mit den »auserwählten, braven und zum demütigen Dienen erzogenen Mädchen«? Auf jeden Fall musste sie jetzt streng durchgreifen.

»Daphne, du wischst das sofort auf! Miss Gwyneira ist euch zu nichts verpflichtet. Dorothy hat sich selbst angeboten, ihr zu Diensten zu sein. Das war Höflichkeit, kein Geschäft. Und junge Ladys spucken nicht!« Helen sah sich nach einem Putzeimer um.

»Wir sind doch keine Ladys!«, kicherten Laurie und Mary.

Helen blickte sie streng an. »Wenn wir in Neuseeland ankommen, seid ihr es«, versprach sie. »Zumindest werdet ihr euch so benehmen!«

Entschlossen begann sie mit der Erziehung.

Gwyneira atmete auf, als endlich die letzten Gangways vom Anleger zur *Dublin* eingezogen wurden. Die Stunden des Abschieds waren anstrengend gewesen, allein die Tränenströme ihrer Mutter hatten drei Taschentücher durchnässt. Hinzu kamen das Gejammer ihrer Schwestern und die gefasste, aber trübsinnige Haltung ihres Vaters, die besser zu einer Hinrichtung als zu einer Hochzeit gepasst hätte. Und zu allem Überfluss zerrte der offensichtliche Neid ihres Bruders an Gwyneiras Nerven. Der hätte sein Erbe in Wales wohl gern gegen ihr Abenteuer eingetauscht! Gwyn unterdrückte ein hysterisches Kichern. Wie schade, dass John Henry nicht Lucas Warden heiraten konnte!

Jetzt aber würde die *Dublin* endlich ablegen. Ein Rauschen, laut wie ein Sturmwind, ließ erkennen, dass die Segel gesetzt waren. Noch an diesem Abend würde das Schiff auf den Ärmelkanal hinaus und Richtung Atlantik segeln. Gwyneira wäre gern bei ihren Pferden gewesen, aber das schickte sich natürlich nicht. Also blieb sie brav an Deck und winkte mit ihrem größten Schal zu ihrer Familie hinunter, bis das Ufer fast außer Sicht geriet. Gerald Warden bemerkte, dass sie keine Träne vergoss.

Helens kleine Zöglinge weinten dafür umso bitterlicher, doch die Atmosphäre auf dem Zwischendeck war ohnehin angespannter als bei den reichen Reisenden. Für die ärmeren Auswanderer war die Reise mit ziemlicher Sicherheit ein Abschied für immer; zudem fuhren die meisten in eine viel ungewissere Zukunft als Gwyneira und ihre Reisegefährten vom Oberdeck. Helen tastete nach Howards Briefen in ihrer Tasche, während sie die Mädchen tröstete. Sie wurde immerhin erwartet …

Dennoch schlief sie schlecht in der ersten Nacht an Bord. Die Schafe waren immer noch nicht trocken; ihr Geruch nach Mist und nasser Wolle stieg weiterhin in Helens empfindliche Nase. Bis die Kinder einschlummerten, dauerte es ewig, und auch dann schreckten sie bei jedem Geräusch auf. Als Rosie zum dritten Mal zu Helen ins Bett kroch, hatte diese nicht mehr das Herz und vor allem nicht mehr die Energie, das Kind zurückzuschicken. Auch Laurie und Mary klammerten sich aneinander, und Dorothy und Elizabeth fand Helen am nächsten Morgen eng zusammengekuschelt in einer Ecke von Dorothys Koje. Nur Daphne schlief tief und fest; falls sie träumte, mussten es schöne Träume sein, denn das Mädchen lächelte im Schlaf, als Helen es schließlich weckte.

Der erste Morgen auf See zeigte sich unerwartet freundlich. Mr. Greenwood hatte Helen darauf vorbereitet, dass die ersten Wochen der Reise stürmisch werden könnten, da zwischen dem Ärmelkanal und der Bucht von Biskaya meist raue See herrschte. Heute gewährte das Wetter den Auswanderern aber noch eine Gnadenfrist. Die Sonne schien nach dem Regentag ein wenig blass, und das Meer schimmerte stahlgrau im fahlen Licht. Die *Dublin* bewegte sich behäbig und gelassen über die glatte Wasserfläche.

»Ich sehe gar kein Ufer mehr«, flüsterte Dorothy verängstigt. »Wenn wir jetzt untergehen, findet uns keiner! Dann müssen wir alle ertrinken!«

»Du wärst auch ertrunken, wenn das Schiff im Londoner Hafen gesunken wäre«, bemerkte Daphne. »Schließlich kannst du nicht schwimmen, und bevor sie alle Leute vom Oberdeck gerettet hätten, wärst du längst abgesoffen.«

»Du kannst auch nicht schwimmen!«, gab Dorothy zurück. »Du wärst genauso ertrunken wie ich!«

Daphne lachte. »Wär ich nicht! Ich bin mal in die Themse gefallen, als ich klein war, bin aber wieder rausgepaddelt. Dreck schwimmt oben, hat mein Alter gesagt ...«

Helen beschloss, das Gespräch nicht nur aus erzieherischen Gründen zu unterbrechen.

»Das hat dein *Vater* gesagt, Daphne!«, stellte sie richtig. »Auch wenn er sich damit nicht gerade vornehm ausgedrückt hat. Und nun hör auf, den anderen Angst zu machen, sonst haben sie gleich keinen Hunger mehr aufs Frühstück. Das können wir uns jetzt nämlich holen. Also, wer geht zur Kombüse? Dorothy und Elizabeth? Sehr schön. Laurie und Mary sorgen für Wasser zum Waschen ... oh doch, meine Damen, wir waschen uns! Eine Lady hält auch auf Reisen auf Ordnung und Sauberkeit!«

Als Gwyneira eine Stunde später über das Zwischendeck lief, um nach ihren Pferden zu sehen, bot sich ihr ein seltsames Bild. Der Außenbereich vor den Kabinen war fast menschenleer, die meisten Passagiere waren wohl noch mit dem Frühstück oder ihrem Trennungsschmerz beschäftigt. Doch Helen und die Mädchen hatten ihren Tisch und ihren Stuhl herausgeschleppt. Auf Letzterem thronte Helen, stolz und aufrecht, jeder Zoll eine Lady. Vor ihr auf dem Tisch befand sich ein improvisiertes Gedeck, bestehend aus einem Blechteller, einem verbogenen Löffel, einer Gabel und einem stumpfen Messer. Dorothy war dabei, Helen von imaginären Servierplatten die Speisen aufzutragen, während Elizabeth mit einer alten Flasche hantierte, als wäre edler Wein darin, den sie stilvoll kredenzte.

»Was tut ihr denn da?«, fragte Gwyneira verblüfft.

Dorothy knickste beflissen. »Wir üben, wie man sich bei Tisch aufführt, Miss Gwyn ... Gwyn ...«

»Gwyneira. Aber ihr könnt gerne Gwyn sagen. Und jetzt

sagt mir noch mal – ihr übt *was?*« Gwyneira schaute Helen argwöhnisch an. Gestern hatte die junge Gouvernante ganz normal auf sie gewirkt, aber womöglich war sie doch nicht recht bei Trost.

Helen errötete leicht unter Gwyneiras Blick, fasste sich aber schnell.

»Ich musste heute Morgen feststellen, dass die Tischmanieren der Mädchen sehr zu wünschen übrig lassen«, sagte sie. »Im Waisenhaus muss es zugegangen sein wie im Raubtierkäfig. Die Kinder essen mit den Fingern und stopfen sich die Backen voll, als wäre es ihre letzte Mahlzeit auf Erden!«

Beschämt schauten Dorothy und Elizabeth zu Boden. Daphne beeindruckte der Tadel weniger.

»Wahrscheinlich hätten sie sonst nichts abbekommen«, meinte Gwyneira. »Wenn ich sehe, wie mager die Mädchen sind ... Aber was soll das werden?« Noch einmal wies sie auf den Tisch. Helen korrigierte die Lage des Messers ein wenig.

»Ich zeige den Mädchen, wie man sich bei Tisch wie eine Dame verhält, und vermittle ihnen nebenbei die wichtigsten Fertigkeiten einer geschickten Bedienung«, bemerkte sie dabei. »Ich halte es für unwahrscheinlich, dass sie in größeren Haushalten aufgenommen werden, wo sie die Möglichkeit hätten, sich als Zofe, Köchin oder Stubenmädchen zu spezialisieren. Die Personallage in Neuseeland soll extrem schlecht sein. Also werde ich den Kindern eine möglichst umfassende Ausbildung mit auf den Weg geben, damit sie ihrer Herrschaft in möglichst vieler Hinsicht nützlich sein können.«

Helen nickte Elizabeth freundlich zu, die eben formvollendet Wasser in ihren Kaffeebecher geschüttet hatte. Eventuelle Tropfen fing sie mit einer Serviette auf.

Gwyneira blieb skeptisch. »Nützlich?«, fragte sie. »Diese Kinder? Ich wollte gestern schon fragen, warum man sie nach Übersee schickt, aber jetzt wird mir einiges klar ... Vermute ich richtig, dass man sie im Waisenhaus gern loswerden möchte, aber niemand in London kleine, halb verhungerte Dienstmädchen will?«

Helen nickte. »Die rechnen mit jedem Penny. Ein Kind ein Jahr lang im Waisenhaus unterzubringen, es zu ernähren, zu kleiden und zur Schule zu schicken, kostet drei Pfund. Die Überfahrt kostet vier, aber dafür sind sie die Kinder dann ein für alle Mal los. Sonst müssten sie zumindest Rosemary und die Zwillinge noch mindestens zwei Jahre behalten.«

»Aber der halbe Fahrpreis gilt doch nur für Kinder bis zwölf«, wandte Gwyneira ein, was Helen wunderte. Hatte dieses reiche Mädchen sich tatsächlich nach den Preisen im Zwischendeck erkundigt? »Und eine Stelle können die Mädchen frühestens mit dreizehn antreten.«

Helen verdrehte die Augen. »In der Praxis auch schon mit zwölf, wobei ich schwören würde, dass zumindest Rosemary kaum das achte Jahr überschritten hat. Aber Sie haben Recht: Dorothy und Daphne hätten eigentlich schon den vollen Preis zahlen müssen. Doch die ehrenwerten Ladys vom Waisenhauskomitee haben sie für die Reise wahrscheinlich ein bisschen jünger gemacht ...«

»Und kaum dass wir ankommen, werden die Kleinen dann wie durch ein Wunder altern, damit man sie als Dreizehnjährige vermitteln kann!« Gwyneira lachte und suchte in den Taschen ihres weiten Hauskleides, über das sie nur einen leichten Umhang geworfen hatte. »Die Welt ist schlecht. Hier, Mädchen, habt ihr erst mal was Richtiges zum Kauen. Ist ja schön, Servieren zu spielen, aber davon kriegt ihr auch nichts auf die Rippen. Hier!«

Vergnügt förderte die junge Frau händeweise Muffins und süße Brötchen zutage. Die Mädchen vergaßen umgehend die eben gelernten Tischmanieren und stürzten sich auf die Leckerbissen.

Helen versuchte, die Ordnung wieder herzustellen und die Süßigkeiten zumindest gerecht zu verteilen. Gwyneira strahlte.

»War doch eine gute Idee, nicht?«, fragte sie Helen, als die sechs Kinder kauend auf dem Rand eines Rettungsbootes hockten, wobei sie weisungsgemäß kleine Bissen nahmen und sich die Küchlein nicht als Ganzes in den Mund stopften. »Auf dem Oberdeck servieren sie ein Essen wie im Grand Hotel, da musste ich an Ihre dürren Mäuse hier denken. Also hab ich den Frühstückstisch ein bisschen abgeräumt. Das ist Ihnen doch recht, oder?«

Helen nickte. »Von unserer Verpflegung hier werden sie jedenfalls nicht zunehmen. Die Portionen sind nicht besonders reichhaltig, und wir müssen das Essen auch selbst aus der Kombüse holen. Da zweigen die älteren Mädchen auf dem Weg schon die Hälfte ab – ganz abgesehen davon, dass zu den Auswandererfamilien mittschiffs ein paar freche Bengel gehören. Noch sind sie eingeschüchtert, aber passen Sie auf – in zwei, drei Tagen werden sie den Mädchen auflauern und Wegezoll verlangen! Aber die paar Wochen werden wir auch noch überstehen. Und ich versuche, den Kindern etwas beizubringen. Das ist mehr, als bisher sonst jemand getan hat.«

Während die Kinder zuerst aßen und dann mit Cleo spielten, schlenderten die jungen Frauen plaudernd an Deck auf und ab. Gwyneira war neugierig und wollte möglichst alles über ihre neue Bekanntschaft erfahren. Schließlich erzählte Helen von ihrer Familie und ihrer Stelle bei den Greenwoods.

»Dann wohnen Sie also nicht wirklich schon in Neuseeland?«, fragte Gwyn ein wenig enttäuscht. »Haben Sie gestern nicht gesagt, Ihr Ehemann würde Sie dort erwarten?«

Helen wurde rot. »Nun ... mein zukünftiger Ehemann. Ich ... Sie werden das sicher albern finden, aber ich reise nach Übersee, um mich dort zu verheiraten. Mit einem Mann, den ich bisher nur aus Briefen kenne ...« Verschämt blickte sie zu Boden. Die Ungeheuerlichkeit ihres Abenteuers wurde ihr jedes Mal erst dann richtig bewusst, wenn sie anderen davon erzählte.

»Dann geht es Ihnen genau wie mir«, meinte Gwyneira leichthin. »Und meiner hat mir noch nicht mal geschrieben!«

»Sie auch?«, wunderte sich Helen. »Sie folgen auch der Brautwerbung eines Unbekannten?«

Gwyn zuckte die Schultern. »Na ja, unbekannt ist er nicht. Er heißt Lucas Warden, und sein Vater hat für ihn formvollendet um meine Hand angehalten ...« Sie biss sich auf die Lippen. »Ziemlich formvollendet«, berichtigte sie sich dann. »So gesehen geht das alles in Ordnung. Aber was Lucas betrifft ... ich hoffe, er will überhaupt heiraten. Sein Vater hat mir nicht verraten, ob er ihn vorher gefragt hat ...«

Helen lachte, doch Gwyneira meinte es beinahe ernst. Sie hatte Gerald Warden in den letzten Wochen nicht als einen Mann kennen gelernt, der allzu viel fragte. Der Schaf-Baron traf seine Entscheidungen schnell und allein, und auf Einmischungen anderer konnte er ziemlich unwirsch reagieren. Auf diese Weise war es ihm gelungen, in den Wochen seines Europaaufenthaltes ein enormes organisatorisches Pensum zu erledigen. Vom Kauf der Schafe über diverse Vereinbarungen mit Wollimporteuren, Besprechungen mit Architekten und Spezialisten für den Brunnenbau bis zur Brautwerbung für seinen Sohn erledigte er alles kühl und mit atemberaubender Geschwindigkeit. Eigentlich gefiel Gwyneira sein entschlossenes Vorgehen, aber manchmal machte es ihr ein wenig Angst. Bei aller Verbindlichkeit hatte Warden eine aufbrausende Ader, und bei geschäftlichen Verhandlungen zeigte er bisweilen eine Art von Verschlagenheit, die vor allem Lord Silkham nicht behagte. Nach Silkhams Meinung hatte der Neuseeländer den Züchter des kleinen Hengstes Madoc nach allen Regeln der Kunst übers Ohr gehauen – und ob es bei dem Kartenspiel um Gwyneiras Hand so ganz mit rechten Dingen zugegangen war, blieb auch fraglich. Gwyneira fragte sich manchmal, wie Lucas zu all dem stand. War er so tatkräftig wie sein Vater? Verwaltete er die Farm zurzeit genauso effizient und kompromisslos? Oder zielte Geralds mitunter vorschnelles Handeln auch darauf, den Aufenthalt in Europa und damit Lucas' Alleinherrschaft auf Kiward Station so weit als möglich abzukürzen?

Jetzt erzählte sie Helen jedenfalls eine leicht abgeschwächte Fassung von Geralds geschäftlichen Beziehungen zu ihrer Familie, die dann zu der Brautwerbung geführt hatten. »Ich weiß, dass ich auf eine florierende Farm heirate, mit vierhundert Hektar Land und einem Schafbestand von fünftausend Tieren, der noch weiter anwachsen soll«, endete sie schließlich. »Ich weiß, dass mein Schwiegervater gesellschaftliche und geschäftliche Beziehungen zu den besten Familien Neuseelands unterhält. Er ist offensichtlich reich, sonst könnte er sich diese Reise und das alles nicht leisten. Aber über meinen künftigen Gatten weiß ich nichts!«

Helen hörte aufmerksam zu, doch fiel es ihr schwer, Gwyneira zu bedauern. Tatsächlich wurde Helen eben schmerzhaft bewusst, dass ihre neue Freundin deutlich besser über ihr künftiges Leben informiert war als sie selbst. Ihr hatte Howard nichts über die Größe seiner Farm berichtet, nichts über seinen Viehbestand und seine gesellschaftlichen Kontakte. Über seine finanziellen Verhältnisse wusste sie nur, dass er zwar schuldenfrei war, sich größere Ausgaben wie das Geld für eine Europareise – und sei es nur auf dem Zwischendeck – aber nicht ohne weiteres leisten konnte. Immerhin schrieb er wunderschöne Briefe! Wieder einmal errötend, nestelte Helen die schon völlig zerlesenen Schriftstücke aus der Tasche und schob sie Gwyneira hinüber. Die beiden Frauen hatten inzwischen auf dem Rand des Rettungsbootes Platz genommen. Gwyneira las begierig.

»Tjaaa, schreiben kann er ...«, meinte sie schließlich verhalten und faltete die Briefe zusammen.

»Finden Sie daran etwas merkwürdig?«, erkundigte Helen sich ängstlich. »Gefallen Ihnen die Briefe nicht?«

Gwyneira zuckte die Schultern. »Mir müssen sie ja nicht gefallen. Wenn ich ehrlich sein soll, finde ich sie ein bisschen schwülstig. Aber ...«

»Aber?«, drängte Helen.

»Also, was ich komisch finde ... ich hätte nie gedacht, dass ein Farmer so schöne Briefe schreibt.« Gwyneira wand sich. Sie fand die Briefe mehr als seltsam. Natürlich mochte Howard O'Keefe hochgebildet sein. Auch ihr eigener Vater war schließlich Gentleman und Farmer zugleich; im ländlichen England und in Wales war das nicht ungewöhnlich. Aber bei aller Schulbildung hätte Lord Silkham niemals so übertriebene Formulierungen gebraucht wie dieser Howard. Außerdem pflegte man gerade bei Eheverhandlungen unter Adligen die Karten auf den Tisch zu legen. Die zukünftigen Partner mussten wissen, was sie erwartete, und hier vermisste Gwyneira Angaben zu Howards wirtschaftlichen Verhältnissen. Sie fand es auch seltsam, dass er nicht nach einer Mitgift fragte oder zumindest ausdrücklich darauf verzichtete.

Nun hatte der Mann natürlich nicht damit gerechnet, dass Helen gleich das nächste Schiff nehmen würde, um in seine Arme zu eilen. Vielleicht dienten diese Schmeicheleien nur der ersten Kontaktaufnahme. Aber befremdlich fand sie es schon.

»Er ist eben sehr gefühlvoll«, nahm Helen ihren Zukünftigen in Schutz. »Er schreibt genau so, wie ich es mir gewünscht habe.« Sie lächelte glücklich und in sich versunken.

Gwyneira gab das Lächeln zurück. »Dann ist es gut«, erklärte sie, nahm sich im Stillen aber vor, ihren künftigen Schwiegervater bei nächster Gelegenheit nach Howard O'Keefe zu fragen. Der züchtete schließlich auch Schafe. Gut möglich, dass die Männer einander kannten.

Zunächst allerdings kam sie nicht dazu – schon deshalb, weil die Mahlzeiten, die gewöhnlich den geeigneten Rahmen für solch angelegentliche Erkundigungen bildeten, aufgrund des rauen Seegangs meistens ausfielen. Das schöne Wetter am ersten Reisetag hatte sich als trügerisch erwiesen. Kaum war der Atlantik erreicht, schlug der Wind um, und die *Dublin* kämpfte sich durch Stürme und Regen. Viele Passagiere waren seekrank und zogen es deshalb vor, auf die Mahlzeiten zu verzichten oder sie zumindest in ihrer Kabine einzunehmen. Gerald Warden und Gwyneira waren zwar beide nicht empfindlich, doch wenn kein offizielles Dinner anberaumt war, aßen sie oft zu unterschiedlichen Zeiten. Gwyneira tat das gezielt; schließlich hätte ihr künftiger Schwiegervater bestimmt nicht gebilligt, dass sie riesige Mengen an Nahrung orderte, um sie Helens kleinen Zöglingen zukommen zu lassen. Gwyn dagegen hätte am liebsten auch noch alle anderen Zwischendeckpassagiere mit Essen versorgt. Zumindest die Kinder brauchten jeden Bissen, den sie bekommen konnten – schon um sich halbwegs warm zu halten. Zwar war Hochsommer und die Außentemperaturen trotz des Regens nicht allzu niedrig. Doch bei schwerer See brach Wasser in die Kabinen auf dem Zwischendeck, und dann war alles feucht; dann gab es kaum einen trockenen Platz, an dem man sich setzen konnte. Helen und die Mädchen froren in ihren klammen Kleidern, aber Helen hielt trotzdem eisern an den täglichen Unterrichtsstunden für ihre Zöglinge fest. Die anderen Kinder auf dem Schiff erhielten zurzeit noch keinen Schulunterricht. Der Schiffsarzt, dem diese Aufgabe obliegen sollte, war seinerseits seekrank und betäubte sich mit reichlich Gin aus der Reiseapotheke.

Auch sonst waren die Zustände auf dem Zwischendeck alles andere als erfreulich. Im Familien- und Männerbereich liefen bei stürmischer See die Toiletten über, dazu wusch sich die Mehrheit der Passagiere selten bis nie. Bei den aktuell herrschenden Temperaturen zeigte Helen ja selbst wenig Lust dazu, bestand aber nach wie vor darauf, dass ihre Mädchen einen Teil der täglichen Wasserration zur Körperhygiene verwendeten.

»Ich würde auch die Kleider gern waschen, aber die trocknen einfach nicht, das ist hoffnungslos«, klagte sie, woraufhin Gwyneira versprach, zumindest Helen mit einem Ersatzkleid auszuhelfen. Ihre eigene Kabine war beheizt und perfekt isoliert. Hier drang auch bei härtestem Seegang kein Wasser ein, das die weichen Teppiche und eleganten Polstermöbel hätte verderben können. Gwyneira hatte ein schlechtes Gewissen, aber sie konnte Helen unmöglich anbieten, mit den Kindern zu ihr zu ziehen. Gerald hätte das niemals gestattet. So nahm sie höchstens mal Dorothy oder Daphne unter dem Vorwand mit hinauf, etwas an ihren Kleidern richten zu müssen.

»Warum hältst du deine Schulstunden eigentlich nicht unten bei den Tieren?«, fragte sie schließlich, nachdem Helen ihr wieder einmal zitternd auf Deck begegnete, wo die Mädchen abwechselnd aus *Oliver Twist* vorlasen. Es war kalt, aber immerhin trocken, und die frische Luft war angenehmer als der feuchte Dunst auf dem Zwischendeck. »Da wird jeden Tag sauber gemacht, auch wenn die Matrosen fluchen. Mr. Warden prüft nach, ob die Schafe und Pferde gut untergebracht sind. Und der Proviantmeister ist mit den Schlachttieren pingelig. Die schleppt er schließlich nicht mit, damit sie ihm eingehen und er das Fleisch über Bord werfen muss.«

Wie sich herausgestellt hatte, dienten die Schweine und das Geflügel als lebender Proviant für die Passagiere der ersten Klasse, und die Kühe wurden tatsächlich täglich gemolken. Die Reisenden auf dem Zwischendeck bekamen von all diesen guten Dingen allerdings nichts zu sehen – bis Daphne einen Jungen dabei ertappte, dass er nachts heimlich molk. Ohne die geringsten Skrupel verpfiff sie ihn, jedoch nicht, ohne ihn vorher zu beobachten und anschließend die Melkbewegungen nachzuahmen. Seitdem gab es frische Milch für die Mädchen. Und Helen tat so, als merke sie es nicht.

Daphne stimmte Gwyneiras Vorschlag denn auch gleich begeistert zu. Sie hatte beim Melken und Eierstehlen längst bemerkt, um wie viel wärmer es in den improvisierten Ställen unter Deck war. Die großen Körper der Rinder und Pferde spendeten tröstliche Wärme, und das Stroh war weich und oft trockener als die Matratzen ihrer Kojen. Helen wollte sich zunächst dagegen sperren, gab dann aber nach. Insgesamt hielt sie drei Wochen Unterricht im Stall ab – bis der Proviantmeister sie erwischte, des Diebstahls von Lebensmitteln verdächtigte und schimpfend hinauswies. Inzwischen hatte die *Dublin* den Golf von Biscaya erreicht. Die See wurde ruhiger, das Wetter warm. Die Zwischendeckpassagiere trugen ihre klammen Kleider und das Bettzeug aufatmend hinaus, um es in der Sonne zu trocknen. Sie priesen Gott für die Wärme, doch die Besatzung warnte sie: Schon bald würden sie den Indischen Ozean erreichen und die glühende Hitze verfluchen.

# 6

Nun, da der erste, beschwerliche Teil der Reise vorbei war, regte sich das gesellschaftliche Leben an Bord der *Dublin.*

Der Schiffsarzt nahm seine Arbeit als Lehrer endlich auf, sodass die Kinder der Auswanderer etwas anderes zu tun hatten als einander, ihre Eltern und vor allem Helens Mädchen zu ärgern. Letztere konnten im Unterricht glänzen, und Helen war stolz auf sie. Sie hatte zunächst gehofft, durch die Schulstunden etwas Zeit für sich selbst zu gewinnen, aber dann zog sie es doch vor, ihre Zöglinge dabei zu beaufsichtigen. Schließlich kamen die Klatschbasen Mary und Laurie schon am zweiten Tag mit besorgniserregenden Neuigkeiten aus der Klasse zurück.

»Daphne hat Jamie O'Hara geküsst!«, berichtete Mary atemlos.

»Und Tommy Sheridan wollte Elizabeth anfassen, aber sie hat gesagt, dass sie auf einen Prinzen wartet, und dann haben alle gelacht«, fügte Laurie hinzu.

Helen nahm sich daraufhin zunächst Daphne vor, die kein bisschen Schuldbewusstsein zeigte. »Jamie hat mir dafür ein Stück gute Wurst gegeben«, erklärte sie gelassen. »Die haben sie noch von zu Hause mitgebracht. Und es ging auch ganz schnell, richtig küssen kann der gar nicht!«

Helen war entsetzt ob Daphnes offensichtlich tiefer greifender Kenntnisse. Sie rügte sie streng, wusste aber, dass sie damit nichts erreichte. Daphnes Sinn für Moral und Schicklichkeit konnte allenfalls langfristig geschärft werden. Vorerst half nur Kontrolle. Also wohnte Helen dem Unterricht der Mädchen zunächst bei und übernahm dann selbst immer mehr Pflichten in der Schule und bei der Vorbereitung der Sonntagsmesse. Der Schiffsarzt war ihr dankbar dafür; ihm lag weder das Amt des Lehrers noch das des Predigers.

Nachts erklang nun fast täglich Musik auf dem Zwischendeck. Die Menschen hatten sich mit dem Verlust der alten Heimat abgefunden – oder fanden zumindest Trost im Singen altenglischer, irischer und schottischer Lieder. Mancher hatte auch ein Instrument mit an Bord gebracht; man hörte Fiedeln, Flöten und Harmonikas. Freitags und samstags wurde getanzt, und wieder musste Helen vor allem Daphne im Zaum halten. Sie erlaubte den älteren Mädchen ja gern, der Musik zu lauschen und auch eine Stunde beim Tanz zuzusehen. Aber dann sollten sie ins Bett, wozu Dorothy sich auch brav bereit fand – während Daphne Ausflüchte fand oder sogar versuchte, sich später noch mal wegzuschleichen, wenn sie Helen schlafend wähnte.

Auf dem Oberdeck verliefen die gesellschaftlichen Aktivitäten kultivierter. Man veranstaltete Konzerte und Deckspiele, und natürlich wurden die Abendmahlzeiten im Speisesaal festlich zelebriert. Gerald Warden und Gwyneira teilten die Tafel mit einem Londoner Ehepaar, dessen jüngerer Sohn in einer Garnison in Christchurch stationiert war und sich nun mit dem Gedanken trug, sich dort endgültig anzusiedeln. Der junge Mann hatte die Absicht, zu heiraten und dann in den Wollhandel einzusteigen. Er hatte seinen Vater gebeten, ihm dazu einen Vorschuss auf sein Erbe zu gewähren. Mr. und Mrs. Brewster – agile, entschlusskräftige Leute in den Fünfzigern – buchten daraufhin umgehend die Reise nach Neuseeland. Bevor er Geld locker mache, so dröhnte Mr. Brewster, wolle er sich die Gegend und vor allem die zukünftige Schwiegertochter einmal ansehen.

»Sie ist zur Hälfte Maori, schreibt Peter«, meinte Mrs. Brewster zweifelnd. »Und sie wäre so schön wie eines dieser Südseemädchen, deren Bilder man manchmal sieht. Aber ich weiß nicht, eine Eingeborene ...«

»Für den Landerwerb kann das ganz günstig sein«, meinte Gerald. »Ein Bekannter von mir erhielt mal eine Häuptlingstochter zum Geschenk – und daran hingen zehn Hektar bestes Weideland. Mein Freund hat sich sofort verliebt.« Gerald zwinkerte vielsagend.

Mr. Brewster lachte dröhnend und aus voller Brust über seinen Scherz, Gwyn und Mrs. Brewster eher gezwungen.

»Könnte übrigens seine Tochter sein, die kleine Freundin Ihres Sohnes«, überlegte Gerald weiter. »Die müsste jetzt so fünfzehn sein, ein durchaus heiratsfähiges Alter bei den Eingeborenen. Und die Mischlinge sind zum Teil wunderschön. Die reinblütigen Maoris dagegen ... also, mein Geschmack wären die nicht. Zu klein, zu gedrungen, und dann die Tätowierungen ... aber jedem das seine. Über Geschmack lässt sich nicht streiten.«

Aus den Fragen der Brewsters und Geralds Antworten erfuhr Gwyneira nun auch einiges mehr über ihr künftiges Heimatland. Bislang hatte der Schaf-Baron hauptsächlich über die wirtschaftlichen Möglichkeiten, die Viehzucht und das Weideland in den Canterbury Plains gesprochen, aber jetzt hörte sie zum ersten Mal, dass Neuseeland als Ganzes aus zwei großen Inseln bestand, wobei Christchurch und Canterbury auf der Südinsel gelegen waren. Sie hörte von Gebirgen und Fjorden, aber auch von einem dschungelähnlichen Regenwald, von Walfangstationen und Goldsuche. Gwyneira erinnerte sich, dass Lucas angeblich über die Flora und Fauna des Landes forschte, und ersetzte ihren Tagtraum vom Pflügen und Säen an der Seite ihres Gatten sogleich durch eine fast noch aufregendere Fantasie von Expeditionen in unerschlossene Gebiete der Inseln.

Irgendwann erschöpfte sich aber sowohl die Neugier der

Brewsters als auch Geralds Erzählfreude. Warden kannte Neuseeland zwar offensichtlich gut, aber Tiere und Landschaften interessierten ihn nur unter ökonomischen Vorzeichen. Familie Brewster schien es ähnlich zu gehen. Ihnen war vor allem wichtig, ob die Gegend sicher war und eine mögliche Geschäftsgründung Gewinn abwarf. Bei der Erörterung dieser Fragen fielen die Namen diverser Kaufleute und Farmer, und Gwyneira nutzte die Gelegenheit, ihren lang gehegten Plan zu verwirklichen und unverfänglich nach einem »Gentlemanfarmer« namens O'Keefe zu fragen.

»Vielleicht kennen Sie ihn ja. Er soll auch irgendwo in den Canterbury Plains wohnen.«

Gerald Wardens Reaktion überraschte sie. Ihr künftiger Schwiegervater lief umgehend rot an, und seine Augen schienen vor Erregung aus den Höhlen zu treten.

»O'Keefe? Gentlemanfarmer?« Gerald spie diese Worte aus und schnaubte empört. »Ich kenne einen Halunken und Halsabschneider namens O'Keefe!«, polterte er weiter. »Abschaum, den man schleunigst nach Irland zurückschicken sollte. Oder nach Australien, in die Sträflingskolonien, da kommt er nämlich her! Gentlemanfarmer! Dass ich nicht lache! Raus damit, Gwyneira, wie kommen Sie auf den Namen?«

Gwyneira hob beschwichtigend die Hand, und Mr. Brewster beeilte sich, Geralds Glas noch einmal mit Whiskey zu füllen. Anscheinend erhoffte er sich davon eine beruhigende Wirkung. Mrs. Brewster war regelrecht zusammengezuckt, als Warden losbrüllte.

»Ich meine bestimmt einen anderen O'Keefe«, sagte Gwyneira rasch. »Eine junge Frau aus dem Zwischendeck, eine englische Gouvernante, ist mit ihm verlobt. Sie sagt, er gehöre zu den Honoratioren von Christchurch.«

»So?«, fragte Gerald misstrauisch. »Seltsam, dass mir der entgangen sein soll. Ein Gentlemanfarmer aus der Gegend um Christchurch, der mit diesem verfluchten Hundesohn … oh, Verzeihung, Ladys … der das Pech hat, mit diesem zweifelhaften Subjekt O'Keefe den Namen zu teilen, sollte mir eigentlich bekannt sein.«

»O'Keefe ist ein sehr häufiger Name«, begütigte Mr. Brewster. »Es kann durchaus sein, dass es in Christchurch zwei O'Keefes gibt.«

»Und Helens Mr. O'Keefe schreibt sehr schöne Briefe«, fügte Gwyneira hinzu. »Er muss sehr gebildet sein.«

Gerald lachte dröhnend. »Na, dann ist es sicher ein anderer. Der alte Howie bringt kaum seinen Namen ohne Fehler zu Papier! Aber es passt mir nicht, Gwyn, dass du dich auf dem Zwischendeck herumtreibst! Halte Abstand von den Leuten da, auch von dieser angeblichen Gouvernante. Die Geschichte ist mir suspekt, also sprich nicht mehr mit ihr!«

Gwyneira runzelte die Stirn. Den Rest des Abends schwieg sie verärgert. Später, in ihrer Kabine, steigerte sie sich regelrecht in ihren Zorn hinein.

Was bildete Warden sich ein? Das war ja ziemlich schnell gegangen mit der Entwicklung von »Mylady« zur »Lady Gwyneira« und jetzt zur kleinen »Gwyn«, die man ungeniert duzte und herumkommandierte! Den Teufel würde sie tun und den Kontakt mit Helen abbrechen! Die junge Frau war auf dem ganzen Schiff die Einzige, mit der sie offen und ohne Scheu plaudern konnte. Die beiden wurden trotz ihrer verschiedenen gesellschaftlichen Hintergründe und Interessen immer engere Freundinnen.

Außerdem hatte Gwyn Gefallen an den sechs kleinen Mädchen gefunden. Besonders die ernsthafte Dorothy hatte es ihr angetan, aber auch die verträumte Elizabeth, die kleine Rosie und die mitunter etwas zwielichtige, aber zweifellos kluge und lebenstüchtige Daphne. Am liebsten hätte sie gleich alle sechs mit nach Kiward Station genommen, und eigentlich hatte sie vorgehabt, mit Gerald zumindest über ein neues

Dienstmädchen zu sprechen. Dafür sah es jetzt zwar nicht mehr allzu gut aus, aber die Reise war noch lang, und Warden würde sich zweifellos beruhigen. Viel mehr Kopfschmerzen machten Gwyneira die Dinge, die sie eben über Howard O'Keefe erfahren hatte. Gut, der Name war häufig, und zwei O'Keefes in einer Region waren sicher nicht ungewöhnlich. Aber zwei Howard O'Keefes?

Was hatte Gerald wohl gegen Helens künftigen Ehemann?

Gwyn hätte ihre Überlegungen gern mit Helen geteilt, hielt sich dann aber doch zurück. Was hätte es geholfen, Helens Seelenfrieden zu torpedieren und ihre Ängste zu schüren? Alle Spekulationen waren letztlich nichtig.

Inzwischen war es warm, fast schon heiß an Bord der *Dublin*. Die Sonne brannte oft gnadenlos vom Himmel. Die Auswanderer hatten dies zunächst genossen, aber jetzt, nach fast acht Wochen an Bord, schlug die Stimmung um. Während die Kälte der ersten Wochen die Menschen eher apathisch gemacht hatte, stimmten die Hitze und die stickige Luft in den Kabinen sie zunehmend gereizt.

Im Zwischendeck rieb man sich aneinander und ärgerte sich über die Fliege an der Wand. Es kam zu ersten Schlägereien unter den Männern, mitunter auch zwischen Reisenden und Besatzungsmitgliedern, wenn jemand sich bei der Essens- oder Wasserverteilung übervorteilt fühlte. Der Schiffsarzt setzte reichlich Gin ein, um die Blessuren zu reinigen und die Gemüter zu beruhigen. Dazu gab es in fast allen Familien Streit; die erzwungene Untätigkeit zerrte an den Nerven. Lediglich Helen hielt auf Ruhe und Ordnung in ihrer Kabine. Sie beschäftigte die Mädchen nach wie vor mit dem unendlichen Lernpensum rund um die Arbeiten in einem hochherrschaftlichen Haushalt. Gwyneira schwirrte oft selbst der Kopf, wenn sie zuhörte.

»Oh Gott, habe ich ein Glück, dem entkommen zu sein!«, dankte sie lachend ihrem Schicksal. »Zur Herrin eines solchen Haushalts hätte ich mich nicht geeignet. Ich hätte ständig die Hälfte vergessen. Und ich brächte es gar nicht über mich, die Hausmädchen täglich das Silber polieren zu lassen! Die Arbeit ist doch völlig überflüssig! Und warum muss man die Servietten so umständlich falten? Die werden doch sowieso jeden Tag gebraucht ...«

»Das ist eine Frage der Schönheit und Schicklichkeit!«, beschied Helen sie streng. »Außerdem wirst du sehr wohl auf das alles achten müssen. Nach dem, was ich so höre, erwartet dich auf Kiward Station ein Herrenhaus. Du hast selbst gesagt, Mr. Warden hätte die Architektur seines Heims an englischen Landhäusern orientiert und die Wohnräume von einem Londoner Innenarchitekten ausstaffieren lassen. Glaubst du, der hat auf Tafelsilber, Leuchter, Tabletts und Obstschalen verzichtet? Und Tischwäsche gehört doch wohl zu deiner Aussteuer!«

Gwyneira seufzte. »Ich hätte nach Texas heiraten sollen. Aber im Ernst, ich glaube ... hoffe ... Mr. Warden übertreibt. Er will zwar ein Gentleman sein, aber unter all dem vornehmen Gehabe steckt ein ziemlich rauer Kerl. Gestern hat er Mr. Brewster beim Black Jack geschlagen. Was heißt geschlagen – er hat ihn ausgenommen wie eine Weihnachtsgans! Und zum Schluss haben die anderen Herren ihm vorgeworfen, er würde betrügen. Daraufhin wollte er Lord Barrington fordern! Ich sage dir, es ging zu wie in einer Hafenkaschemme! Schließlich hat der Kapitän selbst um Mäßigung bitten lassen. In Wirklichkeit ist Kiward Station wahrscheinlich ein Blockhaus, und ich muss die Kühe selber melken.«

»Das könnte dir so passen!«, lachte Helen, die ihre Freundin inzwischen recht gut kennen gelernt hatte. »Aber mach dir nichts vor. Du bist und bleibst eine Lady, im Zweifelsfall sogar im Kuhstall – und das gilt auch für dich, Daphne! Nicht liederlich herumhängen und dabei auch noch die Beine spreizen, nur weil ich gerade mal nicht hinschaue. Stattdessen kannst du Miss Gwyneira frisieren. Der merkt man an, dass die Zofe fehlt. Im Ernst, Gwyn, dein Haar kräuselt sich, als hätte man es mit der Brennschere bearbeitet. Kämmst du es eigentlich nie?«

Unter Helens Fuchtel und mit ein paar zusätzlichen Hinweisen von Gwyneira zur neuesten Mode hatten sich sowohl Dorothy als auch Daphne zu recht geschickten Kammerzofen entwickelt. Beide waren höflich und hatten gelernt, wie man einer Lady beim Ankleiden half und ihr Haar frisierte. Manchmal hatte Helen allerdings Bedenken, Daphne allein in Gwyneiras Räume zu schicken, da sie dem Mädchen nicht traute. Sie hielt es durchaus für möglich, dass Daphne jede Gelegenheit zum Diebstahl nutzen würde. Doch Gwyneira beruhigte sie.

»Ich weiß nicht, ob sie ehrlich ist, aber sie ist bestimmt nicht dumm. Wenn sie hier stiehlt, kommt es heraus. Wer sonst sollte es gewesen sein, und wo sollte sie das Diebesgut verstecken? Solange sie hier auf dem Schiff ist, wird sie sich benehmen. Da habe ich keine Zweifel.«

Das dritte ältere Mädchen, Elizabeth, zeigte sich ebenfalls gutwillig und war untadelig ehrlich und liebenswert. Als übermäßig geschickt erwies sie sich allerdings nicht. Sie las und schrieb lieber, als mit den Händen zu arbeiten. Für Helen wurde sie dadurch zum Sorgenkind.

»Im Grunde sollte sie weiter zur Schule gehen und später vielleicht in ein Lehrerseminar«, bemerkte sie gegenüber Gwyneira. »Das würde ihr auch gefallen. Sie mag Kinder und hat viel Geduld. Aber wer sollte die Kosten übernehmen? Und gibt es in Neuseeland überhaupt ein entsprechendes Institut? Als Hausmädchen ist sie jedenfalls ein hoffnungsloser Fall. Wenn sie einen Boden schrubben soll, überschwemmt sie die Hälfte, und den Rest vergisst sie.«

»Vielleicht wäre sie ein gutes Kindermädchen«, überlegte die praktische Gwyn. »Ich werde wahrscheinlich bald eins brauchen ...«

Helen wurde bei dieser Bemerkung sofort rot. An das Kinderkriegen und vor allem an die Zeugung dachte sie im Zusammenhang mit ihrer bevorstehenden Ehe nur sehr ungern. Es war eine Sache, Howards geschliffenen Briefstil zu bewundern und sich in seiner Anbetung zu sonnen. Aber der Gedanke, sich von diesem wildfremden Mann berühren zu lassen ... Helen hatte nur unbestimmte Vorstellungen, was des Nachts zwischen Mann und Frau vorging, aber sie erwartete eher Schmerzen als Freuden. Und nun sprach Gwyneira ganz unbeschwert vom Kinderkriegen! Ob sie darüber reden wollte? Und ob sie darüber vielleicht mehr wusste als Helen? Helen fragte sich, wie sie das Thema anschneiden konnte, ohne die Grenzen der Schicklichkeit gleich mit dem ersten Wort peinlich zu verletzen. Und natürlich ging das nur, wenn keins der Mädchen in der Nähe war. Aufatmend stellte sie fest, dass Rosie unmittelbar neben ihnen mit Cleo spielte.

Gwyneira hätte die drängenden Fragen aber auch gar nicht beantworten können. Sie sprach zwar offen vom Kinderkriegen, verschwendete vorerst allerdings keinen Gedanken an die Nächte mit Lucas. Sie hatte keine Ahnung, was sie dabei erwartete – ihre Mutter hatte nur verschämt angedeutet, dass es nun mal zum Schicksal einer Frau gehörte, diese Dinge demütig zu erdulden. Dafür werde sie dann, so Gott wollte, mit einem Kind belohnt. Gwyn fragte sich zwar manchmal, ob sie so ein schreiendes, rotgesichtiges Baby wirklich als Glück betrachten würde, gab sich aber keinen Illusionen hin. Gerald Warden erwartete von ihr, ihm so schnell wie möglich einen Enkel zu gebären. Dem würde sie sich nicht verweigern – nicht einmal, wenn sie wüsste, wie man es anstellte.

Die Seereise zog sich hin. In der ersten Klasse kämpfte man mit der Langeweile; schließlich waren längst alle Höflichkeiten ausgetauscht, alle Geschichten erzählt. Die Passagiere auf dem Zwischendeck schlugen sich eher mit den zunehmenden Widrigkeiten des Daseins herum. Die karge, einseitige Ernährung führte zu Krankheiten und Mangelerscheinungen, die Enge der Kabinen und das jetzt beständig warme Wetter begünstigten Ungezieferbefall. Inzwischen begleiteten Delphine das Schiff, und oft waren auch große Fische wie Haie zu sehen. Die Männer im Zwischendeck schmiedeten Pläne, sie mittels Angeln oder Harpunen zu erlegen, waren dabei aber nur selten erfolgreich. Die Frauen sehnten sich nach einem Mindestmaß an Hygiene und fingen bei Regen Wasser auf, um ihre Kinder und ihre Kleider zu waschen. Helen fand das Ergebnis allerdings unbefriedigend.

»In der Brühe werden die Sachen eher noch schmutziger!«, schimpfte sie mit Blick auf das in einem der Rettungsboote gesammelte Wasser.

Gwyneira zuckte die Achseln. »Immerhin müssen wir es nicht trinken. Und wir haben Glück mit dem Wetter, sagt der Kapitän. Bisher keine Flaute, obwohl wir langsam in der ... in der ... Kalmenzone sind. Da weht der Wind oft nicht so, wie er soll, und manchmal geht den Schiffen das Wasser aus.«

Helen nickte. »Die Matrosen erzählen, man nenne die Gegend auch ›Rossbreiten‹. Weil man früher oft die Pferde geschlachtet hat, die an Bord waren, um nicht zu verhungern.«

Gwyneira schnaubte. »Bevor ich Igraine schlachte, esse ich die Matrosen!«, erklärte sie. »Aber wie gesagt, wir scheinen Glück zu haben.«

Leider sollte das Glück der *Dublin* bald ausgehen. Zwar wehte der Wind weiterhin, dafür aber bedrohte eine tückische Krankheit das Leben der Passagiere. Zunächst klagte nur ein

Matrose über Fieber, was niemand sehr ernst nahm. Der Schiffsarzt erkannte die Gefahr erst, als ihm die ersten Kinder mit Fieber und Ausschlag vorgestellt wurden. Dann aber breitete sich die Krankheit wie ein Lauffeuer auf dem Zwischendeck aus.

Helen hoffte anfangs, ihre Mädchen würden verschont bleiben, da sie außerhalb der täglichen Schulstunden wenig mit den anderen Kindern in Berührung kamen. Dank Gwyneiras Zuwendungen und Daphnes regelmäßiger Beutezüge in Kuh- und Hühnerställe waren sie zudem in einem erheblich besseren Allgemeinzustand als die anderen Auswandererkinder. Dann aber bekam Elizabeth Fieber, kurz darauf auch Laurie und Rosemary. Daphne und Dorothy erkankten nur leicht, und Mary steckte sich erstaunlicherweise nicht an, obwohl sie die ganze Zeit mit ihrem Zwilling die Koje teilte, Laurie eng umschlungen hielt und sie schon mal im Vorfeld beweinte. Dabei verlief das Fieber bei Laurie glimpflich, während Elizabeth und Rosemary mehrere Tage zwischen Leben und Tod schwebten. Der Schiffsarzt behandelte sie wie alle anderen Erkrankten mit Gin, wobei die jeweiligen Erziehungsberechtigten selbst entscheiden konnten, ob das Mittel innerlich oder äußerlich verabreicht werden sollte. Helen entschied sich für Waschungen und Umschläge und erreichte damit immerhin, dass die kranken Mädchen ein wenig Kühlung erfuhren. In den meisten Familien wanderte der Schnaps dagegen in die Mägen der Väter, und die ohnehin schon gereizte Stimmung wurde noch explosiver.

Schließlich starben zwölf Kinder an der Seuche, und wieder einmal beherrschten Weinen und Klagen das Zwischendeck. Immerhin hielt der Kapitän eine sehr ergreifende Totenmesse auf dem Hauptdeck, zu der ausnahmslos alle Passagiere erschienen. Gwyneira, der die Tränen übers Gesicht strömten, spielte Piano, wobei ihr guter Wille ihre Fähigkeiten deutlich überstieg. Ohne Noten war sie hilflos. Schließlich übernahm

Helen das Spielen, und einige der Zwischendeckpassagiere holten ebenfalls ihre Instrumente. Der Gesang und das Weinen der Menschen klangen weit übers Meer, und zum ersten Mal vereinten sich die reichen und armen Auswanderer zu einer Gemeinschaft. Man trauerte zusammen, und noch Tage nach der Messe war die Stimmung allgemein gedämpfter und friedfertiger. Der Kapitän, ein ruhiger und lebenskluger Mann, setzte die Sonntagsgottesdienste daraufhin grundsätzlich für alle auf dem Hauptdeck an. Das Wetter stellte dabei kein Problem mehr da. Es war eher zu heiß als zu kalt und regnerisch. Nur bei der Umsegelung des Kaps der Guten Hoffnung kam es noch einmal zu einem Sturm und schwerer See; danach verlief die Reise wieder ruhig.

Helen übte inzwischen Kirchenlieder mit ihren Schulkindern ein. Als der Vortrag eines Chorals eines Sonntagmorgens besonders gut gelungen war, zog das Ehepaar Brewster sie in ihre Unterhaltung mit Gerald und Gwyneira ein. Sie gratulierten der jungen Frau wortreich zu ihren Schülern, und schließlich nutzte Gwyneira die Gelegenheit, ihre Freundin und ihren zukünftigen Schwiegervater förmlich einander vorzustellen.

Sie hoffte nur, dass Warden dabei nicht wieder lospolterte, aber diesmal verlor er nicht die Fassung, sondern zeigte sich ziemlich charmant. Gelassen tauschte er die üblichen Höflichkeiten mit der jungen Frau und fand lobende Worte für den Gesang der Schulkinder.

»So, und Sie wollen also heiraten ...«, brummte er dann, als weiter nichts zu sagen war.

Helen nickte eifrig. »Ja, Sir, so Gott will. Ich vertraue darauf, dass der Herr mir den Weg in eine glückliche Ehe weist ... Vielleicht ist Ihnen mein Zukünftiger ja auch nicht unbekannt? Howard O'Keefe aus Haldon, Canterbury. Er besitzt eine Farm.«

Gwyneira hielt den Atem an. Vielleicht hätte sie Helen doch von Geralds letztem Ausbruch bei der Erwähnung ihres Verlobten erzählen sollen! Doch die Sorge erwies sich als unbegründet. Gerald hielt sich heute eisern unter Kontrolle.

»Ich hoffe, Sie bewahren sich da Ihren Glauben«, bemerkte er nur mit schiefem Grinsen. »Der Herr treibt nämlich manchmal die seltsamsten Scherze mit seinen unschuldigsten Schäfchen. Und was Ihre Frage angeht ... nein. Ein ›Gentleman‹ namens Howard O'Keefe ist mir gänzlich unbekannt.«

Die *Dublin* durchsegelte jetzt den Indischen Ozean, der vorletzte, längste und gefährlichste Abschnitt der Reise. Zwar war die See selten rau, aber die Route führte weit übers Meer. Seit Wochen hatten die Passagiere kein Land mehr gesehen, und Gerald Warden zufolge waren die nächsten Ufer Hunderte von Meilen weit entfernt.

Das Leben an Bord hatte sich inzwischen eingespielt, und dank des tropischen Wetters hielten sich alle mehr an Deck auf statt in der drangvollen Enge der Kabinen. Dabei lockerte sich die strenge Unterteilung in erste Klasse und Zwischendeck immer auffälliger. Neben den Gottesdiensten fanden jetzt auch gemeinsame Konzerte und Tanzveranstaltungen statt. Die Männer auf dem Zwischendeck arbeiteten weiter an ihrer Technik des Fischfangs und waren schließlich erfolgreich. Sie harpunierten Haie und Barrakudas und fingen Albatrosse, indem sie Leinen mit einer Art Angelhaken und Fischen als Köder hinter dem Schiff herzogen. Der Duft nach gegrilltem Fisch oder Geflügel zog dann übers ganze Deck, und den nicht beteiligten Familien lief das Wasser im Munde zusammen. Helen erhielt mitunter Zuwendungen. Als Lehrerin war sie hoch geachtet, und inzwischen konnten fast alle Zwischendeck-Kinder besser lesen und schreiben als ihre Eltern. Außerdem erschmeichelte Daphne sich fast jedes Mal eine Portion

Fisch oder Fleisch. Wenn Helen nicht aufpasste wie ein Luchs, schlich sie schon während der Angelaktion um die Fischer herum, bewunderte ihre Kunst und schaffte es mit Wimpernklimpern und Schmollmund, die Aufmerksamkeit auf sich zu lenken. Besonders die jungen Männer buhlten um ihre Gunst und ließen sich dabei zum Teil zu gefährlichen Mutproben hinreißen. Daphne applaudierte scheinbar entzückt, wenn sie ihre Hemden, Schuhe und Strümpfe ablegten, um sich von der johlenden Mannschaft ins Wasser abseilen zu lassen. Dabei hatten weder Helen noch Gwyneira das Gefühl, als machte Daphne sich wirklich etwas aus einem der Jungen.

»Sie hofft, dass ein Hai anbeißt«, bemerkte Gwyneira, als ein junger Schotte sich beherzt kopfüber in die Fluten stürzte und sich dann von der *Dublin* mitziehen ließ wie ein Köder am Angelhaken. »Wetten, dass sie keinerlei Skrupel hätte, das Tier dann trotzdem zu verspeisen?«

»Es wird Zeit, dass die Reise zu Ende geht«, seufzte Helen. »Sonst werde ich noch von der Lehrerin zum Gefängniswärter. Diese Sonnenuntergänge zum Beispiel ... ja, sie sind wunderschön und romantisch, aber das finden die Jungen und Mädchen natürlich auch. Elizabeth schwärmt von Jamie O'Hara, den Daphne längst hat fallen lassen, nachdem alle Würste gegessen waren. Und Dorothy wird täglich von ungefähr drei jungen Männern bedrängt, nachts mit ihnen das phosphoreszierende Meer zu betrachten.«

Gwyneira lachte und spielte mit ihrem Sonnenhut. »Daphne dagegen sucht ihren Traumprinzen nicht auf dem Zwischendeck. Gestern hat sie mich gefragt, ob sie nicht vom Oberdeck aus dem Sonnenuntergang zusehen könnte, da wäre die Aussicht doch viel besser. Wobei sie den jungen Viscount Barrington beäugt hat wie der Hai den Köder.«

Helen verdrehte die Augen. »Man sollte sie bald verheiraten! Oh, Gwyn, mir wird himmelangst, wenn ich bedenke, dass ich die Mädchen in nur zwei oder drei Wochen irgendwelchen fremden Leuten ausliefern muss und dann vielleicht nie wieder sehe!«

»Eben wolltest du sie noch loswerden!«, rief Gwyneira lachend. »Und immerhin können sie lesen und schreiben. Ihr könntet Briefe tauschen. Und wir auch! Wenn ich nur wüsste, wie weit Haldon und Kiward Station voneinander entfernt sind! Beides ist in den Canterbury Plains, aber wo liegt was? Ich will dich nämlich nicht verlieren, Helen! Wäre es nicht schön, wenn wir einander besuchen könnten?«

»Das können wir bestimmt!«, sagte Helen zuversichtlich. »Howard muss nahe bei Christchurch leben, sonst würde er ja nicht zur dortigen Gemeinde gehören. Und Mr. Warden hat sicher viel in der Stadt zu tun. Wir sehen uns, Gwyn, bestimmt!«

# 7

Die Reise neigte sich nun wirklich ihrem Ende zu. Die *Dublin* durchsegelte die Tasmanische See zwischen Australien und Neuseeland, und die Passagiere im Zwischendeck überboten sich mit Gerüchten darüber, wie nahe man dem neuen Land bereits sei. Manche kampierten schon morgens vor Sonnenaufgang an Deck, um als Erste einen Blick auf ihre neue Heimat zu werfen.

Elizabeth war hingerissen, als Jamie O'Hara sie deshalb einmal weckte, doch Helen befahl ihr streng, im Bett zu bleiben. Sie wusste von Gwyneira, dass es noch zwei oder drei Tage dauern würde, bis das Land in Sicht kam, und dann würde der Kapitän sie rechtzeitig informieren.

Schließlich geschah es dann sogar am hellllichten Vormittag: Der Kapitän ließ die Schiffssirene jaulen, und in Sekundenschnelle versammelten sich sämtliche Passagiere auf dem Hauptdeck. Gwyneira und Gerald standen natürlich in der ersten Reihe, sahen aber vorerst nichts als Wolken. Eine lang gezogene weiße Watteschicht verdeckte den Blick auf das Land. Hätte die Mannschaft den Einwanderern nicht versichert, dass sich die Südinsel dahinter verbarg, hätten sie dem Wolkenphänomen kaum besondere Aufmerksamkeit geschenkt.

Erst als sie sich dem Ufer näherten, zeichneten sich Berge im Nebel ab, schroffe Felskonturen, hinter denen sich wiederum Wolken auftürmten. Es sah seltsam aus, so, als schwebe das Gebirge in dem leuchtenden, wattigen Weiß.

»Ob es wohl immer so neblig ist?«, fragte Gwyneira wenig begeistert. So schön der Anblick war – sie konnte sich gut vorstellen, wie feucht und kühl der Ritt über den Pass werden würde, der Christchurch von der Anlegestelle der Hochseeschiffe trennte. Der Hafen, so hatte Gerald ihr erklärt, werde Lyttelton genannt. Der Ort sei aber noch im Aufbau, und selbst zu den ersten Häusern führe ein mühsamer Aufstieg. Nach Christchurch selbst müsse man laufen oder reiten – wobei der Weg teilweise so steil und schwierig sei, dass die Pferde von Ortskundigen am Zaumzeug geführt werden müssten. Daher hatte der Weg seinen Namen: Bridle Pass.

Gerald schüttelte den Kopf. »Nein. Es ist eher ungewöhnlich, dass sich dem Reisenden ein solcher Anblick bietet. Und sicher bringt es Glück ...« Er lächelte, offensichtlich zufrieden, seine Heimat wiederzusehen. »Schließlich heißt es, dass sich das Land den Reisenden im allerersten Kanu, das Menschen aus Polynesien nach Neuseeland brachte, genauso darbot. Daher hat Neuseeland auch seinen Maori-Namen – *aotearoa*, Land der großen weißen Wolke.«

Helen und ihre Mädchen blickten fasziniert auf das Naturschauspiel.

Daphne allerdings schien beunruhigt. »Es gibt gar keine Häuser«, sagte sie verblüfft. »Wo sind die Docks und die Hafenanlagen? Wo sind die Kirchtürme? Ich sehe nur Wolken und Berge! Es ist ganz anders als London.«

Helen versuchte, ermutigend zu lachen, obwohl sie Daphnes Erschrecken im Grunde teilte. Auch sie war ein Stadtkind, und dieses Übermaß an Natur erschien ihr befremdlich. Immerhin hatte sie aber schon verschiedene englische Landschaften gesehen, während die Mädchen nur die Straßen der Großstadt kannten.

»Es ist natürlich nicht London, Daphne«, erklärte sie. »Die Städte hier sind viel kleiner. Aber einen Kirchturm hat Christchurch auch, es wird sogar eine große Kathedrale bekommen wie Westminster Abbey! Du kannst die Häuser bloß noch nicht sehen, weil wir nicht direkt in der Stadt anlegen. Wir müssen ... äh, müssen wohl ein bisschen laufen, bis ...«

»Ein bisschen laufen?« Gerald Warden hatte ihre Worte gehört und lachte dröhnend. »Ich kann nur für Sie hoffen, Miss Davenport, dass Ihr großartiger Verlobter Ihnen ein Maultier schickt. Sonst laufen Sie sich die Sohlen Ihrer Stadtschühchen heute noch ab. Der Bridle Path ist ein gebirgiger Pattweg, glitschig und feucht vom Nebel. Und wenn die Nebel steigen, wird es verflixt warm. Aber sieh doch, Gwyneira, da ist Lyttelton Harbour!«

Die Menschen auf der *Dublin* teilten Geralds Aufregung, als die Nebel jetzt die Sicht auf eine beschauliche, birnenförmige Bucht freigaben. Gerald zufolge war dieses natürliche Hafenbecken vulkanischen Ursprungs. Die Bucht war von Bergen umgeben, und auch ein paar Häuser und Landungsstege wurden jetzt sichtbar.

»Lassen Sie sich keine Angst machen«, meinte der Schiffsarzt inzwischen launig zu Helen. »Neuerdings gibt es einen Pendelverkehr von Lyttelton nach Christchurch, der einmal täglich geht. Da können Sie ein Maultier mieten. Sie brauchen den Weg nicht mehr hinaufzusteigen wie die ersten Siedler.«

Helen zögerte. Sie konnte vielleicht ein Maultier mieten, aber was machte sie mit den Mädchen?

»Wie ... wie weit ist es denn?«, fragte sie unschlüssig, während die *Dublin* sich jetzt rasch der Küste näherte. »Und müssen wir das ganze Gepäck tragen?«

»Wie Sie wollen«, bemerkte Gerald. »Sie können es auch per Boot befördern lassen, den Avon River hinauf. Aber das kostet natürlich Geld. Die meisten Neusiedler schleppen ihr Zeug über den Bridle Path. Das sind zwölf Meilen.«

Helen beschloss umgehend, nur ihren geliebten Schaukelstuhl transportieren zu lassen. Das sonstige Gepäck würde sie tragen wie alle anderen Einwanderer auch. Zwölf Meilen konnte sie laufen – sicher konnte sie das! Obwohl sie es natürlich vorher noch nie versucht hatte ...

Inzwischen hatte sich das Hauptdeck geleert; die Passagiere eilten in ihre Kabinen, um ihre Habseligkeiten zu packen. Jetzt, da sie endlich am Ziel waren, wollten sie so schnell wie möglich von Bord. Auf dem Zwischendeck herrschte ein ähnliches Gedränge wie am Tag der Abfahrt.

In der ersten Klasse ging man es gelassener an. Hier wurde das Gepäck in der Regel übernommen; die Herrschaften würden die Dienste des Transportunternehmens in Anspruch nehmen, das mittels Maultieren Personen und Waren ins Binnenland beförderte. Mrs. Brewster und Lady Barrington zitterten allerdings schon vor dem Ritt über den Pass. Beide waren es nicht gewöhnt, sich zu Pferd oder zu Maultier fortzubewegen, und hatten obendrein Schauergeschichten über die Gefahren des Weges gehört. Gwyneira hingegen konnte es kaum erwarten, ihre Igraine zu besteigen – und geriet darüber gleich in einen heftigen Disput mit Gerald.

»Noch eine Nacht hier bleiben?«, fragte sie verwundert, als er andeutete, man werde das bescheidene, aber neuerdings vorhandene Gästehaus in Lyttelton nutzen. »Warum das denn?«

»Weil wir die Tiere kaum vor dem späten Nachmittag ausladen können«, erklärte Gerald. »Und weil ich Treiber anfordern muss, um die Schafe über den Pass zu bringen.«

Gwyneira schüttelte verständnislos den Kopf. »Wozu brauchen Sie da Hilfe? Schafe treiben kann ich allein. Und zwei Pferde haben wir auch. Wir brauchen nicht mal auf die Maultiere zu warten.«

Gerald lachte dröhnend, und Lord Barrington fiel umgehend ein.

»Sie wollen die Schafe über den Pass treiben, kleine Lady? Zu Pferde, wie ein amerikanischer Cowboy?« Dem Lord erschien das offenbar als der beste Witz, den er seit langem gehört hatte.

Gwyneira verdrehte die Augen. »Ich selbst treibe die Schafe natürlich nicht«, bemerkte sie. »Das machen Cleo und die anderen Hunde, die Mr. Warden von meinem Vater gekauft hat. Sicher, die Jungtiere sind noch klein und nicht ausreichend geschult. Aber es sind ja auch nur dreißig Schafe. Das schafft Cleo ganz ohne Hilfe, wenn's sein muss.«

Die kleine Hündin hatte ihren Namen gehört und kam umgehend aus ihrer Ecke. Schwanzwedelnd und mit leuchtenden, vor Begeisterung und Hingabe strahlenden Augen verharrte sie vor ihrer Herrin. Gwyn streichelte sie und kündigte ihr an, dass die Langeweile auf dem Schiff heute noch ein Ende finden würde.

»Gwyneira«, sagte Gerald verärgert, »ich habe diese Schafe und Hunde nicht gekauft und um die halbe Welt befördern lassen, damit sie hier in den nächsten Abgrund stürzen!« Er hasste es, wenn ein Mitglied seiner Familie sich lächerlich machte. Und noch mehr brachte es ihn auf, wenn jemand seine Anweisungen in Frage stellte oder gar ignorierte! »Du kennst den Bridle Path nicht. Das ist ein tückischer und gefährlicher Weg! Kein Hund kann da allein Schafe hinübertreiben, noch kannst du da einfach so reiten. Für heute Nacht habe ich Pferche für die Schafe vorbereiten lassen. Morgen lasse ich die Pferde hinüberführen, und du nimmst ein Maultier.«

Gwyneira warf herrisch den Kopf zurück. Sie hasste es, wenn man ihre Fähigkeiten und die ihrer Tiere unterschätzte.

»Igraine geht über jeden Weg und ist trittsicherer als jedes Maultier«, versicherte sie mit fester Stimme. »Und Cleo hat noch nie ein Schaf verloren, das wird ihr auch jetzt nicht passieren. Warten Sie ab, heute Abend sind wir in Christchurch!«

Die Männer lachten immer noch, aber Gwyneira war fest entschlossen. Wozu hatte sie den besten Hütehund von Powys, wenn nicht von ganz Wales? Und wozu züchtete man seit Jahrhunderten Cobs auf Geschick und Trittsicherheit? Gwyneira brannte darauf, es den Männern zu zeigen. Dies war eine neue Welt! Hier würde sie sich nicht auf die Rolle des wohlerzogenen kleinen Frauchens festlegen lassen, das den Befehlen der Männer widerspruchslos folgte!

Helen fühlte sich ganz schwindelig, als sie endlich, gegen drei Uhr nachmittags, die Füße auf Neuseelands Boden setzte. Der schwankende Landungssteg erschien ihr dabei nicht viel sicherer als die Planken der *Dublin*, doch sie balancierte beherzt hinüber, und dann stand sie endlich auf festem Land! Sie war so erleichtert, dass sie am liebsten niedergekniet wäre und den Boden geküsst hätte, wie Mrs. O'Hara und ein paar andere Siedler es ungeniert taten. Helens Mädchen und die anderen Kinder vom Zwischendeck tanzten ausgelassen herum und waren nur mit Mühe zu bändigen, sodass sie gemeinsam mit den anderen Überlebenden der Reise ein Dankgebet sprechen konnten. Doch Daphne wirkte immer noch enttäuscht. Die wenigen Häuser, die die Bucht von Lyttelton säumten, entsprachen nicht ihrer Vorstellung von einer Stadt.

Helen hatte den Transport des Schaukelstuhls schon auf dem Schiff in Auftrag gegeben. Jetzt schlenderte sie, ihre Reisetasche in der Hand und den Sonnenschirm über der Schulter, einen breiten Zufahrtsweg zu den ersten Häusern hinauf. Die Mädchen folgten ihr brav mit ihren Bündeln. Bis hierhin fand sie den Aufstieg zwar anstrengend, aber nicht gefährlich oder gar unzumutbar. Wenn es nicht schlimmer wurde, würde sie den Weg nach Christchurch schon meistern. Nun befanden sie sich allerdings erst einmal im Zentrum der Ansiedlung Lyttelton. Es gab einen Pub, einen Laden und ein wenig vertrauenswürdig wirkendes Hotel. Das kam aber ohnehin nur den Reichen zugute. Wer von den Zwischendeck-Passagieren nicht gleich nach Christchurch weiterwollte, konnte in primitiven Baracken und Zelten unterkommen.

Viele Neusiedler nutzten diese Möglichkeit. Einige Auswanderer hatten Verwandte in Christchurch und mit diesen vereinbart, dass sie ihnen Lasttiere schickten, sobald die *Dublin* eingetroffen war.

Helen hegte ebenfalls leise Hoffnungen, als sie die Maultiere des Transportunternehmens vor dem Pub warten sah. Zwar konnte Howard noch nichts von ihrer Ankunft wissen, aber dem Pfarrer von Christchurch, Reverend Baldwin, war mitgeteilt worden, dass die sechs Waisenmädchen mit der *Dublin* eintreffen würden. Vielleicht hatte er ja Vorkehrungen für ihre Weiterreise getroffen. Helen erkundigte sich bei den Maultiertreibern, aber diese hatten keine entsprechenden Anweisungen erhalten. Sie sollten zwar Waren für Reverend Baldwin in Empfang nehmen, und auch die Brewsters waren ihnen avisiert worden, die Mädchen aber hatte der Pfarrer nicht erwähnt.

»Also, Kinder, uns bleibt nichts anderes übrig, als zu laufen«, ergab Helen sich schließlich in ihr Schicksal. »Und zwar am besten gleich, dann haben wir es hinter uns.«

Die Zelte und Baracken, die zu nutzen ihre Alternative gewesen wäre, erschienen Helen nicht geheuer. Natürlich schliefen Männer und Frauen auch hier getrennt, aber es gab keine Türen, die man abschließen konnte, und sicher herrschte in Lyttelton ebenso Frauenmangel wie in Christchurch. Wer wusste, was den Männern einfiel, wenn sich ihnen hier sieben alleinstehende Frauen und Mädchen auf dem Silbertablett servierten?

Helen brach also auf, gemeinsam mit etlichen Einwandererfamilien, die ebenfalls sofort nach Christchurch weiterwollten. Die O'Haras waren dabei, und Jamie bot sich ritterlich an, Elizabeth' Habe zusätzlich zu der seinen zu schultern. Seine Mutter untersagte ihm das allerdings streng – die O'Haras transportierten ihren gesamten Hausrat über die Berge, und jeder hatte schon mehr als genug zu schleppen. In einem solchen Fall, so befand die resolute Frau, war Höflichkeit überflüssiger Luxus.

Nach den ersten Meilen in der Sonne mochte Jamie das wohl ähnlich sehen. Die Nebel hatten sich verzogen, wie Gerald es vorausgesagt hatte, und nun lag der Bridle Path in warmer Frühlingssonne. Für die Einwanderer war das nach wie vor schwer fassbar. Zu Hause in England hätte man jetzt mit den ersten Herbststürmen rechnen müssen, aber hier in Neuseeland begann eben das Gras zu sprießen und die Sonne höher zu steigen. Eigentlich waren die Temperaturen sehr angenehm, doch der weite Aufstieg in den warmen Reisekleidern war schweißtreibend, denn die Auswanderer hatten oft mehrere Kleidungsstücke übereinander gezogen, um weniger schleppen zu müssen. Selbst die Männer kamen schnell aus der Puste. Drei untätige Monate auf See hatten auch den stärksten Arbeitern die Kondition geraubt. Dabei wurde der Weg nicht nur zunehmend steiler, sondern auch gefährlicher. Die Mädchen weinten vor Angst, als sie an einem Kraterrand entlangsteigen mussten. Mary und Laurie klammerten sich dabei so verzweifelt aneinander, dass sie gerade dadurch absturzgefährdet waren. Rosemary hing an Helens Rockzipfel und versteckte den Kopf in den Falten ihres Reisekostüms, wenn sich der Abgrund allzu gefährlich auftat. Helen selbst hatte den Sonnenschirm längst zusammengeklappt. Sie brauchte ihn als Wanderstock – und sie hatte auch keine Energie mehr, ihn artig und damenhaft über der Schulter zu tragen. Ihr Teint war ihr heute egal.

Nach einer Stunde Marsch waren die Reisenden müde und durstig, hatten aber gerade mal zwei Meilen zurückgelegt.

»Oben auf dem Berg verkaufen sie Erfrischungen«, tröstete Jamie die Mädchen. »Das haben sie in Lyttelton zumindest gesagt. Und im Laufe des Abstiegs soll es Herbergen geben, die sich für eine Verschnaufpause anbieten. Wir müssen nur erst oben sein, dann ist das Schlimmste geschafft.« Damit ging er beherzt das nächste Wegstück an, und die Mädchen folgten ihm über den steinigen Grund.

Helen hatte während des Aufstiegs kaum Zeit, die Landschaft in Augenschein zu nehmen, doch was sie sah, war entmutigend. Die Berge wirkten kahl, grau und wenig bewachsen.

»Vulkangestein«, kommentierte Mr. O'Hara, der schon mal im Bergbau gearbeitet hatte. Aber Helen musste an die »Berge der Hölle« aus einer Ballade denken, die ihre Schwester manchmal gesungen hatte. Genau so – öde, fahl und unendlich – hatte sie sich den Hintergrund für die ewige Verdammnis vorgestellt.

Gerald Warden hatte seine Tiere tatsächlich erst ausladen können, nachdem alle Passagiere von Bord waren. Allerdings machten auch die Männer vom Transportunternehmen eben erst ihre Maultiere zum Abritt bereit.

»Wir schaffen das vor der Dunkelheit!«, versicherten sie den ängstlichen Ladys, die sie gerade auf die Mulis gehievt hatten. »Es sind etwa vier Stunden. Gegen acht Uhr abends werden wir in Christchurch eintreffen. Pünktlich zum Dinner im Hotel.«

»Da hören Sie's!«, sagte Gwyneira zu Gerald. »Denen können wir uns anschließen. Obwohl wir allein natürlich schneller wären. Igraine wird ungern hinter den Maultieren hertrotten.«

Zu Geralds Verdruss hatte Gwyneira die Pferde bereits gesattelt, während er das Ausladen der Schafe überwachte. Gerald musste sich sehr beherrschen, sie deshalb nicht böse anzufahren. Er war sowieso schlechter Laune. Kein Mensch hier kannte sich mit Schafen aus; Pferche waren nicht vorbereitet, und die Herde verstreute sich nun malerisch über die Hügel von Lyttelton. Die Tiere freuten sich über die Freiheit nach der langen Zeit im Bauch des Schiffes und hüpften ungebärdig wie junge Lämmer auf dem spärlichen Gras vor der Siedlung herum. Gerald schimpfte mit zwei Matrosen, die ihm beim Ausladen geholfen hatten, und befahl ihnen streng, die Tiere zusammenzutreiben und so lange zu bewachen, bis er den Aufbau eines provisorischen Pferchs organisiert hatte. Die Männer betrachteten ihre Aufgabe jedoch als erfüllt. Mit der frechen Bemerkung, sie seien Seeleute und keine Schäfer, strebten sie dem vor kurzem eröffneten Pub zu. Nach der langen Abstinenz an Bord waren sie durstig. Geralds Schafe interessierten sie nicht.

Dafür erklang jetzt ein schriller Pfiff, der nicht nur Lady Barrington und Mrs. Brewster, sondern auch Gerald und die Maultiertreiber erschrocken zusammenfahren ließ. Zumal der Ton nicht von irgendeinem Gassenjungen ausging, sondern von einer blaublütigen jungen Dame, die sie bislang für mädchenhaft und wohlerzogen gehalten hatten. Jetzt aber zeigte sich eine andere Gwyneira. Das Mädchen hatte Geralds Dilemma mit den Schafen erkannt und sorgte umgehend für Abhilfe. Durchdringend pfiff sie nach ihrem Hund, und Cleo folgte begeistert. Wie ein kleiner schwarzer Blitz sauste sie die Hügel hinauf und hinunter und kreiste die Schafe ein, die sich daraufhin sofort zu einer Herde formierten. Wie von unsichtbarer Hand gesteuert wandten die Tiere sich in Reih und Glied Gwyneira zu, die gelassen wartete – im Gegensatz zu Geralds jungen Hunden, die eigentlich in einer Transportkiste per Boot nach Christchurch gebracht werden sollten. Als sie die Witterung der Schafe aufnahmen, gebärdeten sich die kleinen Collies so wild, dass sie die leichte, aus Holzlatten gefertigte Kiste mühelos sprengten. Die sechs Tiere purzelten heraus und schossen sofort auf die Herde zu. Doch bevor die Schafe sich erschrecken konnten, ließen die Hunde sich wie auf Kommando zu Boden fallen. Aufgeregt hechelnd, die klugen Colliegesichter angespannt auf die Herde gerichtet, blieben sie liegen – fertig zum Eingreifen, wenn ein Schaf aus der Reihe tanzen sollte.

»Na also!«, meinte Gwyneira mit Gemütsruhe. »Die Welpen schlagen doch großartig ein. Der große Rüde da, mit dem begründen wir hier eine Linie, nach der die Engländer sich die Finger lecken werden. Wollen wir jetzt los, Mr. Gerald?«

Ohne auf seine Antwort zu warten, stieg sie auch schon auf ihre Stute. Igraine tänzelte dabei aufgeregt. Auch sie brannte darauf, sich endlich bewegen zu dürfen. Der Matrose, der den jungen Hengst gehalten hatte, gab das nervöse Tier aufatmend an Gerald weiter.

Gerald schwankte zwischen Wut und Bewunderung. Gwyneiras Vorstellung war beeindruckend gewesen, aber deshalb hatte sie immer noch nicht das Recht, sich über seine Befehle hinwegzusetzen! Und jetzt konnte Gerald sie kaum noch zurückpfeifen, ohne vor den Brewsters und Barringtons das Gesicht zu verlieren.

Unwillig nahm er die Zügel des kleinen Hengstes. Er hatte den Bridle Path mehr als einmal überwunden und kannte die Gefahren. Den Weg am Spätnachmittag in Angriff zu nehmen war immer ein Risiko. Selbst wenn man keine Schafherde mit sich führte und auf einem braven Maultier saß, statt auf einem gerade angerittenen Junghengst.

Andererseits wusste er hier in Lyttelton nicht, wohin mit den Schafen. Schließlich hatte sein unfähiger Sohn es wieder einmal versäumt, Vorkehrungen für ihre Unterbringung am Hafen zu treffen, und jetzt war garantiert niemand mehr zu finden, der vor dem Dunkelwerden einen Pferch aufstellte! Geralds Finger krampften sich vor Wut um die Zügel. Wann würde Lucas endlich lernen, über die Wände seines Studierzimmers hinaus zu denken!

Zornig setzte Gerald einen Fuß in den Steigbügel. Natürlich hatte er im Laufe seines bewegten Lebens gelernt, ein Pferd annehmbar zu handhaben, doch es war nicht sein bevorzugtes Fortbewegungsmittel. Den Bridle Path auf einem jungen Hengst anzugehen, kam für Gerald einer Mutprobe gleich – und er hasste Gwyneira beinahe dafür, dass sie ihn dazu zwang! Ihr rebellischer Geist, der Gerald so sehr gefallen hatte, solange er sich gegen ihren Vater richtete, wurde hier zusehends zum Ärgernis.

Gwyneira, die vor ihm locker und vergnügt auf ihrer Stute saß, ahnte nichts von Geralds Gedanken. Sie freute sich eher darüber, dass ihr künftiger Schwiegervater kein Wort über den Herrensattel verlor, den sie ihrer Igraine aufgelegt hatte. Ihr Vater hätte sicher einen Höllenwirbel gemacht, wenn sie sich in Gesellschaft breitbeinig auf ein Pferd gewagt hätte. Gerald aber schien gar nicht zu merken, wie unschicklich es wirkte, dass dabei der Rock ihres Reitkleides hochrutschte und ihre Fußgelenke enthüllte. Gwyneira versuchte, den Rock tiefer zu ziehen, vergaß die Sache dann aber. Sie hatte genug mit Igraine zu tun, die am liebsten die Maultiere überholt und den Pass im Galopp bewältigt hätte. Die Hunde dagegen brauchten keine Aufsicht. Cleo wusste, worum es ging, und trieb die Schafherde auch dann noch gekonnt über den Pfad, als der Weg sich verengte. Die jungen Hunde folgten ihr dabei wie die Orgelpfeifen und regten Mrs. Brewster sogar zu einem Scherz an: »Sieht ein bisschen so aus wie Miss Davenport und ihre Waisenmädchen.«

Helen war am Ende ihrer Kräfte, als sie zwei Stunden nach dem Aufbruch Hufschlag hinter sich hörte. Noch immer führte der Weg bergauf, und nach wie vor gab es nichts als öde, unwirtliche Berglandschaft. Immerhin sprach ihnen einer der anderen Auswanderer Mut zu. Er war einige Jahre zur See gefahren und dabei 1836 mit einer der ersten Expeditionen in dieser Gegend gewesen. In der Gruppe um Captain Rhodes, einem der ersten Siedler, hatte er die Port Hills erklettert und sich so sehr in den Anblick der Canterbury Ebene verliebt, dass er jetzt mit Frau und Kindern zurückgekommen war, um sich hier niederzulassen. Nun kündigte er seiner erschöpften Familie das Ende des Aufstiegs an. Nur noch einige wenige Wegbiegungen, dann würden sie die Bergkuppe erreichen.

Doch der Weg dorthin war nach wie vor eng und steil, und die Maultierführer konnten die Wanderer nicht überholen. Murrend reihten sie sich hinter ihnen ein. Helen fragte sich, ob Gwyneira unter den Reitern war. Sie hatte die Meinungsverschiedenheit zwischen ihr und Gerald mitbekommen und war gespannt, wer den Disput für sich entschieden hatte. Ihre feine Nase sagte ihr aber bald, dass Gwyneira sich durchgesetzt haben musste. Es roch deutlich nach Schaf, und als es jetzt langsamer vorwärts ging, hörte man von hinten auch protestierendes Blöken.

Und dann war die höchste Stelle des Passes endlich erreicht. Auf einer Art Plattform wurden die Wanderer von Händlern erwartet, die Stände mit Erfrischungen aufgebaut hatten. Hier rastete man wohl traditionell – schon um den ersten Ausblick auf die neue Heimat in Ruhe zu genießen. Doch Helen hatte vorerst noch keinen Sinn dafür. Sie schleppte sich nur zu einem der Stände und nahm einen großen Humpen Ingwerbier entgegen. Erst als sie getrunken hatte, begab sie sich zum Aussichtspunkt, an dem viele andere bereits andächtig verharrten.

»Ist das schön!«, flüsterte Gwyneira hingerissen. Sie saß noch auf ihrem Pferd und konnte somit über die anderen Einwanderer hinwegsehen. Für Helen dagegen bot sich nur eingeschränkte Sicht aus der dritten Reihe. Die reichte allerdings, um ihrer Begeisterung einen gewaltigen Dämpfer aufzusetzen. Weit unter ihnen wich die Berglandschaft zartgrünem Grasland, durch das sich ein kleiner Fluss wand. Auf dem gegenüberliegenden Ufer lag die Siedlung Christchurch –

doch sie war alles andere als die blühende Stadt, die Helen erwartet hatte. Zwar erkannte man tatsächlich einen kleinen Kirchturm, aber war nicht von einer Kathedrale die Rede gewesen? Sollte der Ort nicht Bischofssitz werden? Helen hatte zumindest mit einer Baustelle gerechnet, aber vorerst war nichts davon zu sehen. Christchurch war nicht mehr als eine Ansammlung von bunten Häusern, meist aus Holz erbaut, nur wenige aus dem Sandstein, von dem Mr. Warden gesprochen hatte. Es erinnerte sehr an Lyttelton, die kleine Hafenstadt, die sie eben hinter sich gelassen hatten. Und wahrscheinlich bot es auch kaum mehr an gesellschaftlichem Leben und Komfort.

Gwyneira schenkte dem Ort dagegen kaum einen zweiten Blick. Der war winzig, ja, aber das war sie von den Dörfern in Wales gewöhnt. Was sie faszinierte, war eher das Hinterland: Schier endloses Grasland lag in der Spätnachmittagssonne, und hinter den Ebenen erhoben sich majestätische, teilweise schneebedeckte Berge. Sie waren sicher Meilen und Meilen entfernt, aber die Luft war so klar, dass es aussah, als könne man sie berühren. Ein paar Kinder streckten sogar die Hände danach aus.

Der Anblick erinnerte an die Landschaft in Wales oder in einigen anderen Teilen Englands, wo Weideland an Hügellandschaften grenzte; deshalb erschien Gwyneira und vielen anderen Siedlern die Gegend vage vertraut. Doch alles wirkte klarer, größer, weitläufiger. Keine Pferche, keine Mauern grenzten die Landschaft ein, und nur selten war ein Haus zu sehen. Gwyneira empfand ein Gefühl von Freiheit. Hier würde sie endlos galoppieren können, und die Schafe konnten sich über ein riesiges Gebiet verstreuen. Nie wieder würde man darüber reden müssen, ob das Gras ausreichte oder ob man den Tierbestand verringern musste. Es gab Land im Überfluss!

Geralds Zorn auf das Mädchen verrauchte, als er ihr strahlendes Gesicht sah. Es spiegelte das Glücksgefühl, das auch er beim Anblick seines Landes immer wieder empfand. Gwyneira würde sich hier zu Hause fühlen. Vielleicht würde sie Lucas nicht lieben, aber ganz sicher dieses Land!

Helen kam zu dem Ergebnis, dass sie sich arrangieren musste. Das hier war nicht, was sie sich vorgestellt hatte, andererseits war ihr von allen Seiten versichert worden, Christchurch sei eine aufstrebende Gemeinde. Die Stadt würde wachsen. Irgendwann würde es Schulen geben und Bibliotheken – vielleicht konnte sie sogar ihren Beitrag dazu leisten, das alles aufzubauen. Howard schien ein kulturinteressierter Mann zu sein; bestimmt würde er sie unterstützen. Und überhaupt: Sie musste nicht das Land lieben, sondern ihren Gatten. Entschlossen schluckte sie ihre Enttäuschung herunter und wandte sich den Mädchen zu.

»Auf geht's, Kinder. Ihr hattet eure Erfrischung, jetzt müssen wir weiter. Aber bergab ist es nicht mehr so schlimm. Und immerhin können wir das Ziel jetzt schon sehen. Kommt, die Kleinen machen einen Wettlauf! Wer zuerst am nächsten Gasthof ist, bekommt eine Extra-Limonade!«

Der nächste Gasthof war nicht weit. Schon in den Ausläufern der Berge fanden sich die ersten Häuser. Der Weg wurde nun auch breiter, und die Reiter konnten die Fußgänger überholen. Cleo trieb die Schafherde gekonnt an den Siedlern vorbei, und Gwyn folgte auf der noch immer tänzelnden Igraine. Vorhin, auf den wirklich gefährlichen Pfaden, hatten die Cobs sich allerdings vorbildlich ruhig verhalten. Auch der kleine Madoc kletterte geschickt über die steinigen Wege, und Gerald hatte sich bald sicherer gefühlt. Er war inzwischen entschlossen, die unerfreuliche Episode mit Gwyneira zu vergessen. Gut, das Mädchen hatte seinen Willen durchgesetzt, aber das durfte nicht wieder vorkommen. Der Wildheit dieser kleinen walisischen Prinzessin mussten Zügel angelegt werden. Was das anging, war Gerald jedoch optimistisch: Lucas würde von seiner Ehefrau ein untadeliges Verhalten fordern, und Gwyneira war für das Leben an der Seite eines Gentlemans erzogen. Jagdreiten und Hundedressur mochten ihr besser gefallen, doch auf Dauer würde sie sich in ihr Schicksal fügen.

Die Reisenden erreichten den Fluss Avon im Licht des ausgehenden Tages, und die Reiter wurden sofort übergesetzt. Es war auch noch Zeit genug, die Schafe auf die Fähre zu verladen, bevor die Fußgänger eintrafen, sodass Helens Begleiter nur über die mit Schafdung verschmutzte Fähre schimpfen konnten, nicht über Verzögerungen.

Die Londoner Mädchen schauten verzückt in das glasklare Wasser des Flusses, kannten sie bislang doch nur die verschmutzte, stinkende Themse. Helen war inzwischen alles egal; sie sehnte sich nur noch nach einem Bett. Hoffentlich würde der Reverend sie wenigstens gastfreundlich aufnehmen. Er musste etwas für die Mädchen vorbereitet haben; es war unmöglich, dass er sie heute schon auf die Häuser ihrer Herrschaft verteilte.

Erschöpft fragte Helen vor dem Hotel und dem Mietstall nach dem Weg zum Pfarrhaus. Dabei sah sie Gwyneira und Mr. Warden, die eben aus den Ställen kamen. Sie hatten die Tiere gut untergebracht, und jetzt erwartete sie ein festliches Dinner. Helen beneidete ihre Freundin glühend. Wie gern hätte sie sich zunächst in einem sauberen Hotelzimmer frisch gemacht und dann an einen gedeckten Tisch gesetzt! Aber vor ihr lagen noch der Marsch durch die Straßen von Christchurch und dann die Verhandlungen mit dem Pfarrer. Die Mädchen hinter ihr murrten, und die Kleinen weinten vor Müdigkeit.

Nun war der Weg zur Kirche zum Glück nicht lang; bisher gab es in ganz Christchurch keine weiten Wege. Helen brauchte ihre Mädchen nur um drei Straßenecken zu führen, dann standen sie vor dem Pfarrhaus. Verglichen mit Helens Vaterhaus und dem Haus der Thornes wirkte das gelb gestrichene Holzgebäude ärmlich, aber die Kirche nebenan war kaum repräsentativer. Immerhin zierte die Haustür ein schöner Messing-Türklopfer in Form eines Löwenkopfes. Daphne betätigte ihn beherzt.

Zunächst geschah nichts. Dann erschien ein breitgesichtiges, mürrisches Mädchen im Türrahmen.

»Was wollt ihr denn?«, fragte sie unfreundlich.

Alle Mädchen außer Daphne wichen erschrocken zurück. Helen schob sich vor.

»Zuerst einmal möchten wir Ihnen einen guten Abend wünschen, Miss!«, erklärte sie resolut. »Und dann würde ich gern Reverend Baldwin sprechen. Mein Name ist Helen Davenport. Lady Brennan muss mich in einem ihrer Briefe erwähnt haben. Und das sind die Mädchen, die der Reverend aus London angefordert hat, um sie hier in Stellung zu geben.«

Die junge Frau nickte und gab sich jetzt etwas freundlicher. Einen Gruß rang sie sich jedoch noch immer nicht ab, sondern warf den Waisenkindern weitere missbilligende Blicke zu. »Ich glaub, meine Mutter hat Sie erst morgen erwartet. Ich sag mal Bescheid.«

Die junge Frau wollte gehen, doch Helen rief sie zurück.

»Miss Baldwin, die Kinder und ich haben eine Reise von achtzehntausend Meilen hinter uns. Meinen Sie nicht, dass es die Höflichkeit gebietet, uns erst einmal hereinzubitten und uns eine Sitzgelegenheit anzuweisen?«

Das Mädchen verzog das Gesicht. »Sie können ja reinkommen«, bemerkte sie. »Aber die Bälger nicht. Wer weiß, was für Ungeziefer die nach der Reise auf dem Zwischendeck einschleppen. Das will meine Mutter bestimmt nicht im Haus haben.«

Helen kochte vor Wut, zügelte sich aber.

»Dann warte ich auch hier draußen. Ich habe mit den Mädchen eine Kabine geteilt. Wenn sie Ungeziefer haben, dann habe ich es auch.«

»Wie Sie wollen«, meinte das Mädchen desinteressiert, schlurfte zurück ins Haus und zog die Tür hinter sich zu.

»Eine richtige Lady!«, sagte Daphne grinsend. »Irgendwas an Ihrem Unterricht, Miss Davenport, muss ich falsch verstanden haben.«

Helen hätte sie eigentlich rügen müssen, doch es fehlte ihr an Energie. Und falls die Mutter sich ähnlich christlich aufführen würde wie die Tochter, brauchte sie noch ein wenig Kampfkraft.

Immerhin erschien Mrs. Baldwin sehr schnell und bemühte sich auch um ein freundliches Auftreten. Sie war kleiner und nicht ganz so füllig wie ihre Tochter. Vor allem besaß sie nicht deren Pfannkuchengesicht. Stattdessen wirkten ihre Züge eher habichthaft, mit kleinen, eng zusammenstehenden Augen und einem Mund, der sich zum Lächeln zwingen musste.

»Das ist ja eine Überraschung, Miss Davenport! Aber Mrs. Brennan hat Sie tatsächlich erwähnt – und sehr positiv, wenn ich mir die Bemerkung gestatten darf. Bitte kommen Sie doch herein, Belinda richtet bereits das Gästezimmer für Sie her. Tja, und die Mädchen werden wir wohl auch eine Nacht unterbringen müssen. Obwohl …« Sie überlegte kurz und schien im Geist eine Namensliste durchzugehen. »Die Lavenders und Mrs. Godewind wohnen in der Nähe. Da kann ich gleich noch jemanden hinschicken. Vielleicht möchten sie ihre Mädchen ja heute noch in Empfang nehmen. Die verbleibenden Kinder können dann im Stall schlafen. Jetzt kommen Sie aber erst mal herein, Miss Davenport. Es wird kalt hier draußen!«

Helen seufzte. Sie wäre der Einladung gern gefolgt, aber so ging es natürlich nicht.

»Mrs. Baldwin, auch den Mädchen ist kalt. Sie haben einen

Fußweg von zwölf Meilen hinter sich und brauchen ein Bett und eine warme Mahlzeit. Und bis sie ihren Dienstherren übergeben werden, trage ich die Verantwortung für sie. Das war mit der Leitung des Waisenhauses vereinbart, und dafür wurde ich bezahlt. Also zeigen Sie mir bitte zuerst die Unterkunft der Mädchen, danach will ich Ihre Gastfreundschaft gern auch für mich in Anspruch nehmen.«

Mrs. Baldwin verzog das Gesicht, äußerte sich aber nicht weiter. Stattdessen wühlte sie einen Schlüssel aus den Taschen der weiten Schürze, die sie über einem teuren Hauskleid trug, und führte die Mädchen und Helen um die Hausecke. Hier gab es einen Stall für ein Pferd und eine Kuh. Das Heulager daneben roch würzig und war mit ein paar Decken wohnlich einzurichten. Helen ergab sich in das Unvermeidliche.

»Ihr habt es gehört, Mädchen. Heute Nacht werdet ihr hier schlafen«, wies sie die Kinder an. »Breitet eure Betttücher aus – schön sorgfältig, sonst sind eure Kleider nachher voller Heu. Wasser zum Waschen gibt es sicher in der Küche. Ich sorge dafür, dass es euch zur Verfügung gestellt wird. Und ich komme später nachsehen, ob ihr euch wie ordentliche Christenmädchen auf die Nacht vorbereitet! Erst waschen, dann beten!« Helen wollte streng klingen, doch so ganz schaffte sie das heute nicht. Auch sie selbst hätte keine Lust gehabt, sich in diesem Stall halb zu entkleiden und mit kaltem Wasser zu waschen. Dementsprechend würde ihre heutige Kontrolle nicht allzu streng ausfallen. Die Mädchen schienen die Anweisungen auch nicht übermäßig ernst zu nehmen. Statt sie mit einem braven »Ja, Miss Helen« zu quittieren, bestürmten sie ihre Lehrerin mit weiteren Fragen.

»Kriegen wir nichts zu essen, Miss Helen?«

»Ich kann nicht auf dem Stroh schlafen, Miss Helen, da ekle ich mich!«

»Bestimmt gibt's hier Flöhe!«

»Können wir nicht mit Ihnen kommen, Miss Helen? Und was ist das mit diesen Leuten, die vielleicht noch kommen? Wollen die uns holen, Miss Helen?«

Helen seufzte. Sie hatte während der ganzen Reise versucht, die Mädchen auf die bevorstehende Trennung am Tag nach der Ankunft vorzubereiten. Aber die Gruppe heute noch auseinander zu reißen, hielt sie nicht für klug. Zugleich wollte sie Mrs. Baldwin nicht noch mehr gegen sich und die Mädchen aufbringen. Also antwortete sie ausweichend.

»Richtet euch erst mal ein, und ruht euch aus, Mädchen. Alles andere wird sich finden, macht euch keine Sorgen.« Tröstend streichelte sie über Lauries und Marys blonden Schopf. Die Kinder waren sichtlich am Ende ihrer Kräfte. Dorothy richtete eben das Bett für Rosemary, die fast schon schlief. Helen nickte ihr anerkennend zu.

»Ich sehe nachher noch mal nach euch«, erklärte sie. »Versprochen!«

# 8

»Die Mädchen machen einen ziemlich verwöhnten Eindruck«, bemerkte Mrs. Baldwin mit verkniffener Miene. »Ich hoffe, sie werden ihren künftigen Dienstherren wirklich nützlich sein.«

»Es sind Kinder!«, seufzte Helen. Hatte sie dieses Gespräch nicht schon mit Mrs. Greenwood vom Londoner Waisenhauskomitee geführt? »Im Grunde sind erst zwei von ihnen alt genug, um eine Stelle antreten zu können. Aber alle sind brav und anstellig. Ich denke, es wird sich keiner beschweren.«

Mrs. Baldwin schien damit vorerst zufrieden. Sie führte Helen in ihr Gästezimmer, und zum ersten Mal an diesem Tag war die junge Frau angenehm überrascht. Das Zimmer war hell und sauber, mit Blümchentapeten und Gardinen im Landhausstil einladend eingerichtet, und das Bett war breit und bequem. Helen atmete auf. Sie war hier zwar in ländlicher Gegend gestrandet, aber doch nicht fern jeder Zivilisation. Dazu erschien eben das dickliche Mädchen und brachte eine große Kanne warmes Wasser, das sie in Helens Waschgeschirr ausleerte.

»Machen Sie sich zunächst ein wenig frisch, Miss Davenport«, meinte Mrs. Baldwin. »Danach erwarten wir Sie zum Dinner. Es gibt nichts Besonderes, wir waren ja nicht auf Gäste vorbereitet. Aber wenn Sie Huhn und Kartoffelbrei mögen ...«

Helen lächelte. »Ich bin so hungrig, dass ich das Huhn und die Erdäpfel roh verspeisen würde. Und die Mädchen ...«

Mrs. Baldwin schien nahe daran, die Geduld zu verlieren. »Für die Mädchen wird gesorgt!«, erklärte sie abweisend. »Ich sehe Sie dann gleich, Miss Davenport.«

Helen nahm sich Zeit, sich ausgiebig zu waschen, ihr Haar zu lösen und neu aufzustecken. Sie überlegte, ob es lohnte, sich umzuziehen. Helen besaß nur wenige Kleider, von denen zwei obendrein schmutzig waren. Ihre beste Garderobe hätte sie sich eigentlich gern für die Begegnung mit Howard aufgespart. Andererseits konnte sie auch nicht so abgerissen und verschwitzt, wie sie sich heute fühlte, zum Dinner bei den Baldwins erscheinen. Schließlich entschied sie sich für das dunkelblaue Seidenkleid. Am ersten Abend in ihrem neuen Heimatland war etwas Festliches durchaus angesagt.

Das Essen wurde bereits aufgetragen, als Helen schließlich das Speisezimmer der Baldwins betrat. Auch hier übertraf die Einrichtung ihre Erwartungen. Buffet, Tisch und Stühle waren aus schwerem Teakholz und mit kunstvollen Schnitzereien versehen. Entweder hatten die Baldwins die Möbel aus England mitgebracht, oder Christchurch hatte exzellente Kunsttischler aufzuweisen. Letzterer Gedanke tröstete Helen. Sie würde sich notfalls an ein Holzhaus gewöhnen können, wenn es innen nur wohnlich gestaltet war.

Jetzt bereitete ihr die Verspätung leichtes Unbehagen, doch abgesehen von Baldwins ohnehin ziemlich verzogener Tochter standen alle sofort auf, um sie willkommen zu heißen. Außer Mrs. Baldwin und Belinda gehörten noch der Reverend sowie ein junger Vikar zur Tischgemeinschaft. Reverend Baldwin war ein großer, hagerer Mann, der äußerst streng wirkte. Er war förmlich gekleidet – sein dreiteiliger, dunkelbrauner Tuchanzug schien fast zu edel für die häusliche Tafel –, und er lächelte nicht, als er Helen die Hand reichte. Stattdessen schien er sie prüfend zu mustern.

»Sie sind die Tochter eines Amtsbruders?«, erkundigte er sich mit sonorer Stimme, die sicher einen Kirchenraum zu füllen vermochte.

Helen nickte und erzählte von Liverpool. »Ich weiß, dass die Umstände meines Besuchs in Ihrem Haus ein wenig ungewöhnlich sind«, gab sie errötend zu. »Aber wir alle folgen den Wegen des Herrn, und der weist uns nicht immer die ausgetretenen Pfade.«

Reverend Baldwin nickte. »Das ist wohl wahr, Miss Davenport«, erklärte er gewichtig. »Wer wüsste das besser als wir. Auch ich hatte nicht unbedingt damit gerechnet, dass meine Kirche mich ans Ende der Welt versetzt. Aber dies ist ein vielversprechender Ort. Mit Gottes Hilfe werden wir ihn zu einer christlich geprägten, lebendigen Stadt formen. Sie wissen wahrscheinlich, dass Christchurch Bischofssitz werden soll ...«

Helen nickte eifrig. Sie ahnte zudem, warum Reverend Baldwin sich dem Ruf nach Neuseeland nicht widersetzt hatte, obwohl er sich nicht so anhörte, als habe er England bereitwillig den Rücken gekehrt. Der Mann schien Ehrgeiz zu haben – wenn auch nicht die Beziehungen, die man in England zweifellos brauchte, um die Stelle eines Bischofs zu erhalten. Hier dagegen ... Baldwin machte sich unzweifelhaft Hoffnungen. Ob er als Seelsorger ebenso viel taugte wie als kluger Stratege der Kirchenpolitik?

Der junge Vikar an Baldwins Seite war Helen jedenfalls deutlich sympathischer. Er lächelte ihr offen zu, als Baldwin ihn als William Chester vorstellte, und sein Händedruck war warm und freundlich. Chester war von zierlicher Gestalt, dünn und blass, mit einem knochigen Allerweltsgesicht, entschieden zu langer Nase und zu breitem Mund. Aber das alles wurde durch lebhafte, kluge braune Augen wettgemacht.

»Mr. O'Keefe hat mir von Ihnen vorgeschwärmt!«, erklärte er eifrig, nachdem er an Helens Seite Platz genommen hatte und ihr freigebig Kartoffelbrei und Hühnchen auf den Teller schaufelte. »Er war so glücklich über Ihren Brief ... ich wette, er wird gleich in den nächsten Tagen hier sein, sobald er von der Ankunft der *Dublin* hört. Er hofft ja auf weitere Post. Und wie überrascht er sein wird, Sie gleich hier vorzufinden!«

Vikar Chester wirkte so begeistert, als hätte er das junge Paar höchstselbst zusammengeführt.

»In den nächsten Tagen?«, fragte Helen verblüfft. Sie hatte fest damit gerechnet, Howard morgen kennen zu lernen. Es konnte doch kein Problem sein, eben einen Boten zu seinem Haus zu schicken.

»Nun ja, so schnell verbreiten die Neuigkeiten sich nicht bis nach Haldon«, meinte Chester. »Mit einer Woche Wartezeit müssen Sie schon rechnen. Aber es kann auch schneller gehen! Ist Gerald Warden heute nicht mit der *Dublin* eingetroffen? Sein Sohn erwähnte, er sei unterwegs. Wenn der wieder da ist, spricht sich das schnell herum. Machen Sie sich keine Gedanken!«

»Und bis Ihr Verlobter eintrifft, sind Sie hier herzlich willkommen!«, versicherte Mrs. Baldwin, auch wenn ihr Gesicht alles andere als Herzlichkeit ausdrückte.

Helen fühlte sich trotzdem unsicher. War Haldon denn kein Vorort von Christchurch? Wie weit würde ihre Reise sie wohl noch führen?

Sie wollte eben fragen, als die Tür aufgerissen wurde. Ohne um Einlass zu bitten oder gar zu grüßen, stürmten Daphne und Rosemary herein. Beide hatten das Haar schon zum Schlafen gelöst, und in Rosies braunen Locken hafteten Heuhalme. Daphnes ungebärdige rote Strähnen umrahmten ihr Gesicht, als wäre es in Flammen gehüllt. Und auch ihre Augen sprühten Funken, als sie die reich gedeckte Tafel des Reverends mit einem Blick erfasste. Helen wurde sofort von Gewissensbissen gequält. Daphnes Ausdruck nach zu urteilen, hatte man den Mädchen noch nichts zu essen gegeben.

Aber jetzt hatten die beiden offensichtlich andere Sorgen. Rosemary rannte auf Helen zu und zerrte an ihrem Rock. »Miss Helen, Miss Helen, sie holen Laurie weg! Bitte, Sie müssen was tun! Mary schreit und weint und Laurie auch!«

»Und Elizabeth wollen sie auch holen!«, jammerte Daphne. »Bitte, Miss Helen, tun Sie was!«

Helen sprang auf. Wenn die sonst so gelassene Daphne derart alarmiert wirkte, musste etwas Schreckliches vorgefallen sein.

Argwöhnisch blickte sie in die Runde.

»Was geht da vor?«, erkundigte sie sich.

Mrs. Baldwin verdrehte die Augen. »Nichts, Miss Davenport. Ich hatte Ihnen doch gesagt, wir könnten zwei der künftigen Dienstherren der Waisenkinder heute noch erreichen. Nun sind sie da, um die Mädchen abzuholen.« Sie zog einen Zettel aus der Tasche. »Hier: Laurie Alliston geht zu den Lavenders und Elizabeth Beans zu Mrs. Godewind. Das ist alles ganz richtig. Ich verstehe gar nicht, warum solch ein Lärm darum gemacht wird.« Strafend blickte sie Daphne und Rosemary an. Die Kleine weinte. Daphne hingegen erwiderte den Blick mit flammenden Augen.

»Laurie und Mary sind Zwillinge«, erklärte Helen. Sie war wütend, zwang sich aber, ruhig zu bleiben. »Sie wurden noch nie getrennt. Ich verstehe nicht, wie man sie in verschiedenen Familien unterbringen kann! Da muss ein Fehler vorliegen. Und Elizabeth möchte sicher auch nicht gehen, ohne sich zu verabschieden. Bitte, kommen Sie mit, Reverend, und klären Sie das!« Helen beschloss, sich nicht länger mit der kaltherzigen Mrs. Baldwin aufzuhalten. Die Kinder fielen in den Aufgabenbereich des Reverends, also sollte er sich jetzt gefälligst darum kümmern.

Der Pfarrer erhob sich schließlich, wenn auch sichtlich unwillig.

»Niemand hat uns das mit den Zwillingen gesagt«, erklärte er, als er bedächtig neben Helen zum Stall schritt. »Natürlich lag es nahe, dass die Mädchen Schwestern sind, aber es ist gänzlich unmöglich, sie im gleichen Haushalt unterzubringen. Hier gibt es kaum englische Dienstboten. Für diese Mädchen gibt es eine Warteliste. Wir können nicht einer Familie zwei Mädchen geben.«

»Aber eine allein wird den Leuten nichts nützen, die Kinder kleben wie die Kletten aneinander!«, gab Helen zu bedenken.

»Sie werden sich voneinander lösen müssen«, erwiderte der Reverend knapp.

Vor dem Stall warteten zwei Fahrzeuge, eines davon ein Lieferwagen, vor dem zwei schwere Braune gelangweilt warteten. Den anderen Wagen, einen eleganten, schwarzen Einspänner, zog ein lebhaftes Pony, das kaum stillstehen mochte. Ein großer, hagerer Mann hielt es mit leichter Hand am Zügel und brummte ihm gelegentlich beruhigende Worte zu. Allerdings wirkte auch er aufgebracht. Kopfschüttelnd blickte er immer wieder zum Stall, in dem das Weinen und Klagen der Mädchen nicht abriss. Helen meinte Mitleid in seinem Blick zu erkennen.

In den Polstern der kleinen Chaise residierte eine zierliche ältere Dame. Sie war schwarz gekleidet, wozu ihr schneeweißes, ordentlich unter einer Haube aufgestecktes Haar einen interessanten Kontrast bildete. Auch ihr Teint war sehr hell, porzellanklar und nur von winzigen Falten durchzogen wie alte Seide. Vor ihr stand Elizabeth und knickste artig. Die alte Dame schien sich freundlich und huldvoll mit dem Mädchen zu unterhalten. Nur ab und zu blickten die beiden irritiert und bedauernd zum Stall hinüber.

»Jones«, sagte die Lady schließlich zu ihrem Fahrer, als Helen und der Reverend vorbeikamen. »Können Sie nicht hineingehen und das Gejammer abstellen? Es stört uns doch sehr. Diese Kinder weinen sich ja die Augen aus! Finden Sie doch bitte heraus, um was es geht, und lösen Sie das Problem.«

Der Fahrer fixierte die Zügel am Bock und stand auf. Allzu begeistert wirkte er nicht. Wahrscheinlich gehörte das Trösten weinender Kinder nicht zu seinen üblichen Aufgaben.

Die alte Lady hatte inzwischen Reverend Baldwin bemerkt und grüßte freundlich.

»Guten Abend, Reverend! Schön, Sie zu sehen. Aber ich

will Sie nicht aufhalten, da drin ist offensichtlich Ihre Anwesenheit vonnöten.« Sie wies auf den Stall, woraufhin ihr Fahrer sich aufatmend zurück auf seinen Platz fallen ließ. Wenn der Reverend selbst sich um die Sache kümmerte, wurde er ja wohl nicht mehr gebraucht.

Baldwin schien zu überlegen, ob er Helen und die Lady erst noch förmlich einander vorstellen sollte, bevor er den Stall betrat. Dann aber sah er davon ab und begab sich ins Zentrum des Aufruhrs.

Mary und Laurie, in der Mitte des Heulagers, hielten sich schluchzend umklammert, während eine kräftige Frau versuchte, sie auseinander zu zerren. Ein breitschultriger, offensichtlich aber friedfertiger Mann stand hilflos daneben. Auch Dorothy schien unschlüssig, ob sie tätlich werden oder nur bitten und flehen sollte.

»Warum nehmen Sie denn nicht beide mit?«, fragte sie verzweifelt. »Bitte, Sie sehen doch, dass es so nicht geht.«

Der Mann schien ganz ihrer Meinung zu sein. Mit drängendem Unterton wandte er sich an seine Gattin. »Ja, Anna, zumindest sollten wir den Reverend bitten, uns beide Mädchen zu geben. Die Kleine ist noch so jung und zart. Die kann die schwere Arbeit allein gar nicht leisten. Doch wenn die zwei sich helfen ...«

»Wenn die zwei zusammen bleiben, tratschen sie nur und tun nichts!«, sagte die Frau mitleidlos. Helen blickte in kalte blaue Augen in einem klaren, selbstzufriedenen Gesicht. »Wir hatten nur eine angefordert – und nur eine nehmen wir auch mit.«

»Dann nehmen Sie doch mich!«, bot Dorothy sich an. »Ich bin größer und stärker und ...«

Anna Lavender schien von dieser Lösung recht angetan. Erfreut betrachtete sie Dorothys deutlich kräftigere Gestalt.

Doch Helen schüttelte den Kopf. »Das ist sehr christlich von dir, Dorothy«, erklärte sie mit einem Seitenblick auf die Lavenders und den Reverend. »Aber es löst das Problem nicht, sondern verschiebt es nur um einen Tag. Schließlich kommen morgen deine neuen Dienstherren, und dann müsste Laurie mit denen gehen. Nein, Reverend, Mr. Lavender – wir müssen eine Möglichkeit finden, die Zwillinge zusammenzulassen. Gibt es nicht zwei Nachbarfamilien, die Dienstmädchen suchen? Dann könnten die beiden sich wenigstens in ihrer freien Zeit sehen.«

»Und tagsüber pausenlos nacheinander greinen!«, warf Mrs. Lavender ein. »Kommt nicht in Frage. Ich nehme dieses Mädchen oder ein anderes. Aber nur eins.«

Helen blickte den Reverend Hilfe suchend an. Der aber machte keine Anstalten, sie zu unterstützen.

»Im Grunde kann ich Mrs. Lavender nur Recht geben«, meinte er stattdessen. »Je früher man die Mädchen trennt, desto besser. Also hört zu, Laurie und Mary. Gott hat euch zusammen in dieses Land geführt, was schon gnädig von ihm war – er hätte auch nur eine erwählen und die andere in England lassen können. Aber nun führt er euch auf verschiedene Pfade. Das bedeutet keine Trennung für immer, sicher werdet ihr euch bei der Sonntagsmesse oder zumindest bei hohen Kirchenfesten wiedersehen. Gott ist euch wohl gesonnen und weiß, was er tut. Uns ist die Pflicht auferlegt, seinen Geboten zu folgen. Du wirst den Lavenders eine gute Magd sein, Laurie. Und Mary geht morgen mit den Willards. Beides sind gute, christliche Familien. Man wird euch angemessen zu essen geben, euch kleiden und zu christlicher Lebensführung anhalten. Es gibt nichts zu befürchten, Laurie, wenn du jetzt brav mit den Lavenders gehst. Wenn es aber gar nicht anders geht, wird Mr. Lavender dich züchtigen.«

Mr. Lavender sah ganz und gar nicht wie ein Mann aus, der kleine Mädchen schlagen würde. Im Gegenteil, er blickte mit ausgesprochenem Mitgefühl auf Mary und Laurie.

»Schau, Kleine, wir wohnen hier in Christchurch«, wandte

er sich jetzt beruhigend an das schluchzende Kind. »Und alle Familien aus dem Umkreis kommen ab und zu her, um einzukaufen und die Messe zu hören. Ich kenne die Willards nicht, aber wir können bestimmt mit denen in Verbindung treten. Wenn sie dann herkommen, geben wir dir frei, und du kannst einen ganzen Tag mit deiner Schwester verbringen. Ist dir das nicht ein Trost?«

Laurie nickte, doch Helen fragte sich, ob sie wirklich verstand, um was es hier ging. Wer wusste, wo diese Willards lebten – es war kein gutes Zeichen, dass Mr. Lavender sie nicht einmal kannte! Und würden sie ebenso viel Verständnis für ihr kleines Dienstmädchen aufbringen wie er? Würden sie Mary überhaupt mit in die Stadt bringen, wenn sie nur gelegentlich zum Einkaufen anreisten?

Laurie schien jetzt jedenfalls übermannt von ihrer Erschöpfung und Trauer. Sie ließ sich widerspruchslos von ihrer Schwester wegziehen. Dorothy reichte Mr. Lavender ihr Bündel. Helen küsste sie zum Abschied auf die Stirn.

»Wir schreiben dir alle!«, versprach sie.

Laurie nickte teilnahmslos, und Mary weinte immer noch.

Helen zerriss es das Herz, als die Lavenders die Kleine hinausführten. Und zu allem Überfluss hörte sie dann auch noch, wie Daphne Dorothy etwas zuflüsterte.

»Ich hab dir ja gesagt, dass Miss Helen nichts machen kann!«, raunte das Mädchen. »Die ist nett, aber der geht's genau wie uns. Morgen kommt ihr Kerl und holt sie ab, und sie muss mit diesem Mr. Howard gehen, so wie Laurie mit ihren Lavenders ...«

In Helen wallte Ärger auf, wich aber schnell einem brennenden Gefühl der Unruhe. Daphne hatte nicht Unrecht. Was würde sie tun, wenn Howard sie nicht heiraten wollte? Was geschah, wenn er ihr nicht gefiel? Nach England konnte sie nicht zurück. Und ob es hier tatsächlich Stellen für Gouvernanten oder Lehrerinnen gab?

Helen wollte nicht länger darüber nachdenken. Sie hätte sich am liebsten in irgendeiner Ecke verkrochen und geweint, wie sie es als kleines Mädchen getan hatte. Aber damit war es vorbei gewesen, als ihre Mutter gestorben war. Von da an hatte sie stark sein müssen. Und das bedeutete jetzt, sich geduldig der alten Dame vorstellen zu lassen, die anscheinend wegen Elizabeth gekommen war.

Der Reverend stellte sich schon mal in Positur. Immerhin schienen sich hier keine weiteren Dramen anzubahnen. Im Gegenteil, Elizabeth wirkte aufgedreht und fröhlich.

»Miss Helen, das ist Mrs. Godewind«, stellte sie vor, noch bevor der Reverend etwas sagen konnte. »Sie kommt aus Schweden! Das ist ganz weit im Norden, noch weiter weg von hier als England. Den ganzen Winter liegt da Schnee, den ganzen Winter! Ihr Mann war Kapitän von einem großen Schiff, und manchmal hat er sie mitgenommen auf die Reise. Sie war in Indien! Und in Amerika! Und in Australien!«

Mrs. Godewind lachte über Elizabeth' Eifer. Sie hatte ein gütiges Gesicht, dem man sein Alter kaum ansah.

Freundlich streckte sie Helen die Hand entgegen. »Hilda Godewind. Sie sind also Elizabeth' Lehrerin. Sie schwärmt von Ihnen, wissen Sie das? Und von einem gewissen Jamie O'Hara.« Sie zwinkerte.

Helen erwiderte des Lächeln und Zwinkern und stellte sich erst mal mit vollem Namen vor. »Verstehe ich es richtig, dass Sie Elizabeth in Dienst nehmen wollen?«, erkundigte sie sich dann.

Mrs. Godewind nickte. »Wenn Elizabeth es möchte. Auf keinen Fall will ich sie hier herauszerren wie die Leute eben das kleine Mädchen. Das ist widerwärtig! Ich hätte sowieso gedacht, dass die Mädchen älter sind ...«

Helen nickte. Sie hätte dieser sympathischen kleinen Frau am liebsten ihr Herz ausgeschüttet. Sie war jetzt endgültig den Tränen nahe. Mrs. Godewind blickte sie prüfend an.

»Ich sehe schon, dass Ihnen das Ganze nicht gefällt«, bemerkte sie. »Und Sie sind ebenso übermüdet wie die Mädchen – sind Sie zu Fuß über den Bridle Path gekommen? Das ist unzumutbar! Man hätte Ihnen Maultiere schicken müssen! Und ich hätte natürlich auch erst morgen kommen sollen. Die Mädchen wären sicher gern noch eine Nacht zusammengeblieben. Aber als ich hörte, dass sie im Stall schlafen sollen ...«

»Ich komme gern mit Ihnen, Mrs. Godewind!«, sagte Elizabeth strahlend. »Und ich kann Ihnen gleich morgen Oliver Twist vorlesen. Stellen Sie sich vor, Miss Helen, Mrs. Godewind kennt Oliver Twist nicht! Ich hab ihr erzählt, dass wir es auf der Reise gelesen haben.«

Mrs. Godewind nickte freundlich. »Dann hol mal deine Sachen, Kind, und verabschiede dich von deinen Freundinnen. Ihnen gefällt sie doch auch, Jones, oder?« Sie wandte sich an ihren Fahrer, der natürlich beflissen nickte.

Kurz darauf, als Elizabeth es sich mit ihrem Bündel neben Mrs. Godewind bequem machte und die beiden schon wieder in angeregte Unterhaltung verfielen, nahm er Helen jedoch kurz zur Seite.

»Miss Helen, dieses Mädchen macht einen guten Eindruck, aber ist es wirklich vertrauenswürdig? Es würde mir das Herz brechen, wenn Mrs. Godewind enttäuscht würde. Sie hat sich so auf die kleine Engländerin gefreut.«

Helen versicherte ihm, sich kein klügeres und angenehmeres Mädchen als Elizabeth vorstellen zu können.

»Braucht sie das Mädchen denn als Gesellschafterin? Ich meine ... dafür engagiert man doch ältere und gebildetere junge Frauen«, erkundigte sie sich dann.

Der Diener nickte. »Ja, aber die muss man erst mal finden. Und viel zahlen kann Mrs. Godewind auch nicht, sie hat nur eine kleine Pension. Meine Frau und ich führen ihr den Haushalt, aber meine Frau ist Maori, wissen Sie ... die kann ihr das

Haar machen, kann für sie kochen und sie umsorgen, aber vorlesen und ihr Geschichten erzählen kann sie nicht. Deshalb dachten wir an ein englisches Mädchen. Es wird bei mir und meiner Frau wohnen und ein bisschen im Haushalt helfen, aber vor allem wird es Mrs. Godewind Gesellschaft leisten. Sie können sicher sein, es wird ihm an nichts fehlen!«

Helen nickte getröstet. Wenigstens Elizabeth würde gut versorgt sein. Ein winziger Lichtblick am Ende eines schrecklichen Tages.

»Kommen Sie doch übermorgen zu uns zum Tee«, lud Mrs. Godewind Helen noch ein, bevor die Chaise abfuhr.

Elizabeth winkte fröhlich.

Helen dagegen fand jetzt nicht mehr die Kraft, zurück in den Stall zu gehen und Mary zu trösten, und sie schaffte es auch nicht, weiter an Reverend Baldwins Tisch Konversation zu machen. Zwar war sie immer noch hungrig, aber sie tröstete sich damit, dass die nicht gegessenen Reste mit etwas Glück den Mädchen zugute kommen würden. Sie entschuldigte sich höflich und fiel dann in ihr Bett. Morgen konnte es kaum schlimmer kommen.

Am nächsten Morgen schien strahlend die Sonne über Christchurch und tauchte alles in warmes, freundliches Licht. Von Helens Zimmer aus bot sich ein atemberaubender Blick auf die Bergkette oberhalb der Canterbury Plains, und die Straßen der kleinen Stadt wirkten im Sonnenlicht sauber und anheimelnd. Aus dem Frühstückszimmer der Baldwins drang der Duft von frischem Gebäck und Tee. Helen lief das Wasser im Munde zusammen. Sie hoffte, dass dieser gute Anfang als Omen zu werten war. Bestimmt hatte sie sich gestern nur eingebildet, dass Mrs. Baldwin unfreundlich und kaltherzig, ihre Tochter boshaft und unerzogen und Reverend Baldwin bigott und gänzlich uninteressiert am Wohl seiner Pfarrkinder war.

Im Licht des neuen Morgens würde sie die Pastorenfamilie milder beurteilen, ganz bestimmt. Zuerst aber musste sie nach ihren Mädchen sehen.

Im Stall traf sie Vikar Chester, der tröstend auf die noch immer jammernde Mary einredete, was jedoch ohne Wirkung blieb. Die Kleine weinte und fragte schluchzend nach ihrer Schwester. Sie nahm nicht mal das Teeküchlein, das der junge Priester ihr hinhielt, als könnte ein bisschen Zucker alles Leid der Welt lindern. Das Kind wirkte völlig erschöpft; es hatte offensichtlich kein Auge zugetan. Helen durfte gar nicht daran denken, das Mädchen gleich anderen, wildfremden Leuten auszuhändigen.

»Wenn Laurie genauso viel jammert und nichts isst, schicken die Lavenders sie bestimmt zurück«, meinte Dorothy hoffnungsvoll.

Daphne verdrehte die Augen. »Das glaubst du doch selbst nicht. Die Alte verprügelt sie eher oder sperrt sie in den Besenschrank. Und wenn sie nichts isst, freut sie sich, dass sie 'ne Mahlzeit gespart hat. Die ist kalt wie 'ne Hundeschnauze, das Miststück ... oh, guten Morgen, Miss Helen. Ich hoffe, wenigstens Sie haben gut geschlafen!« Daphne funkelte ihre Lehrerin respektlos an und machte keine Anstalten, sich für das »Miststück« zu entschuldigen.

»Wie du gestern selbst angemerkt hast«, meinte Helen eisig, »hatte ich keine Möglichkeit, irgendetwas für Laurie zu tun. Ich werde aber noch heute versuchen, Verbindung mit der Familie aufzunehmen. Davon abgesehen habe ich sehr gut geschlafen, und du sicher auch. Das wäre schließlich das erste Mal gewesen, dass du dich von den Gefühlen deiner Mitmenschen hättest beeinflussen lassen.«

Daphne senkte den Kopf. »Tut mir Leid, Miss Helen.«

Helen wunderte sich. Sollte sie doch so etwas wie einen Erziehungserfolg erzielt haben?

Am späten Vormittag erschienen die künftigen Dienstherren der kleinen Rosemary. Helen hatte sich vor der Übergabe gefürchtet, erlebte diesmal aber eine positive Überraschung. Die McLarens, ein kleiner, rundlicher Mann mit sanftem, pausbäckigem Gesicht und seine nicht minder gut genährte Frau, die mit ihren roten Apfelbäckchen und den runden blauen Augen puppenhaft wirkte, kamen gegen elf Uhr zu Fuß hinüber. Wie sich herausstellte, gehörte ihnen die Bäckerei von Christchurch – die frischen Semmeln und Teeküchlein, deren Duft Helen am Morgen geweckt hatte, stammten aus ihrer Produktion. Da Mr. McLaren vor Tau und Tag mit der Arbeit begann und entsprechend früh zu Bett ging, hatte Mrs. Baldwin die Familie gestern nicht mehr stören wollen, sondern erst heute früh vom Eintreffen der Mädchen unterrichtet. Jetzt hatten sie den Laden geschlossen, um Rosemary abzuholen.

»Gott, sie ist ja noch ein Kind!«, wunderte sich Mrs. McLaren, als Rosemary verängstigt vor ihr knickste. »Und aufpäppeln müssen wir dich auch erst, du kleiner Hungerhaken. Wie heißt du denn?«

Mrs. McLaren wandte sich zunächst ein wenig vorwurfsvoll an Mrs. Baldwin, die den Einwand kommentarlos hinnahm. Als sie dann aber zu Rosemary sprach, hockte sie sich freundlich vor ihr nieder und lächelte ihr zu.

»Rosie ...«, flüsterte die Kleine.

Mrs. McLaren fuhr ihr übers Haar. »Das ist aber ein schöner Name. Rosie, wir hatten uns gedacht, du möchtest vielleicht bei uns wohnen und mir ein bisschen im Haushalt und in der Küche helfen. In der Backstube natürlich auch. Magst du Kuchen backen, Rosemary?«

Rosie überlegte. »Ich mag Kuchen essen«, sagte sie.

Die McLarens lachten, wobei es bei ihm wie ein Glucksen, bei ihr wie ein fröhliches Kicksen klang.

»Das sind die besten Voraussetzungen!«, erklärte Mr.

McLaren ernst. »Nur wer gern isst, kann auch gut kochen! Was meinst du, Rosie, kommst du mit uns?«

Helen atmete auf, als Rosemary gewichtig nickte. Die McLarens schienen auch gar nicht überrascht zu sein, dass ihnen hier eher ein Pflegekind als ein Dienstmädchen ins Haus kam.

»Ich habe in London schon mal einen Jungen aus dem Waisenhaus angelernt«, klärte Mr. McLaren dieses Rätsel kurz danach auf. Er unterhielt sich noch ein wenig mit Helen, während seine Frau Rosie half, ihre Sachen zusammenzupacken. »Angefordert hatte mein Meister einen Vierzehnjährigen, der gleich richtig mit anfassen sollte. Und geschickt haben sie einen Knirps, der aussah wie zehn. War aber ein anstelliges Bürschchen. Die Meisterin hat ihn gut gefüttert, und inzwischen ist er ein gestandener Bäckergeselle. Wenn unsere Rosie auch so gut einschlägt, wollen wir uns über die Aufzuchtkosten nicht beschweren!« Er lachte Helen zu und drückte Dorothy eine Tüte Gebäck in die Hand, die er extra für die Mädchen mitgebracht hatte.

»Aber gerecht verteilen, Mädel!«, ermahnte er sie. »Ich wusste doch, dass da noch mehr Kinder sein werden, und unsere Frau Pastor ist nicht gerade für ihre Großzügigkeit bekannt.«

Daphne streckte denn auch gleich gierig die Hand nach dem Zuckerzeug aus. Sie hatte sicher noch nicht gefrühstückt, zumindest nicht ausreichend. Mary dagegen war nach wie vor untröstlich und schluchzte noch lauter, als nun auch Rosemary fortging.

Helen beschloss, es mit Ablenkung zu versuchen, und eröffnete den Mädchen, sie würden heute Schule halten wie auf dem Schiff. Solange die Mädchen noch nicht in ihren Familien waren, konnten sie besser lernen als untätig herumsitzen. In Anbetracht der Tatsache, dass man sich in einem Pastorenhaushalt befand, griff Helen diesmal zur Bibel als Lektüre.

Gelangweilt begann Daphne, die Geschichte der Hochzeit zu Kanaa zu lesen, schlug das Buch aber gern zu, als Mrs. Baldwin kurz darauf eintrat. In ihrer Begleitung befand sich ein großer, vierschrötiger Mann.

»Sehr löblich, Miss Davenport, dass Sie sich der Erbauung der Mädchen widmen!«, erklärte die Pfarrersfrau. »Aber inzwischen hätten Sie dieses Kind wirklich zum Schweigen bringen können.«

Missmutig blickte sie auf die wimmernde Mary. »Jetzt ist es aber auch egal. Dies ist Mr. Willard, er wird Mary Alliston mit auf seine Farm nehmen.«

»Sie soll allein mit einem Farmer leben?«, fuhr Helen auf.

Mrs. Baldwin hob den Blick gen Himmel. »Um Gottes willen, nein! Das wäre wider alle Schicklichkeit! Nein, nein, Mr. Willard hat selbstverständlich eine Frau und sieben Kinder.«

Mr. Willard nickte stolz. Er wirkte ganz sympathisch. Sein Gesicht, das von Lachfalten durchzogen war, zeigte zugleich die Spuren schwerer Arbeit im Freien, die bei jedem Wetter verrichtet werden musste. Seine Hände waren schwielige Pranken, und unter seiner Kleidung zeichneten sich Muskelpakete ab.

»Die älteren Jungs arbeiten schon kräftig auf den Feldern mit!«, erklärte der Farmer. »Aber für die Kleinen braucht meine Frau Hilfe. Im Haushalt und im Stall natürlich auch. Und die Maori-Frauen mag sie nicht. Ihre Kinder, sagt sie, sollen nur von anständigen Christenmenschen aufgezogen werden. Welches ist nun unser Mädchen? Es sollte kräftig sein, wenn's geht, die Arbeit ist hart!«

Mr. Willard wirkte ähnlich entsetzt wie Helen, als Mrs. Baldwin ihm daraufhin Mary vorstellte. »Die Kleine? Das soll wohl ein Witz sein, Frau Pastor! Da holen wir uns doch das achte Kind ins Haus.«

Mrs. Baldwin sah ihn streng an. »Wenn Sie das Mädchen nicht verzärteln, kann es durchaus hart arbeiten. In London hat man uns versichert, dass jedes der Mädchen das dreizehnte Lebensjahr vollendet hat und unbeschränkt einsatzfähig ist. Also, wollen Sie das Mädchen nun oder nicht?«

Mr. Willard schien zu schwanken. »Meine Frau braucht dringend Hilfe«, sagte er fast entschuldigend in Helens Richtung. »Um Weihnachten kommt das nächste Kind zur Welt, da muss ihr einer unter die Arme greifen. Na, dann komm, Kleine, wir kriegen das schon hin. Na los, worauf wartest du? Und warum weinst du? Herrgott, ich hab wirklich keine Lust auf weitere Schwierigkeiten!« Ohne Mary noch einen Blick zu gönnen, ging Mr. Willard aus dem Stall. Mrs. Baldwin drückte der Kleinen ihr Bündel in die Hand.

»Geh mit ihm. Und sei ihm eine gehorsame Magd!«, beschied sie dem Kind. Mary folgte ohne Widerrede. Sie weinte bloß noch. Sie weinte und weinte.

»Hoffen wir, dass wenigstens seine Frau ein bisschen Mitgefühl zeigt«, seufzte Vikar Chester. Er hatte die Szene ebenso hilflos mit angesehen wie Helen.

Daphne schnaubte. »Zeigen Sie mal Mitgefühl, wenn Ihnen acht Bälger am Rock hängen!«, fuhr sie den Priester an. »Und alle Jahre macht Ihr Kerl Ihnen ein neues! Aber Geld ist nicht da, und das letzte bisschen versäuft er. Da bleibt Ihnen das Mitleid im Hals stecken. Sie selbst tun ja auch keinem Leid!«

Vikar Chester schaute sie erschrocken an. Offensichtlich stellte er sich gerade die Frage, wie dieses Mädchen sich als demütige Dienstmagd im Hause eines ehrbaren Honoratioren der Stadt Christchurch machen würde. Helen dagegen konnten Daphnes Ausbrüche nicht mehr überraschen – und sie ertappte sich dabei, dass sie immer mehr Verständnis dafür aufbrachte.

»Aber, aber, Daphne. Mr. Willard macht nicht den Eindruck, als ob er sein Geld vertrinkt«, rief sie das Mädchen zur Mäßigung auf. Darüber hinaus konnte sie Daphne aber nicht tadeln; sie hatte zweifellos Recht. Mrs. Willard würde Mary nicht schonen. Sie hatte genug eigene Kinder, um die sie sich kümmern musste. Die kleine Magd würde für sie nicht mehr sein als eine billige Arbeitskraft. Der Vikar musste das auch so sehen. Jedenfalls äußerte er sich nicht weiter zu Daphnes Frechheiten, sondern machte den Mädchen gegenüber nur eine kurze, segnende Gebärde, bevor er den Stall verließ. Zweifellos hatte er seine Pflichten schon lange genug vernachlässigt, um sich den Tadel des Reverends zuzuziehen.

Helen wollte die Bibel wieder aufschlagen, aber im Grunde hatten jetzt weder sie noch ihre Schülerinnen Sinn für erbauliche Texte.

»Ich bin mal gespannt, was noch auf uns zukommt«, fasste Daphne schließlich die Gedanken der verbleibenden Mädchen in Worte. »Die Leute müssen ja ganz schön weit weg wohnen, wenn sie noch nicht aufgetaucht sind, um ihre Sklaven in Empfang zu nehmen. Üb schon mal Kühe melken, Dorothy!« Sie wies auf die Kuh des Pastors, die sie sicher schon gestern Abend um einige Liter Milch erleichtert hatte. Mrs. Baldwin hatte die Kinder nämlich keinesfalls an den Resten des Abendessens teilhaben lassen, sondern ihnen nur eine dünne Suppe und ein bisschen altes Brot in den Stall geschickt. Das gastliche Haus des Reverends würden die Mädchen bestimmt nicht vermissen.

# 9

»Wie lange reitet man wohl von Kiward Station bis nach Christchurch?«, erkundigte sich Gwyneira. Sie saß gemeinsam mit Gerald Warden und den Brewsters vor einem reichlich gedeckten Frühstückstisch im White Hart Hotel. Letzteres war nicht elegant, aber ordentlich, und nach dem anstrengenden gestrigen Tag hatte sie in ihrem bequemen Bett wie tot geschlafen.

»Nun ja, das kommt auf den Mann und das Pferd an«, bemerkte Gerald launig. »Es sind um die fünfzig Meilen, mit den Schafen werden wir zwei Tage brauchen. Aber ein Postreiter, der es eilig hat und zwischendurch ein paar Mal die Pferde wechselt, sollte es leicht in ein paar Stunden schaffen. Der Weg ist nicht befestigt, aber ziemlich eben. Ein guter Reiter kann durchgaloppieren.«

Gwyneira fragte sich, ob Lucas Warden wohl ein guter Reiter war – und warum zum Teufel er sich nicht schon gestern aufs Pferd gesetzt hatte, um seine Braut in Christchurch in Augenschein zu nehmen! Natürlich mochte es sein, dass er noch nichts von der Ankunft der *Dublin* wusste. Aber sein Vater hatte ihm das Abfahrtsdatum doch mitgeteilt, und es war allgemein bekannt, dass die Schiffe zwischen 75 und 120 Tagen für die Überfahrt brauchten. Die *Dublin* war 104 Tage unterwegs gewesen. Warum also wartete Lucas nicht hier auf sie? War er auf Kiward Station derart unabkömmlich? Oder war er gar nicht so sehr darauf erpicht, seine künftige Frau kennen zu lernen? Gwyneira selbst wäre lieber heute als morgen aufgebrochen, um ihr neues Zuhause zu erreichen und endlich dem Mann gegenüberzustehen, dem man sie blind anverlobt hatte. Lucas musste es doch genauso ergehen!

Gerald lachte, als sie eine entsprechende Bemerkung machte.

»Mein Lucas hat Geduld«, bemerkte er dann. »Und Sinn für Stil und große Auftritte. Wahrscheinlich könnte er es sich in den kühnsten Träumen nicht vorstellen, dir bei der ersten Begegnung in verschwitzten Reitsachen gegenüberzutreten. Da ist er ganz Gentleman ...«

»Aber mir würde das nichts ausmachen!«, wandte Gwyneira ein. »Und er würde doch auch hier im Hotel wohnen und könnte sich vorher umziehen, wenn er schon meint, ich hielte so viel auf Förmlichkeiten!«

»Ich denke, dieses Hotel hat nicht seine Klasse«, brummte Gerald. »Warte es ab, Gwyneira, er wird dir schon gefallen.«

Lady Barrington lächelte und legte geziert ihr Besteck beiseite. »Es ist doch eigentlich ganz schön, wenn der junge Mann sich eine gewisse Zurückhaltung auferlegt«, bemerkte sie. »Wir sind schließlich nicht unter Wilden. In England hätten Sie Ihren Zukünftigen ja auch nicht in einem Hotel kennen gelernt, sondern eher beim Tee in Ihrem oder seinem Zuhause.«

Dem musste Gwyneira zwar zustimmen, aber sie konnte sich einfach nicht aufraffen, all ihre Träume vom unternehmungslustigen Pioniergatten, vom erdverbundenen Farmer und Gentleman mit Forscherdrang aufzugeben. Lucas musste anders sein als die blutleeren Viscounts und Baronets in ihrer Heimat!

Dann aber fasste sie wieder Hoffnung. Vielleicht sagte diese Scheu ja gar nichts über Lucas selbst aus, sondern ging nur auf seine übertrieben vornehme Erziehung zurück! Bestimmt hielt er Gwyneira für genauso steif und schwierig wie einstmals seine Gouvernanten und Hauslehrer. Und dazu war sie auch noch adelig. Sicher fürchtete Lucas sich vor dem kleinsten Fauxpas in ihrem Beisein. Vielleicht hatte er sogar ein bisschen Angst vor ihr.

Gwyn versuchte, sich mit diesen Gedanken zu trösten, doch so ganz gelang es ihr nicht. Bei ihr selbst hätte die Neugier schnell über die Furcht triumphiert. Aber vielleicht war Lucas ja wirklich schüchtern und brauchte eine gewisse Anlaufzeit. Gwyneira dachte an ihre Erfahrung mit Hunden und Pferden: Die scheuesten und zurückhaltendsten Tiere waren oft die besten, wenn man erst Zugang zu ihnen fand. Warum sollte das bei Männern anders sein? Wenn Gwyneira Lucas erst kennen lernte, würde er schon aus sich herausgehen!

Vorerst wurde Gwyneiras Geduld jedoch weiter auf die Probe gestellt. Gerald Warden hatte keineswegs vor, gleich an diesem Tag nach Kiward Station aufzubrechen, wie sie im Stillen gehofft hatte. Stattdessen hatte er noch einige Dinge in Christchurch zu erledigen und musste auch den Transport der vielen, in Europa erstandenen Möbel und anderen Haushaltsgegenstände organisieren. Das alles, eröffnete er der enttäuschten Gwyneira, würde sicher ein bis zwei Tage in Anspruch nehmen. Sie sollte sich derweil ausruhen; bestimmt habe die lange Reise sie angestrengt.

Gwyneira hatte die Überfahrt eher gelangweilt. Noch mehr Untätigkeit wünschte sie sich am allerwenigsten. So nutzte sie den Vormittag jetzt auch erst mal für einen Ausritt und geriet darüber gleich wieder mit Gerald aneinander. Dabei fing es eigentlich gut an: Warden verlor zunächst kein Wort über ihre Ankündigung, Igraine satteln zu lassen. Erst als Mrs. Brewster entsetzt anmerkte, man könne eine Dame doch unmöglich ohne Begleitung aufs Pferd lassen, machte der Schaf-Baron eine Kehrtwendung. Auf keinen Fall wollte er seiner künftigen Schwiegertochter irgendetwas erlauben, was in feinen Kreisen als unschicklich galt. Leider gab es hier keine Stallburschen und natürlich erst recht keine Zofen, die das Mädchen auf einem Ausritt begleiten konnten. Schon das Ansinnen schien dem Hotelbesitzer befremdlich: In Christchurch, so machte er Mrs. Brewster ziemlich unmissverständlich klar, ritte man nicht zum Vergnügen, sondern um irgendwohin zu kommen. Gwyneiras Begründung, ihr Pferd nach der langen Zeit des Stehens auf dem Schiff bewegen zu wollen, konnte der Mann zwar nachvollziehen, war aber weder bereit noch fähig, ihr dabei eine Begleitung zu stellen. Schließlich schlug Lady Barrington ihren Sohn vor, und der erklärte sich auch gleich bereit, auf Madoc mitzureiten. Der vierzehnjährige Viscount war zwar nicht der ideale Anstandswauwau, doch Gerald fiel das nicht auf, und Mrs. Brewster hielt den Mund, um Lady Barrington nicht zu verärgern. Gwyneira hatte den jungen Charles auf der Reise immer für ziemlich langweilig gehalten, aber jetzt erwies er sich zum Glück als schneidiger Reiter – und ausreichend verschwiegen. So verriet er seiner entsetzten Mutter nicht, dass Gwyneiras Damensattel längst eingetroffen war, sondern bestätigte dem Mädchen, dass bislang leider nur der Herrensattel zur Verfügung stand. Und dann tat er auch noch so, als könnte er Madoc nicht halten, ließ den Hengst vom Hof des Hotels stürmen und gab Gwyn damit die Chance, ihm ohne weitere Diskussionen über Schicklichkeit zu folgen. Beide lachten, als sie Christchurch im flotten Trab hinter sich ließen.

»Wer zuerst bei dem Haus da hinten ist!«, rief Charles und ließ Madoc angaloppieren. Für Gwyns hochgerutschte Röcke hatte er keinen Blick. Ein Pferderennen über endloses Grasland berauschte ihn bislang noch deutlich mehr als die Formen einer Frau.

Gegen Mittag waren die beiden zurück und hatten sich blendend amüsiert. Die Pferde schnaubten zufrieden, Cleo schien wieder mal übers ganze Gesicht zu lachen, und Gwyn fand sogar Zeit, ihre Röcke zu ordnen, bevor sie die Stadt durchquerten.

»Auf die Dauer muss mir dazu irgendwas einfallen«, murmelte sie und drapierte die rechte Seite des Rocks züchtig über ihr Fußgelenk. Links rutschte das Kleid daraufhin natürlich noch höher. »Vielleicht schneide ich hinten einfach einen Schlitz rein!«

»Das geht aber nur gut, solange kein Wind weht.« Ihr junger Begleiter grinste. »Und solange Sie nicht galoppieren. Sonst fliegt der Rock hoch, und man sieht Ihr ... äh ... na ja, was Sie eben so daruntertragen. Meine Mutter würde wahrscheinlich in Ohnmacht fallen!«

Gwyneira kicherte. »Stimmt. Ach, ich wünschte, ich könnte einfach Hosen anziehen. Ihr Männer wisst gar nicht, wie gut ihr es habt!«

Am Nachmittag, pünktlich zur Teestunde, machte sie sich auf, um nach Helen zu suchen. Natürlich riskierte sie, dabei Howard O'Keefe über den Weg zu laufen, was Gerald sicher missbilligen würde. Aber erstens brannte sie vor Neugier, und zweitens konnte Gerald eigentlich nichts dabei finden, wenn sie dem Pfarrer des Ortes ihre Aufwartung machte. Der Mann sollte sie schließlich trauen, also war ein Antrittsbesuch sogar ein Gebot der Höflichkeit.

Gwyn fand das Pfarrhaus auch sofort und wurde selbstverständlich gastlich aufgenommen. Tatsächlich scharwenzelte Mrs. Baldwin sogar um ihre Besucherin herum, als gehörte sie mindestens zum Königshaus. Helen glaubte allerdings nicht, dass dies auf ihre adelige Abstammung zurückzuführen war. Die Baldwins hofierten nicht Familie Silkham, für sie war Gerald Warden die gesellschaftliche Größe! Allerdings schienen sie auch Lucas gut zu kennen. Und während sie sich bei Bemerkungen über Howard O'Keefe bislang sehr zurückgehalten hatten, konnten sie über Gwyneiras Zukünftigen gar nicht genug Lobendes sagen.

»Ein äußerst kultivierter junger Mann!«, pries Mrs. Baldwin.

»Hervorragend erzogen und hochgebildet! Ein sehr reifer und ernster Mensch!«, fügte der Reverend hinzu.

»Äußerst kunstinteressiert!«, erklärte Vikar Chester mit strahlenden Augen. »Belesen, intelligent! Als er zum letzten Mal hier war, haben wir die ganze Nacht in so anregendem Gespräch verbracht, dass ich fast die Morgenmesse verpasst hätte!«

Gwyneira wurde bei diesen Beschreibungen immer mulmiger zumute. Wo war ihr Farmer, ihr Cowboy? Ihr Held aus den Groschenheftchen? Allerdings gab es hier keine Frauen aus den Fängen der Rothäute zu befreien. Aber hätte der verwegene Revolverheld stattdessen die Nächte mit dem Pfarrer verplaudert?

Auch Helen war still. Sie fragte sich, warum Chester keine vergleichbaren Loblieder auf Howard sang; außerdem ging ihr Lauries und Marys Weinen nicht aus dem Kopf. Sie sorgte sich um die verbliebenen Mädchen, die immer noch im Stall auf ihre Dienstherren warteten. Da nutzte es auch nichts, dass sie Rosemary bereits wiedergesehen hatte. Die Kleine war am Nachmittag knicksend und im Gefühl allergrößter Wichtigkeit mit einem Korb voll Teegebäck im Pfarrhaus erschienen. Die Besorgung war ihr erster Auftrag von Mrs. McLaren, und sie war überaus stolz, ihn zur allseitigen Zufriedenheit erledigen zu können.

»Rosie macht einen glücklichen Eindruck«, freute sich denn auch Gwyneira, die den Auftritt der Kleinen mitbekommen hatte.

»Wenn die anderen es nur auch so gut getroffen hätten ...«

Unter dem Vorwand, ein bisschen frische Luft zu brauchen, hatte Helen ihre Freundin nach dem Tee nach draußen begleitet, und nun schlenderten die beiden Frauen durch die relativ breiten Straßen der Stadt und konnten endlich offen reden. Helen verlor dabei fast die Beherrschung. Mit feuchten Augen berichtete sie Gwyneira von Mary und Laurie.

»Und ich habe nicht das Gefühl, als kämen sie irgendwie darüber hinweg«, endete sie schließlich. »Die Zeit soll zwar alle Wunden heilen, aber in diesem Fall … Ich glaube, es bringt sie um, Gwyn! Sie sind doch noch so klein. Und ich kann diese bigotten Baldwins nicht mehr sehen! Der Reverend hätte sehr wohl etwas für die Mädchen tun können. Sie führen eine Warteliste von Familien, die Dienstmädchen suchen! Bestimmt hätten sich zwei benachbarte Häuser gefunden. Stattdessen schicken sie Mary zu diesen Willards. Das kleine Ding ist da doch völlig überfordert. Sieben Kinder, Gwyneira! Und das achte unterwegs. Da soll Mary dann wohl noch Geburtshilfe leisten.«

Gwyneira seufzte. »Wenn ich bloß dabei gewesen wäre! Vielleicht hätte Mr. Gerald etwas tun können. Kiward Station benötigt doch bestimmt Personal. Und ich brauche eine Zofe! Schau dir mein Haar an – das kommt dabei heraus, wenn ich es allein aufstecke.«

Gwyneira sah tatsächlich ein bisschen wild aus.

Helen lächelte unter Tränen und steuerte erneut das Haus der Baldwins an. »Komm mit«, lud sie Gwyn ein. »Daphne kann die Frisur in Ordnung bringen. Und wenn sich für sie und Dorothy heute niemand mehr findet, solltest du vielleicht wirklich mit Mr. Warden reden. Wetten, dass Baldwins kuschen, wenn er Daphne oder Dorothy anfordert?«

Gwyneira nickte. »Und du könntest die andere nehmen!«, schlug sie vor. »Ein ordentlicher Haushalt braucht ein Dienstmädchen, das sollte dein Howard einsehen. Wir müssten uns nur noch einig werden, wer Dorothy bekommt und wer sich mit Daphnes vorlautem Mundwerk herumschlagen muss …«

Bevor sie zur Klärung dieser Frage eine Partie Black Jack vorschlagen konnte, erreichten die beiden das Pfarrhaus, vor dem ein Fuhrwerk stand. Helen erkannte, dass ihr schöner Plan kaum Wirklichkeit werden würde. Auf dem Hof unterhielt sich Mrs. Baldwin denn auch bereits mit einem älteren

Ehepaar, während Daphne brav daneben wartete. Das Mädchen wirkte wie ein Ausbund an Tugend. Ihr Kleid war makellos sauber und ihr Haar so streng und ordentlich aufgesteckt, wie Helen es selten gesehen hatte. Daphne musste sich speziell für das Treffen mit ihren Dienstherren hergerichtet haben; anscheinend hatte sie sich vorher über die Leute erkundigt. Ihr Erscheinungsbild schien besonders die Frau zu beeindrucken, die selbst adrett und schlicht gekleidet war. Unter ihrem kleinen, dezent mit einem winzigen Schleier geschmückten Hut schaute ein klares Gesicht mit ruhigen braunen Augen hervor. Ihr Lächeln wirkte offen und freundlich, und sie konnte sich offensichtlich kaum darüber beruhigen, wie perfekt der Zufall sie mit ihrem neuen Dienstmädchen zusammengeführt hatte. »Erst vorgestern sind wir aus Haldon gekommen, und gestern wollten wir schon wieder abfahren. Aber dann hatte meine Schneiderin doch noch ein paar Änderungen an meiner Bestellung vorzunehmen, und ich sagte zu Richard: Bleiben wir noch und gönnen uns ein Dinner im Hotel! Richard war ganz begeistert, als er von all den interessanten Leuten hörte, die eben mit der *Dublin* angekommen waren, und wir hatten einen sehr anregenden Abend! Und wie gut, dass Richard auf den Einfall kam, hier gleich nach unserem Mädchen zu fragen!« Während die Dame sprach, zeigte sie ein lebhaftes Mienenspiel und nahm teilweise die Hände zu Hilfe, um ihre Rede zu unterstreichen. Helen fand sie äußerst sympathisch. Richard, der zugehörige Gatte, wirkte gesetzter, aber ebenfalls freundlich und gutmütig.

»Miss Davenport, Miss Silkham – Mr. und Mrs. Candler!«, stellte Mrs. Baldwin vor und unterbrach damit Mrs. Candlers Redestrom, der ihr sichtlich lästig fiel. »Miss Davenport hat die Mädchen während der Überfahrt begleitet. Sie kann Ihnen mehr über Daphne sagen als ich. Also gebe ich Sie jetzt einfach in ihre Obhut und suche meinerseits die nötigen Papiere für Sie heraus. Dann können Sie das Mädchen nachher mitnehmen.«

Mrs. Candler wandte sich gleich ebenso mitteilungsfreudig an Helen wie zuvor an die Frau des Pastors. Helen hatte keine Mühe, dem Ehepaar ein paar Informationen zu Daphnes künftigem Arbeitsplatz zu entlocken. Tatsächlich berichteten die beiden ihr sogar einen ganzen Abriss ihres bisherigen Lebens auf Neuseeland. Dabei erzählte Mr. Candler launig von den ersten Jahren in Lyttelton, das damals noch Port Cooper genannt worden war. Gwyneira, Helen und die Mädchen lauschten fasziniert seinen Erzählungen von Walfang und Seehundjagd. Mr. Candler selbst hatte sich allerdings nicht mutig aufs Meer hinausgewagt.

»Nein, nein, das ist was für Verrückte, die nichts zu verlieren haben! Aber ich hatte damals schon meine Olivia und die Jungs – da schlag ich mich doch nicht mit Riesenfischen rum, die mir nur an den Kragen wollen! Tun mir auch irgendwie Leid, die Viecher. Die Seehunde besonders, die gucken so treu ...«

Stattdessen hatte Mr. Candler einen Kramladen geführt, der so viel einbrachte, dass er sich später, als die ersten Siedler in den Canterbury Plains bauten, ein schönes Stück Land für eine Farm leisten konnte.

»Aber ich hab schnell gemerkt, dass ich mit Schafen nichts am Hut hab!«, gab er freimütig zu. »Das ganze Tierzeug liegt mir nicht, und meiner Olivia auch nicht!« Er streifte seine Frau mit einem liebevollen Blick. »Also haben wir alles wieder verkauft und einen Laden in Haldon aufgemacht. Das gefällt uns – da ist Leben, da gibt's was zu verdienen, und der Ort wächst. Beste Aussichten für unsere Jungs.«

Die »Jungs« – Candlers drei Söhne – waren zwischen sechzehn und dreiundzwanzig. Helen bemerkte, wie Daphnes Augen aufblitzten, als Mr. Candler sie erwähnte. Sofern das Mädchen sich klug verhielt und seine Reize spielen ließ, würde einer von ihnen sicher ihrem Charme erliegen. Und wenn Helen sich ihren eigenwilligen Zögling auch nie als Dienstmädchen hatte vorstellen können – als geachtete und von den männlichen Kunden zweifellos angebetete Händlersfrau wäre sie genau am richtigen Platz.

Helen wollte sich schon von Herzen für Daphne freuen, als Mrs. Baldwin wieder auf den Hof vor den Ställen kam, diesmal begleitet von einem großen, breitschultrigen Mann mit kantigen Gesichtszügen und hellblauen, forschenden Augen. Sie erfassten wieselflink die Szenerie auf dem Hof, streiften kurz die Candlers, wobei der Blick des Mannes deutlich länger auf Mrs. Candler als auf ihrem Gatten hängen blieb; dann schweifte er weiter zu Gwyneira, Helen und den Mädchen. Dabei konnte Helen seine Aufmerksamkeit sichtlich nicht fesseln. Er schien Gwyn, Daphne und Dorothy weitaus interessanter zu finden. Trotzdem genügte sein flüchtiger Blick, um Helen ausgesprochen peinlich zu berühren. Vielleicht lag es daran, dass er ihr nicht wie ein Gentleman ins Gesicht sah, sondern eher ihre Figur einer Prüfung zu unterziehen schien. Aber das konnte auch eine Täuschung sein oder auf Einbildung beruhen ... Helen musterte den Mann misstrauisch, konnte ihm sonst aber nichts vorwerfen. Er lächelte sogar durchaus einnehmend, wenn auch etwas maskenhaft.

Helen war allerdings nicht die Einzige, die verstört auf ihn reagierte. Aus dem Augenwinkel sah sie Gwyn instinktiv vor dem Mann zurückweichen, und der lebhaften Mrs. Candler stand ihre Abneigung deutlich im Gesicht geschrieben. Ihr Gatte legte leicht den Arm um sie, als wollte er seine Besitzansprüche klarlegen. Der Mann grinste anzüglich, als er der Geste gewahr wurde.

Als Helen sich zu den Mädchen umwandte, sah sie, dass Daphne alarmiert wirkte. Dorothy blickte ängstlich. Nur Mrs. Baldwin schien nichts von der seltsamen Ausstrahlung ihres Besuchers zu spüren.

»So, und hier haben wir denn auch Mr. Morrison«, stellte sie gelassen vor. »Den künftigen Dienstherrn von Dorothy Carter. Sag guten Tag, Dorothy, Mr. Morrison will dich gleich mitnehmen.«

Dorothy rührte sich nicht. Sie schien vor Schreck zu erstarren. Ihr Gesicht wurde blass, ihre Pupillen weiteten sich.

»Ich ...« Das Mädchen setzte erstickt zum Sprechen an, doch Mr. Morrison unterbrach sie mit dröhnendem Lachen.

»Nicht so schnell, Mrs. Baldwin, erst will ich mir das Kätzchen mal anschauen! Ich kann meiner Frau schließlich kein x-beliebiges Mädel ins Haus holen. Du bist also Dorothy ...«

Der Mann näherte sich dem Mädchen, das sich nach wie vor nicht rührte – auch dann nicht, als er ihr eine Haarsträhne aus dem Gesicht strich und dabei wie unabsichtlich die zarte Haut ihres Halses streifte.

»Ein hübsches Ding. Meine Gattin wird entzückt sein. Bist du denn auch geschickt mit den Händen, kleine Dorothy?« Die Frage schien unverfänglich, aber selbst der in geschlechtlichen Dingen völlig unerfahrenen Helen war klar, dass hier mehr mitschwang als Interesse an Dorothys handwerklichem Können. Gwyneira, die das Wort »Wollust« zumindest schon einmal gelesen hatte, fiel der fast gierige Ausdruck in Morrisons Augen auf.

»Zeig mir doch mal deine Hände, Dorothy ...«

Der Mann löste Dorothys ängstlich ineinander verschränkte Finger und fuhr behutsam über ihre rechte Hand. Es war mehr ein Streicheln als ein Prüfen ihrer Schwielen. Er hielt die Hand deutlich zu lange fest, um auch nur halbwegs innerhalb der schicklichen Grenzen zu bleiben. Irgendwann löste das selbst Dorothys Starre. Abrupt zog sie die Hand weg und floh einen Schritt rückwärts.

»Nein!«, sagte sie. »Nein, ich ... ich gehe nicht mit Ihnen ... ich mag Sie nicht!« Erschrocken über ihre eigene Courage senkte sie den Blick.

»Aber, aber, Dorothy! Du kennst mich doch gar nicht!« Mr. Morrison näherte sich dem Mädchen, das sich unter seinem fordernden Blick zusammenkrümmte – erst recht unter Mrs. Baldwins nachfolgendem Tadel:

»Was ist das für ein Benehmen, Dorothy! Du wirst dich sofort entschuldigen!«

Dorothy schüttelte heftig den Kopf. Sie wollte lieber sterben als mit diesem Mann zu gehen; sie konnte die Bilder nicht in Worte fassen, die beim Anblick seiner gierigen Augen in ihrem Kopf aufblitzten. Bilder vom Armenhaus, von ihrer Mutter in den Armen eines Mannes, den sie »Onkel« nennen sollte. Sie erinnerte sich verschwommen an seine sehnigen, harten Hände, die eines Tages auch nach ihr griffen, sich unter ihr Kleid schoben ... Dorothy hatte daraufhin geweint und sich wehren wollen. Aber der Mann hatte weitergemacht, hatte sie gestreichelt und sich in Bereiche ihres Körpers vorgetastet, die unaussprechlich waren und die man nicht einmal beim Waschen ganz enthüllte. Dorothy meinte, vor Scham vergehen zu müssen – aber dann war ihre Mutter doch noch gekommen, kurz bevor der Schmerz und die Angst unerträglich wurden. Sie hatte den Mann weggestoßen und ihre Tochter geschützt. Später hielt sie Dorothy in den Armen, wiegte, tröstete und warnte sie.

»Du darfst das niemals zulassen, Dottie! Lass dich nicht anfassen, egal, was man dir dafür verspricht! Lass nicht einmal zu, dass sie dich so ansehen! Das eben war meine Schuld. Ich hätte erkennen müssen, wie er dich anstarrt. Bleib niemals allein mit den Männern hier, Dottie! Nie! Versprichst du's mir?«

Dorothy hatte es versprochen und sich daran gehalten, bis ihre Mutter kurz darauf gestorben war. Danach hatte man sie ins Waisenhaus gebracht, wo sie sicher war. Aber jetzt starrte dieser Mann hier sie an. Noch lüsterner als damals der Onkel. Und sie konnte nicht Nein sagen. Sie durfte nicht, sie gehörte ihm, der Reverend selbst würde sie züchtigen, wenn sie sich wehrte. Gleich würde sie mit diesem Morrison mitgehen müssen. In seinen Wagen, sein Haus ...

Dorothy schluchzte. »Nein! Nein, ich gehe nicht mit. Miss Helen! Bitte, Miss Helen, Sie müssen mir helfen! Schicken Sie mich nicht mit ihm. Mrs. Baldwin, bitte ... bitte!«

Das Mädchen lehnte sich schutzsuchend an Helen und floh weiter zu Mrs. Baldwin, als Morrison sich ihr lachend näherte.

»Was hat sie denn nur?«, fragte er scheinbar verwundert, als die Frau des Pastors Dorothy rüde abwehrte. »Kann es sein, dass sie krank ist? Wir werden sie gleich zu Bett bringen ...«

Dorothy schaute mit fast irrem Blick in die Runde.

»Er ist der Teufel! Sieht das denn keiner? Miss Gwyn, bitte, Miss Gwyn! Nehmen Sie mich mit! Sie brauchen doch eine Zofe. Bitte, ich will auch alles tun! Ich will kein Geld, ich ...«

In ihrer Verzweiflung fiel das Mädchen vor Gwyneira auf die Knie.

»Dorothy, beruhige dich!«, sagte Gwyn unsicher. »Ich will Mr. Warden ja gern fragen ...«

Morrison schien verärgert. »Können wir das jetzt abkürzen?«, fragte er schroff, wobei er Helen und Gwyneira gänzlich ignorierte und sich nur an Mrs. Baldwin wandte. »Das Mädchen ist ja völlig von Sinnen! Aber meine Frau braucht eine Hilfe, also nehme ich sie trotzdem. Kommen Sie mir jetzt nicht mit einer anderen! Ich bin extra aus den Plains hergeritten ...«

»Sie sind hergeritten?«, fragte Helen. »Wie wollen Sie das Mädchen dann mitnehmen?«

»Hinter mir auf dem Pferd natürlich. Wird ihr Spaß machen. Musst dich nur gut festhalten, Kleine ...«

»Ich ... ich mache das nicht«, stammelte Dorothy. »Bitte, bitte, verlangen Sie das nicht von mir!« Sie lag jetzt auch vor

Mrs. Baldwin auf den Knien, während Helen und Gwyn entsetzt zusahen und Mr. und Mrs. Candler geradezu abgestoßen wirkten.

»Das ist ja furchtbar!«, sagte Mr. Candler schließlich. »Nun sagen Sie doch etwas, Mrs. Baldwin! Wenn das Mädchen partout nicht will, müssen Sie ihm eine andere Stellung suchen. Es kann gern mit uns kommen. In Haldon brauchen bestimmt zwei oder drei Familien eine Hilfe.«

Seine Frau nickte eifrig.

Mr. Morrison sog scharf die Luft ein. »Sie werden den Launen der Kleinen doch nicht etwa nachgeben?«, fragte er Mrs. Baldwin mit ungläubigem Gesichtsausdruck.

Dorothy wimmerte.

Daphne hatte die Szene bisher mit fast unbeteiligter Miene verfolgt. Sie wusste genau, was Dorothy bevorstand, denn sie hatte lange genug auf der Straße gelebt – und überlebt –, um Morrisons Blick genauer deuten zu können als Helen und Gwyn. Männer wie er konnten sich in London kein Dienstmädchen leisten. Aber dafür fanden sich genug Kinder am Themseufer, die für ein Stück Brot alles taten. So wie Daphne. Sie wusste genau, wie man die Angst, den Schmerz und die Scham abschaltete, wie man den Geist vom Körper trennte, wenn wieder mal so ein Dreckskerl mit einem »spielen« wollte. Sie war stark. Aber Dorothy würde daran zerbrechen.

Daphne blickte zu Miss Helen hinüber, die gerade lernte – reichlich spät, wie Daphne fand –, dass man am Lauf der Welt nichts ändern konnte, auch wenn man sich noch so sehr wie eine Lady benahm. Dann schaute sie auf Miss Gwyn, die das ebenfalls noch lernen musste. Aber Miss Gwyn war stark. Unter anderen Umständen, beispielsweise als Frau eines mächtigen Schafbarons, hätte sie jetzt etwas unternehmen können. Doch so weit war sie noch nicht.

Und dann die Candlers. Reizende, liebenswerte Leute, die ihr, der kleinen Daphne aus der Gosse, einmal im Leben eine

Chance geben würden. Wenn sie ihre Karten nur ein bisschen geschickt ausspielte, würde sie einen ihrer Erben heiraten, ein geachtetes Leben führen, Kinder haben, eine »Honoratiorin« des Ortes werden. Daphne hätte beinahe gelacht. Lady Daphne Candler – das hörte sich an wie eine von Elizabeth' Geschichten. Zu schön, um wahr zu sein.

Daphne löste sich abrupt aus ihrem Traum und wandte sich ihrer Freundin zu.

»Steh auf, Dorothy! Heul hier nicht rum!«, fuhr sie das Mädchen an. »Ist ja nicht auszuhalten, wie du dich aufführst. Aber von mir aus können wir tauschen. Geh du mit den Candlers. Ich geh mit ihm …« Daphne wies auf Mr. Morrison.

Helen und Gwyn hielten den Atem an, während Mrs. Candler nach Luft schnappte. Dorothy hob langsam den Kopf und ließ ihr verweintes, rotes und geschwollenes Gesicht sehen. Mr. Morrison runzelte die Stirn.

»Ist das hier ein Spiel? Bäumchen wechsel dich? Wer sagt denn, dass ich unser Mädchen einfach eintausche?«, fragte er zornig. »Mir ist die hier versprochen!« Er griff nach Dorothy, die entsetzt aufschrie.

Daphne sah ihn an, wobei die Andeutung eines Lächelns auf ihrem hübschen Gesicht erschien. Wie versehentlich fuhr sie mit der Hand über ihre strenge Frisur und löste dabei eine Strähne ihres leuchtend roten Haares.

»Es wird Ihr Schaden nicht sein«, hauchte sie, während die Locke über ihre Schulter fiel.

Dorothy flüchtete in Helens Umarmung.

Morrison grinste, und diesmal war es keine Maske. »Na, wenn das so ist …«, sagte er und tat, als wolle er Daphne helfen, ihr Haar wieder aufzustecken. »Ein rotes Kätzchen. Meine Frau wird entzückt sein. Und du bist ihr sicher eine brave Magd.« Seine Stimme klang wie Seide, doch Helen hatte das Gefühl, als würde sie allein schon vom Klang dieser

Stimme beschmutzt. Den anderen Frauen schien es ähnlich zu ergehen. Nur Mrs. Baldwin war nicht empfänglich für Gefühle, gleich welcher Art. Sie runzelte missbilligend die Stirn und schien ernstlich zu überlegen, ob sie den Mädchen den Tausch durchgehen lassen wollte. Dann aber reichte sie Carter bereitwillig Daphnes vorbereitete Papiere.

Das Mädchen blickte nur noch einmal kurz auf, bevor es dem Mann nach draußen folgte.

»Nun, Miss Helen?«, fragte Daphne. »Habe ich mich ... ladylike verhalten?«

Helen schloss sie wortlos in die Arme.

»Ich liebe dich und bete für dich!«, flüsterte sie, als sie das Mädchen gehen ließ.

Daphne lachte. »Für die Liebe danke ich. Die Gebete aber können Sie lassen«, sagte sie bitter. »Warten Sie erst, welches Blatt Ihr Gott für Sie aus dem Ärmel zieht!«

Helen weinte sich in dieser Nacht in den Schlaf, nachdem sie das Dinner bei den Baldwins unter fadenscheinigen Ausreden geschwänzt hatte. Sie hätte das Pfarrhaus am liebsten sofort verlassen und sich im Stall in die Decke geschmiegt, die Daphne in der Aufregung vergessen hatte. Wenn sie Mrs. Baldwin nur ansah, hätte sie schreien können, und die Gebete des Reverends waren für sie wie eine Verhöhnung des Gottes, dem ihr Vater gedient hatte. Sie musste hier raus! Wenn sie sich nur das Hotel hätte leisten können. Und wenn es auch nur halbwegs schicklich gewesen wäre, ihren Zukünftigen dort ohne Vermittler und Anstandsdame zu empfangen! Aber lange konnte das hier nicht mehr dauern. Dorothy und die Candlers waren auf dem Weg nach Haldon. Morgen würde Howard von ihrer Ankunft erfahren.

# SO ETWAS WIE LIEBE . . .

*Canterbury Plains*
*1852–1854*

# 1

Gerald Warden und sein Tross kamen nur schleppend voran, obwohl Cleo und die jungen Hütehunde die Schafe in flotter Bewegung hielten. Allerdings hatte Gerald drei Lastfahrzeuge mieten müssen, um seine gesamten Einkäufe an Möbeln und sonstigem Hausrat nach Kiward Station zu transportieren, darunter natürlich auch Gwyneiras umfangreiche Mitgift an Kleinmöbeln, Silber und feiner Tisch- und Bettwäsche. Was das anging, hatte Lady Silkham nicht gespart und sich teilweise sogar aus den Beständen ihrer eigenen Aussteuer bedient. Gwyneira war erst beim Ausladen aufgefallen, wie viele im Grunde nutzlose Kostbarkeiten ihre Mutter in Truhen und Körbe verpackt hatte – Dinge, die man selbst auf Silkham Manor in dreißig Jahren nicht benötigt hatte. Was Gwyn nun am Ende der Welt damit anfangen sollte, war ihr schleierhaft, doch Gerald schien den Tand in Ehren zu halten und wollte unbedingt alles gleich mit nach Kiward Station schaffen. So schleppten sich nun drei Gespanne schwerer Pferde und Maultiere über die nach dem Regen zum Teil schlammigen Wege durch die Canterbury Plains, was die Reise merklich verlangsamte. Den lebhaften Reitpferden passte das gar nicht, Igraine pullte schon den ganzen Morgen. Doch Gwyneira selbst langweilte sich zu ihrem eigenen Erstaunen kein bisschen: Sie war bezaubert von dem unendlichen Land, durch das sie ritt, dem seidigen Grasteppich, auf dem die Schafe gern verweilt hätten, und dem Anblick der majestätischen Alpen im Hintergrund. Nachdem es in den letzten Tagen erneut geregnet hatte, war heute ein ähnlich klarer Tag wie nach ihrer Ankunft, und wieder schienen die Berge so nah, dass man versucht war, nach ihnen zu greifen. Das Land war hier, nahe Christchurch, noch ziemlich flach, wurde aber zusehends hügeliger. Es war hauptsächlich Grasland, das sich erstreckte, so weit das Auge reichte, nur gelegentlich unterbrochen von einer Buschreihe oder Felsbrocken, die so plötzlich aus dem Grün ragten, als hätte ein Riesenkind sie in die Landschaft geschleudert. Ab und zu waren Bäche und Flüsse zu überqueren, die allerdings durchweg nicht reißend waren, sodass man gefahrlos hindurchwaten konnte. Hin und wieder wurden unscheinbare Hügel umrundet – und plötzlich wurde man mit der Aussicht auf einen kleinen, glasklaren See belohnt, in dessen Wasser sich der Himmel oder Felsformationen spiegelten. Die meisten dieser Seen, verriet Warden, seien vulkanischen Ursprungs, doch heute gäbe es keine aktiven Vulkane mehr in der Gegend.

Unweit der Seen und Flüsse zeigten sich gelegentlich bescheidene Farmhäuser, auf deren Weiden Schafe grasten. Wenn die Siedler die Reiter bemerkten, kamen sie meist aus den Häusern und Ställen, in der Hoffnung auf ein Schwätzchen. Gerald redete allerdings nur kurz mit ihnen und nahm keine ihrer Einladungen an, zu rasten und sich zu erfrischen.

»Wenn wir damit erst mal anfangen, sind wir übermorgen noch nicht auf Kiward Station«, sagte er, als Gwyneira seine Schroffheit bemängelte. Sie selbst hätte gern einen Blick in eins dieser niedlichen Holzhäuser geworfen, denn sie nahm an, ihr künftiges Zuhause sähe ähnlich aus. Gerald ließ allerdings immer nur kurz an Flussufern oder bei Buschgruppen halten und drängte ansonsten auf rasches Weiterkommen. Erst am Abend des ersten Reisetages bezog er Quartier auf einer Farm, die deutlich größer und gepflegter schien als die Häuser der Siedler am Rand der Strecke.

»Die Beasleys sind wohlhabend. Eine Zeit lang haben Lucas und ihr ältester Sohn sich einen Hauslehrer geteilt, und wir laden sie hin und wieder ein«, klärte Gerald Gwyneira auf. »Beasley ist lange Zeit als Erster Maat zur See gefahren. Ein hervorragender Seemann. Hat nur kein Händchen für die Schafzucht, sonst wären sie schon weiter. Aber seine Frau wollte unbedingt eine Farm. Sie kommt wohl aus dem ländlichen England. Und da versucht Beasley sich eben in der Landwirtschaft. Ein Gentlemanfarmer ...« Aus Geralds Mund klang es ein bisschen abfällig. Dann aber lächelte er. »Mit der Betonung auf ›Gentleman‹. Aber sie können es sich leisten, also was soll's? Und sie sorgen für ein wenig Kultur und gesellschaftliches Leben. Letztes Jahr haben sie sogar eine Fuchsjagd veranstaltet.«

Gwyneira runzelte die Stirn. »Sagten Sie nicht, es gäbe hier keine Füchse?«

Gerald grinste. »Daran hat das Ganze auch ein wenig gelitten. Aber seine Söhne sind tüchtige Läufer. Die haben die Schleppe gelegt.«

Gwyneira musste lachen. Dieser Mr. Beasley schien ein Original zu sein, und zumindest hatte er einen Blick für Pferde. Die Vollblüter, die auf dem Paddock vor seinem Haus grasten, waren bestimmt aus England importiert, und auch die gärtnerische Gestaltung der Auffahrt mutete altenglisch an. Tatsächlich entpuppte Beasley sich als rotgesichtiger, gemütlicher Herr, der Gwyneira entfernt an ihren Vater erinnerte. Auch er residierte mehr auf seinem Land, als die Scholle mit eigener Hand zu bearbeiten, wobei ihm allerdings das über Generationen gewachsene Geschick des Landadels fehlte, den Farmbetrieb auch vom Salon aus effektiv zu steuern. Seine Auffahrt mochte elegant wirken, doch die Zäune der Pferdeweiden hätten einen Anstrich gebrauchen können. Gwyneira fiel auch auf, dass die Weiden abgefressen und die Wasserbottiche verschmutzt waren.

Über Geralds Besuch schien Beasley sich aufrichtig zu freuen. Er entkorkte gleich seine beste Flasche Whiskey und überschlug sich mit Komplimenten – abwechselnd über die

Schönheit Gwyneiras, das Geschick der Hütehunde und die Wolle der Welsh-Mountain-Schafe. Auch seine Frau, eine gepflegte Dame mittleren Alters, hieß Gwyneira herzlich willkommen.

»Sie müssen mir von der Mode in England erzählen! Aber erst zeige ich Ihnen meinen Garten. Ich habe den Ehrgeiz, die schönsten Rosen der Plains zu züchten. Aber ich bin nicht böse, wenn Sie mich dabei übertrumpfen, Mylady! Bestimmt haben Sie die schönsten Stöcke aus dem Garten Ihrer Mutter mitgebracht und waren auf der ganzen Reise mit deren Pflege beschäftigt!«

Gwyneira musste schlucken. Auf den Gedanken, ihrer Tochter Rosenstöcke mitzugeben, war nicht einmal Lady Silkham gekommen. Aber jetzt bewunderte sie pflichtschuldig die Blumen, die denen ihrer Mutter und Schwester aufs Haar glichen. Mrs. Beasley fiel fast in Ohnmacht, als Gwyn dies nichtsahnend erwähnte und dabei den Namen »Diana Riddleworth« fallen ließ. Anscheinend war es für Mrs. Beasley die Krönung ihrer Laufbahn als Rosenzüchterin, mit Gwyneiras berühmter Schwester verglichen zu werden. Gwyneira ließ ihr die Freude. Sie selbst würde bestimmt keinen Ehrgeiz entwickeln, Mrs. Beasley bei Zuchtschauen zu übertrumpfen. Viel mehr als für die Rosen interessierte sie sich ohnehin für die heimischen Pflanzen, die um den gepflegten Garten herum wuchsen.

»Ach, das sind Cabbage-Trees«, erklärte Mrs. Beasley ziemlich desinteressiert, als Gwyneira auf ein palmähnliches Gewächs wies. »Es sieht aus wie eine Palme, soll aber zu den Liliengewächsen gehören. Sprießt wie Unkraut. Passen Sie auf, dass Sie nicht zu viele davon im Garten haben, Kindchen. Auch von dem da …«

Sie zeigte auf einen blühenden Strauch, der Gwyneira eigentlich besser gefiel als Mrs. Beasleys Rosen. Seine Blüten leuchteten feuerrot, bildeten einen reizvollen Kontrast zu den sattgrünen Blättern und entfalteten sich prachtvoll nach dem Regen.

»Ein Rata«, erklärte Mrs. Beasley. »Sie wachsen wild auf der ganzen Insel. Nicht totzukriegen. Ich muss immer aufpassen, dass sie nicht in die Rosen wuchern. Und mein Gärtner ist keine große Hilfe. Er versteht nicht, warum man manche Pflanzen pflegt und manche ausmerzt.«

Wie sich herausstellte, bestand das gesamte Hauspersonal der Beasleys aus Maoris. Lediglich für die Schafe hatte man ein paar weiße Abenteurer eingestellt, die behaupteten, sich damit auszukennen. Gwyneira sah hier zum ersten Mal einen reinblütigen Einheimischen und war zunächst ein bisschen erschrocken. Mrs. Beasleys Gärtner war klein und stämmig. Sein Haar war dunkel und gelockt, seine Haut hellbraun, im Gesicht jedoch von Tätowierungen verunziert – so jedenfalls empfand es Gwyneira. Dem Mann selbst mussten die Ranken und Zacken wohl gefallen, die er sich unter Schmerzen in die Haut hatte ritzen lassen. Als Gwyneira sich erst an seinen Anblick gewöhnt hatte, fand sie sein Grinsen sympathisch. Er verstand sich auch durchaus auf höfliche Gesten, begrüßte sie mit einer tiefen Verbeugung und hielt den Ladys die Gartentore auf. Seine Kleidung unterschied sich kein bisschen von denen weißer Bediensteter, doch Gwyneira nahm an, dass die Beasleys ihm dies vorschrieben. Vor Erscheinen der Weißen hatten die Maoris sich bestimmt anders gekleidet.

»Danke, George!«, beschied Mrs. Beasley ihm huldvoll, während er das Tor hinter ihr schloss.

Gwyneira wunderte sich.

»Heißt er George?«, fragte sie verblüfft. »Ich hätte gedacht, dass … aber Ihre Leute sind sicher getauft und haben englische Namen bekommen, nicht wahr?«

Mrs. Beasley zuckte die Schultern. »Ehrlich gesagt weiß ich das gar nicht«, gab sie zu. »Wir gehen nicht regelmäßig zum Gottesdienst. Das wäre jedes Mal eine Tagesreise nach Christchurch. Deshalb halte ich sonntags für uns und das Hauspersonal nur eine kleine Andacht. Aber ob die Leute dorthin kommen, weil sie Christen sind oder weil ich sie dazu auffordere ... ich habe keine Ahnung.«

»Aber wenn er doch George heißt ...«, beharrte Gwyn.

»Ach, Kindchen, den Namen habe ich ihm gegeben. Die Sprache dieser Leute werde ich nie lernen. Allein schon ihre Namen sind unaussprechlich. Und ihm scheint's nichts auszumachen, nicht wahr, George?«

Der Mann nickte und lächelte.

»Richtige Name Tonganui!«, sagte er dann und wies auf sich, als Gwyneira immer noch bestürzt wirkte. »Heißt ›Sohn von Meeresgott‹.«

Sehr christlich klang das nicht, aber unaussprechlich fand Gwyneira den Namen auch nicht. Sie beschloss, ihr eigenes Personal auf keinen Fall umzutaufen.

»Woher können die Maoris eigentlich Englisch?«, fragte sie Gerald auf der Weiterreise am nächsten Tag. Die Beasleys hatten sie nur ungern gehen lassen, sahen aber ein, dass Gerald nach der langen Reise auf Kiward Station nach dem Rechten sehen wollte. Von Lucas hatten sie nicht viel erzählen können – abgesehen von den üblichen Lobreden. Während Geralds Abwesenheit schien er die Farm nicht verlassen zu haben. Zumindest hatte er die Beasleys nicht mit seinem Besuch beehrt.

Gerald wirkte an diesem Morgen schlecht gelaunt. Die beiden Männer hatten dem Whiskey wohl reichlich zugesprochen, während Gwyneira sich mit Hinweis auf die langen Ritte, die vor und hinter ihr lagen, früh verabschiedet hatte. Mrs. Beasleys Monolog über Rosen hatte gelangweilt, und dass Lucas ein kultivierter Mensch und begnadeter Komponist war, der obendrein stets die neuesten Werke von Mr. Bulwer-Lytton und vergleichbar genialen Schriftstellern zu verleihen hatte, wusste sie auch schon seit Christchurch.

»Ach, die Maoris …«, griff Gerald ihre Frage unwillig auf. »Man weiß nie, was sie verstehen und was nicht. Sie schnappen bei ihren Dienstherren immer etwas auf, und die Frauen geben es dann an ihre Kinder weiter. Sie wollen sein wie wir. Das ist sehr hilfreich.«

»Zur Schule gehen sie nicht?«, erkundigte sich Gwyneira.

Gerald lachte.

»Wer soll die Maoris denn unterrichten? Die meisten Siedlerfrauen sind froh, wenn sie es schaffen, ihrer eigenen Brut ein bisschen Zivilisation einzutrichtern! Es gibt allerdings ein paar Missionsstationen, und die Bibel ist auch in Maori übersetzt. Wenn es dich also drängt, ein paar schwarzen Bälgern Oxford-Englisch zu vermitteln – ich leg dir da keine Steine in den Weg!«

Gwyneira drängte es eigentlich nicht, aber vielleicht tat sich hier ja für Helen ein neues Betätigungsfeld auf. Sie lächelte, als sie an ihre Freundin dachte, die nach wie vor bei den Baldwins in Christchurch festsaß. Howard O'Keefe hatte sich bislang nicht gerührt – aber Vikar Chester versicherte ihr jeden Tag, dass dies nicht bedenklich sei. Es war keineswegs sicher, dass die Nachricht von Helens Ankunft ihn überhaupt schon erreicht hatte, und dann musste er ja auch abkömmlich sein.

»Was heißt ›abkömmlich‹?«, hatte Helen gefragt. »Hat er denn kein Personal auf der Farm?«

Der Vikar hatte sich nicht dazu geäußert. Gwyn hoffte, dass ihrer Freundin da keine unangenehme Überraschung bevorstand.

Gwyneira selbst war zunächst sehr zufrieden mit ihrer neuen Heimat. Nun, da sie den Alpen näher kamen, wurde die Landschaft hügeliger und abwechslungsreicher, war aber nach wie vor lieblich und ideales Schafland. Gegen Mittag teilte Gerald ihr freudestrahlend mit, dass sie eben die Grenze nach Kiward Station überschritten hatten und sich von nun an auf eigenem Land bewegten. Für Gwyneira glich dieses Land dem Garten Eden: Gras im Überfluss, gutes, sauberes Trinkwasser für die Tiere, ab und zu ein paar Bäume und sogar ein schattenspendendes Wäldchen.

»Wie gesagt, es ist noch nicht alles gerodet«, erklärte Gerald, als er den Blick über die Landschaft schweifen ließ. »Aber einen Teil des Waldes kann man stehen lassen. Ist zum Teil edles Holz, viel zu schade, um es abzubrennen. Das kann sogar mal wertvoll werden. Möglicherweise lässt sich der Fluss zum Flößen nutzen. Vorerst aber lassen wir die Bäume stehen. Schau, da haben wir die ersten Schafe! Fragt sich allerdings, was das Viehzeug hier macht. Sollte längst ins Hochland getrieben sein ...«

Gerald runzelte die Stirn. Gwyneira kannte ihn inzwischen gut genug, um zu wissen, dass er nun über schreckliche Strafen für den Schuldigen nachdachte. Meist hatte er auch keine Hemmungen, diese Überlegungen vor seinen Zuhörern wortreich auszubreiten, doch heute hielt er sich zurück. Lag es daran, dass Lucas hier die Verantwortung trug? Wollte er seinen Sohn vor dessen Verlobten nicht schlecht machen – unmittelbar vor ihrem ersten Zusammentreffen?

Gwyneira hielt es inzwischen vor Spannung kaum noch aus. Sie wollte das Haus sehen – und vor allem ihren künftigen Gatten. Auf den letzten Meilen malte sie sich aus, wie er ihr lachend aus dem Haupthaus einer stattlichen Farm wie jener der Beasleys entgegenkam. Inzwischen passierten sie schon Nebengebäude von Kiward Station. Gerald hatte überall auf seinem Gelände Unterstände für die Schafe sowie Scherschuppen anlegen lassen. Gwyneira fand das sehr umsichtig, wunderte sich jedoch über die Größe der Anlagen. In Wales hatte der Schafbestand ihres Vaters mit etwa 400

Zuchttieren als groß gegolten. Hier aber rechnete man in Tausenden!

»So, Gwyneira, und nun bin ich gespannt, was du sagst!«

Es war später Nachmittag, und Gerald strahlte übers ganze Gesicht, als er sein Pferd neben Igraine lenkte. Die Stute hatte ihre Hufe eben von den üblichen Schlammwegen auf einen befestigten Zufahrtsweg gesetzt, der von einem kleinen See aus um einen Hügel herum führte. Ein paar Schritte weiter tat sich der Blick auf das Haupthaus der Farm auf.

»Da wären wir, Lady Gwyneira!«, sagte Gerald stolz. »Willkommen auf Kiward Station!«

Gwyneira hätte vorbereitet sein sollen, fiel aber trotzdem vor Überraschung fast vom Pferd. Vor ihr in der Sonne, mitten im endlosen Grasland und vor der Kulisse der Alpen, erblickte sie ein englisches Herrenhaus! Nicht so groß wie Silkham Manor und mit weniger Türmchen und Seitengebäuden, ansonsten aber in jeder Hinsicht vergleichbar. Kiward Station war im Grunde sogar schöner, weil es perfekt von einem Architekten durchgeplant war, statt immer wieder umgebaut und erweitert wie die meisten englischen Herrensitze. Das Haus war aus grauem Sandstein errichtet, wie Gerald angekündigt hatte. Es besaß Erker und große, teilweise mit kleinen Balkonen versehene Fenster; davor erstreckte sich eine weitläufige Zufahrt mit Blumenbeeten, die allerdings noch nicht bepflanzt waren. Gwyneira beschloss, Rata-Büsche zu setzen. Die würden die Fassade auflockern und waren darüber hinaus wohl leicht zu pflegen.

Ansonsten aber erschien ihr alles wie ein Traum. Sicher würde sie gleich aufwachen und feststellen, dass es das seltsame Black-Jack-Spiel niemals gegeben hatte. Stattdessen hatte ihr Vater sie mit der Mitgift aus dem Schafhandel an irgendeinen Waliser Adligen verheiratet, und nun sollte sie ein Herrenhaus bei Cardiff in Besitz nehmen.

Lediglich das Personal, das sich jetzt wie in England zum

Empfang der Herrschaft vor dem Portal aufreihte, passte nicht ins Bild. Die Diener trugen zwar Livree und die Hausmädchen Schürzen mit Häubchen, doch ihre Haut war dunkel, und auf vielen Gesichtern prangten Tätowierungen.

»Willkommen, Mr. Gerald!«, begrüßte ein gedrungener kleiner Mann seinen Herrn und lachte dabei über das ganze, großflächige Gesicht, das die ideale »Leinwand« für die typischen Tätowierungen bildete. Mit großer Geste umfasste er den immer noch blauen Himmel und das sonnenbeschienene Land. »Und willkommen, Miss! Sie sehen – strahlt *rangi*, Himmel, vor Freude über Ankunft und schenkt *papa*, Erde, ein Lächeln, weil Sie wandern darüber!«

Gwyneira war gerührt über diese herzliche Begrüßung. Spontan streckte sie dem kleinen Mann die Hand entgegen.

»Das ist Witi, unser Hausdiener«, stellte Gerald ihn vor. »Und das sind unser Gärtner, Hoturapa, und die Haus- und Küchenmädchen, Moana und Kiri.«

»Miss ... Gwa ... ne ...« Moana wollte knicksen und Gwyneira dabei formvollendet begrüßen, aber offensichtlich war der keltische Name unaussprechlich für sie.

»Miss Gwyn«, verkürzte Gwyneira. »Nennt mich einfach Miss Gwyn!«

Ihr selbst fiel es nicht schwer, sich die Namen der Maoris zu merken, und sie beschloss, möglichst bald ein paar Höflichkeitsfloskeln in ihrer Sprache zu lernen.

Das also war das Personal. Gwyneira erschien es ziemlich klein für ein so großes Haus. Und wo war Lucas? Warum stand er nicht hier, um sie zu begrüßen und willkommen zu heißen?

»Wo ist denn ...« Gwyneira setzte an, die brennende Frage nach ihrem Zukünftigen zu stellen, doch Gerald kam ihr zuvor. Und er schien von Lucas' Ausbleiben ebenso wenig erbaut zu sein wie Gwyn.

»Wo steckt denn mein Sohn, Witi? Er könnte langsam seinen Hintern hierher bewegen und seine Zukünftige kennen lernen ... äh, ich wollte sagen ... Miss Gwyn erwartet natürlich mit Spannung, dass er ihr seine Aufwartung macht ...«

Der Diener lächelte. »Mr. Lucas ausgeritten, kontrollieren Weiden. Mr. James sagen, das muss jemand von Haus genehmigen, kaufen Material für Pferdepferch. So wie jetzt ist, Pferde nicht bleiben drin. Mr. James sehr aufgebracht. Deshalb Mr. Lucas weggeritten.«

»Statt seinen Vater und seine Braut zu empfangen? Das fängt ja gut an!«, polterte Gerald.

Gwyneira jedoch fand das verzeihlich. Sie hätte keine ruhige Minute gehabt, wäre Igraine auf einer Koppel untergebracht, die nicht sicher war. Und ein Kontrollritt über die Weiden passte viel besser zu ihrem Traummann als Lesen und Klavierspielen.

»Tja, Gwyneira, da bleibt uns nichts anderes übrig, als uns in Geduld zu fassen«, beruhigte Gerald sich schließlich. »Aber vielleicht ist das ja gar nicht so schlecht, in England wärst du deinem Zukünftigen auch nicht im Reitkleid und mit offenem Haar zum ersten Mal begegnet ...«

Er selbst fand zwar, dass Gwyneira mit ihren wieder einmal halb gelösten Locken und dem vom Reiten in der Sonne leicht geröteten Gesicht entzückend aussah, aber Lucas könnte das anders sehen ...

»Kiri wird dir jetzt deine Zimmer zeigen und dir helfen, dich frisch zu machen und zu frisieren. In einer Stunde treffen wir alle uns zum Tee. Bis um fünf sollte mein Sohn zurück sein – er dehnt seine Ausritte im Allgemeinen nicht lange aus. Dann wird euer erstes Treffen so stilvoll verlaufen, wie man es sich nur wünschen kann.«

Gwyneiras Wünsche hätten da zwar anders ausgesehen, sie fügte sich aber ins Unvermeidliche.

»Kann jemand meine Koffer nehmen?«, erkundigte sie sich mit Blick auf das Personal. »Oh nein, das ist zu schwer für dich, Moana. Danke, Hotaropa ... Hoturapa? Verzeihung, aber jetzt merke ich es mir. Was heißt eigentlich ›Danke‹ auf Maori, Kiri?«

Helen hatte sich widerwillig bei den Baldwins eingerichtet. Sosehr ihr die Familie zuwider war – bis zu Howards Eintreffen gab es keine Alternative. Also bemühte sie sich um Freundlichkeit. Sie bot Reverend Baldwin an, die Texte für das Kirchenblättchen niederzuschreiben und sie dann zur Druckerei zu bringen. Mrs. Baldwin nahm sie Besorgungen ab und versuchte, sich im Haushalt nützlich zu machen, indem sie kleine Näharbeiten übernahm und Belindas Hausaufgaben überwachte. Letzteres machte sie binnen kürzester Zeit zur meistgehassten Person im Haus. Dem Mädchen passte es gar nicht, überwacht zu werden, und sie beschwerte sich bei jeder Gelegenheit bei ihrer Mutter. Dabei wurde Helen deutlich, wie schwach die Lehrkräfte der gerade erst in Christchurch eröffneten Schule sein mussten. Sie überlegte, sich dort zu bewerben, falls es mit Howard schief ging. Vikar Chester machte ihr jedoch nach wie vor Mut: Es konnte dauern, bis O'Keefe von ihrer Ankunft erfuhr.

»Nun ja, die Candlers werden ihm wohl kaum einen Boten auf die Farm schicken. Wahrscheinlich warten sie, bis er zum Einkauf nach Haldon kommt, und auch das kann ein paar Tage dauern. Aber wenn er hört, dass Sie hier sind, wird er kommen, da bin ich sicher.«

Für Helen war das eine weitere bedenkliche Information. Sie hatte sich inzwischen damit abgefunden, dass Howard nicht unmittelbar bei Christchurch wohnte. Haldon war offensichtlich kein Vorort, sondern eine eigenständige, ebenfalls aufstrebende Stadt. Auch daran konnte Helen sich gewöhnen. Aber nun sprach der Vikar davon, dass Howards Farm auch noch außerhalb von Haldon lag. Wo also würde sie leben? Sie hätte gern mit Gwyn darüber gesprochen; vielleicht konnte die ihren Mr. Gerald ja unauffällig aushorchen. Aber Gwyn war gestern nach Kiward Station abgereist. Helen hatte keine Ahnung, wann und ob sie die Freundin wiedersehen würde.

Wenigstens hatte sie an diesem Nachmittag etwas Schönes vor. Mrs. Godewind hatte ihre Einladung förmlich wiederholen lassen, und pünktlich zur Teezeit wartete ihre Chaise mit dem Kutscher Jones auf dem Bock, um Helen abzuholen. Jones strahlte sie an und half ihr formvollendet in die Kutsche. Er schaffte es auch gerade noch, ein Kompliment für ihre adrette Erscheinung in ihrem neuen, fliederfarbenen Nachmittagskleid anzubringen. Dann erging er sich während der ganzen Heimfahrt in Lobliedern auf Elizabeth.

»Unsere Missus ist ein anderer Mensch, Miss Davenport, Sie glauben es nicht. Sie scheint jeden Tag jünger zu werden, lacht und scherzt mit dem Mädchen. Und Elizabeth ist so ein reizendes Kind, immer bemüht, meiner Frau etwas abzunehmen und stets gut gelaunt. Und lesen kann das Mädel! Meiner Seel, wenn ich irgend kann, finde ich eine Arbeit im Haus, wenn die Kleine Mrs. Godewind vorliest. Sie macht das mit so schöner Stimme und Betonung – man meint, man wäre Teil der Geschichte.«

Elizabeth hatte auch Helens Lektionen über das Bedienen und das Verhalten bei Tisch nicht verlernt. Geschickt und fürsorglich goss sie Tee ein und reichte Gebäck herum; dabei sah sie entzückend aus in ihrem neuen blauen Kleid und dem adretten weißen Häubchen.

Sie weinte allerdings, als sie von Laurie und Mary hörte, und schien auch Helens abgeschwächter Version der Geschichte von Daphne und Dorothy mehr zu entnehmen, als Helen angenommen hatte. Elizabeth war zwar eine Träumerin, aber auch sie hatte man als Londoner Straßenkind aufgegriffen. Jetzt vergoss sie heiße Tränen um Daphne und bewies größtes Vertrauen zu ihrer neuen Herrin, die sie sogleich um Hilfe anflehte.

»Können wir nicht Mr. Jones hinschicken und Daphne wegholen? Und die Zwillinge? Bitte, Mrs. Godewind, wir finden hier sicher Arbeit für sie. Man muss doch etwas tun können!«

Mrs. Godewind schüttelte den Kopf. »Leider nicht, Kind. Diese Leute haben Arbeitsverträge mit dem Waisenhaus abgeschlossen, so wie ich auch. Da können die Mädchen nicht einfach weglaufen. Und wir kämen in Teufels Küche, wenn wir ihnen dabei noch Hilfestellung leisteten! Es tut mir Leid, Liebes, aber die Mädchen müssen selbst zusehen, wie sie überleben. Wobei ich mir nach allem, was Sie sagen«, Mrs. Godewind wandte sich Helen zu, »kaum Sorgen um die kleine Daphne mache. Die wird sich schon durchbeißen. Aber die Zwillingsmädchen ... ach, es ist traurig. Schenk uns noch einmal Tee ein, Elizabeth. Dann wollen wir ein Gebet für sie sprechen, vielleicht wird sich wenigstens Gott ihrer annehmen.«

Doch Gott mischte die Karten für Helen, während sie in Mrs. Godewinds gemütlichem Salon saß und Teekuchen aus Mr. und Mrs. McLarens Bäckerei genoss. Vikar Chester erwartete sie schon aufgeregt vor dem Haus der Baldwins, als Jones Helen die Tür der Chaise aufhielt.

»Wo bleiben Sie nur, Miss Davenport? Ich hatte die Hoffnung fast schon aufgegeben, Sie heute noch vorstellen zu können. Wunderhübsch sehen Sie aus, als ob Sie es geahnt hätten! Und jetzt kommen Sie, rasch! Im Salon wartet Mr. O'Keefe.«

Das Portal von Kiward Station führte zunächst in eine geräumige Eingangshalle, in der Gäste ablegen und die Damen kurz ihr Haar richten konnten. Belustigt bemerkte Gwyneira einen Spiegelschrank mit der obligatorischen Silberschale für

Visitenkarten. Wer machte hier wohl so förmlich seine Aufwartung? Eigentlich musste man doch meinen, dass keine Gäste ohne Anmeldung kamen und erst recht keine Fremden. Und wenn sich tatsächlich ein Fremder hierher verirrte – warteten Lucas und sein Vater dann wirklich, bis das Hausmädchen ihn Witi gemeldet hatte, der dann die Herren des Hauses in Kenntnis setzte? Gwyneira dachte an die Farmerfamilien, die aus den Häusern gestürmt waren, nur um Fremde vorbeireiten zu sehen, und die offensichtliche Begeisterung der Beasleys über ihren Besuch. Da hatte kein Mensch nach ihrer Karte gefragt. Auch den Maoris dürfte der Austausch von Namenskärtchen unbekannt sein. Gwyneira fragte sich, wie Gerald ihn Witi erklärt hatte.

Von der Eingangshalle aus betrat man ein noch spärlich möbliertes Empfangszimmer – auch dies fraglos nach Sinn und Nutzen britischen Herrenhäusern nachempfunden. Gäste konnten hier in behaglicher Atmosphäre warten, bis der Hausherr Zeit für sie fand. Ein Kamin und ein Büfett mit darauf drapiertem Teegeschirr waren bereits vorhanden, passende Sessel und Sofas hatte Gerald im Gepäck. Es würde hübsch aussehen, aber wozu es dienen sollte, war Gwyneira schleierhaft.

Das Maori-Mädchen Kiri führte sie denn auch zügig hindurch in den Salon, dessen Einrichtung mit schweren, altenglischen Möbeln bereits abgeschlossen schien. Wäre die Halbtür zu einer großen Terrasse nicht gewesen, hätte er beinahe düster gewirkt. Auf jeden Fall war er nicht nach neuester Mode gestaltet; die Möbel und Teppiche gingen eher als Antiquitäten durch. Vielleicht die Aussteuer von Lucas' Mutter? Wenn ja, musste ihre Familie vermögend gewesen sein. Aber das war ohnehin nahe liegend. Gerald mochte ein erfolgreicher Schafzüchter sein, war früher bestimmt ein verwegener Seefahrer und ganz sicher der ausgefuchsteste Kartenspieler, den die Walfangkolonien je hervorgebracht hatten.

Aber um ein Haus wie Kiward Station in die völlige Wildnis zu stellen, benötigte man mehr Geld, als mit Walfang und Schafen zu verdienen war. Bestimmt war Mrs. Wardens Erbe hier mit eingeflossen.

»Kommen, Miss Gwyn?«, fragte Kiri freundlich, aber ein wenig besorgt. »Ich Sie soll helfen, aber auch machen Tee und servieren. Moana nicht gut mit Tee, ist besser, wir fertig, bevor lässt Tasse fallen.«

Gwyneira lachte. Das konnte sie Moana durchaus nachsehen.

»Ich werde diesmal den Tee eingießen«, erklärte sie dem verwunderten Mädchen. »Alter englischer Brauch. Habe ich jahrelang geübt. Gehört zu den Fertigkeiten, die man zum Heiraten unbedingt braucht.«

Kiri betrachtete sie mit gerunzelter Stirn. »Sie fertig für Mann, wenn machen Tee? Bei uns ist wichtig erste Blutfluss ...«

Gwyneira wurde umgehend rot. Wie konnte Kiri nur so offen von so etwas Unaussprechlichem reden! Andererseits war Gwyneira dankbar für jede Information. Der monatliche Blutfluss war Voraussetzung für eine Ehe – das traf auch für ihre Kultur zu. Gwyneira wusste noch genau, wie ihre Mutter geseufzt hatte, als es auch bei Gwyn so weit gewesen war. »Ach, Kind«, hatte sie gesagt, »jetzt trifft dich auch dieser Fluch. Wir werden einen Mann für dich suchen müssen.«

Wie das allerdings zusammenhing, hatte dem Mädchen niemand erklärt. Gwyneira unterdrückte die Anwandlung, hysterisch zu kichern, wenn sie an das Gesicht ihrer Mutter bei solchen Fragen dachte. Als Gwyn einmal mögliche Parallelen zur Läufigkeit beim Hund angesprochen hatte, verlangte Lady Silkham nur nach ihrem Riechsalz und zog sich den ganzen Tag in ihr Zimmer zurück.

Gwyneira sah sich nach Cleo um, die ihr selbstverständlich folgte. Kiri schien das ein wenig befremdlich zu finden, äußerte sich aber nicht dazu.

Vom Salon aus führte eine breite, geschwungene Treppe hinauf zu den Wohnräumen der Familie. Zu Gwyneiras Überraschung waren ihre Zimmer bereits vollständig eingerichtet.

»Zimmer sollten sein für Frau von Mr. Gerald«, klärte Kiri sie auf. »Aber dann gestorben. Zimmer immer leer. Aber jetzt Mr. Lucas hat gemacht fertig für Sie!«

»Mr. Lucas hat die Zimmer für mich eingerichtet?«, fragte Gwyneira erstaunt.

Kiri nickte. »Ja. Hat ausgesucht Möbel von Speicher und geschickt nach ... wie sagen? Leinen für Fenster ...?«

»Gardinen, Kiri«, half ihr Gwyneira, die aus dem Staunen gar nicht mehr herauskam. Die Möbel der verstorbenen Mrs. Warden waren aus hellem Holz, die Teppiche in altrosa, beige und blau gehalten. Dazu hatte Lucas oder jemand anders dezente, altrosa Vorhänge aus Seide mit beige-blauer Bordüre ausgewählt und geschickt vor den Fenstern und vor ihrem Bett drapiert. Das Bettzeug bestand aus schneeweißem Leinen; eine blaue Tagesdecke machte die Schlafstatt wohnlich. Neben dem Schlafzimmer gab es einen Ankleideraum und einen kleinen Salon, auch dieser äußerst geschmackvoll mit kleinen Sesseln, einem Teetisch und einem Nähschränkchen eingerichtet. Auf dem Kaminsims befanden sich die üblichen Silberrähmchen, Kerzenleuchter und Schalen. In einem der Bilderrahmen steckte die Daguerreotypie einer hellhaarigen, schlanken Frau. Gwyneira nahm das Bild in die Hand und schaute es genau an. Gerald hatte nicht übertrieben. Seine verstorbene Frau war eine vollkommene Schönheit gewesen.

»Sie jetzt umkleiden, Miss Gwyn?«, drängte Kiri.

Gwyneira nickte und machte sich gemeinsam mit dem Maori-Mädchen an das Auspacken des Koffers. Voller Ehrfurcht vor den edlen Stoffen brachte Kiri die Fest- und Nachmittagskleider Gwyneiras zum Vorschein.

»So schön, Miss Gwyn! So glatt und weich! Aber Sie dünn, Miss Gwyn. Nicht gut für Kinderkriegen!«

Kiri nahm wirklich kein Blatt vor den Mund. Gwyneira erklärte ihr lachend, sie sei nicht wirklich so dünn, sondern verdanke dies ihrem Schnürkorsett. Für das Seidenkleid, das sie auswählte, musste dieses Korsett denn auch straffer gezogen werden. Kiri mühte sich redlich, als Gwyneira ihr die Handgriffe zeigte, hatte aber offensichtlich Skrupel, ihrer neuen Herrin wehzutun.

»Das macht nichts, Kiri, ich bin es gewöhnt«, ächzte Gwyn. »Meine Mutter pflegte zu sagen: Wer schön sein will, muss leiden.«

Kiri schien erstmals zu verstehen. Mit einem verlegenen Lachen griff sie in ihr tätowiertes Gesicht. »Ach so! Ist wie *moku*, ja? Nur jeden Tag wieder!«

Gwyneira nickte. Im Prinzip stimmte das. Ihre Wespentaille war genauso unnatürlich und schmerzhaft wie Kiris bleibender Gesichtsschmuck. Hier in Neuseeland gedachte Gwyn allerdings, die Sitten ziemlich zu lockern. Eins der Mädchen musste lernen, ihre Kleider auszulassen, dann brauchte sie sich beim Schnüren nicht mehr derart zu kasteien. Und wenn sie erst schwanger war ...

Kiri half ihr geschickt in das blaue Seidenkleid, tat sich dann aber schwer mit der Frisur. Gwyneiras Locken zu entwirren war eine schwierige Aufgabe, und sie aufzustecken erst recht. Kiri hatte das offensichtlich auch noch nie getan. Schließlich half Gwyn tatkräftig mit, und wenn das Ergebnis auch nicht den strengen Regeln der Frisierkunst entsprach und Helen zweifellos entsetzt gewesen wäre, fand Gwyn sich doch ausgesprochen reizvoll. Den Großteil ihrer rotgoldenen Haarpracht hatten sie schließlich gebändigt; die paar Locken, die sich trotzdem selbstständig machten und ihr Gesicht umspielten, ließen ihre Züge weicher und mädchenhafter wirken. Gwyns Haut glänzte nach dem Ritt in der Sonne, ihre Augen blitzten vor Erwartung.

»Ist Mr. Lucas inzwischen eingetroffen?«, fragte sie Kiri.

Das Mädchen zuckte die Schultern. Woher sollte sie das wissen? Schließlich war sie die ganze Zeit mit Gwyneira hier gewesen.

»Wie ist Mr. Lucas denn so, Kiri?« Gwyn wusste, dass ihre Mutter sie für diese Frage scharf gerügt hätte: Man forderte das Personal nicht auf, über seine Herrschaft zu tratschen. Doch Gwyneira konnte sich nicht beherrschen.

Kiri zog gleichzeitig Schultern und Augenbrauen hoch, was lustig aussah.

»Mr. Lucas? Weiß nicht. Ist *pakeha*. Für mich alle gleich.« Das Maori-Mädchen hatte sich die Frage nach besonderen Eigenschaften ihrer Arbeitgeber offensichtlich noch nie gestellt. Dann dachte sie aber doch noch einmal nach, als sie Gwyneiras enttäuschten Gesichtsausdruck bemerkte. »Mr. Lucas ... ist nett. Nie schreien, nie ärgerlich. Nett. Nur bisschen dünn.«

# 2

Helen wusste kaum, wie ihr geschah, aber sie konnte die erste Begegnung mit Howard O'Keefe jetzt auf keinen Fall weiter hinauszögern. Aufgeregt glättete sie ihr Kleid und fuhr über ihr Haar. Sollte sie das Hütchen jetzt abnehmen oder aufbehalten? Immerhin befand sich ein Spiegel in Mrs. Baldwins Empfangszimmer, und Helen warf unsicher einen Blick hinein, noch bevor sie den Mann auf dem Sofa musterte. Der drehte ihr zurzeit sowieso den Rücken zu, Mrs. Baldwins Sitzgarnitur war dem Kamin zugewandt. So hatte Helen wenigstens Zeit zu einem kurzen, verstohlenen Blick auf seine Gestalt, bevor sie sich bemerkbar machte. Howard O'Keefe wirkte massig und angespannt. Deutlich gehemmt balancierte er ein dünnwandiges Tässchen aus Mrs. Baldwins Teeservice in seinen großen, schwieligen Händen.

Helen wollte sich schon räuspern, um die Pfarrersfrau und ihren Besucher auf sich aufmerksam zu machen. Aber dann wurde Mrs. Baldwin ihrer ansichtig. Die Pastorin lächelte ausdruckslos wie immer, gab sich aber herzlich.

»Oh, da ist sie ja, Mr. O'Keefe! Sehen Sie, ich wusste, sie würde nicht zu lange ausbleiben! Kommen Sie herein, Miss Davenport! Ich möchte Ihnen jemanden vorstellen!« Mrs. Baldwins Stimme klang beinahe neckisch.

Helen trat näher. Der Mann erhob sich so abrupt vom Sofa, dass er dabei fast das Teeservice vom Tisch fegte.

»Miss ... äh, Helen?«

Helen musste zu ihrem zukünftigen Mann aufsehen. Howard O'Keefe war groß und schwer – nicht dick, aber von kräftigem Knochenbau. Auch sein Gesichtsschnitt war eher derb, allerdings nicht unsympathisch. Die gebräunte, ledrige Haut sprach von langjähriger, harter Arbeit im Freien. Sie war von tiefen Falten durchzogen, die auf ein reiches Mienenspiel hindeuteten, auch wenn sich jetzt lediglich ein Ausdruck des Erstaunens oder sogar der Bewunderung in seinen Zügen abzeichnete. In seinen stahlblauen Augen stand Anerkennung – Helen schien ihm zu gefallen. Ihr selbst fiel vor allem sein Haar auf; es war dunkel, voll und sehr ordentlich geschnitten. Vermutlich hatte er vor der ersten Begegnung mit seiner Zukünftigen noch einen Besuch beim Barbier eingeschoben. Allerdings lichtete das Haar sich bereits an den Schläfen. Howard war deutlich älter, als Helen ihn sich vorgestellt hatte.

»Mr. ... Mr. O'Keefe ...«, sagte sie tonlos und hätte sich gleich dafür ohrfeigen können. Er hatte sie schließlich »Miss Helen« genannt, da hätte sie auch gleich »Mr. Howard«, sagen können.

»Ich ... äh, nun, jetzt sind Sie da!«, bemerkte Howard etwas unvermittelt. »Das ... äh, kam überraschend.«

Helen fragte sich, ob das als Tadel gemeint war. Sie errötete.

»Ja. Die ... äh, Umstände. Aber ich ... ich freue mich, Ihre Bekanntschaft zu machen.«

Sie hielt Howard die Hand hin. Dieser ergriff sie und schüttelte sie mit festem Händedruck.

»Ich freue mich auch. Es tut mir nur Leid, dass Sie warten mussten.«

Ach, so hatte er das gemeint! Helen lächelte erleichtert.

»Das macht nichts, Mr. Howard. Man hat mir gesagt, es könnte etwas dauern, bis Sie von meiner Ankunft erfahren. Aber nun sind Sie ja da.«

»Nun bin ich da.«

Howard lächelte jetzt auch, was sein Gesicht weicher und einnehmender wirken ließ. Nach seinem geschliffenen Briefstil hätte Helen allerdings mit einer etwas geistreicheren Konversation gerechnet. Aber gut, vielleicht war er schüchtern. Helen übernahm die Gesprächsführung.

»Wo kommen Sie denn nun genau her, Mr. Howard? Ich hatte gedacht, Haldon läge näher bei Christchurch. Aber es ist wohl eine eigene Stadt. Und Ihre Farm befindet sich noch etwas außerhalb ...?«

»Haldon liegt am Lake Benmore«, erklärte Howard, als ob das Helen irgendetwas sagte. »Weiß nicht, ob man's ›Stadt‹ nennen kann. Aber es gibt ein paar Läden. Die wichtigsten Sachen können Sie da kaufen. Was man so braucht, halt.«

»Und wie weit ist es bis dahin?«, erkundigte sich Helen und kam sich dumm vor. Da saß sie hier mit dem Mann, den sie wahrscheinlich heiraten würde, und tauschte sich über Entfernungen und Dorfläden aus.

»Knapp zwei Tage mit dem Gespann«, sagte Howard nach kurzer Überlegung. Helen hätte eine Angabe in Meilen bevorzugt, mochte aber nicht nachhaken. Stattdessen blieb sie still, was eine peinliche Pause zur Folge hatte. Dann räusperte sich Howard.

»Und ... hatten Sie eine gute Reise?«

Helen atmete auf. Endlich eine Frage, zu der sie etwas erzählen konnte. Sie schilderte ihre Überfahrt mit den Mädchen.

Howard nickte. »Hm. Eine weite Reise ...«

Helen hoffte, dass er etwas von seiner eigenen Auswanderung erzählte, doch er blieb still.

Zum Glück gesellte sich jetzt Vikar Chester zu ihnen. Während er Howard begrüßte, fand Helen endlich Zeit, zu Atem zu kommen und ihren künftigen Mann noch etwas näher in Augenschein zu nehmen. Die Kleidung des Farmers war einfach, aber sauber. Er trug Lederbreeches, die ihn sicher schon auf vielen Ritten begleitet hatten, und eine Wachsjacke über einem weißen Hemd. Eine prächtig geschmückte Gürtelschnalle aus Messing war das einzig Kostbare an seiner Ausstattung – außerdem trug er ein Silberkettchen um den Hals, an dem ein grüner Stein baumelte. Seine Haltung war eben starr und unsicher gewesen, jetzt aber lockerte er sich und trug sich gerade und selbstbewusst. Seine Bewegungen wurden geschmeidiger, wirkten fast anmutig.

»Nun erzählen Sie Miss Helen doch ein bisschen von Ihrer Farm!«, ermutigte ihn der Vikar. »Von den Tieren vielleicht, vom Haus ...«

O'Keefe zuckte die Schultern. »Ist ein schönes Haus, Miss. Sehr solide, hab's selbst gebaut. Und die Tiere ... nun, wir haben ein Maultier, ein Pferd, eine Kuh und ein paar Hühner. Und natürlich Schafe. Um die tausend.«

»Das ... das sind aber viele«, bemerkte Helen und wünschte sich brennend, bei Gwyneiras endlosen Geschichten über Schafzucht genauer hingehört zu haben. Wie viele Schafe, hatte sie gesagt, besaß noch mal ihr Mr. Gerald?

»Das sind nicht viele, Miss, aber es werden ja mehr. Und Land ist ausreichend da, das wird schon. Wie ... äh, machen wir's denn jetzt?«

Helen runzelte die Stirn. »Wie machen wir was, Mr. Howard?«, erkundigte sie sich und tastete nach einer Haarsträhne, die sich eben aus ihrer strengen Frisur gelöst hatte.

»Na ja ...« Howard spielte verlegen mit seiner zweiten Tasse Tee. »Das mit der Heirat ...«

Kiri verzog sich schließlich mit Gwyneiras Billigung in Richtung Küche, um Moana zu Hilfe zu eilen. Gwyn verbrachte die letzten Minuten vor der Teestunde mit einer gründlicheren Inspektion ihrer Räume. Alles war tadellos ausgestattet, bis hin zu liebevoll zusammengestellten Toilettenartikeln im Ankleidezimmer. Gwyneira bewunderte Kämme aus Elfenbein und dazu passende Bürsten. Die Seife roch nach Rosen und Thymian – sicher kein Erzeugnis des heimischen Maori-Stammes; die Seife musste aus Christchurch oder gleich aus England importiert worden sein. Angenehme Düfte verströmte auch ein Schälchen mit getrockneten Blütenblättern, das in ihrem Salon aufgestellt war. Kein Zweifel – selbst eine perfekte Hausfrau vom Schlage ihrer Mutter oder ihrer Schwester Diana hätte die Zimmer nicht einladender herrichten können als ... Lucas Warden? Gwyneira konnte sich einfach nicht vorstellen, dass ein Mann für all diese Pracht verantwortlich sein sollte!

Inzwischen hielt sie es vor Spannung kaum mehr aus. Sie sagte sich, dass sie ja nicht bis zur Teezeit warten müsse; vielleicht saßen Lucas und Gerald längst im Salon. Gwyneira suchte sich den Weg über die mit kostbaren Teppichen ausgelegten Flure zur Treppe – und hörte aufgebrachte Stimmen, die aus den Wohnräumen durch das halbe Haus klangen.

»Kannst du mir sagen, warum du ausgerechnet heute diese Weiden kontrollieren musstest?«, donnerte Gerald. »Hätte das nicht Zeit bis morgen gehabt? Die Kleine wird noch denken, du machst dir nichts aus ihr!«

»Entschuldige, Vater.« Die Stimme klang ruhig und kultiviert. »Aber Mr. McKenzie hat einfach nicht locker gelassen. Und es war dringlich. Die Pferde sind bereits dreimal ausgebrochen ...«

»Die Pferde sind *was?*«, brüllte Gerald. »Dreimal ausgebrochen? Das heißt, ich habe die Männer drei Tage lang nur dafür bezahlt, ihre Gäule wieder einzufangen? Warum hast du nicht früher eingegriffen? McKenzie wollte doch sicher gleich reparieren, oder? Und da wir schon beim Thema Pferche sind – warum war in Lyttelton nichts für die Schafe vorbereitet? Ohne deine zukünftige Frau und ihre Hunde hätte ich die Nacht damit verbringen müssen, die Viecher selbst zu bewachen!«

»Ich hatte viel zu tun, Vater. Mutters Porträt für den Salon sollte doch fertig werden. Und ich musste mich um Lady Gwyneiras Räume kümmern.«

»Lucas, wann lernst du endlich, dass Ölbilder nicht weglaufen, ganz im Gegensatz zu Pferden! Und was Gwyneiras Räume angeht ... *du* hast ihre Zimmer eingerichtet?« Gerald schien das ebenso wenig fassen zu können wie Gwyneira selbst.

»Wer hätte es denn sonst tun sollen? Eins der Maori-Mädchen? Dann hätte sie wohl Palmenmatten und eine offene Feuerstelle vorgefunden!« Lucas klang jetzt ebenfalls ein wenig aufgebracht. Allerdings nur so weit, wie ein Gentleman sich in Gesellschaft gerade noch gehen ließ.

Gerald seufzte. »Also gut, hoffen wir, dass sie es zu schätzen weiß. Jetzt lass uns nicht streiten, sie muss jeden Augenblick herunterkommen ...«

Gwyneira beschloss, dies als ihr Stichwort anzusehen. Gemessenen Schrittes, die Schultern gestrafft und den Kopf hoch erhoben, stieg sie die Treppe herunter. Solche Auftritte hatte sie für ihren Debütantinnenball tagelang geübt. Jetzt hatte sie endlich Verwendung dafür.

Den Männern im Salon verschlug es erwartungsgemäß die Sprache. Vor dem Hintergrund der dunklen Treppe erschien Gwyneiras zarte, in hellblaue Seide gehüllte Gestalt wie einem Ölbild entstiegen. Ihr Gesicht leuchtete hell, die Haarsträhnen, die es umspielten, wirkten im Licht der Kerzen im Salon wie gesponnene Gold- und Kupferfäden. Gwyneiras Mund umspielte ein schüchternes Lächeln. Die Augen hatte sie ein wenig niedergeschlagen, was sie aber nicht davon abhielt, zwischen ihren langen roten Wimpern hervorzuspähen. Sie musste einfach einen Blick auf Lucas werfen, bevor sie ihm förmlich vorgestellt wurde.

Was sie sah, machte es ihr dann aber schwer, die würdevolle Haltung zu wahren. Beinahe hätte sie sich dazu hinreißen lassen, Augen und Mund aufzusperren, um dieses perfekte Exemplar der Gattung Mann hemmungslos anzustarren.

Gerald hatte bei Lucas' Schilderung nicht übertrieben. Sein Sohn war der Inbegriff eines Gentlemans und obendrein mit allen Attributen männlicher Schönheit gesegnet. Der junge Mann war hochgewachsen, deutlich größer als Gerald, und schlank, aber muskulös. Er hatte nichts von der Schlaksigkeit des jungen Barrington oder der kraftlosen Zartheit eines Vikar Chester. Lucas Warden trieb zweifellos Sport, wenn auch nicht so exzessiv, dass er den muskelbepackten Körper eines Athleten bekommen hatte. Sein schmales Gesicht wirkte durchgeistigt, vor allem aber ebenmäßig und edel. Gwyneira fühlte sich an die Statuen griechischer Götter erinnert, die den Weg zu Dianas Rosengarten säumten. Lucas' Lippen waren fein geschnitten, weder zu breit und sinnlich, noch schmal und verkniffen. Seine Augen waren klar und so intensiv grau, wie Gwyneira es noch nie gesehen hatte. Meist spielten graue Augen ja ins Bläuliche, doch Lucas' Augen wirkten, als habe man hier nur schwarze und weiße Farbe gemischt. Er trug sein hellblondes, leicht gelocktes Haar kurz, wie es in Londoner Salons Mode war. Lucas war förmlich gekleidet; er hatte für diese Begegnung einen grauen Dreiteiler aus bestem Tuch gewählt. Dazu trug er glänzende schwarze Halbschuhe.

Als Gwyneira jetzt auf ihn zutrat, lächelte er sie an. Sein Gesicht wurde dadurch noch anziehender. Die Augen jedoch blieben ausdruckslos.

Schließlich verbeugte er sich und ergriff Gwyneiras Hand mit langen, schlanken Fingern, um einen formvollendeten Handkuss anzudeuten.

»Mylady ... Ich bin entzückt.«

Howard O'Keefe blickte Helen verwundert an. Er verstand offensichtlich nicht, warum seine Frage ihr die Sprache verschlagen hatte.

»Wie ... wieso mit der Heirat?«, stammelte sie schließlich. »Ich ... ich dachte ...« Helen zupfte an ihrer Haarsträhne.

»Und ich dachte, Sie wären gekommen, um mich zu ehelichen«, meinte Howard und wirkte dabei fast ein wenig erzürnt. »Haben wir uns da missverstanden?«

Helen schüttelte den Kopf. »Nein, natürlich nicht. Aber es kommt so plötzlich. Wir ... wir wissen gar nichts voneinander. Ge... gewöhnlich läuft es doch so, dass der Mann seiner kün... künftigen Gattin zunächst den Hof macht, und dann ...«

»Miss Helen, von hier bis zu meiner Farm ist es ein zweitägiger Ritt!«, meinte Howard streng. »Sie erwarten doch nicht wirklich, dass ich diesen Ritt mehrmals unternehme, nur um Ihnen Blumen zu bringen! Was mich angeht, so brauche ich eine Frau. Ich habe Sie jetzt gesehen, und Sie gefallen mir gut ...«

»Danke«, murmelte Helen errötend.

Howard reagierte gar nicht darauf. »Von meiner Seite wäre damit alles klar. Mrs. Baldwin sagte mir, Sie seien sehr mütterlich und häuslich, und das gefällt mir. Mehr brauche ich gar nicht zu wissen. Wenn Sie noch Fragen an mich haben – bitte, ich will sie gern beantworten. Aber dann sollten wir uns über die ... äh, Modalitäten unterhalten. Reverend Baldwin würde uns doch trauen, oder?« Letzteres richtete sich an Vikar Chester, der eifrig nickte.

Helen dachte fieberhaft über Fragen nach. Was musste man über einen Menschen wissen, mit dem man die Ehe einging? Schließlich begann sie mit seiner Familie.

»Sie stammen ursprünglich aus Irland, Mr. Howard?«

O'Keefe nickte. »Ja, Miss Helen. Connemara.«

»Und Ihre Familie ...?«

»Richard und Bridie O'Keefe, meine Eltern, sowie fünf Geschwister – oder auch mehr, ich bin früh von zu Hause weg.«

»Weil ... das Land nicht so viele Kinder ernähren konnte?«, fragte Helen vorsichtig.

»Könnte man so sagen. Ich wurde jedenfalls nicht gefragt.«

»Oh, das tut mir Leid, Mr. Howard!« Helen unterdrückte den Impuls, tröstend die Hand auf seinen Arm zu legen. Natürlich, das war das »schwere Schicksal«, von dem er in seinen Briefen geschrieben hatte.

»Und dann kamen Sie gleich nach Neuseeland?«

»Nein, ich bin viel ... äh, herumgekommen.«

»Das kann ich mir denken«, entgegnete Helen, obwohl sie nicht die geringste Vorstellung hatte, wohin sich ein von seiner Familie verstoßener, halbwüchsiger Junge wandte. »Aber in all der Zeit ... in all der Zeit dachten Sie nie an eine Heirat?« Sie errötete.

O'Keefe zuckte die Schultern. »Wo ich mich rumgetrieben hab, gab's nicht viele Frauen, Miss. Walfangstationen, Robbenjäger. Einmal allerdings ...« Sein Gesicht nahm einen weicheren Ausdruck an.

»Ja, Mr. Howard? Entschuldigen Sie, wenn ich aufdringlich bin, aber ich ...« Helen lechzte nach einer Gefühlsregung bei ihrem Gegenüber, die es ihr vielleicht ein wenig leichter machte, Howard O'Keefe einzuschätzen.

Der Farmer grinste breit. »Ist schon gut, Miss Helen. Sie wollen mich kennen lernen. Nun, da gibt es nicht viel zu erzählen. Sie hat einen anderen geheiratet ... was vielleicht mit ein Grund ist, weshalb ich die Sache jetzt schnell regeln möchte. Die Sache mit uns, meine ich ...«

Helen war gerührt. Also war es keine Gefühlsarmut, sondern lediglich eine verständliche Angst, sie könnte ihm ebenso weglaufen wie das erste Mädchen, das er damals geliebt hatte. Zwar begriff sie nach wie vor nicht, wie dieser wortkarge, hart wirkende Mann so wunderschöne Briefe schreiben konnte, doch sie glaubte ihn nun besser zu verstehen. Howard O'Keefe war ein stilles Wasser.

Aber wollte sie sich jetzt blindlings hineinstürzen? Helen

überschlug fieberhaft die Alternativen. Bei den Baldwins konnte sie nicht länger wohnen; die würden nicht verstehen, warum sie Howard vertröstete. Und Howard selbst würde eine Verzögerung als Ablehnung betrachten und sich vielleicht gänzlich zurückziehen. Und dann? Eine Anstellung an der hiesigen Schule – was noch keineswegs sicher war? Kinder wie Belinda Baldwin unterrichten und dabei langsam zur alten Jungfer werden? Das konnte sie nicht riskieren. Howard war vielleicht nicht ganz das, was sie sich vorgestellt hatte, aber er war geradeheraus und ehrlich, bot ihr ein Haus und eine Heimat, wünschte sich eine Familie und arbeitete hart, um seine Farm voranzubringen. Mehr konnte sie nicht verlangen.

»Gut, Mr. Howard. Aber einen oder zwei Tage Vorbereitung müssen Sie mir schon geben. So eine Hochzeit …«

»Wir werden selbstverständlich eine kleine Feier ausrichten!«, erklärte Mrs. Baldwin zuckersüß. »Sicher möchten Sie Elizabeth und die anderen Mädchen, die in Christchurch geblieben sind, dabeihaben. Ihre Freundin Miss Silkham ist ja wohl schon abgereist …«

Howard runzelte die Stirn. »Silkham? Etwa diese Adlige? Diese Gwenevere Silkham, die den Sohn vom alten Warden heiraten soll?«

»Gwyneira«, berichtigte Helen. »Genau die. Wir haben uns während der Überfahrt angefreundet.«

O'Keefe wandte sich ihr zu, und sein eben noch freundliches Gesicht verzerrte sich vor Wut.

»Damit eins klar ist, Helen – eine Warden wirst du in meinem Haus nicht empfangen! Nicht solange ich lebe! Halte dich ja fern von dieser Sippe! Der Alte ist ein Gauner, und der Junge ein Schlappschwanz! Und das Mädel wird auch nicht besser sein, sonst ließe es sich nicht kaufen! Diese ganze Brut gehört ausgemerzt! Also wage es ja nicht, sie auf meine Farm zu holen! Ich hab zwar nicht das Geld von dem Alten, aber meine Flinte schießt genauso scharf!«

Gwyneira machte jetzt seit zwei Stunden Konversation, was sie mehr anstrengte, als hätte sie diese Zeit im Sattel oder auf dem Hundeplatz verbracht. Lucas Warden handelte nacheinander alle Themen ab, über die zu reden man ihr im Salon ihrer Mutter vermittelt hatte, aber er stellte deutlich höhere Ansprüche als Lady Silkham.

Dabei hatte die Sache ganz gut angefangen. Den Tee einzuschenken war Gwyneira formvollendet gelungen – und das, obwohl ihre Hände immer noch zitterten. Lucas' erster Anblick war einfach zu viel für sie gewesen. Inzwischen aber beruhigte sich ihr Herzschlag. Schließlich gab der junge Gentleman ihr ja keinen Anlass zu weiterer Erregung. Er machte keine Anstalten, sie begehrlich anzusehen, ihre Finger wie beiläufig zu streifen, während beide – rein zufällig – nach der Zuckerdose griffen, oder ihr auch nur einen Herzschlag zu lange in die Augen zu schauen. Stattdessen ruhte Lucas' Blick während der Konversation lehrbuchgerecht auf ihrem linken Ohrläppchen, und seine Augen leuchteten nur dann gelegentlich auf, wenn er eine besonders drängende Frage stellte.

»Ich hörte, Sie spielen Piano, Lady Gwyneira. Woran haben Sie zuletzt gearbeitet?«

»Oh, ich beherrsche das Piano höchst unvollständig. Ich spiele nur zum Spaß, Mr. Lucas. Ich ... ich fürchte, ich bin entsetzlich unbegabt ...« Verlegener Blick von unten nach oben, leichtes Stirnrunzeln. Die meisten Männer hätten das Thema jetzt mit einem Kompliment abgetan. Nicht so Lucas.

»Das kann ich mir nicht vorstellen, Mylady. Nicht, wenn es Ihnen Vergnügen bereitet. Alles, was wir mit Freude tun, wird uns auch gelingen, davon bin ich überzeugt. Kennen Sie das ›Notenbüchlein‹ von Bach? Menuette und Tänze – das würde zu Ihnen passen!« Lucas lächelte.

Gwyneira versuchte sich zu erinnern, wer die Etüden komponiert hatte, mit denen Madame Fabian sie gequält hatte.

Immerhin hatte sie den Namen Bach schon einmal gehört. Hatte der nicht Kirchenmusik komponiert?

»Sie denken bei meinem Anblick also an Choräle?«, fragte sie schalkhaft. Vielleicht ließ die Unterhaltung sich ja auf die Ebene eines lockeren Austausches von Komplimenten und Neckereien herabziehen. Das hätte Gwyneira sehr viel besser gelegen als ein Gespräch über Kunst und Kultur. Lucas sprang allerdings nicht darauf an.

»Warum nicht, Mylady? Choräle sollten das Jubeln der Engelsscharen zu Gottes Lob nachempfinden. Und wer wollte Gott nicht preisen für ein so wunderschönes Geschöpf wie Sie? Dabei fasziniert mich bei Bach besonders die fast mathematische Klarheit der Komposition, vereint mit einer zweifellos tief empfundenen Gläubigkeit. Natürlich kommt die Musik erst im entsprechenden Rahmen wirklich zur Geltung. Was gäbe ich dafür, einmal einem Orgelkonzert in einer der großen Kathedralen Europas lauschen zu dürfen! Das ist ...«

»Erleuchtend«, bemerkte Gwyneira.

Lucas nickte enthusiastisch.

Nach der Musik begeisterte er sich für die zeitgenössische Literatur, allen voran für die Werke Bulwer-Lyttons – »Erbaulich«, kommentierte Gwyneira –, um dann auf sein Lieblingsthema einzugehen, die Malerei. Dabei begeisterte er sich sowohl für die mythologischen Motive der Renaissancekünstler – »Erhaben«, kommentierte Gwyn – als auch für das Licht- und Schattenspiel in den Werken von Velasquez und Goya. »Erfrischend«, improvisierte Gwyneira, die noch nie davon gehört hatte.

Nach zwei Stunden schien Lucas begeistert von ihr, Gerald kämpfte offensichtlich mit der Müdigkeit, und Gwyneira wollte nur noch weg. Schließlich griff sie sich leicht an die Schläfe und sah die Männer entschuldigend an.

»Ich fürchte, ich bekomme Kopfschmerzen nach dem langen Ritt und jetzt der Wärme am Kamin. Ich sollte ein wenig an die frische Luft ...«

Als sie Anstalten machte, sich zu erheben, sprang auch Lucas sofort auf. »Natürlich, Sie werden sich ausruhen wollen vor dem Dinner. Es war meine Schuld! Wir haben die Teestunde zu sehr ausgedehnt, bei dieser anregenden Konversation.«

»Eigentlich möchte ich lieber einen kleinen Spaziergang machen«, meinte Gwyneira. »Nicht weit, nur zu den Ställen, auch um nach meinem Pferd zu sehen.«

Cleo tanzte bereits begeistert um sie herum. Auch die Hündin hatte sich gelangweilt. Ihr vergnügtes Bellen weckte Geralds Lebensgeister.

»Du solltest mitgehen, Lucas«, forderte er seinen Sohn auf. »Zeig Miss Gwyn die Ställe, und pass auf, dass die Viehtreiber sie nicht lüstern angrinsen.«

Lucas blickte indigniert. »Bitte nicht solche Ausdrücke im Angesicht einer Lady ...«

Gwyneira bemühte sich, rot zu werden, doch im Grunde suchte sie eher nach einer Ausrede, Lucas' Begleitung abzulehnen.

Lucas hatte zum Glück ebenfalls Bedenken. »Ich weiß nicht, Vater, ob ein solcher Ausgang nicht die Grenzen des Anstands überschreitet«, fügte er hinzu. »Ich kann mich unmöglich allein mit Lady Gwyneira in den Pferdeställen aufhalten ...«

Gerald schnaubte. »In den Pferdeställen herrscht jetzt wahrscheinlich ein Betrieb wie im Pub! Bei dem Wetter hängen die Treiber doch im Warmen rum und spielen Karten!« Am späten Nachmittag hatte Regen eingesetzt.

»Eben deshalb, Vater. Morgen würden sie sich die Mäuler darüber zerreißen, dass die Herrschaft sich zu unschicklichen Handlungen in die Ställe zurückzieht.« Lucas wirkte allein bei dem Gedanken, Gegenstand eines solchen Gerüchts zu werden, unangenehm berührt.

»Oh, ich komme schon allein zurecht!«, sagte Gwyneira rasch. Sie fürchtete sich nicht vor den Arbeitern, schließlich hatte sie sich auch bei den Hirten ihres Vaters Respekt verschafft. Und die raue Sprache der Schaftreiber war ihr jetzt weitaus willkommener als weitere erbauliche Konversation mit einem Gentleman. Auf dem Weg zum Stall würde er sie womöglich zum Thema Architektur examinieren. »Und die Ställe finde ich auch.«

Eigentlich hätte sie sich gern noch einen Mantel geholt, aber jetzt verabschiedete sie sich lieber gleich, bevor Gerald irgendwelche Einwände einfielen.

»Es war äußerst er ... erquicklich, mit Ihnen zu plaudern, Mr. Lucas«, beschied sie ihren Zukünftigen mit einem Lächeln. »Sehen wir uns beim Abendessen?«

Lucas nickte und hob zu einer weiteren Verbeugung an. »Selbstverständlich, Mylady. In einer guten Stunde wird im Esszimmer serviert.«

Gwyneira lief durch den Regen. Sie durfte gar nicht daran denken, was die Nässe mit ihrem Seidenkleid anstellte. Und dabei war das Wetter vorhin noch so schön gewesen! Na ja, ohne Regen wuchs kein Gras. Das feuchte Klima ihrer neuen Heimat war ideal für die Schafzucht, und sie war ein solches Wetter ja aus Wales gewöhnt. Nur dass sie dort nicht in eleganter Garderobe durch den Schlamm gelaufen wäre, dort waren die Wege, die um die Wirtschaftsgebäude herum führten, gepflastert. Auf Kiward Station aber hatte man dies bisher versäumt: Nur die Auffahrt war befestigt. Hätte Gwyneira zu entscheiden gehabt, hätte sie eher den Platz vor den Ställen befestigen lassen als den prächtigen, jedoch eher selten benutzten Zufahrtsweg zum Haupteingang. Aber Gerald setzte da wohl andere Prioritäten – und Lucas ganz sicher. Bestimmt plante der auch schon einen Rosengarten ... Gwyneira war froh, dass helles Licht aus den Ställen drang; sie hätte schließlich nicht gewusst, wo sie hier eine Stalllaterne finden sollte. Aus den Schuppen und Pferdeställen drangen nun auch Stimmen. Offenbar hatten sich hier tatsächlich die Schafhirten versammelt.

»Black Jack, James!«, rief gerade jemand lachend. »Hosen runter, mein Freund! Heute nehm ich dir deinen Lohn ab.«

Solange die Männer nicht um anderes spielen, dachte Gwyneira, holte tief Luft und öffnete die Stalltür. Der Gang, der sich vor ihr auftat, führte links zu den Pferdeställen, rechts erweiterte er sich zu einer Remise, in der die Männer um ein Feuer saßen. Gwyneira zählte fünf, alles raue Burschen, die nicht so aussahen, als hätten sie sich heute schon gewaschen. Teilweise trugen sie Bärte oder hatten zumindest in den letzten drei Tagen auf das Rasieren verzichtet. Neben einem großen schlanken Mann mit tief gebräuntem, etwas kantigem, aber von Lachfalten durchzogenem Gesicht, hatten sich drei der jungen Hütehunde zusammengerollt.

Ein anderer Mann reichte ihm eine Whiskeyflasche.

»Hier, zum Trost!«

Das war also »James«, der das Spiel eben verloren hatte.

Ein blondhaariger Hüne, der die Karten nun wieder mischte, sah beiläufig auf und erblickte Gwyneira.

»He, Leute, gibt's hier Gespenster? Gewöhnlich sehe ich so hübsche Ladys erst nach der zweiten Flasche Whiskey!«

Die Männer lachten.

»Welch Glanz in unserer bescheidenen Wohnstatt!«, sagte der Mann, der eben die Flasche herumgereicht hatte, mit nicht mehr ganz fester Stimme. »Ein … ein Engel!«

Erneutes Gelächter.

Gwyneira wusste nicht, was sie erwidern sollte.

»Nun seid still, ihr macht sie ja ganz verlegen!«, nahm jetzt der älteste der Männer das Wort. Er war offensichtlich noch nüchtern und stopfte gerade seine Pfeife. »Das ist weder ein

Engel noch ein Geist, sondern einfach nur die junge Lady! Die Mr. Gerald mitgebracht hat, damit sie Mr. Lucas ... ihr wisst schon!«

Verlegenes Kichern.

Gwyneira beschloss, die Initiative zu ergreifen.

»Gwyneira Silkham«, stellte sie sich vor. Sie hätte den Männern auch die Hand gereicht, aber bislang machte keiner von ihnen Anstalten, sich zu erheben. »Ich wollte nach meinem Pferd sehen.«

Cleo hatte sich inzwischen im Stall umgeschaut, begrüßte die kleinen Hütehunde und lief wedelnd von einem der Männer zum anderen, verharrte dann aber bei James, der sie mit geschickten Händen streichelte.

»Und wie heißt diese junge Lady? Ein prächtiges Tier! Ich habe schon von ihr gehört, und ebenso von den Wundertaten ihrer Besitzerin beim Schaftrieb. Gestatten, James McKenzie!« Der junge Mann stand auf und streckte Gwyneira die Hand entgegen. Dabei sah er sie aus braunen Augen fest an. Sein Haar war ebenfalls braun, üppig und etwas wirr, als hätte er es beim Kartenspiel nervös gerauft.

»He, James! Schmeiß dich nicht so ran!«, neckte ihn einer der anderen. »Die gehört dem Chef, hast du doch gehört!«

McKenzie verdrehte die Augen. »Hören Sie nicht auf die Schurken, die haben keine Kultur. Immerhin sind sie getauft: Andy McAran, Dave O'Toole, Hardy Kennon und Poker Livingston. Letzterer ist auch sehr erfolgreich beim Black Jack ...«

Poker war der Blonde, Dave der Mann mit der Flasche und Andy der dunkelhaarige, schon ältere Riese. Hardy schien der Jüngste zu sein und hatte dem Whiskey heute wohl schon etwas zu sehr zugesprochen, um noch irgendeine Lebensregung zu zeigen.

»Tut mir Leid, dass wir alle schon ein bisschen angesäuselt sind«, sagte McKenzie treuherzig. »Aber wenn Mr. Gerald schon mal 'ne Flasche rüberschickt, zur Feier der glücklichen Heimkehr …«

Gwyneira lächelte huldvoll. »Ist schon gut. Aber machen Sie hinterher das Feuer ordentlich aus. Nicht, dass Sie mir die Ställe in Brand setzen.«

Cleo sprang inzwischen an McKenzie hoch, der gleich fortfuhr, sie zu kraulen. Gwyn erinnerte sich, dass McKenzie nach ihrem Namen gefragt hatte.

»Das ist Silkham Cleopatra. Und die Kleinen sind Silkham Daisy, Silkham Dorit, Silkham Dinah, Daffy, Daimon und Dancer.«

»Huch, alles adelig!«, erschrak Poker. »Müssen wir da jedes Mal einen Hofknicks machen?« Freundlich, aber bestimmt wies er dabei Dancer ab, der eben seine Karten zerkauen wollte.

»Den hätten Sie schon beim Empfang meines Pferdes machen müssen«, gab Gwyneira gelassen zurück. »Das hat nämlich einen längeren Stammbaum als wir alle.«

James McKenzie lachte, und seine Augen blitzten. »Aber ich muss die Viecher nicht immer mit vollem Namen ansprechen, oder?«

Auch in Gwyneiras Augen funkelte jetzt der Schalk. »Mit Igraine müssen Sie das selbst ausmachen«, erklärte sie. »Aber die Hündin ist überhaupt nicht eingebildet. Sie hört auf den Namen Cleo.«

»Und worauf hören Sie?«, fragte McKenzie, wobei er den Blick wohlgefällig, aber nicht anzüglich über Gwyneiras Körper wandern ließ. Sie erschauerte. Nach dem Weg durch den Regen begann sie zu frieren. McKenzie bemerkte es sofort. »Warten Sie, ich gebe Ihnen erst mal einen Umhang. Es wird zwar Sommer, aber draußen ist es noch recht ungemütlich.« Er griff nach einem Wachsmantel.

»Hier, bitte, Miss …«

»Gwyn«, sagte Gwyneira. »Vielen Dank. Und wo ist jetzt mein Pferd?«

Igraine und Madoc waren in sauberen Boxen gut untergebracht, doch die Stute scharrte trotzdem ungeduldig, als Gwyneira sie besuchte. Der langsame Ritt am Morgen hatte sie nicht ermüdet; sie brannte auf weitere Betätigung.

»Mr. McKenzie«, sagte Gwyneira, »ich würde morgen gern ausreiten, aber Mr. Gerald meint, es wäre nicht schicklich, wenn ich allein gehe. Ich möchte niemandem zur Last fallen, aber gibt es vielleicht die Möglichkeit, Sie und Ihre Männer bei irgendeiner Arbeit zu begleiten? Bei der Inspektion der Weiden, zum Beispiel? Ich würde Ihnen auch gern zeigen, wie die jungen Hunde trainiert werden. Sie haben von Natur aus einen guten Instinkt für die Schafe, aber mit ein paar kleinen Kunstgriffen lässt ihr Können sich noch verbessern.«

McKenzie schüttelte bedauernd den Kopf. »Grundsätzlich nehmen wir Ihr Angebot natürlich gern an, Miss Gwyn. Aber für morgen haben wir bereits den Auftrag, zwei Pferde für Ihren Ausritt zu satteln. Mr. Lucas wird Sie begleiten und Ihnen die Farm zeigen.« McKenzie grinste. »Das ziehen Sie doch sicher einem Inspektionsritt mit ein paar ungewaschenen Viehtreibern vor?«

Gwyn wusste nicht, was sie sagen sollte – oder schlimmer noch, sie wusste nicht, was sie dachte. Schließlich nahm sie sich zusammen.

»Erfreulich«, bemerkte sie.

# 3

Lucas Warden war ein guter Reiter, auch wenn er das Reiten nicht mit Passion betrieb. Der junge Gentleman saß locker und korrekt im Sattel, handhabte die Zügelführung sicher und verstand das Pferd ruhig neben seiner Begleiterin zu halten, um dabei angelegentlich mit ihr zu plaudern. Zu Gwyneiras Verwunderung besaß er jedoch kein eigenes Pferd und zeigte auch keine Neigung, den neuen Hengst auszuprobieren, während Gwyn darauf brannte, seit Warden das Pferd gekauft hatte. Bislang hatte man ihr einen Ritt auf Madoc allerdings stets mit dem Argument verwehrt, ein Hengst sei kein Damenpferd. Dabei war der kleine Rappe von deutlich ruhigerem Temperament als Gwyneiras eigenwillige Igraine, wenn auch sicher nicht an den Damensattel gewöhnt. Doch was das betraf, war Gwyn optimistisch. Die Viehtreiber, die mangels Reitknecht auch als Stallburschen fungierten, hatten keine Ahnung von Schicklichkeit. So musste Lucas den verwunderten McKenzie heute auch extra dazu auffordern, Gwyneiras Stute mit dem Seitsattel zu versehen. Für sich selbst orderte er eines der Farmpferde, die durchweg größer, dafür aber leichter waren als die Cobs. Die meisten schienen auch recht spritzig zu sein, doch Lucas' Wahl fiel auf das ruhigste Tier.

»Dann kann ich eingreifen, wenn Mylady in Schwierigkeiten kommt und habe nicht womöglich mit dem eigenen Pferd zu kämpfen«, erklärte er dem verblüfften McKenzie seine Wahl.

Gwyneira verdrehte die Augen. Sollte sie wirklich in Schwierigkeiten kommen, wäre Igraine vermutlich schon mit ihr am Horizont verschwunden, bevor Lucas' gelassener Schimmel überhaupt antrat. Allerdings kannte sie das Argument aus Benimmbüchern und tat deshalb so, als wüsste sie Lucas' Fürsorge zu schätzen. Der Ritt über Kiward Station verlief denn auch sehr harmonisch. Lucas plauderte mit Gwyneira über Fuchsjagden und äußerte sich verwundert über ihre Teilnahme an Hundetrials.

»Das erscheint mir doch eine ziemlich ... äh, unkonventionelle Beschäftigung für eine junge Lady«, tadelte er mild.

Gwyneira biss sich leicht auf die Lippen. Fing Lucas jetzt schon an, sie zu bevormunden? Dann war es besser, ihm gleich einen Dämpfer zu verpassen.

»Damit werden Sie sich bei mir abfinden müssen«, sagte sie kühl. »Es ist schließlich auch ziemlich unkonventionell, einer Brautwerbung nach Neuseeland zu folgen. Zumal, wenn man den künftigen Gatten nicht einmal kennt.«

»Touché!« Lucas lächelte, wurde dann aber ernst. »Ich muss auch zugeben, dass ich das Vorgehen meines Vaters zunächst nicht ganz billigen konnte. Allerdings ist es hier wirklich sehr schwierig, eine angemessene Verbindung zu arrangieren. Verstehen Sie mich richtig, Neuseeland wurde nicht von Gaunern besiedelt wie Australien, sondern von durchaus ehrbaren Menschen. Aber die meisten Siedler ... nun, es fehlt ihnen einfach an Klasse, an Bildung, Kultur. Insofern schätze ich mich nun mehr als glücklich, dass ich dieser unkonventionellen Brautwerbung zugestimmt habe, die mir eine solch entzückend unkonventionelle Braut zugeführt hat! Darf ich hoffen, dass auch ich Ihren Ansprüchen genüge, Gwyneira?«

Gwyn nickte, auch wenn sie sich zum Lächeln zwingen musste. »Ich bin angenehm überrascht, hier einen solch perfekten Gentleman wie Sie vorzufinden«, sagte sie. »Ich hätte auch in England keinen kultivierteren und gebildeteren Gatten finden können.«

Das war zweifellos richtig. In den Kreisen des Waliser Landadels, in denen Gwyneira sich bewegt hatte, verfügte man zwar über eine gewisse Grundbildung, doch in den Salons war doch häufiger von Pferderennen als von Bach-Kantaten die Rede.

»Natürlich sollten wir einander noch näher kennen lernen, bevor wir einen Hochzeitstermin festsetzen«, meinte Lucas. »Alles andere wäre nicht schicklich, das habe ich Vater auch schon gesagt. Der hätte die Feier nämlich am liebsten schon übermorgen anberaumt.«

Gwyneira fand zwar, dass der Worte nun genug gewechselt waren, doch sie stimmte natürlich zu und zeigte sich anschließend entzückt von der Einladung, Lucas heute Nachmittag in seinem Atelier zu besuchen.

»Ich bin natürlich nur ein unbedeutender Maler, hoffe aber, mich noch entwickeln zu können«, erläuterte er ihr, während sie im Schritt eine einladende Galoppstrecke entlangritten. »Zurzeit arbeite ich an einem Porträt meiner Mutter. Es soll einen Platz im Salon finden. Leider muss ich nach Daguerreotypien arbeiten, denn ich kann mich kaum an meine Mutter erinnern. Sie starb, als ich noch klein war. Doch beim Arbeiten stellen sich mehr und mehr Erinnerungen ein, und ich habe das Gefühl, als käme ich Mutter dabei näher. Es ist eine höchst interessante Erfahrung. Ich würde auch Sie gern einmal malen, Gwyneira!«

Gwyneira stimmte halbherzig zu. Ihr Vater hatte vor der Abreise ein Porträt von ihr anfertigen lassen, und sie hatte sich beim Modellsitzen zu Tode gelangweilt.

»Vor allem brenne ich darauf, Ihre Meinung zu meiner Arbeit zu hören. Sicher haben Sie in England viele Galerien besucht und sind über die neueren Entwicklungen weit besser informiert als wir hier am Ende der Welt!«

Gwyneira hoffte nur, dass ihr dazu noch ein paar beeindruckende Worte einfallen würden. Eigentlich hatte sie ihren dahin gehenden Vorrat zwar gestern schon erschöpft, aber vielleicht brachten die Bilder sie ja auf neue Ideen. Tatsächlich hatte sie noch nie eine Galerie von innen gesehen, und die neueren Entwicklungen der Kunst waren ihr völlig gleichgültig. Ihre Vorfahren – und auch die ihrer Nachbarn und Freunde – hatten im Laufe der Generationen ausreichend Gemälde angehäuft, um ihre Wände damit zu schmücken. Die Bilder zeigten hauptsächlich Ahnen und Pferde, und ihre Qualität beurteilte man eigentlich nur anhand des Kriteriums »Ähnlichkeit«. Begriffe wie »Lichteinfall« und »Perspektive«, über die Lucas endlos schwadronieren konnte, hörte Gwyneira zum ersten Mal.

Dafür bezauberten sie jedoch die Landschaften, durch die sie ritten. Am Morgen war es neblig gewesen; jetzt aber kam die Sonne durch, und die Nebel enthüllten Kiward Station, als mache die Natur Gwyneira damit ein besonderes Geschenk. Lucas führte sie natürlich nicht weit hinauf in die Ausläufer des Gebirges, wo die Schafe weitgehend frei weideten, doch auch das Gelände in unmittelbarer Nähe der Farm war wunderschön. Der See spiegelte die Wolkenformationen am Himmel, und die Felsen auf den Weiden sahen aus, als hätten sie soeben den Grasteppich durchstoßen wie gewaltige Zähne oder wie eine Armee von Riesen, die jeden Moment lebendig würden.

»Gibt es da nicht eine Geschichte, in welcher der Held Steine sät, und dann erwachsen daraus Soldaten für sein Heer?«, fragte Gwyneira.

Lucas zeigte sich begeistert über ihre Bildung. »Es sind allerdings keine Steine, sondern Drachenzähne, die Jason in der griechischen Mythologie in die Erde einbringt«, verbesserte er sie. »Und die daraus erwachsende Armee aus Eisen erhebt sich gegen ihn. Ach, es ist wundervoll, sich mit klassisch gebildeten Menschen auf dem gleichen Niveau austauschen zu können, finden Sie nicht auch?«

Gwyneira hatte eigentlich eher an die Steinkreise gedacht, die sich in ihrer Heimat fanden und zu denen ihre Kinderfrau ihr einst abenteuerliche Geschichten erzählt hatte. Wenn sie sich recht erinnerte, hatten Priesterinnen hier römische Soldaten gebannt oder so etwas. Aber diese Geschichte war Lucas sicher nicht klassisch genug.

Zwischen den Steinen weideten die ersten Schafe aus Geralds Bestand – Mutterschafe, die kürzlich abgelammt hatten. Gwyneira war hingerissen von den durchweg sehr schönen Lämmern. Gerald hatte allerdings Recht: Ein Schuss Welsh-Mountain-Blut würde die Wollqualität noch verbessern.

Lucas runzelte die Stirn, als Gwyn erklärte, die Schafe doch gleich jetzt von einem der Widder aus Wales decken zu lassen.

»Ist es in England für junge Ladys üblich, sich so ... so unverblümt ... über Geschlechtliches zu äußern?«, fragte er vorsichtig.

»Wie soll ich es denn sonst ausdrücken?« Gwyneira hatte Schicklichkeit und Schafzucht eigentlich nie miteinander in Verbindung gebracht. Sie hatte zwar keine Ahnung, wie eine Frau an Babys kam, doch beim Decken von Schafen hatte sie mehr als einmal zugesehen, ohne dass jemand ein Wort darüber verlor.

Lucas errötete leicht. »Nun, dieser ... äh, gesamte Bereich ist doch wohl kein Gesprächsthema für Damen?«

Gwyneira zuckte die Schultern. »Meine Schwester Larissa züchtet Highland-Terrier, meine andere Schwester Rosen. Die reden den ganzen Tag darüber. Wo ist der Unterschied zu Schafen?«

»Gwyneira!« Lucas wurde puterrot. »Ach, lassen wir einfach dieses Thema. Es ist weiß Gott nicht schicklich, gerade in unserer besonderen Situation! Betrachten wir lieber noch ein wenig das Spiel der Lämmer. Sind sie nicht allerliebst?«

Gwyneira hatte sie eigentlich mehr unter dem Gesichtspunkt des Wollertrags beurteilt, aber wie alle neugeborenen Lämmer waren sie zweifellos niedlich. Sie stimmte Lucas zu und erhob auch keine Einwände, als er gleich darauf anregte, den Ritt nun langsam zu beenden.

»Ich denke, Sie haben genug gesehen, um sich jetzt allein auf Kiward Station zurechtzufinden«, meinte er, als er Gwyneira vor den Ställen vom Pferd half – eine Bemerkung, die sie mit all seinen Schrullen versöhnte. Offensichtlich hatte Lucas nichts dagegen, wenn seine Verlobte allein ausritt! Zumindest hatte er das Thema »Anstandsdame« nicht angesprochen – sei es, weil er dieses Kapitel im Benimmbuch überschlagen hatte oder weil er sich einfach nicht vorstellen konnte, dass ein Mädchen den Wunsch haben könnte, allein zu reiten.

Gwyneira nutzte ihre Chance jedenfalls sofort. Kaum dass Lucas sich abgewandt hatte, sprach sie den älteren Viehtreiber an, der ihre Pferde in Empfang nahm. »Mr. McAran, morgen früh möchte ich allein reiten. Machen Sie mir doch bitte für zehn Uhr den neuen Hengst fertig – mit Mr. Geralds Sattel!«

Helens Hochzeit mit Howard O'Keefe gestaltete sich nicht ganz so unprätentiös, wie die junge Frau zunächst gefürchtet hatte. Um die Trauung nicht vor einer gänzlich leeren Kirche zelebrieren zu müssen, legte Reverend Baldwin sie mit dem Sonntagsgottesdienst zusammen, und so war es letztlich doch eine ziemlich lange Reihe von Gratulanten, die vor Helen und Howard aufmarschierten. Mr. und Mrs. McLaren hatten das ihre getan, um die Messe festlich zu gestalten, und Mrs. Godewind steuerte die Blumen zum Schmuck der Kirche bei, die sie selbst und Elizabeth zu prachtvollen Gestecken banden. Mr. und Mrs. McLaren statteten Rosemary mit einem rosa

Sonntagskleidchen aus, in dem das Kind Blumen streute und dabei selbst wie eine kleine Rosenknospe wirkte. Mr. McLaren übernahm die Aufgabe des Brautführers, und Elizabeth und Belinda Baldwin folgten Helen als Brautjungfern. Helen hatte gehofft, anlässlich der Sonntagsmesse auch die anderen Mädchen wiederzusehen, doch keine der weiter entfernt lebenden Familien erschien zum Gottesdienst. Auch Lauries Dienstherren ließen sich nicht blicken. Helen war beunruhigt, wollte sich dadurch aber nicht den großen Tag verderben lassen. Sie hatte sich nun mit der überstürzten Eheschließung abgefunden und war fest entschlossen, das Beste daraus zu machen. In den letzten beiden Tagen konnte sie obendrein Howard genau beobachten, da er in der Stadt blieb und zu praktisch jeder Mahlzeit bei den Baldwins zu Gast war. Sein Aufbrausen, als die Wardens erwähnt worden waren, hatte Helen zwar zunächst befremdet, sogar geängstigt, doch wenn nicht gerade dieses Thema zur Sprache kam, schien er ein ausgeglichener Mensch zu sein. Er nutzte den Stadtaufenthalt, um recht großzügig für die Farm einzukaufen, also schien es ihm finanziell nicht allzu schlecht zu gehen. In seinem Sonntagsanzug aus grauem Tweed, den er zur Trauung angelegt hatte, wirkte er sehr gediegen, obwohl das Kleidungsstück natürlich nicht zur Jahreszeit passte und er darin gehörig schwitzte.

Helen selbst trug ein frühlingsgrünes Sommerkleid, das sie sich schon in London in Gedanken an ihre Hochzeit hatte anmessen lassen. Natürlich wäre ein weißes Spitzenkleid schöner gewesen, aber das hatte sie als unnötige Geldverschwendung abgetan. Schließlich konnte man einen solchen Traum aus Seide anschließend nie wieder tragen. Helens leuchtendes Haar fiel ihr heute offen über den Rücken – eine Frisur, die Mrs. Baldwin misstrauisch beäugte, auf der Mrs. McLaren und Mrs. Godewind allerdings bestanden hatten. Sie hatten die Haarpracht nur mittels eines Stirnbandes aus

Helens Gesicht verbannt und mit Blumen geschmückt. Helen fand selbst, sie habe noch nie so schön ausgesehen, und sogar der wortkarge Howard verstieg sich zu einem weiteren Kompliment: »Das ist … äh, sehr hübsch, Helen.«

Helen spielte mit seinen Briefen, die sie immer noch bei sich trug. Wann würde ihr Gatte wohl endlich so aus sich herausgehen, dass er diese schönen Worte von Angesicht zu Angesicht wiederholte?

Die Trauung selbst war sehr feierlich. Reverend Baldwin erwies sich als großartiger Redner, der seine Gemeinde durchaus zu fesseln verstand. Als er von Liebe »in guten und in bösen Tagen«, sprach, schluchzte auch die letzte Frau in der Kirche, und die Männer schnäuzten sich. Ein Wermutstropfen für Helen war allerdings die Wahl ihrer Trauzeugin. Sie hätte sich Mrs. Godewind gewünscht, doch Mrs. Baldwin drängte sich geradezu auf, und es wäre sehr unhöflich gewesen, sie abzulehnen. Immerhin war ihr der Trauzeuge, Vikar Chester, äußerst sympathisch.

Howard sorgte für eine Überraschung, indem er die Trauformel frei und mit fester Stimme sprach und Helen dabei fast liebevoll ansah. Helen selbst schaffte es nicht so perfekt – sie musste dabei weinen.

Aber dann erklang die Orgel, die Gemeinde sang, und Helen fühlte sich überglücklich, als sie am Arm ihres Gatten aus der Kirche schritt. Draußen warteten bereits die Gratulanten.

Helen küsste Elizabeth und ließ sich von der schluchzenden Mrs. McLaren umarmen. Zu ihrer Überraschung waren auch Mrs. Beasley und die ganze Familie O'Hara erschienen, obwohl Letztere gar nicht der anglikanischen Kirche angehörte. Helen drückte Hände und lachte und weinte gleichzeitig, bis schließlich nur noch eine junge Frau übrig blieb, die Helen allerdings noch nie gesehen hatte. Sie blickte sich zu Howard um – vielleicht war die Frau ja für ihn gekommen –, doch Howard unterhielt sich bereits mit dem Pfarrer. Die letzte Gratulantin schien er übersehen zu haben.

Helen lächelte ihr zu. »Ich weiß, es ist unverzeihlich, aber dürfte ich Sie fragen, woher ich Sie kenne? In der letzten Zeit ist so viel Neues auf mich eingeströmt, da …«

Die Frau nickte ihr freundlich zu. Sie war klein und zierlich, hatte ein etwas kindliches Allerweltsgesicht und dünnes blondes Haar, das sie ordentlich unter einer Haube aufgesteckt hatte. Ihre Kleidung war die schlichte Tracht einer Christchurcher Hausfrau zur Sonntagsmesse. »Sie brauchen sich nicht zu entschuldigen, Sie kennen mich nicht«, meinte sie. »Ich wollte mich auch nur einmal vorstellen, weil … wir doch einiges gemeinsam haben. Mein Name ist Christine Lorimer. Ich war die Erste.«

Helen blickte verwundert. »Die erste was? Kommen Sie, wir gehen in den Schatten. Mrs. Baldwin hat im Haus Erfrischungen vorbereitet.«

»Ich will mich nicht aufdrängen«, sagte Mrs. Lorimer rasch. »Aber ich bin sozusagen Ihre Vorreiterin. Die Erste, die aus England kam, um hier verheiratet zu werden.«

»Das ist ja interessant«, wunderte sich Helen. »Ich dachte, ich sei die Erste. Es hieß, die anderen Frauen hätten noch keine Antwort auf ihre Bewerbung, und ich bin ja auch ohne direkte Verabredung gereist.«

Die junge Frau nickte. »Ich ebenfalls, mehr oder weniger. Ich habe auch nicht auf eine Anzeige geantwortet. Aber ich war fünfundzwanzig und hatte keine Aussichten auf einen Ehemann. Wie auch, ohne jede Mitgift? Ich lebte bei meinem Bruder und seiner Familie, die er mehr schlecht als recht ernährte. Ich habe versucht, als Näherin dazuzuverdienen, bin aber nicht sehr nützlich. Ich habe schlechte Augen, in den Fabriken wollten sie mich nicht. Dann kamen mein Bruder und seine Frau auf den Gedanken, auszuwandern. Aber was sollte aus mir werden? Wir kamen auf die Idee, dem hiesigen

Pfarrer einen Brief zu schreiben. Ob sich nicht ein ordentlicher Christenmensch in Canterbury fände, der eine Frau sucht. Antwort kam von einer Mrs. Brennan. Sehr resolut. Sie wollte alles über mich wissen. Nun, es muss ihr wohl gefallen haben. Jedenfalls bekam ich einen Brief von Mr. Thomas Lorimer. Und was soll ich sagen – ich habe mich sofort verliebt!«

»Im Ernst?«, fragte Helen, die auf keinen Fall zugeben wollte, dass es ihr nicht anders ergangen war. »In einen Brief?«

Mrs. Lorimer kicherte. »Oh ja! Er hatte so wunderschön geschrieben! Ich kann die Worte heute noch auswendig: ›Ich sehne mich nach einer Frau, die bereit wäre, ihr Schicksal mit dem meinen zu verbinden. Ich bete zu Gott um ein liebendes weibliches Wesen, dessen Herz meine Worte erweichen können.‹«

Helen riss die Augen auf. »Aber … aber das ist aus meinem Brief!«, erregte sie sich. »Genau das hat Howard mir geschrieben! Ich kann nicht glauben, was Sie mir da erzählen, Mrs. Lorimer! Ist das ein böser Scherz?«

Die kleine Frau blickte betroffen. »Oh nein, Mrs. O'Keefe! Und ich wollte Sie auf keinen Fall verletzen! Ich konnte ja nicht ahnen, dass sie es wiedergetan haben!«

»Was ›wiedergetan‹?«, fragte Helen, obwohl sie bereits eine Ahnung beschlich.

»Nun, das mit den Briefen«, führte Christine Lorimer aus. »Mein Thomas ist ein herzensguter Mensch. Wirklich, ich könnte mir keinen besseren Gatten wünschen. Aber er ist Tischler, große Reden schwingt er nicht, und romantische Briefe schreibt er auch nicht. Er sagte, er habe es wieder und wieder versucht, aber keiner der Briefe an mich habe ihm gut genug gefallen, um ihn abzuschicken. Schließlich wollte er mein Herz berühren, wissen Sie. Tja, da hat er sich eben an Vikar Chester gewandt …«

»Vikar Chester hat die Briefe geschrieben?«, fragte Helen,

die nicht wusste, ob sie lachen oder weinen sollte. Immerhin wurde ihr jetzt einiges klar: Die gestochen schöne Handschrift, typisch für einen Geistlichen. Die wohlgesetzte Wortwahl – und der Mangel an praktischen Informationen, den Gwyneira angemerkt hatte. Und natürlich das auffällige Interesse des kleinen Vikars am Gelingen der Brautwerbung.

»Ich hätte nicht gedacht, dass sie sich das noch mal trauen!«, meinte Mrs. Lorimer. »Weil ich den beiden natürlich gründlich den Kopf gewaschen habe, als ich von der Sache erfuhr. Oh, es tut mir so Leid, Mrs. O'Keefe! Ihr Howard hätte die Chance haben müssen, es Ihnen selbst zu sagen. Aber jetzt nehme ich mir diesen Vikar Chester vor! Na, der kriegt was zu hören!«

Resolut setzte Christine Lorimer sich in Bewegung, während Helen nachdenklich zurückblieb. Wer war der Mann, den sie soeben geheiratet hatte? Hatte Chester ihm wirklich nur geholfen, seine Gefühle in Worte zu fassen, oder war es Howard im Grunde egal gewesen, womit er seine künftige Gattin ans Ende der Welt lockte?

Sie würde es bald erfahren. Aber sie war sich gar nicht sicher, ob sie es wollte.

Der Karren schaukelte nun seit acht Stunden über schlammige Wege. Helen hatte das Gefühl, die Reise würde niemals enden. Zudem deprimierte sie die endlose Weite der Landschaft. Seit mehr als einer Stunde waren sie an keinem Haus vorbeigekommen. Außerdem war das Fuhrwerk, mit dem Howard seine junge Frau, ihre Habseligkeiten und seine eigenen Einkäufe aus Christchurch Richtung Haldon transportierte, das wohl unbequemste Fortbewegungsmittel, das Helen je benutzt hatte. Ihr Rücken schmerzte von dem ungefederten Sitz, und der beständige leichte Nieselregen verursachte ihr Kopfschmerzen. Howard trug auch nichts dazu bei, ihr die Reise erträglich zu machen, indem er sie ein bisschen unterhielt. Er hatte seit mindestens einer halben Stunde nicht das Wort an sie gerichtet, sondern brummte höchstens mal dem braunen Pferd oder dem grauen Maultier einen Befehl zu, die den Karren zogen.

Deshalb hatte Helen alle Zeit der Welt, ihren Gedanken nachzuhängen, und das waren nicht die erfreulichsten. Dabei war die Sache mit den Briefen noch das geringste Problem. Howard und der Vikar hatten sich gestern beide für die kleine Täuschung entschuldigt, hielten sie jedoch für eine lässliche Sünde. Immerhin hatten sie die Angelegenheit erfolgreich zum Abschluss gebracht: Howard hatte seine Frau und Helen ihren Gatten. Schlimmer war die Nachricht, die Helen gestern Abend noch von Elizabeth gehört hatte. Mrs. Baldwin hatte nichts erzählt – vielleicht weil sie sich schämte oder um Helen nicht zu beunruhigen. Aber Belinda Baldwin hatte den Mund nicht halten können und Elizabeth verraten, dass die kleine Laurie den Lavenders schon am zweiten Tag zum ersten Mal weggelaufen war. Natürlich hatte man sie schnell wiedergefunden und scharf gerügt, doch schon am nächsten Abend hatte Laurie es erneut versucht. Beim zweiten Mal hatte man sie geprügelt. Und jetzt, nach dem dritten Versuch, saß sie eingeschlossen in der Besenkammer.

»Bei Wasser und Brot!«, erklärte Belinda dramatisch.

Helen hatte den Reverend an diesem Morgen vor der Abfahrt auf die Sache angesprochen; natürlich hatte er ihr zugesagt, bei Laurie nach dem Rechten zu sehen. Doch ob er Wort hielt, wenn Helen nicht da war, um ihn an seine Pflichten zu mahnen?

Und dann war da natürlich die Abreise zusammen mit Howard. Helen hatte die gestrige Nacht noch züchtig in ihrem Bett bei den Baldwins verbracht. Ihren Mann mit ins Pfarrhaus zu nehmen stand außer Frage, und eine Übernachtung im Hotel konnte oder wollte Howard sich nicht leisten.

»Wir sind noch unser ganzes Leben zusammen«, hatte er erklärt und Helen unbeholfen auf die Wange geküsst. »Da soll es auf diese Nacht nicht ankommen.«

Helen war erleichtert gewesen, aber auch ein wenig enttäuscht. Auf jeden Fall hätte sie die Annehmlichkeiten eines Hotelzimmers dem Deckenlager auf dem Planwagen vorgezogen, das sie womöglich während der Reise erwartete. Sie hatte ihr gutes Nachthemd ganz nach oben in ihre Reisetasche gelegt, doch wo sie sich schicklich an- und auskleiden sollte, war ihr schleierhaft. Überdies nieselte es anhaltend, und ihre Kleidung – und zweifellos auch die Decken – waren kalt und klamm. Was immer sie auch in der Nacht erwartete, diese Bedingungen würden dem Gelingen nicht zuträglich sein!

Immerhin blieb Helen das improvisierte Lager auf dem Planwagen erspart. Kurz vor dem Dunkelwerden, als sie schon völlig erschöpft war und sich nur noch wünschte, das Rütteln des Karrens würde endlich aufhören, hielt Howard vor einem bescheidenen Farmhaus.

»Hier, bei den Leuten können wir unterkommen«, sagte er zu Helen und half ihr ritterlich vom Bock. »Wilbur, den Mann, kenn ich aus Port Cooper. Hat jetzt auch geheiratet und sich sesshaft gemacht.«

Im Haus schlug ein Hund an, und Wilbur und seine Frau kamen neugierig heraus, um die Besucher zu mustern.

Als der kleine drahtige Mann Howard erkannte, brüllte er los und umarmte ihn stürmisch. Die beiden klopften sich auf die Schultern, erinnerten einander an frühere, gemeinsame Heldentaten und hätten am liebsten schon im Regen die erste Flasche entkorkt.

Helen sah sich Hilfe suchend nach der Frau um. Zu ihrer Beruhigung lächelte sie offen und einladend.

»Sie müssen die neue Mrs. O'Keefe sein! Wir konnten es kaum glauben, als wir hörten, dass Howard heiraten will! Aber kommen Sie doch erst mal herein, Sie sind bestimmt durchgefroren. Und das Gerüttel auf diesen Karren – Sie kommen aus London, nicht wahr? Sicher sind Sie vornehme Droschken gewöhnt!« Die Frau lachte, als hätte sie ihre letzte Bemerkung nicht ernst gemeint. »Ich bin Margaret.«

»Helen«, stellte Helen sich vor. Anscheinend hielt man hier nicht auf Förmlichkeiten. Margaret war etwas größer als ihr Mann, dünn und wirkte leicht verhärmt. Sie trug ein viele Male geflicktes, schlichtes graues Kleid. Die Einrichtung des Farmhauses, in das sie Helen jetzt führte, war ziemlich primitiv: Tische und Stühle aus grobem Holz und ein offener Kamin, auf dem auch gekocht wurde. Doch das Essen, das bereits in einem großen Kessel brodelte, roch würzig.

»Ihr habt Glück, ich hab vorhin ein Huhn geschlachtet«, verriet Margaret. »Nicht mehr das jüngste, aber eine ordentliche Suppe gibt's schon noch her. Setzen Sie sich ans Feuer, Helen, und trocknen Sie sich ab. Hier ist Kaffee, und einen Schluck Whiskey soll ich wohl auch noch finden.«

Helen blickte verwirrt. Sie hatte noch nie im Leben Whiskey getrunken, doch Margaret schien nichts dabei zu finden. Sie schenkte Helen jetzt einen Emaillebecher voll gallebitteren Kaffees ein, der wohl schon endlos lange nah am Feuer warm gehalten wurde. Helen wagte nicht, nach Zucker oder gar Milch zu fragen, aber Margaret stellte beides bereitwillig vor sie auf den Tisch. »Nehmen Sie viel Zucker, das weckt die Lebensgeister. Und einen Schuss Whiskey!«

Tatsächlich tat der Schnaps dem Geschmack des Kaffees gut. Mit Zucker und Milch war die Mischung durchaus trinkbar. Zumal Alkohol ja auch Sorgen vertreiben und angespannte Muskeln lockern sollte. So gesehen konnte Helen ihn als Medizin betrachten. Sie sagte nicht Nein, als Margaret zum zweiten Mal nachfüllte.

Als die Hühnersuppe fertig war, sah Helen alles wie durch einen leichten Nebel. Ihr war endlich wieder warm, und die vom Feuer erhellte Stube wirkte einladend. Wenn sie das »Unaussprechliche« hier zum ersten Mal erleben sollte – warum nicht?

Die Suppe trug ebenfalls dazu bei, ihre Stimmung zu heben. Sie war ausgezeichnet, machte allerdings müde. Helen wäre am liebsten gleich zu Bett gegangen, obwohl Margaret es offensichtlich genoss, mit ihr zu plaudern.

Doch auch Howard schien den Abend heute bald beenden zu wollen. Er hatte etliche Gläser mit Wilbur geleert und lachte dröhnend, als der jetzt ein Kartenspiel vorschlug.

»Nee, alter Freund, heut nich' mehr. Heut hab ich noch was anderes vor, was ganz eng mit der entzückenden Frau zusammenhängt, die mir da aus der alten Heimat zugeflogen ist!«

Er verbeugte sich galant vor Helen, die sofort errötete.

»Also, wohin können wir uns zurückziehen? Dies ist nämlich ... sozusagen ... unsere Hochzeitsnacht!«

»Oh, da müssen wir ja noch Reis werfen!«, kreischte Margaret. »Ich wusste gar nicht, dass die Verbindung so frisch ist! Leider kann ich euch kein richtiges Bett anbieten. Aber im Stall ist genug frisches Heu, darauf habt ihr's warm und weich. Wartet, ich geb euch noch Laken und Decken mit, eure eigenen sind sicher klamm von der Fahrt durch den Regen. Und eine Laterne, damit ihr etwas seht ... obwohl, beim ersten Mal macht man's ja gern im Dunkeln.«

Sie kicherte.

Helen war entsetzt. Sie sollte ihre Hochzeitsnacht in einem Stall verbringen?

Immerhin muhte die Kuh einladend, als Helen und Howard – sie den Arm voller Decken, er mit der Stalllaterne – den Schuppen betraten. Außerdem war es relativ warm. Mit

Howards Gespann beherbergte der Stall die Kuh und drei Pferde. Die Körper der Tiere heizten den Raum etwas auf, erfüllten ihn aber auch mit durchdringenden Gerüchen. Helen breitete ihre Decken auf dem Heu aus. War es wirklich erst drei Monate her, dass sie sich allein schon durch die entfernte Nachbarschaft eines Schafspferchs belästigt gefühlt hatte? Gwyneira würde diese Geschichte sicher erheiternd finden. Helen dagegen ... wenn sie ehrlich war, hatte sie nur noch Angst.

»Wo ... kann ich mich hier denn ausziehen?«, fragte sie scheu. Sie konnte sich ja unmöglich mitten im Stall vor Howard entkleiden.

Howard runzelte die Stirn. »Bist du närrisch, Frau? Ich will ja alles tun, dich warm zu halten, aber dies ist kein Ort für Spitzenhemdchen! In der Nacht kühlt's ab, und obendrein sind bestimmt Flöhe im Heu. Lass dein Kleid lieber an.«

»Aber ... aber wenn wir ...« Helen wurde glühend rot.

Howard lachte vergnügt. »Das lass mal meine Sorge sein!« Gelassen öffnete er seine Gürtelschnalle. »Und nun ab unter die Decke, damit du nicht kalt wirst. Soll ich dir helfen, das Korsett zu lockern?«

Howard machte das alles offensichtlich nicht zum ersten Mal. Und er schien auch nicht unsicher zu sein, im Gegenteil, sein Gesicht drückte Vorfreude aus. Dennoch lehnte Helen seine Hilfe schamhaft ab. Die Schnüre zu lösen schaffte sie schon allein. Aber dazu musste sie natürlich auch ihr Kleid aufknöpfen, was nicht einfach war, da der Verschluss im Rücken saß. Sie fuhr zusammen, als sie Howards Finger spürte. Geschickt löste er einen Knopf nach dem anderen.

»So besser?«, fragte er mit einer Art Lächeln.

Helen nickte. Sie wünschte sich nur noch, dass diese Nacht bald vorbei sein möge. Dann aber ließ sie sich mit verzweifelter Entschlossenheit auf dem Heulager nieder. Sie wollte es hinter sich bringen, egal was sie erwartete. Still legte sie sich auf den Rücken und schloss die Augen. Ihre Hände verkrampften sich im Laken, nachdem sie die Decke über sich gezogen hatte. Howard schlüpfte neben sie und löste dabei seinen Hosenbund. Helen spürte seine Lippen auf dem Gesicht. Ihr Gatte küsste ihre Wangen und ihren Mund. Na gut, das hatte sie ihm auch vorher schon erlaubt. Aber dann versuchte er, seine Zunge zwischen ihre Lippen zu schieben. Helen versteifte sich sofort und fühlte erleichtert, dass er ihre Reaktion bemerkte und von ihr abließ. Stattdessen küsste er ihren Hals, schob ihr Kleid und ihr Mieder herunter und begann ungeschickt, den Ansatz ihrer Brüste zu liebkosen.

Helen wagte kaum, Luft zu holen, während Howards Atem immer schneller ging und zu einem Keuchen wurde. Helen fragte sich, ob das normal war – und erschrak zu Tode, als er unter ihr Kleid griff.

Vielleicht wäre es auf einer bequemeren Unterlage weniger schmerzhaft gewesen. Andererseits hätte eine heimeligere Umgebung die Sache womöglich noch schlimmer gemacht. So hatte die Situation etwa Irreales. Es war stockdunkel und die Decken sowie Helens voluminöse, jetzt bis zur Hüfte hochgeschobene Röcke nahmen ihr zumindest den Blick darauf, was Howard mit ihr tat. Es war aber auch schrecklich genug, es nur zu spüren! Ihr Gatte schob ihr irgendetwas zwischen die Beine, etwas Hartes, Pulsierendes, Lebendiges. Es war angsterregend und ekelhaft, und es tat weh. Helen schrie auf, als etwas in ihr zu reißen schien. Sie bemerkte, dass sie blutete, was Howard nicht davon abhielt, sie weiter zu peinigen. Er schien wie besessen, stöhnte und bewegte sich rhythmisch auf und in ihr, schien es fast zu genießen. Helen musste die Zähne zusammenbeißen, um nicht vor Schmerz zu schreien. Schließlich spürte sie einen Schwall warmer Feuchtigkeit, und Augenblicke später schien Howard über ihr zusammenzubrechen. Es war vorbei. Ihr Gatte rutschte von ihr herunter. Sein Atem ging immer noch schnell, beruhigte sich aber rasch. Helen schluchzte leise, während sie ihre Röcke richtete.

»Beim nächsten Mal tut es nicht mehr so weh«, tröstete Howard und küsste ihr ungelenk die Wange. Er schien mit ihr zufrieden zu sein. Helen zwang sich, nicht von ihm abzurücken. Howard hatte ein Recht auf das, was er mit ihr getan hatte. Er war ihr Mann.

# 4

Der zweite Tag der Reise verlief noch mühsamer als der erste. Helens Unterleib schmerzte so sehr, dass sie kaum sitzen konnte. Außerdem schämte sie sich dermaßen, dass sie Howard gar nicht ansehen mochte. Auch das Frühstück im Haus ihrer Gastgeber war eine Tortur gewesen. Margaret und Wilbur sparten nicht mit Anzüglichkeiten und Neckereien, die Howard launig erwiderte. Erst gegen Ende der Mahlzeit fiel Margaret die Blässe und der mangelnde Appetit Helens auf.

»Es wird besser, Kindchen!«, wandte sie sich vertraulich an sie, als die Männer hinausgingen, um die Pferde anzuschirren. »Der Mann muss dich zuerst dafür öffnen. Das tut weh, und es blutet auch ein bisschen. Aber dann geht er glatt rein, und es schmerzt nicht mehr. Kann sogar Spaß machen, glaub mir!«

Helen würde an dieser Sache nie Vergnügen finden, davon war sie überzeugt. Aber wenn es den Männern gefiel, musste man es ihnen erlauben, um sie bei Laune zu halten.

»Und sonst gibt's ja auch keine Kinder«, meinte Margaret.

Helen konnte sich kaum vorstellen, dass aus diesem unschicklichen Treiben, aus Schmerzen und Angst Kinder entstanden, erinnerte sich dann aber an Geschichten aus der antiken Mythologie. Auch da wurden mitunter Frauen geschändet und gebaren anschließend Kinder. Vielleicht war es also ganz normal. Und unschicklich war es auch nicht; schließlich waren sie verheiratet.

Helen zwang sich, mit ruhiger Stimme mit Howard zu reden und ihm Fragen zu seinem Land und seinen Tieren zu stellen. Sie hörte seinen Antworten zwar kaum zu, aber er sollte auf keinen Fall denken, sie sei ihm böse. Howard schien das allerdings nicht zu befürchten. Er schämte sich offensichtlich nicht für die gestrige Nacht.

Am späten Nachmittag überquerten sie endlich die Grenze zu Howards Farm. Sie wurde durch einen Bach gebildet, der zurzeit jedoch schlammig war. Der Wagen blieb auch prompt darin stecken, sodass Helen und Howard aussteigen und schieben mussten. Als sie schließlich wieder auf den Bock stiegen, waren sie nass, und Helens Rocksaum war schwer von Schlamm. Dann aber kam das Farmhaus in Sicht, und Helen vergaß schlagartig jede Sorge um ihr Kleid, ihre Schmerzen und sogar die Angst vor der kommenden Nacht.

»Da wären wir«, sagte Howard und verhielt das Gespann vor einer Hütte. Wohlwollend hätte man sie auch ein Blockhaus nennen können; sie war roh aus Baumstämmen zusammengefügt. »Geh schon mal rein, ich sehe im Stall nach dem Rechten.«

Helen war wie erstarrt. Das sollte ihr Haus sein? Selbst die Ställe in Christchurch waren komfortabler, von London gar nicht zu reden.

»Na los, mach schon. Es ist nicht abgeschlossen. Hier gibt's keine Diebe.«

In Howards Haus wäre auch kaum etwas zu stehlen gewesen. Als Helen, immer noch sprachlos, die Tür aufstieß, betrat sie einen Raum, gegen den selbst Margarets Küche geradezu wohnlich gewirkt hätte. Das Haus bestand im Ganzen aus nur zwei Zimmern – einer Kombination aus Küche und Wohnraum, der mit Tisch, vier Stühlen und einer Truhe spärlich möbliert war. Die Küche war etwas besser eingerichtet; anders als bei Margaret gab es einen richtigen Herd. Helen würde immerhin nicht über offenem Feuer kochen müssen.

Nervös öffnete sie die Tür zu dem angrenzenden Raum – wie erwartet Howards Schlafzimmer. Nein, ihr Schlafzimmer, verbesserte sie sich. Und sie würde es unbedingt wohnlicher einrichten müssen!

Bislang enthielt es nur ein grob gezimmertes Bett, schlampig gemacht und mit derber Bettwäsche. Helen dankte dem Himmel für ihre Einkäufe in London. Mit den neuen Bettbezügen würde das gleich besser aussehen. Sobald Howard ihre Tasche hereinbrachte, würde sie die Laken wechseln.

Howard trat ein, einen Korb Feuerholz unter dem Arm. Auf den Scheiten balancierte er ein paar Eier.

»Faules Pack, diese Maori-Bälger!«, schimpfte er. »Bis gestern haben sie die Kuh wohl gemolken, aber heute nicht. Steht mit prallem Euter da, das arme Vieh, und brüllt sich die Seele aus dem Leib. Kannst du sie mal eben melken? Das wird von jetzt an sowieso deine Aufgabe sein, also mach dich ruhig gleich damit vertraut.«

Helen sah ihn verwirrt an. »Ich soll … melken? Jetzt?«

»Na, bis übermorgen früh ist das Vieh verreckt«, meinte Howard. »Aber trockenes Zeug kannst du dir vorher noch anziehen, ich bring deine Sachen gleich rein. So holst du dir ja den Tod in der kalten Stube. Hier ist schon mal Feuerholz.«

Letzteres klang wie eine Aufforderung. Doch Helen machte jetzt erst einmal das Problem mit der Kuh zu schaffen.

»Howard, ich kann nicht melken«, gestand sie. »Das habe ich noch nie gemacht.«

Howard runzelte die Stirn.

»Was soll das heißen, du hast noch nie gemolken?«, fragte er. »Gibt's in England keine Kühe? Du hast mir geschrieben, du hättest jahrelang dem Haushalt deines Vaters vorgestanden!«

»Aber wir haben in Liverpool gewohnt! Mitten in der Stadt, bei der Kirche. Wir hatten kein Vieh!«

Howard sah sie böse an. »Dann sieh zu, dass du es lernst! Heute mache ich es noch. Wisch du inzwischen den Boden. Der Wind weht den ganzen Staub rein. Und dann kümmere dich um den Herd. Holz hab ich ja schon reingebracht, du musst ihn nur noch anfeuern. Pass auf, dass du das Holz sorgfältig schichtest, sonst qualmt es uns die ganze Hütte voll. Aber das wirst du ja wohl können. Oder hat man keine Herde in Liverpool?«

Howards geringschätziger Ausdruck ließ Helen auf weitere Einwände verzichten. Es würde ihn nur noch mehr verstimmen, wenn sie ihm erzählte, dass sie in Liverpool ein Mädchen für die schweren Hausarbeiten gehabt hatten. Helens Aufgaben hatte sich auf die Erziehung der jüngeren Geschwister, die Hilfe im Pfarramt und die Leitung des Bibelkreises beschränkt. Und was würde er gar zu ihrer Schilderung des Londoner Herrenhauses sagen? Die Greenwoods hielten sich eine Köchin, einen Knecht, der die Öfen anfeuerte, Mägde, die der Herrschaft jeden Wunsch von den Augen ablasen. Und Helen als Gouvernante, die zwar nicht zur Herrschaft gehörte, der man jedoch nie zugemutet hätte, selbst ein Stück Feuerholz anzurühren.

Helen wusste nicht, wie sie das alles schaffen sollte. Doch ein Ausweg fiel ihr auch nicht ein.

Gerald Warden zeigte sich hocherfreut, dass Gwyneira und Lucas eine so rasche Einigung erzielt hatten. Er setzte den Hochzeitstermin auf das zweite Adventswochenende fest. Dann war Hochsommer, und der Empfang konnte zum Teil im Garten stattfinden. Der musste dazu allerdings noch hergerichtet werden. Hoturapa und zwei weitere Maoris, die extra dafür eingestellt worden waren, arbeiteten hart, um die von Gerald aus England mitgebrachten Sämereien und Setzlinge einzubringen. Auch ein paar einheimische Gewächse fanden Eingang in die sorgsam von Lucas beaufsichtigte Gartengestaltung. Da es einfach zu lange dauerte, bis Ahorn- oder Kastanienbäume die nötige Größe erreicht hatten, musste man zwangsläufig auf Südbuchen, Nicau-Palmen und

Cabbage-Trees zurückgreifen, wenn Geralds Gäste in absehbarer Zeit im Schatten lustwandeln wollten. Gwyneira machte das nichts aus. Sie fand die einheimische Flora und Fauna interessant – endlich ein Gebiet, auf dem sich ihre Vorlieben und die ihres künftigen Gatten deckten. Allerdings beschränkten Lucas' Forschungen sich hauptsächlich auf Farne und Insekten, wobei Erstere vor allem in den regenreicheren Westregionen der Südinsel zu finden waren. Gwyneira konnte ihre Vielfalt und ihre filigranen Formen lediglich auf Lucas' eigenen, recht gelungenen Zeichnungen oder in seinen Lehrbüchern bewundern. Doch als sie einem Exemplar einer der heimischen Insektenarten erstmals leibhaftig begegnete, wäre selbst der hartgesottenen Gwyneira beinahe ein Schrei entfahren. Lucas, ganz aufmerksamer Gentleman, eilte sofort besorgt an ihre Seite. Der Anblick schien ihn allerdings eher zu freuen als mit Ekel zu erfüllen.

»Es ist ein Weta!«, begeisterte er sich und stieß das sechsbeinige Tier, das Hoturapa eben im Garten ausgegraben hatte, mit einem Stöckchen an. »Sie sind die vielleicht größten Insekten der Welt. Acht Zentimeter Länge und mehr sind nicht ungewöhnlich.«

Gwyneira konnte den Jubel ihres Verlobten nicht teilen. Wenn das Tier wenigstens noch wie ein Schmetterling oder wie eine Biene oder Hornisse ausgesehen hätte ... Aber das Weta ähnelte am ehesten einer fetten, feucht glänzenden Heuschrecke.

»Sie gehören zu den Schreckenarten!«, dozierte Lucas. »Genauer gesagt, zur Familie der Langfühlerschrecken. Außer den Höhlen-Weta, die werden den Rhaphidophoridae zugeordnet ...«

Lucas kannte die lateinischen Bezeichnungen für sämtliche Weta-Untergruppen. Gwyneira fand den Maori-Namen für die Tiere allerdings erheblich treffender. Kiri und ihre Leute nannten sie *wetapunga*, »Gott der hässlichen Dinge«.

»Stechen sie?«, fragte Gwyneira. Das Tier schien nicht sonderlich lebendig zu sein, sondern bewegte sich nur träge vorwärts, als Lucas es anstieß. Doch es verfügte über einen imponierenden Stachel am Unterleib. Gwyneira hielt gebührend Abstand.

»Nein, nein, üblicherweise sind sie harmlos. Sie beißen höchstens mal. Das ist dann ungefähr so wie ein Wespenstich«, erklärte Lucas. »Der Stachel ist ... soll ... nun, er bedeutet, dass dies hier ein Weibchen ist, und ...« Lucas wand sich, wie immer, wenn es um etwas »Geschlechtliches« ging.

»Ist zum Eierlegen, Miss Gwyn«, klärte Hoturapa sie beiläufig auf. »Die hier dick und fett, bald legen Eier. Viel Eier, hundert, zweihundert ... Besser nicht mitnehmen in Haus, Mr. Lucas. Nicht, dass legen Eier in Haus ...«

»Um Himmels willen!« Allein der Gedanke, das Wohnhaus demnächst mit zweihundert Nachkommen dieses wenig sympathischen Tieres zu teilen, jagte Gwyn Schauer über den Rücken. »Lass sie bloß hier. Wenn sie wegläuft ...«

»Nicht schnell laufen, Miss Gwyn. Springen. Wupps, und Sie haben *wetapunga* auf Schoß!«, erklärte Hoturapa.

Gwyneira ging vorsichtshalber noch einen Schritt zurück.

»Dann zeichne ich sie eben hier, an Ort und Stelle«, gab Lucas mit leichtem Bedauern nach. »Ich hätte sie gern mit in mein Arbeitszimmer genommen und direkt mit den Abbildungen im Bestimmungsbuch verglichen. Aber so muss eben meine Zeichnung reichen. Sie möchten doch sicher auch gern wissen, Gwyneira, ob es sich um eine Boden-Weta oder eine Baum-Weta handelt ...«

Gwyneira war selten etwas so egal gewesen.

»Warum interessiert er sich nicht für Schafe, wie sein Vater?«, fragte sie gleich darauf ihr geduldiges Publikum, bestehend aus Cleo und Igraine. Gwyneira hatte sich in den Stall verzogen, während Lucas die Weta zeichnete, und striegelte eben ihre Stute. Am Morgen hatte das Pferd beim Reiten geschwitzt, und das Mädchen ließ es sich nicht nehmen, ihr das inzwischen getrocknete Fell selbst zu glätten. »Oder für Vögel! Aber die halten wahrscheinlich nicht lange genug still, um sich zeichnen zu lassen.«

Die einheimische Vogelwelt fand Gwyneira deutlich interessanter als Lucas' krabbelnde Lieblinge. Die Farmarbeiter hatten ihr inzwischen einige Arten gezeigt und erklärt. Die meisten dieser Leute kannten sich in ihrer neuen Heimat recht gut aus; die häufigen Übernachtungen unter freiem Himmel beim Schaftrieb hatten sie auch mit den oft nachtaktiven Laufvögeln vertraut gemacht. James McKenzie zum Beispiel konnte Gwyneira den Namensvetter der europäischen Einwanderer auf Neuseeland vorstellen: Der Kiwi-Vogel war klein und gedrungen, und Gwyn fand ihn sehr exotisch mit seinem braunen Gefieder, das fast wie eine Behaarung wirkte, und dem für seinen Körperbau viel zu langen Schnabel, den er oft als »fünftes Bein«, benutzte.

»Er hat übrigens etwas mit Ihrem Hund gemeinsam«, erklärte McKenzie launig. »Er kann riechen. Bei Vögeln ist das eine Seltenheit!«

McKenzie begleitete Gwyneira in letzter Zeit häufig bei ihren Ritten über Land. Wie erwartet hatte sie sich bei den Viehtreibern rasch Respekt verschafft. Schon ihre erste Demonstration von Cleos Fähigkeiten beim Viehtrieb begeisterte die Männer.

»Meine Seel, dieser Hund erspart ja zwei Treiber!«, wunderte sich Poker und ließ sich tatsächlich dazu herab, Cleo anerkennend den Kopf zu tätscheln. »Werden die Kleinen auch so?«

Gerald Warden betraute jeden der Männer mit der Ausbildung eines der neuen Sheepdogs. Sicher war es besser, wenn das Tier gleich mit dem Mann lernte, der es dann auch führen sollte. In der Praxis erledigte allerdings fast nur McKenzie die Arbeit mit den Junghunden, höchstens noch unterstützt von

McAran und dem jungen Hardy. Den anderen Männern war es zu langweilig, die Befehle immer wieder durchzugehen; außerdem betrachteten sie es als überflüssig, die Schafe nur zur Übung für die Sheepdogs hereinzuholen.

McKenzie dagegen zeigte Interesse und ein ausgesprochenes Talent für den Umgang mit Tieren. Unter seiner Anleitung kam der junge Daimon bald an Cleos Leistungen heran. Gwyneira beaufsichtigte die Übungen, auch wenn Lucas es missbilligte. Gerald jedoch ließ sie gewähren. Er wusste, dass die Hunde dadurch täglich an Wert und Nutzen für die Farm gewannen.

»Vielleicht können Sie anlässlich der Hochzeit eine kleine Vorführung machen, McKenzie«, sagte Gerald zufrieden, nachdem er Cleo und Daimon wieder einmal in Aktion gesehen hatte. »Das wird die meisten Besucher interessieren … ach was, die anderen Farmer werden umkommen vor Neid, wenn sie das sehen!«

»Im Brautkleid kann ich den Hund aber nicht gut vorführen!«, sagte Gwyneira lachend. Sie genoss das Lob, hatte sie im Haus doch immer wieder das Gefühl, hoffnungslos unfähig zu sein. Bis jetzt galt sie zwar noch als Gast, doch es war bereits absehbar, dass man ihr als Herrin auf Kiward Station genau das abfordern würde, was sie auch schon auf Silkham Manor gehasst hatte: die Führung eines großen, herrschaftlichen Hauses mit Dienstboten und allem Drum und Dran. Hier kam noch hinzu, dass keiner der Angestellten auch nur halbwegs gut geschult war. In England konnte man mangelnde Organisationsgabe überspielen, indem man fähige Butler oder Hausdamen einstellte, beim Personal nicht mit dem Penny rechnete und nur Leute mit erstklassigen Referenzen ins Haus holte. Dann lief der Haushalt fast von allein. Hier dagegen wurde von Gwyneira erwartet, dass sie die Maori-Dienerschaft anlernte, und dazu fehlte es ihr an Begeisterung und Überzeugungskraft.

»Warum putzen Silber jede Tag?«, stellte beispielsweise Moana eine für Gwyn durchaus logische Frage.

»Weil es sonst anläuft«, antwortete Gwyn. So weit kam sie immerhin noch.

»Aber warum nehmen Eisen, die verfärbt sich?« Moana drehte das Silber unglücklich in der Hand. »Nehmen Holz! Ist einfach, abspülen, sauber!« Das Mädchen blickte Gwyneira Beifall heischend an.

»Holz ist nicht ... geschmacksneutral«, erinnerte Gwyn sich an eine Antwort ihrer Mutter. »Und es wird unansehnlich, wenn man es ein paar Mal benutzt hat.«

Moana zuckte die Schultern. »Dann einfach schnitzen neue Besteck. Geht leicht, kann ich zeigen Miss!«

Das Schnitzen war eine Kunst, die Neuseelands Ureinwohner sehr gut beherrschten. Gwyneira hatte vor kurzem das Maori-Dorf ausgemacht, das zu Kiward Station gehörte. Es war nicht weit weg, lag aber versteckt hinter Felsen und einem Wäldchen auf der anderen Seite des Sees. Gwyneira hätte es wahrscheinlich nie gefunden, wären ihr nicht Frauen beim Wäschewaschen aufgefallen, sowie eine Horde fast nackter Kinder, die im See badeten. Bei Gwyneiras Anblick zogen sich die kleinen braunen Leute scheu zurück, doch beim nächsten Ausritt verteilte sie Zuckerzeug an die Nackedeis und gewann damit ihr Zutrauen. Die Frauen luden sie daraufhin gestenreich in ihr Lager ein, und Gwyn bewunderte ihre Schlafhäuser und Grillplätze und vor allem das reich mit Schnitzereien geschmückte Versammlungshaus.

Allmählich verstand sie auch die ersten Brocken Maori.

*Kia ora* hieß Guten Tag. *Tane* hieß der Mann, *wahine* die Frau. Sie erfuhr, dass man nicht »Danke«, sagte, sondern sich durch Taten dankbar erwies, und dass Maoris sich zur Begrüßung nicht die Hände gaben, sondern die Nasen rieben. Dieses Zeremoniell nannte man *hongi*, und Gwyneira übte es mit den kichernden Kindern. Lucas war entsetzt, als sie davon erzählte, und Gerald ermahnte sie: »Wir sollten uns auf keinen Fall zu sehr verbrüdern. Diese Leute sind primitiv, sie müssen ihre Grenzen kennen.«

»Ich finde, es ist immer gut, wenn man sich besser verständigen kann«, widersprach Gwyn. »Warum sollen gerade die Primitiven die Sprache der Zivilisierten lernen? Umgekehrt müsste es doch viel leichter gehen!«

Helen kauerte neben der Kuh und versuchte, ihr gut zuzureden. Das Tier wirkte denn auch durchaus freundlich, was keineswegs selbstverständlich war, wenn sie Daphne auf dem Schiff richtig verstanden hatte. Angeblich musste man sich bei mancher Milchkuh in Acht nehmen, dass sie beim Melken nicht ausschlug. Doch selbst die bereitwilligste Kuh konnte das Melken nicht allein erledigen. Helen wurde gebraucht – nur klappte es einfach nicht. Egal wie sie am Euter zog und knetete, mehr als ein oder zwei Tropfen Milch kamen nie. Dabei hatte es bei Howard ganz leicht ausgesehen. Allerdings hatte er es ihr nur einmal gezeigt; er war immer noch verstimmt nach dem Desaster von gestern Abend. Als er vom Melken zurückkam, hatte der Ofen die Stube in eine verqualmte Höhle verwandelt. In Tränen aufgelöst, hockte Helen vor dem eisernen Ungeheuer, und gefegt hatte sie natürlich auch noch nicht. Howard hatte in verbissenem Schweigen Ofen und Kamin angefeuert, ein paar Eier in eine Eisenpfanne geschlagen und Helen das Essen auf den Tisch gestellt.

»Ab morgen kochst du!«, erklärte er dabei und hörte sich an, als kenne er nun wirklich kein Pardon mehr. Helen fragte sich, was sie kochen sollte. Außer Milch und Eiern war doch wohl auch am nächsten Tag nichts im Haus. »Und Brot musst du backen. Getreide ist da im Schrank. Außerdem Bohnen, Salz ... du wirst dich schon zurechtfinden. Ich verstehe, dass du heute müde bist, Helen, aber so nützt du mir nichts!«

Bei Nacht hatte sich dann das Erlebnis von gestern wiederholt. Diesmal trug Helen ihr schönstes Nachthemd, und sie lagen zwischen sauberen Laken, was die Erfahrung aber auch nicht angenehmer machte. Helen war wund und schämte sich schrecklich. Howards Gesicht, das nackte Lüsternheit spiegelte, ängstigte sie. Aber diesmal wusste sie wenigstens, dass es schnell vorbeiging. Danach schlief Howard rasch ein.

An diesem Morgen nun hatte er sich auf den Weg gemacht, um die Schafherden zu inspizieren. Vor dem Abend, ließ er Helen wissen, würde er nicht zurück sein. Und dann erwartete er ein warmes Haus, ein gutes Essen und eine aufgeräumte Stube.

Helen scheiterte schon beim Melken. Aber jetzt, als sie wieder verzweifelt am Euter der Kuh zog, klang ein verstohlenes Kichern aus Richtung Stalltür. Dazu flüsterte jemand etwas. Helen hätte sich zweifellos gefürchtet, wären die Stimmen nicht hell und kindlich gewesen. So richtete sie sich nur auf.

»Kommt raus, ich sehe euch!«, behauptete sie.

Erneutes Glucksen.

Helen ging zur Tür, sah aber nur noch zwei kleine, dunkle Gestalten wie ein Blitz durch die halb offene Tür verschwinden.

Nun, weit würden die nicht laufen, dafür waren sie viel zu neugierig.

»Ich tue euch nichts!«, rief Helen. »Was habt ihr gewollt, Eier stehlen?«

»Wir nicht stehlen, Missy!« Ein empörtes Stimmchen. Da hatte Helen wohl jemanden in seiner Ehre gekränkt. Hinter der Stallecke schob sich ein kleines kastanienbraunes Wesen hervor, nur mit einem Röckchen bekleidet. »Wir melken, wenn Mr. Howard weg!«

Aha! Den beiden verdankte Helen den Auftritt von gestern!

»Gestern habt ihr aber nicht gemolken!«, sagte sie streng. »Mr. Howard war sehr böse.«

»Gestern *waiata-a-ringa . . .*«

»Tanz«, ergänzte das zweite Kind, diesmal ein kleiner Junge, bekleidet mit einem Lendenschurz. »Ganze Volk tanzen. Keine Zeit für Kuh!«

Helen verzichtete auf die Belehrung, eine Kuh müsse ohne Rücksicht auf Festivitäten täglich gemolken werden. Das hatte sie bis gestern schließlich auch nicht gewusst.

»Aber heute könnt ihr mir helfen«, erklärte sie stattdessen. »Ihr könnt mir zeigen, wie es geht.«

»Wie was geht?«, fragte das Mädchen.

»Melken. Das mit der Kuh«, seufzte Helen.

»Du nicht wissen wie melken?« Erneutes Gekicher.

»Was du dann machen hier?«, erkundigte sich der Junge grinsend. »Stehlen Eier?«

Helen musste lachen. Der Kleine hatte es faustdick hinter den Ohren. Aber man konnte ihm nicht böse sein. Helen fand die beiden Kinder süß.

»Ich bin die neue Mrs. O'Keefe«, stellte sie sich vor. »Mr. Howard und ich haben in Christchurch geheiratet.«

»Mr. Howard heiraten *wahine*, die nicht kann melken?«

»Nun, ich habe andere Qualitäten«, sagte Helen lachend. »Zum Beispiel kann ich Bonbons kochen.« Das konnte sie wirklich; es war stets das letzte Mittel gewesen, ihre Brüder zu etwas zu überreden. Und Howard hatte Sirup im Haus. Mit den anderen Zutaten würde sie improvisieren müssen, aber jetzt musste sie die beiden erst mal in den Kuhstall locken. »Natürlich nur für brave Kinder!«

Den beiden Maoris schien der Begriff »brav« nicht viel zu bedeuten, aber das Wort »Bonbons« kannten sie. Der Handel war insofern schnell geschlossen. Helen erfuhr nun auch, dass die Kinder Rongo Rongo und Reti hießen und aus einem Maori-Dorf weiter unten am Fluss stammten. Die beiden molken die Kuh in Windeseile, fanden Eier an Stellen, an denen Helen gar nicht erst gesucht hatte, und folgten ihr dann neugierig ins Haus. Da das Einkochen des Sirups für Bonbons Stunden gedauert hätte, beschloss Helen, den Kindern Sirup-Pfannkuchen zu servieren. Die beiden beobachteten fasziniert, wie sie den Teig anrührte und in der Pfanne wendete.

»Wie *takakau*, Fladenbrot!«, erklärte Rongo.

Helen sah ihre Chance. »Kannst du das machen, Rongo? Fladenbrot, meine ich? Und zeigst du mir, wie es geht?«

Eigentlich ging es ganz leicht. Viel mehr als Getreide und Wasser waren nicht dazu nötig. Helen hoffte, dass es Howards Anforderungen genügen würde, aber zumindest war es etwas zu essen. Essbares fand sich zu ihrer Verwunderung auch in dem vernachlässigten Garten hinter dem Haus. Helen hatte bei der ersten Inspektion nichts entdecken können, was ihrer Vorstellung von Gemüse entsprach, doch Rongo und Reti buddelten nur ein paar Minuten und hielten ihr dann stolz ein paar undefinierbare Wurzeln entgegen. Helen verkochte sie zu einem Eintopf, der erstaunlich gut schmeckte.

Am Nachmittag putzte sie das Zimmer, während Rongo und Reti ihre Mitgift inspizierten. Besondere Aufmerksamkeit erweckten dabei die Bücher.

»Das ist Zauberding!«, meinte Reti gewichtig. »Fass nicht an, Rongo, sonst du aufgefressen!«

Helen lachte. »Wie kommst du denn darauf, Reti? Das sind nur Bücher, da stehen Geschichten drin. Sie sind nicht gefährlich. Wenn wir hier fertig sind, kann ich euch etwas vorlesen.«

»Aber Geschichten sind in Kopf von *kuia*«, meinte Rongo. »Von Geschichtenerzähler.«

»Nun, wenn jemand schreiben kann, fließen die Geschichten aus dem Kopf durch den Arm und die Hand in ein Buch«, sagte Helen, »und das kann dann jeder lesen, nicht nur der, dem der *kuia* die Geschichte erzählt.«

»Magie!«, folgerte Reti.

Helen schüttelte den Kopf. »Aber nein. Sieh mal, so schreibt man deinen Namen.« Sie nahm ein Blatt von ihrem Briefpapier und brachte erst Retis und dann Rongos Namen zu Papier. Die Kinder verfolgten es mit aufgesperrten Mündern.

»Seht ihr, jetzt könnt ihr eure Namen lesen. Und so kann man auch alles andere aufschreiben. Alles, was man sagen kann.«

»Aber dann man hat Macht!«, erklärte Reti gewichtig. »Geschichtenerzähler hat Macht!«

Helen lachte. »Ja. Wisst ihr was? Ich bringe euch das Lesen bei. Dafür zeigt ihr mir, wie man die Kuh melkt und was im Garten alles so wächst. Ich werde Mr. Howard fragen, ob es Bücher in eurer Sprache gibt. Ich lerne Maori, und ihr lernt besser Englisch.«

# 5

Gerald sollte Recht behalten. Gwyneiras Hochzeit wurde das glänzendste gesellschaftliche Ereignis, das die Canterbury Plains je erlebt hatten. Schon Tage zuvor trafen Gäste von abgelegenen Farmen und selbst aus der Division in Dunedin ein. Halb Christchurch war sowieso zugegen. Die Gästezimmer auf Kiward Station waren schnell überfüllt, doch Gerald ließ Zelte rund um das Haus aufstellen, sodass jeder einen komfortablen Platz zum Schlafen fand. Er engagierte den Koch des Hotels in Christchurch, um den Gästen eine gewohnte und zugleich erlesene Küche bieten zu können. Gwyneira sollte die Maori-Mädchen derweil zu perfekten Serviererinnen schulen, war damit jedoch überfordert. Dann fiel ihr ein, dass mit Dorothy, Elizabeth und Daphne gut ausgebildetes Personal in der Gegend sein müsste. Mrs. Godewind stellte Elizabeth denn auch gern zur Verfügung, und die Candlers, Dorothys Dienstherren, waren sowieso eingeladen und konnten das Mädchen gleich mitbringen. Daphne allerdings blieb verschwunden. Gerald hatte keine Ahnung, wo Morrisons Farm lag, sodass es keine Hoffnung gab, direkt mit dem Mädchen Kontakt aufzunehmen. Mrs. Baldwin behauptete zwar, sie hätte es versucht, aber von Morrison sei keine Antwort gekommen. Gwyneira dachte wieder einmal mit Bedauern an Helen. Vielleicht wusste die ja etwas von ihrem verlorenen Zögling. Doch sie hatte nach wie vor nichts von ihrer Freundin gehört und auch keine Zeit und Gelegenheit gefunden, Nachforschungen anzustellen.

Dorothy und Elizabeth allerdings machten einen glücklichen Eindruck. Sie sahen in den eigens für die Hochzeit geschneiderten blauen Dienstkleidern mit weißen Spitzenschürzen und Hauben sehr hübsch und adrett aus, und sie hatten auch nichts von ihrer Ausbildung vergessen. Elizabeth ließ in der Aufregung trotzdem zwei Teller des wertvollen Porzellans fallen, doch Gerald bemerkte es nicht, den Maori-Mädchen war es egal, und Gwyneira sah darüber hinweg. Sie machte sich mehr Gedanken um Cleo, die James McKenzie nur bedingt gehorchte. Hoffentlich würde bei der Vorführung der Hütehunde alles gut gehen.

Das Wetter zumindest war hervorragend, und so fand die Trauung unter einem extra aufgestellten Baldachin im Garten statt, in dem es grünte und blühte. Die meisten Gewächse kannte Gwyneira aus England. Das Land war fruchtbar und offensichtlich bereit, sich allen neuen Pflanzen und Tieren zu öffnen, die ihm die Einwanderer zumuteten.

Gwyneiras englisches Hochzeitskleid sorgte für bewundernde Blicke und Bemerkungen. Besonders Elizabeth war hingerissen.

»So eins möchte ich auch haben, wenn ich mal heirate!«, seufzte sie sehnsüchtig, schwärmte inzwischen allerdings nicht mehr von Jamie O'Hara, sondern eher von Vikar Chester.

»Du kannst es dann ausleihen!«, meinte Gwyn großzügig. »Und du natürlich auch, Dot!«

Dorothy steckte gerade ihr Haar auf, was sie viel geschickter tat als Kiri und Moana, wenn auch nicht so gekonnt wie Daphne. Dorothy sagte nichts zu Gwyneiras großmütigem Angebot, doch Gwyn hatte gesehen, dass sie den jüngsten Sohn der Candlers mit Interesse musterte. Die beiden passten vom Alter her gut zusammen – vielleicht würde sich in einigen Jahren etwas ergeben.

Gwyneira war eine wunderschöne Braut, und Lucas stand ihr in seinem Hochzeitsstaat kaum nach. Er trug einen hellgrauen Frack, perfekt auf die Farbe seiner Augen abgestimmt, und wie nicht anders zu erwarten, war sein Auftreten untadelig. Während Gwyn sich zweimal verhaspelte, sprach Lucas die Trauformel sicher und mit gesetzter Stimme, steckte den kostbaren Ring geschickt auf den Finger seiner Frau und küsste sie scheu auf den Mund, als Reverend Baldwin ihn dazu aufforderte. Gwyneira fühlte sich auf seltsame Weise enttäuscht, obwohl sie sich gleich zur Ordnung rief. Was hatte sie denn erwartet? Dass Lucas sie in die Arme reißen und leidenschaftlich küssen würde, wie die Cowboys aus den Groschenheften die glücklich errettete Heldin?

Gerald wusste sich vor Stolz auf das junge Paar kaum zu lassen. Champagner und Whiskey flossen in Strömen. Das mehrgängige Menü war deliziös, die Gäste begeistert und voll der Bewunderung. Gerald strahlte vor Glück, während Lucas erstaunlich gleichmütig blieb – was Gwyneira ein bisschen ärgerte. Er hätte wenigstens so tun können, als wäre er in sie verliebt! Aber das konnte man wohl nicht erwarten. Gwyn versuchte es als unerfüllbare, romantische Traumvorstellungen abzuhaken; trotzdem machte Lucas' fast unbeteiligte Gelassenheit sie nervös. Andererseits schien sie die Einzige zu sein, die das seltsame Verhalten ihres Gatten bemerkte. Die Gäste äußerten sich nur lobend über das schöne Paar und schwärmten davon, wie gut Braut und Bräutigam zusammenpassten. Vielleicht erwartete sie einfach zu viel.

Schließlich kündigte Gerald die Vorführung der Hütehunde an, und die Gäste folgten ihm vor die Ställe hinter dem Haus.

Gwyneira schaute wehmütig zu Igraine hinüber, die mit Madoc auf einer Koppel stand. Sie war seit Tagen nicht mehr zum Reiten gekommen, und in der nächsten Zeit sah es auch schlecht aus. Wie es hier Brauch war, würden einige der Gäste tagelang bleiben und mussten bewirtet und unterhalten werden.

Die Viehtreiber hatten eine Herde Schafe für die Demonstration hereingeholt, und James McKenzie machte sich daran, die Hunde auszuschicken. Cleo und Daimon sollten sich zunächst hinter die Schafe begeben, die frei auf der Ebene am Haus weideten. Dabei war eine Ausgangsposition erwünscht, die dem Schäfer exakt gegenüberlag. Cleo beherrschte diese Aufgabe perfekt, aber jetzt bemerkte Gwyneira, dass sie sich viel zu weit rechts von McKenzie niederließ. Gwyn maß die Distanz mit einem Blick und fing dabei auch den ihrer Hündin auf: Cleo sah sie auffordernd an – sie machte keine Anstalten, auf McKenzie zu reagieren. Stattdessen erwartete sie ihre Befehle von Gwyn.

Nun, das musste kein Problem ergeben. Gwyneira stand in der ersten Reihe der Zuschauer und war damit nicht allzu weit von McKenzie entfernt. Der gab den Hunden jetzt den Befehl, die Schafherde zu übernehmen – meist der kritische Punkt einer solchen Vorführung. Cleo formierte ihre Gruppe jedoch geschickt, und Daimon machte wunderbar mit. McKenzie warf Gwyneira einen Beifall heischenden Blick zu, und sie erwiderte ihn mit einem Lächeln. Geralds Vormann hatte bei Daimons Ausbildung hervorragende Arbeit geleistet. Gwyn selbst hätte es nicht besser machen können.

Cleo trieb ihre Herde nun lehrbuchmäßig auf den Schäfer zu – wobei es zurzeit noch kein Problem darstellte, dass sie dabei Gwyneira statt James fixierte. Sie hatte auf dem Weg zu ihnen auf jeden Fall ein Tor zu durchqueren, und da mussten die Schafe erst einmal hin. Cleo bewegte sie in gleichmäßigem Tempo, und Daimon achtete auf Ausreißer. Alles lief perfekt, bis das Tor durchquert und die Herde hinter den Schäfer getrieben werden sollte. Cleo steuerte Gwyneira an und war irritiert. Sollte sie die Schafe wirklich in diese Menschenmenge treiben, die hinter ihrer Herrin Aufstellung genommen hatte? Gwyneira bemerkte Cleos Verwirrung und wusste, dass sie jetzt handeln musste. Gelassen schürzte sie ihre Röcke, verließ die Hochzeitsgesellschaft und ging zu James.

»Hierher, Cleo!«

Die Hündin trieb die Herde rasch in das links von James aufgebaute Gatter. Hier sollte der Hund nun ein vorher gekennzeichnetes Schaf von der Herde trennen.

»Sie zuerst!«, wisperte Gwyn James zu.

Der hatte fast so irritiert gewirkt wie die Hündin, dann aber gelächelt, als Gwyneira zu ihm getreten war. Jetzt pfiff er Daimon und wies ihm ein Schaf zu. Cleo blieb brav am Boden liegen, während der junge Hund das Schaf aussortierte. Daimon machte seine Sache gut, brauchte aber drei Anläufe.

»Jetzt ich!«, rief Gwyn im Wettkampffieber. »Shedding, Cleo!«

Cleo sprang auf und separierte ihr Schaf im ersten Anlauf. Das Publikum applaudierte.

»Gewonnen!«, rief Gwyn lachend.

James McKenzie blickte in ihr strahlendes Gesicht. Ihre Wangen waren gerötet, die Augen leuchteten triumphierend, und ihr Lächeln war hinreißend. Vorhin am Traualtar hatte sie nicht halb so glücklich ausgesehen.

Auch Gwyn bemerkte das Aufblitzen in McKenzies Augen und war verwirrt. Was war das? Stolz? Bewunderung? Oder womöglich das, was sie schon den ganzen Tag im Blick ihres Gatten vermisste?

Aber jetzt hatten die Hunde eine letzte Aufgabe zu erfüllen. Auf James' Pfiff hin trieben sie die Schafe in einen Pferch. McKenzie musste das Tor hinter ihnen schließen, dann war die Aufgabe abgeschlossen.

»Ich geh dann jetzt ...«, meinte Gwyn bedauernd, als er zum Tor schritt.

McKenzie schüttelte den Kopf. »Nein, das steht dem Sieger zu.«

Er ließ Gwyneira den Vortritt, die gar nicht mehr bemerkte, dass der Saum ihres Kleides im Staub schleifte. Triumphierend schloss sie das Tor. Cleo, die bis zu diesem Ende der Aufgabe gewartet und pflichtbewusst die Schafe beobachtet hatte, sprang Beifall heischend an ihr hoch. Gwyneira lobte sie und registrierte dabei schuldbewusst, dass dies dem weißen Brautkleid wohl den Rest gab.

»Das war ein bisschen unkonventionell«, bemerkte Lucas säuerlich, als Gwyneira endlich wieder an seine Seite trat. Die Besucher hatten sich offensichtlich bestens amüsiert und überschütteten sie mit Komplimenten, doch ihr Gatte zeigte sich wenig angetan.

»Es wäre schön, wenn du dich demnächst ein bisschen damenhafter geben würdest!«

Inzwischen wurde es zu kühl, um sich im Garten aufzuhalten, doch es war ohnehin Zeit, den Tanz zu eröffnen. Im Salon spielte ein Streichquartett, wobei Lucas allerdings anmerkte, dass sich häufig Fehler in die Darbietung einschlichen. Gwyn fiel es gar nicht auf. Dorothy und Kiri hatten ihr Kleid notdürftig gereinigt, und nun ließ sie sich von Lucas durch einen Walzer führen. Wie erwartet war der junge Warden ein hervorragender Tänzer, aber auch Gerald bewegte sich geschmeidig übers Parkett. Gwyn tanzte erst mit ihrem Schwiegervater, dann mit Lord Barrington und Mr. Brewster. Die Brewsters hatten diesmal ihren Sohn und dessen junge Gattin mitgebracht, und die kleine Maori war tatsächlich so bezaubernd, wie er sie geschildert hatte.

Zwischendurch war immer wieder Lucas an der Reihe – und irgendwann taten Gwyn die Füße weh vom Tanzen. Schließlich ließ sie sich von Lucas auf die Veranda führen, um frische Luft zu schnappen. Sie nippte an einem Glas Champagner und dachte an die Nacht, die vor ihr lag. Jetzt konnte sie die Sache nicht länger verdrängen. Heute würde das passieren, was sie »zu einer Frau machte«, wie ihre Mutter gesagt hatte.

Von den Ställen her klang ebenfalls Musik herüber. Die Farmarbeiter feierten, allerdings nicht mit Streichquartett und Walzer – hier spielten Fiedel, Harmonika und Tin Whistle zu fröhlichen Volkstänzen auf. Gwyneira fragte sich, ob auch McKenzie eines dieser Instrumente spielte. Und ob er gut zu Cleo war, die heute Nacht ausgesperrt bleiben würde. Lucas war nicht begeistert davon, dass die kleine Hündin seiner Verlobten auf Schritt und Tritt folgte. Er hätte Gwyn vielleicht ein Schoßhündchen zugestanden, doch die Hütehündin gehörte seiner Ansicht nach in den Stall. Heute Nacht wollte Gwyn nachgeben; morgen aber würden die Karten neu gemischt. Und James würde sich schon gut um Cleo kümmern ... Gwyn dachte an seine kräftigen braunen Hände, die das Fell ihrer Hündin kraulten. Die Tiere liebten ihn ... und sie musste sich jetzt um andere Dinge kümmern.

Das Hochzeitsfest war noch in vollem Gange, als Lucas seiner Frau vorschlug, sich zurückzuziehen.

»Später werden die Männer betrunken sein und womöglich darauf bestehen, uns ins Brautgemach zu geleiten«, sagte er. »Die Zoten, die sie dabei machen, möchte ich mir und dir gern ersparen.«

Gwyneira war es recht. Sie hatte genug vom Tanzen und wollte die Sache hinter sich bringen. Dabei schwankte sie zwischen Angst und Neugier. Den diskreten Anmerkungen ihrer Mutter zufolge würde es wehtun. Doch in den Groschenheftchen sank die Frau immer ganz begeistert in des Cowboys Arme. Gwyn würde sich überraschen lassen.

Die Hochzeitsgesellschaft verabschiedete das Paar mit großem Hallo, aber ohne peinliche Zoten, und Kiri war gleich zur Stelle, um Gwyneira aus ihrem Brautkleid zu helfen. Lucas küsste sie vor ihren Gemächern behutsam auf die Wange.

»Nimm dir Zeit für die Vorbereitung, meine Liebe. Ich komme dann zu dir.«

Kiri und Dorothy zogen Gwyneira das Kleid aus und lösten

ihr Haar. Kiri kicherte und scherzte dabei die ganze Zeit, während Dorothy schluchzte. Das Maori-Mädchen schien sich ehrlich für Gwyn und Lucas zu freuen und zeigte sich nur verwundert darüber, dass die Eheleute sich so früh von der Feier zurückzogen. Bei den Maoris galt es als Zeichen der Eheschließung, das Lager vor der gesamten Familie zu teilen. Als Dorothy das hörte, weinte sie noch heftiger.

»Was ist denn so traurig, Dot?«, fragte Gwyneira gereizt. »Man kommt sich ja vor wie auf einer Beerdigung.«

»Ich weiß nicht, Miss, aber meine Mummy hat bei Hochzeiten immer geweint. Vielleicht bringt es Glück.«

»Nicht bringt Glück Weinen, bringt Glück Lachen!«, meinte dagegen Kiri. »So, Sie fertig, Miss! Sehr schöne Miss! Sehr schön. Wir jetzt gehen und klopfen an Tür von Mr. Lucas. Schöner Mann, Mr. Lucas! Sehr nett! Nur bisschen dünn!« Sie kicherte, als sie Dorothy aus der Tür zog.

Gwyneira sah an sich herunter. Ihr Nachthemd war aus feinster Spitze; sie wusste, dass es ihr gut stand. Aber was sollte sie jetzt tun? Sie konnte Lucas nicht hier an ihrem Frisiertisch empfangen. Und wenn sie ihre Mutter richtig verstanden hatte, spielte die Sache sich ja wohl im Bett ab ...

Gwyn legte sich hin und zog die Seidendecke über sich. Eigentlich schade, man sah das Nachthemd gar nicht mehr. Aber vielleicht deckte Lucas sie ja auf ...?

Sie hielt den Atem an, als sie die Türklinke hörte. Lucas trat ein, eine Lampe in der Hand. Er schien verwirrt, weil Gwyn das Licht noch nicht gelöscht hatte.

»Liebste, ich denke, wir ... es wäre wohl schicklicher, die Beleuchtung zu dämpfen.«

Gwyneira nickte. Lucas war ohnehin kein sonderlich erhebender Anblick in seinem langen Nachthemd. Sie hatte sich männliche Nachtbekleidung immer ... nun, männlicher vorgestellt.

Lucas schob sich jetzt neben sie unter das Deckbett. »Ich

werde versuchen, dir nicht wehzutun«, flüsterte er und küsste sie sanft. Gwyneira hielt still, als er ihre Schultern, ihren Hals und ihre Brüste mit Küssen bedeckte und streichelte. Dann schob er ihr Nachthemd hoch. Sein Atem ging jetzt schneller, und auch Gwyneira bemerkte, wie sie von Erregung erfasst wurde, die sich steigerte, als Lucas' Finger sich in die intimsten Regionen ihres Körpers vortasteten, die sie selbst noch nie erforscht hatte. Ihre Mutter hatte sie stets angewiesen, sogar beim Baden ein Hemd zu tragen, und sie hatte es kaum gewagt, ihren Unterleib genau anzuschauen – das gekräuselte rote Haar, noch krauser als ihr Haupthaar. Lucas berührte sie sanft, und Gwyneira fühlte ein angenehmes, erregendes Kribbeln. Schließlich zog er die Hand zurück und legte sich auf sie, und Gwyneira spürte sein Glied zwischen ihren Beinen, das anschwoll, härter wurde und sich tiefer in jene Regionen ihres Körpers schob, die für sie selbst noch unerforscht waren. Plötzlich schien Lucas auf einen Widerstand zu stoßen und erschlaffte.

»Tut mir Leid, Liebste, es war ein anstrengender Tag«, entschuldigte er sich.

»Es war doch sehr schön ...«, sagte Gwyneira vorsichtig und küsste ihn auf die Wange.

»Vielleicht können wir es morgen noch einmal versuchen ...«

»Wenn du möchtest«, sagte Gwyn, die verwirrt und auch ein wenig erleichtert war. Was die Sache mit den ehelichen Pflichten anging, hatte ihre Mutter maßlos übertrieben. Das hier war wirklich kein Grund, jemanden zu bedauern.

»Dann werde ich mich jetzt verabschieden«, meinte Lucas steif. »Ich denke, du schläfst besser allein.«

»Wenn du möchtest«, sagte Gwyneira. »Aber ist es nicht üblich, dass Mann und Frau die Hochzeitsnacht gemeinsam verbringen?«

Lucas nickte. »Du hast Recht. Ich bleibe hier. Das Bett ist ja breit genug.«

»Ja.« Gwyn machte bereitwillig Platz und rollte sich auf der linken Seite zusammen. Lucas lag starr und steif auf der rechten.

»Dann wünsche ich dir eine gute Nacht, Liebste!«

»Gute Nacht, Lucas.«

Am nächsten Morgen war Lucas schon auf, als Gwyneira erwachte. Witi hatte ihm einen hellen Vormittagsanzug in Gwyns Ankleidezimmer gelegt. Lucas war bereits fertig angekleidet, um zum Frühstück nach unten zu gehen.

»Ich kann gern auf dich warten, meine Liebe«, meinte er und schien angestrengt an Gwyneira vorbeizusehen, die sich in ihrem Spitzenhemdchen im Bett aufgesetzt hatte. »Aber vielleicht ist es besser, wenn ich die zotigen Bemerkungen unserer Gäste erst einmal allein über mich ergehen lasse.«

Gwyneira befürchtete eigentlich nicht, die eifrigsten Zecher von gestern Abend schon so früh am Morgen wiederzutreffen, nickte aber zustimmend.

»Schick mir doch bitte Kiri, und wenn es geht, auch Dorothy, dass sie mir beim Ankleiden helfen und mein Haar machen. Wir müssen uns heute sicher auch noch festlich anziehen, also sollte jemand mich schnüren«, sagte sie freundlich.

Lucas schien beim Thema »Schnüren« schon wieder peinlich berührt zu sein. Dafür wartete Kiri aber schon vor der Tür. Nur Dorothy musste geholt werden.

»Und, Mistress? War schön?«

»Bitte, sagt weiter Miss zu mir, du und die anderen«, bat Gwyn. »Das gefällt mir viel besser.«

»Gern, Miss Gwyn. Aber jetzt erzählen! Wie war? Erste Mal nicht immer so schön. Aber wird besser, Miss!«, meinte Kiri eifrig und legte Gwyns Kleid zurecht.

»Na ja ... schön ...«, murmelte Gwyn. Auch in dieser Hinsicht wurde die Sache überbewertet. Sie fand es weder schön noch schrecklich, was Lucas in der Nacht mit ihr getan hatte. Allerdings war es praktisch, wenn ein Mann dabei nicht allzu viel wog. Sie kicherte bei dem Gedanken an Kiri, die wohl mehr auf füllige Männer stand.

Kiri hatte Gwyn schon in ein weißes, mit kleinen, bunten Blüten versehenes Sommerkleid geholfen, als Dorothy erschien. Das Mädchen übernahm die Frisur, während Kiri das Bett abzog. Gwyn fand das übertrieben, schließlich hatte sie erst einmal zwischen den Laken geschlafen. Sagen mochte sie aber nichts, vielleicht war das ja Brauch bei den Maoris. Dorothy weinte jetzt nicht mehr, war aber still und konnte Gwyn nicht in die Augen sehen.

»Geht es Ihnen gut, Miss Gwyn?«, fragte sie nur besorgt.

Gwyn nickte. »Natürlich, warum denn nicht? Das ist sehr hübsch, mit der Haarspange, Dorothy. Musst du dir merken, Kiri!«

Kiri schien zurzeit mit anderen Dingen beschäftigt. Mit besorgter Miene betrachtete sie das Bettzeug. Es fiel Gwyn erst auf, nachdem sie Dorothy mit einer Frühstücksbestellung aus dem Zimmer geschickt hatte.

»Was ist, Kiri? Suchst du etwas in den Betten? Hat Mr. Lucas irgendetwas verloren?« Gwyn dachte an ein Schmuckstück oder womöglich den Trauring. Der hatte ziemlich locker an Lucas' schmalem Finger gesessen.

Kiri schüttelte den Kopf. »Nein, nein, Miss. Ist nur ... ist kein Blut auf Laken ...« Verschämt und ratlos sah sie zu Gwyn auf.

»Warum sollte da Blut sein?«, fragte Gwyneira.

»Nach erste Nacht immer Blut. Tut erst bisschen weh, dann Blut, und dann erst schön.«

Gwyn dämmerte, dass sie irgendetwas verpasst hatte. »Mr. Lucas ist sehr ... sehr zartfühlend«, sagte sie vage.

Kiri nickte. »Und sicher auch müde nach Fest. Nicht sein traurig, dann eben morgen Blut!«

Gwyneira beschloss, sich diesem Problem erst zu stellen, wenn es wieder anstand. Erst einmal ging sie zum Frühstück, wo Lucas die Gäste bereits auf das Angenehmste unterhielt. Er scherzte mit den Ladys, nahm die Frotzeleien der Herren gutmütig hin und zeigte sich aufmerksam wie immer, als Gwyn sich jetzt zu ihm gesellte. Die nächsten Stunden vergingen mit der üblichen Konversation, und abgesehen davon, dass die hoffnungslos rührselige Mrs. Brewster ein »Sie sind so tapfer, Kindchen! So fröhlich! Aber Mr. Warden ist ja auch ein so rücksichtsvoller Mann!« von sich gab, spielte niemand auf die gestrige Nacht an.

In der Mittagszeit, als die meisten Gäste ruhten, fand Gwyn endlich Zeit, zu den Ställen zu gehen, ihr Pferd zu besuchen und vor allem, ihre Hündin wieder in Empfang zu nehmen.

Die Viehtreiber begrüßten sie grölend.

»Ah, Mrs. Warden! Gratulation! Hatten Sie eine gute Nacht?«, erkundigte sich Poker Livingston.

»Offensichtlich eine bessere als Sie, Mr. Livingston«, erwiderte Gwyneira. Die Männer wirkten alle ziemlich verkatert. »Aber es freut mich, dass Sie ausgiebig auf mein Wohl getrunken haben.«

James McKenzie musterte sie eher prüfend als lüstern. Es schien sogar ein Ausdruck des Bedauerns in seinem Blick zu liegen – es fiel Gwyn schwer, in seinen tiefen braunen Augen zu lesen, deren Ausdruck sich ständig veränderte. Mittlerweile stand schon wieder ein Lächeln darin, als er beobachtete, wie Cleo ihre Herrin begrüßte.

»Und, haben Sie Ärger gekriegt?«, fragte McKenzie.

Gwyn schüttelte den Kopf. »Weshalb? Wegen des Trials? Aber nein. An seinem Hochzeitstag darf ein Mädchen noch mal über die Stränge schlagen!« Sie zwinkerte ihm zu. »Ab morgen aber wird mein Gatte mich an die Kandare nehmen. Unsere Gäste halten mich jetzt schon an kurzer Leine. Ständig will jemand etwas von mir. Ich werde heute wieder nicht zum Reiten kommen.«

McKenzie schien sich zu wundern, dass sie reiten wollte, sagte aber nichts dazu; sein forschender Blick wich wieder einem übermütigen Funkeln in den Augen.

»Dann müssen Sie eine Möglichkeit finden, dem zu entwischen! Wie wär's, wenn ich Ihnen morgen um diese Zeit das Pferd sattele? Da halten die meisten Damen ein Nickerchen.«

Gwyn nickte begeistert. »Gute Idee. Aber nicht um diese Zeit, da habe ich in der Küche zu tun, um das Aufräumen nach dem Lunch und die Vorbereitungen zum Tee zu beaufsichtigen. Der Koch besteht darauf – weiß der Himmel warum. Aber am frühen Morgen ginge es. Wenn Sie mir Igraine um sechs Uhr bereithalten, kann ich ausreiten, bevor die ersten Gäste auf sind.«

James schaute irritiert. »Aber was wird Mr. Lucas sagen, wenn Sie ... Entschuldigen Sie, das geht mich natürlich nichts an ...«

»Und Mr. Lucas auch nicht«, meinte Gwyn unbekümmert. »Wenn ich meine Pflichten als Gastgeberin nicht vernachlässige, kann ich doch wohl reiten, wann ich will.«

Es geht weniger um die Pflichten der Gastgeberin, ging es James durch den Kopf, doch er hielt sich mit dieser Bemerkung zurück. Er wollte Gwyneira auf keinen Fall zu nahe treten. Aber es machte nicht den Anschein, als wäre ihre Hochzeitsnacht allzu leidenschaftlich verlaufen.

Am Abend besuchte Lucas Gwyneira erneut. Jetzt, da sie wusste, was sie erwartete, genoss sie seine sanften Berührungen sogar. Sie erschauerte, als er ihre Brüste küsste, und die Berührung der zarten Haut unter dem Schamhaar war erregender als beim ersten Mal. Diesmal erspähte sie auch einen Blick auf sein Glied, das groß und hart war – doch wieder rasch erschlaffte, so wie beim letzten Mal. Gwyneira empfand ein seltsames Gefühl des Unerfülltseins, das sie sich nicht recht erklären konnte. Aber vielleicht war es ja normal so. Sie würde es schon noch herausfinden.

Am nächsten Morgen stach Gwyn sich mit einer Nähnadel leicht in den Finger, drückte Blut heraus und verrieb es auf ihrem Laken. Kiri sollte nicht denken, dass sie und Lucas womöglich etwas falsch machten.

# 6

Helen gewöhnte sich in gewisser Weise an das Leben mit Howard. Was nachts im Ehebett geschah, war ihr immer noch eher peinlich, doch sie sah es inzwischen losgelöst von ihrem sonstigen Alltag und ging tagsüber ganz normal mit Howard um.

Aber es war nicht immer einfach. Howard hatte bestimmte Erwartungen an seine Gattin und wurde schnell wütend, wenn Helen diesen Erwartungen nicht entsprach. Er geriet sogar in Rage, wenn sie Wünsche und Forderungen äußerte, sei es nach mehr Möbeln oder besserem Kochgeschirr, denn seine Töpfe und Pfannen waren durchweg alt und dermaßen von Speiseresten verunreinigt, dass alles Scheuern nichts nutzte.

»Wenn wir das nächste Mal nach Haldon kommen«, vertröstete er sie immer wieder. Anscheinend war der Ort zu weit entfernt, um wegen ein paar Küchengerätschaften, Gewürzen und Zucker dorthin zu fahren. Dabei sehnte Helen sich verzweifelt nach Kontakt mit der Zivilisation. Sie fürchtete das Leben in der Wildnis noch immer – da konnte Howard ihr noch so oft versichern, es gäbe keine gefährlichen Tiere auf den Canterbury Plains. Außerdem fehlten ihr Abwechslungen und geistreiche Unterhaltungen. Mit Howard konnte man kaum über etwas anderes reden als über die Arbeit auf der Farm. Er war nun auch nicht mehr bereit, Auskünfte über sein früheres Leben in Irland oder auf den Walfangstationen zu geben. Dieses Thema war abgehakt – Helen wusste, was sie wissen musste, und Howard hatte keine Lust, sich weiter darüber auszutauschen.

Der einzige Lichtblick in ihrem trostlosen Dasein waren die Maori-Kinder. Reti und Rongo erschienen fast jeden Tag, und nachdem Reti im Dorf mit seinen neuen Lesefähigkeiten geprahlt hatte – beide Kinder lernten schnell und konnten das Alphabet bereits vollständig aufsagen, sogar ihre Namen schreiben und lesen –, schlossen sich weitere Kinder an.

»Wir auch studieren Magie!«, sagte ein Junge gewichtig, und Helen beschrieb weitere Blätter mit seltsamen Vornamen wie Ngapini und Wiramu. Manchmal tat es ihr dabei ein bisschen Leid um ihr kostbares Briefpapier, andererseits hatte sie sonst kaum Verwendung dafür. Sie schrieb zwar eifrig Briefe, sowohl an ihre Verwandten und die Thornes in England als auch an die Mädchen hier in Neuseeland. Aber solange sie nicht nach Haldon kamen, war es nicht möglich, die Post abzuschicken. In Haldon wollte sie bei der Gelegenheit auch eine Bibelausgabe in der Sprache der Maoris bestellen. Howard hatte ihr gesagt, die Heilige Schrift sei bereits übersetzt, und Helen hätte sie gern studiert. Wenn sie ein wenig Maori lernte, konnte sie sich vielleicht mit den Müttern der Kinder verständigen. Rongo hatte sie schon einmal in das Dorf mitgenommen, und alle dort waren sehr freundlich gewesen. Aber nur die Männer, die oft mit Howard zusammenarbeiteten oder sich beim Weideab- und Auftrieb bei anderen Farmern verdingten, sprachen ein paar Brocken Englisch. Die Kinder hatten es von ihren Vätern gelernt, und zwischendurch hatte auch ein Missionarsehepaar ein Gastspiel im Dorf gegeben.

»Die aber nicht nett«, erklärte Reti. »Dauernd wedeln mit Finger und sagen: ›Oi, oi, Sünde, Sünde!‹ Was ist Sünde, Miss Helen?«

Helen erweiterte daraufhin die Unterrichtsinhalte und las die Bibel erst einmal auf Englisch vor. Dabei stellten sich ihr seltsame Probleme. Die Schöpfungsgeschichte zum Beispiel verwirrte die Kinder zutiefst.

»Nein, nein, das anders!«, erklärte Rongo, deren Großmutter immerhin eine geachtete Geschichtenerzählerin war. »Da waren erst *papatuanuku*, die Erde, und *ranginui*, die Himmel. Und die sich liebten so sehr, dass nicht wollten trennen. Verstehen?« Rongo machte dabei eine Geste, deren Obszönität Helen das Blut in den Adern gefrieren ließ. Das Kind war allerdings ganz unschuldig. »Aber Kinder von beide wollten, dass gibt Welt mit Vögeln und Fischen und Wolken und Mond und alles. Deshalb sie zerren auseinander. Und *papa* weint und weint, und daraus werden Fluss und Meer und See. Aber irgendwann aufgehört. *Rangi* immer noch weint, fast jeden Tag …«

*Rangis* Tränen, das hatte Rongo schon früher einmal verraten, fielen als Regen vom Himmel.

»Das ist eine sehr schöne Geschichte«, murmelte Helen. »Aber ihr wisst ja, dass die *pakeha* aus großen fremden Ländern kommen, wo man alles erforscht und alles weiß. Und diese Geschichte aus der Bibel, die hat der Gott Israels den Propheten erzählt, und das ist die Wahrheit.«

»Ehrlich, Miss Helen? Gott hat erzählt? Zu uns nie reden eine Gott!« Reti war fasziniert.

»Da habt ihr es!«, erklärte Helen mit einem Anflug von schlechtem Gewissen. Schließlich wurden auch ihre Gebete selten erhört.

Der Ausflug nach Haldon beispielsweise stand weiterhin aus.

Gwyneiras Gäste waren endlich abgereist, und das Leben auf Kiward Station normalisierte sich. Gwyn hoffte, damit wieder zu der relativen Freiheit zu gelangen, die sie in der ersten Zeit auf der Farm genossen hatte. Bis zu einem gewissen Grade war das auch so: Lucas machte ihr keinerlei Vorschriften. Er bemängelte nicht einmal, dass Cleo wieder in Gwyneiras Räumen schlief, auch dann, wenn er seine Frau besuchte.

Dabei war die kleine Hündin in den ersten Nächten wirklich lästig, da sie Gwyneira bedrängt glaubte und mit lautem Gebell protestierte. Sie musste dann erst ermahnt und auf ihre Decke zurückgeschickt werden. Lucas machte das ohne Murren mit. Gwyn fragte sich warum und wurde dabei das Gefühl nicht los, dass Lucas sich ihr gegenüber irgendwie schuldig fühlte. Nach wie vor hatte sie bei ihrem Zusammensein niemals Schmerzen und vergoss kein Blut. Im Gegenteil – mit der Zeit freute sie sich auf die Zärtlichkeiten und ertappte sich manchmal dabei, sich nach Lucas' Weggang selbst zu streicheln und das Gefühl zu genießen, wenn sie sich rieb und kitzelte, wobei sie spürbar feucht wurde. Nur war es kein Blut, das da austrat. Im Laufe der Zeit wurde sie mutiger und tastete sich mit den Fingern weiter vor, was das Gefühl noch intensiver machte. Sicher wäre es genauso schön, wenn Lucas sein Glied einführen würde – was er offensichtlich versuchte, nur blieb es nie lange genug hart. Gwyn fragte sich, warum nicht auch er die Hand zu Hilfe nahm.

Anfangs besuchte Lucas sie jeden Abend nach dem Zubettgehen, dann zunehmend seltener. Er leitete die Angelegenheit immer mit der höflichen Frage ein: »Und, wollen wir es heute Nacht noch einmal probieren, meine Liebe?«, und protestierte nie, wenn Gwyneira einmal ablehnen musste. Bislang fand Gwyn das Eheleben unproblematisch.

Dafür machte Gerald ihr das Leben schwer. Er bestand jetzt ernsthaft darauf, dass sie die Aufgaben einer Hausfrau übernahm – Kiward Station sollte geführt werden wie ein hochherrschaftlicher Haushalt in Europa. Witi hätte sich in einen diskreten Butler zu verwandeln, Moana in eine perfekte Köchin und Kiri in das Bild eines Hausmädchens. Die Maori-Angestellten waren denn auch durchaus willig und ehrlich, und sie liebten ihre neue Herrin und bemühten sich, ihr jeden Wunsch von den Augen abzulesen. Doch Gwyn fand, dass alles so bleiben sollte, wie es war, auch wenn einige Dinge gewöhnungsbedürftig waren. Die Mädchen zum Beispiel weigerten sich, im Haus Schuhe zu tragen. Sie fühlten sich beengt. Kiri zeigte Gwyn die Schwielen und Blasen an ihren Füßen, die sich nach einem langen Arbeitstag in den ungewohnten Lederschuhen gebildet hatten. Auch die Uniformen fanden sie unpraktisch, und wieder konnte Gwyn ihnen nur zustimmen. Im Sommer war diese Kleidung zu warm; auch sie selbst schwitzte in ihren voluminösen Röcken. Sie war es allerdings gewöhnt, um der Schicklichkeit willen zu leiden. Die Maori-Mädchen aber sahen das nicht ein. Am schwierigsten wurde es, wenn Gerald konkrete Wünsche äußerte, die sich meist auf den Speisezettel bezogen, der bislang eher bescheiden ausfiel, wie Gwyneira zugeben musste. Die Küche der Maoris war nicht besonders abwechslungsreich. Moana garte Süßkartoffeln und anderes Gemüse im Ofen oder briet Fleisch oder Fisch mit exotischen Gewürzen. Das schmeckte mitunter zwar eigenartig, war aber durchaus genießbar. Gwyneira, die selbst nicht kochen konnte, aß es ohne Murren. Gerald dagegen wünschte sich eine Erweiterung des Speisezettels.

»Gwyneira, ich möchte, dass du dich in Zukunft intensiver um die Küche kümmerst«, sagte er eines Morgens beim Frühstück. »Ich bin diese Maori-Speisen leid und hätte gern mal wieder ein ordentliches Irish Stew. Könntest du das bitte der Köchin sagen?«

Gwyn nickte, in Gedanken schon beim Zusammentreiben der Schafherde, das sie heute Morgen mit McKenzie und den jungen Hunden plante. Einige Jungtiere hatten die Weiden auf dem Hochland verlassen und stromerten auf den hofnäheren Weidegründen herum, wobei vor allem die jungen Widder Unruhe in die Herden brachten. Gerald hatte den Viehhütern deshalb befohlen, die Tiere zu sammeln und zurückzutreiben, was bislang ein mühsames Geschäft war. Mit den neuen Hütehunden sollte es allerdings in einem Tag zu erledigen sein, und Gwyneira wollte sich die ersten dahingehenden Versuche anschauen. Das sollte sie allerdings nicht hindern, vorher kurz mit Moana über das Mittagessen zu sprechen.

»Zu Irish Stew nimmt man Kohl und Hammelfleisch, nicht wahr?«, fragte sie in die Runde.

»Was denn sonst?«, brummte Gerald.

Gwyn hatte die vage Vorstellung, dass man beides übereinander schichtete und kochte.

»Hammelfleisch ist noch da, und Kohl … ist Kohl im Garten, Lucas?«, fragte sie unsicher.

»Was meist du, was die großen grünen Blätter sind, die sich da zu Köpfen formieren?«, fuhr Gerald sie an.

»Ich, äh …« Gwyn hatte längst festgestellt, dass Gartenarbeit ihr auch dann nicht sonderlich lag, wenn man die Ergebnisse essen konnte. Sie hatte einfach nicht die Geduld zu warten, bis aus Sämereien Kohlköpfe oder Gurken wurden, und zwischendurch endlose Stunden mit dem Ausrupfen von Unkraut zu verbringen. Deshalb beehrte sie den Gemüsegarten nur selten mit ihrer Aufmerksamkeit – Hoturapa machte das schon.

Moana schaute ziemlich verwirrt, als Gwyn ihr den Auftrag gab, Kohl und Hammelfleisch zusammen zu kochen.

»Ich gemacht noch nie«, erklärte sie. Kohl war ohnehin völlig neu für das Mädchen. »Wie soll schmecken?«

»Wie … na ja, wie Irish Stew eben. Koch es einfach, dann siehst du schon«, sagte Gwyn. Sie war heilfroh, in die Ställe flüchten zu können, wo James ihr bereits Madoc gesattelt hatte. Gwyneira ritt die Cobs jetzt abwechselnd.

Die jungen Hunde machten sich hervorragend, und selbst Gerald war des Lobes voll, als die Hälfte der Viehtreiber bereits am Mittag mit Gwyneira heimkehrte. Die Schafe waren erfolgreich gesammelt, und Livingston und Kennon trieben sie mit Hilfe von drei Hunden zurück in die Berge.

Cleo sprang vergnügt neben ihrer Herrin her, und Daimon neben McKenzie. Ab und zu lachten die Reiter sich an. Sie genossen die Zusammenarbeit, und manchmal meinte Gwyn, sich mit dem braunhaarigen Farmarbeiter so selbstverständlich und wortlos verständigen zu können wie sonst nur mit Cleo. James wusste immer genau, welches Schaf sie gerade im Auge hatte, um es auszusortieren oder erneut einzutreiben. Er schien ihr Tun vorauszuahnen und pfiff Daimon oft im gleichen Moment, als Gwyneira Hilfe anfordern wollte.

Jetzt nahm er ihr vor den Ställen den Hengst ab.

»Gehen Sie schon, Miss Gwyn, sonst schaffen Sie es nicht mit dem Umziehen vor dem Lunch. Wo Mr. Gerald sich doch schon so sehr darauf freut ... er hat ein Gericht aus der alten Heimat geordert, nicht wahr?«

Gwyneira nickte, wobei ihr etwas mulmig wurde. War Gerald tatsächlich so versessen auf dieses Irish Stew, dass er den Farmarbeitern davon erzählte? Hoffentlich schmeckte es ihm!

Gwyneira hätte sich gern im Vorfeld davon überzeugt, aber sie war tatsächlich spät dran und schaffte es gerade noch, ihr Reitkleid gegen ein Hauskleid zu wechseln, bevor die Familie sich zum Essen versammelte. Im Grunde hielt Gwyn diese Umzieherei für völlig überflüssig. Gerald kam stets in der gleichen Kleidung zum Lunch, in der er auch die Arbeiten in den Ställen und auf den Weiden beaufsichtigte. Lucas hingegen wünschte sich eine stilvolle Atmosphäre während der Mahlzeiten, und Gwyneira wollte nicht streiten. Jetzt trug sie ein hübsches, hellblaues Kleid mit gelben Bordüren an Rock und Ärmeln. Sie hatte ihr Haar halbwegs gerichtet und mit Kämmchen zu einer Art Frisur aufgesteckt.

»Du siehst heute wieder entzückend aus, meine Liebe«, bemerkte Lucas. Gwyn lächelte ihm zu.

Gerald betrachtete es wohlgefällig. »Die reinsten Turteltäubchen!«, bemerkte er erfreut. »Dann können wir uns ja wohl auch bald auf Nachwuchs freuen, nicht wahr, Gwyneira?«

Gwyn wusste nicht, was sie darauf antworten sollte. Doch an ihren und Lucas' Bemühungen sollte es nicht scheitern. Wenn man von dem schwanger wurde, was sie nächtens in ihrem Zimmer trieben, sollte es ihr recht sein.

Lucas dagegen errötete. »Wir sind erst einen Monat verheiratet, Vater!«

»Na, ein Schuss reicht doch wohl, oder?« Gerald lachte dröhnend, Lucas wirkte peinlich berührt, und Gwyneira verstand wieder mal gar nichts. Was hatte das Kinderkriegen mit Schießen zu tun?

Immerhin erschien jetzt Kiri mit einer Servierschüssel, was dem peinlichen Gespräch ein Ende setzte. Wie Gwyneira es ihr beigebracht hatte, platzierte das Mädchen sich ordentlich rechts neben Mr. Geralds Teller und trug dem Hausherrn zuerst auf, danach Lucas und Gwyneira. Sie stellte sich geschickt an; Gwyneira fand nichts auszusetzen und erwiderte Kiris beifallheischendes Lächeln, als das Mädchen schließlich artig auf Abruf neben dem Tisch Aufstellung nahm.

Gerald warf einen ungläubigen Blick auf die gelblich rote, dünne Suppe, in der Kohl und Fleischbrocken schwammen, bevor er explodierte: »Zum Teufel, Gwyn! Das war erstklassiger Kohl und das beste Hammelfleisch auf dieser Seite der Erdkugel! Es kann doch nicht so schwer sein, ein anständiges Stew daraus zu kochen! Aber nein – du überlässt alles dieser Maori-Göre, und sie macht daraus das gleiche Zeug, das wir jeden Tag herunterschlingen müssen! Bring ihr gefälligst bei, wie es geht, Gwyneira!«

Kiri wirkte verletzt, Gwyn beleidigt. Sie fand, dass der Eintopf ganz gut schmeckte – wenn auch zugegebenermaßen exotisch. Mit welchen Gewürzen Moana diesen Geschmack erzielt hatte, war ihr völlig schleierhaft. Ebenso das Originalrezept für den Hammel-Kohl-Eintopf, den Gerald offensichtlich so schätzte.

Lucas zuckte die Schultern. »Du hättest eine irische Köchin anwerben sollen, Vater, keine walisische Prinzessin«, meinte er spöttisch. »Gwyneira ist offensichtlich nicht in der Küche groß geworden.«

Gelassen nahm der junge Mann einen weiteren Löffel Stew. Auch ihn schien der Geschmack nicht zu stören, aber Lucas machte sich ohnehin nicht viel aus Essen. Er schien jedes Mal froh zu sein, wenn er nach den Mahlzeiten zum Studium seiner Bücher oder in sein Atelier zurückkehren konnte.

Gwyn probierte das Gericht noch einmal und versuchte, sich an den Geschmack von Irish Stew zu erinnern. Ihre Köchin daheim hatte dieses Gericht selten auf den Tisch gebracht.

»Ich glaube, man macht es ohne Süßkartoffeln«, sagte sie zu Kiri.

Das Maori-Mädchen runzelte die Stirn. Offensichtlich konnte sie sich nicht vorstellen, dass man irgendein Gericht ohne Süßkartoffeln auf den Tisch brachte.

Gerald fuhr gereizt auf. »Ganz sicher macht man es ohne Süßkartoffeln! Und man gräbt es auch nicht zum Kochen ein oder wickelt es in Blätter oder was auch immer diese Stammesfrauen sonst tun, um ihre Herrschaft zu vergiften! Mach ihr das gefälligst klar, Gwyn! Irgendwo muss auch noch ein Kochbuch liegen. Vielleicht kann das mal einer übersetzen. Mit der Bibel waren sie da ja auch ganz schnell!«

Gwyn seufzte. Sie hatte gehört, dass Maori-Frauen auf der Nordinsel heiße unterirdische Quellen oder Vulkantätigkeit nutzten, um das Essen zu garen. Aber bei Kiward Station gab es nichts dergleichen, und sie hatte Moana und die anderen Maori-Frauen auch noch nie beim Graben von Kochgruben beobachtet. Aber das mit dem Kochbuch war eine gute Idee.

Gwyn verbrachte den Nachmittag mit der Maori-Bibel, der

englischen Bibel und dem Kochbuch von Geralds verstorbener Gattin in der Küche. Doch ihre vergleichenden Studien waren nur beschränkt erfolgreich. Schließlich gab sie auf und floh in die Ställe.

»Jetzt weiß ich, was ›Sünde‹ und ›Himmlische Gerechtigkeit‹ in der Sprache der Maoris heißt«, sagte sie zu den Männern und blätterte in der Bibel. Kennon und Livingston waren eben von den Bergweiden zurückgekehrt und warteten ihre Pferde ab, während McKenzie und McAran Sattelzeug putzten. »Aber das Wort ›Thymian‹ steht nicht drin.«

»Vielleicht schmeckt es ja auch mit Weihrauch und Myrrhe«, bemerkte McKenzie.

Die Männer lachten.

»Sagen Sie Mr. Gerald doch einfach, dass Völlerei eine Sünde ist«, riet McAran. »Aber tun Sie's sicherheitshalber auf Maori. Wenn Sie es auf Englisch versuchen, könnte er Ihnen den Kopf abreißen.«

Seufzend sattelte Gwyneira ihre Stute. Sie brauchte jetzt frische Luft. Das Wetter war viel zu schön, um Bücher zu wälzen.

»Ihr seid mir auch keine Hilfe!«, tadelte sie die immer noch feixenden Männer, als sie Igraine ins Freie führte. »Wenn mein Schwiegervater fragt, sagt ihm, ich sammele Kräuter. Für sein Stew.«

Gwyneira ließ ihr Pferd zunächst Schritt gehen. Wie immer beruhigte sie der Anblick des weiten Landes vor der atemberaubenden Kulisse der Alpen. Wieder einmal schienen die Berge so nah, als könne man sie in einem Stundenritt erreichen, und Gwyneira machte sich einen Spaß daraus, ihnen entgegenzutraben und sich einen der Gipfel als Ziel zu erwählen. Erst als sie ihm auch nach zwei Stunden nicht erkennbar näher gekommen war, kehrte sie um. So gefiel ihr das Leben! Aber was machte sie bloß mit der Maori-Köchin? Gwyneira brauchte unbedingt weibliche Unterstützung. Aber die nächste Weiße lebte zwanzig Meilen weit weg.

Ob es wohl gesellschaftlich korrekt war, Mrs. Beasley schon einen Monat nach der Hochzeit einen Besuch abzustatten? Aber vielleicht reichte ja auch ein Ausflug nach Haldon. Bisher hatte Gwyneira das Städtchen noch nicht besucht, aber es wurde Zeit. Sie musste Briefe zur Post bringen, wollte ein paar Kleinigkeiten kaufen und vor allem einmal andere Gesichter sehen als die ihrer Familie, der Maori-Hausangestellten und der Viehhüter. In der letzten Zeit waren ihr alle ein bisschen über – bis auf James McKenzie. Aber der konnte sie ja nach Haldon begleiten. Hatte er nicht gestern noch gesagt, er müsse bei Candlers bestellte Waren abholen? Bei dem Gedanken an den Ausflug hob sich Gwyns Laune. Und Mrs. Candler wusste sicher, wie man Irish Stew kochte ...

Igraine galoppierte willig Richtung Heimat. Nach dem langen Ritt lockte der Futtertrog. Auch Gwyneira selbst war hungrig, als sie ihr Pferd schließlich wieder in den Stall führte. Aus den Mannschaftsunterkünften drang der aromatische Geruch nach Fleisch und Gewürzen. Gwyn konnte sich nicht bezähmen. Hoffnungsvoll klopfte sie an.

Offensichtlich hatte man sie schon erwartet. Die Männer saßen wieder um ein offenes Feuer und ließen eine Flasche kreisen. Über den Flammen brodelte ein aromatisch riechender Eintopf. War das nicht ...?

Alle Männer strahlten, als feierten sie Weihnachten, und O'Toole, der Ire, hielt ihr lächelnd ein Essgeschirr mit Irish Stew entgegen. »Hier, Miss Gwyn. Geben Sie das dem Maori-Mädchen. Diese Menschen sind sehr anpassungsfähig. Vielleicht schafft sie es ja, das Gericht nachzukochen.«

Gwyneira bedankte sich erfreut. Zweifellos war dieses Gericht genau das, auf das Gerald gehofft hatte. Es roch so gut, dass Gwyn am liebsten um einen Löffel gebeten und das Geschirr gleich selbst geleert hätte. Dann aber nahm sie sich zusammen. Sie würde das kostbare Stew nicht anrühren, bevor sie es Kiri und Moana zum Probieren gab.

Deshalb deponierte sie es sicher auf einem Strohballen, während sie Igraine abwartete, und trug es dann vorsichtig hinaus. Dabei wäre sie fast in McKenzie hineingelaufen, der sie an der Stalltür mit einem Strauß Blätter erwartete, die er Gwyn so feierlich überreichte wie einen Blumenstrauß.

»*Tàima*«, sagte er mit einem halbherzigen Grinsen und zwinkerte ihr zu. »Statt Weihrauch und Myrrhe.«

Gwyneira nahm das Thymiansträußchen lächelnd entgegen. Sie wusste nicht, weshalb ihr Herz dabei so rasend klopfte.

Helen freute sich, als Howard endlich ankündigte, sie würden am Freitag nach Haldon fahren. Das Pferd musste neu beschlagen werden, was anscheinend jedes Mal der Anlass war, die Stadt aufzusuchen. Wenn Helen nachrechnete, musste auch damals, als Howard von ihrer Ankunft erfahren hatte, ein Schmiedebesuch fällig gewesen sein.

»Wie oft muss man so ein Pferd beschlagen?«, fragte sie vorsichtig nach.

Howard zuckte die Schultern. »Kommt drauf an, meistens alle sechs bis zehn Wochen. Aber die Hufe des Braunen wachsen langsam, der geht auch mal zwölf Wochen mit einem Beschlag.« Zufrieden klopfte er sein Pferd.

Helen hätte sich eher ein Pferd mit besserem Hufwachstum gewünscht und konnte sich eine entsprechende Bemerkung nicht verkneifen. »Ich wäre gern öfter unter Menschen.«

»Du kannst das Maultier nehmen«, meinte er großzügig. »Nach Haldon sind es fünf Meilen, dann bist du in zwei Stunden da. Wenn du gleich nach dem Melken aufbrichst, kannst du abends leicht zurück sein und noch Essen kochen.«

Auf ein warmes Essen am Abend würde Howard unter keinen Umständen verzichten, so weit kannte Helen ihn nun schon. Allerdings war er leicht zufrieden zu stellen: Er schlang Fladenbrot genauso in sich hinein wie Pfannkuchen, Rührei und Eintopf. Dass Helen kaum mehr Gerichte zubereiten konnte, schien ihn nicht zu stören, aber Helen hatte dennoch vor, sich bei Mrs. Candler in Haldon nach ein paar weiteren Rezepten zu erkundigen. Ihr selbst wurde der Speiseplan langsam zu eintönig.

»Du könntest ja mal ein Huhn schlachten«, schlug Howard vor, als Helen eine entsprechende Bemerkung machte. Sie war entsetzt – so wie jetzt von der Vorstellung, sich allein mit dem Maultier auf den Weg nach Haldon zu machen und dann auch noch zu reiten.

»Jetzt siehst du dir erst mal den Weg an«, sagte Howard gelassen. »Sonst kannst du das Muli ja auch anschirren ...«

Weder Gerald noch Lucas hatten etwas dagegen, dass Gwyneira sich McKenzie auf der Fahrt nach Haldon anschloss. Lucas konnte allerdings kaum nachvollziehen, was sie daran reizte.

»Du wirst enttäuscht sein, meine Liebe. Es ist ein schmutziges kleines Städtchen, nur ein Laden und ein Pub. Keine Kultur, nicht mal eine Kirche ...«

»Was ist denn mit einem Arzt?«, erkundigte sich Gwyneira. »Ich meine, falls ich wirklich mal ...«

Lucas lief rot an. Gerald hingegen war begeistert.

»Ist es so weit, Gwyneira? Zeigen sich erste Anzeichen? Wenn das so ist, werden wir selbstverständlich einen Arzt aus Christchurch holen lassen. Mit dieser Hebamme aus Haldon werden wir erst gar kein Risiko eingehen.«

»Vater, bevor der Arzt aus Christchurch einträfe, wäre das Baby längst da«, bemerkte Lucas spöttisch.

Gerald blickte ihn strafend an. »Ich werde den Arzt im Vorfeld kommen lassen. Er soll hier wohnen, bis es so weit ist, egal was es kostet.«

»Und seine anderen Patienten?«, gab Lucas zu bedenken. »Meinst du, die lässt er einfach im Stich?«

Gerald schnaubte. »Das ist eine Frage der Summe, mein Sohn. Und der Erbe der Wardens ist jede Summe wert!«

Gwyneira hielt sich heraus. Sie hätte die Anzeichen einer Schwangerschaft gar nicht erkannt – woher sollte sie wissen, wie man sich dabei fühlte? Außerdem freute sie sich jetzt erst einmal auf den Ausflug nach Haldon.

James McKenzie holte sie gleich nach dem Frühstück ab. Er hatte zwei Pferde vor einen langen, schweren Wagen gespannt. »Wenn Sie reiten würden, wären Sie schneller«, gab er zu bedenken, doch es machte Gwyneira nichts aus, an McKenzies Seite auf dem Bock zu sitzen und die Landschaft zu genießen. Wenn sie den Weg erst kannte, konnte sie öfter nach Haldon reiten; heute aber war sie mit der Fahrt auf dem Wagen zufrieden. Außerdem war McKenzie ein anregender Gesprächspartner. Er nannte ihr die Namen der Berge am Horizont und der Flüsse und Bäche, die sie überquerten. Oft kannte er sowohl die Maori-Namen als auch die englischen.

»Sie sprechen gut Maori, nicht wahr?«, meinte Gwyn bewundernd.

McKenzie schüttelte den Kopf. »Ich glaube, niemand spricht wirklich gut Maori. Die Eingeborenen machen es uns zu einfach. Sie freuen sich über jedes Wort Englisch, das sie lernen. Wer hat da noch Lust, sich mit Worten wie *taumatawhatatangihangakoauauotamateaturipukakapikimaungahoroukupokaiwhenuakitanatahu* herumzuärgern?«

»*Was?*«, lachte Gwyneira.

»Das ist ein Berg auf der Nordinsel. Gilt sogar unter Maoris als Zungenbrecher. Aber mit jedem Becher Whiskey wird es einfacher, glauben Sie mir!« James zwinkerte ihr von der Seite zu und lächelte wieder sein verwegenes Lächeln.

»Also haben Sie's am Lagerfeuer gelernt?«, fragte Gwyn.

James nickte. »Ich bin ziemlich viel rumgezogen und hab mich auf Schaffarmen verdingt. Unterwegs bin ich oft in Maori-Dörfern untergekommen – sie sind ja sehr gastfreundlich.«

»Warum haben Sie nicht beim Walfang gearbeitet?«, wollte Gwyn wissen. »Dabei soll doch deutlich mehr zu verdienen sein. Mr. Gerald ...«

James grinste. »Mr. Gerald spielt wohl auch gut Karten«, bemerkte er dann.

Gwyneira wurde rot. Konnte es sein, dass die Geschichte des Kartenspiels zwischen Gerald Warden und ihrem Vater hier schon die Runde gemacht hatte?

»Normalerweise verdient man beim Walfang jedenfalls auch kein Vermögen«, sprach McKenzie weiter. »Und für mich war's nichts. Verstehen Sie mich richtig, ich bin nicht zimperlich, doch dieses Waten in Blut und Fett ... nein. Aber ich bin ein guter Schafscherer, ich hab's in Australien gelernt.«

»Leben in Australien nicht nur Sträflinge?«, erkundigte sich Gwyn.

»Nicht nur. Auch Nachkommen von Sträflingen und ganz normale Einwanderer. Und die Sträflinge sind nicht alle Schwerverbrecher. Da ist so mancher arme Kerl gelandet, der für seine Kinder ein Brot gestohlen hat. Oder all die Iren, die sich gegen die Krone aufgelehnt hatten. Das waren oft sehr anständige Männer. Schurken gibt es überall, und ich für meinen Teil hab in Australien nicht mehr kennen gelernt als sonst wo auf der Welt.«

»Wo waren Sie denn sonst noch?«, fragte Gwyn neugierig, die McKenzie immer faszinierender fand.

Er grinste. »In Schottland. Da komme ich her. Ein echter Highlander. Aber kein Clan-Lord, meine Sippe war immer nur Fußvolk. Verstand sich auf Schafe, nicht auf Langschwerter.«

Gwyneira fand das ein bisschen schade. Ein schottischer Krieger wäre fast so interessant gewesen wie ein amerikanischer Cowboy.

»Und Sie, Miss Gwyn? Sind Sie wirklich auf einem Schloss aufgewachsen, wie man sich erzählt?« James schaute sie wieder von der Seite an. Aber er machte nicht den Eindruck, als würde er sich für Klatsch interessieren. Gwyn hatte das Gefühl, dass er sich ehrlich für sie interessierte.

»Ich bin in einem Herrenhaus groß geworden«, gab sie Auskunft. »Mein Vater ist ein Lord – allerdings keiner von denen, die im Kronrat sitzen.« Sie lächelte. »In gewisser Weise haben wir etwas gemeinsam: Die Silkhams haben es auch eher mit den Schafen als mit den Schwertern.«

»Und ist es für Sie ... verzeihen Sie, wenn ich frage, aber ich dachte immer ... Sollten Ladys nicht eigentlich Lords heiraten?«

Das war schon ziemlich indiskret, doch Gwyneira beschloss, es ihm nicht übel zu nehmen.

»Ladys sollten Gentlemen heiraten«, erwiderte sie unbestimmt; dann aber ging das Temperament doch mit ihr durch. »Und natürlich hat man sich in England die Mäuler darüber zerrissen, dass mein Mann nur ein »Schaf-Baron« ist, ohne echten Adelstitel. Doch wie man so sagt: Es ist schön, wenn man ein Rassepferd sein Eigen nennt. Aber auf den Papieren reitet man nicht.«

James musste so herzhaft lachen, dass er fast vom Bock gefallen wäre. »Sagen Sie den Satz nie in Gesellschaft, Miss Gwyn! Sie wären bloßgestellt bis in alle Ewigkeit! Aber so langsam begreife ich, dass es in England ein bisschen schwierig war, einen Gentleman für Sie zu finden.«

»Es gab reichlich Bewerber!«, log Gwyneira beleidigt. »Und Mr. Lucas hat sich noch nie beklagt.«

»Dann wäre er auch dumm und blind!«, brach es aus James heraus, doch bevor er seine Bemerkung weiter ausführen konnte, erkannte Gwyn eine Ansiedlung in einer Ebene unter dem Bergkamm, über den sie gerade fuhren.

»Ist das Haldon?«, fragte sie.

James nickte.

Haldon glich ziemlich exakt den Pionierstädten, wie sie in Gwyns Groschenheftchen beschrieben wurden: Ein Kramladen, ein Barbier, eine Schmiede, ein Hotel und eine Kneipe, die allerdings »Pub« hieß und nicht »Saloon«. Alles befand sich in ein- bis zweistöckigen Holzhäusern, die bunt angestrichen waren.

James hielt den Wagen vor dem Laden der Candlers.

»Machen Sie in Ruhe Ihre Einkäufe«, sagte er. »Ich lade jetzt erst Holz auf, gehe dann zum Barbier und anschließend auf ein Bier in den Pub. Wir haben also keine Eile. Wenn Sie Lust haben, können Sie mit Mrs. Candler Tee trinken.«

Gwyneira lächelte ihn verschwörerisch an. »Vielleicht verrät sie mir ja noch ein paar Rezepte. Neulich hat Mr. Gerald Yorkshire Pudding verlangt. Wissen Sie, wie man den macht?«

James schüttelte den Kopf. »Ich fürchte, das kann nicht mal O'Toole. Also, bis bald, Miss Gwyn!«

Er reichte ihr die Hand, um ihr vom Bock zu helfen, und Gwyn fragte sich, warum sie bei der Berührung das gleiche Gefühl durchzuckte, das sie sonst nur empfand, wenn sie sich selbst heimlich streichelte ...

# 7

Gwyneira überquerte die staubige Dorfstraße, die sich bei Regen sicher in ein Schlammloch verwandelte, und betrat Candlers Gemischtwarenladen. Mrs. Candler sortierte gerade bunte Bonbons in hohe Gläser, schien aber gern bereit, diese Tätigkeit zu unterbrechen. Strahlend begrüßte sie Gwyneira.

»Mrs. Warden, welche Überraschung! Und was für ein Glück! Haben Sie Zeit für eine Tasse Tee? Dorothy kocht gerade welchen. Sie ist hinten mit Mrs. O'Keefe.«

»Mit wem?«, fragte Gwyneira, und ihr Herz machte einen Sprung. »Doch nicht etwa Helen O'Keefe?« Sie konnte es kaum glauben.

Mrs. Candler nickte vergnügt. »Ach ja, Sie kennen sie ja noch als Miss Davenport. Nun, mein Mann und ich durften jedenfalls ihren Zukünftigen von ihrer Ankunft in Kenntnis setzen. Und wie ich hörte, war er schnell wie der Blitz in Christchurch und hat sie gleich mitgebracht. Gehen Sie nur schon durch nach hinten, Mrs. Warden. Ich komme gleich nach, sobald Richard wieder da ist.«

»Hinten«, bezeichnete die Wohnräume der Candlers, die direkt an das geräumige Ladenlokal angrenzten. Doch sie wirkten keineswegs provisorisch, sondern waren geschmackvoll mit kostbaren Möbeln aus einheimischen Hölzern eingerichtet. Große Fenster ließen Licht ein und gewährten den Blick über das Holzlager hinter dem Haus, wo James eben seine Bestellung in Empfang nahm. Mr. Candler half ihm beim Aufladen.

Und im Salon war dann wirklich Helen! Sie saß auf einer

mit grünem Samt bezogenen Chaiselongue und plauderte mit Dorothy. Als sie Gwyn gewahrte, sprang sie auf. Ihr Gesicht spiegelte eine Mischung aus Unglauben und Freude.

»Gwyn! Oder bist du ein Geist? Ich treffe heute mehr Menschen als in den zwölf Wochen zuvor. So langsam glaube ich, dass ich Gespenster sehe!«

»Wir könnten uns ja gegenseitig kneifen!«, sagte Gwyn lachend.

Die Freundinnen fielen einander in die Arme.

»Seit wann bist du hier?«, erkundigte sich Gwyn, nachdem sie sich von Helen gelöst hatte. »Ich wäre viel eher gekommen, wenn ich gewusst hätte, dass ich dich hier treffe.«

»Ich habe vor knapp drei Monaten geheiratet«, sagte Helen steif. »Aber in Haldon bin ich heute zum ersten Mal. Wir wohnen ... ziemlich weit auswärts ...«

Das klang nicht gerade begeistert. Aber jetzt musste erst einmal Dorothy begrüßt werden. Das Mädchen kam eben mit einer Teekanne herein und legte gleich ein weiteres Gedeck für Gwyneira auf. Derweil hatte Gwyn Gelegenheit, ihre Freundin näher zu betrachten. Helen machte tatsächlich keinen glücklichen Eindruck. Sie war dünner geworden, und ihr auf dem Schiff so sorgsam gehüteter heller Teint war der verpönten Sonnenbräune gewichen. Auch ihre Hände waren rauer, und die Fingernägel waren kürzer als früher. Sogar ihre Kleidung hatte gelitten. Zwar war das Kleid sorgfältig gereinigt und gestärkt, aber der Saum war schlammig.

»Unser Bach«, sagte Helen entschuldigend, als sie Gwyneiras Blicke bemerkte. »Howard wollte wieder mit dem schweren Wagen los, weil er noch Zaunmaterial mitnehmen muss. Den Wagen kriegen die Pferde aber nur durch den Bach, wenn wir schieben.«

»Warum baut ihr keine Brücke?«, erkundigte sich Gwyneira. Sie hatte auf Kiward Station schon häufig neue Brücken überquert.

Helen zuckte die Schultern. »Wahrscheinlich hat Howard kein Geld. Und keine Leute. Man kann doch wohl allein keine Brücke bauen.« Sie griff nach ihrer Teetasse. Ihre Hände zitterten leicht.

»Ihr habt gar keine Leute?«, fragte Gwyneira fassungslos. »Nicht mal Maoris? Wie macht ihr es dann mit der Farm? Wer macht den Garten, melkt die Kühe?«

Helen schaute sie an. In ihren schönen grauen Augen stand eine Mischung aus Stolz und Verzweiflung.

»Na, wer wohl?«

»Du?« Gwyn war alarmiert. »Das kann doch nicht dein Ernst sein. War nicht von einem Gentleman-Farmer die Rede?«

»Streich den Gentleman ... womit ich nicht sagen will, dass Howard kein Ehrenmann ist. Er behandelt mich gut und arbeitet hart. Aber er ist ein Farmer, nicht mehr und nicht weniger. So gesehen hatte dein Mr. Gerald schon Recht. Howard hasst ihn übrigens genauso wie umgekehrt. Zwischen den beiden muss mal irgendwas passiert sein ...« Helen hätte gern das Thema gewechselt; es behagte ihr nicht, sich abfällig über ihren Mann zu äußern. Andererseits ... wenn sie nicht wenigstens Andeutungen machte, würde sie keine Hilfe finden!

Doch Gwyn ging nicht darauf ein. Die Fehde zwischen O'Keefe und Warden war ihr vorerst egal. Ihr ging es um Helen.

»Hast du denn wenigstens Nachbarn, die dir mal helfen oder die du um Rat fragen kannst? Du kannst das doch alles gar nicht!«, kam Gwyn auf die Farmarbeit zurück.

»Ich bin ja lernfähig«, murmelte Helen. »Und Nachbarn ... na ja, ein paar Maoris. Die Kinder kommen jeden Tag zur Schule, sie sind sehr liebenswert. Aber ... aber sonst seid ihr die ersten Weißen, die ich ... seit der Ankunft auf der Farm zu Gesicht bekomme ...« Helen versuchte, sich zusammenzureißen, kämpfte aber mit den Tränen.

Dorothy schmiegte sich tröstend an Helen. Gwyneira dagegen schmiedete bereits Pläne, der Freundin zu helfen.

»Wie weit ist denn die Farm von hier? Kann ich dich nicht mal besuchen kommen?«

»Fünf Meilen«, gab Helen Auskunft. »Aber ich weiß natürlich nicht, in welche Richtung ...«

»Das sollten Sie aber lernen, Mrs. O'Keefe. Wenn Sie die Himmelsrichtungen nicht unterscheiden können, sind Sie hier verloren!« Mrs. Candler kam herein und brachte Teekuchen aus dem Laden mit. Eine Frau im Ort buk sie und ließ sie dort verkaufen. »Von hier aus gesehen ist Ihre Farm im Osten – Ihre natürlich auch, Mrs. Warden. Allerdings nicht ganz in gerader Linie. Von der Hauptstraße aus geht ein Weg ab. Aber das kann ich Ihnen erklären. Und Ihr Gatte weiß es sicher auch.«

Gwyn wollte eben andeuten, dass man besser keinen Warden nach dem Weg zu einem O'Keefe fragte, aber da nutzte Helen auch schon die Gelegenheit, das Thema zu wechseln.

»Wie ist er denn so, dein Lucas? Ist er wirklich der Gentleman, als der er beschrieben wurde?«

Für einen Moment abgelenkt, schaute Gwyneira aus dem Fenster. James war eben mit dem Aufladen des Holzes fertig geworden und lenkte den Wagen nun vom Hof. Helen fiel auf, dass Gwyns Augen aufleuchteten, als sie den Mann auf dem Bock betrachtete.

»Ist es der da? Der schmucke Bursche auf dem Wagen?«, fragte Helen mit einem Lächeln.

Gwyn schien sich kaum losreißen zu können, nahm sich dann aber zusammen. »Was? Entschuldige, ich habe nach unserer Ladung gesehen. Der Mann auf dem Kutschbock ist Mr. McKenzie, unser Vormann bei den Viehtreibern. Lucas ist ... Lucas würde ... also, allein die Idee, er würde ein Gespann über diese Wege hier lenken und ohne Hilfe Holz aufladen ...«

Helen blickte verletzt. Howard würde sein Zaunmaterial selbstverständlich allein aufladen.

Gwyn verbesserte sich sofort, als sie Helens Ausdruck bemerkte. »Oh, Helen, es ist natürlich nicht so, als wäre das ehrenrührig … ich bin sicher, Mr. Gerald würde hier mit anpacken. Doch Lucas ist eine Art Schöngeist, verstehst du? Er schreibt, er malt und spielt Piano. Aber auf der Farm lässt er sich fast nie blicken.«

Helen runzelte die Stirn. »Und wenn er sie mal erbt?«

Gwyneira staunte. Der Helen, die sie vor zwei Monaten kennen gelernt hatte, wäre eine solche Frage nie in den Sinn gekommen.

»Ich glaube, Mr. Gerald hofft da auf einen anderen Erben …«, seufzte sie.

Mrs. Candler betrachtete Gwyn prüfend. »Bisher sieht man aber noch nichts«, sagte sie lachend. »Aber Sie sind ja auch gerade erst ein paar Wochen verheiratet. Ein bisschen Zeit muss er Ihnen schon geben. Ein schönes Brautpaar waren die beiden!«

Damit begann sie eine längere Schwärmerei über Gwyneiras Hochzeitsfeier. Helen hörte schweigend zu, dabei hätte Gwyn sie so gern über ihre eigene Hochzeit befragt. Überhaupt gab es sehr viel, über das sie dringend mit der Freundin sprechen musste. Wenn möglich jedoch unter vier Augen. Mrs. Candler war nett, aber sie war sicher auch der Dreh- und Angelpunkt des Dorfklatsches.

Immerhin zeigte sie sich mehr als geneigt, den beiden jungen Frauen mit Rezepten und anderen Ratschlägen zur Haushaltsführung weiterzuhelfen: »Sie können ohne Sauerteig kein Brot backen«, sagte Mrs. Candler zu Helen. »Hier, ich gebe Ihnen welchen mit. Und da habe ich ein Reinigungsmittel für Ihr Kleid. Den Saum müssen Sie einweichen, der ist sonst verdorben. Und Sie, Mrs. Warden, brauchen Formen für Muffins, sonst wird das nichts mit Mr. Geralds original englischem Teegebäck …«

Helen erwarb sogar eine Maori-Bibel. Mrs. Candler hatte ein paar Exemplare vorrätig; die Missionare hatten die Bibeln einst bestellt, doch die Maoris hatten wenig Interesse gezeigt.

»Die meisten können ja nicht lesen«, sagte Mrs. Candler. »Außerdem haben sie ihre eigenen Götter.«

Während Howard auflud, fanden Gwyn und Helen noch ein paar Minuten Zeit für ein Gespräch unter sich.

»Ich finde, dein Mr. O'Keefe sieht gut aus«, bemerkte Gwyn. Sie hatte vom Laden aus beobachtet, wie er mit Helen sprach. Dieser Mann entsprach entschieden mehr ihrem Bild von einem tatkräftigen Pionier als der vornehme Lucas. »Gefällt dir die Ehe?«

Helen lief rot an. »Ich glaube nicht, dass es einem gefallen muss. Aber es ist ... erträglich. Ach, Gwyn, jetzt werden wir uns wieder monatelang nicht sehen. Wer weiß, ob du am gleichen Tag nach Haldon kommst wie ich und ...«

»Kannst du denn nicht allein herkommen?«, fragte Gwyn. »Ohne Howard? Für mich ist das nicht schwierig. Mit Igraine bin ich in weniger als zwei Stunden hier.«

Helen seufzte und erzählte von dem Maultier. »Wenn ich das reiten könnte ...«

Gwyneira strahlte. »Natürlich kannst du es reiten! Ich bring's dir bei! Ich besuche dich, Helen, sobald ich kann. Den Weg werde ich schon finden!«

Helen wollte ihr sagen, dass Howard keine Wardens im Haus haben wollte, hielt sich dann aber zurück. Wenn Howard und Gwyn wirklich zusammenstießen, musste sie sich etwas einfallen lassen. Aber er hatte zumeist den ganzen Tag mit den Schafen zu tun und ritt oft weit in die Berge, um versprengte Tiere zu suchen und sich um die Zäune zu kümmern. Meist kam er vor dem Dunkelwerden nicht nach Hause.

»Ich warte auf dich!«, sagte Helen hoffnungsvoll.

Die Freundinnen küssten sich auf beide Wangen, dann lief Helen hinaus.

»Tja, die Frauen der kleinen Farmer haben kein leichtes Leben«, meinte Mrs. Candler bedauernd. »Harte Arbeit und viele Kinder. Mrs. O'Keefe hat Glück, dass ihr Gatte schon älter ist. Acht oder neun Sprösslinge wird er ihr wohl nicht mehr machen. Sie ist ja auch nicht mehr die Allerjüngste. Ich hoffe nur, es geht alles gut. Auf diese einsamen Farmen kommt doch nie eine Hebamme ...«

James McKenzie erschien kurze Zeit später, um Gwyneira abzuholen. Vergnügt lud er ihre Einkäufe in den Wagen und half ihr auf den Bock.

»Hatten Sie einen schönen Tag, Miss Gwyn? Mr. Candler sagte, Sie hätten eine Freundin wiedergetroffen.«

Zu Gwyns Freude kannte McKenzie den Weg zu Helens Farm. Er pfiff allerdings durch die Zähne, als sie danach fragte.

»Sie wollen zu O'Keefe? In die Höhle des Löwen? Erzählen Sie das bloß nicht Mr. Gerald. Er erschießt mich, wenn er erfährt, dass ich Ihnen den Weg verraten habe!«

»Den hätte ich auch anderswo erfragen können«, meinte Gwyn gelassen. »Aber was ist denn bloß zwischen den beiden? Für Mr. Gerald ist Mr. Howard der Teufel schlechthin, und umgekehrt scheint es ähnlich zu sein.«

James lachte. »Genaueres weiß man nicht. Die Gerüchteküche sagt, sie waren mal Partner. Aber dann haben sie sich entzweit. Manche sagen, wegen Geld, andere, wegen einer Frau. Ihr Land grenzt jedenfalls aneinander, aber Warden hat die Sahnestücke. Bei O'Keefe ist es schon sehr gebirgig. Und der ist auch von Haus aus kein Schäfer, obwohl er angeblich aus Australien kommt. Alles sehr undurchsichtig. Genaueres werden nur die beiden selbst wissen, aber ob die damit rausrücken? Ah, da ist ja die Abzweigung ...«

James hielt sein Gespann an einem Weg an, der nach links

in die Berge führte. »Hier reiten Sie rein. Sie können sich an den Felsen da orientieren. Und dann immer dem Weg nach, es gibt nur einen. Aber manchmal ist er schwer zu finden, besonders im Sommer, wenn man die Wagenspuren nicht so sieht. Es sind auch etliche Bäche zu überqueren, der eine ist fast ein Fluss. Und wenn Sie sich erst mal orientiert haben, gibt es sicher auch noch direktere Wege zwischen den Farmen. Aber zunächst sollten Sie besser den hier nehmen. Nicht, dass Sie sich verirren!«

Gwyneira verirrte sich nicht so leicht. Außerdem hätten Cleo und Igraine auf jeden Fall nach Kiward Station zurückgefunden. Deshalb war sie guter Dinge, als sie drei Tage später aufbrach, um ihre Freundin zu besuchen. Lucas hatte nichts dagegen, dass sie nach Haldon ritt, aber der hatte zurzeit ohnehin andere Sorgen.

Gerald Warden hatte nicht nur entschieden, dass Gwyn die Aufgaben einer Hausfrau ernster nehmen musste, er war auch der Ansicht, Lucas müsse sich nun endlich verstärkt am Farmbetrieb beteiligen. So teilte er seinem Sohn jeden Tag Aufgaben zu, die dieser mit den Angestellten zu erledigen hatte – und oft genug waren es Tätigkeiten, die dem Schöngeist das Blut in die Wangen trieben – oder schlimmere Reaktionen heraufbeschworen. Die Kastration der jungen Widder zum Beispiel führte zu einer solchen Übelkeit, dass Mr. Lucas den ganzen Tag nicht zu gebrauchen war, wie Hardy Kennon am Feuer der Viehtreiber prustend erzählte. Gwyneira bekam es zufällig mit und konnte sich das Lachen kaum verkneifen. Allerdings wusste sie nicht, ob es ihr nicht ebenso ergangen wäre wie Lucas. Es gab Arbeiten, von denen die neugierige junge Lady selbst auf Silkham ausgesperrt geblieben war.

Heute jedenfalls war Lucas mit McKenzie unterwegs, um die Hammel auf die Bergweiden zu treiben. Dort sollten die

Tiere während der Sommermonate bleiben und dann geschlachtet werden. Lucas graute es jetzt schon davor, womöglich auch das überwachen zu müssen.

Gwyneira wäre gern mitgeritten, doch irgendein Gefühl hielt sie davon ab. Lucas brauchte nicht zu sehen, wie selbstverständlich sie mit den Viehtreibern zusammenarbeitete – eine Konkurrenzsituation wie damals mit ihrem Bruder musste auf jeden Fall vermieden werden. Außerdem hatte sie keine Lust auf einen Tagesritt im Damensattel. Sie war den Seitsitz nicht mehr gewöhnt, und nach mehreren Stunden würde ihr bestimmt der Rücken schmerzen.

Igraine ging lebhaft vorwärts, und nach gut einer Stunde hatte Gwyneira die Abzweigung zu Helens Farm erreicht. Von hier aus waren es noch zwei Meilen, die sich allerdings schwierig gestalteten. Der Weg war in einem erbärmlichen Zustand. Gwyneira graute es davor, hier ein Gespann entlangzuführen – obendrein mit einem so schweren Wagen, wie Howard ihn fuhr. Kein Wunder, dass die arme Helen erschöpft gewirkt hatte.

Igraine machte der Weg natürlich nichts aus. Die starke Stute war steiniges Gelände gewöhnt, und die häufigen Bachdurchquerungen machten ihr Spaß und erfrischten sie. Für Neuseelands Verhältnisse war es ein heißer Sommertag, und die Stute hatte geschwitzt. Cleo dagegen versuchte immer, möglichst trockenen Fußes durchs Wasser zu kommen. Gwyneira lachte jedes Mal, wenn das nicht gelang, und die kleine Hündin bei einem missglückten Sprung platschend im kühlen Nass landete, woraufhin sie beleidigt zu ihrer Herrin aufsah.

Schließlich kam das Haus in Sicht, obwohl Gwyneira zuerst kaum glauben konnte, dass diese Holzhütte wirklich O'Keefes Farm war. Es musste aber so sein; im Pferch davor graste das Maultier. Beim Anblick von Igraine gab es einen seltsamen Laut von sich, der wie ein Wiehern begann und zu einem Röhren ausartete. Gwyneira schüttelte den Kopf. Merkwürdige Tiere. Sie verstand nicht, warum jemand sie Pferden vorzog.

Sie band die Stute am Zaun an und machte sich auf die Suche nach Helen. Im Stall befand sich nur die Kuh. Dann aber hörte sie den gellenden Schrei einer Frau im Wohnhaus. Es war offensichtlich Helen; sie schrie so entsetzt, dass Gwyn das Blut in den Adern gefror. Erschrocken suchte sie nach einer Waffe, um die Freundin verteidigen zu können, beschloss dann aber, sich mit der Reitpeitsche zu behelfen und Helen sofort zu Hilfe zu eilen.

Ein Angreifer war allerdings nicht zu erkennen. Helen machte eher den Eindruck, als hätte sie gerade harmlos ihre Stube gefegt – bis sie irgendein Anblick vor Schreck erstarren ließ.

»Helen!«, rief Gwyn. »Was ist?«

Helen machte keine Anstalten, sie zu begrüßen oder sich auch nur zu ihr umzusehen. Nach wie vor starrte sie entsetzt auf das Ding in der Ecke.

»Da ... da ... da! Was ist das, um Himmels willen? Hilfe, es springt!« Helen floh in Panik rückwärts und wäre dabei fast über einen Stuhl gestolpert. Gwyneira fing sie auf und wich ebenfalls vor der fetten, glänzenden Schrecke zurück, die jetzt immerhin von ihr weghüpfte. Das Tier war ein Prachtexemplar – bestimmt zehn Zentimeter lang.

»Das ist ein Weta«, erklärte sie gelassen. »Vermutlich ein Boden-Weta, aber es könnte auch ein Baum-Weta sein, das sich verlaufen hat. Auf jeden Fall ist es kein Riesen-Weta, die können nämlich nicht springen ...«

Helen schaute sie an, als wäre sie einer Anstalt entsprungen.

»Und es ist ein Männchen. Nur falls du ihm einen Namen geben willst ...« Gwyneira kicherte. »Mach nicht so ein Gesicht, Helen. Sie sind eklig, aber sie tun dir nichts. Bring das Vieh raus und ...«

»Ka … kann man es nicht er … erschlagen?«, fragte Helen zitternd.

Gwyn schüttelte den Kopf. »So gut wie unmöglich. Sie sind nicht totzukriegen. Angeblich nicht mal dann, wenn man sie kocht … was ich allerdings noch nicht versucht habe. Lucas kann stundenlange Vorträge darüber halten. Es sind sozusagen seine Lieblingstiere. Hast du ein Glas oder so was?« Gwyneira hatte schon einmal zugeschaut, wie Lucas ein Weta fing, und stülpte nun geschickt ein leeres Marmeladenglas über das riesige Insekt. »Erwischt!«, freute sie sich. »Wenn wir das Glas zugeschraubt kriegen, könnte ich es Lucas als Geschenk mitbringen.«

»Mach keine Witze, Gwyn! Ich dachte, er ist ein Gentleman!« Helen fasste sich langsam, starrte aber immer noch mit Faszination und Abscheu auf das gefangene Rieseninsekt.

»Das schließt sein Interesse an Krabbeltieren ja nicht aus«, bemerkte Gwyn. »Männer haben seltsame Vorlieben …«

»Das kannst du laut sagen.« Helen dachte an Howards nächtliche Vergnügungen. Er ging ihnen fast täglich nach, wenn Helen nicht gerade ihre Regel hatte. Die allerdings hatte nach kurzer Zeit ausgesetzt – das einzig Positive am Eheleben.

»Soll ich einen Tee kochen?«, fragte Helen. »Howard mag Kaffee lieber, aber ich hab Tee für mich gekauft. Darjeeling, aus London …« Ihre Stimme bekam einen sehnsüchtigen Beiklang.

Gwyneira schaute sich in dem ärmlich eingerichteten Raum um. Die zwei wackeligen Stühle, die sauber gescheuerte, jedoch abgenutzte Tischplatte, auf der die Maori-Bibel lag. Der brodelnde Eintopf auf dem schäbigen Ofen. Das alles war nicht die ideale Atmosphäre für eine Teestunde. Sie dachte an Mrs. Candlers gemütliches Heim. Dann schüttelte sie entschlossen den Kopf. »Tee kochen können wir nachher. Jetzt sattelst du erst mal das Maultier … Insgesamt gestehe ich dir ... na, sagen wir mal, drei Reitstunden zu. Dann treffen wir uns in Haldon.«

Das Maultier erwies sich als wenig kooperativ. Als Helen es einfangen wollte, lief es davon und schnappte nach ihr. Sie atmete auf, als Reti, Rongo und zwei andere Kinder erschienen. Helens erhitztes Gesicht, ihr Schimpfen und die Hoffnungslosigkeit ihrer Einfangaktion gab den Maoris zwar wieder mal Anlass zum Kichern, doch Reti hatte dem Maultier das Halfter binnen weniger Sekunden umgelegt. Er ging Helen dann auch beim Satteln zur Hand, während Rongo das Tier mit Süßkartoffeln fütterte. Aber dann half alles nichts. Aufsteigen musste Helen allein.

Gwyneira setzte sich auf den Koppelzaun, während sie versuchte, das Tier in Gang zu bringen. Die Kinder stießen sich an und kicherten erneut, als das Muli anfangs keine Anstalten machte, auch nur einen Huf vor den anderen zu setzen. Erst als Helen es schwungvoll in die Seite trat, gab es eine Art Stöhnen von sich und trat an. Doch Gwyneira war nicht zufrieden.

»So wird das nichts! Wenn du es trittst, geht es nicht vorwärts, dann wird es nur wütend!« Gwyneira hockte auf dem Holzzaun wie ein Hütejunge und unterstrich ihre Rede mit dirigierenden Bewegungen ihrer Reitgerte. Ihr einziges Zugeständnis an die Schicklichkeit bestand darin, die Füße hochzuziehen und artig unter dem Reitrock zu verstecken, was ihren Sitz ziemlich unsicher machte. Dabei wäre der Balanceakt gar nicht nötig gewesen. Die feixenden Kinder hätten Gwyneiras Beinen vermutlich nicht mal dann einen zweiten Blick geschenkt, wenn sie nicht ganz auf die Ereignisse im Paddock konzentriert gewesen wären. Liefen ihre Mütter doch ständig barfuß, mit halblangen Röcken oder gar halb nackt herum.

Doch Helen hatte jetzt keine Zeit, weiter darüber nachzudenken. Sie musste sich zu sehr darauf konzentrieren, ihr störrisches Maultier um den Paddock zu lenken. Erstaunlicherweise war das Obenbleiben gar nicht so schwer; Howards alter Sattel bot genügend Halt. Aber leider neigte ihr Reittier dazu, an jedem Grasbüschel stehen zu bleiben.

»Wenn ich es nicht trete, bewegt es sich gar nicht!«, klagte sie und stieß dem Muli noch einmal die Absätze in die Rippen. »Vielleicht … wenn du mir das Stöckchen gibst. Dann könnte ich es hauen!«

Gwyneira verdrehte die Augen. »Wer hat dich bloß als Erzieherin angeheuert? Schlagen, treten … mit deinen Kindern gehst du doch auch nicht so um!« Sie warf einen Blick auf die feixenden kleinen Maoris, die den Kampf ihrer Lehrerin mit dem Maultier sichtlich genossen. »Du musst das Maultier lieben, Helen! Bring es dazu, gern für dich zu arbeiten. Na los, sag ihm was Nettes!«

Helen seufzte, dachte nach und beugte sich dann widerwillig nach vorn. »Was hast du für schöne, weiche Öhrchen!«, gurrte sie und versuchte, die gewaltigen Tütenohren des Muli zu streicheln. Das Tier quittierte die Annäherung mit einem wütenden Schnappen in Richtung ihrer Beine. Helen fiel vor Schreck beinahe vom Maultier, Gwyneira vor Lachen fast vom Zaun.

»Lieben!«, schnaubte Helen. »Es hasst mich!«

Eines der älteren Maori-Kinder machte eine Bemerkung, die von den anderen mit Kichern quittiert wurde, während Helen rot anlief.

»Was hat er gesagt?«, erkundigte sich Gwyn.

Helen biss sich auf die Lippen. »Nur ein Bibelzitat«, murmelte sie.

Gwyn nickte bewundernd. »Also, wenn du diese Rotzblagen dazu kriegst, freiwillig die Bibel zu zitieren, solltest du doch auch einen Esel in Gang bringen! Das Muli ist deine einzige Fahrkarte nach Haldon. Wie heißt es eigentlich?« Gwyneira wedelte mit der Gerte, hatte aber offensichtlich nicht die

Absicht, sie ihrer Freundin zum Antreiben des Mulis zur Verfügung zu stellen.

Helen sah ein, dass sie das Maultier würde taufen müssen …

Nach der Reitstunde tranken sie doch noch Tee, und Helen erzählte von ihren kleinen Schülern.

»Reti, der älteste Junge, ist sehr aufgeweckt, aber ziemlich frech. Und Rongo Rongo ist entzückend. Überhaupt sind es nette Kinder. Das ganze Volk ist freundlich.«

»Du kannst auch schon ganz gut Maori, nicht wahr?«, meinte Gwyn bewundernd. »Ich schaffe leider nur ein paar Worte. Aber ich komme auch nicht dazu, die Sprache zu lernen. Es gibt zu viel zu tun.«

Helen zuckte die Schultern, freute sich aber doch über das Lob. »Ich habe ja vorher schon Sprachen gelernt, dadurch wird es leichter. Außerdem habe ich sonst niemanden, der mit mir redet. Wenn ich nicht völlig vereinsamen will, muss ich es lernen.«

»Redest du denn nicht mit Howard?«, fragte Gwyn.

Helen nickte. »Schon, aber … aber wir … wir haben nicht allzu viel gemeinsam …«

Gwyn verspürte plötzlich Schuldgefühle. Wie sehr würde ihre Freundin die langen Gespräche mit Lucas über Kunst und Kultur genießen – ganz abgesehen von seinem Klavierspiel und seiner Malerei. Sie sollte für ihren kultivierten Gatten dankbar sein. Meist aber verspürte sie nur Langeweile.

»Die Frauen im Dorf sind auch sehr entgegenkommend«, sprach Helen weiter. »Ich frage mich, ob eine davon Hebamme ist …«

»Hebamme?«, rief Gwyn. »Helen! Sag nicht, dass du … ich glaub es nicht! Du bist schwanger, Helen?«

Helen schaute gequält auf. »Ich weiß es nicht genau. Aber

Mrs. Candler hat mich gestern so angesehen und ein paar Bemerkungen gemacht. Außerdem fühle ich mich manchmal … sonderbar.« Sie errötete.

Gwyn wollte es genau wissen. »Macht Howard denn … ich meine, tut er das seine, dass …«

»Ich denke schon«, flüsterte Helen. »Er macht es jede Nacht. Ich weiß nicht, ob ich mich jemals daran gewöhne.«

Gwyn kaute auf den Lippen. »Wieso nicht? Ich meine … tut es weh?«

Helen blickte sie an, als hätte sie den Verstand verloren. »Natürlich, Gwyn. Hat deine Mutter dir das nicht gesagt? Aber wir Frauen müssen das ertragen. Wieso fragst du überhaupt? Tut es dir denn nicht weh?«

Gwyneira druckste herum, bis Helen das Thema beschämt fallen ließ. Doch ihre Reaktion hatte sie in ihren Ahnungen bestätigt. Irgendetwas lief falsch zwischen Lucas und ihr. Zum ersten Mal stellte sie sich die Frage, ob mit ihr etwas nicht stimmte …

Helen nannte das Maultier Nepumuk und verwöhnte es mit Mohrrüben und Süßkartoffeln. Schon nach wenigen Tagen schall ihr ein ohrenbetäubendes Begrüßungsröhren entgegen, sobald sie nur aus der Tür trat, und im Paddock drängte das Muli sich geradezu darum, sich von ihr ein Halfter anlegen zu lassen – schließlich gab es vorher und nachher Leckerbissen. Gwyneira war bei der dritten Reitstunde sehr zufrieden, und irgendwann fasste Helen einfach Mut, sattelte Nepumuk und steuerte Haldon an. Sie hatte das Gefühl, mindestens eine Ozeanüberquerung hinter sich gebracht zu haben, als sie das Maultier schließlich über die Dorfstraße lenkte. Es lief gezielt auf die Schmiede zu, denn dort erwarteten es gewöhnlich Hafer und Heu. Der Schmied zeigte sich freundlich und versprach Helen, das Tier einzustellen, während sie Mrs. Candler besuchte. Mrs. Candler und Dorothy sparten nicht mit Lob, und Helen sonnte sich in ihrer neuen Freiheit.

Am Abend verwöhnte sie Nepumuk mit einer Sonderration Hafer und Mais. Er blubberte freundlich, und auf einmal fand Helen es gar nicht mehr so schwer, ihn nett zu finden.

# 8

Der Sommer neigte sich dem Ende zu, und auf Kiward Station konnte man auf eine erfolgreiche Zuchtsaison zurückblicken. Alle Mutterschafe waren tragend; der neue Hengst hatte drei Stuten gedeckt und der kleine Daimon sämtliche geschlechtsreifen Hündinnen auf dem Hof – und noch etliche von anderen Farmen. Selbst Cleos Bäuchlein rundete sich. Gwyneira freute sich auf die Welpen. Was ihre eigenen Versuche anging, schwanger zu werden, gab es bisher allerdings keine Veränderungen – nur insofern, als Lucas nur noch einmal die Woche mit ihr zu schlafen versuchte. Und es war jedes Mal das Gleiche: Lucas war höflich und aufmerksam und entschuldigte sich, wenn er meinte, ihr in irgendeiner Weise zu nahe getreten zu sein, aber nichts tat weh, nichts blutete – und dabei gingen Mr. Geralds Anspielungen ihr langsam auf die Nerven. Nach einigen Monaten Ehe, meinte ihr Schwiegervater, könnte man bei einer jungen, gesunden Frau doch mit einer Empfängnis rechnen. Gwyn bestärkte dies in der Meinung, dass mit ihr etwas nicht stimmte. Schließlich vertraute sie sich Helen an.

»Mir wäre es ja egal, aber Mr. Gerald ist schrecklich. Er spricht jetzt schon vor dem Personal darüber, sogar vor den Viehtreibern. Ich soll mich weniger in den Ställen herumtreiben, sagt er, und mich mehr um meinen Mann kümmern. Dann käme irgendwann ein Baby. Aber ich werde doch nicht schwanger, wenn ich Lucas beim Malen zugucke!«

»Aber er ... besucht dich doch regelmäßig?«, fragte Helen vorsichtig. Sie selbst war sich jetzt sicher, dass irgendetwas mit ihr anders war, obwohl nach wie vor niemand die Schwangerschaft bestätigt hatte.

Gwyneira nickte und zupfte sich am Ohrläppchen. »Ja, Lucas bemüht sich. Es muss an mir liegen. Wenn ich nur wüsste, wen ich fragen kann ...«

Helen kam ein Gedanke. Sie musste in absehbarer Zeit in die Maori-Siedlung, und dort ... Sie wusste nicht warum, aber sie schämte sich weniger, den Eingeborenenfrauen von ihrer möglichen Schwangerschaft zu erzählen, als mit Mrs. Candler oder einer anderen Frau aus dem Ort darüber zu reden. Warum sollte sie bei der Gelegenheit nicht gleich auch Gwyneiras Problem ansprechen?

»Weißt du was? Ich frage die Maori-Zauberin oder was immer sie ist«, sagte sie kurz entschlossen. »Die Großmutter der kleinen Rongo. Sie ist sehr freundlich. Als ich beim letzten Mal bei ihr war, hat sie mir ein Stück Jade geschenkt, als Dank dafür, dass ich die Kinder unterrichte. Sie gilt bei den Maoris als *tohunga*, als Weise Frau. Vielleicht versteht sie ja etwas von Frauengeschichten. Mehr als wegschicken kann sie mich nicht.«

Gwyneira war skeptisch. »Ich glaube eigentlich nicht an Zauber«, meinte sie, »aber einen Versuch ist es wert.«

Matahorua, die Maori-*tohunga*, empfing Helen vor dem *wharenui*, dem mit reichen Schnitzereien versehenen Versammlungshaus. Es war ein luftiger Bau, dessen Architektur einem Lebewesen nachempfunden war, wie Helen von Rongo wusste. Der First bildete das Rückgrat, die Dachlatten die Rippen. Vor dem Haus gab es einen überdachten Grillplatz, den *kauta*, wo für alle gekocht wurde, denn die Maoris lebten in enger Gemeinschaft. Sie schliefen zusammen in großen Schlafhäusern, die nicht in Einzelräume aufgeteilt wurden, und kannten praktisch keine Möbel.

Matahorua bot Helen eine Sitzgelegenheit auf einem der Steine an, die neben dem Haus aus dem Grasboden ragten.

»Wie kann helfen?«, fragte sie ohne große Vorrede.

Helen kramte in ihrem Maori-Wortschatz, der weitgehend auf dem der Bibel sowie päpstlicher Dogmen beruhte. »Was tun, wenn nicht Empfängnis?«, erkundigte sie sich und hoffte, dass sie das »unbefleckt« dabei wirklich wegließ.

Die alte Frau lachte und überschüttete sie mit einem unverständlichen Wortschwall.

Helen machte eine Geste des Nicht-Verstehens.

»Wieso nicht Baby?«, versuchte Matahorua es daraufhin auf Englisch. »Du doch bekommen Baby! In Winter, wenn sehr kalt. Ich kommen helfen, wenn du willst. Schöne Baby, gesunde Baby!«

Helen konnte es nicht fassen. Also stimmte es – sie würde ein Kind haben!

»Ich kommen helfen, wenn wollen«, bot Matahorua erneut freundlich an.

»Ich ... danke, du bist ... willkommen«, formulierte Helen mühsam.

Die Zauberin lächelte.

Aber irgendwie musste Helen jetzt auf ihre Frage zurückkommen. Sie versuchte es wieder auf Maori.

»Ich Empfängnis«, erklärte sie und zeigte auf ihren Bauch, wobei sie diesmal kaum errötete. »Aber Freundin nicht Empfängnis. Was kann tun?«

Die alte Frau zuckte die Schultern und gab wieder umfangreiche Erklärungen in ihrer Muttersprache. Schließlich winkte sie Rongo Rongo, die in der Nähe mit anderen Kindern spielte.

Das kleine Mädchen näherte sich unbefangen und war offensichtlich gern bereit, Übersetzerdienste zu leisten. Helen trieb es zwar die Schamröte ins Gesicht, ein Kind mit solchen Dingen zu konfrontieren, doch Matahorua schien nichts dabei zu finden.

»Das sie so kann nicht sagen«, erklärte Rongo, nachdem die

*tohunga* ihre Worte noch einmal wiederholt hatte. »Kann haben viele Gründe. Bei Mann, bei Frau, bei beide ... Muss sie sehen Frau, oder besser noch, Mann und Frau. So sie kann nur raten. Und raten nichts wert.«

Immerhin schenkte Matahorua Helen ein weiteres Stück Jade für ihre Freundin.

»Freunde von Miss Helen immer willkommen!«, bemerkte Rongo.

Helen zog zum Dank ein paar Saatkartoffeln aus ihrem Beutel. Howard würde schimpfen, wenn sie das wertvolle Saatgut verschenkte, doch die alte Maori freute sich sichtlich. Mit ein paar Worten wies sie Rongo an, Kräuter zu holen, die sie Helen reichte.

»Hier, gegen Schlechtgehen an Morgen. Tun in Wasser, trinken vor Aufstehen.«

Am Abend eröffnete Helen ihrem Gatten, dass er Vater wurde. Howard brummte zufrieden vor sich hin. Offensichtlich freute er sich, doch ein paar mehr anerkennende Worte hatte Helen sich doch gewünscht. Ein Gutes hatte die Sache jedenfalls: Von nun an ließ Howard seine Frau in Ruhe. Er rührte sie nicht mehr an, sondern schlief neben ihr wie ein Bruder, was für Helen eine unglaubliche Erleichterung war. Es rührte sie zu Tränen, als Howard am nächsten Tag sogar mit einem Becher Tee an ihr Bett kam.

»Hier. Das sollst du ja trinken, hat diese Hexe gesagt. Und die Maori-Frauen verstehen etwas von solchen Dingen. Sie werfen ihre Kinder wie die Katzen.«

Gwyn freute sich ebenfalls mit ihrer Freundin, weigerte sich zuerst aber, mit zu Matahorua zu gehen.

»Es nützt doch wohl nichts, wenn Lucas nicht dabei ist.

Vielleicht macht sie ja einen Paarzauber oder so was. Ich nehm jetzt erst mal den Jadestein – vielleicht kann ich ihn mir ja in einem Beutel um den Hals hängen. Dir hat es schließlich auch Glück gebracht.«

Gwyneira wies vielsagend auf Helens Leib und wirkte dabei so hoffnungsvoll, dass Helen ihr lieber nicht erklärte, dass auch die Maoris nicht an Zauberei und Glücksbringer glaubten. Der Jadestein war eher als Dankeschön, als Anerkennung und Freundschaftsbeweis zu sehen.

Der Zauber funktionierte denn auch nicht, zumal Gwyn sich nicht traute, den Jadestein zu deutlich sichtbar an oder gar in ihrem Bett zu platzieren. Sie wollte nicht, dass Lucas sich über ihren Aberglauben spöttisch machte oder gar böse wurde. In letzter Zeit versuchte er immer verbissener, seine sexuellen Bemühungen zu einem erfolgreichen Abschluss zu führen. Fast ohne jede Zärtlichkeit versuchte er sofort, in Gwyn einzudringen. Manchmal tat es wirklich weh, aber Gwyn glaubte trotzdem nicht, dass sie es richtig machte.

Die Frühlingsmonate brachen an, und die neuen Einwanderer mussten sich erst daran gewöhnen, dass der März hier auf der Südhalbkugel den Winter einläutete. Lucas ritt mit James McKenzie und seinen Männern in die Berge, um die Schafe zusammenzutreiben. Er tat das höchst ungern, doch Gerald bestand darauf, und für Gwyn bot es die unerwartete Gelegenheit, ebenfalls am Weideabtrieb teilzunehmen. Mit Witi und Kiri bemannte sie den Verpflegungswagen.

»Es gibt Irish Stew!«, verkündete sie den Männern vergnügt, als sie am ersten Abend ins Lager zurückkehrten. Das Rezept konnten die Maoris inzwischen in und auswendig, und Gwyneira hätte es fast allein kochen können. Den heutigen Tag hatte sie allerdings nicht mit Kartoffelschälen und Kohl kochen verbracht, sondern war mit Igraine und Cleo hinausgeritten, um ein paar versprengte Schafe in den Ausläufern der Berge zu suchen. James McKenzie hatte sie unter dem Siegel der Verschwiegenheit darum gebeten.

»Ich weiß, dass Mr. Warden es nicht gern sieht, Miss Gwyn, und ich würde es ja selbst tun oder einen Jungen dafür abstellen. Aber wir brauchen bei den Herden jeden Mann, wir sind hoffnungslos unterbesetzt. In den letzten Jahren hatten wir stets mindestens eine Hilfskraft aus dem Maori-Lager. Aber weil diesmal Mr. Lucas mitreitet ...«

Gwyn wusste, was er meinte, und verstand auch die Zwischentöne. Gerald hatte sich die Ausgaben für zusätzliche Treiber gespart und war hocherfreut darüber. So viel hatte sie auch schon an der Tafel der Familie gehört. Lucas allerdings konnte die erfahrenen Maori-Helfer nicht ersetzen. Die Farmarbeit lag ihm nicht, und er war nicht hart genug im Nehmen. Schon nach dem Aufschlagen des Lagers hatte er Gwyneira gegenüber gestöhnt, ihm täten alle Knochen weh; dabei hatte der Viehtrieb noch nicht einmal begonnen. Die Männer klagten natürlich nicht offen über die Unfähigkeit ihres Juniorbosses, doch Gwyn hörte Bemerkungen wie: »Wir wären viel schneller gewesen, wären uns die Schafe nicht dreimal ausgebrochen«, und dachte sich ihren Teil. Wenn Lucas in die Betrachtung einer Wolkenformation oder eines Insekts vertieft war, würde er garantiert nicht aufsehen, nur weil ein paar Schafe vorbeigaloppierten.

So setzte McKenzie ihn nur gemeinsam mit einem anderen Treiber ein; es fehlte also mindestens ein Mann. Nun machte es Gwyneira natürlich Spaß, hier auszuhelfen. Als die Männer ins Lager zurückkamen, trieb Cleo der Herde fünfzehn Schafe zu, die Gwyn im Hochland gefunden hatte. Die junge Frau war ein wenig besorgt, was Lucas wohl dazu sagen würde, aber der bemerkte es gar nicht. Schweigsam löffelte er sein Stew und zog sich dann bald in sein Zelt zurück.

»Ich helfe noch aufzuräumen«, behauptete Gwyn so gewichtig, als wäre mindestens das Geschirr eines Fünf-Gänge-Menüs zu spülen. Tatsächlich überließ sie die paar Essgeschirre den Maoris und gesellte sich noch ein wenig zu den Männern, die jetzt von ihren Abenteuern berichteten. Natürlich kreiste wieder mal eine Flasche, und wie jedes Mal wurden die Geschichten dabei immer dramatischer und gefährlicher.

»Bei Gott, wenn ich nicht da gewesen wäre, hätte der Widder ihn glatt auf die Hörner genommen!«, kicherte der junge Dave. »Jedenfalls rannte er auf ihn zu, und ich rief ›Mr. Lucas!‹, aber er sah das Biest immer noch nicht. Also pfiff ich dem Hund, und der flitzte zwischen ihn und das Schaf und trieb den Widder weg ... aber glaubt ihr, der Kerl wäre dankbar? Von wegen, geschimpft hat er! Er hätte 'nen Kea beobachtet, hat er gesagt, und der Hund habe den Vogel vertrieben. Dabei hätte der Widder ihn fast erwischt, sag ich euch! Dann hätte er noch weniger in der Hose als ohnehin schon!«

Die anderen Männer grölten. Nur James McKenzie blickte unbehaglich. Gwyn sah ein, dass sie sich jetzt lieber zurückzog, wollte sie nicht weitere kompromittierende Dinge über ihren Gatten hören. James folgte ihr, als sie aufstand.

»Tut mir Leid, Miss Gwyn«, meinte er, als sie in den Schatten jenseits des Lagerfeuers traten. Dunkel war diese Nacht nicht: Es war Vollmond, und die Sterne leuchteten. Auch morgen würde ein klarer Tag sein – ein Geschenk für die Viehtreiber, die sich sonst oft mit Nebel und Regen herumschlagen mussten.

Gwyneira zuckte die Schultern. »Das braucht Ihnen nicht Leid zu tun. Oder haben Sie sich beinahe auf die Hörner nehmen lassen?«

James verkniff sich das Lachen. »Ich wünschte, die Männer wären ein bisschen diskreter ...«

Gwyneira lächelte. »Dann sollten Sie ihnen erst mal erklären, was Diskretion bedeutet. Nein, nein, Mr. McKenzie. Ich kann mir gut vorstellen, was da passiert ist, und ich verstehe auch, dass die Leute wütend sind. Mr. Lucas ist ... nun, er ist für diese Dinge nicht geschaffen. Er spielt sehr gut Klavier und malt sehr schön, aber reiten und Schafe treiben ...«

»Lieben Sie ihn eigentlich?« James hätte sich ohrfeigen können, kaum dass die Worte heraus waren. Er hatte das nicht fragen wollen. Niemals – es ging ihn nichts an. Aber auch er hatte getrunken, auch er hatte einen langen Tag gehabt, und auch er hatte Lucas Warden dabei mehr als einmal verflucht!

Gwyneira wusste, was sie ihrem Stand und Namen schuldig war. »Ich achte und verehre meinen Gatten«, gab sie brav zur Antwort. »Ich wurde ihm aus freiem Willen angetraut, und er behandelt mich gut.« Sie hätte noch anmerken müssen, dass McKenzie dies im Übrigen gar nichts anginge, aber das schaffte sie nicht. Irgendetwas sagte ihr, dass er ein Recht hatte, sie danach zu fragen.

»Beantwortet das Ihre Frage, Mr. McKenzie?«, erkundigte sie sich stattdessen leise.

James McKenzie nickte. »Tut mir Leid, Miss Gwyn. Gute Nacht.«

Er wusste nicht, weshalb er ihr die Hand entgegenstreckte. Es war nicht üblich, sicher auch nicht schicklich, sich nach ein paar Stunden am Lagerfeuer so förmlich zu verabschieden. Schließlich würde man sich morgen beim Frühstück schon wiedersehen. Doch Gwyn nahm seine Hand ganz selbstverständlich. Ihre kleine, schmale, aber vom Reiten und der Arbeit mit den Tieren harte Hand lag leicht in der seinen. James konnte den Impuls, sie an seine Lippen zu führen, kaum bezwingen.

Gwyneira hielt den Blick gesenkt. Es war ein gutes Gefühl, als seine Hand die ihre umschloss, ein wohliges Gefühl der Sicherheit. Überall in ihrem Körper schien sich Wärme auszubreiten – auch da, wo es alles andere als schicklich war. Langsam hob sie den Blick und sah einen Widerhall ihrer Freude in McKenzies forschenden dunklen Augen. Und plötzlich lächelten beide.

»Gute Nacht, James«, sagte Gwyn sanft.

Sie schafften den Schaftrieb in drei Tagen, so schnell wie nie zuvor. Kiward Station hatte während des Sommers auch nur wenige Tiere verloren; die meisten waren in hervorragendem Zustand, und die Hammel erzielten gute Preise. Ein paar Tage nach der Rückkehr auf die Farm warf Cleo ihre Jungen. Gwyn betrachtete entzückt die vier winzigen Hundebabys in ihrem Korb.

Gerald dagegen schien verstimmt.

»Scheint, dass jeder es kann – außer euch!«, brummte er und warf seinem Sohn böse Blicke zu. Lucas ging daraufhin wortlos hinaus. Zwischen Vater und Sohn brodelte es seit Wochen. Gerald konnte Lucas dessen Unfähigkeit bei der Farmarbeit nicht verzeihen, und Lucas war wütend auf Gerald, weil der ihn zwang, mit den Männern zu reiten. Gwyneira hatte oft das Gefühl, zwischen den Fronten zu stehen. Und sie hatte immer mehr den Eindruck, dass Gerald wütend auf sie war.

Im Winter fiel auf den Weiden weniger Arbeit an, bei der Gwyneira helfen konnte, und Cleo fiel ohnehin für einige Wochen aus. Umso häufiger lenkte Gwyn ihre Stute zur Farm der O'Keefes. Sie hatte während des Viehtriebs einen deutlich kürzeren Weg querfeldein gefunden und besuchte Helen nun mehrmals in der Woche. Helen war glücklich darüber. Die Farmarbeit fiel ihr mit fortschreitender Schwangerschaft schwerer, und ihr Maultier zu reiten erst recht. Sie kam kaum noch nach Haldon, um mit Mrs. Candler Tee zu trinken. Am liebsten verbrachte sie ihre Tage mit dem Studium der Maori-Bibel und dem Nähen von Kinderkleidung.

Natürlich unterrichtete sie nach wie vor die Maori-Kinder, die ihr viel Arbeit abnahmen. Den größten Teil des Tages aber war sie allein. Auch deshalb, weil Howard gegen Abend gern noch auf ein Bier nach Haldon ritt und oft erst spät zurückkehrte. Gwyneira war deshalb besorgt.

»Wie willst du Matahorua benachrichtigen, wenn die Geburt einsetzt?«, erkundigte sie sich. »Du kannst dann doch unmöglich selbst hingehen!«

»Mrs. Candler will mir Dorothy herschicken. Aber das gefällt mir nicht ... das Haus ist so klein, sie müsste im Stall schlafen. Und soviel ich weiß, werden Kinder immer nachts geboren. Das heißt, Howard ist da.«

»Ist das sicher?«, fragte Gwyneira verwundert. »Meine Schwester hat ihr Kind gegen Mittag bekommen.«

»Aber die Wehen dürften nachts eingesetzt haben«, erklärte Helen im Brustton der Überzeugung. Sie wusste inzwischen wenigstens die grundlegenden Dinge über Schwangerschaft und Geburt. Nachdem Rongo Rongo in gebrochenem Englisch die abenteuerlichsten Geschichten erzählte, hatte Helen ihren ganzen Mut zusammengenommen und Mrs. Candler um Aufklärung gebeten. Die hatte das ganz sachlich gemeistert. Immerhin hatte sie drei Söhne geboren, und auch das nicht unter den zivilisiertesten Umständen. Helen wusste nun, womit eine Geburt sich ankündigte und was dazu vorbereitet werden musste.

»Wenn du meinst.« Gwyneira war immer noch nicht überzeugt. »Aber das mit Dorothy solltest du dir noch mal überlegen. Ein paar Nächte im Stall wird sie schon überstehen. Doch wenn du das Kind ganz allein bekommen müsstest, könntest du sterben.«

Je näher die Geburt rückte, desto eher war Helen geneigt, Mrs. Candlers Angebot anzunehmen. Auch deshalb, weil Howard immer seltener zu Hause war. Ihr Zustand schien ihm peinlich zu sein; offensichtlich mochte er das Bett nicht mehr gern mit ihr teilen. Wenn er dann spät aus Haldon zurückkam, stank er nach Bier und Whiskey, und oft polterte er beim Zubettgehen so sehr herum, dass Helen bezweifelte, er würde den Weg zum Maori-Dorf überhaupt noch finden. So zog Dorothy tatsächlich Anfang August bei ihr ein. Allerdings weigerte sich Mrs. Candler, das Mädchen im Stall schlafen zu lassen.

»Bei aller Liebe, Miss Helen, aber das geht nicht. Ich sehe doch, in welchem Zustand Mr. Howard hier nachts wegreitet. Und Sie sind ... ich meine, er hat ... Er dürfte es vermissen, das Bett mit einer Frau zu teilen, wenn Sie verstehen. Wenn er dann in den Stall kommt und findet ein halbwüchsiges Mädchen vor ...«

»Howard ist ein Ehrenmann!«, verteidigte Helen ihren Gatten.

»Ein Ehrenmann ist auch ein Mann«, gab Mrs. Candler trocken zurück. »Und ein betrunkener Mann ist so gefährlich wie der andere. Dorothy wird im Haus schlafen. Ich rede mit Mr. Howard.«

Helen machte sich Sorgen wegen dieser Auseinandersetzung, doch sie erwiesen sich als unbegründet. Nachdem er Dorothy abgeholt hatte, trug Howard ganz selbstverständlich sein Bettzeug in den Stall und schlug dort sein Lager auf.

»Das macht mir nichts«, meinte er ritterlich. »Ich hab schon schlechter geschlafen. Und die Tugend der Kleinen muss gewahrt werden, da hat Mrs. Candler schon Recht. Nicht, dass sie in Verruf kommt!«

Helen bewunderte Mrs. Candlers Sinn für Diplomatie. Offensichtlich hatte sie damit argumentiert, dass Dorothy eine Anstandsdame benötige und sich auch nach der Geburt keinesfalls nachts um Helen und das Kind kümmern könne, wenn Howard im Haus wäre.

So teilte Helen in den letzten Tagen vor der Geburt das Lager mit Dorothy und hatte von morgens bis abends damit zu tun, das Mädchen zu beruhigen. Dorothy fürchtete sich schrecklich vor der Niederkunft – so sehr, dass Helen manchmal schon den Verdacht hegte, ihre Mutter sei vielleicht nicht an irgendeiner geheimnisvollen Krankheit gestorben, sondern bei der Geburt eines unglücklichen Geschwisterchens.

Gwyneira dagegen war halbwegs optimistisch – auch an jenem nebligen Tag Ende August, an dem Helen sich besonders schlecht und deprimiert fühlte. Howard war schon am Morgen nach Haldon gefahren; er wollte einen neuen Schuppen bauen, und das Holz dafür war endlich eingetroffen. Doch er würde das Baumaterial sicher nicht einfach aufladen und wieder abfahren, sondern noch auf ein Bier und ein Kartenspiel im Pub einkehren. Dorothy molk die Kuh, während Gwyneira Helen Gesellschaft leistete. Ihre Kleider waren klamm nach dem Ritt im Nebel, und sie fror. Umso mehr freute sie sich über Helens Kamin und den Tee.

»Matahorua macht das schon«, meinte sie, als Helen von Dorothys Ängsten erzählte. »Ach, ich wünschte, ich wäre an deiner Stelle! Ich weiß, du fühlst dich im Moment miserabel, aber du solltest erst sehen, wie es mir geht. Mr. Gerald macht inzwischen jeden Tag Andeutungen, und er ist nicht der Einzige. Auch die Damen in Haldon sehen mich so ... so prüfend an, als wäre ich eine Stute auf einer Zuchtschau. Und Lucas scheint mir ebenfalls böse zu sein. Wenn ich nur wüsste, was ich falsch mache!« Gwyneira spielte mit ihrer Teetasse. Sie war den Tränen nahe.

Helen runzelte die Stirn. »Gwyn, eine Frau kann dabei nichts falsch machen! Du wehrst ihn doch nicht ab, oder? Du lässt ihn doch machen?«

Gwyn verdrehte die Augen. »Was denkst du denn! Ich

weiß, dass ich ruhig liegen soll. Auf dem Rücken. Und ich bin freundlich und umarme ihn und alles ... was soll ich denn noch tun?«

»Das ist mehr, als ich getan habe«, bemerkte Helen. »Vielleicht brauchst du einfach mehr Zeit. Du bist ja viel jünger als ich.«

»Umso einfacher sollte es gehen«, seufzte Gwyn. »Das sagte jedenfalls meine Mutter. Ob es vielleicht doch an Lucas liegt? Was bedeutet eigentlich ›Schlappschwanz‹?«

»Gwyn, wie kannst du!« Helen war entsetzt, einen solchen Ausdruck aus dem Mund ihrer Freundin zu hören. »So etwas sagt man nicht!«

»Die Männer sagen es, wenn sie von Lucas sprechen. Natürlich nur, wenn er nicht hinhört. Wenn ich wüsste, was es bedeutet ...«

»Gwyneira!« Helen stand auf und wollte nach dem Teekessel auf dem Herd greifen. Aber dann schrie sie auf und fasste an ihren Leib. »Oh nein!«

Zu Helens Füßen breitete sich eine Pfütze aus.

»Mrs. Candler sagt, so fängt es an!«, stieß sie hervor. »Aber es ist doch erst elf Uhr morgens. Das ist so peinlich ... kannst du das wegwischen, Gwyn?« Sie taumelte zu einem Stuhl.

»Das ist Fruchtwasser«, meinte Gwyn. »Stell dich nicht an, Helen, es ist nicht peinlich. Ich bringe dich ins Bett, und dann schicke ich Dorothy zu Matahorua.«

Helen krampfte sich zusammen. »Es tut weh, Gwyn, es tut so weh!«

»Das ist gleich vorbei«, behauptete Gwyneira, nahm Helen energisch am Arm und führte sie ins Schlafzimmer. Dort zog sie Helen aus, half ihr in ein Nachthemd, beruhigte sie nochmals und lief dann in den Stall, um Dorothy zu den Maoris zu schicken. Das Mädchen brach in Tränen aus und rannte kopflos aus dem Stall. Hoffentlich in die richtige Richtung! Gwyneira überlegte, ob es besser gewesen wäre, selbst zu reiten, doch ihre Schwester hatte Stunden gebraucht, um ihr Kind zur Welt zu bringen. Also würde es bei Helen wohl auch nicht gar so schnell gehen. Und Gwyn war ihr sicher ein besserer Trost als die jammernde Dorothy.

Gwyn wischte also die Küche und kochte derweil neuen Tee, den sie Helen ans Bett brachte. Die hatte jetzt regelmäßige Wehen. Alle paar Minuten schrie sie auf und verkrampfte sich. Gwyneira nahm ihre Hand und sprach ihr gut zu. Inzwischen war eine Stunde vergangen. Wo blieb Dorothy mit Matahorua?

Helen schien gar nicht zu merken, wie die Zeit verging, doch Gwyn wurde immer nervöser. Was, wenn Dorothy sich wirklich verlaufen hatte? Erst nach mehr als zwei Stunden hörte sie endlich jemanden an der Tür. Übernervös schreckte Gwyneira auf. Aber natürlich war es nur Dorothy. Sie weinte immer noch. Und bei ihr war nicht wie erhofft Matahorua, sondern Rongo Rongo.

»Sie kann nicht kommen!«, schluchzte Dorothy. »Jetzt noch nicht. Sie ...«

»Kommt noch andere Baby«, erklärte Rongo mit Gemütsruhe. »Und ist schwer. Ist früh, Mama krank. Muss sie bleiben. Sie sagen, Miss Helen stark, Baby gesund. Soll helfen ich.«

»Du?«, fragte Gwyn. Rongo war höchstens elf Jahre alt.

»Ja. Ich schon gesehen und geholfen *kuia*. In mein Familie viele Kinder!«, meinte Rongo stolz.

Gwyneira erschien sie als Geburtshelferin zwar nicht optimal, aber offensichtlich hatte sie mehr Erfahrung als alle anderen verfügbaren Frauen und Mädchen.

»Also schön. Was machen wir jetzt, Rongo?«, erkundigte sie sich.

»Nichts«, antwortete die Kleine. »Warten. Dauert Stunden. Matahorua sagt, wenn fertig, kommt.«

»Das ist ja mal eine echte Hilfe«, seufzte Gwyneira. »Aber gut, warten wir ab.« Etwas anderes wäre ihr auch nicht eingefallen.

Rongo hatte Recht. Es dauerte Stunden. Manchmal war es schlimm, und Helen schrie bei jeder Wehe; dann wieder war sie ruhig, schien sogar minutenlang schlafen zu können. Gegen Abend aber wurden die Wehen stärker und kamen in kürzeren Abständen.

»Das normal«, bemerkte Rongo. »Kann ich machen Sirup-Pfannkuchen?«

Dorothy war entsetzt, dass die Kleine an Essen auch nur denken konnte, doch Gwyn fand die Idee nicht schlecht. Auch sie war hungrig, und vielleicht konnte sie Helen ja auch zu einem Happen überreden.

»Geh ihr helfen, Dorothy!«, befahl sie.

Helen sah sie verzweifelt an. »Was wird aus dem Kind, wenn ich sterbe?«, flüsterte sie.

Gwyneira wusch ihr den Schweiß von der Stirn. »Du stirbst nicht. Und das Kind muss erst mal da sein, bevor wir uns Gedanken darüber machen. Wo bleibt denn dein Howard? Müsste der nicht langsam zurück sein? Er könnte dann nach Kiward Station reiten und Bescheid sagen, dass ich später komme. Die machen sich doch sonst Sorgen!«

Helen musste trotz ihrer Schmerzen beinahe lachen. »Howard? Bevor der nach Kiward Station reitet, müssen Weihnachten und Ostern zusammenfallen. Vielleicht könnte Reti ... oder ein anderes Kind ...«

»Die lasse ich nicht auf Igraine. Und der Esel kennt den Weg ebenso wenig wie die Kinder.«

»Er ist ein Maultier ...«, verbesserte Helen und stöhnte auf. »Sag nicht Esel zu ihm, das nimmt er übel ...«

»Ich wusste, du würdest ihn lieben. Hör mal, Helen, ich heb jetzt dein Nachthemd an und schaue darunter. Vielleicht guckt das Kleine ja schon raus ...«

Helen schüttelte den Kopf. »Das hätte ich gespürt. Aber ... aber jetzt ...«

Helen krümmte sich unter einer neuen Wehe. Sie erinnerte

sich daran, dass Mrs. Candler etwas von Pressen gesagt hatte, also versuchte sie es und wimmerte vor Schmerzen.

»Kann sein, dass jetzt ...« Die nächste Wehe kam, bevor sie noch ausgesprochen hatte. Helen winkelte die Beine an.

»Geht besser, wenn sich hinknien, Miss Helen«, bemerkte Rongo mit vollem Mund. Sie kam eben mit einem Teller Pfannkuchen herein. »Und rumlaufen hilft. Weil Baby muss runter, verstehen?«

Gwyneira half der stöhnenden, protestierenden Helen auf die Beine. Sie schaffte aber nur ein paar Schritte, bevor sie unter der nächsten Wehe zusammenbrach. Gwyn hob ihr Nachthemd an, während sie kniete, und sah etwas Dunkles zwischen ihren Beinen.

»Es kommt, Helen, es kommt! Was soll ich denn jetzt machen, Rongo? Wenn es jetzt rausfällt, fällt es doch auf den Boden!«

»Fällt nicht so schnell raus«, bemerkte Rongo und stopfte sich einen weiteren Pfannkuchen in den Mund. »Hmmm, schmeckt gut. Kann Miss Helen gleich essen, wenn Baby da.«

»Ich will wieder ins Bett!«, jammerte Helen.

Gwyneira half ihr, obwohl sie es nicht für sehr klug hielt. Es war eindeutig schneller gegangen, solange Helen aufrecht stand oder kniete.

Aber dann hatte sie keine Zeit mehr zum Nachdenken. Helen schrie noch einmal gellend, und schon wurde der kleine, dunkle Scheitel, den Gwyn gesehen hatte, zu einem Babykopf, der sich ins Freie schob. Gwyneira erinnerte sich an die vielen Geburten von Lämmern, die sie heimlich beobachtet hatte und bei denen der Schäfer nachhalf. Das konnte auch hier nicht schaden. Beherzt griff sie nach dem Köpfchen und zog, während Helen unter der nächsten Wehe keuchte und schrie. Sie trieb das Köpfchen dabei aus, Gwyneira zog, sah die Schultern – und dann war das Baby da, und Gwyn sah in ein zerknittertes Gesichtchen.

»Jetzt abschneiden«, sagte Rongo gelassen. »Schnur abschneiden. Schöne Kind, Miss Helen. Junge!«

»Ein kleiner Junge?«, stöhnte Helen und versuchte sich aufzurichten. »Wirklich?«

»Sieht so aus ...«, meinte Gwyn.

Rongo griff nach einem Messer, das sie vorhin bereitgelegt hatte, und durchtrennte die Nabelschnur. »Jetzt muss atmen!«

Das Baby atmete nicht nur, es kreischte gleich los.

Gwyneira strahlte. »Sieht aus, als wär's gesund!«

»Sicher gesund ... ich gesagt, gesund ...« Die Stimme kam von der Tür. Matahorua, die Maori-*tohunga*, trat ein. Zum Schutz gegen die Kälte und Nässe hatte sie eine Decke um ihren Körper gewunden und mit einem Gürtel befestigt. Ihre vielen Tätowierungen waren deutlicher zu sehen als sonst, denn die alte Frau war blass von der Kälte, vielleicht auch vor Müdigkeit.

»Mir tut Leid, aber andere Baby ...«

»Ist das andere Baby auch gesund?«, fragte Helen matt.

»Nein. Gestorben. Aber Mama leben. Du schöne Sohn!«

Matahorua übernahm jetzt das Regiment in der Wochenstube. Sie wischte den Kleinen ab und trug Dorothy auf, heißes Wasser für ein Bad aufzusetzen. Vorerst legte sie das Baby in Helens Arme.

»Mein kleiner Sohn ...«, flüsterte Helen. »Wie winzig er ist ... ich werde ihn Ruben nennen, nach meinem Vater.«

»Hat Howard da nicht auch mitzureden?«, fragte Gwyneira. In ihren Kreisen war es üblich, dass der Vater zumindest den Namen der männlichen Kinder bestimmte.

»Wo ist Howard?«, fragte Helen verächtlich. »Er wusste, dass das Kind in diesen Tagen kommen würde. Aber statt bei mir zu sein, hockt er in der Kneipe und versäuft das Geld, das er mit seinen Hammeln verdient hat. Er hat kein Recht, meinem Sohn einen Namen zu geben!«

Matahorua nickte. »Richtig. Ist dein Sohn.«

Gwyneira, Rongo und Dorothy badeten das Baby. Dorothy hatte endlich zu weinen aufgehört und konnte sich an dem Kind nun gar nicht satt sehen.

»Er ist so süß, Miss Gwyn! Schauen Sie, er lacht schon!«

Gwyneira dachte weniger über die Grimassen nach, die der Kleine zog, als über den Vorgang seiner Geburt. Abgesehen davon, dass es länger dauerte, hatte sich das alles hier nicht von Fohlengeburten und Ablammen unterschieden, auch nicht der Abgang der Nachgeburt. Matahorua riet Helen, diese an einem besonders schönen Ort zu vergraben und einen Baum darauf zu pflanzen.

»*Whenua* zu *whenua* – Land«, sagte sie.

Helen versprach, der Tradition Genüge zu tun, während Gwyneira weiter grübelte.

Wenn die Geburt eines Menschenkindes ähnlich verlief wie bei Tieren, galt dies wahrscheinlich auch für die Zeugung. Gwyneira wurde zwar rot, wenn sie sich den Vorgang vor Augen führte, aber sie ahnte jetzt ziemlich genau, was bei Lucas falsch lief ...

Schließlich lag Helen glücklich in ihrem frisch bezogenen Bett, das schlafende Baby im Arm. Getrunken hatte es auch schon – Matahorua bestand darauf, es Helen anzulegen, obwohl der Vorgang ihr peinlich war. Sie hätte das Kind lieber mit Kuhmilch großgezogen.

»Ist gut für Baby. Kuhmilch gut für Kalb«, erklärte Matahorua kategorisch.

Wieder eine Parallele zu den Tieren. Gwyn hatte heute Nacht viel gelernt.

Helen fand inzwischen Zeit, auch wieder an andere zu denken. Gwyn war wunderbar gewesen. Was hätte sie nur ohne ihre Unterstützung getan? Aber jetzt hatte sie ja gerade Gelegenheit, sich ein wenig zu revanchieren.

»Matahorua,« wandte sie sich an die *tohunga*. »Dies ist meine Freundin, von der wir neulich sprachen. Die mit der ... der ...«

»Die meint, sie nicht kriegt Baby?«, fragte Matahorua und warf einen prüfenden Blick auf Gwyneira, auf ihre Brüste, ihren Unterleib. Was sie sah, schien ihr zu gefallen. »Doch, doch«, verkündete sie schließlich. »Schöne Frau. Ganz gesund. Kann haben viele Babys, gute Babys ...«

»Aber sie versucht es schon so lange ...«, meinte Helen zweifelnd.

Matahorua zuckte die Schultern.

»Versuch mit andere Mann«, riet sie gelassen.

Gwyneira fragte sich, ob sie jetzt wirklich noch nach Hause reiten sollte. Es war längst dunkel, kalt und neblig. Andererseits würden Lucas und die anderen sich zu Tode fürchten, wenn sie einfach ausblieb. Und was würde Howard O'Keefe sagen, wenn er womöglich betrunken nach Hause kam und eine Warden in seinem Hause fand?

Die Antwort auf Letzteres schien sich bereits anzukündigen. Im Stall hantierte jemand. Allerdings hätte Howard in seinem eigenen Haus kaum angeklopft. Dieser Besucher hingegen meldete sich artig an.

»Mach auf, Dorothy!«, befahl Helen verwundert.

Gwyn war schon an der Tür. Ob Lucas hergekommen war, um sie zu suchen? Sie hatte ihm von Helen erzählt, und er hatte sehr freundlich reagiert, sogar den Wunsch geäußert, Gwyns Freundin kennen zu lernen. Die Fehde zwischen den Wardens und den O'Keefes schien ihm nichts zu bedeuten.

Doch vor der Tür stand nicht Lucas, sondern James McKenzie.

Seine Augen leuchteten auf, als er Gwyn erblickte. Dabei

musste er schon im Stall gesehen haben, dass sie da war. Schließlich wartete dort Igraine.

»Miss Gwyn! Gott sei Dank habe ich Sie gefunden!«

Gwyn spürte, wie ihr die Röte ins Gesicht stieg.

»Mr. James … kommen Sie doch herein. Wie nett, mich abzuholen.«

»Wie nett, Sie abzuholen?«, fragte er verärgert. »Reden wir hier von einer Teegesellschaft? Was haben Sie sich dabei gedacht, einfach den ganzen Tag auszubleiben? Mr. Gerald ist verrückt vor Sorge und hat uns alle hochnotpeinlichen Verhören unterzogen. Ich hab was von einer Freundin in Haldon erzählt, die Sie vielleicht besuchen. Und dann bin ich hergeritten, bevor er womöglich jemanden zu Mrs. Candler schickt und dann erfährt …«

»Sie sind ein Engel, James!« Gwyneira strahlte, unbeeindruckt von seinem tadelnden Tonfall. »Nicht auszudenken, wenn er wüsste, dass ich eben den Sohn seines Erbfeindes auf die Welt geholt habe. Kommen Sie! Lernen Sie Ruben O'Keefe kennen!«

Helen schaute peinlich berührt, als Gwyn einfach den fremden Mann in ihr Zimmer führte, doch McKenzie verhielt sich ganz und gar korrekt, grüßte höflich und zeigte sich entzückt von dem kleinen Ruben. Gwyneira hatte dieses Leuchten auf seinem Gesicht schon öfter gesehen. McKenzie schien jedes Mal hingerissen, wenn er einem Lamm oder einem Fohlen auf die Welt half.

»Das haben Sie allein gemacht?«, fragte er anerkennend.

»Helen hat auch einen unwesentlichen Beitrag geleistet«, sagte Gwyn lachend.

»Sie haben es jedenfalls großartig hingekriegt!« James strahlte. »Sie beide! Aber ich würde Sie jetzt trotzdem gern nach Haus begleiten, Miss Gwyn. Das wäre sicher auch besser für Sie, Madam …« Er wandte sich an Helen. »Ihr Mann …«

»Wäre bestimmt nicht erbaut davon, dass eine Warden seinen Sohn entbunden hat.« Helen nickte. »Ich danke dir tausend Mal, Gwyn!«

»Oh, gern geschehen. Vielleicht kannst du dich irgendwann revanchieren.« Gwyneira zwinkerte ihr zu. Sie wusste nicht, warum sie plötzlich so viel optimistischer in Bezug auf eine baldige Schwangerschaft war. Aber all die neuen Erkenntnisse hatten sie beflügelt. Jetzt, da sie das Problem kannte, würde sie eine Lösung finden.

»Ich habe Ihr Pferd schon gesattelt, Miss Gwyn«, drängte James. »Wir sollten jetzt wirklich ...«

Gwyneira lächelte. »Dann sollten wir uns beeilen, damit mein Schwiegervater sich beruhigt!«, sagte sie vergnügt, wobei ihr einfiel, dass James kein Wort über Lucas erwähnt hatte. Machte ihr Gatte sich keine Sorgen?

Matahorua sah ihr nach, als sie McKenzie nach draußen folgte.

»Mit die Mann gute Kind«, bemerkte sie.

# 9

»Eine reizende Idee von Mr. Warden, das Gartenfest zu geben, nicht wahr?«, sagte Mrs. Candler. Gwyneira hatte ihr die Einladung zum Neujahrsfest eben überbracht. Da der Jahreswechsel auf Neuseeland in den Hochsommer fiel, würde die Feier im Garten stattfinden – mit einem Feuerwerk um Mitternacht als Höhepunkt.

Helen zuckte die Schultern. Wie immer war an ihren Mann und sie keine Einladung ergangen, doch Gerald hatte wahrscheinlich auch keinen anderen von den kleinen Farmern damit beehrt. Gwyneira machte ebenfalls nicht den Eindruck, als teile sie die Begeisterung. Nach wie vor fühlte sie sich mit dem Haushalt auf Kiward Station überfordert, und ein Fest würde neue organisatorische Höchstleistungen fordern. Und jetzt war sie auch erst mal damit beschäftigt, den kleinen Ruben zum Lachen zu bringen, indem sie Grimassen schnitt und ihn kitzelte. Helens Sohn war inzwischen vier Monate alt, und das Maultier Nepumuk schaukelte Mutter und Kind zu gelegentlichen Ausflügen in die Stadt. In den Wochen direkt nach der Geburt hatte Helen das nicht gewagt und war erneut ziemlich vereinsamt, doch mit dem Baby war ihr die Isolation auf der Farm weniger schwer gefallen. Der kleine Ruben beschäftigte sie anfänglich rund um die Uhr, und sie war nach wie vor entzückt von jeder seiner Lebensregungen. Dabei erwies das Kind sich nicht als schwierig. Schon mit vier Monaten schlief es meistens durch – zumindest, wenn es im Bett seiner Mutter bleiben durfte. Howard gefiel das gar nicht; er hätte gern wieder seine nächtlichen »Vergnügungen« mit Helen aufgenommen. Doch sobald er sich ihr näherte, schrie

Ruben laut und anhaltend. Helen zerriss es beinahe das Herz, doch sie war gehorsam genug, trotzdem still zu liegen und zu warten, bis Howard fertig war. Erst dann kümmerte sie sich um das Baby. Doch Howard gefielen weder die Tonuntermalung noch Helens offensichtliche Anspannung und Ungeduld. Meist zog er sich zurück, wenn Ruben losweinte, und wenn er spät abends nach Hause kam und das Baby in Helens Armen sah, schlief er gleich im Stall. Helen hatte deshalb ein schlechtes Gewissen, war Ruben aber dennoch dankbar.

Tagsüber schrie das Kind fast nie, sondern lag meist brav in seinem Körbchen, während Helen die Maori-Kinder unterrichtete. Wenn es nicht gerade schlief, schaute es so ernst und aufmerksam auf die Lehrerin, als verstehe es bereits, um was es ging.

»Er wird mal Professor«, sagte Gwyneira lachend. »Der kommt ganz auf dich, Helen!«

Zumindest äußerlich lag sie da nicht ganz falsch. Rubens anfänglich blaue Augen wurden mit der Zeit grau wie Helens, und sein Haar schien dunkel zu werden wie Howards, jedoch glatt und nicht lockig.

»Er kommt nach meinem Vater!«, bestimmte Helen. »Nach dem ist er ja auch benannt. Aber Howard ist fest entschlossen, dass er Farmer wird, auf gar keinen Fall Reverend.«

Gwyneira kicherte. »Da haben sich schon andere geirrt. Denk nur an Mr. Gerald und meinen Lucas.«

Gwyn fiel diese Unterhaltung wieder ein, während sie in Haldon Einladungen verteilte. Genau genommen war das Neujahrsfest nicht Geralds Idee gewesen, sondern Lucas' – allerdings geboren aus der Absicht, Gerald zu beschäftigen und zufrieden zu stellen. Der Haussegen hing nämlich spürbar schief auf Kiward Station, und mit jedem Monat, in dem Gwyn nicht schwanger wurde, schien es schlimmer zu werden. Gerald reagierte nun offen aggressiv auf den Mangel an Nachwuchs, auch wenn er natürlich nicht wusste, wen der beiden Eheleute er dafür verantwortlich machen sollte. Nun verhielt Gwyneira sich meist zurückhaltend, hatte ihre Pflichten im Haus inzwischen halbwegs im Griff und bot Gerald insofern nicht viel Angriffsfläche. Dazu hatte sie ein feines Gefühl für seine Stimmungen. Wenn er schon morgens die frisch gebackenen Muffins bekrittelte – und sie mit einem Whiskey statt mit Tee hinunterspülte, was immer häufiger geschah –, verschwand sie gleich in den Ställen und verbrachte den Tag lieber mit den Hunden und Schafen, statt Blitzableiter für Geralds schlechte Laune zu spielen. Lucas dagegen traf der Zorn seines Vaters voll und fast immer unerwartet. Nach wie vor lebte der junge Mann in seiner eigenen Welt, doch Gerald riss ihn immer rücksichtsloser aus dieser Welt heraus und trieb ihn an, sich auf der Farm nützlich zu machen. Das ging so weit, dass er einmal ein Buch zerriss, mit dem er Lucas in seinem Zimmer vorfand, obwohl er die Schafschur hätte beaufsichtigen sollen.

»Du brauchst doch bloß zu zählen, verdammt noch mal!«, tobte Gerald. »Die Scherer rechnen sonst falsch ab! In Schuppen drei haben sich eben zwei von den Kerlen geprügelt, weil beide Anspruch auf den Lohn für die Schur von hundert Schafen anmelden, und keiner kann schlichten, weil niemand die Zahlen verglichen hat! Für Schuppen drei warst du eingeteilt, Lucas! Jetzt sieh zu, wie du das geregelt bekommst!«

Gwyneira hätte Schuppen drei gern übernommen, doch ihr als Hausfrau oblag die Verpflegung, nicht die Aufsicht über die Wanderarbeiter, die zur Schafschur angeheuert wurden. Deshalb war die Versorgung der Männer ausgezeichnet: Gwyneira erschien immer wieder mit Erfrischungen, weil sie sich an der Arbeit der Scherer nicht satt sehen konnte. Zu Hause auf Silkham war Schafschur eine ziemlich gemächliche Angelegenheit gewesen; die paar hundert Schafe wurden von den Schäfern selbst in wenigen Tagen geschoren. Hier allerdings galt es, Tausende von Schafen zu scheren, die von weitläufigen Weiden geholt und zusammengepfercht werden mussten. Die Schur selbst wurde dadurch zur Akkordarbeit für Spezialisten. Die besten Arbeitstrupps schafften 800 Tiere pro Tag. Auf großen Betrieben wie Kiward Station gab es auch immer einen Wettbewerb – und James McKenzie war in diesem Jahr auf dem besten Weg, ihn zu gewinnen! Er lag dichtauf mit einem Spitzenscherer aus Schuppen eins, und das, obwohl er nicht nur selbst mitarbeitete, sondern auch noch die anderen Scherer in Schuppen zwei beaufsichtigte. Wenn Gwyneira vorbeikam, nahm sie es ihm ab und hielt ihm den Rücken frei. Ihre Anwesenheit schien ihn zu beflügeln; die Schere bewegte sich so schnell und gleitend über die Körper der Schafe, dass die Tiere kaum dazu kamen, blökend gegen diese rüde Behandlung zu protestieren.

Lucas fand den Umgang mit den Schafen barbarisch. Er litt mit, wenn die Tiere gepackt, auf den Rücken geworfen und blitzschnell geschoren wurden, wobei es durchaus auch zu Schnitten in die Haut kam, wenn ein Scherer noch unerfahren war oder das Schaf zu sehr zappelte. Dazu konnte Lucas den durchdringenden Geruch nach Lanolin nicht ausstehen, der in den Scherschuppen herrschte, und ließ immer wieder Schafe entwischen, statt sie nach der Schur durch ein Bad zu treiben, das kleine Wunden reinigen und Schädlinge vernichten sollte.

»Die Hunde hören nicht auf mich«, verteidigte er sich gegen einen erneuten Wutanfall seines Vaters. »Auf McKenzie reagieren sie, aber wenn ich rufe ...«

»Diese Hunde ruft man nicht, Lucas, man pfeift nach ihnen!«, explodierte Gerald. »Es sind nur drei oder vier Pfiffe. Die solltest du langsam gelernt haben. Du bildest dir doch so viel auf deine Musikalität ein!«

Lucas zog sich beleidigt zurück. »Vater, ein Gentleman ...«

»Sag jetzt nicht, ein Gentleman pfeift nicht! Diese Schafe

hier finanzieren deine Malerei, dein Klavierspiel und deine so genannten Studien ...«

Gwyneira, die das Gespräch zufällig mitbekommen hatte, floh in den nächsten Schuppen. Sie hasste es, wenn Gerald ihren Mann vor ihren Augen herunterputzte – und noch schlimmer wurde es, wenn auch noch James McKenzie oder die anderen Farmarbeiter Zeugen der Auseinandersetzungen wurden. Das Ganze war Gwyneira peinlich und schien sich obendrein negativ auf Lucas und ihre nächtlichen »Versuche« auszuwirken, die immer öfter scheiterten. Gwyneira versuchte inzwischen, ihre gemeinsamen Bemühungen nur noch unter dem Aspekt der Fortpflanzung zu betrachten, denn letztlich lief die Sache nicht anders ab als zwischen Hengst und Stute, doch sie gab sich keinen Illusionen hin: Der Zufall musste schon sehr auf ihrer Seite sein. Allmählich dachte sie über Alternativen nach, wobei ihr immer wieder der alte Widder ihres Vaters einfiel, den er wegen mangelnder Deckleistung ausgemustert hatte.

»Versuch mit andere Mann«, hatte Matahorua gesagt. Doch sobald Gwyn diese Worte in den Sinn kamen, verspürte sie Gewissensbisse. Es war völlig undenkbar für eine Silkham, ihren Gatten zu betrügen.

Und nun also das Gartenfest. Lucas ging ganz in den Vorbereitungen auf. Allein die Planung des Feuerwerks erforderte Tage, die er über entsprechenden Katalogen verbrachte, um dann die Bestellung in Christchurch aufzugeben. Er übernahm auch die Ausgestaltung des Gartens sowie der Tische und Sitzgelegenheiten. Auf ein großes Bankett wurde diesmal verzichtet, stattdessen wurden Lämmer und Hammel an Feuern gegart, ebenso Gemüse, Geflügelfleisch und Muscheln auf Steinen nach Maori-Tradition. Salate und andere Beilagen standen auf langen Tafeln bereit und wurden den Besuchern auf Wunsch vorgelegt. Kiri und Moana beherrschten diese Aufgabe inzwischen gut; sie würden auch wieder die hübschen Uniformen tragen, die ihnen zur Hochzeit angemessen worden waren. Gwyneira beschwor sie, Schuhe anzuziehen.

Ansonsten hielt sie sich aus den Vorbereitungen heraus; es war ein Hochseilakt, über Vater und Sohn hinweg Entscheidungen zu treffen. Lucas genoss die Planung des Festes und sehnte sich nach Anerkennung. Gerald dagegen empfand die Bemühungen seines Sohnes als »unmännlich« und hätte lieber alles Gwyn überlassen. Auch die Arbeiter wussten Lucas' häusliche Beschäftigungen nicht zu würdigen, was natürlich weder Gwyneira noch Gerald verborgen blieb.

»Der Schlappschwanz faltet Servietten«, bemerkte Poker auf McKenzies Frage, wo Mr. Lucas wieder einmal stecke.

Gwyneira tat, als habe sie es nicht verstanden. Sie hatte inzwischen recht genaue Vorstellungen davon, was das Wort »Schlappschwanz«, bedeutete, konnte sich allerdings nicht erklären, woraus die Männer im Stall auf Lucas' Versagen im Bett schlossen.

Am Tag des Festes erstrahlte der Garten von Kiward Station in vollem Glanz. Lucas hatte Lampions kommen lassen, und die Maoris stellten Fackeln auf. Beim Empfang der Gäste reichte das Licht allerdings noch, um die Rosenrabatten, sauber geschnittenen Hecken und die verschlungenen, nach dem Vorbild klassischer englischer Gartenbaukunst angelegten Wege und Rasenstücke bewundern zu können. Gerald hatte auch einen neuerlichen Hundetrial angesetzt – diesmal nicht nur, um mit dem sagenhaften Können der Tiere anzugeben, sondern auch als eine Art Werbeveranstaltung. Die ersten Nachkommen von Daimon und Dancer standen zum Verkauf, und die Schafzüchter der Gegend zahlten Höchstpreise für reinrassige Border Collies. Selbst die Mischlinge mit Geralds alten Sheepdogs waren heiß begehrt. Geralds Leute brauchten jetzt auch keine Hilfe mehr von Seiten Gwyneiras und Cleos, um eine perfekte Show zu bieten. Die jungen Hunde trieben die Schafe auf McKenzies Pfiffe hin reibungslos durch den Parcours. Gwyneiras elegantes Festkleid, ein Traum aus himmelblauer Seide mit Applikationen in goldfarbener Lochstickerei, blieb deshalb sauber, und auch Cleo verfolgte das Geschehen nur vom Rand des Platzes aus, wobei sie beleidigt fiepte. Ihre Welpen waren endlich abgesetzt, und die kleine Hündin sehnte sich nach neuen Aufgaben. Heute wurde sie allerdings wieder in die Ställe verbannt. Auf seinem Fest wollte Lucas keine herumtollenden Hunde, und Gwyneira war mit der Betreuung der Gäste voll beschäftigt. Doch ihr Flanieren durch die Menge und die freundlichen Gespräche mit den Damen aus Christchurch glichen mehr und mehr einem Spießrutenlauf. Sie fühlte, dass man sie beobachtete und dass die Gäste mit einer Mischung aus Neugier und Mitgefühl auf ihre immer noch schlanke Taille blickten. Am Anfang fiel nur gelegentlich eine Bemerkung; dann aber sprachen die Herren – allen voran Gerald – dem Whiskey immer fleißiger zu, und ihre Zunge lockerte sich.

»Na, Lady Gwyneira, nun sind Sie doch schon ein Jahr verheiratet!«, tönte Lord Barrington. »Wie sieht's mit Nachwuchs aus?«

Gwyneira wusste nicht, was sie darauf antworten sollte. Sie errötete ebenso tief wie der junge Viscount, dem das Verhalten seines Vaters peinlich war. Er versuchte denn auch gleich das Thema zu wechseln und fragte Gwyneira nach Igraine und Madoc, an den er sich immer noch gern erinnerte. Bislang hatte er hier in der neuen Heimat kein vergleichbares Pferd gefunden. Gwyn lebte sofort auf. Bei den Pferden war die Zucht schließlich erfolgreich verlaufen, und dem jungen Barrington hätte sie gern ein Fohlen verkauft. So ergriff sie die Gelegenheit, Lord Barrington zu entkommen, indem sie den

Viscount zu den Weiden führte. Igraine hatte vor einem Monat einem bildschönen schwarzen Hengstfohlen das Leben geschenkt, und natürlich hatte Gerald auch die Pferde so hausnah untergebracht, dass die Gäste sie bewundern konnten.

Neben dem Paddock, auf dem die Stuten und Fohlen grasten, überwachte McKenzie gerade die Festvorbereitungen für das Personal. Die Angestellten von Kiward Station hatten jetzt noch zu tun, aber wenn das Essen vorbei und der Tanz eröffnet war, konnten auch sie sich amüsieren. Gerald hatte bereitwillig zwei Schafe und reichlich Bier und Whiskey für ihr Fest zur Verfügung gestellt, und nun wurden auch hier die Feuer entzündet, um das Fleisch zu garen.

McKenzie grüßte Gwyn und den Viscount, und Gwyneira nutzte die Gelegenheit, ihm zu dem erfolgreichen Trial zu gratulieren.

»Ich glaube, Mr. Gerald hat heute schon fünf Hunde verkauft«, meinte sie anerkennend.

McKenzie erwiderte ihr Lächeln. »Dennoch nicht zu vergleichen mit der Show von Ihrer Cleo, Miss Gwyn. Aber mir fehlt natürlich auch der Charme der Hundeführerin ...«

Gwyn wandte den Blick ab. Er hatte schon wieder dieses Glitzern in den Augen, das ihr einerseits gefiel, sie andererseits aber verunsicherte. Und wieso machte er ihr hier Komplimente vor dem Viscount? Sie hegte die Befürchtung, dass dies nicht sehr schicklich war.

»Versuchen Sie doch, beim nächsten Mal ein Brautkleid anzuziehen«, zog Gwyn die Sache ins Lächerliche.

Der Viscount lachte glucksend. »Der ist aber in Sie verliebt, Lady Gwyn«, kicherte er mit der ganzen Frechheit seiner fünfzehn Jahre. »Passen Sie auf, dass Ihr Mann ihn nicht fordert!«

Gwyneira warf dem Jungen einen strengen Blick zu. »Reden Sie nicht solchen Unsinn, Viscount! Sie wissen doch, wie schnell Klatsch sich hier verbreitet! Wenn so ein Gerücht aufkommt …«

»Keine Sorge, bei mir ist Ihr Geheimnis sicher!« Der Bengel lachte. »Übrigens, haben Sie inzwischen einen Schlitz in Ihr Reitkleid geschnitten?«

Gwyneira war froh, als der Tanz endlich begann, sodass sie von der Pflicht der Konversation entbunden wurde. Wie immer perfekt geführt, schwebte sie mit Lucas über den extra im Garten aufgestellten Tanzboden. Die Musiker, von Lucas engagiert, waren diesmal besser als bei ihrer Hochzeit. Die Auswahl der Tänze gestaltete sich dadurch aber noch konventioneller. Gwyn war fast ein wenig neidisch, als sie vom Festplatz der Angestellten aus fröhliche Weisen herüberklingen hörte. Da fiedelte jemand – nicht immer richtig zwar, aber wenigstens mit Schwung.

Gwyneira tanzte nacheinander mit den wichtigsten Gästen. Gerald blieb ihr allerdings diesmal erspart; er war längst zu betrunken, um sich beim Walzer aufrecht zu halten. Das Fest war ein voller Erfolg; dennoch hoffte Gwyn, dass es bald vorbei sein möge. Der Tag war lang gewesen, und morgen mussten die Gäste erneut von morgens bis mindestens zum Mittag unterhalten werden. Die meisten würden auch noch bis übermorgen bleiben. Das Feuerwerk musste Gwyn allerdings noch überstehen, bevor sie sich zurückziehen konnte. Lucas entschuldigte sich schon fast eine Stunde früher, um die Aufbauten noch einmal zu überprüfen. Der junge Hardy Kennon würde ihm dabei behilflich sein, falls er nicht schon zu betrunken war. Gwyneira machte sich an die Kontrolle der Champagnervorräte. Witi holte die Flaschen bereits aus dem Bett aus Eis, in dem sie bislang gelagert worden waren.

»Hoffentlich nicht erschießen einen«, meinte er besorgt.

Das Korkenknallen beim Öffnen der Champagnerflaschen machte den Maori-Diener nach wie vor nervös.

»Es ist ganz ungefährlich, Witi!«, beruhigte ihn Gwyn. »Wenn du es ein bisschen öfter machst ...«

»Ja, we... wenn er öf... öfter Grund hätte!« Das war Gerald, der eben wieder an die Bar schwankte, um eine neue Flasche Whiskey zu entkorken. »Aber du gibst uns ja kei... keinen Grund zu feiern, meine wal... walisische Prinzessin! Hab gedacht, dass du nicht so prüde bist, sch... schaust doch aus, als hättste Feuer für zehn und könntest sogar Lu... Lucas damit entzünden, diesen Schlapp... diesen Eisblock!«, verbesserte Gerald sich gerade noch mit Blick auf den Champagner. »Aber nun ... ein Jahr, Gwyn... Gwyneira, und immer noch kein Enkel ...«

Gwyn atmete auf, als Gerald von einer Feuerwerksrakete unterbrochen wurde, die zischend zum Himmel stieg – ein Probeschuss für das spätere Spektakel. Witi ließ trotzdem schon mal die Korken knallen, wobei er verängstigt die Augen zukniff. Gwyneira fielen siedendheiß die Pferde ein. Igraine und die anderen Stuten hatten nie ein Feuerwerk erlebt, und der Paddock war verhältnismäßig klein. Was, wenn die Tiere in Panik gerieten?

Gwyneira warf einen Blick auf die große Uhr, die man extra in den Garten geholt und an exponierter Stelle platziert hatte. Vielleicht reichte die Zeit ja noch, die Pferde rasch in den Stall zu bringen. Sie hätte sich ohrfeigen können, dass sie McKenzie die Anweisung nicht schon früher erteilt hatte. Entschuldigungen murmelnd drängte Gwyn sich durch die Menge der Gäste und lief zu den Ställen. Doch der Paddock davor war leer bis auf eine Stute, die McKenzie gerade herausführte. Gwyneiras Herz machte einen Sprung. Las er wirklich ihre Gedanken?

»Die Tiere schienen mir unruhig zu werden, da dachte ich, ich bringe sie rein«, meinte James, als Gwyn ihm und der

Stute die Stalltür öffnete. Cleo sprang dabei begeistert an ihrer Herrin hoch.

Gwyn lächelte. »Komisch, das Gleiche dachte ich auch.«

McKenzie schenkte ihr einen seiner verwegenen Blicke zwischen Neckerei und Mutwillen. »Wir sollten überlegen, woher das kommt«, sagte er. »Eine Seelenverwandtschaft vielleicht? In Indien glaubt man an Seelenwanderung. Wer weiß, vielleicht waren wir ja im letzten Leben ...« Er tat so, als würde er angestrengt nachdenken.

»Darüber sollten wir als gute Christen kein Wort verlieren«, fiel Gwyn ihm streng ins Wort, doch James lachte.

Einträchtig füllten die beiden Heu in die Raufen der Pferde, und Gwyn ließ es sich nicht nehmen, Igraine ein paar Möhren in die Krippe zu werfen. Anschließend wirkte ihr Kleid nicht mehr allzu frisch. Gwyn sah bedauernd an sich herab. Na ja, im Laternenlicht würde es niemand bemerken.

»Sind Sie hier fertig? Dann sollte ich dem Personal vielleicht ein frohes neues Jahr wünschen, wenn ich schon mal hier bin.«

James lächelte. »Vielleicht haben Sie ja auch noch Zeit für einen Tanz? Wann wird das große Feuerwerk gezündet?«

Gwyn zuckte die Achseln. »Sobald es zwölf ist und der Trubel sich gelegt hat.« Sie lächelte. »Besser gesagt, bis jeder jedem alles Glück der Welt gewünscht hat, auch wenn er es vielleicht gar nicht so meint.«

»Na, na, Miss Gwyn. So zynisch heute? Es ist doch ein wunderschönes Fest!« James sah sie prüfend an. Auch diese Blicke kannte Gwyn inzwischen – und selbst sie gingen ihr durch Mark und Bein.

»Gewürzt durch ein gutes Stück Schadenfreude!«, seufzte sie. »In den nächsten Tagen werden sich alle mal wieder die Mäuler zerreißen, und Mr. Gerald macht es noch schlimmer – bei den Reden, die er führt.«

»Wieso Schadenfreude?«, fragte James. »Kiward Station

steht doch bestens da. Von dem Profit, den Mr. Gerald diesmal mit der Wolle macht, kann er jeden Monat so ein Fest geben! Warum ist er denn immer noch unzufrieden?«

»Ach, reden wir nicht darüber ...«, murmelte Gwyn. »Fangen wir das Jahr lieber mit etwas Erfreulichem an. Sagten Sie was von Tanzen? Sofern es kein Walzer ist ...«

McAran fiedelte eine schwungvolle irische Jig. Zwei Maori-Diener schlugen die Trommeln dazu, was nicht ganz passte, aber offensichtlich allen Spaß machte. Poker und Dave schwenkten die Maori-Mädchen herum. Moana und Kiri ließen sich kichernd durch die für sie fremden Tänze führen. Die anderen Tanzpaare kannte Gwyneira nicht oder kaum. Es handelte sich um die Dienerschaft der vornehmeren Gäste. Lady Barringtons englische Zofe schaute missbilligend herüber, als die Leute von Kiward Station Gwyneira johlend begrüßten. James hielt ihr die Hand hin, um sie auf den Tanzplatz zu führen. Gwyn ergriff sie und fühlte wieder diesen sanften Schock, der Wellen der Erregung in ihr auslöste – wie immer, wenn sie James berührte. Er lachte ihr zu, stützte sie, als sie leicht stolperte. Dann verneigte er sich vor ihr – aber das war auch schon alles, was dieser Tanz mit den Walzern gemeinsam hatte, die sie eben bis zum Überdruss getanzt hatte.

»*She is handsome, she is pretty, she is the Queen of Belfast City!*« Poker und ein paar andere Männer sangen die Melodie vergnügt mit, während James Gwyneira herumwirbelte, bis ihr schwindelig wurde. Und jedes Mal, wenn sie aus einer schwungvollen Drehung in seine Arme flog, sah sie den Glanz in seinen Augen, die Bewunderung und ... ja, was? Begierde?

Mitten im Tanz jagte die Rakete zum Himmel, die das neue Jahr einleitete – und dann entlud sich das ganze prächtige Feuerwerk. Die Männer um McAran brachen die Jig ab, und Poker stimmte *As old long syne* an. Alle anderen Einwanderer fielen ein, und die Maoris summten eher begeistert als richtig mit. Nur James und Gwyneira hatten weder Ohren für das Lied noch Augen für das Feuerwerk. Die Musik war verstummt, als sie sich eben an den Händen hielten, und jetzt erstarrten sie in der Bewegung. Keiner mochte den anderen loslassen. Sie schienen auf einer Insel zu stehen, fern von Lärm und Lachen. Es gab nur ihn. Es gab nur sie.

Gwyn riss sich schließlich los. Sie wollte das Wunder nicht verlieren, aber sie wusste, dass es sich hier nicht vollenden dürfte.

»Wir sollten ... nach den Pferden sehen«, sagte sie tonlos.

James hielt ihre Hand auf dem Weg zu den Ställen.

Kurz vor dem Eingang hielt er sie an. »Schauen Sie!«, flüsterte er. »Ich hab so was noch nie gesehen. Wie ein Regen aus Sternen!«

Lucas' Feuerwerk sorgte für spektakuläre Effekte. Doch Gwyn sah nur die Sterne in James' Augen. Was sie hier tat, war dumm, verboten und ganz und gar nicht schicklich. Aber sie lehnte sich trotzdem an seine Schulter.

James strich ihr zärtlich das Haar aus dem Gesicht, das sich bei ihrem wilden Tanz gelöst hatte. Sein Finger wanderte leicht wie eine Feder über ihre Wange, an ihren Lippen entlang ...

Gwyneira traf einen Entschluss. Es war Neujahr. Da durfte man einander küssen. Sie hob sich vorsichtig auf die Zehenspitzen und küsste James auf die Wange.

»Ein frohes neues Jahr, Mr. James«, sagte sie leise.

McKenzie zog sie in seine Arme, ganz langsam, ganz sanft – Gwyn hätte sich jederzeit befreien können, tat es aber nicht. Auch nicht, als seine Lippen die ihren fanden. Gwyneira öffnete sich dem Kuss leidenschaftlich und ganz selbstverständlich. Es war ein Gefühl, als käme sie nach Hause – ein Zuhause, in dem doch noch eine Welt voller Wunder und Überraschungen auf sie wartete.

Sie war wie verzaubert, als er sie schließlich losließ.

»Ein frohes neues Jahr, Gwyneira«, sagte James.

Die Reaktionen der Gäste auf dem Fest, nicht zuletzt Geralds Ausfälle, bestärkten Gwyneira in ihrem Entschluss, eine Schwangerschaft auch ohne Lucas' Mithilfe herbeizuführen. Natürlich hatte das nichts mit James und dem Kuss um Mitternacht zu tun – das war ein Ausrutscher gewesen, Gwyn wusste am nächsten Tag selbst nicht, was da über sie gekommen war. Zum Glück verhielt McKenzie sich wie eh und je.

Die Sache mit der Schwangerschaft würde sie ganz emotionslos angehen. Wie Zucht eben. Bei diesem Gedanken untersagte sie sich das albere, hysterische Kichern. Albernheit war nicht angebracht. Stattdessen hieß es nüchtern nachzudenken, wer als Vater des Kindes in Frage kam. Dies war zum einen eine Sache der Diskretion, vor allem aber der Vererbung. Die Wardens, allen voran Gerald, dürften auf keinen Fall Zweifel daran hegen, dass der Erbe von ihrem Blut war. Bei Lucas sah die Sache schon anders aus, aber wenn er vernünftig war, würde er Stillschweigen wahren. Darüber machte Gwyneira sich ohnehin wenig Sorgen. Sie hatte ihren Gatten zwar als übervorsichtig, steif und wenig belastbar kennen gelernt, aber unvernünftig hatte er sich nie gezeigt. Zudem war es in seinem ureigensten Interesse, dass die Anspielungen und Frotzeleien der anderen auf ihre und seine Kosten endlich aufhörten.

Gwyneira begann also die nüchterne Überlegung, wie ein Kind von ihr und Lucas aussehen würde. Ihre Mutter und all ihre Schwestern waren rothaarig; das schien sich also zu vererben. Lucas war hellblond, James jedoch braunhaarig … aber Gerald war ebenfalls braunhaarig. Und er hatte braune Augen. Wenn das Kind also nach James käme, konnte man behaupten, es sähe seinem Großvater ähnlich.

Augenfarbe: Blau und grau ... und braun, wenn man Gerald mitrechnete. Körperbau ... das passte. James und Lucas waren ungefähr gleich groß, Gerald deutlich kleiner und gedrungener. Sie selbst war auch wesentlich kleiner. Aber es würde bestimmt ein Junge werden, und sicher kam er auf seinen Vater. Jetzt musste sie James nur noch dazu bringen ... aber wieso eigentlich James? Gwyneira beschloss, die Entscheidung noch ein wenig herauszuschieben. Vielleicht würde ihr Herz morgen ja nicht mehr so heftig klopfen, wenn sie an James McKenzie dachte.

Am nächsten Tag kam sie zu dem Schluss, dass außer James eigentlich niemand als Vater ihres Kindes in Frage kam. Oder doch irgendein Fremder? Sie dachte an die »lonesome Cowboys« aus den Groschenheften. Die kamen und gingen und würden nie von dem Kind erfahren, wenn sie sich ihnen irgendwo im Heu hingäbe ... Ein Schafscherer vielleicht? Nein, das brächte sie nicht über sich. Außerdem kamen die Schafscherer jedes Jahr wieder. Nicht auszudenken, wenn der Mann plauderte, sich vielleicht noch damit brüstete, dass er mit der Herrin von Kiward Station geschlafen hatte. Nein, das kam nicht in Frage. Sie brauchte einen ihr bekannten, verständnisvollen, diskreten Mann, der dem Kind obendrein nur das Beste zu vererben hatte.

Gwyneira ließ sämtliche Bewerber noch einmal nüchtern Revue passieren. Gefühle, redete sie sich ein, spielten dabei keine Rolle.

Ihre Wahl fiel auf James.

# 10

»Also, zunächst mal ... Ich bin nicht in Sie verliebt!«

Gwyneira wusste nicht, ob das ein guter Anfang war, aber es rutschte ihr einfach so heraus, als sie endlich mit James McKenzie allein war. Seit dem Fest war ungefähr eine Woche vergangen. Die letzten Gäste waren gestern erst abgereist, und heute konnte Gwyneira sich endlich wieder unbesorgt aufs Pferd schwingen. Lucas hatte ein neues Bild begonnen. Der bunt beleuchtete Garten hatte ihn inspiriert, und nun arbeitete er an einer Festszene. Gerald hatte die letzten Tage fast nur getrunken und schlief jetzt seinen Rausch aus – und McKenzie ritt ins Hochland, um die Schafe zurückzubringen, die für die Schauvorführungen eingetrieben worden waren. Die Hunde hatten ihre Kunst während der letzten Woche noch mehrfach zeigen müssen, und insgesamt hatten fünf Gäste zusammen acht Welpen erworben. Cleos Kinder waren allerdings nicht darunter; sie blieben als Zuchttiere auf Kiward Station und begleiteten ihre Mutter jetzt beim Treiben der Schafe. Zwar stolperten sie manchmal noch über ihre eigenen Beine, doch ihr Talent war unverkennbar.

James hatte sich gefreut, als Gwyneira sich ihm beim Schaftrieb anschloss. Doch er wurde wachsam, als sie schweigend neben ihm ritt und dann erst einmal tief Luft holte, um das Gespräch zu beginnen. Was sie sagte, schien ihn zu belustigen.

»Natürlich sind Sie nicht in mich verliebt, Miss Gwyn. Wie könnte ich auf diesen Gedanken kommen«, meinte er und unterdrückte ein Lächeln.

»Machen Sie sich nicht über mich lustig, Mr. James! Ich muss etwas sehr Ernstes mit Ihnen besprechen ...«

McKenzie schaute betroffen. »Habe ich Sie verletzt? Das wollte ich nicht. Ich dachte, es wäre auch in Ihrem Sinne … mit dem Kuss, meine ich. Aber wenn Sie wollen, dass ich gehe …«

»Vergessen Sie den Kuss«, sagte Gwyneira. »Es geht um etwas ganz anderes, Mr. James … äh, James. Ich … wollte Sie um Hilfe bitten.«

McKenzie hielt sein Pferd an. »Was immer Sie wünschen, Miss Gwyn. Ich würde Ihnen nie etwas abschlagen.«

Er sah ihr fest in die Augen, was es ihr schwer machte, weiterzusprechen.

»Aber es ist ziemlich … es ist nicht schicklich.«

James lächelte. »Ich habe es nicht so mit der Schicklichkeit. Ich bin kein Gentleman, Miss Gwyn. Ich glaube, darüber hatten wir schon mal gesprochen.«

»Das ist schade, Mr. James, weil nämlich … Worum ich Sie bitten wollte … es bedarf der Diskretion eines Gentlemans.«

Gwyneira wurde jetzt schon rot. Wie sollte das erst werden, wenn sie gleich deutlicher wurde?

»Vielleicht genügt ja ein Ehrenmann«, schlug James vor. »Jemand, der seine Versprechen hält.«

Gwyneira überlegte. Dann nickte sie.

»Dann müssen Sie mir versprechen, niemandem zu sagen, ob Sie … wir … es nun machen oder nicht.«

»Ihr Wunsch ist mir Befehl. Ich werde tun, was immer Sie von mir verlangen.« James hatte wieder dieses Glitzern in den Augen, das heute aber nicht fröhlich und mutwillig, sondern fast ein Flehen war.

»Das ist aber sehr unvorsichtig«, tadelte Gwyneira. »Sie wissen doch noch gar nicht, was ich will. Stellen Sie sich vor, ich würde einen Mord von Ihnen verlangen.«

James musste lachen. »Nun kommen Sie schon raus mit der Sprache, Gwyn! Was wollen Sie? Soll ich Ihren Mann umbringen? Das wäre eine Überlegung wert. Dann hätte ich Sie anschließend für mich.«

Gwyn warf ihm einen entsetzten Blick zu. »Sagen Sie nicht so was! Das ist ja schrecklich!«

»Der Gedanke, Ihren Mann umzubringen oder mir zu gehören?«

»Nichts ... beides ... ach, jetzt haben Sie mich völlig durcheinander gebracht!« Gwyneira war nahe daran, aufzugeben.

James pfiff den Hunden, hielt sein Pferd an und stieg ab. Dann half er Gwyneira aus dem Sattel. Sie ließ es zu. Es war erregend, aber auch tröstlich, seine Arme zu spüren.

»So, Gwyn. Jetzt setzen wir uns hierher, und Sie erzählen mir in aller Ruhe, was Sie auf dem Herzen haben. Und dann kann ich Ja oder Nein sagen. Und ich werde nicht lachen, versprochen!«

McKenzie löste eine Decke von seinem Sattel, breitete sie aus und bot Gwyneira den Sitz an.

»Also schön«, sagte sie leise. »Ich muss ein Kind bekommen.«

James lächelte. »Dazu kann niemand Sie zwingen.«

»Ich *will* ein Kind bekommen«, verbesserte sich Gwyneira. »Und ich brauche einen Vater.«

James runzelte die Stirn. »Ich verstehe nicht ... Sie sind doch verheiratet.«

Gwyneira spürte seine Nähe und die Wärme des Bodens unter ihr. Es war schön, hier in der Sonne zu sitzen, und es war gut, es endlich auszusprechen. Doch sie konnte nicht verhindern, dass sie dabei in Tränen ausbrach.

»Lucas ... er schafft es nicht. Er ist ein ... nein, das kann ich nicht sagen. Jedenfalls ... ich habe noch nie dabei geblutet, und es hat auch nie wehgetan.«

McKenzie lächelte und legte sanft den Arm um sie. Vorsichtig küsste er sie auf die Schläfe. »Ich kann dir nicht garantieren, Gwyn, dass es wehtut. Es wäre mir lieber, es gefiele dir.«

»Hauptsache, du machst es richtig, damit ich ein Kind bekomme«, flüsterte Gwyneira.

James küsste sie noch einmal. »Du kannst mir vertrauen.«

»Du hast es also schon mal gemacht?«, fragte Gwyn ernsthaft.

James musste sich das Lachen verbeißen. »Schon öfter, Gwyn. Wie gesagt, ich bin kein Gentleman.«

»Gut. Es muss nämlich schnell gehen. Das Risiko ist zu groß, dass wir entdeckt werden. Wann machen wir es? Und wo?«

James streichelte ihr Haar, küsste ihre Stirn und kitzelte ihre Oberlippe mit seiner Zunge.

»Es muss nicht schnell gehen, Gwyneira. Und du kannst ja auch nicht sicher sein, dass es beim ersten Mal funktioniert. Auch dann nicht, wenn wir alles richtig machen.«

Gwyn schaute argwöhnisch. »Warum nicht?«

James seufzte. »Schau mal, Gwyn, du kennst dich doch mit Tieren aus ... Wie ist das bei einer Stute und einem Hengst?«

Sie nickte. »Wenn es an der Zeit ist, genügt ein einziger Sprung.«

»Wenn es an der Zeit ist. Das ist es eben.«

»Der Hengst merkt das ... Soll das heißen, du merkst es nicht?«

James wusste nicht, ob er lachen oder beleidigt sein sollte. »Nein, Gwyneira. Menschen sind da anders. Wir haben immer Freude an der Liebe, nicht nur an den Tagen, an denen die Frau schwanger werden kann. Es kann also sein, dass wir es öfter versuchen müssen.«

James sah sich um. Ihr Lagerplatz war gut gewählt, schon ziemlich weit im Hochland. Niemand würde hier vorbeikommen. Die Schafherde hatte sich zum Grasen verteilt, die Hunde hielten ein Auge darauf. Die Pferde hatte er an einen Baum gebunden, der ihnen auch Schatten spenden konnte.

James stand auf und reichte Gwyneira die Hand. Als sie sich verwundert erhob, breitete er die Decke im Halbschatten aus. Er umarmte Gwyneira, hob sie hoch und bettete sie auf die Decke. Vorsichtig öffnete er die Bluse, die sie zu ihrem leichten Reitrock trug, und küsste sie. Seine Küsse setzten sie in Flammen, und seine Berührungen an ihren intimsten Körperstellen lösten Empfindungen aus, wie Gwyneira sie nie zuvor erlebt hatte und die sie in Welten der Glückseligkeit entführten. Als er schließlich in sie eindrang, spürte sie einen kurzen Schmerz, der dann aber von einem Taumel der Sinne abgelöst wurde. Es war, als hätten sie einander schon immer gesucht und nun endlich gefunden – eine Erweiterung der »Seelenverwandtschaft«, über die er neulich gespottet hatte. Schließlich lagen sie nebeneinander, halb nackt und erschöpft, aber unendlich glücklich.

»Hast du was dagegen, wenn wir es mehrmals machen müssen?«, fragte James.

Gwyneira strahlte ihn an. »Ich würde sagen«, meinte sie, bemüht um den gebührenden Ernst, »wir machen es einfach so oft wie nötig.«

Sie taten es, wann immer sie eine Möglichkeit dazu fanden. Besonders Gwyneira lebte in der Furcht vor Entdeckung und hielt sich lieber zurück, als auch nur das geringste Risiko einzugehen. Gute Ausreden, gemeinsam zu verschwinden, fanden sich allerdings nur selten, und so dauerte es ein paar Wochen, bis Gwyneira schwanger war. Es waren die glücklichsten Wochen ihres Lebens.

Wenn es regnete, liebte James sie in den Scherschuppen, die jetzt nach der Schur verwaist waren. Sie hielten sich in den Armen und lauschten den Regentropfen auf dem Dach, schmiegten sich aneinander und erzählten sich Geschichten. James lachte über die Maori-Legende von *rangi* und *papa* und schlug dann vor, sich noch einmal zu lieben, um die Götter zu trösten.

Wenn die Sonne schien, liebten sie sich im goldenen, seidigen Tussack-Gras in den Hügeln, untermalt vom gleichmäßigen Kaugeräusch der Pferde, die in ihrer Nähe grasten. Sie küssten sich im Schatten der gewaltigen Steine auf den Plains, und Gwyneira erzählte von den verzauberten Soldaten, während James behauptete, die Steinkreise in Wales gehörten zu einem Liebeszauber.

»Kennst du die Sage von Tristan und Iseult? Sie liebten einander, doch ihr Mann durfte es nicht wissen, und so ließen die Elfen einen Kreis aus Felsen um ihr Lager in den Feldern wachsen, um sie den Blicken der Welt zu entziehen.«

Sie liebten sich am Ufer eiskalter, glasklarer Gebirgsseen, und einmal konnte James Gwyneira sogar dazu überreden, sich gänzlich zu entkleiden und mit ihm ins Wasser zu steigen. Gwyn wurde über und über rot. Sie konnte sich nicht erinnern, seit ihrer Kindheit jemals völlig nackt gewesen zu sein. Doch James sagte ihr, sie sei so schön, dass *rangi* eifersüchtig würde, wenn sie weiter auf *papas* festem Boden stehen bliebe, und zog sie ins Wasser, wo sie sich schreiend an ihn klammerte.

»Kannst du etwa nicht schwimmen?«, erkundigte er sich ungläubig.

Gwyneira spuckte Wasser. »Wo hätte ich das lernen sollen? In der Badewanne in Silkham Manor?«

»Du bist auf einem Schiff um die halbe Welt gereist und konntest nicht schwimmen?« James schüttelte den Kopf, hielt sie jetzt aber sicher fest. »Hast du dich denn nicht gefürchtet?«

»Ich hätte mich mehr gefürchtet, wenn ich hätte schwimmen müssen! Und jetzt hör auf zu reden, sondern bring es mir bei! So schwer kann's ja nicht sein. Selbst Cleo kann es!«

Gwyneira lernte in kürzester Zeit, sich über Wasser zu halten, und lag dann erschöpft und ausgekühlt am Seeufer, während James Fische fing und sie gleich am offenen Feuer briet. Gwyneira fand es herrlich, wenn er irgendwo im Busch etwas

Essbares fand und es ihr direkt servierte. Sie nannte es ihr »Überleben in der Wildnis«-Spiel, und James verstand sich hervorragend darauf. Der Busch schien für ihn eine einzige Speisekammer zu sein. Er schoss Vögel und Kaninchen, fing Fische und sammelte Wurzeln und seltsame Früchte. Damit glich er dem Pionier in Gwyns Träumen. Manchmal dachte sie darüber nach, wie es wäre, mit ihm verheiratet zu sein und eine kleine Farm zu führen wie Helen und Howard. James würde sie nicht den ganzen Tag allein lassen, sondern alle Arbeiten mit ihr teilen. Wieder träumte sie vom Pflügen mit dem Pferd, von gemeinsamer Arbeit im Garten und davon, wie James einem kleinen Jungen mit rotem Haar das Angeln beibrachte.

Natürlich vernachlässigte sie Helen bei all dem sträflich, doch Helen sagte nichts dazu, wenn Gwyn mit glücklicher Miene, aber grasfleckigem Kleid bei ihr auftauchte, nachdem James weiter ins Hochland geritten war. »Ich muss nach Haldon reiten, aber hilf mir bitte erst, mein Kleid auszubürsten. Irgendwie ist es schmutzig geworden ...«

Angeblich ritt Gwyn bis zu drei-, viermal in der Woche nach Haldon. Sie behauptete, sich dem Hausfrauenclub angeschlossen zu haben. Gerald war erfreut darüber, kam sie doch öfter mit neuen Kochrezepten zurück, die sie rasch bei Mrs. Candler erfragt hatte. Lucas schien es eher befremdlich zu finden, aber auch er hatte keine Einwände; er war ohnehin froh, wenn man ihn in Ruhe ließ.

Gwyneira schob Damenkränzchen als Vorwand vor, James ausgebrochene Schafe. Sie dachten sich Namen für ihre bevorzugten Treffpunkte im Busch aus und warteten dort aufeinander, liebten sich vor der gewaltigen Kulisse der Alpen an klaren Tagen oder unter einem provisorischen Zelt aus James' Wachsmantel im Nebel. Gwyn tat, als erbebte sie schamhaft unter den neugierigen Blicken eines Kea-Pärchens, das die Reste ihres Picknicks stibitzte, und einmal setzte James halb nackt zwei Kiwis nach, die sich eben mit seiner Gürtelschnalle aus dem Staub machen wollten.

»Diebisch wie Elstern!«, rief er lachend. »Kein Wunder, dass man die Einwanderer nach ihnen benannt hat ...«

Gwyn schaute verwundert zu ihm auf. »Die meisten Einwanderer, die ich kenne, sind sehr ehrenwerte Leute«, wandte sie ein.

James nickte grimmig. »Anderen Einwanderern gegenüber. Aber sieh dir an, wie sie sich gegenüber den Maoris benehmen. Glaubst du, das Land für Kiward Station wurde reell bezahlt?«

»Gehört seit dem Vertrag von Waitangi nicht alles Land der Krone?«, erkundigte sich Gwyneira. »Die Königin wird sich doch wohl nicht übervorteilen lassen!«

James lachte. »Das ist unwahrscheinlich. Nach allem, was man so hört, ist sie sehr geschäftstüchtig. Aber das Land gehört deshalb immer noch den Maoris. Die Krone hat nur Vorkaufsrecht. Das garantiert den Leuten natürlich einen gewissen Mindestpreis. Aber zum einen ist das auch nicht die Welt, und zweitens haben längst nicht alle Häuptlinge den Vertrag unterschrieben. Die Kai Tahu zum Beispiel meines Wissens nicht ...«

»Die Kai Tahu sind unsere Leute?«, fragte Gwyn.

»Da hast du es schon«, bemerkte James. »Sie sind natürlich nicht ›eure Leute‹. Sie haben Mr. Gerald nur fahrlässig das Land verkauft, auf dem ihr Dorf liegt, weil sie sich täuschen ließen. Das allein zeigt schon, dass man die Maoris nicht fair behandelt hat.«

»Aber sie scheinen doch ganz zufrieden«, wandte Gwyn ein. »Zu mir sind sie immer sehr nett. Und oft sind sie gar nicht da.« Wie sich herausgestellt hatte, begaben sich mitunter ganze Maori-Stämme auf längere Wanderschaften in andere Jagdgebiete oder Fischgründe.

»Sie sind noch nicht dahintergekommen, um wie viel Geld

man sie geprellt hat«, meinte James. »Aber das Ganze ist ein Pulverfass. Wenn die Maoris irgendwann einen Häuptling haben, der lesen und schreiben lernt, gibt es Ärger. Aber jetzt vergiss das, meine Süße. Sollen wir es noch mal versuchen?«

Gwyn lachte ausgelassen über die Formulierung. Genau so leitete ja auch Lucas ihre Bemühungen im Ehebett ein. Aber was für ein Unterschied bestand zwischen Lucas und James!

Gwyneira lernte die körperliche Liebe immer mehr zu genießen, je öfter sie mit James zusammen war. Er war anfänglich zärtlich und sanft, doch als er merkte, dass in Gwyn die Leidenschaft erwachte, spielte er gern mit der endlich erweckten Tigerin. Gwyneira hatte wilde Spiele immer gemocht, und jetzt liebte sie es, wenn James sich schnell in ihr bewegte und den gemeinsamen intimen Tanz zu einem Crescendo der Leidenschaft werden ließ. Mit jedem neuen Zusammentreffen warf sie Bedenken in Sachen Schicklichkeit über Bord.

»Geht es auch, wenn ich auf dir liege, statt umgekehrt?«, fragte sie irgendwann. »Du bist ziemlich schwer, weißt du ...«

»Du bist zum Reiten geboren«, sagte James lachend. »Das habe ich immer gewusst. Versuch es mit Sitzen, dann hast du mehr Bewegungsfreiheit.«

»Woher weißt du das eigentlich alles?«, fragte Gwyn argwöhnisch, als sie später berauscht und glücklich den Kopf an seine Schulter schmiegte und der Aufruhr in ihrem Innern allmählich verebbte.

»Das willst du nicht wirklich wissen«, wich er aus.

»Doch. Hast du schon mal ein Mädchen geliebt? Ich meine, so richtig von Herzen ... so sehr, dass du für sie hättest sterben wollen, wie es in den Büchern steht?« Gwyneira seufzte.

»Nein, bis jetzt noch nicht. Wobei man von der Liebe seines Lebens auch selten etwas Diesbezügliches lernen kann. Das ist eher ein Unterricht, für den man bezahlt.«

»Männer können sich in so was unterweisen lassen?«,

wunderte sich Gwyn. Das musste der einzige Unterricht sein, den Lucas jemals geschwänzt hatte. »Und Mädchen wirft man einfach ins kalte Wasser? Im Ernst, James, niemand sagt uns, was uns erwartet.«

James lachte. »Oh, Gwyn, du bist so unschuldig, aber du hast Sinn für das Wesentliche. Ich könnte mir vorstellen, die Lehrerstellen wären hier heiß begehrt.« In der nächsten Viertelstunde erteilte er ihr eine Lektion über käufliche Liebe. Gwyn schwankte zwischen Widerwillen und Faszination.

»Die Mädchen verdienen jedenfalls ihr eigenes Geld«, sagte sie schließlich. »Aber ich würde darauf bestehen, dass die Freier sich vorher waschen!«

Als im dritten Monat ihre Periode aussetzte, konnte Gwyn es kaum glauben. Natürlich hatte sie auch vorher schon Anzeichen bemerkt – ihre Brüste spannten, und sie neigte zu Heißhungerattacken, wenn nicht gerade ein Kohlgericht auf dem Tisch stand. Jetzt aber war sie ganz sicher, und ihr erster Impuls war Freude. Aber dann folgte gleich das bittere Gefühl des bevorstehenden Verlustes. Sie war schwanger, also gab es keinen Grund, ihren Gatten weiterhin zu betrügen. Auch wenn der Gedanke, James nie wieder zu berühren, nie wieder nackt neben ihm zu liegen, ihn zu küssen, ihn in sich zu spüren und beim Höhepunkt vor Lust aufzuschreien, ihr wie ein Messer ins Herz schnitt.

Gwyneira brachte es nicht über sich, James ihr Wissen gleich zu enthüllen. Zwei Tage lang behielt sie es für sich und bewahrte James' verstohlene, zärtliche Blicke im Alltag wie einen Schatz. Nie wieder würde er ihr jetzt geheimnisvoll zuzwinkern. Nie wieder beiläufig »Guten Tag, Miss Gwyn« oder »Aber sicher, Miss Gwyn«, murmeln, wenn sie einander in Gesellschaft trafen.

Nie wieder würde er ihr einen raschen Kuss rauben, wenn

gerade niemand hinsah, und nie wieder würde sie ihn dafür tadeln, solche Risiken einzugehen.

Sie zögerte den Augenblick der Wahrheit immer weiter hinaus.

Dann aber ging es nicht mehr anders. Gwyneira war eben vom Reiten zurückgekommen, als James ihr winkte und sie lächelnd in eine leere Pferdebox zog. Er wollte sie küssen, doch Gwyn entzog sich seiner Umarmung.

»Nicht hier, James …«

»Aber morgen, im Ring der steinernen Krieger. Ich treibe die Mutterschafe aus. Wenn du magst, kannst du mitkommen. Ich habe Mr. Gerald gegenüber schon erwähnt, dass ich Cleo gut brauchen könnte.« Er zwinkerte ihr vielsagend zu. »Das war nicht mal gelogen. Wir überlassen ihr und Daimon die Schafe, und wir zwei spielen ein bisschen ›Überleben in der Wildnis‹.«

»Tut mir Leid, James.« Gwyn wusste nicht, wie sie es anfangen sollte. »Aber das geht nicht mehr …«

James runzelte die Stirn. »Was geht nicht mehr? Hast du morgen keine Zeit? Kommt wieder ein Besucher? Mr. Gerald hat gar nichts gesagt …«

Gerald Warden schien sich in den letzten Monaten zunehmend einsam zu fühlen. Auf jeden Fall lud er immer häufiger Leute nach Kiward Station ein, oft Wollhändler oder betuchte Neusiedler, denen er tagsüber seine Musterfarm vorführen konnte und die abends mit ihm zechten.

Gwyneira schüttelte den Kopf. »Nein, James, es ist nur … Ich bin schwanger.« Jetzt war es heraus.

»Du bist schwanger? Das ist ja wundervoll!« Spontan nahm James sie in die Arme und schwenkte sie herum. »Oh ja, du hast auch schon zugenommen«, neckte er sie. »Bald werde ich euch beide nicht mehr hochheben können.«

Als er sah, dass sie nicht lächelte, wurde er schlagartig ernst. »Was ist, Gwyn? Freust du dich denn gar nicht?«

»Natürlich freue ich mich«, sagte Gwyn und wurde rot. »Aber es tut mir auch ein bisschen Leid. Es ... es hat mir Spaß gemacht mit dir.«

James lachte. »Also gibt es vorerst keinen Grund, damit aufzuhören.« Er wollte sie küssen, doch sie wehrte ihn ab.

»Es geht nicht um Lust!«, sagte sie heftig. »Es geht um Moral. Wir dürfen es nicht mehr.« Sie sah ihn an. In ihrem Blick stand Trauer, aber auch Entschlossenheit.

»Gwyn, verstehe ich das richtig?«, fragte James betroffen. »Du willst Schluss machen, alles wegwerfen, was wir gemeinsam hatten? Ich dachte, du liebst mich!«

»Um Liebe geht es doch gar nicht«, sagte Gwyneira leise. »Ich bin verheiratet, James. Ich darf keinen anderen Mann lieben. Und wir waren uns doch von Anfang an einig, dass du mir nur helfen willst, meine ... meine Ehe mit einem Kind zu segnen.« Sie hasste es, so pathetisch zu klingen, aber sie wusste nicht, wie sie es sonst ausdrücken sollte. Und sie wollte auf keinen Fall weinen.

»Gwyneira, ich liebe dich, seit ich dich zum ersten Mal gesehen habe. Das ist einfach ... passiert, so wie es regnet oder die Sonne scheint. Man kann es nicht ändern.«

»Bei Regen kann man sich unterstellen«, sagte Gwyneira leise. »Und bei Sonne in den Schatten gehen. Ich kann Regen und Hitze nicht verhindern, aber ich muss nicht nass werden oder mir die Haut verbrennen ...«

James zog sie an sich. »Gwyneira, du liebst mich doch auch. Komm mit mir. Wir gehen weg von hier und fangen irgendwo anders neu an ...«

»Und wohin gehen wir, James?«, fragte sie spöttisch, um nicht verzweifelt zu klingen. »Auf welcher Schaffarm willst du arbeiten, wenn erst bekannt wird, dass du Lucas' Wardens Frau entführt hast? Die ganze Südinsel kennt die Wardens. Glaubst du, Gerald lässt dich damit durchkommen?«

»Bist du mit Gerald verheiratet oder mit Lucas? Und egal

wer von den beiden – gegen mich hat weder der eine noch der andere eine Chance!« James ballte die Fäuste.

»Ach ja? Und in welcher Disziplin willst du dich mit ihnen messen? Faustkampf oder Pistolenschießen? Und dann fliehen wir in die Wildnis und leben von Nüssen und Beeren?« Gwyneira hasste es, mit ihm zu streiten. Sie hatte sich gewünscht, alles friedlich mit einem Kuss zum Abschluss zu bringen – bittersüß und schicksalsschwer wie ein Roman von Bulwer-Lytton.

»Du magst doch das Leben in der Wildnis. Oder hast du gelogen? Liegt dir doch mehr am Luxus hier auf Kiward Station? Ist es dir wichtig, die Frau eines Schaf-Barons zu sein, große Feste zu geben, reich zu sein?« James versuchte, wütend zu klingen, doch aus seinen Worten sprach eher Verbitterung.

Gwyneira fühlte sich plötzlich müde. »James, lass uns nicht streiten. Du weißt, dass mir das alles nichts bedeutet. Aber ich habe mein Wort gegeben. Ich bin die Frau eines Schaf-Barons. Aber ich würde es ebenso halten, wenn ich die Frau eines Bettlers wäre.«

»Du hast dein Wort gebrochen, als du das Bett mit mir geteilt hast!«, fuhr James auf. »Du hast deinen Mann schon betrogen!«

Gwyneira trat einen Schritt zurück. »Ich habe nie das Bett mit dir geteilt, James McKenzie«, sagte sie. »Das weißt du ganz genau. Ich hätte dich niemals ins Haus geholt, das ... das wäre ... So war es jedenfalls etwas ganz anderes.«

»Und was war es? Gwyneira, bitte! Sag mir nicht, dass du mich nur benutzt hast wie ein Tier zur Zucht.«

Gwyn wollte das Gespräch nur noch beenden. Sie konnte seinen flehenden Blick nicht länger ertragen.

»Ich habe dich gefragt, James«, sagte sie sanft. »Du warst einverstanden. Zu allen Bedingungen. Und es geht nicht um das, was ich will. Es geht um das, was richtig ist. Ich bin eine

Silkham, James. Ich kann vor meinen Verpflichtungen nicht weglaufen. Versteh es oder versteh es nicht. Auf jeden Fall lässt es sich nicht ändern. Von nun an …«

»Gwyneira? Was ist los? Wolltest du nicht schon vor einer Viertelstunde bei mir sein?«

Gwyn und James fuhren auseinander, als Lucas den Stall betrat. Er ließ sich hier selten aus freien Stücken sehen, doch gestern hatte Gwyn ihm versprochen, ihm ab heute endlich für ein Ölgemälde Modell zu sitzen – eigentlich vor allem deshalb, weil er ihr Leid tat, denn Gerald hatte ihn wieder mal heruntergeputzt, und Gwyn wusste, dass sie all diese Qual mit einem Wort beenden konnte. Aber sie brachte es nicht über sich, von ihrer Schwangerschaft zu sprechen, bevor sie es James erzählt hatte. So hatte sie sich etwas anderes ausgedacht, um Lucas zu trösten. Zumal sie in den nächsten Monaten ja reichlich Zeit und Muße haben würde, still auf einem Stuhl zu sitzen.

»Ich komme, Lucas. Ich hatte nur ein … ein kleines Problem, und Mr. McKenzie hat mir geholfen. Vielen Dank, Mr. James.« Gwyneira hoffte, nicht zu erhitzt und erregt auszusehen, doch es gelang ihr immerhin, ruhig zu sprechen und James unverfänglich anzulächeln. Wenn James seine Gefühle nur auch so gut unter Kontrolle gehabt hätte! Doch seine verzweifelte, verletzte Miene zerriss ihr das Herz.

Lucas bemerkte es zum Glück nicht. Er sah nur das Bild vor sich, das er gleich von Gwyneira entwerfen würde.

Am Abend berichtete sie Lucas und Gerald von ihrer Schwangerschaft.

Gerald Warden war überglücklich. Lucas tat seiner Pflicht als Gentleman Genüge, indem er Gwyneira versicherte, hocherfreut zu sein, und sie förmlich auf die Wange küsste. Einige Tage später traf aus Christchurch ein Schmuckstück ein, ein wertvolles Perlencollier. Lucas überreichte es Gwyneira als Zeichen seiner Anerkennung und Wertschätzung. Gerald ritt nach Haldon, um zu feiern, dass er endlich Großvater wurde, und hielt den gesamten Pub eine Nacht lang aus – mit Ausnahme von Howard O'Keefe, der zum Glück nüchtern genug war, schnellstens das Feld zu räumen. Über ihn erfuhr Helen von Gwyneiras Schwangerschaft, deren öffentliche Ankündigung sie mehr als peinlich fand.

»Meinst du, mir ist das nicht peinlich?«, fragte Gwyn, als sie Helen zwei Tage später besuchte und feststellte, dass die Freundin die Neuigkeit schon kannte. »Aber so ist er eben. Das genaue Gegenteil von Lucas! Man möchte nicht meinen, dass die beiden verwandt sind.« Sie biss sich auf die Lippen, kaum dass sie es ausgesprochen hatte.

Helen lächelte. »Solange sie nur selbst davon überzeugt sind ...«, sagte sie vieldeutig.

Gwyn lächelte. »Jedenfalls ist es jetzt endlich so weit. Du musst mir genau erzählen, wie ich mich in den nächsten Monaten zu fühlen habe, damit ich ja nichts falsch mache. Und ich sollte Babykleider häkeln. Glaubst du, das kann man in neun Monaten lernen?«

# 11

Gwyneiras Schwangerschaft verlief ohne jegliche Zwischenfälle. Sogar die berühmte Übelkeit in den ersten drei Monaten fiel glimpflich aus. So nahm sie auch die Warnungen ihrer Mutter nicht ernst, die sie praktisch seit ihrer Eheschließung beschwor, nun doch um Himmels willen mit dem Reiten aufzuhören. Stattdessen nutzte Gwyn fast jeden schönen Tag, um Helen oder Mrs. Candler zu besuchen – und damit James McKenzie aus dem Weg zu gehen. Anfangs schmerzte jeder Blick, den sie auf ihn richtete, und soweit es eben ging, versuchten beide, sich gar nicht erst zu begegnen. Wenn sie aber doch aufeinander trafen, schauten beide betreten weg, bemüht, den Schmerz und die Trauer in den Augen des anderen nicht sehen zu müssen.

So verbrachte Gwyn viel Zeit mit Helen und dem kleinen Ruben, lernte ihn zu wickeln und Wiegenlieder zu singen, während Helen Babyjäckchen für Gwyneira strickte.

»Bloß kein Rosa!«, bemerkte Gwyn entsetzt, als Helen einen bunten Strampler in Angriff nahm, um Wollreste zu verbrauchen. »Es wird doch ein Junge!«

»Woher willst du das denn wissen?«, erwiderte Helen. »Und ein Mädchen wäre doch auch nett.«

Gwyneira graute vor der Vorstellung, den erwünschten männlichen Erben nicht liefern zu können. Sie selbst hatte sich eigentlich noch nie über ein Kind Gedanken gemacht. Erst jetzt, da sie sich um Ruben kümmerte und täglich miterlebte, dass der Winzling schon ziemlich genaue Vorstellungen davon hatte, was er mochte und was nicht, wurde ihr klar, dass sie nicht einfach den Erben von Kiward Station in sich trug. Was da wuchs, war ein kleines Wesen mit einer einzigartigen Persönlichkeit, das durchaus weiblich sein konnte – und das sie jetzt schon dazu verurteilt hatte, mit einer Lüge zu leben. Wenn Gwyneira zu viel nachdachte, spürte sie Gewissensbisse gegenüber dem Kind, das seinen wirklichen Vater nie kennen lernen sollte. Also grübelte sie besser gar nicht erst, sondern half Helen bei deren schier endloser Hausarbeit – Gwyneira konnte melken – und in der Schule der Maori-Kinder, die immer größer wurde. Helen unterrichtete jetzt zwei Klassen, und zu ihrer Verwunderung traf Gwyn drei der Nackedeis wieder, die sonst im See von Kiward Station planschten.

»Die Söhne vom Häuptling und seinem Bruder«, erklärte Helen. »Ihre Väter wollen, dass sie etwas lernen, deshalb haben sie die Kinder zu Verwandten in das hiesige Dorf geschickt. Ein ziemlicher Aufwand. Es fordert den Kindern einiges ab. Wenn sie Heimweh haben, gehen sie nach Hause – zu Fuß! Und der Kleine da hat dauernd Heimweh!«

Sie wies auf einen hübschen Jungen mit lockigen schwarzen Haaren.

Gwyneira fielen James' Bemerkungen zu den Maoris wieder ein und dass zu kluge Kinder den Weißen gefährlich werden könnten.

Helen zuckte die Schultern, als Gwyn ihr davon erzählte. »Wenn ich sie nicht unterrichte, tut es jemand anders. Und wenn es nicht diese Generation lernt, dann die nächste. Außerdem ist es ein Ding der Unmöglichkeit, Menschen die Bildung zu verweigern!«

»Nun reg dich nicht auf.« Gwyneira hob beschwichtigend die Hand. »Ich bin die Letzte, die dich hindert. Aber es wäre auch nicht gut, wenn es Krieg gäbe.«

»Ach, die Maoris sind friedlich«, winkte Helen ab. »Sie wollen von uns lernen. Ich glaube, sie haben erkannt, dass Zivilisation das Leben leichter macht. Außerdem ist es hier sowieso anders als in den sonstigen Kolonien. Die Maoris sind keine Ureinwohner. Sie sind selbst Einwanderer.«

»Im Ernst?« Gwyneira staunte. Davon hatte sie noch nie gehört.

»Ja. Natürlich sind sie schon viel, viel länger da als wir«, sagte Helen. »Aber nicht seit undenklichen Zeiten. Es heißt, sie kamen ungefähr Anfang des 14. Jahrhunderts. Mit sieben Doppelkanus, das wissen sie noch genau. Jede Familie kann ihre Herkunft auf die Besatzung eines dieser Kanus zurückverfolgen ...«

Helen sprach inzwischen recht gut Maori und lauschte Matahoruas Erzählungen mit zunehmendem Verständnis.

»Also gehört ihnen das Land auch nicht?«, fragte Gwyneira hoffnungsvoll.

Helen verdrehte die Augen. »Wenn es hart auf hart kommt, werden sich wahrscheinlich beide Teile auf das Recht des Entdeckers berufen. Hoffen wir, dass sie sich friedlich einigen. So, und jetzt bringe ich ihnen Rechnen bei – ob das meinem Gatten und deinem Mr. Gerald nun passt oder nicht.«

Sah man von der Kälte zwischen Gwyneira und James ab, war die Stimmung auf Kiward Station zurzeit ausgezeichnet. Gerald hatte die Aussicht auf seinen Enkel beflügelt. Er kümmerte sich wieder mehr um die Farm, verkaufte mehrere Zuchtwidder an andere Viehzüchter und verdiente damit gutes Geld. James nutzte die Gelegenheit, die Tiere zu ihren neuen Besitzern zu treiben, um tagelang von Kiward Station wegzubleiben. Er ließ auch weitere Rodungen durchführen, um mehr Weideland zu erschließen. Bei den Berechnungen, welche Flüsse sich zum Flößen nutzen ließen und welches Holz wertvoll war, machte sich sogar Lucas nützlich. Er klagte zwar über den Verlust der Wälder, protestierte aber nicht energisch – schließlich war er froh, dass Geralds Spott ihm gegenüber verstummt war. Die Frage, wie das Kind entstanden sein konnte, stellte er nie. Vielleicht hoffte er auf einen Zufall, vielleicht wollte er es einfach nicht wissen. Es gab ohnehin nicht allzu viel Zweisamkeit, die solche peinlichen Gespräche ermöglicht hätte. Lucas stellte seine nächtlichen Besuche sofort ein, nachdem Gwyneira ihre Schwangerschaft offenbart hatte. Seine »Versuche« hatten ihm also nie wirklich Lust bereitet. Dafür genoss er es, seine schöne Frau zu porträtieren. Gwyneira saß brav für ein Ölbild, und nicht einmal Gerald lästerte über dieses Unterfangen. Als Mutter der kommenden Generationen gebührte Gwyneiras Porträt ein Ehrenplatz neben dem Bild seiner Ehefrau Barbara. Das fertige Ölbild fanden dann auch alle sehr gelungen. Lucas selbst war nicht ganz zufrieden. Er fand, er habe Gwyneiras »geheimnisvollen Ausdruck« nicht perfekt getroffen, und auch der Lichteinfall erschien ihm nicht optimal. Doch alle Besucher lobten das Bild überschwänglich. Lord Brannigan bat Lucas sogar, auch ein Porträt seiner Lady zu malen. Gwyneira erfuhr, dass dafür in England gutes Geld bezahlt wurde, doch Lucas hätte es selbstverständlich als ehrenrührig empfunden, auch nur einen Penny von seinen Nachbarn und Freunden zu fordern.

Gwyn sah nicht ein, wo der Unterschied zwischen dem Verkauf eines Bildes und eines Schafes oder Pferdes lag, doch sie stritt sich nicht und vermerkte erleichtert, dass auch Gerald die mangelnde Geschäftstüchtigkeit seines Sohnes nicht tadelte. Im Gegenteil, er schien zum ersten Mal beinahe stolz auf Lucas zu sein. Im Haus herrschte eitel Sonnenschein und Harmonie.

Als die Geburt näher rückte, bemühte Gerald sich vergeblich um einen Arzt für Gwyneira, denn dies hätte bedeutet, dass Christchurch wochenlang ohne Mediziner gewesen wäre. Gwyn fand es gar nicht so schlimm, auf einen Arzt verzichten zu müssen. Nachdem sie Matahorua bei der Arbeit gesehen hatte, war sie jederzeit bereit, sich einer Maori-Hebamme anzuvertrauen. Doch Gerald erklärte dies für unannehmbar, und Lucas vertrat diese Ansicht sogar noch entschiedener.

»Es geht nicht an, dass irgendeine Wilde dich betreut! Du bist eine Lady und musst mit entsprechender Sorgfalt umhegt werden. Das Ganze ist ohnehin ein großes Risiko. Du solltest in Christchurch entbinden.«

Das wiederum brachte Gerald auf die Barrikaden. Der Erbe von Kiward Station, erklärte er, würde auf der Farm zur Welt kommen und nirgendwo sonst.

Gwyneira vertraute das Problem schließlich Mrs. Candler an, obwohl sie befürchtete, dass diese ihr daraufhin Dorothy anbieten würde. Die Händlersfrau tat das auch gleich, wusste darüber hinaus aber noch eine bessere Lösung.

»Unsere Hebamme hier in Haldon hat eine Tochter, die ihr oft zur Hand geht. Soweit ich weiß, hat sie auch schon allein Entbindungen vorgenommen. Fragen Sie doch einfach mal, ob sie bereit ist, ein paar Tage nach Kiward Station zu ziehen.«

Francine Hayward, die Tochter der Hebamme, erwies sich als aufgeweckte, optimistische Zwanzigjährige. Sie hatte volles blondes Haar und ein rundes, fröhliches Gesicht mit Stupsnase und auffallend hellgrünen Augen. Mit Gwyneira verstand sie sich auf Anhieb großartig. Die beiden waren schließlich fast gleichaltrig, und schon nach den ersten zwei Tassen Tee verriet Francine Gwyneira von ihrer heimlichen Liebe zum ältesten Sohn der Candlers, während Gwyneira ihr erzählte, dass sie als Mädchen von Cowboys und Indianern geträumt hatte.

»In einem der Romane kriegt eine Frau ein Kind, während die Rothäute das Haus umzingelt haben! Und sie ist dabei ganz allein mit ihrem Mann und ihrer Tochter ...«

»Na, so romantisch fände ich das nicht«, meinte Francine. »Im Gegenteil, es wäre mein Albtraum. Stell dir vor, wenn der

Mann ständig zwischen Schießstand und Windeln hin und her rennt und dabei abwechselnd ›Pressen, Liebling!‹ und ›Ich krieg dich, verdammte Rothaut!‹ ruft.«

Gwyneira kicherte. »So was käme meinem Mann im Angesicht einer Lady gar nicht über die Lippen. Wahrscheinlich würde er sagen: ›Entschuldige mich einen Moment, meine Liebe, ich muss rasch noch einen dieser Wilden eliminieren.‹«

Francine prustete los.

Da auch ihre Mutter mit dem Arrangement einverstanden war, ritt sie gleich am selben Abend hinter Gwyneira nach Kiward Station. Sie saß locker und furchtlos auf Igraines blankem Rücken, ließ Lucas' Tadel – »Was für ein Risiko, zu zweit zu reiten! Wir hätten die junge Dame abholen können!« – gelassen an sich ablaufen und bezog staunend eines der noblen Gästezimmer. In der nächsten Zeit genoss sie den Luxus, nichts tun zu müssen, außer Gwyneira bis zur Geburt des »Kronprinzen« Gesellschaft zu leisten. Dabei verschönerte sie eifrig die fertigen Strick- und Häkelarbeiten, indem sie goldene Krönchen darauf stickte.

»Du bist doch von Adel«, sagte sie, als Gwyneira erklärte, dass sie das peinlich fand. »Das Baby steht bestimmt irgendwo auf der Liste der britischen Thronfolger!«

Gwyneira hoffte, dass Gerald das nicht hörte. Sie hätte dem stolzen Großvater durchaus Anschläge auf das Leben der Königin und ihrer Nachkommen zugetraut. Vorerst aber beschränkte Gerald sich darauf, das Krönchen in das Brandzeichen von Kiward Station aufzunehmen. Er hatte vor kurzem ein paar Rinder gekauft und brauchte nun ein registriertes Zeichen. Lucas zeichnete auf Geralds Anweisung ein Wappen, in dem sich Gwyneiras Krönchen und ein Schutzschild vereinten, das Gerald aus dem Namen »Warden« herleitete – »Wächter«.

Francine war witzig und stets gut gelaunt. Ihre Gesellschaft tat Gwyneira gut; sie ließ keine Angst vor der Entbindung aufkommen. Stattdessen verspürte Gwyn eher einen Anflug von Eifersucht – Francine hatte den jungen Candler nämlich umgehend vergessen und wollte gar nicht aufhören, von James McKenzie zu schwärmen.

»Er interessiert sich für mich, bestimmt!«, sagte sie aufgeregt. »Jedes Mal, wenn er mich sieht, fragt er mich aus. Nach meiner Arbeit und danach, wie es dir geht. Es ist so süß! Und es ist offensichtlich, wie er nach Gesprächsstoff sucht, der mich interessiert! Weshalb sollte er sich sonst danach erkundigen, wann du wohl das Baby kriegst!«

Gwyneira fielen da einige Gründe ein, und sie fand es ziemlich riskant von James, sein Interesse so deutlich zu zeigen. Vor allem aber sehnte sie sich nach ihm und seiner tröstlichen Nähe. Sie hätte gern seine Hand auf ihrem Bauch gespürt und die atemlose Freude an den Bewegungen des Kindes in ihrem Leib mit ihm geteilt. Wann immer der Kleine »boxte«, dachte sie an sein glückliches Gesicht beim Anblick des neugeborenen Ruben und erinnerte sich an eine Szene im Pferdestall, als Igraine hoch tragend gewesen war.

»Fühlen Sie das Fohlen, Miss Gwyn?«, hatte er strahlend bemerkt. »Es bewegt sich. Sie müssen jetzt mit ihm sprechen, Miss Gwyn! Dann kennt es Ihre Stimme schon, wenn es auf die Welt kommt.«

Jetzt sprach sie mit ihrem Baby, dessen Nest schon so perfekt vorbereitet war. Seine Wiege stand neben ihrem Bett, ein Traum aus blauer und goldgelber Seide, von Kiri nach Lucas' Anweisungen errichtet. Sogar sein Name stand schon fest: Paul Gerald Terence Warden – Paul nach Geralds Vater.

»Den nächsten Sohn können wir dann nach deinem Großvater benennen, Gwyneira«, erklärte Gerald großzügig. »Aber ich möchte zuerst einmal eine gewisse Tradition begründen …«

Gwyneira war der Name im Grunde gleichgültig. Ihr wurde das Kind jetzt täglich schwerer; es war Zeit, dass es zur

Welt kam. Sie ertappte sich dabei, die Tage zu zählen und mit ihren Abenteuern im vergangenen Jahr zu vergleichen. »Wenn es heute kommt, wurde es am See gezeugt ... Wenn es bis nächste Woche wartet, ist es ein Nebelkind ... Ein kleiner Krieger, entstanden im Steinkreis ...« Gwyneira erinnerte sich an jede Nuance von James' Zärtlichkeiten, und manchmal weinte sie sich vor Sehnsucht in den Schlaf.

Die Wehen setzten an einem Tag im späten November ein, als das Wetter einem Junitag im fernen England entsprach. Nachdem es in den letzten Wochen oft geregnet hatte, ging an diesem Tag strahlend die Sonne auf, die Rosen im Garten erblühten, und die bunten Frühlingsblumen, die Gwyneira eigentlich viel mehr liebte, entfalteten ihre ganze Pracht.

»Wie hübsch das ist!«, schwärmte Francine, die den Frühstückstisch für ihren Schützling an dem Erkerfenster in Gwyneiras Räumen gedeckt hatte. »Ich muss meine Mutter unbedingt überreden, ein paar Blumen zu pflanzen, in unserem Garten wächst nur Gemüse. Aber immerhin gibt es einen Rata-Strauch.«

Gwyneira wollte gerade erwidern, dass sie sich gleich bei ihrer Ankunft in Neuseeland in diesen Strauch mit seiner verschwenderischen Fülle roter Blüten verliebt hatte, als sie den Schmerz spürte. Gleich darauf platzte die Fruchtblase.

Gwyneira hatte keine leichte Geburt. So gesund sie war, so gut entwickelt war auch ihre Unterleibsmuskulatur. Anders als ihre Mutter vermutete, hatte das viele Reiten nicht zu einer Fehlgeburt geführt, sondern erschwerte dem Kind eher den Durchgang durchs Becken. Francine versicherte ihr zwar ständig, dass alles in Ordnung sei und das Kind perfekt läge, aber das hinderte Gwyneira nicht daran zu schreien, sogar zu fluchen. Lucas hörte es ja nicht. Zum Glück weinte hier wenigstens niemand – Gwyn wusste nicht, ob sie Dorothys

Gejammer ausgehalten hätte. Kiri, die Francine zur Hand ging, blieb jedenfalls ruhig.

»Kind gesund. Gesagt Matahorua. Immer Recht.«

Vor der Wochenstube war dagegen die Hölle los. Gerald war zuerst angespannt, dann besorgt, und am Ende des Tages brüllte er jeden an, der sich ihm näherte, und betrank sich bis zur Bewusstlosigkeit. Die letzten Stunden der Geburt verschlief er in seinem Sessel im Salon. Lucas sorgte und betrank sich maßvoll, wie es seine Art war. Auch er schlummerte schließlich ein, doch sein Schlaf war nur leicht. Sobald sich im Flur vor Gwyneiras Gemächern etwas regte, hob er den Kopf, und Kiri musste ihn auch in der zweiten Hälfte der Nacht mehrmals auf den neuesten Stand der Dinge bringen.

»Mr. Lucas so aufmerksam!«, berichtete sie Gwyneira.

James McKenzie hingegen schlief nicht. Er verbrachte den Tag in äußerster Anspannung und schlich sich bei Nacht in den Garten vor Gwyneiras Fenster. So war er der Einzige, der ihre Schreie hörte. Hilflos, mit geballten Fäusten und Tränen in den Augen wartete er. Niemand sagte ihm, ob alles in Ordnung war; er fürchtete bei jedem Weinen um Gwyns Leben.

Schließlich schob sich etwas Pelziges, Weiches an ihn heran. Noch jemand, der vergessen worden war. Francine hatte Cleo erbarmungslos aus Gwyns Zimmer verbannt, und weder Lucas noch Gerald hatten sich um sie gekümmert. Jetzt winselte sie, als sie Gwyneiras Schreie hörte.

»Tut mir Leid, Gwyn, es tut mir so Leid ...«, flüsterte James in Cleos seidiges Haar.

Schließlich hielt er die Hündin umarmt, als endlich ein anderer, leiserer, aber kräftiger und ziemlich empörter Ton zu den beiden drang. Das Kind begrüßte den ersten Lichtstrahl des neuen Morgens. Und Gwyn begleitete es mit einem letzten schmerzvollen Aufschrei.

James weinte vor Erleichterung in Cleos weiches Fell.

Lucas erwachte sofort, als Kiri mit dem Kind im Arm auf die Treppe trat. Sie stand da wie ein Varietéstar, im Vollgefühl ihrer Wichtigkeit. Lucas fragte sich kurz, warum Francine ihm das Kind nicht selbst präsentierte, doch Kiri strahlte übers ganze Gesicht, sodass man getrost davon ausgehen konnte, dass Mutter und Kind wohlauf waren.

»Ist alles ... in Ordnung?«, fragte er trotzdem pflichtgemäß und stand auf, um der jungen Frau entgegenzugehen.

Auch Gerald rappelte sich auf. »Ist er da?«, fragte er. »Alles gesund?«

»Ja, Mr. Gerald!«, freute sich Kiri. »Ein wunderschöne Kind. Wunderschön! Hat rote Haare, wie Mutter!«

»Ein kleiner Heißsporn!«, sagte Gerald lachend. »Der erste rothaarige Warden.«

»Ich glaub, nicht heißt ›der‹«, berichtigte ihn Kiri. »Heißt ›die‹. Ist Mädchen, Mr. Gerald. Wunderschöne Mädchen!«

Francine schlug vor, das Kind »Paulette« zu nennen, doch Gerald wehrte sich dagegen. »Paul« sollte dem männlichen Erben vorbehalten bleiben. Lucas, ganz Gentleman, erschien eine Stunde nach der Geburt mit einer roten Rose aus dem Garten an Gwyneiras Bett und versicherte ihr in gemessenem Tonfall, dass er das Kind hinreißend fände. Gwyneira nickte nur. Wie anders als hinreißend sollte man dieses perfekte kleine Geschöpf denn sonst finden, das sie jetzt stolz in den Armen hielt? Sie konnte sich gar nicht an den winzigen Fingern satt sehen, dem Knopfnäschen und den langen roten Wimpern um die großen blauen Augen. Ziemlich viel Haar hatte die Kleine auch schon. Eindeutig ein Rotschopf wie ihre Mutter. Gwyneira streichelte ihr Baby, und das kleine Ding griff nach ihrem Finger. Erstaunlich kräftig schon. Sichere Zügelführung ... Gwyn würde bald anfangen, ihr das Reiten beizubringen.

Als Namen schlug Lucas »Rose« vor und ließ ein riesiges Bukett roter und weißer Rosen in Gwyneiras Zimmer bringen, die es sofort mit ihrem betörenden Duft erfüllten.

»Ich habe die Rosen selten so zauberhaft blühen sehen wie heute, meine Liebe. Als hätte der Garten sich speziell zum Empfang unserer Tochter geschmückt.« Francine hatte ihm das Baby in den Arm gelegt; er hielt es ziemlich ungeschickt, als wisse er nichts Rechtes damit anzufangen. Immerhin sprach er die Worte »unsere Tochter« ganz selbstverständlich aus. Er schien also keinen Argwohn zu hegen.

Gwyneira, die an Dianas Rosengarten dachte, entgegnete: »Sie ist viel schöner als jede Rose, Lucas! Sie ist das Schönste auf der Welt!«

Sie nahm ihm das Kind wieder ab. Es war verrückt, aber sie fühlte einen Stich der Eifersucht.

»Dann wirst du dir wohl selbst einen Namen ausdenken müssen, meine Liebe«, meinte Lucas mild. »Ich bin sicher, du findest einen passenden. Aber jetzt muss ich euch allein lassen und mich um Vater kümmern. Er kann sich noch nicht damit abfinden, dass es kein Junge ist.«

Gerald konnte sich erst Stunden später dazu aufraffen, Gwyneira und ihre Tochter zu besuchen. Halbherzig gratulierte er der Mutter und betrachtete das Baby. Erst als es besitzergreifend die winzige Hand um seinen Finger schlang und dabei blinzelte, rang er sich ein Lächeln ab.

»Na ja, wenigstens ist alles dran«, brummte er unwillig. »Wird halt das Nächste ein Junge. Ihr wisst ja jetzt, wie es geht ...«

Als Warden die Tür hinter sich schloss, schlüpfte Cleo herein. Zufrieden, es endlich geschafft zu haben, trabte sie zu Gwyneiras Bett, setzte die Vorderpfoten auf die Decke und zeigte ihr Collie-Lächeln.

»Wo hast denn du gesteckt?«, fragte Gwyn entzückt und streichelte sie. »Schau her, ich will dir jemanden vorstellen!«

Zu Francines Entsetzen ließ sie die Hündin an dem Baby schnuppern. Dabei fiel ihr ein kleiner Strauß Frühlingsblumen auf, den jemand an Cleos Halsband befestigt hatte.

»Wie originell!«, bemerkte Francine, als Gwyn das Sträußchen vorsichtig löste. »Wer mag das gewesen sein? Einer der Männer?«

Gwyneira hätte es ihr verraten können. Sie sagte nichts, doch ihr Herz strömte über vor Glück. Er wusste also von ihrer Tochter – und natürlich hatte er bunte Wildblumen gewählt, statt Rosen zu schneiden.

Das Baby nieste, als die Blumen sein Näschen streiften. Gwyneira lächelte.

»Ich nenne sie Fleurette.«

# So etwas wie Hass . . .

*Canterbury Plains – Westcoast*
*1858 – 1860*

# 1

George Greenwood war nach dem Anstieg über den Bridle Path leicht außer Atem. Langsam trank er das Ingwerbier, das hier an der höchsten Stelle des Weges zwischen Lyttelton und Christchurch verkauft wurde, und genoss den Ausblick über die Stadt und die Canterbury Plains.

Das also war das Land, in dem Helen lebte. Dafür hatte sie England verlassen... George musste sich eingestehen, dass es ein schönes Land war. Christchurch, die Stadt, in deren Nähe ihre Farm liegen musste, galt als aufstrebendes Gemeinwesen. Als erste Ansiedlung in Neuseeland hatte es im letzten Jahr die Stadtrechte erhalten und war jetzt auch Bischofssitz.

George erinnerte sich an Helens letzten Brief, in dem sie schadenfroh berichtete, dass sich die Hoffnungen des unsympathischen Reverend Baldwin nicht erfüllt hatten. Der Erzbischof of Canterbury hatte stattdessen einen Geistlichen namens Henry Chitty Harper in das Bischofsamt berufen, der dafür aus dem Mutterland anreiste. Er hatte Familie und schien in seiner früheren Pfarrstelle beliebt gewesen zu sein. Mehr berichtete Helen allerdings nicht über seinen Charakter, was George ziemlich verwunderte. Schließlich musste sie diesen Mann doch längst kennen gelernt haben, bei all den kirchlichen Aktivitäten, von denen sie immer wieder schrieb. Helen Davenport-O'Keefe engagierte sich in Damen-Bibelkreisen und in der Arbeit mit den Kindern der Eingeborenen. George hoffte, dass sie dabei nicht so bigott und selbstgerecht geworden war wie seine Mutter. Doch er konnte sich Helen nicht im Seidenkleid bei Komiteesitzungen vorstellen, und ihre Briefe klangen auch eher nach persönlichem Kontakt mit den Kindern und ihren Müttern.

Konnte er sich Helen überhaupt noch vorstellen? So viele Jahre waren vergangen, und unendlich viele Eindrücke waren auf ihn eingestürmt. Das College, seine Reisen durch Europa, nach Indien und Australien – eigentlich sollte das gereicht haben, das Bild einer viel älteren Frau mit glänzend braunem Haar und klaren grauen Augen aus seinem Gedächtnis zu tilgen. Doch George sah sie heute noch vor sich, als wäre sie gestern erst gegangen. Ihr schmales Gesicht, ihre strenge Frisur, der aufrechte Gang – auch wenn er wusste, dass sie müde war. George erinnerte sich an ihren wohlversteckten Zorn und ihre mühsam gezügelte Ungeduld im Umgang mit seiner Mutter und seinem Bruder William, aber auch an ihr geheimes Lächeln, wenn es ihm gelungen war, mit irgendeiner Frechheit ihren Panzer der Selbstbeherrschung zu durchbrechen. Damals hatte er jede Regung in ihren Augen gelesen – hinter jenem ruhigen, gleichmütigen Ausdruck, den sie ihrer sonstigen Umgebung zeigte. Ein Feuer, das unter stillem Wasser brannte, um dann ausgerechnet beim Lesen einer verrückten Anzeige vom anderen Ende der Welt aufzulodern! Ob sie diesen Howard O'Keefe wirklich liebte? In ihren Briefen schrieb sie von großer Achtung gegenüber ihrem Gatten, der sich alle Mühe gab, das Anwesen behaglich für sie zu gestalten und rentabel zu bewirtschaften. Doch George las zwischen den Zeilen, dass es ihrem Mann offensichtlich nicht immer gelang. George Greenwood war nun lange genug im Geschäft seines Vaters tätig, um zu wissen, dass die ersten Siedler auf Neuseeland inzwischen fast alle zu Reichtum gelangt waren. Egal ob sie sich auf die Fischerei, auf den Handel oder die Viehzucht konzentrierten – das Geschäft florierte. Wer es nicht ganz ungeschickt anfing, machte Gewinn, wie beispielsweise Gerald Warden auf Kiward Station. Ein Besuch bei ihm, dem größten Wollproduzenten der Südinsel, stand ganz oben auf der Liste der Aktivitäten, die Robert Greenwoods Sohn nach Christchurch führten. Die Greenwoods trugen sich mit dem Gedanken, hier eine Zweigstelle ihres internationalen Handelshauses zu eröffnen. Wollhandel mit Neuseeland wurde immer interessanter – zumal bald auch Dampfschiffe zwischen England und den Inseln verkehren würden. George selbst war bereits auf einem Schiff gereist, das neben den traditionellen Segeln auch von Dampfmaschinen angetrieben wurde. Sie machten ein Schiff unabhängiger von den Launen der Winde im Kalmengürtel, und die Überfahrt dauerte nur noch knapp acht Wochen.

Auch der Bridle Path hatte einiges von den Schrecken verloren, die Helen George in ihrem ersten Brief geschildert hatte. Er war jetzt so weit ausgebaut, dass man ihn mit Wagen befahren konnte, und George hätte sich den beschwerlichen Fußweg leicht ersparen können. Doch nach der langen Schiffsreise sehnte er sich nach Bewegung, und irgendwie reizte es ihn auch, Helens Erfahrungen bei der Einreise nachzuvollziehen. George war zeit seines Studiums geradezu besessen gewesen von Neuseeland. Auch wenn ihn längere Zeit kein Brief von Helen erreichte, verschlang er jede verfügbare Information über das Land, um sich Helen näher zu fühlen.

Jetzt nahm er erfrischt den Abstieg in Angriff. Vielleicht würde er Helen morgen schon sehen! Wenn er sich ein Pferd leihen konnte und die Farm so nah der Stadt lag, wie Helens Briefe vermuten ließen, sprach nichts gegen einen kleinen Höflichkeitsbesuch. Jedenfalls würde er sich bald auf den Weg nach Kiward Station machen, und das musste sich in Helens unmittelbarer Nachbarschaft befinden. Schließlich war sie mit der Herrin der Farm befreundet, Gwyneira Warden. Weiter als eine kurze Kutschfahrt konnten die Anwesen also kaum auseinander liegen.

George brachte die Fähre über den Avon River und die letzten Meilen bis nach Christchurch hinter sich und nahm erst einmal Quartier im örtlichen Hotel. Schlicht, aber sauber – und natürlich hatte der Betreiber schon mal von den Wardens gehört.

»Selbstverständlich. Mr. Gerald und Mr. Lucas steigen immer hier ab, wenn sie in Christchurch zu tun haben. Sehr kultivierte Herrschaften, vor allem Mr. Lucas und seine reizende Gemahlin! Mrs. Warden lässt in Christchurch ihre Kleider schneidern, deshalb sehen wir sie hier zwei- oder dreimal im Jahr.«

Von Howard und Helen O'Keefe hatte der Hotelier dagegen noch nichts gehört. Weder waren sie bei ihm abgestiegen, noch kannte er sie aus der Kirchengemeinde.

»Aber das ist auch gar nicht möglich, wenn sie Nachbarn der Wardens sind«, erklärte der Hotelier. »Dann gehören sie zu Haldon, und das hat neuerdings ja auch eine Kirche. Es wäre viel zu weit, um jeden Sonntag herzureiten.«

George nahm es verwundert zur Kenntnis und erkundigte sich nach einem Mietstall. Am nächsten Tag würde er allerdings erst einmal der Union Bank of Australia einen Besuch abstatten, der ersten Bankfiliale in Christchurch.

Der Bankdirektor war überaus höflich und erfreut über Greenwoods Pläne in Christchurch.

»Sie sollten mit Peter Brewster reden«, riet er ihm. »Der kümmert sich bislang um den örtlichen Wollhandel. Aber wie ich hörte, zieht es ihn nach Queenstown – der Goldrausch, wissen Sie. Wobei Brewster sicher nicht selbst schürfen wird, sondern eher den Goldhandel im Sinn hat.«

George runzelte die Stirn. »Halten Sie das für so viel lukrativer als die Wolle?«

Der Banker zuckte die Schultern. »Wenn Sie mich fragen:

Wolle wächst jedes Jahr nach. Aber wie viel Gold da oben in Otago in der Erde liegt, weiß keiner. Doch Brewster ist jung und unternehmungslustig. Außerdem hat er familiäre Gründe. Die Familie seiner Frau stammt von dort – Maoris. Und sie hat wohl Land geerbt. Auf jeden Fall dürfte er nicht böse sein, wenn Sie seine Kunden hier übernehmen. Das würde Ihre Geschäftsgründung sehr vereinfachen.«

George konnte ihm nur zustimmen und dankte für den Hinweis. Außerdem nutzte er die Gelegenheit, sich beiläufig nach den Wardens und den O'Keefes zu erkundigen. Über die Wardens war der Direktor natürlich des Lobes voll.

»Der alte Warden ist ein Haudegen, aber er versteht was von Schafzucht! Der Junge ist mehr ein Schöngeist, der hat es nicht mit der Farm. Deshalb hofft der Alte auf einen Enkel, der besser einschlägt, bislang aber vergebens. Dabei ist die junge Frau bildschön. Ein Jammer, dass sie sich mit dem Kinderkriegen offensichtlich schwer tut. Bisher nur ein einziges Mädchen in fast sechs Jahren Ehe ... Nun ja, sie sind jung, da ist sicher noch Hoffnung. Tja, und die O'Keefes ...« Der Bankdirektor rang sichtlich um Worte. »Was soll ich da sagen? Das Bankgeheimnis, Sie verstehen ...«

George verstand. Howard O'Keefe war kein allzu geschätzter Kunde. Wahrscheinlich hatte er Schulden. Und die Farmen lagen zwei Tagesritte von Christchurch entfernt, Helen hatte in ihren Briefen vom Stadtleben also gelogen – oder zumindest stark übertrieben. Haldon, die nächste größere Ansiedlung bei Kiward Station, war kaum mehr als ein Dorf. Was mochte sie noch verschweigen und warum? War es ihr peinlich, wie sie lebte? Würde sie sich über diesen Besuch aus Übersee womöglich gar nicht freuen? Aber er musste sie treffen! Zum Teufel, er war 18.000 Meilen gereist, um sie zu sehen!

Peter Brewster erwies sich als umgänglich und lud George gleich für den nächsten Tag zum Lunch ein. Das zwang ihn zwar, seine Pläne noch einmal zu verschieben, erschien ihm aber unumgänglich. Tatsächlich verlief das Treffen dann sehr harmonisch. Brewsters bildschöne Frau servierte ein Essen nach Maori-Tradition mit frischem Fisch aus dem Avon und raffiniert zubereiteten Süßkartoffeln. Seine Kinder bestürmten den Besucher mit Fragen nach Good Old England, und natürlich kannte Peter sowohl die Wardens als auch die O'Keefes.

»Sprechen Sie da aber bloß nicht den einen auf den anderen an!«, warnte er lachend. »Die sind wie Hund und Katze, und dabei waren sie mal Partner. Kiward Station hat ihnen gemeinsam gehört, deshalb der aus ›Kee‹ und ›Ward‹ zusammengesetzte Name. Aber sie waren beide auch Spieler, und Howard hat seinen Anteil verloren. Genaueres weiß man da nicht, aber sie nehmen sich die Sache nach wie vor gegenseitig übel.«

»Verständlich von Seiten O'Keefes«, bemerkte George. »Aber der Sieger sollte sich doch nicht grämen!«

»Wie gesagt, ich weiß nichts Genaues. Und am Ende hat es bei Howard ja auch noch für eine Farm gereicht. Aber ihm fehlt das Know-how. Dieses Jahr hat er praktisch alle Lämmer verloren – zu früh aufgetrieben, vor den letzten Stürmen. Es erfrieren immer ein paar im Hochland, wenn es doch noch mal zu einem Wintereinbruch kommt. Aber ein Auftrieb Anfang Oktober ...? Das heißt Gott versuchen!«

George rief sich ins Gedächtnis, dass der Oktober hier dem März entsprach, und da war es auch im Walisischen Hochland noch empfindlich kalt.

»Warum macht er denn so was?«, fragte er verständnislos. Wobei ihn eher die Frage umtrieb, warum Helen ihrem Gatten solchen Unsinn durchgehen ließ. Sie hatte sich zwar nie für Landwirtschaft interessiert, aber wenn ihr wirtschaftliches Überleben davon abhing, hätte sie sich darum gekümmert.

»Ach, das ist ein Teufelskreis«, seufzte Brewster und bot Zigarren an. »Die Farm ist zu klein oder das Land zu dürftig für den großen Tierbestand. Aber ein kleinerer Bestand an Tieren bringt nicht genug zum Leben ein, also wird auf gut Glück vergrößert. In guten Jahren reicht das Gras, in schlechten geht das Winterfutter aus. Dann muss man zukaufen – und dazu langt das Geld dann wieder nicht. Oder man treibt die Tiere ins Hochland und hofft, dass es nicht mehr schneit. Aber lassen Sie uns von etwas Erfreulicherem reden. Sie hätten Interesse an der Übernahme meiner Kunden. Sehr schön, ich werde Sie gern mit allen bekannt machen. Über eine Ablösesumme werden wir uns sicher einig. Wären Sie unter Umständen auch an unserem Kontor interessiert? Büros und Lagerhäuser in Christchurch und Lyttelton? Ich könnte Ihnen die Häuser vermieten und Vorkaufsrecht garantieren ... Oder wir werden Partner, und ich behalte einen Teil des Geschäfts als stiller Teilhaber. Das würde mich absichern, falls der Goldrausch schnell verebbt.«

Die Männer verbrachten den Nachmittag mit der Besichtigung der Liegenschaften, und George war sehr angetan von Brewsters Unternehmung. Schließlich einigten sie sich darauf, nach Georges Ausflug in die Canterbury Plains über die genaueren Bedingungen der Übernahme zu verhandeln. George verließ seinen Geschäftspartner gut gelaunt und schrieb gleich einen Brief an seinen Vater. So schnell und unproblematisch war Greenwood Enterprises noch nie an eine Dependance in einem neuen Land gekommen. Jetzt stellte sich nur noch die Frage nach einem fähigen Verwalter. Brewster selbst wäre ideal gewesen, aber der wollte ja weg ...

George schob diese Überlegung vorerst beiseite. Morgen konnte er nun unbesorgt nach Haldon aufbrechen. Er würde Helen wiedersehen.

»Schon wieder Besuch?«, fragte Gwyneira unwillig. Sie hatte eigentlich vorgehabt, diesen wunderschönen Frühlingstag für einen Besuch bei Helen zu nutzen. Fleurette quengelte seit Tagen, sie wolle mir Ruben spielen; außerdem ging Mutter und Kind der Lesestoff aus. Fleurette war verrückt nach Geschichten. Sie liebte es, wenn Helen ihr vorlas, und machte auch selbst schon erste Versuche, Buchstaben nachzuzeichnen, wenn sie Helens Schulstunden beiwohnte.

»Ganz der Vater!«, sagten die Leute in Haldon, wenn Gwyneira wieder Bücher bestellte, um der Kleinen vorzulesen. Mrs. Candler fand auch immer wieder körperliche Ähnlichkeiten mit Lucas, was Gwyn nicht nachvollziehen konnte. In ihren Augen hatte Fleurette praktisch nichts mit Lucas gemeinsam. Das Mädchen war grazil und rothaarig wie Gwyn, doch das ursprüngliche Blau ihrer Iris war nach einigen Monaten einem hellen Braun mit bernsteinfarbenen Einsprengseln gewichen. In ihrer Art waren Fleurs Augen genauso faszinierend wie Gwyneiras. Der Bernstein darin schien zu funkeln, wenn sie in Erregung geriet und konnte regelrecht auflodern, wenn die Kleine wütend wurde. Und das geschah schnell, wie selbst ihre verliebte Mutter zugeben musste. Fleurette war kein ruhiges, leicht zufrieden zu stellendes Kind wie Ruben. Sie war quirlig, stellte hohe Ansprüche und geriet in Zorn, wenn ihr etwas nicht gleich gelang. Dann schimpfte sie wie ein Rohrspatz und lief rot an, und im Extremfall spuckte sie. Die fast vierjährige Fleurette Warden war ganz entschieden keine Lady.

Nichtsdestotrotz hatte sie ein gutes Verhältnis zu ihrem Vater. Lucas war hingerissen von ihrem Temperament und gab ihren Launen viel zu oft nach. Erzieherische Bestrebungen zeigte er kaum; er schien Fleur eher in den Bereich »hochinteressantes Forschungsobjekt« einzuordnen. Mit dem Ergebnis, dass Kiward Station nun zwei Bewohner hatte, die leidenschaftlich Wetas sammelten, zeichneten und beobachteten. Fleur war dabei allerdings eher daran interessiert, wie weit die Viecher sprangen, und fand es auch eine gute Idee, sie bunt anzumalen. Gwyneira entwickelte ein ausgesprochenes Geschick darin, die Rieseninsekten in Weckgläsern wieder einzusammeln.

Jetzt aber fragte sie sich, wie sie dem Kind klar machen sollte, dass der versprochene Ausritt nicht stattfand.

»Ja, wieder ein Gast!«, brummte Gerald. »Wenn Mylady gestatten. Ein Kaufmann aus London. Hat die Nacht bei den Beasleys verbracht und wird gegen Abend hier eintreffen. Reginald Beasley war so freundlich, einen Boten zu schicken. Also können wir den Herrn angemessen empfangen. Natürlich nur, wenn es Mylady genehm ist!«

Gerald erhob sich schwankend. Es war noch nicht ganz Mittag, aber er schien seit gestern Abend gar nicht erst nüchtern geworden zu sein. Und je mehr er trank, desto bösartiger wurden seine Bemerkungen gegenüber Gwyneira. In den letzten Monaten war sie zu seinem bevorzugten Spottobjekt geworden – was zweifellos daran lag, dass Winter gewesen war. Im Winter sah Gerald seinem Sohn eher nach, dass dieser sich im Studierzimmer verkroch, statt sich um die Farm zu kümmern, und er traf öfter auf Gwyneira, die das Regenwetter im Haus hielt. Im Sommer, wenn wieder die Schafschur, das Ablammen und andere Arbeiten auf der Farm anstanden, würde Gerald sich erneut auf Lucas konzentrieren, während Gwyneira offiziell ausgedehnte Ausritte unternahm – und in Wirklichkeit zu Helen floh. Gwyneira und Lucas kannten diesen Zyklus schon aus den letzten Jahren, aber dadurch wurde es nicht einfacher. Im Grunde gab es nur eine Möglichkeit, den Kreis zu unterbrechen. Gwyneira musste Gerald endlich den gewünschten Erben schenken. Doch Lucas' Energien in dieser Hinsicht schienen mit den Jahren eher nachzulassen. Gwyneira erregte ihn einfach nicht; an die Zeugung eines weiteren Kindes war nicht zu denken. Und Lucas' zunehmende Unfähigkeit zum ehelichen Beischlaf machte es unmöglich, die Täuschung bei Fleurs Zeugung zu wiederholen. Gwyneira machte sich hier auch keinerlei Illusionen. Noch einmal würde James McKenzie einer entsprechenden Vereinbarung nicht zustimmen. Und noch einmal würde sie es auch nicht schaffen, sich anschließend von ihm zu trennen. Nach Fleurettes Geburt hatte es Monate gedauert, bis Gwyneira nicht mehr von dem Schmerz des Verlangens und der Verzweiflung erfasst wurde, der sie jedes Mal lähmte, wenn sie James sah oder gar berührte. Letzteres ließ sich nicht immer vermeiden – es hätte seltsam ausgesehen, hätte James ihr plötzlich nicht mehr die Hand hingehalten, um ihr auf den Wagen zu helfen, oder hätte er ihr nicht mehr den Sattel abgenommen, nachdem sie Igraine in den Stall geführt hatte. Berührten sich dabei ihre Finger, war es wie eine Explosion aus Liebe und Erkennen, gelöscht durch das ständige »Nie wieder, nie wieder«, das Gwyneiras Kopf fast bersten ließ. Irgendwann wurde es Gott sei Dank besser. Gwyn lernte, sich zu kontrollieren, und die Erinnerungen verblassten. Aber das Ganze noch einmal zu tun war undenkbar. Und ein anderer Mann? Nein, das würde sie nicht über sich bringen. Vor James war es egal gewesen; ein Mann erschien ihr mehr oder weniger wie der andere. Aber jetzt ...? Es war hoffnungslos. Wenn nicht ein Wunder geschah, würde Gerald sich damit abfinden müssen, dass Fleur seine einzige Enkelin blieb.

Gwyneira selbst hätte das nichts ausgemacht. Sie liebte Fleurette und erkannte sowohl ihr eigenes Wesen in ihr wieder wie auch alles, was sie an James McKenzie geliebt hatte. Fleur war abenteuerlustig und klug, dickköpfig und witzig. Unter den Maori-Kindern fand sie genügend Spielkameraden, denn sie beherrschte fließend die Maori-Sprache. Vor allem aber liebte sie Ruben, Helens Sohn. Der gut ein Jahr ältere Knirps war ihr Held und Vorbild. Mit ihm schaffte sie es sogar, in Helens Schulstunden still zu sitzen und nicht dazwischen zu reden.

Nun, heute würde das nichts werden. Seufzend rief Gwyn nach Kiri, um den Frühstückstisch abräumen zu lassen. Von selbst hätte Kiri wahrscheinlich nicht daran gedacht. Sie hatte vor kurzem geheiratet und nichts anderes im Kopf als ihren Gatten. Gwyn wartete nur darauf, dass sie ihr eine Schwangerschaft meldete – und Gerald daraufhin erneut explodierte.

Nachher musste Kiri dann dazu überredet werden, das Silber zu polieren, und mit Moana musste Gwyn das Dinner besprechen. Irgendwas mit Lamm. Und Yorkshire Pudding wäre auch nicht schlecht. Aber erst mal Fleur …

Fleurette war nicht untätig gewesen, während ihre Eltern frühstückten. Sie wollte schließlich bald los, also hieß es, das Pferd zu satteln oder anzuschirren. Gwyneira nahm ihre Tochter meist einfach vor sich auf Igraine, doch Lucas zog es vor, dass »seine Damen« fuhren. Er hatte Gwyn dafür extra einen Dogcart kommen lassen, den sie exzellent beherrschte. Der leichte zweirädrige Wagen war extrem geländegängig, und Igraine zog ihn mühelos über schwierige Wege. Querfeldein ging es damit allerdings nicht, und springen konnte man auch nicht. Die Abkürzung durch den Busch fiel also weg. Kein Wunder, dass Gwyn und Fleur deshalb lieber ritten, und so traf Fleurette denn auch heute ihre Entscheidung.

»Kannst du wohl Igraine satteln, Mr. James?«, erkundigte sie sich bei McKenzie.

»Mit dem Damensattel oder einem anderen, Miss Fleur?«, fragte James ernsthaft. »Sie wissen, was Ihr Vater gesagt hat.«

Lucas dachte ernsthaft daran, für Fleurette ein Pony aus England kommen zu lassen, damit sie korrektes Reiten im Seitsitz lernte. Gwyneira erklärte allerdings, sie würde über das Pony hinausgewachsen sein, bevor es da war. Vorerst unterrichtete sie ihre Tochter im Herrensitz auf Madoc. Der

Hengst war sehr gutwillig, das Problem lag eher in der Geheimhaltung.

»Mit 'nem Sattel für richtige Menschen!«, erklärte Fleur.

James musste lachen. »Ein richtiger Sattel, sehr wohl, Mylady! Wollen Sie denn heute allein reiten?«

»Nein, Mummy kommt gleich. Aber sie muss noch ›Zielscheibe‹ für Großvater spielen. Hat sie zu Daddy gesagt. Wird er wirklich auf sie schießen, Mr. James?«

Nicht, wenn ich es verhindern kann, dachte McKenzie grimmig. Niemandem auf der Farm blieb verborgen, wie Gerald seine Schwiegertochter quälte. Im Gegensatz zu Lucas, auf den die Arbeiter durchweg eine gewisse Wut hegten, hatte Gwyneira ihr Mitgefühl. Und manchmal kamen die Jungs der Wahrheit gefährlich nahe, wenn sie über ihre Herrschaft frotzelten. »Wenn Miss Gwyn bloß einen anständigen Mann hätte«, war eine Standardbemerkung. »Dann wäre der Alte schon zehnmal Großvater!«

Oft genug boten die Kerle sich dann spaßeshalber selbst als »Deckbullen« an und überboten sich an Vorschlägen, wie man die hübsche Herrin und ihren Schwiegervater gleichzeitig glücklich machen könnte.

James versuchte, diese üblen Scherze zu unterbinden, doch es war nicht immer einfach. Wenn Lucas sich wenigstens noch bemüht hätte, auf der Farm nützlich zu sein! Aber er lernte nichts dazu und wurde mit jedem Jahr mürrischer und unwilliger, wenn Gerald ihn in die Ställe und auf die Felder zwang.

Während James Igraine den Sattel auflegte, plauderte er noch ein wenig mit Fleur. Er wusste es gut zu verbergen, doch er liebte seine Tochter und schaffte es nicht, Fleur als eine Warden zu betrachten. Dieser rothaarige Wirbelwind war sein Kind – und ihm machte es nicht das Geringste aus, dass sie »nur« ein Mädchen war. Geduldig wartete er, bis sie auf eine Kiste geklettert war, von der aus sie Igraines Schweif bürsten konnte.

Gwyneira betrat die Ställe, als James eben den Sattelgurt festzog, und wie immer reagierte sie unwillkürlich auf seinen Anblick. Ein Aufblitzen der Augen, ein winziger Hauch von Röte im Gesicht ... dann wieder eiserne Kontrolle.

»Oh, James, haben Sie schon gesattelt?«, fragte Gwyneira bedauernd. »Ich kann leider nicht mit Fleur reiten, wir erwarten Besuch.«

James nickte. »Ach ja, dieser englische Kaufmann. Ich hätte selbst daran denken können, dass Sie verhindert sein werden.« Er machte Anstalten, die Stute wieder abzusatteln.

»Wir reiten nicht zur Schule?«, fragte Fleur gekränkt. »Aber dann bleib ich dumm, Mummy!«

Das war das neueste Argument, möglichst täglich zu Helen zu reiten. Helen hatte es gegenüber einem Maori-Kind benutzt, das gern schwänzte, und Fleur hatte sich die Bemerkung eingeprägt.

James und Gwyn mussten lachen.

»Nun, das können wir ja wohl nicht riskieren«, sagte James mit gespieltem Ernst. »Wenn Sie erlauben, Miss Gwyn, werde ich sie zur Schule bringen.«

Gwyn schaute ihn verwundert an. »Haben Sie denn Zeit?«, fragte sie. »Ich dachte, Sie wollten die Pferche für die Mutterschafe kontrollieren.«

»Das liegt doch auf dem Weg«, erklärte James und zwinkerte ihr zu. Tatsächlich lagen die Pferche nicht auf dem befestigten Weg nach Haldon, sondern nur auf Gwyneiras geheimer Abkürzung durch den Busch. »Wir müssten natürlich reiten. Wenn ich anspanne, verliere ich wirklich Zeit.«

»Bitte, Mummy!«, flehte Fleur. Und bereitete sich gleichzeitig auf einen Wutanfall vor, falls Gwyn es wagen sollte, abzulehnen.

Zum Glück war ihre Mutter nicht schwer zu überzeugen. Ohne das enttäuschte, quengelnde Kind an ihrer Seite würde die ohnehin ungeliebte Arbeit reibungsloser vorangehen.

»Na gut«, sagte sie. »Viel Spaß. Ich wünschte, ich könnte mitkommen.«

Gwyneira beobachtete neidisch, wie James seinen Wallach herausführte und Fleur vor sich in den Sattel hob. Hübsch und aufrecht saß sie auf dem Pferd, und ihre roten Locken wippten im Takt, als das Tier antrat. James nahm ebenso lässig im Sattel Platz. Gwyn war fast ein wenig besorgt, als die beiden losritten.

Bemerkte wirklich niemand außer ihr die Ähnlichkeit zwischen dem Mann und dem Mädchen?

Lucas Warden, der Maler und geschulte Beobachter, sah den Reitern von seinem Zimmer aus nach, bemerkte Gwyneiras einsame Gestalt auf dem Hof und meinte ihre Gedanken zu lesen.

Er war zufrieden in seiner Welt, aber manchmal ... manchmal hätte er diese Frau gern geliebt.

# 2

George Greenwood fand freundliche Aufnahme in den Canterbury Plains. Peter Brewsters Name öffnete ihm rasch die Türen der Farmer, aber man hätte ihn wahrscheinlich auch ohne Empfehlung willkommen geheißen. Er kannte das schon von Farmen in Australien und Afrika – wer so isoliert lebte wie diese Siedler, freute sich über jeden Besuch aus der Außenwelt. Deshalb hörte er sich geduldig die Klagen Mrs. Beasleys über das Personal an, bewunderte ihre Rosen und ritt mit ihrem Gatten über die Weiden, um die Schafe zu bewundern. Die Beasleys hatten alles daran gesetzt, ihre Farm in ein kleines Stück England zu verwandeln, und George musste lächeln, als Mrs. Beasley ihm von ihren Anstrengungen erzählte, die Süßkartoffel anhaltend aus ihrer Küche zu verbannen.

Kiward Station, das merkte er bald, war ganz anders. Haus und Garten boten eine seltsame Mischform: Einerseits versuchte hier jemand, das Leben des englischen Landadels so weit als möglich zu imitieren, andererseits behauptete sich die Maori-Kultur. Im Garten beispielsweise blühten Rata und Rosen friedlich nebeneinander; unter Cabbage-Trees standen Bänke in typischer Maori-Schnitzerei, und der Geräteschuppen war in Maori-Tradition mit Blättern der Nikau-Palme gedeckt. Das Hausmädchen, das George die Tür öffnete, trug eine artige Dienstbotenuniform, aber keine Schuhe, und der Hausdiener begrüßte ihn freundlich mit *haere mai*, den Maori-Worten für »willkommen«.

George erinnerte sich daran, was er über die Wardens gehört hatte. Die junge Frau entstammte einer englischen Adelsfamilie – und hatte offenbar Geschmack, wie die Möblierung der Empfangsräume bewies. Die Anglikanisierung schien sie allerdings noch verbissener zu betreiben als Mrs. Beasley: Wie oft legte hier wohl ein Besucher seine Visitenkarte in die silberne Schale auf dem zierlichen Tischchen? George machte sich die Mühe, was ihm ein strahlendes Lächeln der rothaarigen jungen Frau einbrachte, die eben hereinkam. Sie trug ein elegantes, beigefarbenes Nachmittagskleid mit Stickereien in der leuchtenden Indigo-Färbung ihrer Augen. Allerdings entsprach ihr Teint nicht dem modischen Blass der Damen in London. Stattdessen war ihr Gesicht leicht gebräunt, und sie versuchte offensichtlich nicht, die Sommersprossen zu bleichen. Auch ihre kunstvolle Frisur war nicht lehrbuchmäßig, denn ein paar Locken lösten sich bereits.

»Das Ding werden wir jetzt ewig da liegen lassen«, erklärte sie mit Blick auf die Visitenkarte. »Es wird meinen Schwiegervater glücklich machen! Guten Tag und willkommen auf Kiward Station. Ich bin Gwyneira Warden. Kommen Sie herein, und machen Sie es sich bequem. Mein Schwiegervater müsste bald zurück sein. Oder möchten Sie sich zunächst frisch machen und zum Abendessen umziehen? Es soll ein großes Dinner werden …«

Gwyneira wusste, dass sie mit diesem Wink mit dem Zaunpfahl die Grenzen des guten Benehmens überschritt. Aber der junge Mann hier sah einfach nicht so aus, als erwarte er bei einem Besuch im Busch ein mehrgängiges Dinner, für das die Gastgeber sich in Abendkleidung warfen. Wenn er in den Reithosen und der Lederjacke erschien, die er jetzt trug, würde Lucas konsterniert und Gerald möglicherweise beleidigt sein.

»George Greenwood«, stellte George sich lächelnd vor. Zum Glück wirkte er nicht böse. »Vielen Dank für den Hinweis, ich würde mich gern erst mal waschen. Sie haben ein wunderschönes Haus, Mrs. Warden.« Er folgte Gwyneira in den Salon und stand bewundernd vor den eindrucksvollen Möbeln und dem großen Kamin.

Gwyn nickte. »Ich persönlich finde es ein bisschen groß, aber mein Schwiegervater hat es von den berühmtesten Architekten entwerfen lassen. Die Möbel kommen alle aus England. Cleo, komm von dem Seidenteppich herunter! Und vergiss die Idee, darauf deine Jungen zu werfen!«

Gwyn hatte zu einer rundlichen Colliehündin gesprochen, die auf einem erlesenen Orientteppich vor dem Kamin gelegen hatte. Jetzt stand sie beleidigt auf und trollte sich zu einem anderen, sicher kaum weniger wertvollen Vorleger.

»Sie fühlt sich sehr wichtig, wenn sie trächtig ist«, bemerkte Gwyneira und streichelte die Hündin. »Aber das kann sie auch. Sie bringt die besten Hütehunde der Gegend hervor, in den Canterbury Plains wimmelt es inzwischen von kleinen Cleos. Allerdings meist Enkelkinder, ich lasse sie nur sehr selten decken. Sie soll nicht fett werden!«

George wunderte sich. Nach den Erzählungen des Bankdirektors und Peter Brewsters hatte er sich die fast kinderlose Herrin auf Kiward Station als prüde und höchst vornehme Lady vorgestellt. Aber jetzt sprach Gwyneira ganz selbstverständlich von Hundezucht und ließ einen Hütehund nicht nur ins Haus, sondern auch noch auf die Seidenteppiche! Ganz abgesehen davon, dass sie die nackten Füße des Dienstmädchens mit keinem Wort erwähnt hatte.

Freundlich plaudernd führte die junge Frau ihren Besucher in ein Gästezimmer und wies den Hausdiener an, seine Satteltaschen zu holen.

»Und sag Kiri bitte, sie möchte ihre Schuhe anziehen! Lucas kriegt Zustände, wenn sie so serviert!«

»Mummy, warum muss ich Schuhe anziehen? Kiri trägt auch keine!«

George traf Gwyneira und ihre Tochter auf dem Korridor vor seinem Zimmer, als er sich eben anschickte, zum Essen herunterzugehen. Er hatte sein Bestes getan, was Abendkleidung betraf. Der hellbraune Anzug war ein wenig zerknittert, aber maßgefertigt und sehr viel kleidsamer als die bequemen Lederhosen und die Wachsjacke, die er in Australien erworben hatte.

Elegant gekleidet waren auch Gwyneira und das hinreißende, rothaarige kleine Mädchen, das so lautstark mit ihr zankte.

Gwyneira trug ein türkisfarbenes Abendkleid, nicht die allerneueste Mode, aber so atemberaubend raffiniert geschnitten, dass es auch in den besten Londoner Salons für Aufsehen gesorgt hätte – zumindest, wenn eine so schöne Frau wie Gwyneira darin steckte. Dem kleinen Mädchen hatte man ein hellgrünes Hängerkleid angezogen, das allerdings fast gänzlich von seiner Fülle rotgoldener Locken verdeckt wurde. Wenn Fleurs Haar offen herunterhing, stand es zudem seitlich etwas ab und kräuselte sich wie das eines Rauschgoldengels. Zu dem hübschen Kleidchen gehörten zartgrüne Schuhe, doch die Kleine trug sie offensichtlich lieber in der Hand als an den Füßen.

»Sie drücken!«, behauptete sie.

»Fleur, sie drücken nicht!«, erklärte ihre Mutter. »Wir haben sie erst vor vier Wochen gekauft, und da waren sie fast noch zu groß. So schnell wächst nicht einmal du! Und selbst wenn sie drücken: Eine Lady erträgt den leichten Schmerz, ohne sich zu beklagen!«

»Wie die Indianer? Ruben sagt, in Amerika haben sie Marterpfähle und tun sich aus Spaß weh, um zu gucken, wer der Tapferste ist. Hat sein Daddy ihm erzählt. Aber Ruben findet das dumm, genau wie ich.«

»Dies zum Thema ›ladylike‹«, bemerkte Gwyneira und sah Hilfe suchend zu George auf. »Komm, Fleurette. Hier ist ein Gentleman. Der kommt aus England, so wie ich und Rubens Mummy. Wenn du dich vornehm benimmst, wird er dich vielleicht mit Handkuss begrüßen und ›Mylady‹ zu dir sagen. Aber nur, wenn du Schuhe trägst!«

»Mr. James sagt immer ›Mylady‹ zu mir, auch wenn ich barfuß rumlaufe.«

»Der kommt aber sicher nicht aus England«, spielte George das Spiel mit. »Und bestimmt wurde er der Queen noch nicht vorgestellt ...« Diese Ehre war den Greenwoods im letzten Jahr zuteil geworden, und Georges Mutter würde wahrscheinlich ihr Leben lang davon zehren. Gwyneira schien es weniger zu beeindrucken – im Gegensatz zu ihrer Tochter: »Ehrlich? Der Queen? Hast du eine Prinzessin gesehen?«

»Alle Prinzessinnen«, behauptete George. »Und sie hatten alle Schuhe an.«

Fleurette seufzte. »Na schön«, sagte sie und schlüpfte in ihre Slipper.

»Vielen Dank«, meinte Gwyneira augenzwinkernd zu George. »Sie haben mir wirklich geholfen. Fleurette ist sich im Moment nämlich noch nicht sicher, ob sie Indianerkönigin im Wilden Westen wird oder doch lieber einen Prinzen heiratet und in seinem Schloss Ponys züchtet. Außerdem findet sie Robin Hood äußerst anziehend und denkt an ein Leben als Outlaw. Wobei ich fürchte, sie entscheidet sich für Letzteres. Sie isst leidenschaftlich gern mit den Fingern, und Bogenschießen übt sie auch schon.« Ruben hatte kürzlich einen Bogen für sich und seine kleine Freundin geschnitzt.

George zuckte die Achseln. »Nun ja, Lady Marian aß sicher mit Messer und Gabel. Und im Sherwood Forest kommt man ohne Schuhe nicht weit.«

»Das ist ein Argument!«, sagte Gwyn lachend. »Kommen Sie, mein Schwiegervater wird schon warten.«

Einträchtig stiegen die drei nebeneinander die Treppe hinunter.

James McKenzie hatte Gerald Warden in den Salon begleitet. Das kam selten vor, aber heute waren ein paar Rechnungen zu unterzeichnen, die McKenzie aus Haldon mitgebracht hatte. Warden wollte das schnell erledigen – Candlers brauchten ihr Geld, und McKenzie würde am nächsten Tag in aller Frühe aufbrechen und die nächste Lieferung abholen. Nach wie vor war Kiward Station im Aufbau; zurzeit wurde ein Kuhstall errichtet. Die Rinderzucht florierte seit dem Goldrausch in Otago – all die Goldsucher wollten versorgt sein, und nichts schätzten sie mehr als ein gutes Steak. Die Farmer aus Canterbury trieben alle paar Monate ganze Herden von Rindvieh gen Queenstown. Nun saß der Alte am Kamin und studierte die Rechnungen. McKenzie blickte sich in dem kostbar gestalteten Raum um und fragte sich müßig, wie es wohl sein würde, hier zu wohnen. Zwischen all den glänzenden Möbeln, den weichen Teppichen ... mit einem Kamin, der das Zimmer mit wohliger Wärme erfüllte und den man nicht einmal anfeuern musste, sobald man heimkam. Wozu hatte man schließlich Hausangestellte? James fand das alles verlockend, doch ziemlich fremd. Er brauchte es nicht und sehnte sich auch gar nicht danach. Aber Gwyneira vielleicht. Nun, wenn es ihm gelang, sie dadurch für sich zu gewinnen, würde er auch ein solches Haus bauen und sich in Anzüge werfen wie Lucas und Gerald Warden.

Auf der Treppe hörte man jetzt Stimmen. James blickte gespannt nach oben. Gwyneiras Anblick in ihrem Abendkleid bezauberte ihn und ließ sein Herz schneller schlagen – ebenso der Anblick ihrer Tochter, die er sonst selten in festlicher Kleidung antraf. In dem Mann neben den beiden meinte er zunächst, Lucas zu erkennen. Aufrechte Haltung, ein eleganter brauner Abendanzug ... aber dann sah er, dass ein anderer Mann die Stufen herunterkam. Eigentlich hätte er es gleich merken müssen, denn in Lucas' Gesellschaft hatte er Gwyneira noch nie so ausgelassen lachen und scherzen sehen. Dieser Mann aber schien sie zu amüsieren. Gwyneira neckte ihn oder ihre Tochter oder beide, und er gab es ebenso vergnügt zurück. In James stieg Eifersucht auf. Wer war der Mann, zum Teufel? Was gab ihm das Recht, mit seiner Gwyneira herumzualbern?

Auf jeden Fall sah der Fremde gut aus. Er hatte ein schmales, gut geschnittenes Gesicht und kluge, ein wenig spöttisch blickende braune Augen. Sein Körper wirkte beinahe schlaksig, doch er war groß und kräftig und bewegte sich geschmeidig. Seine ganze Haltung drückte Selbstbewusstsein und Furchtlosigkeit aus.

Und Gwyn? James bemerkte das gewohnte Aufleuchten ihrer Augen bei seinem Anblick im Salon. Aber war es wirklich dieser Funke, der bei jedem Zusammentreffen aus der Asche ihrer alten Liebe aufloderte, oder spiegelte sich diesmal nur Überraschung in Gwyneiras Blick? James' Misstrauen brannte lichterloh. Gwyneira gab nicht zu erkennen, ob sie seine mürrische Miene bemerkte.

»Mr. Greenwood!« Auch Gerald Warden hatte die drei auf der Treppe inzwischen bemerkt. »Bitte entschuldigen Sie, dass ich bei Ihrer Ankunft nicht daheim war. Aber wie ich sehe, hat Gwyneira Sie ja schon mit dem Haus vertraut gemacht!« Gerald streckte dem Besucher die Hand entgegen.

Richtig, das musste der Kaufmann aus England sein, dessen Ankunft Gwyneiras Tagesplanung heute so durcheinander gebracht hatte. Jetzt schien sie sich allerdings nicht mehr darüber zu ärgern, sondern wies Greenwood freundlich einen Platz an.

James dagegen ließ man stehen ... McKenzies Eifersucht verwandelte sich in Zorn.

»Die Rechnungen, Mr. Gerald«, bemerkte er.

»Ja, richtig, die Rechnungen. Es ist in Ordnung, McKenzie, ich zeichne sie gleich ab. Ein Whiskey, Mr. Greenwood? Sie müssen von Good Old England erzählen!«

Gerald setzte eine fahrige Unterschrift unter die Papiere und hatte dann endgültig nur noch Augen für den Besucher – und die Whiskeyflasche. Der kleine Flachmann, den er immer bei sich trug, musste spätestens am frühen Nachmittag leer gewesen sein – und Geralds Laune war entsprechend schlecht. McAran hatte James von einem hässlichen Auftritt zwischen Gerald und Lucas in den Ställen berichtet. Es ging um eine kalbende Kuh, bei deren Niederkunft es Komplikationen gab. Lucas war der Lage wieder einmal nicht gewachsen; der Mann konnte einfach kein Blut sehen. Deshalb war es sicher nicht die beste Idee des alten Warden gewesen, ihm ausgerechnet die Rinderzucht als Hauptaufgabe zuzuweisen. McKenzies Ansicht nach hätte Lucas die Bewirtschaftung der Felder erheblich besser gelegen. Lucas hatte es nun mal eher im Kopf als in den Händen, und wenn es um Ertragsberechnungen, gezielten Düngemitteleinsatz und Kosten-Nutzen-Rechnungen in Bezug auf den Ankauf von Landmaschinen ging, dachte er durchaus profitorientiert.

Blökende Muttertiere jedoch raubten ihm die Fassung, und heute Nachmittag musste die Lage sich wieder einmal zugespitzt haben. Immerhin – ein Glück für Gwyn. Wenn Geralds Zorn sich auf Lucas entlud, blieb sie verschont. Aber sie wurde ihren Aufgaben ja auch sehr gut gerecht. Dieser Gast zumindest schien sich blendend zu unterhalten.

»Ist noch was, McKenzie?«, fragte Gerald und schenkte Whiskey ein.

James entschuldigte sich eilig. Fleur folgte ihm, als er hinausging.

»Hast du gesehen?«, fragte sie. »Ich hab Schuhe an wie eine Prinzessin.«

James lachte, sofort besänftigt. »Die sind wirklich hübsch, Mylady. Aber Sie sind ja immer eine hinreißende Erscheinung, egal welches Schuhwerk Sie tragen.«

Fleurette runzelte die Stirn. »Das sagst du nur, weil du kein Gentleman bist«, erklärte sie. »Gentlemen haben nur Achtung vor einer Dame, wenn sie Schuhe trägt. Sagt Mr. Greenwood.«

Gewöhnlich hätte James sich über diese Bemerkung amüsiert, jetzt aber loderte seine Wut wieder auf. Was nahm der Kerl sich heraus, seine Tochter gegen ihn aufzubringen? James konnte sich kaum beherrschen.

»Nun, Mylady, dann seht besser zu, dass Ihr Euch mit richtigen Männern umgebt, statt mit blutleeren Anzugträgern mit großen Namen! Denn wenn die Achtung vom Schuhwerk abhängt, ist sie schnell abgelaufen!« Er richtete die Worte an das erschrockene Kind, doch sie trafen Gwyneira, die ihrer Tochter gefolgt war.

Sie schaute ihn verwirrt an, doch James gab den Blick nur finster zurück und verzog sich dann in die Ställe. Heute würde auch er sich einen großen Schluck Whiskey gönnen. Sollte sie doch Wein trinken mit ihrem reichen Fatzke!

Der Hauptgang des Abendessens bestand aus Lamm und einem Auflauf aus Süßkartoffeln, was George in seinen Beobachtungen bestätigte. Traditionspflege lag der Hausfrau nicht am Herzen, auch wenn das Dienstmädchen jetzt Schuhe trug und ganz korrekt servierte. Dabei zeigte es so viel Respekt vor dem Hausherrn Gerald Warden, dass es fast schon an Angst grenzte. Der ältere Herr schien aufbrausend zu sein und verfügte offensichtlich über ein lebhaftes Temperament: Er plauderte angeregt, wenn auch schon etwas trunken über Gott und die Welt und hatte zu jedem Thema eine Meinung. Der junge Herr, Lucas Warden, wirkte dagegen eher still, fast leidend. Wenn sein Vater allzu radikale Ansichten vertrat, schien ihm das geradezu körperliche Schmerzen zu bereiten. Ansonsten war Gwyneiras Gatte sympathisch, sehr wohlerzogen, der perfekte Gentleman. Freundlich, aber bestimmt korrigierte er die Tischsitten seiner Tochter – der Umgang mit dem Kind schien ihm zu liegen. Fleur stritt sich nicht mit ihm herum wie mit ihrer Mutter, sondern breitete die Serviette brav auf den Knien aus und beförderte das Lammfleisch mit der Gabel zum Mund, statt einfach zuzugreifen wie weiland die wilden Gesellen im Sherwood Forest. Aber vielleicht lag dies ja auch an Geralds Anwesenheit. Eigentlich erhob in dieser Familie niemand die Stimme, wenn der Alte zugegen war.

Trotz der Schweigsamkeit um ihn herum unterhielt George sich an diesem Abend recht gut. Gerald konnte launig vom Farmleben erzählen – George sah die Aussagen der Leute in Christchurch bestätigt. Der alte Warden verstand sich auf Schafe und Wollgewinnung, hatte mit der Anschaffung der Rinder den richtigen Riecher gehabt und hielt seine Farm perfekt in Schuss. George selbst hätte allerdings auch gern weiter mit Gwyneira geplaudert, und Lucas erschien ihm nicht halb so ein Langweiler, wie Peter Brewster und Reginald Beasley hatten vermuten lassen. Gwyneira hatte ihm vorhin verraten, dass ihr Gatte die Porträts im Salon selbst gemalt hatte. Sie verkündete es mit Unsicherheit und fast mit ein wenig Spott in der Stimme, doch George betrachtete die Bilder durchaus mit Hochachtung. Er hätte sich selbst nicht als Kunstkenner bezeichnet, war in London aber häufig zu Vernissagen und Versteigerungen geladen gewesen. Ein Künstler wie Lucas Warden hätte dort sicher seine Anhängerschaft gefunden und wäre mit etwas Glück sogar zu Ruhm und Reichtum gelangt. George überlegte, ob sich die Mitnahme einiger Werke nach London lohnen könnte. Sicher ließen die Bilder sich dort verkaufen. Andererseits ging er damit das Risiko ein, es sich mit

Gerald Warden zu verscherzen. Einen Künstler in der Familie wünschte der Alte sich bestimmt am allerwenigsten.

An diesem Abend kam das Gespräch ohnehin nicht auf Kunst. Gerald belegte den Besucher aus England durchgehend mit Beschlag, trank dabei eine ganze Flasche Whiskey und schien gar nicht zu merken, dass Lucas sich so früh wie möglich verabschiedete. Gwyneira floh sogar gleich nach dem Essen, um das Kind zu Bett zu bringen. Eine Nanny beschäftigte man hier also nicht, was George seltsam fand. Schließlich hatte der Sohn des Hauses doch offensichtlich eine grundenglische Erziehung durchlaufen. Warum unterließ Gerald dies bei seiner Enkelin? Gefiel ihm das Ergebnis nicht? Oder lag es einfach daran, dass Fleurette »nur« ein Mädchen war?

Am nächsten Morgen ergab sich ein umso ausführlicheres Gespräch mit dem jungen Ehepaar Warden. Gerald kam nicht zum Frühstück herunter – zumindest nicht zur gewohnten Zeit. Die gestrige Zecherei forderte ihren Tribut. Gwyneira und Lucas wirkten deshalb gleich gelöster. Lucas erkundigte sich nach dem Londoner Kulturleben und war offensichtlich hocherfreut, dass George mehr dazu zu sagen hatte als »erhebend« und »erbaulich«. Angesichts des Lobes für die Porträts schien er geradezu zu wachsen und lud den Besucher gleich in sein Atelier ein.

»Sie können kommen, wann Sie möchten! Heute Morgen werden Sie sich die Farm ansehen, nehme ich an, aber am Nachmittag …«

George nickte unsicher. Den Ritt über die Farm hatte Gerald ihm versprochen, und George war sehr daran interessiert. Schließlich hieß es, dass sich alle anderen Betriebe auf der Südinsel an Kiward Station messen lassen mussten. Aber Gerald war nicht in Sicht …

»Oh, ich kann mit Ihnen reiten!«, bot Gwyneira spontan an,

als George eine vorsichtige Bemerkung dazu machte. »Lucas natürlich auch … aber ich bin gestern den ganzen Tag nicht aus dem Haus gekommen. Wenn meine Begleitung Ihnen also genehm wäre …«

»Wem wäre Ihre Begleitung nicht genehm?«, fragte George galant, auch wenn er sich von einem Ausritt mit der Lady nicht viel versprach. Eigentlich hatte er mit kundiger Einweisung und mit Einblicken in Zucht und Weideführung gerechnet. Umso erstaunter war er, als er Gwyneira kurz danach in den Ställen wiedertraf.

»Satteln Sie mir bitte Morgaine, Mr. James«, erteilte sie dem Vorarbeiter soeben Anweisung. »Sie braucht dringend Schulung, aber wenn Fleur dabei ist, mag ich sie nicht nehmen, sie ist zu ungestüm …«

»Meinen Sie, der junge Mann aus London ist Ihrem Ungestüm gewachsen?«, erkundigte der Viehhüter sich spöttisch.

Gwyneira runzelte die Stirn. George fragte sich, warum sie den unverschämten Kerl nicht zurechtwies.

»Das hoffe ich«, meinte sie aber nur. »Sonst muss er hinterherreiten. Er wird schon nicht runterfallen. Kann ich Ihnen Cleo hier lassen? Es wird ihr nicht gefallen, aber es wird doch ein längerer Ritt, und sie ist schon recht schwerfällig.« Die kleine Hündin, die Gwyneira wie immer folgte, schien sie verstanden zu haben und zog unmutig den Schwanz ein.

»Es werden die letzten Welpen, Cleo, versprochen!«, tröstete Gwyneira. »Ich reite mit Mr. George bis zu den Steinkriegern. Mal sehen, ob wir ein paar der jungen Widder zu sehen kriegen. Kann ich unterwegs irgendwas erledigen?«

Der junge Mann schien bei einer ihrer Bemerkungen fast schmerzlich das Gesicht zu verziehen. Oder spöttisch? Reagierte er damit auf ihr Angebot, sich bei der Farmarbeit nützlich zu machen?

Auf jeden Fall antwortete er nicht, während ein anderer Farmarbeiter ganz beiläufig darauf reagierte.

»Oh ja, Miss Gwyn, einer von den kleinen Widdern, der Prachtbursche, den Mr. Gerald Mr. Beasley versprochen hat, macht sich immer wieder selbstständig. Springt bei den Mutterschafen rum und macht uns die Herde verrückt. Wenn Sie ihn zurücktreiben würden? Oder bringen Sie die zwei für Beasleys gleich mit, dann ist da oben Ruhe. Geht das in Ordnung, James?«

Der Vorarbeiter nickte. »Nächste Woche sollen sie sowieso weg. Wollen Sie Daimon, Miss Gwyn?«

Als der Name »Daimon« fiel, erhob sich ein großer, schwarzweißer Rüde.

Gwyneira schüttelte den Kopf. »Nein, ich nehme Cassandra und Catriona. Mal schauen, wie sie sich machen. Lange genug geübt haben wir ja.«

Beide Hündinnen sahen aus wie Cleo. Gwyneira stellte sie George als deren Töchter vor. Auch ihre sehr lebhafte Stute war eigene Nachzucht aus zwei Pferden, die sie aus England mitgebracht hatte. Gwyneira ritt sie im Herrensitz, und wieder schien sie mit dem Vorarbeiter seltsame Blicke zu tauschen, als er sie ihr vorführte.

»Ich hätte durchaus im Damensattel reiten können«, bemerkte Gwyneira. Vor dem Londoner Besuch hätte sie wohl gern die Schicklichkeit gewahrt.

George verstand nicht, was der Mann darauf erwiderte, sah aber, dass Gwyneira vor Zorn errötete.

»Kommen Sie, auf dieser Farm haben gestern entschieden zu viele Leute zu viel getrunken!«, stieß sie böse hervor und setzte ihre Stute in Trab. George folgte ihr verwirrt.

McKenzie blieb zurück. Er hätte sich ohrfeigen können. Wie hatte er sich so gehen lassen können? Immer wieder rief er sich seine freche Bemerkung von eben in den Sinn – »Verzeihung. Ihre Tochter meinte, Sie bevorzugten Sättel für ›richtige Menschen‹. Aber wenn Mylady heute Weibchen spielen möchte ...«

Das war unverzeihlich! Und wenn Gwyneira bis jetzt noch nicht von selbst darauf gekommen war, wozu dieser englische Fatzke vielleicht taugte, hatte er sie nun todsicher darauf gebracht.

George war überrascht von der sachkundigen Führung, die Gwyneira ihm angedeihen ließ – als sie sich wieder beruhigt und ihre Stute so weit gezügelt hatte, dass sein Leihpferd mit ihr Schritt hielt. Offensichtlich kannte Gwyn das Zuchtprogramm von Kiward Station in und auswendig, gab detaillierte Angaben zur Abstammung der jeweiligen Tiere und kommentierte Fehler und Erfolge der Zucht.

»Wir züchten nach wie vor reine Welsh Mountains und kreuzen sie mit Cheviots – das gibt die perfekte Mischung. Beides ist Down Type. Bei Welsh Mountains kann man 36 bis 48 Stränge aus einem Pfund Rohwolle spinnen, bei Cheviots 48 bis 56. Das ergänzt sich. Die Wollqualität ist gleichmäßig, während es nicht so ideal ist, mit Merinos zu arbeiten. Das sagen wir den Leuten auch immer, die reinrassige Welsh Mountains haben wollen, aber die meisten halten sich für klüger. Merinos liefern ›Fine Wool‹, das gibt 60 bis 70 Stränge aus einem Pfund. Sehr schön, aber reinrassig kann man sie hier nicht züchten, dafür sind sie nicht robust genug. Und kombiniert mit anderen Rassen gibt es kein gleichmäßiges Ergebnis.«

George verstand von all dem nur die Hälfte, war aber ausreichend beeindruckt – erst recht, als sie glücklich die Ausläufer des Hochlands erreichten, wo die jungen Widder frei weideten. Gwyneiras junge Hütehunde trieben die Herde zunächst zusammen, separierten dann die beiden verkauften Tiere – die Gwyneira auf Anhieb erkannte – und geleiteten sie gelassen zu Tal. Gwyn verhielt ihre Stute und ritt im Tempo der Schafe mit. George nutzte die Gelegenheit, endlich vom

Thema »Schafe« wegzukommen und eine Frage zu stellen, die ihm viel brennender am Herzen lag.

»In Christchurch sagte man mir, Sie kennen Helen O'Keefe ...«, erkundigte er sich vorsichtig – und hatte gleich darauf eine weitere Verabredung mit der Herrin von Kiward Station. Er würde Gerald sagen, dass er am nächsten Tag nach Haldon reiten wollte, und Gwyneira würde ihn ein Stück des Weges begleiten, um Fleur in Helens Schule zu bringen. Tatsächlich würde er ihr bis zur Farm der O'Keefes folgen.

George klopfte das Herz bis zum Hals. Morgen würde er sie wiedersehen!

# 3

Hätte Helen ihr Dasein in den letzten Jahren beschreiben müssen – ehrlich und ohne die Beschönigungen, mit denen sie sich tröstete und die Leser ihrer Briefe nach England hoffentlich beeindruckte –, hätte sie das Wort »Überleben« gewählt.

Während Howards Farm bei ihrer Ankunft noch ein vielversprechendes Unternehmen zu sein schien, ging es seit Rubens Geburt immer weiter bergab. Die Anzahl der Zuchtschafe nahm zwar zu, die Qualität der Wolle aber schien eher schlechter zu werden, die Verluste im Frühjahr waren erdrückend. Außerdem versuchte Howard sich in Hinblick auf Geralds erfolgreiche Vorstöße seit einiger Zeit mit der Rinderzucht.

»Ein Wahnsinn!«, wie Gwyneira es Helen gegenüber kommentierte. »Rinder brauchen ein Mehrfaches an Gras und Winterfutter als Schafe«, erklärte sie. »Auf Kiward Station ist das kein Problem. Selbst mit dem Land, das jetzt schon gerodet ist, könnten wir fast die doppelte Anzahl Schafe ernähren. Aber euer Land ist karg, es liegt ja auch viel höher. Da wächst nicht so viel, ihr kriegt ja schon die Schafe kaum satt. Und dann erst Rinder! Das ist hoffnungslos. Man könnte es mit Ziegen versuchen. Aber das Beste wäre, all das Viehzeug abzustoßen, das ihr da herumlaufen habt, und mit ein paar guten Schafen neu anzufangen. Qualität, nicht Quantität!«

Helen, für die Schaf bislang gleich Schaf gewesen war, musste sich Vorträge über Rassen und Kreuzungen anhören, und während sie am Anfang eher gelangweilt war, hörte sie schließlich immer aufmerksamer zu, je öfter Gwyneira dozierte. Wenn man ihrer Freundin glauben dürfte, war Howard beim Ankauf seiner Schafe auf ziemlich dubiose Viehhändler hereingefallen – oder hatte einfach kein Geld ausgeben wollen. Auf jeden Fall waren seine Tiere wilde Mischungen, eine gleichmäßige Wollqualität war nicht zu erreichen. Egal, wie sorgfältig man Futterauswahl und Weideführung gestaltete.

»Das siehst du doch schon an den Farben, Helen!«, erklärte Gwyneira. »Die sehen alle unterschiedlich aus. Unsere dagegen ähneln sich wie ein Ei dem anderen. So muss das sein, dann kannst du große Kontingente qualitativ guter Wolle verkaufen und kriegst einen guten Preis.«

Helen sah das ein und versuchte auch schon mal, hier vorsichtig auf Howard einzuwirken. Der erwies sich ihren Vorschlägen gegenüber jedoch als wenig aufgeschlossen. Er wies sie sogar schroff zurecht, wenn sie nur damit anfing. Überhaupt konnte er Kritik nicht vertragen – was ihm auch unter Viehhändlern und Wollaufkäufern keine Freunde machte. Letztlich hatte er sich mit fast allen überworfen – außer dem langmütigen Peter Brewster, der ihm für seine drittklassige Wolle zwar keinen Spitzenpreis bot, sie aber immerhin abnahm. Helen wagte gar nicht darüber nachzudenken, was geschehen würde, wenn Brewsters nun tatsächlich nach Otago abwanderten. Dann waren sie von seinem Nachfolger abhängig, und auf Diplomatie von Seiten Howards war nicht zu hoffen. Würde der Mann dann trotzdem Verständnis zeigen, oder die Farm bei künftigen Einkaufsreisen einfach übergehen?

Die Familie lebte jedenfalls jetzt schon von der Hand in den Mund, und ohne die Hilfe der Maoris, die den Schulkindern immer wieder Jagdbeute, Fische oder Gemüse mitgaben, um für den Unterricht zu bezahlen, hätte Helen oft nicht weitergewusst. An eine Hilfe für Stall und Haushalt war auf keinen Fall zu denken – im Gegenteil, Howard zog Helen immer häufiger auch bei der Farmarbeit hinzu, weil er sich nicht einmal einen Maori-Helfer leisten konnte. Dabei versagte Helen meist kläglich, und Howard tadelte sie streng, wenn sie beim Lammen wieder mal errötete, statt zuzupacken, oder beim Schlachten in Tränen ausbrach.

»Stell dich nicht so an!«, schimpfte er und zwang sie, hinzusehen und anzufassen. Helen versuchte, Ekel und Angst herunterzuschlucken und tat mit Todesverachtung, was er von ihr verlangte. Allerdings konnte sie es nicht ertragen, wenn er ihren Sohn ebenso behandelte, und das kam immer häufiger vor. Howard konnte es kaum erwarten, dass der Junge heranwuchs und »nützlich« wurde, obwohl jetzt schon abzusehen war, dass auch Ruben sich wenig für die Farmarbeit eignen würde. Das Kind hatte äußerlich zwar einige Ähnlichkeit mit Howard – es war groß, mit vollen dunklen Locken, und würde sicher kräftig werden. Die verträumten grauen Augen hatte es jedoch von der Mutter, und auch Rubens Wesen passte wenig zur Härte des Farmbetriebs. Der Junge war Helens ganzer Stolz: freundlich, höflich und angenehm im Umgang, dazu hochintelligent. Mit seinen fünf Jahren konnte der Junge bereits gut lesen und verschlang selbst Wälzer wie *Robin Hood* und *Ivanhoe*. Er verblüffte in der Schule, indem er die Rechenaufgaben der Zwölf- und Dreizehnjährigen löste, und natürlich sprach er fließend Maori. Handarbeiten lagen ihm jedoch nicht; selbst die kleine Fleur war geschickter darin, die eben geschnitzten Bögen für ihr Robin-Hood-Spiel mit Pfeilen zu versehen und diese abzufeuern.

Aber Ruben war willig. Wenn Helen ihn um etwas bat, bemühte er sich stets nach Kräften, die Aufgabe zu meistern. Howards rauer Ton jedoch machte ihm Angst, und die blutrünstigen Geschichten, die sein Vater ihm erzählte, um ihn abzuhärten, verschreckten ihn. Rubens Verhältnis zu Howard wurde deshalb mit jedem Jahr schlechter – und Helen sah schon ein ähnliches Desaster voraus wie zwischen Gerald und Lucas auf Kiward Station. Leider ohne das Vermögen im Hintergrund, das es Lucas ermöglichen würde, einen fähigen Verwalter einzustellen.

Wenn Helen dies alles bedachte, tat es ihr manchmal Leid, dass ihre Ehe nicht mit weiteren Kindern gesegnet war. Howard hatte irgendwann nach Rubens Geburt zwar seine Besuche bei ihr wieder aufgenommen, doch zu einer weiteren Empfängnis war es nicht gekommen. Das mochte an Helens Alter liegen oder auch daran, dass Howard nie wieder so regelmäßig mit ihr schlief wie im ersten Jahr ihrer Ehe. Helens offensichtlicher Unwille, die Anwesenheit des Kindes im Schlafzimmer und Howards zunehmender Alkoholgenuss wirkten nicht sonderlich stimulierend. Häufiger als im Bett seiner Frau suchte Howard sein Vergnügen am Spieltisch im Pub zu Haldon. Ob es dort auch Frauen gab und vielleicht so mancher Spielgewinn in die Taschen einer Hure wanderte, wollte Helen gar nicht erst wissen.

Heute jedoch war ein guter Tag. Howard war gestern nüchtern geblieben und schon früh, vor Tau und Tag, in die Berge geritten, um nach den Mutterschafen zu sehen. Helen hatte die Kühe gemolken, Ruben die Eier eingesammelt, und gleich würden die Maori-Kinder zur Schule kommen. Helen hoffte auch auf einen Besuch von Gwyneira. Fleurette würde quengeln, wenn sie wieder nicht zur Schule durfte – eigentlich war sie noch viel zu klein, doch sie brannte darauf, Lesen zu lernen und beim Vorlesen nicht mehr auf die mangelnde Geduld ihrer Mutter angewiesen zu sein. Ihr Vater war da zwar langmütiger, doch seine Bücher gefielen Fleur nicht. Sie mochte nichts von braven kleinen Mädchen hören, die verarmten und ins Unglück gerieten und dann nur durch Glück oder Zufall irgendwie wieder herauskamen. Sie hätte den ekelhaften

Stiefmüttern, Pflegeeltern oder Hexen wahrscheinlich eher das Haus angezündet als die Kamine befeuert! Lieber las sie von Robin Hood und seinen Mannen oder ging mit Gulliver auf Reisen. Helen lächelte bei dem Gedanken an den kleinen Wirbelwind. Kaum zu glauben, dass der stille Lucas Warden ihr Vater war.

George Greenwood hatte Seitenstechen vom schnellen Traben. Gwyneira hatte sich diesmal dem Gebot der Schicklichkeit gebeugt und ihr Pferd anspannen lassen. Die elegante Stute Igraine zog den Zweisitzer mit Elan; sie hätte jedes Kutschenrennen gewinnen können. Georges Mietpferd kam zum Teil nur im Galopp mit, mühte sich meist aber nach Kräften und schüttelte George dabei ziemlich durch. Obendrein war Gwyneira zum Plaudern aufgelegt und verriet vieles über Howard und Helen O'Keefe, das George brennend interessierte. Deshalb versuchte er mitzuhalten, auch wenn ihm alles wehtat.

Kurz vor Erreichen der Farm zügelte Gwyn allerdings ihr Pferd. Schließlich wollte sie keins der Maori-Kinder überfahren, die zur Schule kamen. Und auch dem kleinen Wegelagerer, der ihnen gleich nach der Flussdurchquerung auflauerte, durfte nichts passieren. Gwyneira schien mit so etwas gerechnet zu haben, aber George war regelrecht erschrocken, als der dunkelhaarige kleine Junge, das Gesicht mit grüner Farbe bemalt und Pfeil und Bogen in der Hand, aus dem Unterholz sprang.

»Halt! Was macht Ihr in meinen Wäldern? Nennt Euren Namen und Euer Begehr!«

Gwyneira lachte. »Aber Ihr kennt mich doch, Master Robin!«, erklärte sie. »Schaut mich an! Bin ich nicht die Anstandsdame von Lady Fleurette, der Dame Eures Herzens?«

»Stimmt doch gar nicht! Ich bin Little John!«, krähte Fleur.

»Und das ist ein Bote der Königin!« Sie wies auf George. »Der kommt aus London!«

»Schickt Euch unser guter König Löwenherz? Oder kommt Ihr von John, dem Verräter?«, erkundigte Ruben sich argwöhnisch. »Womöglich Königin Eleanor mit dem Schatz zu des Königs Befreiung?«

»Genau!«, sagte George gewichtig. Der Kleine war zu putzig in seiner Räuberverkleidung und seiner ernsthaften Wortwahl. »Und ich muss heute noch weiter ins Heilige Land. Also, wollt Ihr uns jetzt durchlassen? Sir …«

»Ruben!«, erklärte der Kleine. »Ruben Hood, zu Euren Diensten!«

Fleur sprang vom Wagen.

»Er hat gar keinen Schatz!«, petzte sie. »Er will nur deine Mummy besuchen. Aber aus London kommt er wirklich!«

Gwyneira fuhr wieder an. Die Kinder würden die Farm wohl auch allein finden. »Das war Ruben«, erklärte sie George. »Helens Sohn. Ein aufgewecktes Kind, nicht wahr?«

George nickte. Was das angeht, hat sie es richtig gemacht, ging es ihm durch den Kopf. Er hatte wieder jenen endlos langweiligen Nachmittag mit seinem hoffnungslosen Bruder William vor Augen, an dem Helen ihren Entschluss fasste. Bevor er aber noch etwas sagen konnte, kam jetzt die Farm der O'Keefes in Sicht. George war bei ihrem Anblick genauso entsetzt, wie Helen sechs Jahre zuvor. Zumal die Hütte jetzt nicht mehr neu war wie damals, sondern erste Zeichen der Verwahrlosung zeigte.

»So hat sie es sich nicht vorgestellt«, sagte er leise.

Gwyneira hielt ihren Dogcart vor der Farm an und schirrte die Stute aus. George hatte derweil Zeit, sich umzusehen, und registrierte die kleinen, spärlich ausgestreuten Ställe, die mageren Kühe und das Maultier, das seine besten Jahre längst hinter sich hatte. Er sah den Brunnen im Hof – Helen musste ihr Wasser offensichtlich noch eimerweise ins Haus tragen – und den Hauklotz für das Feuerholz. Ob der Herr des Hauses hier wenigstens selbst für Nachschub sorgte? Oder musste Helen zur Axt greifen, wenn sie es warm haben wollte?

»Kommen Sie, die Schule ist auf der anderen Seite«, riss Gwyneira George aus seinen Gedanken und ging auch schon um das Blockhaus herum. »Wir müssen ein Stück durch den Busch. Die Maoris haben ein paar Hütten im Wäldchen aufgestellt, zwischen Helens Haus und ihrem eigenen Dorf. Aber sie sind vom Haus aus nicht einzusehen – Howard möchte die Kinder nicht zu nah bei sich haben. Das mit der Schule gefällt ihm ohnehin nicht, er hätte lieber mehr Hilfe auf der Farm. Aber letztlich ist es so besser. Wenn Howard dringend jemanden braucht, schickt Helen einen der älteren Jungen. Die eignen sich viel eher für die Arbeit.«

Das konnte George sich lebhaft vorstellen. Helen bei der Hausarbeit konnte er sich im Notfall noch ausmalen. Aber Helen beim Kastrieren von Lämmern oder als Helferin beim Kalben? Nie und nimmer!

Der Pfad zum Wäldchen war häufig begangen, aber auch hier sah George Anzeichen für den traurigen Zustand der Farm. Ein paar Widder und Mutterschafe standen in Pferchen, doch die Tiere waren durchweg in schlechtem Zustand – mager, die Wolle verklebt und verschmutzt. Die Zäune wirkten verwahrlost, der Draht war schlecht gespannt, und die Tore hingen schief in den Angeln. Kein Vergleich mit der Farm der Beasleys oder gar Kiward Station. Das Ganze wirkte mehr als trostlos.

Aus dem Wäldchen war allerdings Kinderlachen zu hören. Die Stimmung dort schien gut zu sein.

»Am Anfang«, las ein helles Stimmchen mit lustigem Akzent vor, »schuf Gott Himmel und Erde, *rangi* und *papa*.«

Gwyneira lächelte George zu. »Helen kämpft mal wieder

mit der Maori-Fassung der Schöpfungsgeschichte«, bemerkte sie. »Die ist zwar ziemlich eigenwillig, aber die Kinder formulieren sie jetzt immerhin so, dass Helen dabei nicht mehr rot wird.«

Während vergnügt und freizügig von den liebeshungrigen Maori-Göttern erzählt wurde, spähte George durch das Buschwerk in die palmwedelgedeckten, offenen Hütten. Die Kinder saßen auf dem Boden und lauschten dem Vortrag des kleinen Mädchens, das die Geschehnisse des ersten Schöpfungstages vorlas. Dann kam das nächste Kind an die Reihe. Und nun sah George auch Helen. Sie saß an einem improvisierten Pult am Rande der Szenerie, aufrecht und schlank, ganz wie er sie in Erinnerung hatte. Ihr Kleid abgetragen, aber sauber und hochgeschlossen – zumindest von der Seite war sie ganz die korrekte, beherrschte Gouvernante, die er in Erinnerung hatte. Sein Herz klopfte wild, als sie jetzt einen anderen Schüler aufrief und George dabei ihr Gesicht zuwandte. Helen ... für George war sie immer noch schön, und das würde sie stets bleiben, egal, wie sie sich veränderte, und egal, um wie viel älter sie wirkte. Letzteres allerdings erschreckte ihn. Helen Davenport O'Keefe war in den letzten Jahren deutlich gealtert. Die Sonne, die ihren gepflegten weißen Teint gebräunt hatte, meinte es nicht gut mit ihr. Dazu wirkte ihr einst schmales Gesicht jetzt spitzer, beinahe verhärmt. Ihr Haar allerdings war nach wie vor leuchtend kastanienbraun. Sie trug es zu einem dicken, langen Zopf geflochten, der über ihren Rücken fiel. Ein paar Strähnen hatten sich gelöst, und Helen strich sie achtlos aus dem Gesicht, während sie mit den Schülern scherzte – häufiger als damals mit William und ihm, wie George eifersüchtig feststellte. Überhaupt wirkte Helen weicher als früher, der Umgang mit den Maori-Kindern schien ihr Spaß zu machen. Und auch ihr kleiner Master Ruben tat ihr offensichtlich gut. Ruben und Fleurette schlichen sich eben an. Sie kamen zu spät zum Unterricht, hofften aber, dass Helen es nicht merkte. Das war natürlich vergebens. Helen unterbrach den Unterricht nach dem dritten Schöpfungstag.

»Fleurette Warden. Schön, dich zu sehen. Aber meinst du nicht, dass eine Lady höflich Guten Tag sagt, wenn sie sich zu einer Versammlung gesellt? Und du, Ruben O'Keefe – ist dir schlecht, oder warum bist du so grün im Gesicht? Lauf rasch zum Brunnen, und wasch dich, damit du aussiehst wie ein Gentleman. Wo ist denn deine Mutter, Fleur? Oder bist du wieder mit Mr. McKenzie gekommen?«

Fleur versuchte, gleichzeitig den Kopf zu schütteln und gewichtig zu nicken. »Mummy ist auf der Farm mit Mr. ... irgendwas mit Wood«, verriet sie dann. »Aber ich bin schnell hergelaufen, weil ich dachte, ihr lest die Geschichte weiter. Unsere Geschichte, nicht den dummen alten Quatsch mit *rangi* und *papa*.«

Helen verdrehte die Augen. »Fleur, die Schöpfungsgeschichte kann man gar nicht oft genug hören! Und wir haben hier ein paar Kinder, die sie noch gar nicht kennen, jedenfalls nicht die christliche Version. Setz dich jetzt und hör zu. Mal sehen, was später kommt ...« Helen wollte das nächste Kind aufrufen, doch Fleur hatte ihre Mutter eben entdeckt.

»Da sind Mummy und Mr. ...«

Helen spähte durchs Buschwerk – und schien zu erstarren, als sie George Greenwood erkannte. Sie erblasste kurz, um dann zu erröten. War es Freude? Schrecken? Scham? George hoffte, dass die Freude überwog. Er lächelte.

Helen schob fahrig ihre Bücher zusammen. »Rongo ...« Ihr Blick schweifte über die versammelte Kinderschar und blieb an einem älteren Mädchen hängen, das dem Unterricht bislang nicht sonderlich aufmerksam gefolgt war. Anscheinend gehörte es zu den Kindern, denen die Schöpfungsgeschichte nicht mehr fremd war. Das Mädchen hatte lieber in dem neuen Buch geschmökert, das auch Fleur so viel interessanter fand. »Rongo, ich muss euch ein paar Minuten allein lassen, ich habe einen Besucher. Würdest du den Unterricht übernehmen? Pass bitte auf, dass die Kinder richtig lesen, nicht irgendwas erzählen, und dass sie kein Wort auslassen.«

Rongo Rongo nickte und stand auf. Im Vollgefühl ihrer Wichtigkeit als Hilfslehrerin ließ sie sich am Pult nieder und rief ein Mädchen auf.

Während es sich stammelnd abmühte, die Geschichte des vierten Schöpfungstages vorzulesen, ging Helen zu Gwyn und George hinüber. Wie damals schon bewunderte George ihre Haltung. Jede andere Frau hätte jetzt noch rasch versucht, ihr Haar zu richten, das Kleid glatt zu ziehen oder was immer ihr eingefallen wäre, um sich ein bisschen herzurichten. Helen tat nichts dergleichen. Sie trat ruhig und aufrecht auf den Besucher zu und reichte ihm die Hand.

»George Greenwood! Wie sehr ich mich freue, Sie zu sehen!«

George strahlte übers ganze Gesicht und sah plötzlich wieder so hoffnungsvoll und eifrig aus wie damals als Sechzehnjähriger.

»Sie haben mich wiedererkannt, Miss Helen!«, sagte er erfreut. »Sie haben es nicht vergessen.«

Helen errötete leicht. Sie registrierte durchaus, dass er »es« und nicht »mich«, sagte. Er spielte auf sein Versprechen von damals an, auf die dumme Verliebtheit des Jungen und seinen verzweifelten Versuch, sie am Aufbruch in ihr neues Leben zu hindern.

»Wie könnte ich Sie vergessen, George?«, sagte sie freundlich. »Sie waren einer meiner vielversprechendsten Schüler. Und nun machen Sie also Ihren Wunsch wahr, die Welt zu bereisen.«

»Nicht gleich die ganze Welt, Miss Helen … oder muss ich Mrs. O'Keefe sagen?« George sah ihr mit der alten Frechheit in die Augen.

Helen zuckte die Schultern. »Alle sagen ›Miss Helen‹.«

»Mr. Greenwood ist hier, um eine Dependance seines Unternehmens in Christchurch aufzubauen«, erklärte Gwyneira. »Er wird den Wollhandel von Peter Brewster übernehmen, wenn die Brewsters nach Otago ziehen ...«

Helen lächelte ein wenig gequält. Sie war nicht sicher, ob sich das als gut oder schlecht für Howard erweisen würde.

»Das ... ist schön«, sagte sie zögernd. »Und jetzt sind Sie hier, um Ihre Kunden kennen zu lernen? Howard wird erst gegen Abend zurückkommen ...«

George grinste sie an. »Ich bin vor allem hier, um Sie wiederzusehen, Miss Helen. Mr. Howard kann warten. Das habe ich Ihnen damals schon gesagt, aber Sie wollten ja nicht hören.«

»George, du solltest ... also wirklich!« Die alte Gouvernantenstimme. George wartete auf ein »Du bist impertinent!«, doch Helen hielt sich zurück. Stattdessen schien sie zu erschrecken, weil sie ihn unwillkürlich geduzt hatte. George fragte sich, ob Gwyneiras Vorstellung etwas damit zu tun hatte. Fürchtete Helen sich vor dem neuen Wollaufkäufer? Grund dazu hätte sie, bei dem, was man so hörte ...

»Wie geht es Ihrer Familie, George?«, versuchte Helen sich jetzt in Konversation. »Ich würde ja gern ausführlicher mit Ihnen plaudern, aber die Kinder sind drei Meilen weit gelaufen, um zum Unterricht zu kommen, und ich darf sie nicht enttäuschen. Haben Sie Zeit zu warten?«

George nickte lächelnd. »Sie wissen, dass ich warten kann, Miss Helen.« Schon wieder eine Anspielung. »Und ich habe Ihren Unterricht immer genossen. Dürfte ich daran teilnehmen?«

Helen schien sich zu entspannen. »Bildung hat noch keinem geschadet«, sagte sie. »Setzen Sie sich zu uns.«

Die Maori-Kinder machten verwundert Platz, als George zwischen ihnen auf dem Boden Platz nahm. Helen erklärte ihnen auf Englisch und auf Maori, dass er ein früherer Schüler aus dem fernen England sei und damit wohl den weitesten Schulweg von allen hatte. Die Kinder lachten, und George fiel erneut auf, wie Helens Unterrichtston sich geändert hatte. Früher hatte sie viel seltener Späße gemacht.

Die Kinder begrüßten den neuen Mitschüler in ihrer Sprache, und George lernte seine ersten paar Worte Maori. Nach der Stunde konnte er auch den ersten Abschnitt der Schöpfungsgeschichte lesen, wobei die Kinder ihn immer wieder lachend verbesserten. Später durften die älteren Schüler Fragen an ihn stellen, und George erzählte von seiner Schulzeit – erst mit Helen zu Hause in London, dann im College zu Oxford.

»Was hat dir denn besser gefallen?«, fragte einer der ältesten Jungen vorwitzig. Helen nannte ihn Reti, und er sprach sehr gut Englisch.

George lachte. »Der Unterricht bei Miss Helen natürlich. Wenn das Wetter schön war, haben wir draußen gesessen, genau wie hier. Und meine Mutter bestand darauf, dass Miss Helen mit uns Krocket spielte, aber sie konnte es nie, sie hat immer verloren.« Er zwinkerte Helen zu.

Reti wirkte nicht überrascht. »Als sie hierher kam, konnte sie auch keine Kuh melken«, verriet er. »Was ist Krocket, Mr. George? Muss man das können, wenn man in Christchurch arbeiten möchte? Ich will nämlich bei den Engländern arbeiten und reich werden.«

George registrierte diese Bemerkung aufmerksam. Er würde mit Helen über diesen vielversprechenden Jungen reden müssen. Ein perfekt zweisprachiger Maori konnte für Greenwood Enterprises durchaus von Nutzen sein. »Wenn du als Gentleman gelten und eine Lady kennen lernen willst, solltest du zumindest so gut Krocket spielen, dass du mit Anstand verlieren kannst«, bemerkte er dann.

Helen verdrehte die Augen. Gwyneira fiel auf, wie jung sie plötzlich wirkte.

»Kannst du es uns beibringen?«, fragte Rongo Rongo. »Als Lady muss man das Spiel doch sicher auch können.«

»Unbedingt!«, sagte George ernst. »Aber ich weiß nicht, ob ich so viel Zeit habe. Ich ...«

»*Ich* kann euch Krocket beibringen!«, mischte Gwyneira sich ein. Das Spiel war eine unverhoffte Chance, Helen früher vom Unterricht loszueisen. »Wie wär's, wenn wir für heute mit dem Lesen und Rechnen aufhören und stattdessen Schläger und Tore machen? Ich zeige euch, wie es geht, und Miss Helen hat Zeit, sich um ihren Besuch zu kümmern. Bestimmt möchte sie ihm die Farm zeigen.«

Helen und George warfen ihr einen dankbaren Blick zu. Helen bezweifelte zwar, dass Gwyn sich als Mädchen allzu sehr für das recht langsame Spiel begeistert hatte, doch sie beherrschte es sicher besser als Helen und George zusammen.

»Also, wir brauchen einen Ball ... nein, keinen so großen Ball, Ruben, einen kleinen ... ja, den Stein können wir auch nehmen. Und kleine Tore ... gute Idee, sie zu flechten, Tani.«

Die Kinder waren mit Feuereifer bei der Sache, als Helen und George sich entfernten. Helen führte ihn auf dem gleichen Weg zum Haus zurück, den er eben mit Gwyneira gekommen war.

Der Zustand der Farm schien ihr peinlich zu sein.

»Mein Mann hatte noch keine Zeit, die Pferche nach dem Winter zu richten«, entschuldigte sie sich, als sie an den Koppeln vorbeikamen. »Wir haben viel Vieh im Hochland, weit verstreut auf den Weiden, und jetzt im Frühjahr kommen dauernd Lämmer zur Welt ...«

George kommentierte das nicht, obwohl er wusste, wie mild die Winter in Neuseeland waren. Howard hätte die Pferche durchaus auch in der kalten Jahreszeit instand setzen können.

Helen wusste das natürlich auch. Sie schwieg kurz und wandte sich dann plötzlich zu ihm um.

»Oh, George, ich schäme mich so! Was müssen Sie von mir denken, nachdem Sie das hier gesehen haben, verglichen mit meinen Briefen ...«

Der Ausdruck auf ihrem Gesicht versetzte ihm einen Stich ins Herz.

»Ich verstehe nicht, was Sie meinen, Miss Helen«, sagte er sanft. »Ich habe ein Farmhaus gesehen ... nicht groß, nicht luxuriös, aber fest gebaut und liebevoll eingerichtet. Und das Vieh sieht zwar nicht preisverdächtig aus, wird aber gefüttert, und die Kühe werden gemolken.« Er zwinkerte. »Und das Maultier scheint Sie regelrecht zu lieben!«

Nepumuk stieß sein übliches, durchdringendes Röhren aus, als Helen an seinem Paddock vorbeikam.

»Sicher werde ich Ihren Gatten auch als Gentleman kennen lernen, der sich nach Kräften bemüht, seine Familie gut zu ernähren und seine Farm mustergültig zu bewirtschaften. Machen Sie sich keine Sorgen, Miss Helen.«

Helen sah ihn ungläubig an. Dann lächelte sie. »Sie tragen eine rosarote Brille, George!«

Er zuckte die Achseln. »Sie machen mich glücklich, Miss Helen. Wo immer Sie sind, kann ich nur Schönes und Gutes sehen.«

Helen wurde glühend rot. »George, bitte. Das sollte nun wirklich vorbei sein ...«

George grinste sie an. War es vorbei? In gewisser Weise schon, das konnte er nicht abstreiten. Sein Herz hatte höher geschlagen, als er Helen wiedersah; er freute sich an ihrem Anblick, an ihrer Stimme, ihrem ständigen Balanceakt zwischen Schicklichkeit und Originalität. Aber er kämpfte nicht mehr gegen das dauernde Verlangen, sich vorzustellen, wie er sie küsste und körperlich liebte. Das war Vergangenheit. Für die Frau, die jetzt vor ihm stand, empfand er allenfalls noch vage Zärtlichkeit. Ob das auch so gewesen wäre, hätte sie ihn damals nicht abgewiesen? Wäre seine Leidenschaft auch dann Freundschaft und Verantwortungsgefühl gewichen? Möglicherweise noch bevor er seine Studien beendet und den Bund der Ehe mit ihr hätte schließen können? Und hätte er sie dann tatsächlich geheiratet oder doch darauf gehofft, dass die heiße Liebe bei einer anderen wieder aufloderte?

George hätte keine dieser Fragen mit Sicherheit beantworten können – bis auf die letzte. »Wenn ich sage für immer, dann meine ich es auch. Aber ich werde Sie nicht weiter damit behelligen. Sie werden ja doch nicht mit mir davonlaufen, nicht wahr?« Das alte, freche Grinsen.

Helen schüttelte den Kopf und hielt Nepumuk eine Möhre hin. »Ich könnte das Maultier niemals verlassen«, scherzte sie mit Tränen in den Augen. George war so süß und immer noch so unschuldig. Wie glücklich würde er das Mädchen machen, das seine Versprechen einmal ernst nehmen durfte!

»Aber nun kommen Sie herein, und erzählen Sie von Ihrer Familie.«

Der Innenraum der Hütte entsprach Georges Erwartungen: schlichtes Mobiliar, aber wohnlich gemacht durch die Hand einer unermüdlichen, reinlichen und geschäftigen Hausfrau. Den Tisch zierten eine bunte Decke und ein Krug voller Blumen; die Stühle wurden durch selbst genähte Kissen bequemer. Vor dem Kamin standen ein Spinnrad und Helens alter Schaukelstuhl – und auf einem Regal waren säuberlich ihre Bücher aufgereiht. Es gab sogar ein paar neue. Geschenke von Howard, oder doch eher »Leihgaben« von Gwyneira? Kiward Station hatte eine umfangreiche Bibliothek, obwohl George sich kaum vorstellen konnte, dass Gerald viel las.

George berichtete von London, während Helen Tee zubereitete. Sie arbeitete dabei mit dem Rücken zu ihm; sicher wollte sie nicht, dass er ihre Hände sah. Raue, verarbeitete Hände; nicht mehr die zarten, gepflegten Finger seiner alten Gouvernante.

»Mutter betreut nach wie vor ihre Wohltätigkeitsorganisationen – nur das Waisenhauskomitee hat sie verlassen nach dem Skandal damals. Das nimmt sie Ihnen übrigens bis heute übel, Helen. Die Damen sind der festen Überzeugung, Sie hätten die Mädchen auf der Überfahrt verdorben.«

»Ich hätte was?«, fragte Helen verdutzt.

»Auf jeden Fall hätte Ihre, ich zitiere, ›emanzipierte Art‹ die Mädchen Demut und Hingabe gegenüber ihren Arbeitgebern vergessen lassen. Nur deshalb konnte es zu diesem Eklat kommen. Mal ganz abgesehen davon, dass Sie die Sache an Pastor Thorne verraten haben. Mrs. Baldwin hat nichts davon verlauten lassen.«

»George, das waren kleine, verstörte Mädchen! Eins hat man einem Sittenstrolch ausgeliefert, das andere als Arbeitssklavin verkauft. Eine Familie mit acht Kindern, George, bei denen eine höchstens Zehnjährige den Haushalt versorgen sollte! Hebammendienste inklusive. Kein Wunder, dass das Kind weggelaufen ist! Und die so genannten Herrschaften von Laurie waren nicht viel besser. Ich höre noch diese unmögliche Mrs. Lavender: ›Nein, wenn wir zwei nehmen, reden sie nur den lieben langen Tag, statt zu arbeiten.‹ Und dabei hat die Kleine sich die Augen ausgeweint ...«

»Hat man denn überhaupt noch mal von den Mädchen gehört?«, erkundigte sich George. »Sie hatten nichts mehr geschrieben.«

Es klang, als habe der junge Mann jeden von Helens Briefen auswendig gelernt.

Helen schüttelte den Kopf. »Man weiß nur, dass Mary und Laurie am selben Tag verschwanden. Genau eine Woche, nachdem man sie getrennt hatte. Man nimmt an, es sei abgesprochen gewesen. Ich glaube das allerdings nicht. Mary und Laurie brauchten niemals Absprachen. Die eine wusste immer, was die andere dachte – es war fast unheimlich. Danach hat man nichts mehr von ihnen gehört. Ich befürchte, sie sind ums Leben gekommen. Zwei kleine Mädchen allein in der Wildnis

... es ist ja nicht so, als hätten sie zwei Meilen voneinander entfernt gewohnt und sich leicht treffen können. Diese ... diese *Christen.*« Sie spie das Wort aus. »Sie haben Mary auf eine Farm hinter Haldon geschickt, und Laurie blieb in Christchurch. Dazwischen liegen fast fünfzig Meilen Busch. Ich darf gar nicht daran denken, was die Kinder durchgemacht haben.«

Helen schenkte Tee ein und setzte sich zu George an den Tisch.

»Und die dritte?«, fragte er. »Was war mit der?«

»Daphne? Oh, das war ein Skandal, davon haben wir erst Wochen später erfahren. Sie ist weggelaufen. Aber vorher hat sie ihren Dienstherrn, diesen Morrison, mit kochendem Wasser überschüttet – voll ins Gesicht. Zuerst hieß es, er würde es wohl nicht überleben. Dann hat er es doch geschafft, aber er ist erblindet, und sein Gesicht ist von Narben entstellt. Dorothy sagt, Morrison sähe jetzt aus wie das Ungeheuer, das er immer war. Sie hat ihn mal gesehen, denn die Morrisons kommen nach Haldon einkaufen. Die Frau ist aufgeblüht, nachdem der Mann den ... Unfall hatte. Nach Daphne wird gefahndet, aber wenn sie nicht gerade in Christchurch in die Gendarmerie hineinspaziert, wird man sie wohl nicht finden. Wenn Sie mich fragen, hatte sie gute Gründe für die Flucht und für die Tat. Ich weiß nur nicht, was sie jetzt noch für eine Zukunft hat ...«

George zuckte die Achseln. »Wahrscheinlich die gleiche Zukunft, die sie in London erwartet hätte. Armes Kind. Aber das Waisenhauskomitee hat sein Fett wegbekommen, dafür hat Reverend Thorne gesorgt. Und dieser Baldwin ...«

Helen lächelte beinahe triumphierend. »Dem hat man Harper vor die Nase gesetzt. Aus der Traum vom Bischof von Canterbury. Ich empfinde dabei eine ganz unchristliche Schadenfreude! Aber erzählen Sie weiter! Ihr Vater ...«

»... waltet nach wie vor seines Amtes bei Greenwood Enterprises. Die Firma wächst und gedeiht. Die Königin unterstützt den Außenhandel, und in den Kolonien werden riesige Vermögen gemacht, oft auf Kosten der Eingeborenen. Ich habe da Dinge gesehen ... Eure Maoris sollten sich glücklich schätzen, dass sowohl die weißen Einwanderer als auch sie selbst eher friedlich veranlagt sind. Aber mein Vater und ich können es nicht ändern – auch wir profitieren von der Ausbeutung dieser Länder. Und in England selbst blüht die Industrialisierung, wenngleich mit Auswüchsen, die mir genauso wenig gefallen wie die Schinderei in Übersee. Die Zustände in manchen Fabriken sind erschreckend. Wenn ich es recht bedenke, hat es mir nirgends so gut gefallen wie hier in Neuseeland. Aber ich schweife ab ...«

Während George zurück zum Thema fand, wurde ihm klar, dass er die Bemerkung eben nicht nur gemacht hatte, um Helen zu schmeicheln. Dieses Land gefiel ihm wirklich. Die geraden, gelassenen Menschen, die weite Landschaft mit den majestätischen Bergen, die weitläufigen Farmen mit den wohlgenährten Schafen und Rindern auf den üppigen Weiden – und Christchurch, das sich anschickte, eine typisch englische Bischofs- und Universitätsstadt am anderen Ende der Welt zu werden.

»Was macht William?«, erkundigte sich Helen.

George seufzte mit vielsagendem Augenaufschlag. »William war nicht auf dem College, aber damit hatten Sie wohl auch nicht ernsthaft gerechnet?«

Helen schüttelte den Kopf.

»Er hatte eine Reihe von Hauslehrern, die zuerst regelmäßig von meiner Mutter entlassen wurden, weil sie angeblich zu streng mit William waren, dann von meinem Vater, weil sie ihm nichts beibrachten. Seit einem Jahr arbeitet er nun mit in der Firma, soweit man von Arbeiten sprechen kann. Im Grunde schlägt er nur die Zeit tot, wobei es ihm an Gefährten nicht mangelt, weder an männlichen noch an weiblichen. Nach den Pubs hat er jetzt die Mädchen entdeckt. Leider vorwiegend die aus der Gosse. Er unterscheidet das ja nicht, im Gegenteil. Die Ladys machen ihm Angst, aber die leichten Mädchen bewundern ihn. Meinen Vater macht das krank, und meine Mutter realisiert es noch gar nicht. Aber wie es eines Tages wird, wenn ...«

Er sprach nicht weiter, doch Helen wusste genau, was er dachte: Wenn sein Vater eines Tages starb, würden beide Brüder die Firma erben. George musste William dann entweder auszahlen – was ein Unternehmen wie Greenwood zerstören würde – oder weiter im Geschäft dulden. Helen hielt es für unwahrscheinlich, dass er Letzteres lange durchhielt.

Als beide schwiegen und gedankenverloren ihren Tee tranken, flog die Außentür auf, und die Kinder Fleur und Ruben stürmten herein.

»Wir haben gewonnen!« Fleurette strahlte und schwenkte einen improvisierten Krocketschläger. »Ruben und ich sind Sieger!«

»Ihr habt geschummelt«, tadelte Gwyneira, die hinter den Kindern erschien. Auch sie wirkte erhitzt und ein bisschen schmutzig, schien sich aber prächtig amüsiert zu haben. »Ich habe genau gesehen, wie du Rubens Ball heimlich durch das letzte Tor geschoben hast!«

Helen runzelte die Stirn. »Stimmt das, Ruben? Und du hast nichts gesagt?«

»Mit den komischen Schlägern geht es eben nicht prä ... prä ... Wie hieß das noch mal, Ruben?«, verteidigte Fleur ihren Freund.

»Präzise«, ergänzte Ruben. »Aber die Richtung stimmte!«

George lächelte. »Wenn ich wieder in England bin, schicke ich euch richtige Schläger«, versprach er. »Aber dann wird nicht getrickst!«

»Bestimmt?«, fragte Fleur.

Ruben dagegen gingen andere Dinge durch den Kopf. Er musterte Helen und ihren ihr offensichtlich vertrauten Besucher mit klugen braunen Augen. Schließlich wandte er sich an George.

»Du bist aus England. Bist du mein richtiger Vater?«

Gwyn schnappte nach Luft, während Helen rot anlief.

»Ruben! Rede doch nicht so einen Unsinn. Du weißt genau, dass du nur einen Vater hast!« Entschuldigend wandte sie sich an George. »Ich hoffe, Sie denken jetzt nichts Falsches! Es ist nur so, dass Ruben ... er hat nicht das beste Verhältnis zu seinem Vater, und neuerdings steigert er sich da in eine fixe Idee hinein, dass Howard ... nun, dass er vielleicht noch einen anderen Vater hätte, irgendwo in England. Ich schätze, das liegt daran, dass ich so viel von seinem Großvater erzähle. Ruben ist ihm sehr ähnlich, wissen Sie. Und das kriegt er in den falschen Hals. Entschuldige dich jetzt bitte sofort, Ruben!«

George lächelte. »Er muss sich nicht entschuldigen. Im Gegenteil, ich fühle mich geschmeichelt. Wer wäre nicht gern mit Ruben Hood verwandt, einem tapferen Freisassen und hervorragenden Krocketspieler! Was meinst du, Ruben, könnte ich dein Onkel sein? Onkel kann man mehrere haben.«

Ruben überlegte.

»Ruben! Er will uns Krocketschläger schicken! Ist doch gut, so 'n Onkel. *Mein* Onkel kannst du sein, Mr. Greenwood.« Fleur war unverkennbar praktisch veranlagt.

Gwyneira verdrehte die Augen. »Wenn sie sich finanziellen Erwägungen gegenüber weiterhin so aufgeschlossen zeigt, ist sie mal leicht zu verheiraten.«

»Ich heirate Ruben«, erklärte Fleur. »Und Ruben heiratet mich, oder?« Sie fuchtelte mit dem Krocketschläger. Ruben sollte das Ansinnen wohl besser nicht ablehnen.

Helen und Gwyneira schauten einander hilflos an. Dann lachten sie, und George fiel ein.

»Wann kann ich wohl den Vater des Bräutigams sprechen?«, fragte er schließlich mit Blick auf den Stand der

Sonne. »Ich habe Mr. Warden versprochen, zum Dinner zurück zu sein, und dieses Versprechen möchte ich halten. Deshalb wird das Gespräch mit Mr. O'Keefe bis morgen warten müssen. Besteht die Möglichkeit, dass er mich am Vormittag empfängt, Miss Helen?«

Helen biss sich auf die Lippen. »Ich will es ihm gern ausrichten, und ich weiß, dass die Sache Priorität haben sollte. Aber Howard ist manchmal ... nun, eigenwillig. Wenn er sich in die Idee verrennt, Sie wollten ihm einen Termin aufdrängen ...« Es fiel ihr sichtlich schwer, über Howards Eigensinn und falschen Stolz zu reden, zumal sie nicht zugeben konnte, wie oft seine Stimmungen und Entscheidungen von Launen oder Whiskey gesteuert wurden.

Wie immer sprach sie ruhig und beherrscht, doch George konnte in ihren Augen lesen – wie schon damals am Abendbrottisch der Greenwoods. Er sah Wut und Auflehnung, Verzweiflung und Verachtung. Damals hatten diese Empfindungen sich gegen seine oberflächliche Mutter gerichtet – heute gegen den Mann, von dem Helen einst geglaubt hatte, ihn lieben zu können.

»Machen Sie sich keine Sorgen, Miss Helen. Sie müssen ja nicht sagen, dass ich aus Kiward Station komme. Sagen Sie einfach, ich schaue auf dem Weg nach Haldon vorbei – und ich würde die Farm gern besichtigen und ein paar geschäftliche Vorschläge machen.«

Helen nickte. »Ich versuch's ...«

Gwyneira und die Kinder waren bereits nach draußen gegangen, um ihr Pferd anzuspannen. Helen hörte die Stimmen der Kinder, die sich um Striegel und Bürsten stritten. George schien es nicht so eilig zu haben. Er sah sich noch ein wenig in der Hütte um, bevor er Anstalten machte, sich zu verabschieden. Helen kämpfte mit sich. Sollte sie mit ihm reden, oder würde er ihre Bitte missverstehen? Schließlich beschloss sie, das Thema »Howard« doch noch einmal anzuschneiden. Wenn George den hiesigen Wollhandel übernahm, würde ihre gesamte Existenz von ihm abhängen. Und Howard hätte womöglich nichts Besseres zu tun, als den Besucher aus England zu brüskieren.

»George ...«, begann sie zögernd. »Wenn Sie morgen mit Howard reden, seien Sie bitte nachsichtig. Er ist sehr stolz, nimmt schnell etwas übel. Das Leben hat ihm böse mitgespielt, und es fällt ihm schwer, sich zu beherrschen. Er ist ... ist ...«

»Kein Gentleman« wollte sie sagen, brachte es aber nicht über die Lippen.

George schüttelte den Kopf und lächelte. In seinen sonst oft so spöttischen Augen standen Sanftmut und ein Nachklang der alten Liebe. »Sprechen Sie es nicht aus, Miss Helen! Ich bin sicher, dass ich mit Ihrem Gatten zu einer beide Seiten befriedigenden Einigung kommen werde. In Sachen Diplomatie bin ich schließlich durch die beste Schule gegangen ...« Er zwinkerte ihr zu.

Helen lächelte zaghaft. »Dann bis morgen, George.«

»Bis morgen, Helen!« George wollte ihr die Hand reichen, überlegte es sich dann aber anders. Einmal, ein einziges Mal würde er sie küssen. Er legte leicht den Arm um sie und streifte ihre Wange mit den Lippen. Helen ließ es zu – und dann gab auch sie ihrer Schwäche nach und lehnte sich sekundenlang gegen seine Schulter. Vielleicht würde einmal jemand anders als sie stark sein. Vielleicht hielt einmal jemand seine Versprechen.

# 4

»Sehen Sie, Mr. O'Keefe, ich habe nun mehrere Farmen in dieser Region besucht«, sagte George. Er saß mit Howard O'Keefe auf der Veranda von Helens Hütte, und Howard hatte eben Whiskey eingeschenkt. Helen fand das beruhigend: Ihr Gatte trank nur mit Männern, die ihm gefielen. Also war die vorausgegangene Besichtigung der Farm wohl harmonisch verlaufen. »Und ich muss gestehen«, führte George mit gemessener Stimme weiter aus, »dass ich besorgt bin ...«

»Besorgt?«, brummte Howard. »Inwiefern? Hier gibt's doch jede Menge Wolle für Ihr Geschäft. Da brauchen Sie sich keine Gedanken zu machen. Und wenn meine Ihnen nicht gefällt ... auch gut, mir brauchen Sie nichts vorzumachen. Dann such ich mir eben einen anderen Abnehmer.« Er leerte sein Glas auf einen Zug und schenkte sich neu ein.

George hob verwundert die Brauen. »Warum sollte ich Ihre Produkte ablehnen, Mr. O'Keefe? Im Gegenteil, ich bin an einer Zusammenarbeit sehr interessiert. Eben aufgrund meiner Besorgnis. Sehen Sie, ich habe jetzt mehrere Farmen besichtigt, und dabei scheint es mir, als strebten einige Schafzüchter eine Monopolstellung an, allen voran Gerald Warden von Kiward Station.«

»Das kann man wohl sagen!«, erregte sich O'Keefe und nahm den nächsten Schluck. »Die Kerle wollen den ganzen Markt für sich ... nur beste Preise für beste Wolle ... Allein wie sie sich nennen: Schaf-Barone! Eingebildetes Pack!«

Howard griff nach dem Whiskey.

George nickte gemessen und nippte an seinem Glas. »Ich

würde es vorsichtiger ausdrücken, aber im Wesentlichen haben Sie nicht Unrecht. Und es ist sehr scharfsichtig, dass Sie die Preise erwähnen – Warden und die anderen Spitzenproduzenten treiben sie hoch. Natürlich steigern sie auch die qualitativen Erwartungen, aber was mich angeht ... nun, meine Verhandlungsposition wäre natürlich besser, wenn es mehr Vielfalt gäbe.«

»Also werden Sie vermehrt bei kleinen Züchtern kaufen?«, fragte Howard begierig. In seinen Augen stand Interesse, aber auch Misstrauen. Welcher Händler kaufte schon bewusst minderwertige Ware?

»Das würde ich gern, Mr. O'Keefe. Aber die Qualität muss natürlich ebenfalls stimmen. Wenn Sie mich fragen, müsste der Teufelskreis durchbrochen werden, in dem die kleinen Farmer stecken. Sie wissen es doch selbst – Sie haben wenig Land, zu viele, aber eher minderwertige Tiere, die Erträge sind quantitativ gerade noch annehmbar, qualitativ aber mäßig. Also bleibt vom Erlös nie genug übrig, um bessere Zuchttiere anzuschaffen und damit langfristig die Qualität der Erzeugnisse zu verbessern.«

O'Keefe nickte eifrig. »Da haben Sie völlig Recht. Das versuche ich diesem Bankmenschen in Christchurch seit Jahren verständlich zu machen! Ich brauchte ein Darlehen ...«

George schüttelte den Kopf. »Sie brauchen erstklassiges Zuchtmaterial. Und nicht nur Sie, sondern auch andere kleine Farmen. Eine Geldspritze kann da helfen, muss aber nicht. Stellen Sie sich vor, Sie kaufen einen preisgekrönten Widder, und im nächsten Winter geht er Ihnen ein ...«

George hatte zwar eher die Befürchtung, dass ein Darlehen für Howard schneller im Pub in Haldon verspielt als in einen Widder investiert würde, doch er hatte sich seine Argumente lange überlegt.

»Das ist nun mal das Ri ... Risiko«, sagte Howard, dessen Zunge allmählich schwer wurde.

»Ein Risiko, das Sie nicht eingehen können, O'Keefe. Sie haben Familie! Sie dürfen nicht riskieren, dass man Sie von Haus und Hof jagt. Nein, mein Vorschlag sieht anders aus. Ich denke daran, dass mein Unternehmen, die Greenwood Enterprises, einen Stock erstklassiger Schafe erwirbt und den Züchtern dann leihweise zur Verfügung stellt. Was die Vergütung angeht, werden wir uns schon einig. Hauptsächlich wird es darauf hinauslaufen, dass Sie die Tiere pflegen und nach einem Jahr gesund und munter weitergeben. Ein Jahr, in dem ein Widder Ihre gesamte Herde Mutterschafe deckt oder ein reinrassiges Mutterschaf Ihnen zwei Lämmer bringt, die den Grundstock für eine neue Herde bilden. Hätten Sie Interesse an einer solchen Zusammenarbeit?«

Howard grinste. »Und auf Dauer sieht Warden alt aus, wenn um ihn herum plötzlich alle Farmer Rasseschafe haben.« Er hob das Glas, als wollte er George zuprosten.

George nickte ihm ernst zu. »Nun, Mr. Warden wird dadurch sicher nicht verarmen. Aber Sie und ich hätten bessere Geschäftschancen. Einverstanden?« Er hielt Helens Mann die Hand hin.

Helen sah vom Fenster aus, wie Howard einschlug. Sie hatte nicht mitbekommen, worum es ging, aber Howard hatte selten so zufrieden ausgesehen. Und George hatte den alten, pfiffigen Ausdruck im Gesicht und zwinkerte auch schon wieder in ihre Richtung. Gestern hatte sie sich deswegen Vorwürfe gemacht, aber heute war sie froh, dass sie ihn geküsst hatte.

George war sehr zufrieden mit sich, als er Kiward Station am nächsten Tag verließ und zurück nach Christchurch ritt. Nicht einmal das böse Gesicht dieses impertinenten Stallknechts McKenzie verdarb ihm die Laune. Der Kerl hatte es heute schlicht unterlassen, das Pferd für ihn zu satteln, nachdem es gestern, als George mit Gwyneira zu Helens Farm aufbrach, fast zu einem Eklat gekommen war. McKenzie hatte Gwyneiras Stute mit dem Seitsattel versehen herausgeführt, nachdem Gwyn ihn aufgefordert hatte, ihr die Stute für einen weiteren Ritt mit dem Besucher vorzubereiten. Mrs. Warden hatte daraufhin irgendetwas Böses zu ihm gesagt, und er hatte scharf geantwortet, wobei George nur das Wort »ladylike« heraushörte. Gwyneira ergriff daraufhin wütend die kleine Fleur, die McKenzie hinter sie auf Igraine heben wollte, und schwang sie vor George auf den Sattel seines Pferdes.

»Würden Sie Fleurette mitreiten lassen?«, fragte sie zuckersüß, wobei sie dem Viehtreiber einen fast triumphierenden Blick zuwarf. »Im Damensattel kann ich sie nicht um mich haben.«

McKenzie hatte George mit fast mörderischer Wut angestarrt, als er den Arm um die Kleine legte, damit sie sicherer saß. Irgendetwas war da zwischen ihm und der Herrin von Kiward Station ... aber Gwyneira konnte sich bestimmt wehren, falls sie sich belästigt fühlte. George beschloss, sich nicht einzumischen und vor allem nichts gegenüber Gerald oder Lucas Warden zu erwähnen. Das alles ging ihn nichts an – und vor allem brauchte er Gerald in denkbar bester Laune. Nach einem ausgiebigen Abschiedsessen und drei Whiskeys unterbreitete er ihm ein Angebot für eine Herde reinrassiger Welsh-Mountain-Schafe. Eine Stunde später war er um ein kleines Vermögen ärmer, doch Helens Farm würde demnächst von den besten Zuchttieren bevölkert sein, die Neuseeland zu bieten hatte. George musste nun nur noch ein paar andere kleinere Farmer finden, die Starthilfe benötigten, damit Howard nicht argwöhnisch wurde. Aber das war sicher nicht schwierig; Peter Brewster würde ihm die Namen nennen können.

Dieses neue Unternehmenssegment – denn als solches musste George sein Engagement in der Schafzucht seinem

Vater gegenüber verkaufen – bedeutete allerdings, dass George seinen Aufenthalt auf der Südinsel verlängern musste. Die Schafe sollten verteilt und die an dem Projekt beteiligten Züchter überwacht werden. Nun war Letzteres nicht zwingend der Fall – Brewster würde ihm wahrscheinlich Partner empfehlen, die ihre Arbeit verstanden und unverschuldet in Not geraten waren. Wenn Helen jedoch auf Dauer geholfen werden sollte, brauchte Howard O'Keefe ständige Führung und Aufsicht, diplomatisch verpackt als Beratung und Hilfe gegen seinen Erzfeind Warden – schlichte Anweisungen würde O'Keefe vermutlich nicht befolgen. Erst recht nicht, wenn sie von einem angestellten Verwalter Greenwoods kamen. George musste also bleiben – und der Gedanke daran gefiel ihm immer besser, je länger er durch die klare Luft der Canterbury Plains ritt. Die vielen Stunden im Sattel gaben ihm Zeit zum Nachdenken, auch über seine Situation in England. Schon nach einem gemeinsamen Jahr in der Geschäftsleitung hatte William seinen Bruder zur Verzweiflung getrieben. Während sein Vater geflissentlich wegsah, erkannte George selbst bei seinen seltenen Aufenthalten in London die Fehler des Bruders und die zum Teil horrenden Verluste, mit der die Firma dadurch fertig werden musste. Georges Reisefreude war auch darauf zurückzuführen, dass er das alles nicht mit ansehen konnte, denn kaum setzte er einen Fuß auf englischen Boden, wandten sich auch schon Bürovorsteher und Verwalter besorgt an den Juniorchef: »Sie müssen etwas tun, Mr. George!« – »Ich habe Angst, dass man mich der Untreue beschuldigt, Mr. George, wenn es so weitergeht, aber was soll ich machen?« – »Mr. George, ich habe Mr. William die Bilanzen gegeben, aber ich habe fast den Eindruck, er kann sie gar nicht lesen.« – »Sprechen Sie mit Ihrem Vater, Mr. George!«

George hatte das natürlich versucht, aber es war hoffnungslos. Greenwood versuchte immer noch, William nutzbringend in der Firma zu beschäftigen. Statt seinen Einfluss einzuschränken, versuchte er, William immer mehr Verantwortung aufzubürden und ihn damit auf den Weg zu lenken. Doch George hatte genug davon und befürchtete obendrein, einen Scherbenhaufen zusammenfegen zu müssen, wenn sein Vater aus dem Geschäft ausschied.

Diese Dependance in Neuseeland allerdings bot Alternativen. Wenn er seinen Vater doch nur überreden könnte, ihm das Geschäft in Christchurch ganz zu überlassen, sozusagen als Vorschuss auf sein Erbe! Dann könnte er hier etwas aufbauen, das vor Williams Eskapaden sicher war. Anfangs würde er natürlich bescheidener leben müssen als in England, doch Herrenhäuser wie Kiward Station wirkten in diesem neu erschlossenen Land ohnehin deplatziert. Außerdem brauchte George keinen Luxus. Ein behagliches Stadthaus, ein gutes Pferd für seine Reisen über Land und ein netter Pub, in dem er am Abend Entspannung und anregende Unterhaltung fand – das sollte sich in Christchurch wohl finden lassen. Noch besser wäre natürlich eine Familie. George hatte bisher nie über Familiengründung nachgedacht – jedenfalls nicht, seitdem Helen ihm damals einen Korb gegeben hatte. Aber jetzt, nachdem er seine erste Liebe wiedergesehen und sich von der jugendlichen Schwärmerei verabschiedet hatte, ging ihm der Gedanke nicht mehr aus dem Kopf. Eine Heirat in Neuseeland – eine »Liebesgeschichte«, die an das Herz seiner Mutter rühren und sie dazu bringen könnte, sein Vorhaben zu unterstützen ... Vor allem aber ein guter Vorwand, im Land zu bleiben. George beschloss, sich in der nächsten Zeit ein bisschen in Christchurch umzusehen und vielleicht auch die Brewsters und den Bankdirektor um Rat zu fragen. Vielleicht wussten die ja ein passendes Mädchen. Aber zunächst einmal brauchte er ein Wohnhaus. Das White Hart war zwar ein annehmbares Hotel, doch als dauerhafte Bleibe in seiner neuen Heimat unpassend ...

George nahm das Unterfangen »Hauskauf oder Anmietung« gleich am nächsten Tag in Angriff. Die Nacht im White Hart war unruhig gewesen. Zunächst spielte unten im Saal eine Musikgruppe zum Tanz auf, dann prügelten sich die männlichen Besucher um die Mädchen – ein Umstand, der bei George den Eindruck hinterließ, dass Brautschau in Neuseeland durchaus ihre Tücken hatte. Die Anzeige, auf die Helen geantwortet hatte, erschien ihm plötzlich in einem anderen Licht. Auch die Suche nach einer Bleibe gestaltete sich nicht einfach. Wer hierher kam, kaufte zumeist kein Haus, er baute eins. Fertige Häuser standen selten zum Verkauf und waren entsprechend begehrt. Auch Brewsters hatten ihr Heim in Christchurch längst langfristig vermietet, bevor George hergekommen war. Verkaufen wollen sie nicht, die Zukunft in Otago schien ihnen doch noch ungewiss.

George besichtigte also die wenigen Adressen, die man ihm auf der Bank, im White Hart und in einigen Pubs nennen konnte, doch zumeist waren es ziemlich schäbige Unterkünfte. In der Regel suchten Familien oder ältere, allein stehende Damen Untermieter. Sicher eine schickliche und preiswerte Alternative zum Hotel, die Einwanderer gern nutzten, während sie im Land Fuß zu fassen versuchten. Aber es war nichts für George, der herrschaftliche Unterkünfte gewöhnt war.

Frustriert schlenderte er schließlich durch die neuen Parkanlagen am Ufer des Avon. Hier fanden im Sommer Bootsregatten statt; es gab Aussichtspunkte und Picknickplätze. Jetzt im Frühjahr wurden sie allerdings wenig genutzt. Das noch unbeständige Frühlingswetter erlaubte höchstens ein kurzes Verweilen auf den Bänken am Fluss. Vorerst waren auch nur die wichtigsten Wege bevölkert. Doch ein Spaziergang hier erweckte fast den Eindruck, sich in Oxford oder Cambridge in England aufzuhalten. Nannys führten ihre Schützlinge spazieren, Kinder spielten Ball auf den Wiesen, und ein paar Liebespaare suchten verschämt den Schatten der Bäume. Auf George wirkte das alles beruhigend, auch wenn es ihn nicht gänzlich aus seinen Grübeleien riss. Er hatte sich eben die letzte zu vermietende Immobilie angeschaut, einen Schuppen, der nur mit viel Fantasie als Haus zu bezeichnen war und mindestens so viel Zeit und Geld für die Renovierung verschlingen würde wie der Bau eines neuen Hauses. Zudem war er ungünstig gelegen. Wenn jetzt nicht ein Wunder geschah, musste George sich morgen nach Grundstücken umsehen und doch einen Neubau in Erwägung ziehen. Wie er das seinen Eltern erklären sollte, entzog sich seiner Kenntnis.

Müde und schlecht gelaunt ließ er sich treiben, beobachtete die Enten und Schwäne auf dem Fluss und wurde dabei unversehens auf eine junge Frau aufmerksam, die nebenan zwei Kinder hütete. Das kleine Mädchen mochte sieben oder acht Jahre alt sein; war ein wenig pummelig und hatte dicke, fast schwarze Locken. Es plauderte vergnügt mit seiner Nanny, während es von einem befestigten Landungssteg aus altes Brot für die Enten ins Wasser warf. Der kleine Junge, ein blonder Cherub, erwies sich dagegen als rechte Landplage. Er hatte den Steg verlassen und trieb sich im Schlamm am Ufer herum.

Die Nanny schien sich deswegen zu sorgen. »Robert, geh nicht so nah an den Fluss! Wie oft soll ich dir das noch sagen? Nancy, achte auf deinen Bruder!«

Die junge Frau – George schätzte sie auf höchstens achtzehn Jahre – stand ziemlich hilflos am Rand des schlammigen Uferstreifens. Sie trug glänzend polierte, ordentliche schwarze Schnürschuhe zu einem schlichten, dunkelblauen Tuchkleid. Wenn sie dem Kleinen ins Brackwasser folgte, würde sie sich beides verderben. Dem kleinen Mädchen vor ihr erging es ähnlich. Es war sauber und adrett gekleidet und hatte sicher die Anweisung erhalten, sich nicht schmutzig zu machen.

»Er hört nicht auf mich, Missy!«, sagte die Kleine brav.

Der Junge hatte seinen Matrosenanzug schon von oben bis unten mit Schlamm beschmiert.

»Ich komm, wenn du mir Schiffchen faltest!«, rief er jetzt unartig zu seiner Nanny hinüber. »Dann gehen wir zum See und lassen sie schwimmen.«

Der »See« war nicht mehr als eine große Pfütze, die übrig geblieben war, als der Fluss im Winter Hochwasser führte. Er sah nicht sehr sauber aus, aber zumindest gab es keine gefährliche Strömung.

Die junge Frau schien unschlüssig. Bestimmt wusste sie, dass es falsch war, sich auf Verhandlungen einzulassen, aber sie mochte offensichtlich nicht durch den Matsch waten und den Kleinen mit Gewalt holen. Schließlich versuchte sie es mit einem Gegenvorschlag.

»Aber erst üben wir deine Aufgaben! Ich will nicht, dass du heute Abend wieder nichts weiß, wenn dein Vater dich fragt.«

George schüttelte den Kopf. Helen hatte in ähnlichen Situationen mit William nie nachgegeben. Aber diese Gouvernante war deutlich jünger und offenbar viel weniger erfahren, als Helen damals im Hause der Greenwoods. Sie wirkte beinahe verzweifelt; das Kind überforderte sie sichtlich. Trotz ihrer mürrischen Miene war sie hübsch: George blickte in ein herzförmiges zartes Gesicht mit sehr heller Haut, klaren blauen Augen und hellen rosa Lippen. Ihr Haar war fein und blond, gebändigt zu einem lockeren Knoten im Nacken, der aber nicht gut hielt. Entweder war ihr Haar zu weich, um sich aufstecken zu lassen, oder das Mädchen war eine schlechte Frisörin. Auf ihrem Kopf saß eine adrette Haube, passend zum Kleid. Alles sehr schlicht, doch keine Dienstbotenuniform. George revidierte seinen ersten Eindruck. Das Mädchen war Hauslehrerin, keine Nanny.

»Ich löse eine Aufgabe, dann krieg ich das Boot!«, rief Robert selbstbewusst. Er hatte eben einen ziemlich baufälligen Bootssteg entdeckt, der weiter auf den Fluss hinausführte, und balancierte vergnügt darüber. George war alarmiert. Bis jetzt war der Kleine nur aufsässig gewesen, nun aber bestand wirklich Gefahr. Die Strömung war sehr stark.

Die Hauslehrerin sah es ebenfalls, wollte aber nicht kampflos aufgeben.

»Du löst drei Aufgaben«, schlug sie vor. Ihre Stimme klang brüchig.

»Zwei!« Der kleine Junge, er mochte sechs Jahre alt sein, schaukelte auf einem lockeren Brett.

George reichte es jetzt. Er trug schwere Reitstiefel, mit denen er den Schlamm leicht durchqueren konnte. Mit drei Schritten war er auf dem Bootssteg, schnappte sich den lamentierenden Kleinen und trug ihn kurzerhand über den Uferstreifen zurück zu seiner Lehrerin.

»Hier, ich glaube, der ist Ihnen entlaufen!« George lachte sie an.

Die junge Frau zögerte zunächst – unsicher, was sich in dieser Lage schickte. Dann aber siegte die Erleichterung, und sie lächelte ebenfalls. Es war aber auch zu komisch, wie Robert unter dem Arm des Fremden strampelte wie ein ungebärdiger Welpe. Seine Schwester kicherte schadenfroh.

»Drei Aufgaben, junger Mann, dann lasse ich dich los«, bemerkte George.

Robert jammerte zustimmend, worauf George ihn absetzte. Die Lehrerin nahm ihn sofort am Kragen und drückte ihn auf die nächstbeste Parkbank.

»Vielen Dank«, sagte sie mit züchtig niedergeschlagenen Augen. »Ich hatte mir Sorgen gemacht. Er ist oft unartig ...«

George nickte ihr zu und wollte schon weitergehen, doch irgendetwas hielt ihn zurück. So suchte er sich ebenfalls eine Bank, nicht weit weg von der Lehrerin, die ihren Zögling jetzt zur Ruhe zwang. Während sie ihn auf der Bank festhielt, versuchte sie, ihm wenn schon nicht die Lösung, so doch immerhin eine Antwort auf eine Rechenaufgabe zu entlocken.

»Zwei und drei – wie viel ist das, Robert? Wir haben es mit Bauklötzchen gestellt, weißt du noch?«

»Weiß ich nich'. Falten wir jetzt das Boot?« Robert zappelte.

»Nach dem Rechnen. Schau, Robert, hier sind drei Blätter. Und hier noch mal zwei. Wie viele sind das?«

Der Junge hätte nur zählen müssen. Doch er war aufsässig und zeigte kein Interesse. George sah wieder William vor sich.

Die junge Lehrerin blieb geduldig. »Zähl einfach, Robert.«

Der Junge zählte widerwillig. »Eins, zwei, drei, vier . . . vier, Missy.«

Die Lehrerin seufzte, desgleichen die kleine Nancy.

»Zähl noch mal, Robert.«

Das Kind war unwillig und dumm. Georges Mitgefühl mit der Lehrerin wuchs mit jeder Aufgabe, zu deren Lösung sie sich mühsam vortasten musste. Sicher war es nicht leicht, freundlich zu bleiben, aber die junge Frau lächelte stoisch, während Robert immer wieder »Boot falten, Boot falten!«, rief. Sie gab erst auf, als der Junge die dritte und einfachste Aufgabe endlich richtig löste. Zum Falten von Papierschiffchen zeigte sie allerdings weder Geduld noch Geschick. Das Modell, mit dem Robert schließlich zufrieden abzog, wirkte nicht sehr seetüchtig. Entsprechend schnell war der Kleine denn auch wieder da und unterbrach die anschließende Rechenstunde mit Nancy. Seine Schwester reagierte unwillig. Das kleine Mädchen war gut im Rechnen, und im Unterschied zu ihrer Lehrerin schien sie sich auch ihres Zuhörers bewusst zu sein. Immer wenn sie die Lösung einer Aufgabe wie aus der Pistole geschossen nannte, warf sie George triumphierende Blicke zu. George konzentrierte sich dagegen eher auf die junge Lehrerin. Sie stellte ihre Aufgaben mit leiser, heller Stimme, wobei sie das *S* ein wenig gekünstelt aussprach – wie eine Angehörige der englischen Oberschicht oder wie ein Mädchen, das als Kind gelispelt hatte und seine Sprache nun bewusst kontrollierte. George fand es reizend; er hätte ihr endlos zuhören können. Aber jetzt raubte Robert ihr und seiner Schwester wieder die Ruhe. George wusste genau, wie das kleine Mädchen sich fühlte. Und in den Augen der Lehrerin las er die gleiche, unterdrückte Ungeduld wie damals bei Helen.

»Es ist untergegangen, Missy! Mach ein neues!«, forderte Robert und schleuderte der Lehrerin sein nasses Boot in den Schoß.

George beschloss, sich noch einmal einzumischen.

»Komm her, ich weiß, wie's geht«, forderte er Robert auf. »Ich zeig dir, wie man es faltet, dann kannst du es allein.«

»Aber Sie brauchen doch nicht …« Die junge Frau warf ihm einen hilflosen Blick zu. »Robert, du bist dem Herrn lästig«, sagte sie streng.

»Aber nein«, meinte George mit einer wegwerfenden Handbewegung. »Im Gegenteil. Ich falte gern Schiffchen. Und ich habe es seit fast zehn Jahren nicht mehr gemacht. Wird Zeit, dass ich's mal wieder versuche, sonst roste ich ein.«

Während die junge Frau mit Nancy weiterrechnete und George gelegentlich verstohlene Blicke zuwarf, faltete er das Papier rasch zu einem Bötchen. Er versuchte, Robert zu erklären, wie man es machte, doch der Junge interessierte sich nur für das fertige Produkt.

»Komm mit, wir lassen es schwimmen!«, forderte er George dann immerhin auf. »Im Fluss!«

»Auf keinen Fall im Fluss!« Die Lehrerin sprang auf. Obwohl sie Nancy damit sicherlich brüskierte, war sie offenbar bereit, Robert zum »See« zu begleiten, wenn er sich nur nicht wieder in Gefahr begab. George ging neben ihr und bewunderte ihre leichten, anmutigen Bewegungen. Dieses Mädchen war keine Landpomeranze wie ein paar von den Mädels, die gestern im White Hart getanzt hatten. Sie war eine kleine Lady.

»Der Junge ist schwierig, nicht wahr?«, sagte George mitfühlend.

Sie nickte. »Aber Nancy ist nett. Und vielleicht wächst sich das bei Robert ja noch aus ...«, meinte sie hoffnungsvoll.

»Meinen Sie?«, fragte George. »Haben Sie da Erfahrung?«

Das Mädchen zuckte die Schultern. »Nein. Das ist meine erste Stelle.«

»Nach dem Lehrerseminar?«, wollte George wissen. Für eine ausgebildete Lehrkraft sah sie unglaublich jung aus.

Das Mädchen schüttelte verlegen den Kopf. »Nein, ich habe kein Seminar besucht. Es gibt noch keins in Neuseeland – zumindest nicht hier auf der Südinsel. Aber ich kann lesen und schreiben, ein bisschen Französisch, und sehr gut Maori. Ich habe die Klassiker gelesen, wenn auch nicht auf Latein. Und die Kinder gehen ja auch längst noch nicht aufs College.«

»Und?«, fragte George. »Macht es Ihnen Spaß?«

Die junge Frau sah zu ihm auf und runzelte die Stirn. George wies ihr einen Platz auf einer Bank neben dem »See« an und freute sich, als sie sich tatsächlich setzte.

»Spaß? Das Unterrichten? Nun ja, nicht immer. Welche bezahlte Arbeit macht schon immer Spaß?«

George setzte sich neben sie und versuchte einen Vorstoß. »Wenn wir hier schon miteinander plaudern, darf ich mich gewiss vorstellen? George Greenwood von Greenwood Enterprises – London, Sydney und neuerdings Christchurch.«

Wenn sie beeindruckt war, ließ sie es sich zumindest nicht anmerken. Stattdessen nannte sie gelassen und stolz ihren Namen: »Elizabeth Godewind.«

»Godewind? Das klingt dänisch. Aber Sie haben keinen skandinavischen Akzent.«

Elizabeth schüttelte den Kopf. »Nein, ich komme auch aus London. Aber meine Pflegemutter war Schwedin. Sie hat mich adoptiert.«

»Nur eine Mutter? Kein Vater?« George schalt sich selbst für seine Neugier.

»Mrs. Godewind war schon älter, als ich zu ihr kam. Als eine Art Gesellschafterin. Später wollte sie mir dann das Haus vererben, und das ging mit der Adoption am einfachsten. Mrs. Godewind war das Beste, das mir je passiert ist ...« Die junge Frau kämpfte mit den Tränen. George schaute weg, um sie nicht zu beschämen, und hielt dabei die Kinder im Auge. Nancy pflückte Blumen, und Robert tat sein Bestes, um auch das zweite Schiff zu versenken.

Elizabeth fand inzwischen ihr Taschentuch und gewann ihre Fassung zurück.

»Bitte entschuldigen Sie. Aber es ist erst neun Monate her, seit sie gestorben ist, und es tut immer noch weh.«

»Aber wenn Sie wohlhabend sind, warum haben Sie sich dann eine Stellung gesucht?«, fragte George. Es war unschicklich, so tief zu bohren, aber das Mädchen faszinierte ihn.

Elizabeth zuckte die Schultern. »Mrs. Godewind bekam eine Pension, davon lebten wir. Aber nach ihrem Tod hatten wir nur noch das Haus. Wir haben dann erst versucht zu vermieten, aber das war nicht das Richtige. Ich habe nicht die nötige Autorität, und Jones, der Hausdiener, hat sie schon gar nicht. Die Leute haben keine Miete bezahlt, waren impertinent, haben die Zimmer verschmutzt und haben Jones und seine Frau herumkommandiert. Es war unerträglich. Irgendwie war es gar nicht mehr unser Haus. Ich habe mir dann diese Anstellung gesucht. Mit den Kindern umzugehen gefällt mir viel besser. Ich bin auch nur tagsüber bei ihnen, abends kann ich heimgehen.«

Abends hatte sie also frei. George fragte sich, ob er es wagen konnte, sie um ein Rendezvous zu bitten. Ein Abendessen im White Hart vielleicht, oder ein Spaziergang. Aber nein – das würde sie ablehnen. Sie war ein wohlerzogenes Mädchen; schon dieses Gespräch im Park ging an die Grenzen der Schicklichkeit. Eine Einladung ohne Vermittlung einer befreundeten Familie, ohne Anstandsdame, ohne entsprechenden Rahmen war völlig undenkbar. Aber dies war nicht London, verdammt! Sie waren am anderen Ende der Welt, und er wollte sie auf keinen Fall wieder aus den Augen verlieren. Er musste es einfach wagen. Sie musste es wagen ... Verflixt, Helen hatte es schließlich auch gewagt!

George wandte sich dem Mädchen zu und versuchte, so viel Charme, aber auch Seriosität wie nur möglich in seinen Blick zu legen.

»Miss Godewind«, sagte er bedächtig. »Die Frage, die ich Ihnen jetzt stellen möchte, sprengt alle Konventionen. Natürlich könnte ich die Form wahren, indem ich Ihnen zum Beispiel unauffällig folgte, den Namen Ihrer Dienstherren herausfände, mich von irgendeinem bekannten Mitglied der Gesellschaft von Christchurch in Ihren Haushalt einführen ließe – und dann darauf warte, dass man uns irgendwann offiziell einander vorstellt. Aber bis dahin hat Sie womöglich schon jemand anders geheiratet, und ich regle meine Angelegenheiten auch ungern über sieben Ecken. Also, wenn Sie den Rest Ihres Lebens nicht damit verbringen wollen, sich mit Kindern wie Robert herumzuärgern, dann hören Sie mir zu: Sie haben genau das, was ich suche, und Sie sind eine schöne Frau, anziehend und gebildet, mit einem Haus in Christchurch ...«

Drei Monate später heiratete George Greenwood Elizabeth Godewind. Die Eltern des Bräutigams waren nicht anwesend,

Robert Greenwood hatte aufgrund geschäftlicher Verpflichtungen auf die Reise verzichten müssen, doch er übermittelte dem Paar seinen Segen und alle guten Wünsche und überschrieb George als Hochzeitsgeschenk sämtliche Tochterfirmen in Neuseeland und Australien. Mrs. Greenwood erzählte all ihren Freundinnen, ihr Sohn habe eine schwedische Kapitänstochter geheiratet und flocht Andeutungen über eine Verwandtschaft mit dem schwedischen Königshaus ein. Sie sollte nie erfahren, dass Elizabeth tatsächlich in Queens geboren und von ihrem eigenen Waisenhauskomitee in die neue Welt verbannt worden war. Der jungen Braut war ihre Herkunft aber auch in keiner Weise anzumerken. Sie sah hinreißend aus in ihrem Kleid aus weißer Spitze, dessen Schleppe Nancy und Robert brav hinter ihr hertrugen. Helen beobachtete den Jungen dabei mit Argusaugen, und George konnte sicher sein, dass er keine Unbotmäßigkeit wagte. Da George sich inzwischen als Wollhändler einen Namen gemacht und Mrs. Godewind als Stütze der Gemeinde gegolten hatte, ließ der Bischof es sich nicht nehmen, das Paar selbst zu trauen. Anschließend wurde die Hochzeit im Salon des White Hart Hotel in großem Stil gefeiert, wobei Gerald Warden und Howard O'Keefe sich in entgegengesetzten Ecken des Saales betranken. Helen und Gwyneira ließen sich davon nicht stören und setzten allen Spannungen zum Trotz durch, dass Ruben und Fleur gemeinschaftlich Blumen streuten. Gerald Warden schien dabei zum ersten Mal bewusst zu werden, dass Howard O'Keefes Ehe mit einem wohlgeratenen Sohn gesegnet war, was seine Laune weiter verschlechterte. Für die jämmerliche O'Keefe-Farm gab es also einen Erben! Gwyneira aber war nach wie vor schlank wie eine Weidenrute. Gerald versank tief in der Whiskeyflasche, und Lucas, der seine Miene beobachtete, war froh, sich mit Gwyneira in ihr Hotelzimmer zurückziehen zu können, bevor die Wut seines Vaters sich wieder einmal lautstark entlud. In der Nacht versuchte er erneut, Gwyneira näher zu kommen, und wie immer zeigte sie sich willig und tat ihr Bestes, ihn zu ermutigen. Doch Lucas versagte wieder einmal.

# 5

Es hatte lange gedauert, bevor James McKenzies und Gwyneiras Verhältnis sich nach Georges Besuch wieder normalisierte. Gwyn war wütend, James brüskiert. Vor allem aber war beiden erneut klar geworden, dass nichts wirklich vorbei war. Gwyn blutete immer noch das Herz, wenn sie sah, wie verzweifelt James ihr nachblickte, und James konnte es nicht ertragen, sich Gwyneira in den Armen eines anderen vorzustellen. Doch eine Neuauflage ihrer Beziehung war unvorstellbar – Gwyn wusste, dass sie James nie wieder loslassen würde, wenn sie ihn noch einmal berührte.

Andererseits wurde das Leben auf Kiward Station allmählich unerträglich. Gerald betrank sich jeden Tag und ließ Lucas und Gwyn keine ruhige Minute. Selbst wenn Gäste zugegen waren, mussten die beiden jetzt mit seinen Attacken rechnen. Gwyneira war inzwischen so verzweifelt, dass sie es wagte, Lucas auf seine sexuellen Schwierigkeiten anzusprechen.

»Schau, Liebster«, sagte sie eines Abends mit leiser Stimme, als Lucas wieder neben ihr lag, erschöpft von seinen Bemühungen und krank vor Scham. Gwyneira hatte schüchtern vorgeschlagen, ihn zu erregen, indem sie sein Geschlechtsteil berührte – so ziemlich das Unschicklichste, das eine Lady und ein Gentleman zusammen tun konnten, doch Gwyneiras Erfahrungen mit James waren in dieser Hinsicht vielversprechend. Lucas jedoch zeigte kaum eine Regung, selbst wenn sie seine glatte, zarte Haut streichelte und sanft massierte. Hier musste etwas geschehen. Gwyneira beschloss, an Lucas' Fantasie zu appellieren. »Wenn ich dir nicht gefalle ...

wegen meiner roten Haare oder weil du eher auf füllige Frauen stehst ... warum stellst du dir nicht einfach eine andere vor? Ich wäre dir nicht böse.«

Lucas küsste sie sanft auf die Wange. »Du bist so lieb«, seufzte er. »So verständnisvoll. Ich verdiene dich gar nicht. Das alles tut mir schrecklich Leid.« Verschämt wollte er sich abwenden.

»Vom Leidtun werde ich nicht schwanger!«, sagte Gwyneira schroff. »Stell dir lieber etwas vor, das dich erregt.«

Lucas versuchte es. Doch als tatsächlich ein Bild vor ihm entstand, das ihn erregte, war er dermaßen entsetzt, dass der Schreck ihn schlagartig ernüchterte. Das durfte nicht sein! Er konnte nicht mit seiner Frau schlafen und dabei an den schlanken, gut gebauten George Greenwood denken ...

Die Situation eskalierte an einem Abend im Dezember, einem glutheißen Sommertag, an dem kein Lüftchen wehte. Das war selten in den Canterbury Plains, und die Schwüle zerrte an den Nerven aller Bewohner von Kiward Station. Fleur quengelte, und Gerald war schon den ganzen Tag unausstehlich. Morgens fuhr er die Arbeiter an, weil die Mutterschafe noch nicht in den Bergen waren – und das, obwohl er James vorher die Weisung erteilt hatte, die Herde erst auszutreiben, wenn auch das letzte Lamm geboren war. Am Nachmittag schimpfte er darüber, dass Lucas mit Fleurette im Garten saß und zeichnete, statt sich in den Ställen nützlich zu machen – und stritt sich anschließend mit Gwyneira, die erklärte, dass es bei den Schafen zurzeit nichts zu tun gab. In der Mittagshitze ließ man die Tiere am besten in Ruhe.

Alle sehnten sich nach Regen, und ein Gewitter war unzweifelhaft zu erwarten. Doch als die Sonne unterging und zum Dinner gerufen wurde, zeigte sich noch immer kein Wölkchen am Himmel. Gwyneira ging seufzend in ihre glutheißen Zimmer, um sich umzuziehen. Sie war nicht hungrig; am liebsten hätte sie sich auf die Veranda im Garten gesetzt und darauf gewartet, dass die Nacht ein wenig Erleichterung brachte. Vielleicht hätte sie sogar die ersten Gewitterwinde gespürt – oder herbeigeführt –, denn die Maoris glaubten an Wetterzauber, und Gwyneira lief heute schon den ganzen Tag mit dem seltsamen Gefühl herum, ein Teil von Himmel und Erde zu sein, Herrin über Leben und Tod. Ein Hochgefühl, das sie immer erfasste, wenn sie bei der Ankunft neuen Lebens dabei sein und helfen konnte. Sie erinnerte sich genau, dass sie es zum ersten Mal bei Rubens Geburt gespürt hatte. Heute war Cleo die Ursache. Die kleine Hündin hatte am Morgen fünf prachtvollen Welpen das Leben geschenkt. Nun lag sie in ihrem Korb auf der Terrasse, säugte die Babys und hätte Gwyneiras Gesellschaft und Bewunderung sicher begrüßt. Doch Gerald bestand auf ihrer Anwesenheit bei Tisch – drei lange Gänge in der gedrückten Stimmung ständiger Unsicherheit. Gwyneira und Lucas hatten längst gelernt, ihre Worte im Umgang mit Gerald auf die Goldwaage zu legen; deshalb wusste Gwyn, dass sie besser nicht von Cleos Welpen sprach und dass Lucas nicht die Sendung Aquarelle erwähnen sollte, die er gestern nach Christchurch gesandt hatte. George Greenwood wollte sie an eine Galerie in London schicken; er war sicher, Lucas würde dort Anerkennung finden. Andererseits musste das Tischgespräch irgendwie in Gang gehalten werden, sonst suchte Gerald sich selbst Themen – und die waren zweifellos unangenehm.

Gwyneira schälte sich mürrisch aus ihrem Nachmittagskleid. Sie war das ständige Umziehen zum Dinner leid, und das Korsett drückte in der Wärme. Aber das konnte sie nun wirklich weglassen – sie war schlank genug, um in das locker sitzende Sommerkleid zu passen, das sie für heute ausgewählt hatte. Ohne den Panzer aus Fischgrät fühlte sie sich gleich besser. Sie richtete noch kurz ihr Haar und lief die Treppe hinunter. Lucas und Gerald warteten bereits vor dem Kamin, beide ein Glas Whiskey in der Hand. Wenigstens war die Stimmung noch friedlich. Gwyneira lächelte den beiden zu.

»Ist Fleur schon im Bett?«, erkundigte sich Lucas. »Ich habe ihr noch gar nicht Gute Nacht gesagt ...«

Das war eindeutig das falsche Thema. Gwyneira musste es möglichst schnell wechseln.

»Sie war halb tot vor Müdigkeit. Eure Malstunde im Garten war zwar anregend, aber auch anstrengend bei der Hitze. Und mittags konnte sie nicht schlafen, weil es so heiß war. Na ja, und natürlich die Aufregung um die Welpen ...«

Gwyn biss sich auf die Lippen. Das war erst recht die falsche Fährte. Wie erwartet sprang Gerald sofort darauf an.

»Hat das Hundetier also wieder geworfen«, brummte er. »Und wieder ohne Schwierigkeiten, was? Wenn sich die Herrin da mal eine Scheibe von abschneiden würde! Wie schnell das immer geht bei dem Viehzeug! Läufig, gedeckt, Nachwuchs! Was klappt bei euch nicht, meine kleine Prinzessin? Wirst du nicht läufig, oder ...«

»Vater, wir wollen jetzt essen«, unterbrach Lucas ihn wie stets in gemessenen Worten. »Bitte beruhige dich, und beleidige Gwyneira nicht. Sie kann nichts dafür.«

»Also liegt es an dir, du ... perfekter Gentleman!« Gerald spie die Worte hervor. »Hast bei all der vornehmen Erziehung den Mumm verloren, was?«

»Gerald, nicht vor den Dienstboten«, sagte Gwyneira mit einem Seitenblick auf Kiri, die eben eintrat und den ersten Gang servieren wollte. Leichte Speisen, ein Salat. Gerald würde nicht viel davon essen. Umso schneller, hoffte Gwyneira, würde der Abend vorübergehen. Nach dem Dinner konnte sie sich zurückziehen.

Aber diesmal sorgte ausgerechnet die sonst so umgängliche und unproblematische Kiri für einen Zwischenfall. Das Mädchen hatte den ganzen Tag schon blass gewirkt und sah nun müde aus, als sie ihrer Herrschaft auflegte. Gwyneira wollte sie darauf ansprechen, ließ dann aber doch davon ab. Vertrauliche Gespräche mit Dienstboten gehörten zu den Dingen, die Gerald stets rügte. So ließ sie unkommentiert, dass Kiri ungeschickt und unaufmerksam servierte. Schließlich hatte jeder mal einen schlechten Tag.

Moana, inzwischen eine recht geschickte Köchin, wusste genau, was ihre Herrschaft wünschte. Sie kannte Gwyns und Lucas' Vorlieben für leichte sommerliche Küche, wusste aber auch, dass Gerald auf mindestens einem Fleischgang bestand. Als Hauptgang wurde also Lamm aufgetragen – und Kiri wirkte noch erschöpfter und abgespannter als eben, als sie nun mit den Speisen hereinkam. Der aromatische Geruch des Bratens vermischte sich mit dem schweren Duft der Rosen, die Lucas vorhin im Garten geschnitten hatte. Gwyneira fand diesen Duftcocktail aufdringlich, fast Übelkeit erregend, und Kiri schien es genauso zu ergehen. Als sie Gerald eine Scheibe Lamm vorlegen wollte, schwankte sie plötzlich. Gwyn sprang erschrocken auf, als das Mädchen neben Geralds Stuhl zusammenbrach.

Ohne auch nur eine Sekunde darüber nachzudenken, ob es sich schickte oder nicht, kniete sie sich neben Kiri und schüttelte das Mädchen, während Lucas versuchte, die Scherben der Platte zu beseitigen und den Teppich notdürftig vom Fleischsaft zu reinigen. Witi, der das Ganze beobachtet hatte, half seinem Herrn und rief gleichzeitig nach Moana. Die Köchin eilte denn auch gleich herbei und kühlte Kiris Stirn mit einem in Eiswasser getränkten Lappen.

Gerald Warden beobachtete das Durcheinander missmutig. Seine ohnehin schon schlechte Laune wurde durch den Zwischenfall weiter getrübt. Verdammt, Kiward Station sollte ein hochherrschaftlicher Haushalt sein! Aber hatte man je davon gehört, dass in Londoner Herrenhäusern die Dienstmädchen umfielen und dann der halbe Haushalt, Herrin und junger Herr eingeschlossen, um sie herumwuselten wie Domestiken?

Dabei war es offensichtlich gar nicht schlimm. Kiri schien schon wieder zu sich zu kommen. Entsetzt blickte sie auf die Bescherung, die sie angerichtet hatte.

»Tut mir Leid, Mr. Gerald! Kommt nicht wieder vor, bestimmt nicht!« Ängstlich wandte sie sich an den Hausherrn, der sie ungnädig musterte. Witi wischte an Geralds mit Soße verschmiertem Anzug herum.

»Das war doch nicht deine Schuld, Kiri«, sagte Gwyn freundlich. »Bei diesem Wetter kann das vorkommen.«

»Ist nicht Wetter, Miss Gwyn. Ist Baby«, erklärte Moana. »Kiri kriegt Baby in Winter. Deshalb sich fühlt schlecht heute ganze Tag und kann nicht riechen Fleisch. Ich ihr sagen, sie nicht servieren, aber ...«

»Tut mir so Leid, Miss Gwyn ...«, jammerte Kiri.

Gwyneira dachte mit einem stummen Seufzer, dass dies nun wirklich der Höhepunkt dieses verpatzten Abends war. Musste dieses Unglücksgeschöpf ausgerechnet vor Gerald mit dieser Geschichte herausplatzen? Andererseits konnte Kiri wirklich nichts dafür, dass ihr schlecht geworden war. Gwyneira zwang sich, beruhigend zu lächeln.

»Aber das ist doch kein Grund, sich zu entschuldigen, Kiri!«, sagte sie freundlich. »Im Gegenteil, es ist ein Grund zur Freude. Aber in den nächsten Wochen musst du dich ein bisschen schonen. Jetzt geh heim, und leg dich hin. Witi und Moana werden das hier aufräumen ...«

Kiri verschwand unter tausend weiteren Entschuldigungen und knickste dabei mindestens dreimal vor Gerald. Gwyneira hoffte, das werde ihn beschwichtigen, doch seine Miene änderte sich nicht, und er machte auch keine Anstalten, das Mädchen zu beruhigen.

Moana versuchte, einen Teil des Hauptgangs zu retten, doch Gerald scheuchte sie ungeduldig davon.

»Lass es, Mädchen! Mir ist sowieso der Appetit vergangen. Verschwinde, geh zu deiner Freundin ... oder lass dich auch schwängern. Aber lass mich bloß in Ruhe!«

Der alte Mann stand auf und ging zum Barschrank. Ein weiterer doppelstöckiger Whiskey. Gwyneira ahnte, was ihr und ihrem Mann noch bevorstand. Die Dienstboten mussten das allerdings nicht mitbekommen.

»Du hast es gehört, Moana ... du auch, Witi. Der Herr gibt euch heute Abend frei. Kümmert euch nicht groß um die Küche. Wenn uns noch danach ist, hole ich den Nachtisch selbst. Den Teppich könnt ihr morgen säubern. Genießt den Abend.«

»Im Dorf machen Regentanz, Miss Gwyn«, erklärte Witi, wie um sich zu entschuldigen. »Das nützlich.« Wie um es zu beweisen, öffnete er die obere Hälfte der Halbtür zur Terrasse. Gwyneira hoffte, dass dadurch ein Lüftchen hereinwehte, doch draußen stand noch immer die Hitze. Aus Richtung des Maori-Dorfes waren Trommelschlag und Gesang zu vernehmen.

»Da siehst du«, sagte Gwyn freundlich zu ihrem Diener. »Im Dorf kannst du dich nützlicher machen als hier. Geht einfach. Mr. Gerald fühlt sich nicht wohl ...«

Sie atmete auf, als die Tür sich hinter den Dienstboten schloss. Moana und Witi würden garantiert keine Zeit damit verlieren, womöglich noch die Küche aufzuräumen. Sie würden ihre Sachen zusammensuchen und in wenigen Minuten verschwunden sein.

»Ein Sherry auf den Schreck, meine Liebe?«, fragte Lucas.

Gwyn nickte. Sie wünschte sich nicht zum ersten Mal, sich auch einmal so hemmungslos betrinken zu dürfen wie die Männer. Doch Gerald ließ ihr keine Sekunde Zeit, ihren

Sherry zu genießen. Er hatte seinen Whiskey schnell hinuntergekippt und starrte die beiden jetzt mit roten Augen an.

»Dieses Maori-Flittchen ist also auch schwanger. Und der alte O'Keefe hat einen Sohn. Alle hier sind fruchtbar, überall blökt und schreit und jault es. Nur bei euch tut sich nichts. Woran liegt's, Miss Prüderie und Mister Schlappschwanz? An wem liegt's?«

Gwyn blickte beschämt in ihr Glas. Das Beste war, einfach nicht hinzuhören. Von draußen klangen nach wie vor Trommelschläge. Gwyn versuchte, sich darauf zu konzentrieren und Gerald zu vergessen. Lucas verlegte sich dagegen auf beruhigenden Zuspruch.

»Wir wissen nicht, woran es liegt, Vater. Wahrscheinlich ist es Gottes Wille. Du weißt, dass nicht jede Ehe mit vielen Kindern gesegnet wird. Mutter und du, ihr hattet ja auch nur mich ...«

»Deine Mutter ...« Gerald griff noch einmal zur Flasche. Er machte sich jetzt nicht mehr die Mühe, sich ein Glas einzuschenken, sondern setzte sie direkt an den Mund. »Deine wunderschöne Mutter hat nur an diesen Kerl gedacht, diesen ... Jede Nacht hat sie mir die Ohren voll geheult, da vergeht auch dem besten Stecher die Lust.« Gerald warf einen hasserfüllten Blick auf das Porträt seiner verstorbenen Gattin.

Gwyneira bemerkte es mit wachsender Furcht. So weit hatte der alte Mann sich noch nie gehen lassen. Bislang war von Lucas' Mutter immer nur mit Hochachtung gesprochen worden. Gwyn wusste, dass Lucas ihr Andenken vergötterte.

Bislang hatte Gwyneira nur Unwillen verspürt, jetzt aber stieg Angst in ihr auf. Am liebsten wäre sie davongelaufen. Sie suchte nach einem Vorwand, doch es gab kein Entrinnen. Gerald hätte ihr ja nicht einmal zugehört. Stattdessen wandte er sich jetzt wieder an Lucas.

»Aber ich hab nicht versagt!«, tönte er mit schwerer Zunge.

»Denn du bist wenigstens männlich … oder siehst zumindest so aus! Aber bist du's wirklich, Lucas Warden? Bist du ein Mann? Nimmst du deine Frau wie ein Mann?« Gerald stand auf und ging in drohender Haltung auf Lucas zu. Gwyneira sah lodernde Wut in seinen Augen.

»Vater …«

»Antworte, Schlappschwanz! Weißt du, wie es geht? Oder bist du ein warmer Bruder, wie sie im Stall munkeln? Oh ja, sie munkeln, Lucas! Der kleine Jonny Oates meint, du wirfst ihm Blicke zu. Er kann sich deiner kaum erwehren … stimmt das?«

Gerald funkelte seinen Sohn an.

Lucas' Gesicht verfärbte sich blutrot. »Ich werfe niemandem Blicke zu«, flüsterte er. Zumindest hatte er es nicht bewusst getan. Konnte es sein, dass diese Männer ein Gespür für seine geheimsten, sündigsten Gedanken hatten?

Gerald spuckte vor ihm aus, bevor er seine Aufmerksamkeit von ihm abwandte und auf Gwyneira konzentrierte.

»Und du – kleine, prüde Prinzessin? Weißt du nicht, wie man ihn anmacht? Dabei verstehst du dich doch drauf, Kerle heiß zu machen. Ich denke noch oft an Wales, wie du mich angeguckt hast … 'n kleines Luder, hab ich gedacht, viel zu schade für 'n ollen Aristokraten in England … Die braucht 'nen richtigen Mann. Und im Stall werfen sie dir Blicke zu, Prinzessin! Alle Kerle sind in dich verknallt, hast du das gewusst? Du ermunterst sie, was? Aber bei deinem vornehmen Gatten bist du kalt wie ein Fisch!«

Gwyneira drückte sich tiefer in den Sessel. Die brennenden Blicke des alten Mannes beschämten sie. Sie wünschte sich, ein weniger tief ausgeschnittenes, weniger luftiges Kleid angezogen zu haben. Geralds Blick wanderte von ihrem blassen Gesicht zum Ausschnitt. Wenn er so genau hinsah, würde er merken …

»Und heute?«, erklang auch schon seine höhnische Stimme. »Trägst du kein Korsett, Prinzessin? Hoffst du, dass 'n richtiger Mann vorbeikommt, wenn dein Schlappschwanz in seinem Bettchen liegt?«

Gwyneira sprang auf, als Gerald nach ihr griff. Instinktiv zog sie sich zurück. Gerald folgte ihr.

»Aha, wenn du einen richtigen Mann siehst, gehst du flüchten. Dachte ich's mir ... Miss Gwyn! Du lässt dich bitten! Aber 'n richtiger Mann gibt nich' einfach auf ...«

Gerald fasste nach ihrem Mieder. Gwyneira stolperte, als er sie bedrängte. Lucas warf sich zwischen die beiden.

»Vater, du vergisst dich!«

»So? Ich vergesse mich? Nein, mein geliebter Sohn!« Der Alte versetzte Lucas einen wuchtigen Stoß gegen die Brust. Lucas wagte nicht, zurückzuschlagen. »Ich war von allen guten Geistern verlassen, als ich dieses Vollblutpferdchen hier für dich gekauft hab. Viel zu schade für dich, viel zu schade ... Hätt sie gleich für mich nehmen sollen. Dann hätte ich jetzt 'nen Stall voller Erben.«

Gerald beugte sich über Gwyneira, die zurück in ihren Sessel gefallen war. Sie versuchte aufzustehen und zu fliehen, aber er brachte sie mit einem Schlag zu Boden und war über ihr, bevor sie sich aufsetzen konnte.

»Jetzt zeig ich's euch mal ...«, keuchte Gerald. Er war volltrunken, und seine Stimme verließ ihn, nicht aber seine Kraft. Gwyneira sah nackte Begierde in seinen Augen.

Voller Panik versuchte sie sich zu erinnern. Was war in Wales gewesen? Hatte sie ihn gereizt? Hatte er immer so für sie empfunden, und sie war nur zu blind gewesen, um es zu bemerken?

»Vater ...« Lucas griff halbherzig von hinten an, doch Geralds Faust war schneller. Betrunken oder nicht, seine Schläge saßen. Lucas wurde zurückgeschleudert und verlor sekundenlang das Bewusstsein. Gerald riss seine Hose auf. Gwyneira hörte Cleo auf der Terrasse bellen. Die Hündin kratzte alarmiert an der Tür.

»Jetzt bring ich's dir bei, Prinzessin ... Jetzt zeig ich dir, wie's geht ...«

Gwyneira wimmerte auf, als er ihr Kleid kurzerhand zerriss, ihre seidene Unterwäsche zerfetzte und brutal in sie stieß. Sie roch Whiskey, Schweiß und die Bratensoße, die sich auf sein Hemd ergossen hatte, und wurde von Ekel überwältigt. Sie sah Hass und Triumph in Geralds glühenden bösen Augen. Er hielt sie mit einer Hand unten, knetete mit der anderen ihre Brüste und küsste gierig ihren Hals. Sie biss nach ihm, als er versuchte, seine Zunge in ihren Mund zu schieben. Nach dem ersten Schock begann sie zu kämpfen und wehrte sich bald so verzweifelt, dass er beide Hände von ihr nehmen musste, um sie festzuhalten. Aber immer noch stieß er in sie hinein, und die Schmerzen waren kaum zu ertragen. Jetzt endlich wusste sie, was Helen gemeint hatte, und sie klammerte sich an die Worte ihrer Freundin: »Wenigstens ist es schnell vorbei ...«

Gwyneira hielt verzweifelt still. Hörte auf das Trommeln von draußen, auf Cleos hysterisches Bellen. Hoffentlich versuchte sie nicht, durch die Halbtür zu springen. Gwyn zwang sich zur Ruhe. Irgendwann würde das hier vorbeigehen ...

Gerald bemerkte ihre Resignation und deutete sie als Zustimmung. »Jetzt ... gefällt's dir, ja, Prinzessin?«, keuchte er und stieß noch heftiger zu. »Jetzt gefällt's dir! Kannst gar nicht ... genug kriegen, ja? Ist was anderes ... so 'n richtiger Mann, was?«

Gwyneira hatte keine Kraft mehr, ihn zu verfluchen. Der Schmerz und die Demütigung schienen kein Ende zu nehmen. Sekunden dehnten sich zu Stunden. Gerald stöhnte, keuchte und stieß unverständliche Worte hervor, die sich mit den Trommeln und dem Bellen zu einer betäubenden Kakophonie vereinten. Gwyneira wusste nicht, ob sie ebenfalls schrie oder die Tortur schweigend erduldete. Sie wollte nur noch, dass Gerald von ihr abließ, auch wenn das bedeutete, dass er ...

Gwyneira verspürte heftigen Ekel, als er sich schließlich in sie ergoss. Sie fühlte sich beschmutzt, besudelt, gedemütigt. Verzweifelt drehte sie den Kopf weg, als er keuchend auf sie sank und das erhitzte Gesicht an ihren Hals presste. Sein schwerer Körper hielt sie am Boden. Gwyn hatte das Gefühl, keine Luft mehr zu bekommen. Sie versuchte, ihn von sich herunterzustoßen, schaffte es aber nicht. Warum bewegte er sich nicht mehr? War er auf ihr gestorben? Sie hätte es ihm gegönnt. Hätte sie ein Messer gehabt, hätte sie es ihm in den Leib gestoßen.

Dann aber regte sich Gerald. Er rappelte sich auf, ohne sie anzusehen. Was empfand er? Befriedigung? Scham?

Der alte Mann stand schwankend da und griff erneut nach der Flasche.

»Das war euch hoffentlich eine Lehre ...«, sagte er halbherzig. Nicht triumphierend, eher so, als würde es ihm jetzt schon Leid tun. Er warf einen Seitenblick auf die wimmernde Gwyneira. »Hast Pech gehabt, wenn's wehgetan hat. Aber zum Schluss hat's dir gefallen, Prinzessin, nicht wahr ...?«

Gerald Warden stolperte die Treppe hinauf, ohne sich noch einmal umzublicken. Gwyneira schluchzte lautlos.

Schließlich beugte Lucas sich über sie.

»Sieh mich nicht an! Fass mich nicht an!«

»Ich tue dir doch nichts, meine Liebe ...« Lucas wollte ihr aufhelfen, doch sie wehrte ihn ab.

»Verschwinde«, sagte sie schluchzend. »Jetzt ist es zu spät, jetzt kannst du nichts mehr tun.«

»Aber ...« Lucas stockte. »Was hätte ich denn tun sollen?«

Gwyneira wäre auf Anhieb eine ganze Menge eingefallen. Es hätte nicht einmal ein Messer gebraucht – das eiserne Kaminbesteck direkt neben Lucas hätte genügt, um seinen Vater niederzuschlagen.

Doch Lucas schien gar nicht auf den Gedanken gekommen

zu sein. Ihn beschäftigten offensichtlich andere Dinge. »Aber ... aber es hat dir nicht gefallen, oder?«, fragte er leise. »Du hast nicht wirklich ...«

Jeder Muskel in Gwyneiras Körper schmerzte, doch ihre Wut half ihr, sich aufzurichten. »Und wenn es so wäre, du ... du Schlappschwanz?«, fuhr sie Lucas an. Noch nie hatte sie sich so beleidigt gefühlt, so verraten. Wie konnte dieser Dummkopf glauben, sie hätte diese Demütigung genossen? Plötzlich wollte sie nichts mehr, als Lucas zu verletzen. »Was wäre, wenn ein anderer es wirklich besser könnte? Würdest du dann hingehen und ihn fordern, den Vater von Fleur? Ja? Oder würdest du wieder den Schwanz einziehen, so wie eben, im Kampf gegen einen alten Mann? Verdammt, ich bin dich so leid! Und deinen Vater, der zu hoch im Saft steht! Was ist eigentlich ein ›warmer Bruder‹, Lucas? Ist das wieder etwas, das man Ladys lieber vorenthält?« Gwyneira sah den Schmerz in seinen Augen und vergaß ihre Wut. Was tat sie hier? Warum nahm sie Rache an Lucas für das, was sein Vater getan hatte? Lucas trug keine Schuld an dem, was er war.

»Ach, schon gut, ich will es gar nicht wissen«, sagte sie. »Geh mir aus den Augen, Lucas. Verschwinde. Ich will dich nicht mehr sehen. Ich will niemanden sehen. Hau ab, Lucas Warden! Verschwinde!«

Gefangen in ihrem Kummer und Schmerz, hörte sie nicht, wie er ging. Sie versuchte, sich auf die Trommeln zu konzentrieren, um nicht auf die Gedanken hören zu müssen, die ihr das Hirn zermarterten. Dann fiel ihr die Hündin wieder ein. Das Bellen hatte aufgehört, Cleo winselte nur noch. Gwyneira schleppte sich zur Terrassentür, ließ Cleo herein und zog den Korb mit den Welpen ebenfalls über die Schwelle, als draußen die ersten Tropfen fielen. Cleo leckte ihr die Tränen vom Gesicht, und sie horchte auf den Regen, der auf die Fliesen prasselte … *rangi* weinte.

Gwyneira weinte.

Sie schaffte es erst in ihr Zimmer, als das Gewitter sich über Kiward Station entlud, die Luft kühler und ihr Kopf klarer wurde. Schließlich schlief sie auf dem blassblauen, flauschigen Teppich, den Lucas damals für sie ausgesucht hatte, neben der Hündin und ihrem Wurf.

Sie nahm gar nicht wahr, dass Lucas im Morgengrauen das Haus verließ.

Kiri machte keine Bemerkung zu dem, was sie vorfand, als sie am Morgen in Gwyneiras Zimmer kam. Sie sagte nichts zu dem unberührten Bett, zu dem zerrissenen Kleid oder zu Gwyneiras schmutzigem, blutbeflecktem Körper. Ja, diesmal hatte sie geblutet …

»Sie baden, Miss. Dann geht besser, bestimmt«, sagte Kiri mitfühlend. »Mr. Lucas sicher nicht so gemeint. Männer betrunken, Wettergötter zornig, schlechter Tag gestern …«

Gwyneira nickte und ließ sich ins Bad führen. Kiri ließ Wasser ein und wollte einen Blütenextrakt hineingeben, doch Gwyneira untersagte es ihr. Der betäubende Rosenduft von gestern Abend war ihr noch zu gegenwärtig.

»Ich bringen Frühstück in Zimmer, ja?«, fragte Kiri. »Frische Waffeln, hat gemacht Moana für sagen Entschuldigung zu Mr. Gerald. Aber Mr. Gerald noch nicht wach …«

Gwyneira fragte sich, wie sie Gerald Warden jemals wieder unter die Augen treten sollte. Wenigstens fühlte sie sich etwas besser, nachdem sie sich mehrere Male nacheinander eingeseift und Geralds Schweiß und Gestank abgewaschen hatte. Sie war zwar noch immer wund, und jede Bewegung schmerzte, aber das würde vergehen. Die Demütigung jedoch würde sie ihr Leben lang spüren.

Schließlich hüllte sie sich in einen leichten Bademantel und verließ das Bad. Im Zimmer hatte Kiri die Fenster geöffnet, und die Fetzen ihres Kleides waren verschwunden. Die Welt draußen wirkte wie frisch gewaschen nach dem Gewitterregen. Die Luft war kühl und klar. Gwyneira atmete tief durch und versuchte, auch ihre Gedanken zur Ruhe zu bringen. Ihr gestriges Erlebnis war schrecklich gewesen – aber nicht schlimmer als das, was vielen Frauen jede Nacht widerfuhr. Wenn sie sich Mühe gab, würde sie es vergessen können. Sie musste einfach so tun, als wäre nichts geschehen ...

Trotzdem fuhr sie zusammen, als sie die Tür hörte. Cleo knurrte. Sie spürte Gwyneiras Anspannung. Herein kamen jedoch nur Kiri und Fleurette. Das kleine Mädchen war missgelaunt, was Gwyn ihr nicht verdenken konnte. Gewöhnlich weckte sie das Kind selbst mit einem Kuss, und dann pflegten Lucas und Gwyn mit Fleur zu frühstücken. Diese »Familienstunde« ohne Gerald, der dann noch seinen Rausch ausschlief, war ihnen heilig, und alle schienen sie zu genießen. Gwyn war eigentlich davon ausgegangen, dass Lucas sich heute Morgen um Fleur gekümmert hatte, aber man hatte das Kind offensichtlich sich selbst überlassen. Entsprechend abenteuerlich war seine Bekleidung. Es trug ein Röckchen, das wie ein Poncho über ein falsch zugeknöpftes Kleid gezogen war.

»Daddy ist weg«, sagte die Kleine.

Gwyn schüttelte den Kopf. »Nein, Fleur. Daddy ist bestimmt nicht weg. Vielleicht ist er ausgeritten. Er ... wir ... wir haben uns gestern ein bisschen mit Großvater gestritten ...« Sie gab es ungern zu, doch Fleur war so oft Zeuge ihrer Auseinandersetzungen mit Gerald, dass es dem Kind nichts Neues sein konnte.

»Ja, kann sein, dass Daddy ausgeritten ist«, sagte Fleur. »Mit Flyer. Der ist nämlich auch weg, hat Mr. James gesagt. Aber warum reitet Daddy vor dem Frühstück aus?«

Gwyneira wunderte das ebenfalls. Bei einem Galopp durch den Busch den Kopf frei zu bekommen war eher ihre Art als die von Lucas. Er sattelte auch selten selbst. Die Leute witzelten darüber, dass er sich sein Pferd sogar im Rahmen der Farmarbeit von den Viehhütern vorführen ließ. Und warum nahm er das älteste Arbeitspferd? Lucas war kein begeisterter, aber ein guter Reiter. Der alte Flyer würde ihn langweilen; das Tier wurde nur noch gelegentlich von Fleur geritten. Aber vielleicht irrten Fleur und James sich ja auch, und Flyers und Lucas' Verschwinden hatten gar nichts miteinander zu tun. Das Pferd konnte ausgebrochen sein. Das kam immer wieder vor.

»Daddy kommt bestimmt gleich zurück«, sagte Gwyneira. »Hast du schon im Atelier nachgesehen? Aber komm, iss erst mal eine Waffel.«

Kiri hatte den Frühstückstisch am Fenster gedeckt und schenkte Gwyneira Kaffee ein. Auch Fleur bekam einen Schuss Kaffee mit viel Milch.

»In seine Zimmer nicht ist, Miss«, wandte das Hausmädchen sich an Gwyneira. »Hat nachgesehen Witi. Bett nicht angerührt. Bestimmt irgendwo in Farm. Schämt sich wegen ...« Sie blickte Gwyneira vielsagend an.

Gwyneira hingegen machte sich Sorgen. Lucas hatte keinen Grund, sich zu schämen ... oder doch? Hatte Gerald ihn nicht genauso gedemütigt wie sie? Und sie selbst ... es war unverzeihlich, wie sie Lucas behandelt hatte.

»Wir gehen ihn gleich suchen, Fleur. Wir finden ihn schon.« Gwyn wusste nicht, ob sie damit sich oder das Kind beruhigen wollte.

Sie fanden Lucas nicht, weder im Haus noch auf der Farm. Und auch Flyer war nicht wieder aufgetaucht. Dafür berichtete James, dass ein uralter Sattel und ein mehrmals geflicktes Zaumzeug fehlten.

»Gibt es da etwas, das ich wissen sollte?«, fragte er leise, blickte in Gwyneiras blasses Gesicht und bemerkte ihren schwerfälligen Gang.

Gwyn schüttelte den Kopf und nahm in Kauf, dass sie nach Lucas nun auch James verletzte: »Nichts, das dich etwas anginge!«

James, das wusste sie, hätte Gerald getötet.

# 6

Lucas blieb auch in den nächsten Wochen verschwunden. Ein Umstand, der erstaunlicherweise dazu beitrug, Gwyneiras und Geralds Verhältnis ein wenig zu normalisieren – schließlich mussten sie sich allein schon wegen Fleur irgendwie arrangieren. In den ersten Tagen nach Lucas' Weggang vereinte die beiden die Sorge, ihm könnte etwas geschehen sein oder er könnte sich sogar etwas angetan haben. Eine Suchaktion in der Nähe der Farm blieb jedoch vergeblich, und nach reiflicher Überlegung glaubte Gwyneira auch nicht an einen Selbstmord. Sie hatte inzwischen Lucas' Sachen durchgesehen und festgestellt, dass ein paar schlichte Kleidungsstücke fehlten – zu ihrer Verwunderung gerade solche, wie ihr Mann sie am wenigsten gemocht hatte. Lucas hatte Arbeitskleidung eingepackt, Regenzeug, Unterwäsche und sehr wenig Geld. Das passte zu dem alten Pferd und dem alten Sattel: Er wollte eindeutig nichts von Gerald annehmen; die Trennung sollte sauber vollzogen werden. Es schmerzte Gwyneira, dass er sie ohne ein Wort verlassen hatte. Soweit sie sehen konnte, hatte er kein Erinnerungsstück an sie oder ihre Tochter mitgenommen, lediglich ein Taschenmesser, das sie ihm einmal geschenkt hatte. Wie es aussah, hatte sie ihm nie etwas bedeutet; die flüchtige Freundschaft, die das Ehepaar verbunden hatte, war ihm keinen Abschiedsbrief wert gewesen.

Gerald erkundigte sich in Haldon nach seinem Sohn – was dem Klatsch natürlich Nahrung gab – sowie in Christchurch, diskreter, mit Hilfe von George Greenwood. Beides ergab kein Ergebnis, Lucas Warden war weder in dem einen noch in dem anderen Ort gesehen worden.

»Er kann weiß Gott wo sein«, klagte Gwyneira Helen ihr Leid. »In Otago, in den Goldgräberlagern, oder an der Westcoast, vielleicht sogar auf der Nordinsel. Gerald will Nachforschungen anstellen lassen, aber das ist hoffnungslos. Wenn er nicht gefunden werden will, dann wird er auch nicht gefunden.«

Helen zuckte die Achseln und setzte den unvermeidlichen Teekessel auf. »Vielleicht ist es besser so. Es war sicher nicht gut für ihn, so endlos in Abhängigkeit von Gerald zu leben. Jetzt kann er sich beweisen – und Gerald wird dich nicht mehr wegen der Kinderlosigkeit triezen. Aber warum ist er so plötzlich verschwunden? Gab es wirklich keinen Anlass? Keinen Streit?«

Gwyneira verneinte errötend. Sie hatte niemandem, nicht einmal ihrer besten Freundin, von der Vergewaltigung erzählt. Wenn sie es für sich behielt, so hoffte sie, würde die Erinnerung irgendwann verblassen. Dann wäre es so, als hätte der Abend nicht stattgefunden, als wäre es nur ein hässlicher Albtraum gewesen. Gerald schien die Sache ähnlich zu sehen. Er war ausnehmend höflich zu Gwyneira, schaute sie selten an und achtete peinlich darauf, sie ja nicht zu berühren. Die beiden sahen sich bei den Mahlzeiten, um den Dienstboten keinen Grund zum Klatsch zu geben, und schafften es zugleich, unverbindlich miteinander zu plaudern. Gerald trank nach wie vor, aber jetzt meist erst nach dem Essen, wenn Gwyneira sich bereits zurückgezogen hatte. Gwyneira nahm Helens Lieblingsschülerin, die jetzt fünfzehnjährige Rongo Rongo, als persönliche Zofe in Dienst und bestand darauf, dass das Mädchen in ihren Räumen schlief, um stets verfügbar zu sein. Sie hoffte, Gerald dadurch von Übergriffen abzuhalten, doch ihre Sorge war unbegründet. Geralds Verhalten blieb untadelig. Insofern hätte Gwyneira die verhängnisvolle Sommernacht irgendwann vergessen können. Tatsächlich aber hatte sie Folgen. Als ihre Periode zum zweiten Mal ausblieb und Rongo Rongo beim Ankleiden vielsagend lächelte und über ihren Bauch strich, musste Gwyn sich eingestehen, dass sie schwanger war.

»Ich will es nicht haben!«, sagte sie schluchzend, nachdem sie einen Parforceritt zu Helen hinter sich hatte. Sie hätte die Schulstunden nicht abwarten können, bevor sie mit ihrer Freundin sprach. Doch Helen erkannte schon an ihrer entsetzten Miene, dass etwas Schreckliches geschehen sein musste. Sie gab den Kindern frei, schickte Fleur und Ruben zum Spielen in den Busch und nahm Gwyneira in die Arme.

»Hat man Lucas gefunden?«, fragte sie leise.

Gwyneira sah sie an, als wäre sie irre. »Lucas? Wieso Lucas ... Ach, es ist viel schlimmer, Helen, ich bin schwanger! Und ich will das Kind nicht haben!«

»Du bist ganz durcheinander«, murmelte Helen und führte ihre Freundin ins Haus. »Komm, ich mach dir einen Tee, und dann reden wir darüber. Warum freust du dich nicht auf das Kind, um Himmels willen? Du hast doch jahrelang versucht, eines zu bekommen, und nun ... Oder hast du Angst, das Kind könnte zu spät kommen? Ist es nicht von Lucas?« Helen sah Gwyneira forschend an. Sie hatte manchmal vermutet, dass es Geheimnisse um Fleurs Geburt gab – das Aufleuchten in Gwyns Augen beim Anblick von James McKenzie konnte keiner Frau entgehen. Doch in letzter Zeit hatte sie die beiden kaum zusammen gesehen. Und Gwyn würde doch nicht so dumm sein, sich gleich nach dem Weggang ihres Mannes einen Liebhaber zu nehmen! Oder war Lucas fortgegangen, weil es schon einen Liebhaber gab? Helen konnte sich das nicht vorstellen. Gwyn war eine Lady. Sicher nicht unfehlbar, aber unfehlbar diskret!

»Das Kind ist ein Warden«, antwortete Gwyneira fest. »Daran besteht kein Zweifel. Aber ich will es trotzdem nicht!«

»Das hast du aber nicht zu bestimmen«, meinte Helen hilflos. Sie konnte Gwyns Gedanken nicht nachvollziehen. »Wenn man schwanger ist, ist man schwanger ...«

»Ach was! Es muss eine Möglichkeit geben, das Kind loszuwerden. Fehlgeburten kommen immer wieder vor.«

»Aber doch nicht bei gesunden jungen Frauen wie dir!« Helen schüttelte den Kopf. »Warum gehst du nicht zu Matahorua? Sie kann dir sicher sagen, ob das Kind gesund ist.«

»Vielleicht kann sie mir helfen ...«, meinte Gwyn hoffnungsvoll. »Vielleicht kennt sie einen Trank oder so etwas. Damals auf dem Schiff hat Daphne mal irgendetwas zu Dorothy gesagt, über ›Engelmacher‹ ...«

»Gwyn, so was darfst du nicht einmal denken!« Helen hatte in Liverpool von »Engelmachern« munkeln gehört; ihr Vater hatte einige der Opfer begraben. »Das ist gottlos! Und gefährlich! Du kannst dabei sterben. Und warum, um Himmels willen ...«

»Ich gehe zu Matahorua!«, erklärte Gwyn. »Versuch nicht, mich davon abzubringen. Ich will dieses Kind nicht!«

Matahorua bat Gwyneira zu einer Steinreihe hinter den Gemeinschaftshäusern, wo die beiden allein waren. Auch sie musste ihr am Gesicht angesehen haben, dass etwas Ernstes passiert war. Aber diesmal würden sie ohne Dolmetscher auskommen müssen – Gwyn hatte Rongo Rongo zu Hause gelassen. Eine Mitwisserin war das Letzte, das sie brauchte.

Matahorua verzog auf unbestimmte Weise das Gesicht, als sie Gwyn einen Sitz auf den Steinen anbot. Ihr Ausdruck sollte sicher freundlich sein, vielleicht sogar ein Lächeln, doch auf Gwyneira wirkte er bedrohlich. Die Tätowierungen im Gesicht der alten Zauberin schienen jede Mimik zu verändern, und ihre Gestalt warf seltsame Schatten im Sonnenlicht. »Baby. Ich schon weiß von Rongo Rongo. Starkes Baby ... viel Kraft. Aber auch viel Wut ...«

»Ich will das Baby nicht!«, stieß Gwyneira hervor, ohne die Zauberin anzusehen. »Kannst du etwas tun?«

Matahorua suchte den Blick der jungen Frau. »Was ich soll tun? Baby totmachen?«

Gwyneira verkrampfte sich. So brutal hatte sie es bis jetzt noch nicht zu formulieren gewagt. Aber genau darauf lief es hinaus. Schuldgefühle stiegen in ihr auf.

Matahorua musterte sie aufmerksam, ihr Gesicht und ihren Körper, und wie immer schien sie dabei durch den Menschen hindurch in irgendeine, nur ihr allein bekannte Ferne zu blicken.

»Dir wichtig, Baby sterben?«, fragte sie leise.

Gwyneira spürte plötzlich Wut in sich aufsteigen. »Wäre ich sonst hier?«, brach es aus ihr heraus.

Matahorua zuckte die Schultern. »Starkes Baby. Wenn Baby sterben, du auch sterben. So wichtig?«

Gwyneira schauderte. Was machte Matahorua so sicher? Und warum zweifelte man nie an ihren Worten, egal wie widersinnig sie sein mochten? Konnte sie wirklich in die Zukunft sehen? Gwyneira dachte nach. Sie empfand nichts für das Kind in ihrem Leib, allenfalls Ablehnung und Hass, genau wie für seinen Vater. Aber so glühend war der Hass nicht, dass es sich lohnte, deswegen zu sterben! Gwyneira war jung und lebte gern. Außerdem wurde sie gebraucht. Was sollte aus Fleurette werden, wenn sie auch noch den zweiten Elternteil verlor? Gwyn beschloss, die Sache auf sich beruhen zu lassen. Vielleicht könnte sie dieses Unglückskind ja einfach zur Welt bringen und dann vergessen? Sollte Gerald sich doch darum kümmern!

Matahorua lachte. »Ich sehen, du nicht sterben. Du leben, Baby leben … nicht glücklich. Aber leben. Und wird jemand geben, der will …«

Gwyneira runzelte die Stirn. »Der was will?«

»Wird jemand geben, der Kind will. Zuletzt. Macht … Kreis

rund ...« Matahorua bildete mit den Fingern einen Kreis und kramte dann in ihrer Tasche. Schließlich förderte sie ein fast rundes Stück Jade zutage und reichte es Gwyneira. »Da, für Baby.«

Gwyneira nahm den kleinen Stein und bedankte sich. Sie wusste nicht warum, aber sie fühlte sich besser.

Das alles hinderte Gwyneira natürlich trotzdem nicht daran, auf jede nur erdenkliche Art zu versuchen, doch noch eine Fehlgeburt herbeizuführen. Sie arbeitete bis zur Erschöpfung im Garten, möglichst in gebückter Stellung, aß unreife Äpfel, bis die Magenverstimmung sie fast umbrachte, und ritt Igraines letzte Tochter zu, ein Fohlen, das unzweifelhaft schwierig war. Zu James' Verwunderung bestand sie sogar darauf, das aufmüpfige Tier an den Damensattel zu gewöhnen – ein letztes, verzweifeltes Bemühen, denn Gwyneira wusste natürlich, dass der Seitsattel den Sitz nicht fragiler, sondern eher sicherer machte. Unfälle im Damensattel ergaben sich fast immer daraus, dass das Pferd unter dem Sattel stürzte und die Reiterin sich nicht aus dem Sitz befreien und abrollen konnte. Solche Unfälle verliefen denn auch häufig tödlich. Aber die Stute Viviane war ebenso sicher auf den Beinen wie ihre Mutter – ganz abgesehen davon, dass Gwyneira noch immer nicht die Absicht hatte, mit ihrem Kind zu sterben. Ihre letzte Hoffnung beruhte auf den heftigen Erschütterungen durch die großen Trabbewegungen des Pferdes, denen man sich im Damensattel nicht leicht entziehen konnte. Nach einer halben Stunde Parforceritt konnte sie sich vor Seitenstechen auch kaum noch auf dem Pferd halten, aber das Kind behelligte das nicht. Es überstand die gefährlichen ersten drei Monate ohne Probleme, und Gwyneira weinte vor Wut, als sie sah, dass ihr Bauch sich zu wölben begann. Zunächst versuchte sie, der verräterischen Rundung durch Schnüren Herr zu werden, aber das war auf die Dauer nicht auszuhalten. Schließlich ergab sie sich in ihr Schicksal und wappnete sich gegen die unvermeidlichen Glückwünsche. Wer würde auch schon ahnen, wie unerwünscht der kleine Warden war, der da in ihrem Leib heranwuchs?

Die Frauen in Haldon erkannten Gwyneiras Schwangerschaft natürlich sofort und setzten gleich den Klatsch in Gang: Mrs. Warden schwanger und Mr. Warden verschwunden – das bot die Möglichkeit fantastischster Spekulationen. Gwyneira war es egal. Ihr graute eher davor, dass Gerald die Sache ansprechen würde. Und am meisten fürchtete sie James McKenzies Reaktion. Er musste es jetzt bald bemerken oder zumindest davon hören. Und sie konnte ihm nicht die Wahrheit sagen. Eigentlich ging sie ihm schon seit Lucas' Verschwinden aus dem Weg, weil ihm die Fragen im Gesicht standen. Jetzt würde er Antworten wollen – Gwyneira war auf Vorwürfe und Ärger gefasst, nicht aber auf seine tatsächliche Reaktion. Es kam völlig unvorbereitet für sie, als sie ihn eines Morgens im Stall traf, in Reitzeug und Regenmantel, weil es wieder einmal nieselte – und mit gepackten Satteltaschen. Er verschnallte eben einen Mantelsack auf dem Rücken seines knochigen Schimmels.

»Ich gehe, Gwyn«, sagte er ruhig, als sie ihn fragend ansah. »Du kannst dir denken, warum.«

»Du gehst?« Gwyneira verstand nicht. »Wohin? Was ...«

»Ich gehe fort, Gwyneira. Ich verlasse Kiward Station und suche mir einen anderen Job.« James drehte ihr den Rücken zu.

»Du verlässt mich?« Die Worte brachen aus Gwyneira heraus, bevor sie sich zurückhalten konnte. Aber der Schmerz war zu plötzlich gekommen, der Schock saß zu tief. Wie konnte er sie allein lassen? Sie brauchte ihn doch, gerade jetzt!

James lachte auf, doch es klang eher verzweifelt als belustigt. »Überrascht dich das? Meinst du, du hättest einen Anspruch auf mich?«

»Natürlich nicht.« Gwyn suchte Halt an der Stalltür. »Aber ich dachte, du ...«

»Du erwartest jetzt nicht wirklich Liebeserklärungen, oder, Gwyn? Nicht nach dem, was du getan hast.« James schnallte weiter an seinem Sattel herum, als führe er hier eine beiläufige Unterhaltung.

»Ich habe doch gar nichts getan!«, verteidigte sich Gwyneira und wusste, wie falsch es klang.

»Ach nein?« James wandte sich um und musterte sie mit kalten Blicken. »Also ist das da drin eine Neuauflage der unbefleckten Empfängnis.« Er wies auf ihren Leib. »Erzähl keine Märchen, Gwyneira! Sag mir lieber die Wahrheit. Wer war der Hengst? Kam er aus besserem Stall als ich? Bessere Papiere? Bessere Bewegungen? Womöglich ein Adelstitel?«

»James, ich wollte nie ...« Gwyn wusste nicht, was sie sagen sollte. Am liebsten hätte sie die ganze Wahrheit vor ihm ausgebreitet, sich alles von der Seele geredet. Aber dann würde er Gerald stellen. Dann würde es Tote oder zumindest Verletzte geben, und hinterher wüsste alle Welt von Fleurettes Herkunft.

»Es war dieser Greenwood, nicht wahr? Ein echter Gentleman. Ein gut aussehender Bursche, gebildet, gute Manieren und bestimmt sehr diskret. Schade, dass du ihn damals noch nicht kanntest, als wir ...«

»Es war nicht George! Was denkst du nur? George ist wegen Helen gekommen. Und jetzt hat er eine Frau in Christchurch. Es gab nie einen Grund zur Eifersucht.« Gwyneira hasste den flehenden Ton in ihrer Stimme.

»Und wer war es dann?« James trat fast drohend auf sie zu. Erregt fasste er ihre Oberarme, als wollte er sie schütteln. »Sag es mir, Gwyn! Jemand in Christchurch? Der junge Lord Barrington? Der gefällt dir doch! Sag es mir, Gwyn. Ich habe ein Recht, es zu erfahren!«

Gwyn schüttelte den Kopf. »Ich kann es dir nicht sagen, und du hast auch kein Recht darauf ...«

»Und Lucas? Der ist dir drauf gekommen, nicht wahr? Hat er dich erwischt, Gwyn? Im Bett mit einem anderen? Hat er dich beobachten lassen und es dir dann auf den Kopf zugesagt? Was war zwischen dir und Lucas?«

Gwyneira sah ihn verzweifelt an. »Es war nichts dergleichen. Du verstehst nicht ...«

»Dann erklär's mir, Gwyn! Erkläre mir, warum dein Mann dich bei Nacht und Nebel verlassen hat, und nicht nur dich, auch den Alten, das Kind und sein Erbe. Ich würde es gern verstehen ...« James' Gesicht wurde weicher, obwohl er sie nach wie vor in hartem Griff hielt. Gwyn fragte sich, warum sie sich trotzdem nicht fürchtete. Aber sie hatte sich nie vor James McKenzie gefürchtet. Hinter allem Misstrauen und aller Wut sah sie noch immer Liebe in seinen Augen.

»Ich kann nicht, James. Ich kann nicht. Bitte nimm es hin, bitte sei nicht böse. Und bitte verlass mich nicht!« Gwyneira ließ sich an seine Schulter sinken. Sie wollte ihm nahe sein, egal, ob sie willkommen war oder nicht.

James stieß sie nicht weg, doch er umarmte sie auch nicht. Er ließ nur ihre Arme los und schob sie sanft von sich, bis sie einander nicht mehr berührten.

»Was auch gewesen ist, Gwyn, ich kann nicht bleiben. Vielleicht könnte ich es, wenn du wirklich eine Erklärung für all das hättest ... wenn du mir wirklich vertrauen würdest. Aber so verstehe ich dich nicht. Du bist so verbohrt, so fixiert auf Namen und Erbe, dass du jetzt sogar dem Andenken deines Gatten treu bleiben willst ... und trotzdem bist du schwanger von einem anderen ...«

»Lucas ist nicht tot!«, stieß Gwyneira hervor.

James zuckte die Schultern. »Das ist unerheblich. Egal ob tot oder lebendig, du würdest dich nie zu mir bekennen. Und das wird langsam zu viel für mich. Ich kann dich nicht jeden Tag sehen, aber keinen Anspruch auf dich erheben. Ich versuche das jetzt seit fünf Jahren, Gwyn, aber immer, wenn mein Blick auf dich fällt, will ich dich berühren, dich küssen, mit dir zusammen sein. Stattdessen heißt es ›Miss Gwyn‹ und ›Mr. James‹, du bist höflich und distanziert – obwohl dir das Verlangen genauso anzusehen ist wie mir. Das bringt mich um, Gwyn. Ich hätte es ertragen, solange auch du es ertragen hättest. Aber jetzt … das ist zu viel, Gwyn. Das mit dem Kind ist zu viel. Sag mir wenigstens, von wem es ist!«

Gwyn schüttelte wieder den Kopf. Es zerriss sie innerlich, aber sie brachte die Wahrheit nicht über die Lippen. »Es tut mir Leid, James. Ich kann nicht. Wenn du deshalb gehen musst, dann geh.«

Sie unterdrückte ein Schluchzen.

James legte dem Pferd ein Zaumzeug an und wollte es ins Freie führen. Wie immer gesellte Daimon sich zu ihm. James streichelte den Hund.

»Wirst du ihn mitnehmen?«, fragte Gwyn mit erstickter Stimme.

James verneinte. »Er gehört mir nicht. Ich kann nicht einfach den besten Zuchtrüden von Kiward Station mitgehen lassen.«

»Aber er wird dich vermissen …« Gwyneira beobachtete mit blutendem Herzen, wie er den Hund anband.

»Auch ich werde vieles vermissen, aber wir alle werden lernen, damit zu leben.«

Der Hund bellte protestierend, als James Anstalten machte, den Stall zu verlassen.

»Ich schenke ihn dir.« Gwyneira wünschte auf einmal, dass James wenigstens ein Andenken an sie haben sollte. An sie und Fleur. An die Tage im Hochland. An die Hundeschau auf ihrer Hochzeit. An all die Dinge, die sie gemeinsam getan hatten, die Gedanken, die sie geteilt hatten …

»Du kannst ihn nicht verschenken, er gehört dir nicht«, sagte James leise. »Mr. Gerald hat ihn in Wales gekauft, weißt du das nicht mehr?«

Und ob Gwyn es noch wusste. Und ob sie sich an Wales erinnerte und die höflichen Worte, die sie damals mit Gerald gewechselt hatte. Damals hatte sie ihn für einen Gentleman gehalten, etwas exotisch vielleicht, doch ehrbar. Und wie gut sie sich an die ersten Tage mit James erinnerte, als sie ihm die Tricks zum Trainieren junger Hunde beigebracht hatte. Er hatte sie ernst genommen, obwohl sie ein Mädchen war …

Gwyneira blickte sich um. Cleos Welpen waren jetzt reif zum Absetzen, aber nach wie vor liefen sie meist ihrer Mutter nach und wuselten deshalb auch jetzt um Gwyneira herum. Sie bückte sich und hob den größten und schönsten Welpen hoch. Eine junge Hündin, fast schwarz, mit Cleos typischem Collie-Lächeln.

»Aber die hier kann ich verschenken. Die gehört mir. Nimm sie an, James. Bitte nimm sie!« Spontan drückte sie James den Welpen in die Hand. Die Hündin machte sofort Anstalten, ihm das Gesicht zu lecken.

James lächelte und blinzelte verschämt, damit Gwyn die Tränen in seinen Augen nicht sah. »Sie heißt Friday, nicht wahr? Freitag, Robinsons Gefährte in der Einsamkeit …«

Gwyn nickte. »Du musst nicht einsam sein …«, sagte sie leise.

James streichelte den Hund. »Jetzt nicht mehr. Vielen Dank, Miss Gwyn.«

»James …« Sie trat näher an ihn heran und hob das Gesicht zu ihm. »James, ich wünschte, es wäre dein Kind.«

James küsste sie leicht auf den Mund, so sanft und ruhig, wie sonst nur Lucas geküsst hatte.

»Ich wünsche dir Glück, Gwyn. Ich wünsche dir Glück.«

Gwyneira weinte haltlos, als James gegangen war. Sie blickte ihm von ihrem Fenster aus nach, sah ihn über die Felder davonreiten, den kleinen Hund vor sich auf dem Sattel. Er wandte sich dem Hochland zu. Oder würde er über ihre Abkürzung nach Haldon reiten? Für Gwyn war es egal, sie hatte ihn verloren. Sie hatte beide Männer verloren. Außer Fleur blieben ihr nur Gerald und dieses verfluchte, unerwünschte Kind.

Gerald Warden brachte die Schwangerschaft seiner Schwiegertochter nicht zur Sprache, nicht einmal, als sie so offensichtlich wurde, dass jeder sie auf den ersten Blick erkannte. Deshalb wurde auch die Frage der Geburtshilfe nicht besprochen. Diesmal wurde keine Hebamme ins Haus geholt, kein Arzt konsultiert, um den Verlauf der Schwangerschaft zu kontrollieren. Gwyneira selbst versuchte, ihren Zustand so weit wie möglich zu ignorieren. Sie ritt bis in die letzten Wochen hinein auch die feurigsten Pferde und versuchte, nicht an die Geburt zu denken. Vielleicht würde das Kind ja nicht überleben, wenn sie keine fachkundige Hilfe erhielt.

Entgegen Helens Erwartungen hatten sich Gwyneiras Gefühle für das Kind während der Schwangerschaft nicht geändert. Die ersten Bewegungen des neuen Lebens, bei Ruben und Fleur damals begeistert begrüßt, erwähnte sie nicht einmal. Und als das Kind einmal so heftig zappelte, dass Gwyneira aufstöhnte, kam anschließend kein launiger Kommentar zu der offensichtlichen Gesundheit des Ungeborenen, sondern nur ein böses: »Heute ist es wieder lästig. Ich wünschte, es wäre endlich weg!«

Helen fragte sich, was Gwyn damit meinte. Mit der Geburt würde das Baby schließlich nicht verschwinden, sondern lautstark seine Rechte anmelden. Vielleicht würden sich Gwyns Muttergefühle dann ja endlich regen.

Zunächst aber nahte Kiris Stunde. Die junge Maori freute sich auf ihr Kind und versuchte ständig, Gwyneira dabei mit einzubeziehen. Sie verglich lachend den Bauchumfang der Frauen und neckte Gwyn damit, dass ihr Baby jünger, aber doch wohl größer sei. Tatsächlich entwickelte Gwyneira einen enormen Bauch. Sie versuchte, ihn möglichst zu verstecken, aber manchmal, in ihren dunkelsten Stunden, befürchtete sie fast, sie trüge Zwillinge aus.

»Unmöglich!«, sagte Helen. »Matahorua hätte das gemerkt.«

Auch Rongo Rongo lachte nur über die Befürchtung ihrer Herrin. »Nein, da nur ein Baby drin. Aber schönes, starkes. Keine leichte Geburt, Miss Gwyn. Aber keine Gefahr. Meine Großmutter sagt, es wird prächtiges Kind.«

Als bei Kiri die Wehen einsetzten, verschwand Rongo Rongo. Als eifrige Schülerin Matahoruas war sie trotz ihrer Jugend als Hebamme begehrt und verbrachte manche Nacht im Maori-Dorf. Diesmal kam sie gegen Morgen vergnügt zurück. Kiri hatte ein gesundes Mädchen geboren.

Schon drei Tage nach der Geburt führte sie Gwyneira stolz ihre Tochter vor.

»Ich sie nenne Marama. Schöner Name für schönes Kind. Heißt ›Mond‹. Ich sie bringen mit zu Arbeit. Kann spielen mit Kind von Miss Gwyn!«

Gerald Warden würde dazu sicher seine eigenen Ansichten haben, doch Gwyneira ließ die Bemerkung unkommentiert. Wenn Kiri das Kind bei sich haben wollte, sollte sie es mitbringen. Gwyn fand inzwischen nichts mehr dabei, ihrem Schwiegervater zu widersprechen. Gerald zog sich dann meist schweigend zurück. Die Machtverhältnisse auf Kiward Station hatten sich gewandelt, ohne dass Gwyn wirklich verstand, was der Grund dafür war.

Diesmal stand niemand im Garten, als Gwyneira in den Wehen lag, und niemand wartete gespannt im Salon. Gwyn wusste nicht, ob jemand Gerald von der bevorstehenden Geburt in Kenntnis gesetzt hatte, und es war ihr auch egal. Wahrscheinlich verbrachte der alte Mann die Nacht wieder mit einer Flasche in seinen Räumen – und bis die Sache überstanden war, würde er sowieso nicht mehr fähig sein, die Nachricht zu begreifen.

Wie Rongo Rongo vorhergesagt hatte, verlief die Geburt nicht so unkompliziert wie Fleurettes. Das Kind war deutlich größer – und Gwyneira war unwillig. Bei Fleurette hatte sie ihre Stunde herbeigesehnt, auf jedes Wort der Hebamme geachtet und sich bemüht, eine wahre Vorzeigemutter zu werden. Jetzt ließ sie nur alles stumpfsinnig über sich ergehen, ertrug die Wehen mal stoisch, mal aufbegehrend. Dabei verfolgten sie die Erinnerungen an die Schmerzen, unter denen dieses Kind gezeugt worden war. Sie meinte, Geralds Gewicht wieder auf sich zu spüren, seinen Schweiß zu riechen. Zwischen den Wehen übergab sie sich mehrmals, fühlte sich schwach und geschlagen und schrie schließlich Wut und Schmerz heraus. Am Ende war sie völlig ermattet und wollte nur noch sterben. Oder noch besser, dieses Wesen sollte sterben, das sich in ihrem Leib festklammerte wie ein bösartiger Parasit.

»Komm endlich raus!«, stöhnte sie. »Komm endlich raus, und lass mich in Ruhe ...«

Nach fast zwei Tagen voller Qual – und am Ende fast rasendem Hass auf alle, die ihr das angetan hatten – brachte Gwyneira einen Sohn zur Welt. Sie spürte nichts als Erleichterung.

»So wunderschöner kleiner Junge, Miss Gwyn!«, strahlte Rongo. »Wie Matahorua gesagt hat. Warten Sie, ich wische ihn ab, und dann Sie können ihn halten. Wir ihm geben noch ein wenig Zeit, bevor wir Nabelschnur durchtrennen ...«

Gwyneira schüttelte wild den Kopf. »Nein, trenn sie durch, Rongo. Und bring ihn weg. Ich will ihn nicht halten. Ich will schlafen ... muss mich ausruhen ...«

»Aber das Sie können gleich. Schauen Baby erst mal an. Hier, ist nicht süß?« Rongo hatte das Baby geschickt gesäubert und legte es auf Gwyns Brust. Es machte erste Saugbewegungen. Gwyneira schob es von sich. Gut, es war gesund, es war vollkommen mit seinen winzigen Fingern und Zehen, aber sie mochte es trotzdem nicht.

»Bring es weg, Rongo!«, verlangte sie bestimmt.

Rongo verstand nicht. »Aber wohin ich soll es denn bringen, Miss Gwyn? Es Sie brauchen. Es brauchen seine Mutter!«

Gwyn zuckte die Achseln. »Bring es zu Mr. Gerald. Der wollte einen Erben, jetzt hat er ihn. Soll er sehen, wie er damit fertig wird. Nur mich lass in Ruhe! Wird's bald, Rongo? Oh, Gott, nein, es fängt wieder an ...« Gwyneira stöhnte. »Es kann doch nicht noch mal drei Stunden dauern, bis die Nachgeburt kommt ...«

»Ist jetzt müde, Miss Gwyn. Ist normal«, begütigte Kiri, als die aufgeregte Rongo mit dem Baby in die Küche kam. Kiri und Moana waren mit dem Aufräumen nach dem Abendbrot beschäftigt, das Gerald allein eingenommen hatte. Die kleine Marama schlummerte in einem Körbchen.

»Das nicht ist normal!«, widersprach Rongo. »Matahorua hat tausend Kinder geholt, aber keine Mutter so reagieren wie Miss Gwyn.«

»Ach, jede Mutter anders ...«, behauptete Kiri und dachte an den Morgen, als sie Gwyn mit zerrissenen Kleidern auf dem Boden ihrer Räume gefunden hatte. Vieles sprach dafür, dass das Kind in dieser Nacht gezeugt worden war. Gwyn mochte Gründe haben, es nicht zu lieben.

»Und was ich jetzt mache damit?«, fragte Rongo zögernd. »Ich nicht kann es bringen zu Mr. Gerald. Der kann nicht Kinder haben um sich.«

Kiri lachte. »Baby braucht auch Milch, keinen Whiskey. Damit anfangen noch früh genug. Nein, nein, Rongo, lass einfach hier.« Gelassen knöpfte sie das schmucke Dienstbotenkleid auf, entblößte ihre prallen Brüste und nahm Rongo das Kind aus dem Arm. »Das hier besser.«

Das Neugeborene begann sofort, gierig zu saugen. Kiri wiegte es sanft. Als es schließlich an ihrer Brust einschlief, legte sie es zu Marama in ihr Körbchen.

»Sag Miss Gwyn, es gut versorgt.«

Gwyneira wollte es gar nicht wissen. Sie schlief bereits und erkundigte sich auch am nächsten Morgen nicht nach dem Kind. Überhaupt zeigte sie erst eine Regung, als Witi einen Blumenstrauß brachte und auf die daran hängende Karte wies.

»Von Mr. Gerald.«

Über Gwyneiras Gesicht zog ein Ausdruck von Abscheu und Hass, aber auch Neugierde. Sie riss die Karte ab.

*Ich danke dir für Paul Gerald Terence.*

Gwyneira schrie auf, schleuderte die Blumen quer durchs Zimmer und riss die Karte in Fetzen.

»Witi!«, befahl sie dem erschrockenen Hausdiener. »Oder besser Rongo, dir werden die Worte nicht fehlen! Geh sofort zu Mr. Gerald, und sag ihm, das Kind wird nur Paul Terence heißen, oder ich erwürge es in der Wiege!«

Witi verstand nicht, doch Rongo blickte entsetzt.

»Ich sagen ihm«, versprach sie leise.

Drei Tage später wurde der Erbe der Wardens auf den Namen Paul Terence Lucas getauft. Seine Mutter blieb der Feier fern; sie war unpässlich. Doch ihre Dienstboten wussten es besser. Gwyneira hatte dem Kind bislang keinen Blick geschenkt.

# 7

»Wann stellst du mir Paul denn endlich mal vor?«, fragte Helen ungeduldig. Gleich nach der Geburt hatte Gwyneira natürlich nicht reiten können, und auch jetzt, vier Wochen später, war sie mit Fleur in der Kutsche gekommen. Dies allerdings schon zum dritten Mal, sie erholte sich zusehends von den Anstrengungen. Helen fragte sich nur, warum sie das Baby nicht mitbrachte. Nach Fleurs Geburt hatte Gwyn es gar nicht erwarten können, der Freundin ihre kleine Tochter vorzuführen. Ihren Sohn dagegen erwähnte sie kaum. Und auch als Helen sich jetzt konkret nach ihm erkundigte, machte Gwyn nur eine wegwerfende Handbewegung.

»Ach, demnächst. Es ist mühsam, ihn mitzuschleppen, und er schreit die ganze Zeit, wenn man ihn von Kiri und Marama wegholt. Da fühlt er sich wohl, also was soll's?«

»Aber ich würde ihn gern einmal sehen«, beharrte Helen. »Was ist los mit dir, Gwyn? Stimmt etwas nicht mit ihm?«

Fleurette und Ruben waren gleich nach Gwyns Ankunft auf Abenteuer ausgezogen, und die Maori-Kinder kamen heute nicht, weil in ihrem Dorf irgendetwas gefeiert wurde. Helen fand den Tag ideal, um Gwyneira auf den Zahn zu fühlen.

Die schüttelte desinteressiert den Kopf. »Was soll mit ihm nicht stimmen? Es ist alles dran. Er ist ein kräftiges Baby – und endlich ein Junge. Ich habe meine Pflicht erfüllt und getan, was von mir erwartet wurde.« Gwyneira spielte mit ihrer Teetasse. »Und jetzt erzähl mir die Neuigkeiten. Ist die Orgel für die Kirche in Haldon endlich eingetroffen? Und wird der Reverend es nun doch verwinden, dass du sie spielst, wenn sich schon kein männlicher Organist gefunden hat?«

»Lass doch mal die dumme Orgel, Gwyn!« Helen flüchtete sich in ungeduldige Worte, fühlte sich aber eher hilflos. »Ich hab dich nach deinem Baby gefragt! Was ist nur los mit dir? Von jedem Welpen redest du mit größerer Begeisterung als von Paul. Und dabei ist er doch dein Sohn ... du solltest vor Glück aus dem Häuschen sein! Und was ist überhaupt mit dem stolzen Großvater? In Haldon munkeln sie schon, mit dem Baby sei etwas nicht in Ordnung, weil Gerald im Pub keine einzige Runde geschmissen hat, um seinen Enkel zu feiern.«

Gwyneira zuckte die Schultern. »Ich weiß nicht, was Gerald sich denkt. Können wir jetzt von etwas anderem reden?«

Betont gelassen nahm sie sich ein Stück Teegebäck.

Helen hätte sie am liebsten geschüttelt.

»Nein, können wir nicht, Gwyn! Du sagst mir auf der Stelle, was los ist! Mit dir oder dem Kind oder Gerald ist doch irgendetwas geschehen! Bist du böse auf Lucas, weil er dich verlassen hat?«

Gwyn schüttelte den Kopf. »Ach was, das ist längst vergessen. Er wird seine Gründe gehabt haben.«

Tatsächlich wusste sie nicht recht, wie sie Lucas gegenüber empfand. Einerseits war sie wütend, weil er sie mit ihrem Dilemma allein gelassen hatte, andererseits konnte sie seine Flucht verstehen. Doch Gwyneiras Gefühle regten sich seit James' Weggang und Pauls Geburt ohnehin nur schwach; es war fast, als hielte sie ihre Empfindungen unter einer Dunstglocke. Wenn sie nichts fühlte, war sie auch nicht angreifbar.

»Die Gründe hatten nichts mir dir zu tun? Oder mit dem Baby?«, bohrte Helen weiter. »Lüg mich nicht an, Gwyn, du musst dich der Sache stellen. Sonst reden bald alle darüber. In Haldon munkeln sie schon, und die Maoris reden auch. Du weißt, die erziehen ihre Kinder gemeinsam, das Wort ›Mutter‹ hat da nicht die gleiche Bedeutung wie bei uns, und Kiri findet nichts dabei, Paul mitzuversorgen. Aber so ein Mangel an Interesse, wie du an dem Baby zeigst ... Du solltest Matahorua um Rat fragen!«

Gwyn schüttelte den Kopf. »Was soll sie mir denn raten? Kann sie Lucas wieder herschaffen? Kann sie ...« Sie hielt erschrocken inne. Beinahe hätte sie mehr verraten, als irgendjemand auf der Welt je wissen dürfte.

»Sie könnte dir vielleicht helfen, besser mit dem Kind zurechtzukommen«, hakte Helen nach. »Warum stillst du es eigentlich nicht? Hast du keine Milch?«

»Kiri hat Milch für zwei ...«, meinte Gwyneira wegwerfend. »Und ich bin eine Lady. Es ist in England nicht üblich für Frauen wie mich, ihre Kinder zu stillen.«

»Du bist verrückt, Gwyn!« Helen schüttelte den Kopf. Langsam wurde sie wirklich wütend. »Denk dir wenigstens bessere Ausreden aus. Das mit der Lady glaubt dir doch kein Mensch. Also noch mal: Ist Lucas fort, weil du schwanger warst?«

Gwyn schüttelte den Kopf. »Lucas weiß gar nichts von dem Baby ...«, sagte sie leise.

»Also hast du ihn betrogen? Sie munkeln das in Haldon, und wenn es so weitergeht ...«

»Verdammt, wie oft soll ich es dir noch sagen? Dieses verfluchte Kind ist ein Warden!« Gwyneiras ganzer Zorn brach plötzlich aus ihr heraus, und sie begann zu schluchzen. Das alles hatte sie nicht verdient. Sie war so diskret vorgegangen bei Fleurs Zeugung. Niemand, absolut niemand zweifelte an ihrer Legitimität. Und der echte Warden sollte nun als Bastard gelten?

Helen dachte angestrengt nach, während Gwyneira weinte und weinte. Lucas wusste nichts von der Schwangerschaft – und Gwyneiras bisherige Probleme, Kinder zu empfangen, gingen nach Matahoruas Meinung auf seine Rechnung. Wenn also ein Warden dieses Kind gezeugt hatte, dann ...

»Oh Gott, Gwyn ...« Helen wusste, dass sie ihren Verdacht

niemals aussprechen durfte, doch ihr selbst stand das Szenario nun deutlich vor Augen. Gerald Warden musste Gwyneira geschwängert haben – und es sah nicht aus, als wäre es mit Gwyns Zustimmung erfolgt. Tröstend nahm sie die Freundin in die Arme. »Oh, Gwyn, ich war so dumm. Ich hätte es gleich wissen müssen. Stattdessen quäle ich dich mit tausend Fragen. Aber du ... du musst das jetzt vergessen! Egal, wie Paul gezeugt worden ist. Er ist dein Sohn!«

»Ich hasse ihn!«, schluchzte Gwyneira.

Helen schüttelte den Kopf. »Dummes Zeug. Du kannst ein kleines Kind nicht hassen. Was immer auch geschehen ist, Paul kann nichts dafür. Er hat ein Anrecht auf seine Mutter, Gwyn. Genau wie Fleur und Ruben. Denkst du, dessen Zeugung hätte mir besonderen Spaß gemacht?«

»Du hast es immerhin freiwillig getan!«, brauste Gwyn auf.

»Dem Kind ist das egal. Bitte, Gwyn, versuch es wenigstens. Bring den Kleinen mit, stell ihn den Frauen in Haldon vor – sei ein bisschen stolz auf ihn! Dann wird es schon mit der Liebe!«

Gwyneira hatte das Weinen gut getan, und sie war erleichtert, dass Helen nun Bescheid wusste, ohne sie zu verurteilen. Die Freundin hatte offensichtlich keinen Moment lang angenommen, Gwyn hätte Gerald freiwillig beigelegen – ein Albtraum, der Gwyneira verfolgte, seit sie von der Schwangerschaft erfahren hatte. Seit James' Weggang ging ein solches Gerücht im Stall herum, und Gwyn war nur froh, dass es wenigstens James McKenzie entgangen war. Sie hätte es nicht ertragen, von James danach gefragt zu werden. Wobei Gwyns »Züchter-Ich« den Gedankengang durchaus nachvollziehen konnte, der ihre Arbeiter und Freunde zu dieser Annahme bewog. Nachdem Lucas' Versagen offenkundig war, wäre die Zeugung des Erben mit Gerald eine durchaus nahe liegende Lösung gewesen. Gwyn fragte sich, warum sie bei der Suche nach dem Vater für ihr erstes Kind nicht auf diese Idee gekommen war – vielleicht, weil Lucas' Vater ihr so aggressiv entgegentrat, dass sie jedes Alleinsein und jedes Gespräch mit ihm fürchtete. Aber Gerald selbst mochte oft mit dem Gedanken gespielt haben, und vielleicht war auch das ein Grund für sein Trinken und seinen Ärger: Womöglich diente alles dazu, die verbotene Lust und den ungeheuerlichen Gedanken, den eigenen »Enkel« kurzerhand selbst zu zeugen, gar nicht erst aufkommen zu lassen.

Gwyn war tief in Gedanken versunken, als sie den Wagen nach Hause lenkte. Zum Glück brauchte sie Fleur nicht zu beschäftigen; sie ritt stolz und glücklich allein neben der Chaise her. George Greenwood hatte dem kleinen Paul zur Taufe ein Pony geschenkt – er musste das von langer Hand geplant und die kleine Stute bereits in England bestellt haben, kaum dass er von Gwyns Schwangerschaft gehört hatte. Fleurette hatte das Pferdchen natürlich sofort vereinnahmt und kam vom ersten Moment an großartig damit zurecht. Bestimmt würde sie es nicht aufgeben, wenn Paul heranwuchs. Gwyn würde sich da etwas einfallen lassen müssen, aber das hatte Zeit. Vorerst musste sie sich mit dem Problem befassen, dass Paul in Haldon als Bastard galt. Es ging nicht an, dass über den Erben der Wardens getuschelt wurde. Gwyneira musste ihre Ehre und die ihres Namens verteidigen!

Als sie endlich auf Kiward Station eintraf, begab sie sich sofort in ihre Räume und suchte nach dem Kind. Wie erwartet fand sie die Wiege leer. Erst nach einigem Suchen entdeckte sie Kiri mit beiden Säuglingen an jeweils einer Brust in der Küche.

Gwyn zwang sich zu einem Lächeln.

»Da ist ja mein Junge«, bemerkte sie freundlich. »Wenn er fertig ist, Kiri, kann ich ihn dann ... kann ich ihn dann mal halten?«

Falls Kiri dieser Wunsch merkwürdig erschien, ließ sie es sich nicht anmerken. Stattdessen lächelte sie Gwyn strahlend zu. »Klar! Wird freuen zu sehen Mama!«

Doch Paul freute sich keineswegs. Stattdessen brüllte er los, kaum dass Gwyn ihn aus Kiris Armen nahm.

»Er nicht meint so«, murmelte Kiri verlegen. »Ist nur nicht gewöhnt.«

Gwyn schaukelte das Kind in den Armen und bemühte sich, die sofort aufkommende Ungeduld niederzukämpfen. Helen hatte Recht, das Kind konnte nichts dafür. Und objektiv betrachtet war Paul wirklich ein niedlicher kleiner Kerl. Er hatte große, klare Augen, noch blau und rund wie Murmeln. Sein Haar schien dunkel zu werden, lockig und ungebärdig, und der edle Schnitt seines Mundes erinnerte Gwyn an Lucas. Es sollte nicht allzu schwer sein, dieses Kind lieben zu lernen … aber erst einmal musste sie die Gerüchteküche ausräumen.

»Ich werde ihn jetzt öfter herumtragen, damit er sich besser an mich gewöhnt«, erklärte sie der verblüfften, aber erfreuten Kiri. »Und ich nehme ihn morgen mit nach Haldon. Du kannst auch mitfahren, wenn du möchtest. Als seine Kinderfrau …«

Dann schreit er wenigstens nicht die ganze Zeit, dachte Gwyn, als der Junge sich auch nach einer halben Stunde in den Armen seiner leiblichen Mutter nicht beruhigte. Erst als sie ihn wieder neben Marama in das improvisierte Körbchen legte – Kiri hätte die Kinder gern ständig mit sich herumgetragen, aber das erlaubte Gerald ihr nicht während der Arbeit –, beruhigte sich der Kleine. Moana sang den Kindern ein Lied vor, während sie kochte. Bei den Maoris galt jede weibliche Verwandte der passenden Generation als Mutter.

Mrs. Candler und Dorothy waren entzückt, den Erben der Wardens endlich vorgeführt zu bekommen. Mrs. Candler schenkte Fleur einen Lutscher und konnte sich gar nicht satt sehen an dem kleinen Paul. Gwyneira war sich klar darüber, dass hier der Test auf körperliche Unversehrtheit vorgenommen wurde, und erlaubte der alten Freundin gern, Paul aus seinen Decken und Tüchern zu wickeln und im Arm zu wiegen. Der Kleine war auch recht guter Laune. Das Geschüttel im Wagen hatte ihm und Marama gefallen. Beide Kinder hatten während der Fahrt süß geschlummert, und kurz vor der Ankunft hatte Kiri sie noch gestillt. Jetzt waren beide wach, und Paul sah Mrs. Candler mit großen, aufmerksamen Augen an. Er strampelte lebhaft. Die Zweifel der Haldon'schen Hausfrauen, das Kind könnte möglicherweise behindert sein, waren damit sicher ausgeräumt. Blieb noch die Sorge um die Herkunft.

»Die dunklen Haare! Und die langen Wimpern! Ganz der Großvater!«, gurrte Mrs. Candler.

Gwyneira wies sie auf den Schnitt der Lippen hin sowie auf Pauls ausgeprägte Kinnpartie, die sowohl Gerald als auch Lucas zu Eigen war.

»Weiß der Vater denn inzwischen von seinem Glück?«, mischte sich eine andere Matrone ein, die eben ihre Einkäufe unterbrach, um das Baby in Augenschein zu nehmen. »Oder ist er immer noch ... oh, Verzeihung, das geht mich nun wirklich nichts an!«

Gwyneira lächelte sonnig. »Aber ja, selbstverständlich! Obwohl wir seine Glückwünsche noch nicht entgegennehmen konnten. Mein Gemahl weilt in England, Mrs. Brennerman – auch wenn mein Schwiegervater das nicht gutheißt. Deshalb all die Heimlichkeiten, Sie wissen schon. Doch Lucas erhielt den Ruf einer bekannten Kunstgalerie, dort seine Werke auszustellen ...«

Das war nicht einmal gelogen. Tatsächlich hatte George Greenwood gleich mehrere Londoner Galerien für Lucas' Werke interessieren können. Allerdings hatte Gwyn diese

Nachrichten erst erhalten, nachdem Lucas Kiward Station verlassen hatte. Aber das brauchte sie den Damen nun wirklich nicht auf die Nase zu binden.

»Oh, das ist ja wundervoll«, freute sich Mrs. Candler. »Und wir dachten schon ... ach, vergessen Sie's! Und der stolze Großvater? Die Männer im Pub haben sein Freudenfest vermisst!«

Gwyneira zwang sich, eine entspannte, wenn auch leicht besorgte Miene aufzusetzen.

»Mr. Gerald hat sich in letzter Zeit oft nicht wohl gefühlt«, behauptete sie, was auch recht nah an der Wahrheit war, schließlich kämpfte ihr Schwiegervater täglich mit den Auswirkungen des am Vortag genossenen Whiskeys. »Aber er plant natürlich noch ein Fest. Vielleicht wieder ein großes Freudenfest im Garten, die Taufe ist ja recht spartanisch ausgefallen. Und das holen wir nach, nicht wahr, Pauly?« Sie nahm Mrs. Candler das Kind ab und dankte dem Himmel, dass es dabei nicht schrie.

Und nun hatte sie es auch tatsächlich überstanden. Das Gespräch verlagerte sich von Kiward Station auf die geplante Hochzeit zwischen Dorothy und dem jüngsten Sohn der Candlers. Der älteste war vor zwei Jahren mit Francine verheiratet worden, der jungen Hebamme, der mittlere zog erst mal in der Welt herum. Mrs. Candler berichtete, sie habe kürzlich einen Brief aus Sydney von ihm erhalten.

»Ich glaube, er hat sich verliebt«, sagte sie mit verschmitztem Lächeln.

Gwyneira freute sich ehrlich für das junge Paar, auch wenn sie sich lebhaft vorstellen konnte, was da noch auf Mrs. Candler zukam. Das Gerücht: »Leon Candler heiratet Sträflingsmädchen aus Botany Bay« dürfte die eher dürftige Sensation »Lucas Warden stellt in London Kunst aus« rasch verdrängen.

»Schicken Sie Dorothy wegen des Brautkleids ruhig zu

mir«, verabschiedete sie sich schließlich freundlich. »Ich hab ihr einmal versprochen, ihr meines zu borgen, wenn es so weit ist.«

Hoffentlich wird sie wenigstens damit glücklich, dachte Gwyn, als sie Kiri und ihren Anhang zurück zur Kutsche lotste.

Das hier war jedenfalls ein Erfolg gewesen.

Und jetzt Gerald ...

»Wir werden ein Fest geben!«, erklärte Gwyneira, kaum dass sie den Salon betreten hatte. Entschlossen nahm sie Gerald die Whiskeyflasche aus der Hand und verschloss sie in der dafür vorgesehenen Vitrine. »Wir werden es jetzt gleich planen, und dazu brauchst du einen klaren Kopf.«

Gerald schien bereits ein wenig benebelt. Zumindest wirkten seine Augen glasig, aber immerhin konnte er Gwyn noch folgen.

»Wa... was gibt's denn zu feiern?«, erkundigte er sich mit schwerer Zunge.

Gwyneira blitzte ihn an. »Die Geburt deines ›Enkels!‹«, sagte sie. »Man nennt so was ein freudiges Ereignis, wenn du beliebst, dich zu erinnern! Und ganz Haldon wartet darauf, dass du es entsprechend würdigst.«

»Sch... schönes Fest ... Wenn die Mu... Mutter schmollt und der Va... Vater sich sonst wo rumtreibt ...«, höhnte Gerald.

»An Lucas' und meiner mangelnden Begeisterung bist du wohl nicht ganz unschuldig!«, schleuderte Gwyneira ihm entgegen. »Aber wie du siehst, schmolle ich nicht. Ich werde da sein, ich werde lächeln – und du wirst einen Brief von Lucas verlesen, der zu unserem Bedauern nach wie vor in England weilt. Es brennt, Gerald! In Haldon reden sie über uns. Es gibt Gerüchte, dass Paul ... nun, dass er kein Warden sei ...«

Das Fest fand drei Wochen später im Garten von Kiward Station statt. Wieder floss der Champagner in Strömen. Gerald gab sich leutselig und ließ Salut schießen. Gwyneira lächelte anhaltend und verriet den versammelten Gästen, dass Paul nach seinen beiden Urgroßvätern benannt sei. Außerdem wies sie fast sämtliche Mitglieder der Gemeinde auf die offensichtliche Ähnlichkeit mit Gerald hin. Paul selbst schlummerte selig in den Armen seiner Kinderfrau. Gwyn hütete sich wohlweislich, ihn selbst zu präsentieren. Nach wie vor schrie er wie am Spieß, wenn sie ihn herumtrug, und nach wie vor reagierte sie mit Ärger und Ungeduld darauf. Sie sah ein, dass sie dieses Kind in der Familie willkommen heißen und seine Stellung festigen musste – doch tiefere Gefühle konnte sie nicht für den Jungen empfinden. Paul blieb ihr fremd, und schlimmer noch – jeder Blick in sein Gesicht erinnerte sie an Geralds Fratze der Lust in dieser unseligen Nacht seiner Zeugung. Als das Fest endlich überstanden war, flüchtete Gwyneira sich in den Stall und weinte hemmungslos in Igraines weiche Mähne, wie sie es schon als Kind getan hatte, wenn etwas hoffnungslos erschien. Gwyneira wünschte sich nur noch, das alles wäre nie passiert. Sie sehnte sich nach James, sogar nach Lucas. Nach wie vor hatte sie nichts von ihrem Mann gehört, und auch Geralds Nachforschungen blieben erfolglos. Das Land war einfach zu groß. Wer verschollen bleiben wollte, blieb verschollen.

# 8

»Schlag endlich zu, Luke! Einmal, mit Schwung, hinten auf die Rübe. Da merkt der gar nichts von!« Noch während Roger sprach, erledigte er einen weiteren Heuler – nach allen Regeln des Gewerbes der Seehundjagd: Das Tier starb, ohne dass sein Fell beschädigt wurde. Die Jäger töteten mit einem Knüppel, den sie dem Seehund an den Hinterkopf schlugen. Wenn überhaupt Blut floss, so aus der Nase der jungen Robbe. Danach machten sie sich gleich ans Abhäuten, ohne sich vorher die Mühe zu machen, den Tod des Tieres sicher festzustellen.

Lucas Warden hob den Knüppel, aber er konnte sich einfach nicht dazu überwinden, ihn auf das Tierchen niedersausen zu lassen, das ihn mit riesigen Kinderaugen vertrauensvoll anblickte. Mal ganz abgesehen von dem Klagen der Seehundmütter um ihn herum. Die Männer waren nur hinter dem besonders weichen und wertvollen Fell der Jungtiere her. Sie wanderten über die Seehundbänke, auf denen die Robbenmütter ihre Kinder großzogen, und töteten die Heuler vor den Augen ihrer Mütter. Die Felsen der Tauranga Bay waren bereits rot von ihrem Blut – und Lucas musste dagegen ankämpfen, sich zu übergeben. Er konnte nicht begreifen, wie gefühllos die Männer vorgingen. Das Leiden der Tiere schien sie nicht im Mindesten zu interessieren; sie machten sogar noch Scherze darüber, wie friedlich und wehrlos die Robben ihre Jäger erwarteten. Lucas hatte sich der Gruppe vor drei Tagen angeschlossen, aber bisher noch kein Tier getötet. Zunächst schien es den Männern kaum aufzufallen, dass er nur beim Abhäuten half und die Felle auf Wagen und Traggestelle verstaute. Aber jetzt verlangten sie nachdrücklich, dass auch er sich am Schlachten beteiligte. Lucas war hoffnungslos übel. Machte *das* einen Mann aus? Was war am Töten wehrloser Tiere so viel ehrenhafter als am Malen und Schreiben? Doch Lucas wollte sich das alles nicht mehr fragen. Er war hier, um sich zu beweisen, entschlossen, genau die Arbeit zu tun, mit der sein Vater die Grundlagen seines Reichtums gelegt hatte. Ursprünglich hatte Lucas sogar auf einem Walfänger angeheuert, war aber schmählich gescheitert. Lucas gab es nicht gern zu, aber er war geflüchtet – und das, obwohl er den Vertrag bereits unterzeichnet und der Mann, der ihn angeheuert hatte, ihm durchaus gefallen hatte …

Lucas hatte Copper, einen großen, dunkelhaarigen Mann mit dem kantigen, wettergegerbten Gesicht des typischen »Coasters«, in einem Pub bei Greymouth kennen gelernt. Gleich nach seiner Flucht aus Kiward Station, als er noch so von Wut und Hass auf Gerald erfüllt war, dass er kaum klar denken konnte. Damals war er überstürzt zur Westcoast aufgebrochen, diesem Eldorado für »harte Männer«, die sich stolz »Coaster« nannten und ihren Lebensunterhalt zunächst mit Wal- und Seehundjagd, neuerdings auch mit der Suche nach Gold verdienten. Lucas hatte es allen zeigen wollen – sein eigenes Geld verdienen, sich als »richtiger Mann« beweisen, um dann irgendwann ruhmreich heimzukehren, beladen mit … ja, was? Gold? Dann hätte er sich eher mit Schaufel und Waschpfanne ausrüsten und in die Berge reiten sollen, statt auf einem Walfänger anzuheuern. Aber so weit hatte Lucas erst gar nicht gedacht. Er wollte nur weg, weit weg, möglichst auf See – und er wollte seinen Vater mit dessen eigenen Waffen schlagen. Dabei hatte er dann, nach abenteuerlichem Ritt durch die Berge, Greymouth erreicht, eine armselige Ansiedlung, die außer einem Ausschank und einem Schiffsanlegeplatz nicht viel zu bieten hatte. Immerhin fand sich im Pub ein trockenes Eckchen, auf dem Lucas sein Lager aufschlagen konnte. Zum ersten Mal nach Tagen war er wieder unter einem Dach. Die Decken waren noch klamm und schmutzig von den Übernachtungen unter freiem Himmel. Lucas hätte sich gern auch ein Bad gegönnt, aber darauf war man in Greymouth nicht eingerichtet. Lucas wunderte das nicht sehr. »Richtige Männer« schienen sich selten zu waschen. Statt Wasser flossen reichlich Bier und Whiskey, und nach einigen Gläsern hatte Lucas Copper von seinen Plänen erzählt. Er fasste Mut, als der Coaster nicht gleich abwinkte.

»Siehst ja nicht aus wie ein Walfänger!«, bemerkte er mit einem langen Blick in Lucas' schmales Gesicht und seine sanften grauen Augen. »Aber auch nicht wie 'n Schwächling ...« Der Mann griff nach Lucas' Oberarm und befühlte die Muskeln. »Also warum nicht. Wie man 'ne Harpune handhabt, haben auch schon andere gelernt.« Er lachte. Dann aber wurde sein Blick prüfend. »Aber schaffst du's auch, drei oder vier Jahre allein zu sein? Wirst du die hübschen Mädchen in den Häfen nicht vermissen?«

Lucas hatte schon gehört, dass man sich heutzutage für zwei bis vier Jahre verpflichten musste, wenn man auf einem Walfänger anheuerte. Die goldenen Jahre des Walfangs, als man gleich vor der Küste der Südinsel mit Leichtigkeit auf Pottwale stieß – die Maoris jagten die Tiere sogar von ihren Kanus aus –, waren vorbei. Heute waren die Wale unmittelbar vor der Küste fast ausgerottet. Man musste weit aufs Meer fahren, um sie zu finden und war oft wochen-, wenn nicht jahrelang unterwegs. Darüber aber machte Lucas sich die wenigsten Gedanken. Die Männergesellschaft schien ihm sogar verlockend, wenn er nur nicht wieder außerhalb stünde wie auf Kiward Station als Sohn des Chefs. Er würde schon zurechtkommen – nein, er würde Respekt und Anerkennung gewinnen! Lucas war fest entschlossen, und Copper schien ihn auch nicht abzulehnen. Im Gegenteil, er betrachtete ihn fast mit Interesse, schlug ihm auf die Schulter, tätschelte mit den Pranken eines erfahrenen Schiffszimmermanns und Whalers seinen Arm. Lucas schämte sich etwas für seine gepflegten Hände, die wenigen Schwielen und die immer noch relativ sauberen Fingernägel. Auf Kiward Station hatten die Männer ihn mitunter damit aufgezogen, dass er sie regelmäßig reinigte, doch Copper machte keine Bemerkung darüber.

Schließlich war Lucas seinem neuen Freund aufs Schiff gefolgt, hatte sich dem Skipper vorstellen lassen und einen Kontrakt unterzeichnet, der ihn für drei Jahre an die *Pretty Peg* band, ein bauchiges, nicht allzu großes Segelschiff, das ebenso unverwüstlich schien wie sein Eigner. Der Skipper Robert Milford war eher klein, aber ein einziges Muskelpaket. Copper sprach mit großem Respekt von ihm und pries seine Fähigkeiten als Chef-Harpunier. Milford begrüßte Lucas mit kräftigem Händedruck, nannte ihm seinen Lohn – der ihm erschreckend niedrig erschien – und wies Copper an, ihm eine Koje zuzuweisen. Die *Pretty Peg* stand kurz vor dem Auslaufen. Lucas hatte nur noch zwei Tage, um sein Pferd zu verkaufen, seine Sachen an Bord des Fangschiffs zu bringen und die schmutzige Pritsche neben Copper zu beziehen. Das aber war ihm nur recht. Falls Gerald nach ihm suchen ließe, würde er längst auf See sein, ehe die Nachricht das abgelegene Greymouth erreichte.

Doch der Aufenthalt an Bord ernüchterte ihn schnell. Schon in der ersten Nacht ließen ihn die Flöhe unter Deck nicht schlafen; dazu kämpfte er mit der Seekrankheit. Lucas konnte noch so sehr versuchen, sich zusammenzunehmen – wenn das Schiff in den Wellen schlingerte, rebellierte sein Magen. Im dunklen Innenraum war das schlimmer als auf Deck, weshalb er schließlich sogar versuchte, die Nächte draußen zu verbringen. Die Kälte und Nässe – bei schwerer See wurde das Deck überspült – trieben ihn aber schnell zurück in die Unterkünfte. Wieder einmal lachten die Männer über ihn, aber diesmal machte es ihm nicht so viel aus, weil Copper offensichtlich auf seiner Seite stand.

»Ist halt ein feines Herrchen, unser Luke!«, bemerkte er gutmütig. »Muss sich erst gewöhnen. Aber wartet, bis er mit Tran getauft ist. Der wird richtig, glaubt mir!«

Copper besaß Ansehen bei der Crew. Er war nicht nur ein fähiger Schiffszimmermann, sondern galt auch als erstklassiger Jäger.

Seine Freundschaft tat Lucas gut, und auch die verstohlenen Berührungen, die Copper mitunter zu suchen schien, waren nicht unangenehm. Vielleicht hätte Lucas sie sogar genossen, wären die hygienischen Bedingungen auf der *Pretty Peg* nicht derart abschreckend gewesen. Es gab nur wenig Trinkwasser, und niemand dachte daran, es zum Waschen zu verschwenden. Die Männer rasierten sich auch kaum, und Wäsche zum Wechseln besaßen sie nicht. Nach wenigen Nächten stanken die Walfänger und ihre Unterkünfte schlimmer als die Schafställe auf Kiward Station. Lucas selbst versuchte, sich mit Meerwasser notdürftig zu reinigen, aber das war schwierig und führte wieder zu Heiterkeitsausbrüchen der restlichen Mannschaft. Lucas fühlte sich schmutzig, sein Körper war mit Flohstichen übersät, und er schämte sich für diesen Zustand. Dabei war das gar nicht nötig: Die anderen Männer schienen ihre gegenseitige Gesellschaft zu genießen und den Gestank ihrer ungewaschenen Körper kaum wahrzunehmen. Lucas war der Einzige, der sich daran störte.

Da sich wenig zu tun fand – das Schiff hätte mit einer viel kleineren Mannschaft segeln können; Arbeit für alle gab es erst, wenn die Jagd begann –, verbrachten sie viel Zeit im geselligen Miteinander. Sie erzählten Geschichten, wobei sie hemmungslos aufschnitten, sangen zotige Lieder und vertrieben sich die Zeit mit Kartenspielen. Lucas hatte Poker und Black Jack bislang stets als unfein abgelehnt, aber immerhin kannte er die Regeln und fiel deshalb nicht auf. Leider hatte er das Talent seines Vaters nicht geerbt. Lucas gelangen kein Bluff und kein Pokerface. Man sah ihm an, was er dachte, und das war für Männer und Spiel nicht schmeichelhaft. Binnen kürzester Zeit hatte er das wenige Geld verspielt, das er aus Kiward Station mitgebracht hatte, und musste sich die Verluste stunden lassen. Sicher hätte es erneut Schwierigkeiten gegeben, hätte Copper nicht seine Hand über ihn gehalten. Der ältere Mann hofierte ihn so deutlich, dass Lucas sich schon Gedanken darüber machte. Es war nicht unangenehm, aber es musste irgendwann auffallen! Lucas dachte noch mit Grausen an die Anspielungen der Viehtreiber auf Kiward Station, wenn er lieber mit dem jungen Dave zusammen war als mit den erfahrenen Männern. Die Bemerkungen der Jäger auf der *Pretty Peg* hielten sich jedoch in Grenzen. Auch unter anderen Männern auf den Fangschiffen gab es enge Freundschaften, und manchmal bei Nacht drangen Geräusche aus den Kojen, die Lucas die Schamröte ins Gesicht trieben – und doch Lust und Neid in ihm weckten. War es das, wovon er auf Kiward Station geträumt und woran er gedacht hatte, wenn er versuchte, Gwyneira zu lieben? Lucas wusste, dass es zumindest damit zu tun hatte, doch irgendetwas in ihm wehrte sich dagegen, in dieser Umgebung an Liebe zu denken. Es hatte nichts Reizvolles, stinkende und ungewaschene Körper zu umarmen, egal, ob sie männlich oder weiblich waren. Und mit dem einzigen, ihm aus der Literatur bekannten Vorbild für seine geheimen Gelüste, dem griechischen Ideal des Mentors, der sich eines wohlgewachsenen Knaben annahm, um ihn nicht nur mit Liebe zu beschenken, sondern auch an seiner Weisheit und Lebenserfahrung teilhaben zu lassen, hatte das wohl auch nicht viel zu tun.

Wenn Lucas ehrlich sein sollte, hasste er jede Minute seines Aufenthalts auf der *Pretty Peg*. Vier Jahre an Bord zu verbringen erschien ihm unvorstellbar, doch es gab keine Möglichkeit, seinen Vertrag zu lösen. Und monatelang würde das Schiff nirgendwo anlegen. Jeder Gedanke an Flucht war vergebens. Lucas hoffte deshalb nur noch, sich irgendwann an die Enge, die raue See und den Gestank zu gewöhnen. Letzteres erwies sich als das Einfachste. Schon nach wenigen Tagen fühlte er sich weniger abgestoßen von Copper und den anderen – vermutlich deshalb, weil ihn selbst inzwischen der gleiche Geruch umgab. Auch die Seekrankheit ließ langsam nach; es gab Tage, in denen Lucas sich höchstens einmal übergeben musste.

Aber dann kam es zur ersten Jagd, und damit veränderte sich alles.

Im Grunde war es ein ungewöhnlicher Glücksfall für den Skipper, dass der Steuermann der *Pretty Peg* schon zwei Wochen nach dem Auslaufen einen Pottwal sichtete. Sein begeisterter Ruf weckte die Mannschaft, die früh am Morgen noch in ihren Kojen gelegen hatte. Die Nachricht ließ die Männer jedoch sofort aufspringen und in Windeseile an Deck stürmen. Sie waren aufgeregt und voller Jagdeifer, was kein Wunder war. Bei Erfolg winkten den Fängern Prämien, die ihre karge Heuer aufbesserten. Als Lucas an Deck kam, erblickte er zunächst den Skipper, der mit gerunzelter Stirn zu dem Wal hinüberblickte, der tatsächlich noch in Sichtweite der neuseeländischen Küste sein Spiel mit den Wellen trieb.

»Prachtvolles Exemplar!«, freute sich Milford. »Riesig! Ich hoffe, wir schaffen ihn! Aber wenn, füllen wir heute schon die Hälfte der Fässer! Das Vieh ist fett wie ein Schwein vor dem Schlachten!«

Die Männer lachten grölend, während Lucas das majestätische Tier, das sich ihnen hier ganz furchtlos präsentierte, noch gar nicht als Jagdbeute betrachten konnte. Für Lucas war es die erste Begegnung mit einem der riesigen Meeressäuger.

Der gewaltige Pottwal, fast so groß wie die ganze *Pretty Peg*, glitt elegant durch die Fluten, schien mitunter vor Lebensfreude zu springen und sich dabei in der Luft zu drehen und zu winden wie ein übermütig bockendes Pferd. Wie sollten sie dieses riesige Tier erlegen? Und warum hatten sie überhaupt Interesse daran, diese Schönheit zu zerstören? Lucas konnte sich an der Anmut und Leichtigkeit, die der Wal trotz seiner gewaltigen Masse zeigte, kaum satt sehen.

Die anderen Männer hatten dafür allerdings keinen Blick. Sie teilten sich bereits in Mannschaften auf und sammelten sich um ihren jeweiligen Bootsgast. Copper winkte Lucas zu sich. Anscheinend gehörte er zu den ausgewählten Männern, die ihre eigene Schaluppe befehligten.

»Jetzt gilt's!« Der Skipper rannte aufgeregt auf dem Deck herum und ließ die Boote startklar machen. Seine Stammbesatzung bildete dabei ein eingespieltes Team. Die Männer ließen die kleinen, stabilen Ruderboote geschickt zu Wasser – jeweils sechs Ruderer nahmen darin Platz; dazu kamen der Bootsgast und Harpunier, manchmal noch ein Steuermann. Die Harpunen erschienen Lucas winzig im Verhältnis zu dem Tier, das sie erlegen wollten. Doch Copper lachte nur, als er eine entsprechende Bemerkung machte.

»Die Masse macht's, Junge! Klar, ein einziger Schuss kitzelt das Vieh nur. Aber sechs setzen ihn außer Gefecht. Dann ziehen wir ihn längsseits des Schiffs und specken ihn ab. Knochenarbeit, aber einträglich. Und der Skipper ist nicht geizig. Wenn wir den da kriegen, fallen für jeden ein paar Dollar extra ab. Also streng dich an!«

Die See war heute nicht allzu rau, und die Ruderboote näherten sich dem Wal rasch. Der schien auch gar nicht die Absicht zu haben, sich davonzumachen. Im Gegenteil, er schien das Bootsgewimmel um ihn herum ganz unterhaltsam zu finden und legte ein paar Extrasprünge ein, fast als wolle er die Menschen damit ergötzen – bis ihn die erste Harpune traf.

Ein Harpunier aus Boot eins rammte dem Tier seinen Speer in die Flosse. Erschrocken und verärgert warf der Wal sich herum und schwamm direkt auf Coppers Boot zu.

»Vorsicht mit dem Schwanz! Wenn er ernstlich getroffen wird, schlägt er um sich. Nicht zu nah ran, Jungs!«

Copper gab Anweisungen, während er den Brustkorb des Wals fixierte. Er landete schließlich den zweiten Treffer und platzierte ihn deutlich besser als den ersten. Der Wal schien schwächer zu werden. Aber jetzt ging auch ein wahrer Regen von Harpunen auf das Tier nieder. Lucas sah mit einer Mischung aus Faszination und Entsetzen, wie der Wal sich unter den Angriffen aufbäumte und nun doch zu flüchten versuchte, aber inzwischen schon gefangen war. Die Harpunen waren mit Seilen verbunden, an denen das Tier zum Schiff geschleppt werden sollte. Der Wal war nun fast verrückt vor Schmerz und Angst. Er zerrte an seinen Fesseln, und mitunter gelang es ihm wirklich, eine der Harpunen herauszureißen. Das Tier blutete inzwischen aus Dutzenden von Wunden, und das Wasser um den Wal herum schäumte rot. Lucas war angewidert von dem Schauspiel, dem gnadenlosen Abschlachten des majestätischen Tieres. Der Kampf des Kolosses gegen seine Gegner dauerte Stunden, und die Männer verausgabten sich völlig beim Rudern, Schießen und Zerren an den Seilen, um den Wal zu bezwingen. Lucas bemerkte gar nicht, wie sich an seinen Händen Blasen bildeten und aufplatzten. Er spürte auch keine Angst, als sich Copper, entschlossen, sich auszuzeichnen, immer näher an das sterbende und um sich schlagende Tier wagte. Lucas empfand nur noch Widerwillen und Mitleid mit der Kreatur, die entschlossen bis zum letzten Atemzug kämpfte. Er konnte es kaum fassen, an diesem ungleichen Kampf teilzuhaben, aber er konnte die Mannschaft auch nicht im Stich lassen. Jetzt war er dabei, und auch sein Leben hing davon ab, dass der Wal erlegt wurde. Nachdenken konnte er später ...

Schließlich trieb der Wal bewegungslos im Wasser. Lucas wusste nicht, ob er wirklich tot war oder nur völlig erschöpft, aber die Männer konnten ihn auf jeden Fall längsschiffs ziehen. Und dann wurde es fast noch schlimmer. Das Schlachten begann. Die Männer stießen lange Messer in den Leib des Wals, um den Speck herauszuschneiden, der dann gleich auf dem Schiff zu Tran verkocht wurde. Lucas hoffte, dass das Tier wirklich tot war, als die ersten Stücke aus seinem Leib gerissen und an Deck geworfen wurden. Minuten später watete man dort in Fett und Blut. Jemand öffnete den Kopf des Tieres, um den begehrten Walrat herauszuholen. Copper hatte Lucas erzählt, dass daraus Kerzen, Reinigungs- und Hautpflegemittel hergestellt wurden. Andere suchten im Darm des Tieres nach dem noch wertvolleren Ambra, einem Grundstoff der Parfümindustrie. Es stank bestialisch, und Lucas schüttelte sich, als er an all die Duftwasser dachte, die Gwyneira und er auf Kiward Station besessen hatten. Er hätte nie gedacht, dass man Anteile daraus aus den stinkenden Eingeweiden eines grausam getöteten Tieres gewann.

Inzwischen wurde Feuer unter riesigen Kesseln entzündet, und der Geruch auskochenden Walspecks erfüllte das Schiff. Die Luft schien geschwängert mit Fett, das sich in den Atemwegen festzusetzen schien. Lucas beugte sich über die Reling, konnte dem Gestank nach Fisch und Blut aber nicht entkommen. Er hätte sich am liebsten übergeben, doch sein Magen war längst völlig leer. Vorhin war er durstig gewesen, aber inzwischen konnte er sich nicht mehr vorstellen, dass irgendetwas anders schmecken würde als nach Tran. Verschwommen erinnerte er sich, dass man ihm das Zeug als Kind eingeflößt hatte und wie grässlich er es gefunden hatte. Und jetzt steckte er mitten in einem Albtraum aus gewaltigen Speck- und Fleischteilen, die man in stinkende Kessel warf, um dann den fertigen Tran in Fässer zu entleeren. Der Schiemann – zuständig für das Füllen und Stapeln der Fässer – rief ihn an, ihm beim Schließen der Behältnisse zu helfen. Lucas tat es, wobei er versuchte, zumindest nicht in die Kessel zu sehen, in denen die Teile des Wals siedeten.

Die anderen Männer schienen keine Abscheu zu empfinden. Im Gegenteil, der Geruch schien ihren Appetit anzuregen; sie freuten sich offensichtlich auf eine frische Fleischmahlzeit. Zum Bedauern der Männer konnte man das Fleisch des Wals nicht aufheben – es faulte zu schnell –, und so überließ man den größten Teil des Körpers nach dem Abspecken dem Meer. Für zwei Tage schnitt der Koch jedoch Muskelfleisch aus dem Wal und verhieß den Männern ein Festessen. Lucas wusste genau, dass er keinen Bissen davon anrühren würde.

Endlich war es so weit vorbei, dass die Überreste des Wals vom Schiff gelöst wurden. Das Tier war nun weitgehend ausgeweidet. Nach wie vor lag das Deck voller Speckteile, und man watete in Schleim und Blut. Das Trankochen würde noch stundenlang weitergehen, und bis das Deck gesäubert wäre, konnten Tage verstreichen. Lucas bezweifelte, ob das überhaupt möglich war – ganz sicher nicht mit den einfachen Besen und Wassereimern, die man gewöhnlich zum Scheuern des Decks benutzte. Vermutlich würde erst der nächste heftige Sturm, der das Deck überschwemmte, alle Spuren des Schlachtens tilgen. Lucas wünschte sich einen solchen Sturm beinahe herbei. Je mehr Zeit er fand, die Ereignisse dieses Tages gedanklich zu verarbeiten, desto mehr geriet er in Panik. An die Lebensumstände während der Reise, an die Enge und die ungewaschenen Körper könnte er sich vielleicht irgendwann gewöhnen. Aber sicher nicht an Tage wie diese! Nicht an dieses Töten und Ausweiden eines gewaltigen, aber offensichtlich friedfertigen Tieres. Lucas hatte keine Ahnung, wie er die nächsten drei Jahre überstehen sollte.

Aber dann kam ihm der Umstand zu Hilfe, dass der erste Wal der *Pretty Peg* so schnell ins »Netz« gegangen war. Skipper Milford beschloss, in Westport anzulegen und die Beute abzuliefern, bevor er erneut auslief. Das kostete die Mannschaft schließlich nur wenige Tage, sicherte aber einen guten Preis für frischen Tran und leerte die Fässer für die weitere Fahrt. Die Männer frohlockten. Ralphie, ein kleiner blonder Mann schwedischer Abkunft, schwärmte schon von den Frauen in Westport.

»Ist noch 'n kleines Kaff, aber im Aufbau. Bislang nur Whaler und Seehundjäger, aber jetzt sind auch ein paar Goldsucher unterwegs. Sollen sogar richtige Bergleute da sein – irgendwer sagte was von Kohlevorkommen. Jedenfalls gibt's einen Pub und ein paar willfährige Mädels! Ich hatte da mal eine Rothaarige, da war die Heuer gut angelegt, sag ich euch!«

Copper trat von hinten an Lucas heran, der erschöpft und angewidert an der Reling lehnte.

»Denkst du auch schon an das nächste Bordell? Oder könntest du dir vorstellen, die erfolgreiche Jagd gleich hier zu feiern?« Copper hatte Lucas die Hand auf die Schulter gelegt und ließ sie jetzt langsam, fast streichelnd seinen Arm herunterwandern. Lucas konnte die Aufforderung kaum überhören, die in Coppers Worten mitschwang – doch er war unschlüssig. Sicher schuldete er Copper etwas; der ältere Mann war nett zu ihm gewesen. Und war es nicht auch so, dass er sein Leben lang immer wieder daran gedacht hatte, das Bett mit einem Mann zu teilen? Dass Bilder von Männern vor ihm aufgestiegen waren, wenn er sich selbst befriedigte und – Gott steh ihm bei – seiner Ehefrau beilag?

Aber das hier ... Lucas hatte die Schriften der Griechen und Römer gelesen. Damals war der männliche Körper das Schönheitsideal schlechthin gewesen; die Liebe zwischen Männern und Jünglingen galt nicht als anstößig, solange man die Knaben nicht dazu zwang. Lucas hatte die Bilder der Statuen bewundert, die man damals von männlichen Körpern anfertigte. Wie schön sie gewesen waren! Wie glatt, wie sauber und einladend ... Lucas selbst hatte vor dem Spiegel gestanden und sich damit verglichen, hatte die Posen eingenommen, welche die Jünglinge zeigten, hatte sich in die Arme eines liebenden Mentors geträumt. Nur hatte der nicht ausgesehen wie dieser gewiss freundliche und gutmütige, aber doch massige und stinkende Walfänger. Es gab keine Möglichkeit, sich heute auf der *Pretty Peg* zu reinigen. Die Männer würden verschwitzt, verdreckt, besudelt mit Blut und Schleim zwischen die Decken schlüpfen ... Lucas entzog sich Coppers forderndem Blick.

»Ich weiß nicht ... Es war ein langer Tag ... ich bin müde ...«

Copper nickte. »Geh ruhig in die Koje, Junge. Ruh dich aus. Vielleicht könnte ich dich später ... nun, ich könnte dir etwas zu essen bringen. Kann gut sein, dass sich sogar ein Whiskey findet ...«

Lucas schluckte. »Ein anderes Mal, Copper. Vielleicht in Westport. Du ... ich ... Versteh mich richtig, aber ich brauche ein Bad.«

Copper lachte dröhnend. »Mein kleiner Gentleman! Also gut, ich werde in Westport persönlich dafür sorgen, dass die Mädels dir ein Bad bereiten – oder noch besser uns beiden! Ich könnte auch eins gebrauchen! Würde dir das gefallen?«

Lucas nickte. Hauptsache, der Mann ließ ihn heute erst mal in Ruhe. Voller Hass und Ekel auf sich selbst und die Männer, mit denen er sich hier gemein gemacht hatte, verzog er sich in sein flohverseuchtes Bett. Vielleicht ließen sich ja wenigstens die Flöhe von dem Gestank nach Tran und Schweiß abschrecken! Eine Hoffnung, die sich rasch als trügerisch erwies. Im Gegenteil, das schien die Biester eher anzulocken. Lucas zerdrückte Dutzende an seinem Körper und fühlte sich dabei noch besudelter. Doch während er wach lag, auf das Lachen und Rufen an Deck horchte – der Skipper hatte offenbar tatsächlich Whiskey ausgeschenkt – und schließlich die trunkenen Gesänge der Männer vernahm, reifte ein Plan in ihm. Er würde die *Pretty Peg* in Westport verlassen. Egal ob er damit vertragsbrüchig würde oder nicht. Das alles war nicht zu ertragen!

Die Flucht war dann eigentlich ganz leicht gewesen. Das einzige Problem bestand daran, dass er all seine Sachen auf dem Schiff zurücklassen musste. Es hätte Verdacht erweckt, wenn er seinen Schlafsack und seine wenigen Kleidungsstücke mit auf den kurzen Landgang genommen hätte, den der Skipper seinen Männern gestattete. Immerhin nahm er ein wenig Kleidung zum Wechseln mit – schließlich hatte Copper ihm ein Bad versprochen, damit ließ sich das erklären. Copper lachte natürlich darüber, aber Lucas war das egal. Er suchte nur nach einer Gelegenheit, sich abzusetzen. Die ergab sich schnell, als Copper mit einem hübschen rothaarigen Mädchen darüber verhandelte, ob sich wohl irgendwo ein Badekessel fände. Die anderen Männer im Pub achteten nicht auf Lucas; sie hatten nur ihren Whiskey im Kopf oder starrten auf die ausladenden Kurven des Mädchens. Lucas hatte noch nichts bestellt und machte sich deshalb auch nicht der Zechprellung schuldig, als er sich jetzt aus dem Lokal stahl und zunächst in den Ställen versteckte. Wie sich herausstellte, gab es einen Hinterausgang. Lucas nahm ihn, schlich über den Hof einer Schmiede, vorbei am Lager eines Sargmachers und an einigen noch unfertigen Häusern. Westport war ein Kaff, da hatte Copper schon Recht gehabt, doch es war im Aufbau.

Der Ort lag am Ufer eines Flusses, dem Buller River. Hier, gleich an der Mündung ins Meer, war der Fluss breit und ruhig. Lucas erkannte Sandstrände, unterbrochen von felsigem Ufer. Vor allem aber begann gleich hinter Westport der Farnwald, eine sattgrüne Wildnis, die völlig unerforscht aussah und es vermutlich auch war. Lucas schaute sich um, aber er war allein hier. Anscheinend suchte sonst niemand die Einsamkeit abseits der Häuser. Er würde ungesehen flüchten können. Entschlossen lief er am Flussufer entlang, suchte Deckung zwischen den Farnen, wo immer es möglich war, und folgte dem Fluss eine Stunde lang aufwärts, bevor er die Entfernung als groß genug erachtete, um sich zu entspannen. Allzu schnell würde der Skipper ihn nicht vermissen; die *Pretty Peg* sollte erst am nächsten Morgen auslaufen. Copper würde ihn natürlich suchen, aber ganz sicher nicht am Fluss, zumindest nicht anfangs. Später mochte er am Ufer nachsehen, aber bestimmt würde er sich auf die Gegend rund um Westport beschränken. Trotzdem hätte Lucas sich am liebsten gleich in den Dschungel geschlagen, hätte der Ekel vor seinem besudelten Körper ihn nicht aufgehalten. Zeit für eine Reinigung musste sein. Lucas zog sich fröstelnd aus, versteckte seine schmutzigen Sachen hinter ein paar Felsen – er dachte zunächst kurz daran, sie zu waschen und mitzunehmen, schauderte aber schon bei dem Gedanken, das Blut und das Fett abzuscheuern. So behielt er nur seine Unterwäsche, Hemd und Hose musste er abschreiben. Natürlich war das bedauerlich; wenn er sich wieder unter Menschen wagte, würde er nicht mehr besitzen als das, was er am Leibe trug. Aber alles war besser als das Schlachten an Bord der *Pretty Peg*.

Schließlich ließ Lucas sich fröstelnd in das eiskalte Wasser des Buller River gleiten. Die Kälte schnitt in seine Haut, aber das klare Wasser wusch alles von ihm ab, was ihn besudelte. Lucas tauchte tief darin unter, griff nach einem Flusskiesel und begann seine Haut damit zu bearbeiten. Er schrubbte seinen Körper, bis er krebsrot war und die Kälte des Wassers kaum noch spürte. Dann endlich verließ er den Fluss, zog die sauberen Kleider an und suchte sich einen Weg in den Dschungel. Der Wald war Furcht erregend – feucht und dicht, voller unbekannter, gewaltiger Pflanzen. Lucas kam hier allerdings sein Interesse an Flora und Fauna seiner Heimat zugute. Er hatte viele der riesigen Farne, deren Blätter zuweilen wie Raupen zusammengerollt und fast lebendig wirkten, in Lehrbüchern gesehen und überwand seine Furcht, indem er versuchte, sie zu bestimmen. Sie waren durchweg nicht giftig, und selbst die größte Baumweta zeigte sich weniger angriffslustig als die Flöhe an Bord. Auch die vielfältigen Tierlaute, die durch den Dschungel drangen, schreckten ihn nicht. Hier gab es nichts als Insekten und Vögel, vor allem Papageien, die den Wald zwar mit den seltsamsten Rufen erfüllten, aber gänzlich harmlos waren. Schließlich machte Lucas sich ein Lager aus Farnen und schlief nicht nur weicher, sondern auch friedlicher als in den Wochen auf der *Pretty Peg*. Wenngleich er alles verloren hatte, erwachte er am nächsten Morgen mit neuem Mut – erstaunlich in Anbetracht dessen, dass er eben seinem Arbeitgeber weggelaufen war, einen Vertrag gebrochen, Spielschulden angehäuft und nicht bezahlt hatte. Immerhin, dachte er fast belustigt, wird mich so schnell niemand mehr einen »Gentleman« nennen!

Am liebsten wäre Lucas im Dschungel geblieben, aber trotz der überbordenden Fruchtbarkeit dieser grünen Höhle fand sich nichts Essbares. Zumindest nicht für Lucas – ein Maori-Stamm oder ein echter Waldläufer hätten das vielleicht anders gesehen. So aber zwang ihn sein knurrender Magen, eine menschliche Ansiedlung aufzusuchen. Nur, welche? Westport kam nicht in Frage. Da wusste jetzt garantiert jeder, dass der Skipper einen entlaufenen Matrosen suchte. Womöglich wartete die *Pretty Peg* sogar auf ihn.

Dann fiel ihm ein, dass Copper gestern die Tauranga Bay erwähnt hatte. Seehundbänke, zwölf Meilen von Westport. Die Seehundjäger wussten sicher nichts von der *Pretty Peg* und dürften sich auch kaum dafür interessieren. Die Jagd in Tauranga sollte aber durchaus florieren; sicher fand er dort Arbeit. Frohen Mutes machte Lucas sich auf den Weg. Seehundjagd konnte nicht schlimmer sein als Walfang ...

Die Männer in Tauranga hatten ihn auch tatsächlich freundlich aufgenommen, und der Gestank in ihrem Lager hielt sich in Grenzen. Schließlich lag es unter freiem Himmel, und die Männer waren nicht zusammengepfercht. Natürlich musste den Leuten klar sein, dass irgendetwas mit Lucas nicht stimmte, aber sie stellten keine Fragen zu seinem abgerissenen Äußeren, seiner fehlenden Ausrüstung und dem Mangel an Geld. Lucas' fadenscheinige Begründungen taten sie mit einer Handbewegung ab.

»Ist nicht schlimm, Luke, dich kriegen wir auch noch satt. Mach dich nützlich, erleg ein paar Heuler. Am Wochenende bringen wir die Felle nach Westport. Dann hast du wieder Geld.« Norman, der älteste Jäger, sog gemütlich an seiner Pfeife. Lucas hatte die dunkle Ahnung, dass er hier nicht der Einzige war, der vor irgendetwas davonlief.

Lucas hätte sich unter diesen schweigsamen, gelassenen Coastern sogar wohl fühlen können, wäre da nur nicht die Jagd gewesen! Sofern man das Abschlachten hilfloser Jungtiere vor den Augen ihrer entsetzten Mütter überhaupt als solche bezeichnen konnte. Zweifelnd blickte er auf den Knüppel in seiner Hand und das Tierchen vor ihm ...

»Nu mach schon, Luke! Hol dir das Fell! Oder glaubst du, in Westport geben sie dir am Samstag Geld, weil du uns beim Abhäuten geholfen hast? Hier hilft jeder jedem, aber Geld gibt's nur für die eigenen Felle!«

Lucas sah keinen Ausweg. Er schloss die Augen und schlug zu.

# 9

Am Ende der Woche hatte Lucas fast dreißig Seehundfelle zusammen – und wurde noch mehr von Scham und Selbsthass geplagt als nach der Episode auf der *Pretty Peg*. Er war fest entschlossen, nach dem Wochenende in Westport nicht an die Seehundbänke zurückzukehren. Westport war eine aufstrebende Siedlung. Es musste dort Anstellungen geben, die ihm weniger nahe gingen – auch wenn er damit zugab, kein richtiger Mann zu sein.

Der Aufkäufer der Felle, ein kleiner, drahtiger Mann, der auch den Laden in Westport führte, war hier durchaus optimistisch. Wie Lucas gehofft hatte, brachte er den neuen Jäger auf den Seehundbänken nicht mit dem Walfänger in Verbindung, der von der *Pretty Peg* geflohen war. Vielleicht dachte er nicht so weit, oder es war ihm einfach egal. Jedenfalls gab er ihm ein paar Cents für jedes Fell und beantwortete dann bereitwillig seine Fragen nach anderer Arbeit in Westport. Wobei Lucas natürlich nicht zugab, dass ihm das Töten zu schaffen machte. Stattdessen gab er an, die Einsamkeit und die Männergesellschaft auf den Seehundbänken leid zu sein.

»Ich möchte mal in der Stadt wohnen«, behauptete er. »Vielleicht 'ne Frau finden, 'ne Familie gründen … einfach keine toten Wale und Seehunde mehr sehen.« Lucas legte das Geld für den Schlafsack und die Kleidung, die er eben gekauft hatte, zum Wechseln auf den Tisch.

Der Händler und Lucas' neue Freunde lachten lauthals.

»Also, Arbeit wirste leicht finden. Aber 'n Mädchen? Die einzigen Mädels hier sind die in Jolandas Etablissement über dem Pub. Die wären natürlich auch im heiratsfähigen Alter!«

Die Männer fassten das wohl als Witz auf. Jedenfalls konnten sie kaum aufhören zu lachen.

»Kannst sie ja gleich fragen!«, meinte Norman gutmütig. »Du kommst doch mit in den Pub?«

Lucas konnte nicht ablehnen. Eigentlich hätte er seinen kargen Verdienst lieber gespart, aber ein Whiskey wäre nicht übel – ein bisschen Schnaps, der ihn vielleicht die Augen der Seehunde und das verzweifelte Umsichschlagen des Wals vergessen ließ …

Der Aufkäufer der Felle nannte Lucas andere Verdienstmöglichkeiten in Westport. Vielleicht könne der Schmied einen Gehilfen brauchen. Ob Lucas schon mal mit Eisen gearbeitet habe? Lucas verfluchte sich selbst dafür, auf Kiward Station nie einen Gedanken daran verwendet zu haben, wie James McKenzie die Pferde beschlug. Entsprechende Fähigkeiten hätten sich hier zu Geld machen lassen, doch Lucas hatte Hammer und Nägel nie angerührt. Er konnte ein Pferd reiten – mehr aber auch nicht.

Der Mann deutete Lucas' Schweigen richtig. »Kein Handwerker, was? Nichts gelernt, außer Seehunden die Köpfe einzuschlagen. Aber der Bau wäre 'ne Möglichkeit! Die Zimmerleute suchen ständig Hilfe. Sie kommen mit den Aufträgen kaum nach, alle Welt will plötzlich Häuser am Buller. Wir werden noch 'ne richtige Stadt! Aber zahlen tun die nicht viel. Kein Vergleich mit dem, was du damit verdienst!« Er zeigte auf die Felle.

Lucas nickte. »Ich weiß. Aber ich frage trotzdem mal. Ich … ich hab mir schon immer vorstellen können, mit Holz zu arbeiten.«

Der Pub war klein und nicht besonders sauber. Doch Lucas stellte erleichtert fest, dass sich keiner der Gäste an ihn erinnerte. Wahrscheinlich hatten sie den Matrosen der *Pretty Peg* gar keinen zweiten Blick geschenkt. Lediglich das rothaarige Mädchen, das auch heute wieder bediente, schien ihn abschätzend zu betrachten, als sie den Tisch abwischte, bevor sie Whiskeygläser vor Norman und Lucas hinstellte.

»Tut mir Leid, dass es hier wieder mal aussieht wie im Schweinestall«, sagte das Mädchen. »Ich hab's Miss Jolanda gesagt, dass der Chinese nicht richtig putzt ...« Der »Chinese« war der ziemlich exotisch wirkende Barmann. »Aber solange sich keiner beschwert ... Nur den Whiskey, oder soll's auch was zu essen sein?«

Lucas hätte gern etwas gegessen. Irgendetwas, das nicht nach Meer und Seetang und Blut roch und nicht rasch am Feuer der Seehundjäger gebraten und oft halb roh heruntergeschlungen wurde. Zudem schien das Mädchen auf Sauberkeit zu achten. Vielleicht war also auch die Küche nicht so verdreckt, wie auf den ersten Blick zu befürchten war.

Norman lachte. »Was zum Vernaschen, Kleine! Essen können wir auch im Lager, aber so einen süßen Nachtisch wie dich gibt's da nicht ...« Er kniff das Mädchen ins Hinterteil.

»Du weißt, dass das 'n Cent kostet, Kleiner, ja?«, sagte sie. »Ich sag's Miss Jolanda, dann kommt's mit auf deine Rechnung. Aber ich will nicht so sein – für den Cent kannst du auch noch mal hier anfassen.« Die Rothaarige wies auf ihre Brust. Begleitet vom Johlen der anderen Männer, griff Norman herzhaft zu. Dann entzog das Mädchen sich geschickt seiner Hand. »Mehr gibt's später, wenn du bezahlt hast.«

Die Männer lachten, als sie davonstakste. Sie trug hohe Schuhe in aufreizendem Rot und ein Kleid in verschiedenen Grünschattierungen. Es war alt und mehrmals geflickt, aber sauber, und die Spitzenvolants, die es aufreizender wirken ließen, waren sorgfältig gestärkt und gebügelt. Lucas fühlte sich ein wenig an Gwyneira erinnert. Sicher, die war eine Lady, und dieses halbe Kind hier eine Hure, aber sie hatte ebenfalls krauses rotes Haar, helle Haut und dieses Blitzen in den Augen, das ganz und gar nicht davon kündete, dass sie sich ergeben in ihr Schicksal fügte. Für dieses Mädchen war hier bestimmt noch nicht Endstation.

»Süße Maus, nicht?«, bemerkte Norman, der Lucas' Blick wahrnahm, aber völlig falsch deutete. »Daphne. Miss Jolandas bestes Pferd im Stall und obendrein schon ihre rechte Hand. Ohne die läuft hier gar nichts, sag ich dir. Hat alles im Griff. Wenn die Alte schlau wäre, würde sie die Maus adoptieren. Aber die denkt nur an sich. Irgendwann wird das Mädel ihr weglaufen und die besten Attraktionen mitnehmen. Wie sieht's aus? Willst du sie zuerst? Oder hat sonst einer Lust auf was Wildes?« Er blickte augenzwinkernd in die Runde.

Lucas wusste nicht, was er sagen sollte.

Zum Glück kam Daphne eben mit der zweiten Runde Whiskey.

»Die Mädchen halten sich oben bereit«, sagte sie, als sie die Gläser verteilte. »Trinkt in Ruhe aus, ich bring auch gern noch die Flasche, und dann kommt ihr rauf!« Sie lächelte aufmunternd. »Aber lasst uns nicht zu lange warten. Ihr wisst ja, ein bisschen Schnaps steigert den Spaß, aber zu viel macht schlapp ...« Ebenso schnell wie Norman vorhin nach ihrem Hinterteil gegriffen hatte, fasste sie ihm jetzt zur Revanche zwischen die Beine.

Norman schrak zurück, musste dann aber lachen.

»Krieg ich dafür auch 'nen Cent?«

Daphne schüttelte den Kopf und ließ ihr rotes Haar dabei fliegen.

»Vielleicht 'nen Kuss?«, flötete sie und entschwebte, bevor Norman antworten konnte. Die Männer pfiffen hinter ihr her.

Lucas trank seinen Whiskey und fühlte sich schwindelig. Wie kam er hier bloß wieder heraus, ohne vorher noch einmal kläglich zu versagen? Daphne erregte ihn kein bisschen. Und dabei schien sie durchaus ein Auge auf ihn geworfen zu haben. Auch eben hatten ihre Blicke ein wenig länger auf seinem

Gesicht und seiner schlanken, aber muskulösen Gestalt geruht, als auf den Körpern der anderen. Lucas wusste, dass Frauen ihn attraktiv fanden – das würde bei den Huren von Westport nicht viel anders sein als bei den Matronen von Christchurch. Was sollte er tun, wenn Norman ihn tatsächlich mitschleppte?

Lucas dachte an eine weitere Flucht, aber das kam nicht in Frage. Ohne Pferd hatte er keine Chance, aus Westport wegzukommen; er musste vorläufig in der Stadt bleiben. Und das ging nicht, wenn er sich gleich am ersten Tag unsterblich blamierte, indem er vor einer rothaarigen Hure floh.

Die meisten Männer schwankten schon leicht, als Daphne schließlich wieder erschien und die Gesellschaft jetzt nachdrücklich nach oben bat. Allerdings war keiner betrunken genug, um Lucas' Fehlen im Zweifelsfall nicht zu bemerken. Und dann ruhten auch immer noch Daphnes Blicke auf ihm …

Das Mädchen führte die Männer in einen Salon, ausgestattet mit Plüschmöbeln und zierlichen Tischchen, die in jeder Beziehung ordinär wirkten. Vier Mädchen, alle in aufwändigen Negligés, erwarteten sie dort bereits, sowie natürlich Miss Jolanda, eine fette kleine Frau mit kalten Augen, die als Erstes einen Dollar von jedem der Männer kassierte. »Dann läuft mir wenigstens keiner weg, bevor er bezahlt hat«, sagte sie mit Gemütsruhe.

Lucas entrichtete die Gebühr zähneknirschend. Bald würde von seinem Wochenverdienst nichts mehr übrig sein.

Daphne führte ihn zu einem der roten Sessel und drückte ihm ein weiteres Glas Whiskey in die Hand.

»Also gut, Fremder, womit kann ich dich glücklich machen?«, hauchte sie. Bislang trug sie als Einzige kein Negligé, löste jetzt aber wie unabsichtlich ihr Mieder. »Magst du mich? Aber ich warne dich: Rote Glut wie das Feuer! Ich hab schon so manchen verbrannt …« Während sie sprach, fuhr sie ihm mit einer ihrer langen Haarsträhnen übers Gesicht.

Lucas reagierte nicht.

»Nicht?«, flüsterte Daphne. »Traust dich nicht? Ts, ts. Aber gut, vielleicht liegen dir die anderen Elemente ja mehr. Wir haben für jeden etwas. Das Feuer, die Luft, das Wasser, die Erde…« Nacheinander wies sie auf drei Mädchen, die sich eben noch um die anderen Männer bemühten. Das erste war ein blasses, fast ätherisch wirkendes Geschöpf mit hellblondem, glattem Haar. Seine Gliedmaßen waren zart, fast mager, doch unter dem dünnen Hemd zeichneten sich große Brüste ab. Lucas fand das abstoßend. Er würde sich bestimmt nicht überwinden können, dieses Mädchen zu lieben. Das Element »Wasser« verkörperte eine blau gekleidete Blondine mit leuchtend topasfarbenen Augen. Sie schien lebhaft zu sein und scherzte eben mit dem offensichtlich begeisterten Norman. Die »Erde« war ein braunhäutiges Mädchen mit schwarzen Locken, zweifellos das exotischste Geschöpf in Miss Jolandas Kollektion, wenn auch nicht wirklich schön. Ihre Gesichtszüge wirkten grob, der Körper gedrungen. Trotzdem schien sie den Mann zu bezaubern, mit dem sie gerade flirtete. Lucas wunderte sich wie so oft über die Kriterien, nach denen seine Geschlechtsgenossen ihre Bettgefährtinnen wählten. Daphne war auf jeden Fall das hübscheste der Mädchen. Lucas sollte sich geschmeichelt fühlen, dass sie ihn ausgewählt hatte. Wenn sie ihn doch nur ein kleines bisschen erregt hätte, wenn sie vielleicht…

»Sag mal, habt ihr nicht etwas Jüngeres im Angebot?«, fragte Lucas schließlich. Die Formulierung war ihm zuwider, aber wenn er heute Nacht das Gesicht wahren wollte, würde ihm das höchstens mit einem knabenhaft schlanken Mädchen gelingen.

»Noch jünger als ich?«, fragte Daphne verblüfft. Sie hatte Recht; sie war blutjung. Lucas schätzte sie auf höchstens neunzehn. Bevor er aber noch antworten konnte, sah sie ihn abschätzend an.

»Jetzt weiß ich, woher ich dich kenne! Du bist der Kerl, der den Walfängern weggelaufen ist! Während der dicke Schwule, dieser Copper, ein Bad für sich selbst und dich geordert hat! Ich hätte mich fast halb tot gelacht – wo der Kerl vorher sicher noch nie mit Seife in Berührung kam! Na, die Liebe war ja wohl unerwidert … obwohl, auf Jungs stehst du schon?«

Lucas' heftiges Erröten ersparte ihm die Antwort auf ihre halb als Frage, halb als Feststellung formulierte Bemerkung.

Daphne lächelte – ein bisschen verschlagen, aber auch verständnisvoll. »Deine feinen Freunde wissen es bloß nicht, oder? Und jetzt willste nicht auffallen. Pass auf, mein Freund, ich hab was für dich. Nein, keinen Knaben, die führen wir nicht. Aber was Besonderes – und nur zum Gucken, die Mädels werden nicht verliehen. Interesse?«

»Wo … woran?«, stammelte Lucas. Daphnes Angebot schien ihm einen Ausweg zu eröffnen. Etwas Besonderes, Prestigeträchtiges, das doch keinen Beischlaf von ihm verlangte? Lucas schwante, dass dafür der Rest seines Lohns draufgehen würde.

»Es ist eine Art … na ja, erotischer Tanz. Zwei ganz junge Mädchen, erst fünfzehn. Zwillinge. Ich verspreche dir, so was hast du noch nie gesehen!«

Lucas ergab sich in sein Schicksal. »Wie viel?«, fragte er mühsam.

»Zwei Dollar!«, erklärte Daphne schnell. »Je einer für die Mädchen. Und der schon gezahlte für mich. Allein lass ich die zwei nämlich nicht mit den Kerlen!«

Lucas räusperte sich. »Von … äh, von mir wird ihnen keine Gefahr drohen.«

Daphne lachte. Lucas wunderte sich, wie jung und glockenhell es klang. »Das glaub ich dir sogar. Also gut, ausnahmsweise. Du hast kein Geld, oder? Alles auf der *Pretty Peg* geblieben, was? Du bist wirklich ein Held! Aber jetzt ab in Zimmer eins. Ich schick dir die Mädchen. Und werd selbst mal sehen, dass ich Onkel Norman glücklich mache.«

Sie schlenderte zu Norman hinüber und ließ das blondhaarige »Wasser«-Mädchen sofort blass aussehen. Daphne hatte zweifellos Ausstrahlung – mehr noch, sie hatte fast so etwas wie Stil.

Lucas betrat Zimmer eins und wurde in seinen Erwartungen bestätigt. Der Raum war möbliert wie ein drittklassiges Hotel: viel Plüsch, ein breites Bett ... ob er sich darauf ausstrecken sollte? Oder würde das den Mädchen Angst machen? Lucas entschied sich schließlich für einen Plüschsessel, auch weil ihm das Bett wenig vertrauenerweckend schien. Schließlich war er die Flöhe der *Pretty Peg* gerade erst losgeworden.

Die Ankunft der Zwillinge kündigte sich durch Raunen und bewundernde Ausrufe aus dem »Salon« an, den die Mädchen durchqueren mussten. Offensichtlich galt es als Luxus – und sicher auch besondere Ehre, wenn man die Zwillinge ordern durfte. Daphne hatte schließlich keinen Zweifel daran gelassen, dass die Mädchen unter ihrem Schutz standen.

Den Zwillingen schien die Beachtung peinlich zu sein, obwohl ein weiter Umhang ihre Körper vor den lüsternen Blicken der Männer verbarg. Sie schlüpften eng aneinander geschmiegt ins Zimmer und lüpften erst die riesige Kapuze, unter der ihre beiden Köpfe Platz gefunden hatten, als sie sich in Sicherheit wähnten. Sofern man hier von Sicherheit reden konnte ... die beiden hielten die blonden Köpfe noch gesenkt; vermutlich taten sie das stets so lange, bis Daphne eintrat und sie vorstellte. Da das heute nicht der Fall war, blickte schließlich eine von ihnen auf. Lucas schaute in ein schmales Gesicht und misstrauische, hellblaue Augen.

»Guten Abend, Sir. Wir fühlen uns geehrt, dass Sie uns engagiert haben«, sagte sie ein offensichtlich eingeübtes Sprüchlein auf. »Ich bin Mary.«

»Und ich bin Laurie«, erklärte die Zweite. »Daphne hat uns gesagt, Sie ...«

»Ich werde euch nur zuschauen, seid unbesorgt«, sagte Lucas freundlich. Er hätte diese Kinder nie angerührt, aber in einem entsprachen sie wirklich seinen Vorstellungen: Als Mary und Laurie ihren Mantel jetzt sinken ließen und nackt wie Gott sie schuf vor ihm standen, sah er, dass sie knabenhaft schlank waren.

»Ich hoffe, dass unsere Darbietungen Ihnen gefallen werden«, sagte Laurie artig und nahm die Hand ihrer Schwester. Es war eine rührende Geste, eher eine Suche nach Schutz als der Beginn eines geschlechtlichen Aktes. Lucas fragte sich, wie es diese Mädchen hierher verschlagen hatte.

Die Mädchen begaben sich jetzt zum Bett, schlüpften aber nicht unter die Laken. Stattdessen knieten sie voreinander und begannen einander zu umarmen und zu küssen. In der nächsten halben Stunde sah Lucas Gebärden und Stellungen, die ihm abwechselnd das Blut ins Gesicht und Eiseskälte durch die Adern trieben. Was die Mädchen miteinander taten, war im allerhöchsten Maße unschicklich. Aber Lucas vermochte nicht, es abstoßend zu finden. Viel zu sehr erinnerte es ihn an seine eigenen Träume der Vereinigung mit einem Körper, der dem seinen glich – einer liebevollen Vereinigung in Würde und unter beidseitiger Achtung. Lucas wusste nicht, ob die Mädchen bei ihren unzüchtigen Handlungen Befriedigung empfanden, konnte es sich aber nicht vorstellen. Ihre Gesichter blieben zu entspannt und gelassen. Lucas vermochte weder Ekstase noch Lust darin zu erkennen. Doch unzweifelhaft war Liebe in den Blicken, mit denen die Schwestern einander streiften, und in ihren Berührungen lag Zärtlichkeit. Auf den Betrachter wirkte ihr Liebesspiel verwirrend – mit der Zeit schienen die Grenzen zwischen ihren Körpern zu verschwimmen, die Mädchen sahen einander so ähnlich, dass ihr Zusammensein irgendwann die Illusion erzeugte, hier eine tanzende Göttin mit vier Armen und zwei Köpfen vor sich zu haben – Lucas erinnerte sich an entsprechende Abbildungen aus der Kronkolonie Indien. Er empfand den Anblick als eigenartig reizvoll, auch wenn er sich eher wünschte, die Mädchen zeichnen als lieben zu dürfen. Ihr Tanz hatte fast etwas Künstlerisches. Schließlich verharrten die beiden in enger Umarmung auf dem Bett und lösten sich erst, als Lucas ihnen applaudierte.

Laurie warf einen prüfenden Blick auf den Schritt seiner Hose, als sie aus der Versenkung erwachte.

»Hat es Ihnen nicht gefallen?«, fragte sie ängstlich, als sie bemerkte, dass Lucas' Beinkleid geschlossen war und sein Gesicht keinen Nachhall von Selbstbefriedigung zeigte. »Wir ... wir könnten Sie auch noch streicheln, aber ...«

Der Ausdruck des Mädchens bewies, dass sie davon nicht begeistert wäre, aber offensichtlich gab es Männer, die ihr Geld zurückforderten, wenn sie nicht zum Höhepunkt kamen.

»Aber gewöhnlich macht das Daphne«, fügte Mary hinzu.

Lucas schüttelte den Kopf. »Das wird nicht nötig sein, danke. Euer Tanz hat mir sehr gut gefallen. Wie Daphne gesagt hat – etwas ganz Besonderes. Aber wie seid ihr darauf verfallen? So etwas erwartet man schließlich nicht in solchen Etablissements.«

Die Mädchen atmeten auf und hüllten sich wieder in ihren Mantel, blieben aber auf der Bettkante sitzen. Anscheinend betrachteten sie Lucas nun nicht mehr als bedrohlich.

»Oh, es war eine Idee von Daphne!«, gab Laurie freimütig Auskunft. Die beiden Mädchen hatten süße, etwas zwitschernde Stimmen – auch dies ein Zeichen, dass sie kaum dem Kindesalter entwachsen waren.

»Wir mussten doch Geld verdienen«, sprach Mary weiter. »Aber wir wollten nicht ... wir konnten nicht ... es ist doch gottlos, für Geld einem Mann beizuliegen.«

Lucas fragte sich, ob sie auch das von Daphne gelernt hatten. Sie selbst schien dieser Überzeugung doch eigentlich nicht anzuhängen.

»Auch wenn es natürlich manchmal nötig ist!«, nahm Laurie ihre Kolleginnen in Schutz. »Aber Daphne sagt, dazu muss man erwachsen sein. Nur – Miss Jolanda fand das nicht, und da ...«

»Da hat Daphne etwas in einem von ihren Büchern gefunden. Ein seltsames Buch voller ... Schweinereien. Aber Miss Jolanda sagt, wo das Buch herkommt, ist es nicht gottlos, wenn man ...«

»Und was wir machen, ist sowieso nicht gottlos!«, erklärte Mary im Brustton der Überzeugung.

»Ihr seid anständige Mädchen«, pflichtete Lucas ihnen bei. Er hatte plötzlich den Wunsch, mehr über sie zu erfahren. »Wo kommt ihr her? Daphne ist nicht eure Schwester, oder?«

Laurie wollte gerade antworten, als die Tür sich öffnete und Daphne eintrat. Sie wirkte deutlich erleichtert, als sie die Mädchen angekleidet und im entspannten Gespräch mit ihrem seltsamen Freier antraf.

»Warst du zufrieden?«, fragte sie, ebenfalls mit dem wohl unvermeidlichen Blick auf Lucas' Hosenschlitz.

Lucas nickte. »Deine Schützlinge haben mich bestens unterhalten«, erklärte er. »Und eben wollten sie mir erzählen, wo ihr herkommt. Ihr seid doch irgendwo ausgebüxt, nicht wahr? Oder wissen eure Eltern, was ihr treibt?«

Daphne zuckte die Schultern. »Kommt darauf an, was man glaubt. Wenn meine Mom und die von denen da im Himmel auf 'ner Wolke sitzen und Harfe spielen, sollen sie uns wohl sehen können. Aber wenn sie da gelandet sind, wo unsereins gewöhnlich endet, sehen sie nur die Radieschen von unten.«

»Eure Eltern sind also tot«, meinte Lucas, ohne auf ihren Zynismus einzugehen. »Das tut mir Leid. Aber wie hat es euch ausgerechnet hierher verschlagen?«

Daphne baute sich selbstsicher vor ihm auf. »Nun hör mal

zu, Luke, oder wie sie dich nennen. Wenn wir eins nicht mögen, sind es neugierige Fragen. Verstanden?«

Lucas wollte erwidern, dass er es nicht böse meinte. Im Gegenteil – er hatte schon darüber nachgedacht, wie man den Mädchen aus dem Elend heraushelfen konnte, in dem sie gelandet waren. Laurie und Mary waren noch keine Huren, und für ein so tüchtiges und offensichtlich kluges Mädchen wie Daphne musste es auch andere Einsatzmöglichkeiten geben. Aber zurzeit war er mindestens ebenso mittellos wie die drei Mädchen. Eher sogar bedürftiger, denn Daphne und die Zwillinge hatten immerhin drei Dollar verdient – von denen die geldgierige Jolanda ihnen wahrscheinlich höchstens einen lassen würde.

»Tut mir Leid«, sagte Lucas deshalb nur. »Ich wolle euch nicht zu nahe treten. Hört mal, ich ... ich brauche ein Schlaflager für diese Nacht. Ich kann nicht hier bleiben. So einladend diese Zimmer hier wirken ...« Mit einer Handbewegung umfasste er Miss Jolandas Stundenhotel, woraufhin Daphne wieder glockenhell lachte und auch die Zwillinge verhalten kicherten. »Aber das wird mir zu teuer. Gibt es vielleicht einen Platz im Stall oder etwas Ähnliches?«

»Du willst nicht zurück auf die Seehundbänke?«, fragte Daphne verwundert.

Lucas schüttelte den Kopf. »Ich suche einen Job, in dem nicht so viel Blut fließt. Man sagte mir, die Zimmerleute stellen Männer ein.«

Daphne warf einen Blick auf Lucas' schmale Hände, die zwar längst nicht mehr so gepflegt waren wie vor einem Monat, aber auch noch nicht so schwielig und schartig wie die Normans oder Coppers.

»Dann pass bloß auf, dass du dir nicht zu oft auf die Finger haust«, sagte sie. »Hammer auf Finger gibt mehr Blut als Knüppel auf Seehund – dein Fell ist schlicht weniger wert, Kumpel!«

Lucas musste lachen. »Ich werde schon auf mich aufpassen. Sofern die Flöhe mir nicht vorher das letzte Blut aussaugen. Täusche ich mich, oder kribbelt es hier auch ein wenig?« Er kratzte sich ungeniert an der Schulter – was ein Gentleman natürlich nicht tat, aber Gentlemen plagten sich wohl auch nicht allzu oft mit Insektenstichen herum.

Daphne zuckte die Schultern. »Muss aus dem Salon sein. Zimmer eins ist sauber, das putzen wir. Würde schließlich stören, wenn die Zwillinge pustelübersät ihre Schau abzögen. Deshalb lassen wir hier auch keinen von den dreckigen Kerlen schlafen, egal was sie zahlen. Am besten, du versuchst es im Mietstall. Da schlafen die Jungs oft, die auf der Durchreise sind. Und David hält's in Ordnung. Er wird dir gefallen, denke ich. Aber verdirb ihn nicht!«

Mit diesen Worten verabschiedete Daphne ihren Besucher und scheuchte die Zwillinge aus dem Zimmer. Lucas blieb noch ein wenig. Schließlich erwarteten die Männer draußen ja wohl, dass er es nackt mit den Mädchen getrieben hatte und nun etwas Zeit zum Ankleiden brauchte. Als er schließlich wieder in den Salon trat, schallten ihm Hochrufe aus etlichen trunkenen Kehlen entgegen. Norman hob das Glas und prostete ihm zu.

»Da habt ihr's! Unser Luke! Treibt's mit den drei besten Mädels und sieht hinterher gleich wieder aus wie aus 'm Ei gepellt! Hab ich da mal irgendwelche dunklen Anspielungen gehört? Entschuldigt euch schleunigst, Jungs, bevor er eure Mädchen auch noch vernascht!«

# 10

Lucas ließ sich noch kurze Zeit feiern und verzog sich dann aus dem Pub in den Mietstall. Daphne hatte nicht zu viel versprochen. Der Betrieb machte einen ordentlichen Eindruck. Natürlich roch es nach Pferd, aber die Stallgasse war sauber gefegt, die Pferde standen in freigebig eingestreuten Boxen, und die Sättel und Zaumzeuge in der Sattelkammer waren alt, aber gut gepflegt. Eine einzige Stalllaterne tauchte die Anlage in schwaches Licht – genug, um sich zu orientieren und auch nachts nach den Pferden sehen zu können, aber nicht zu hell, um die Tiere zu stören.

Lucas sah sich nach einem Schlafplatz um, aber er schien heute der einzige Übernachtungsgast zu sein. Er überlegte schon, sein Lager einfach irgendwo aufzuschlagen, ohne groß zu fragen. Aber dann tönte eine helle Stimme, eher furchtsam als fordernd durch den dunklen Stall: »Wer da? Sag deinen Namen und was du willst, Fremder!«

Lucas hob gespielt ängstlich die Arme. »Luke ... äh ... Denward. Ich hab keine bösen Absichten, such nur einen Platz zum Schlafen. Und dieses Mädchen, Miss Daphne, sie meinte ...«

»Wir lassen Leute hier schlafen, die ihr Pferd eingestellt haben«, antwortete die Stimme, wobei sie näher kam. Und schließlich zeigte sich auch ihr Besitzer. Ein blonder, vielleicht sechzehnjähriger Junge streckte den Kopf über eine Boxwand. »Aber Sie haben kein Pferd!«

Lucas nickte. »Das ist richtig. Aber ich könnte trotzdem ein paar Cent zahlen. Und ich brauch auch keine ganze Box. Ein Eckchen würde reichen.«

Der Junge nickte. »Wie kommen Sie denn her, ohne Pferd?«, fragte er dann neugierig und zeigte sich nun in voller Größe. Er war hochgewachsen, aber ein Schlacks, und sein Gesicht wirkte noch kindlich. Lucas sah in runde, helle Augen, deren Farbe er im Dämmerlicht nicht ausmachen konnte. Aber der Junge schien offen und freundlich.

»Ich komme von den Seehundbänken«, sagte Lucas, als wäre dies eine Erklärung, wie man ohne Reittier über die Alpen gelangte. Aber vielleicht schloss der Junge ja von selbst darauf, dass sein Besucher per Schiff angereist sein musste. Lucas hoffte, dass ihm dabei nicht auch gleich der Deserteur von der *Pretty Peg* einfiel.

»Haben Sie Seehunde gejagt? Wollte ich auch mal, man verdient dabei viel Geld. Aber ich konnte nicht ... wie die Viecher einen anschauen ...«

Lucas wurde warm ums Herz.

»Genau deshalb suche ich auch 'nen anderen Job«, verriet er dem Jungen.

Der junge Bursche nickte. »Sie können bei den Zimmerleuten helfen oder bei den Holzfällern. Arbeit gibt's genug. Ich nehm Sie Montag mit. Ich bin auch auf dem Bau.«

»Ich dachte, du wärst hier Stalljunge«, wunderte sich Lucas. »Wie heißt du? David?«

Der Junge zuckte die Schultern. »So nennen sie mich. Eigentlich heiße ich Steinbjörn. Steinbjörn Sigleifson. Kann hier aber kein Mensch aussprechen. Dann hat mich das Mädchen, Daphne, einfach David genannt. Nach David Copperfield. Ich glaub, der hat mal ein Buch geschrieben.«

Lucas lächelte und wunderte sich wieder einmal über Daphne. Ein Barmädchen, das Dickens las?

»Und wo nennt man seine Kinder ›Steinbjörn Sigleifson‹?«, erkundigte sich Lucas. David hatte ihn inzwischen in einen Verschlag geführt, den er sich wohnlich eingerichtet hatte. Strohballen dienten als Tische und Sitzgelegenheiten, und

Heu war zu einem Lager aufgeworfen. Weiteres Heu lag in einer Ecke, und David wies Lucas an, sich dort für sein Bett zu bedienen.

»Auf Island«, sagte er dann und half Lucas tatkräftig. »Da komm ich her. Mein Vater war Walfänger. Aber meine Mutter wollte immer weg, sie war Irin. Am liebsten wäre sie zurück auf ihre Insel gegangen, aber dann ist ihre Familie nach Neuseeland ausgewandert, und sie wollte unbedingt auch herkommen, denn sie konnte das Wetter in Island nicht mehr vertragen, immer dunkel, immer kalt ... Dann wurde sie krank, und auf der Schiffsreise hierher ist sie gestorben. An einem sonnigen Tag. Das war ihr wichtig, glaube ich ...« David wischte sich verstohlen über die Augen.

»Aber dein Vater war noch bei dir?«, fragte Lucas freundlich und breitete seinen Schlafsack aus.

David nickte. »Aber nicht lange. Als er hörte, dass sie hier Wale fangen, war er Feuer und Flamme. Wir sind dann von Christchurch zur Westcoast, und gleich auf dem nächsten Walfänger hat er angeheuert. Wollte mich als Schiffsjungen mitnehmen, aber sie brauchten keinen. Das war's dann.«

»Er hat dich einfach allein gelassen?« Lucas war entsetzt. »Wie alt warst du? Fünfzehn?«

»Vierzehn«, meinte David gelassen. »Alt genug, um allein zu überleben, meinte Dad. Dabei konnte ich nicht mal Englisch. Aber wie Sie sehen, er hatte Recht. Ich bin hier, ich lebe – und ich glaub nicht, dass ich mich zum Waljäger geeignet hätte. Mir wurde jedes Mal schlecht, wenn mein Vater nach Hause kam und nach Tran roch.«

Während die beiden es sich in ihren Schlafsäcken gemütlich machten, erzählte der Junge freimütig von seinen Erlebnissen unter den harten Männern der Westcoast. Anscheinend fühlte er sich unter ihnen ebenso wenig zu Hause wie Lucas und war ganz froh gewesen, hier einen Job als Stallbursche zu finden. Er hielt die Ställe in Ordnung und durfte dafür darin schlafen. Tagsüber arbeitete er auf dem Bau.

»Ich möchte gern Zimmermann werden und Häuser bauen«, gestand er Lucas schließlich.

Der lächelte. »Um Häuser zu bauen müsstest du Architekt werden, Dave. Aber das ist nicht einfach.«

Dave nickte. »Ich weiß. Es kostet auch Geld. Man muss lange zur Schule gehen. Aber ich bin nicht dumm, ich kann sogar lesen.«

Lucas beschloss, ihm das nächste Exemplar des Romans *David Copperfield* zu schenken, das ihm in die Hände fiel. Er fühlte sich unerklärlich glücklich, als die beiden sich schließlich Gute Nacht sagten und in ihren Kojen zusammenrollten. Lucas hörte auf die Schlafgeräusche des Jungen, sein gleichmäßiges Atmen, und dachte an seine trotz der Schlaksigkeit geschmeidigen Bewegungen, die lebhafte, helle Stimme. Einen Knaben wie diesen hätte er lieben können …

David hielt Wort und stellte Lucas gleich am nächsten Tag dem Stallbesitzer vor, der ihm gern einen Schlafplatz einräumte und nicht einmal Geld dafür wollte.

»Hilf Dave ein bisschen im Stall, der Junge arbeitet ohnehin zu viel. Kennst dich mit Pferden aus?«

Lucas erklärte wahrheitsgemäß, die Tiere putzen, satteln und reiten zu können, was dem Stallbesitzer anscheinend genügte. David verbrachte den Sonntag damit, die Ställe ausgiebig zu reinigen – in der Woche kam er nicht immer dazu –, und Lucas half ihm bereitwillig. Dabei plauderte der Junge die ganze Zeit, berichtete von seinen Abenteuern, seinen Wünschen und Träumen, und Lucas war ein williger Zuhörer. Dabei schwang er die Mistgabel mit ungeahntem Elan. Noch nie hatte eine Arbeit ihm so viel Spaß gemacht!

Am Montag nahm Dave ihn mit zur Arbeit auf dem Bau,

und der Meister teilte ihn gleich einer Holzfällerkolonne zu. Für die Neubauten musste Urwald gerodet werden, und die Edelhölzer, die dabei anfielen, wurden entweder gleich in Westport abgelagert und später verbaut, oder in andere Gegenden der Insel, ja sogar nach England verkauft. Der Holzpreis war hoch und stieg weiter; außerdem verkehrten jetzt Dampfer zwischen England und Neuseeland, die den Export auch sperriger Güter vereinfachten.

Die Zimmerleute von Westport dachten jedoch nicht weiter als bis zum nächsten Hausbau. Praktisch keiner von ihnen hatte sein Handwerk gelernt, geschweige denn, je etwas von Architektur gehört. Sie bauten schlichte Blockhäuser, für die sie ebenso schlichte Möbel zimmerten. Lucas bedauerte diese Verschwendung der edlen Hölzer, zumal die Arbeit im Dschungel hart und gefährlich war; immer wieder kam es zu Verletzungen durch Sägen oder umstürzende Bäume. Doch Lucas beklagte sich nicht. Seit er David kannte, schien er um einiges unbeschwerter und leichter durchs Leben zu gehen und befand sich in ständiger Hochstimmung. Dabei schien auch der Junge seine Gesellschaft zu suchen. Er unterhielt sich stundenlang mit Lucas und fand natürlich bald heraus, dass der Ältere um vieles mehr wusste und auf deutlich mehr Fragen Antwort geben konnte als alle anderen Männer um ihn herum. Oft kostete es Lucas Mühe, bei all dem nicht zu viel über seine Herkunft zu verraten. Inzwischen unterschied er sich zumindest äußerlich kaum noch von den anderen Coastern. Seine Kleidung war abgetragen, zum Wechseln hatte er praktisch nichts. Es war ein Kraftakt, sich trotzdem sauber zu halten. Zu seiner Freude hielt auch David viel auf Körperhygiene und reinigte sich regelmäßig im Fluss. Dabei schien der Junge keine Kälte zu kennen. Während Lucas schon schlotterte, wenn er sich dem eiskalten Wasser nur näherte, schwamm David lachend ans andere Ufer.

»Das ist doch nicht kalt!«, neckte er Lucas. »Du solltest mal die Flüsse in meiner Heimat sehen! Da bin ich mit unserem Pferd durchgeschwommen, wenn noch Eisschollen darauf trieben!«

Wenn der Junge dann nackt und nass ans Ufer watete und sich dort unbefangen reckte und streckte, meinte Lucas, seine geliebten griechischen Knabenstatuen lebendig vor sich zu sehen. Für ihn war dies nicht Dickens' David, es war der David von Michelangelo. Der Junge hatte von dem italienischen Maler und Bildhauer bislang allerdings ebenso wenig gehört wie von dem englischen Schriftsteller. Immerhin konnte Lucas hier helfen. Mit raschen Strichen warf er eine Zeichnung der berühmtesten Skulpturen auf ein Blatt.

Dave konnte sich vor Staunen kaum halten, wobei ihn allerdings weniger die marmornen Knaben interessierten als Lucas' Zeichenkunst als solche.

»Ich versuche immer, Häuser zu zeichnen«, vertraute er dem älteren Freund an. »Aber irgendwie sieht es nicht richtig aus.«

Lucas ging das Herz auf, während er Dave erklärte, wo das Problem lag, und ihn dann in die Kunst des perspektivischen Zeichnens einführte. David lernte schnell. Von da an verbrachten sie jede freie Minute mit dem Unterricht. Als der Baumeister sie einmal dabei beobachtete, zog er Lucas umgehend vom Holzfällertrupp ab und setzte ihn in der Konstruktion ein. Bislang hatte Lucas nicht viel von Statik und Baukunst gewusst – nur die Grundbegriffe, die jeder wahre Kunstliebhaber zwangsläufig erwirbt, wenn er sich für römische Kirchen und florentinische Paläste interessiert. Das allein aber war schon erheblich mehr, als die meisten Leute am Bau wussten; zudem war Lucas ein begabter Mathematiker. Sehr bald machte er sich nützlich, indem er Bauzeichnungen entwarf und die Anweisungen für die Sägemühle sehr viel präziser formulierte, als die Bauhandwerker es bisher getan hatten.

Zwar war er auch im Umgang mit Holz nicht der Geschickteste, aber David bewies viel Talent dafür und versuchte sich bald am Tischlern von Möbeln nach Lucas' Plänen. Die künftigen Bewohner des neuen Hauses – der Fellhändler und seine Gattin – konnten sich vor Begeisterung kaum fassen, als die beiden ihnen die ersten Stücke präsentierten.

Natürlich dachte Lucas bei all dem oft daran, seinem jungen Schüler und Freund auch körperlich näher zu kommen. Er träumte von innigen Umarmungen und erwachte dann mit einer Erektion oder, schlimmer noch, zwischen feuchten Decken. Aber er hielt sich eisern zurück. Im alten Griechenland war eine Liebesbeziehung zwischen Mentor und Knaben durchaus normal gewesen; im modernen Westport würde man beide dafür verdammen. Dabei näherte sich David seinem Freund ganz unbefangen. Wenn er manchmal, nach dem Schwimmen, nackt neben ihm lag, um sich von der spärlichen Sonne trocknen zu lassen, streifte ihn oft ein Arm oder ein Bein, und als es nach dem Winter wärmer wurde und auch Lucas gern im Wasser planschte, ermunterte ihn der Junge zu wilden Ringkämpfen. Er dachte sich nichts dabei, ihn dabei mit den Beinen zu umklammern oder seinen Oberkörper an Lucas' Rücken zu pressen. Lucas war dann dankbar dafür, dass der Buller River auch im Sommer kalt war und seine Erektion sich infolgedessen nie lange hielt. Das Bett mit David zu teilen wäre die Erfüllung gewesen, doch Lucas wusste, dass er nicht zu gierig sein durfte. Was er jetzt erlebte, war schon mehr, als er jemals erhofft hatte. Sich mehr zu wünschen wäre vermessen gewesen. Lucas wusste auch, dass sein Glück nicht ewig anhalten konnte. Irgendwann wäre David erwachsen, würde sich vielleicht in ein Mädchen verlieben und ihn dann vergessen. Doch bis dahin, hoffte Lucas, würde der Junge genug gelernt haben, um als Kunsttischler finanziell gesichert durchs Leben zu kommen. Was er dazu tun konnte, würde er tun. Er versuchte, dem Knaben auch die Grundbegriffe von Mathematik und Rechnungswesen nahe zu bringen, um nicht nur einen guten Handwerker, sondern auch einen gewieften Kaufmann zu schulen. Lucas liebte David selbstlos, hingebungsvoll und zärtlich. Er freute sich an jedem Tag mit ihm und versuchte, nicht an das unvermeidliche Ende zu denken. David war so jung! Es sollten noch Jahre der Gemeinschaft vor ihnen liegen.

David – oder Steinbjörn, wie er selbst noch von sich dachte – teilte Lucas' Selbstgenügsamkeit jedoch nicht. Der Junge war klug, fleißig und hungrig nach Erfolg und nach Leben. Vor allem aber war er verliebt, ein Geheimnis, das er niemandem je verraten hätte, nicht einmal Lucas, seinem väterlichen Freund. Steinbjörns Liebe war auch der Grund, weshalb er so bereitwillig den neuen Namen angenommen hatte und warum er jetzt jede freie Minute nutzte, sich irgendwie durch *David Copperfield* zu quälen. Darüber konnte er schließlich mit Daphne reden – ganz selbstverständlich und unschuldig, und niemand würde auch nur ahnen, wie sehr er sich nach dem Mädchen verzehrte. Natürlich wusste er, dass er niemals eine Chance bei ihr haben würde. Wahrscheinlich würde sie ihn nicht einmal mit in ihr Zimmer nehmen, wenn es ihm gelänge, das Geld für eine Nacht mit ihr zusammenzusparen. Für Daphne war er nicht mehr als ein Kind, schützenswert wie die Zwillingsmädchen, für die sie sorgte, und ganz sicher kein Kunde.

Eigentlich wollte der Junge das auch gar nicht sein. Er sah Daphne nicht als Hure, sondern als geachtete Ehefrau an seiner Seite. Eines Tages würde er viel Geld verdienen, Jolanda die Rechte an dem Mädchen abkaufen und Daphne davon überzeugen, dass sie ein ehrbares Leben verdiente. Die Zwillinge konnte sie gern mitbringen – in seinen Träumen konnte David auch ihren Unterhalt mühelos finanzieren.

Doch wenn das alles irgendwann wahr werden sollte, brauchte David Geld, viel Geld, und zwar schnell. Es schnitt ihm ins Herz, wenn er Daphne im Pub servieren und dann mit irgendeinem Mann nach oben in den ersten Stock verschwinden sah. Ewig würde sie das nicht tun, ewig würde sie vor allem nicht hier bleiben. Daphne schimpfte über das Joch, unter dem sie bei Jolanda stand. Über kurz oder lang würde sie verschwinden und irgendwo einen neuen Anfang wagen.

Es sei denn, David kam ihr mit einem Antrag zuvor.

Nun war dem Jungen natürlich klar, dass er das nötige Geld auf keinen Fall als Bauarbeiter oder auch als Kunsttischler verdienen konnte. Er musste schneller zu Vermögen kommen, und wie es der Zufall wollte, taten sich dazu gerade jetzt und gerade in dieser Region der Südinsel neue Möglichkeiten auf. Ganz in der Nähe von Westport, einige Meilen flussaufwärts am Buller River, hatte man Gold gefunden. Immer mehr Goldgräber überschwemmten die Stadt, deckten sich mit Proviant, Spaten und Goldpfannen ein und verschwanden dann im Dschungel oder in den Bergen. Zunächst nahm sie niemand allzu ernst, doch als die ersten zurückkamen, mit stolzgeschwellter Brust und einem kleinen Vermögen an Goldnuggets in Leinenbeuteln an ihren Gürteln, erfasste das Goldfieber auch die eingesessenen Coaster rund um Westport.

»Warum versuchen wir es nicht auch, Luke?«, fragte David eines Tages, als sie am Flussufer saßen und wieder ein Trupp Goldsucher in Kanus an ihnen vorbeipaddelten.

Lucas erklärte dem Jungen eben eine spezielle Zeichentechnik und sah überrascht auf. »Was sollen wir versuchen? Nach Gold schürfen? Mach dich nicht lächerlich, Dave, das ist nichts für uns.«

»Aber warum nicht?« Der begehrliche Blick in Davids Kulleraugen ließ Lucas' Herz höher schlagen. Da war noch nichts von der Gier der gewieften Goldwäscher, die oft schon andere Stationen durchlaufen hatten, bevor die Nachricht von den neuen Funden sie nach Westport trieb. Da war kein Nachhall alter Enttäuschungen, endloser Winter in primitiven Camps, glutheißer Sommer, in denen man grub, Bäche umleitete, unendliche Mengen Sand durchs Sieb rieseln sah und hoffte, hoffte, hoffte – bis dann doch wieder andere die fingerbreiten Nuggets in den Flüssen fanden oder die ergiebigen Goldadern im Gestein. Nein, David blickte eher wie ein Kind beim Spielzeugmacher. Er sah sich schon im Besitz der neuen Schätze – wenn ihm nur der kaufunwillige Vater keinen Strich durch die Rechnung machte. Lucas seufzte. Er hätte dem Jungen den Wunsch zu gern erfüllt, sah aber keine Aussichten auf Erfolg.

»Davey, wir verstehen nichts vom Goldschürfen«, sagte er freundlich. »Wir wüssten ja nicht mal, wo wir suchen sollten. Außerdem bin ich kein Trapper und Abenteurer. Wie sollen wir uns da draußen durchschlagen?«

Wenn Lucas ehrlich war, hatten ihm schon die Stunden im Dschungel gereicht, als er von der *Pretty Peg* geflohen war. Sosehr ihn die ausgefallene Pflanzenwelt der Gegend faszinierte, so nervös machte ihn der Gedanke, sich dort womöglich zu verlaufen. Dabei hatte er damals noch den Fluss als Orientierungshilfe gehabt. Bei einem erneuten Abenteuer würden sie sich weiter davon entfernen müssen. Gut, vielleicht konnte man einem Bach folgen, doch Davids Vorstellung, das Gold würde einem dann nur so entgegenströmen, teilte Lucas nicht.

»Bitte, Luke, wir können es wenigstens versuchen! Wir müssen ja hier nicht gleich alles aufgeben. Aber gib uns ein Wochenende! Mr. Miller leiht mir bestimmt ein Pferd. Dann reiten wir am Freitagabend flussaufwärts, schauen uns samstags da oben um ...«

»Wo soll denn ›da oben‹ sein, Davey?«, fragte Lucas sanft. »Hast du da irgendeine Vorstellung?«

»Rochford hat Gold am Lyell Creek und am Buller Gorge gefunden. Lyell Creek ist vierzig Meilen flussaufwärts ...«

»Und da treten die Goldgräber sich wahrscheinlich schon auf die Füße«, meinte Lucas skeptisch.

»Wir müssen ja nicht da suchen! Wahrscheinlich gibt es überall Gold, wir brauchen sowieso unseren eigenen Claim! Komm, Luke, sei kein Spielverderber! Ein Wochenende!« David verlegte sich aufs Bitten – und Lucas fühlte sich geschmeichelt. Der Junge hätte sich schließlich auch irgendeinem Goldgräbertrupp anschließen können, aber offensichtlich wollte er mit ihm zusammen sein. Trotzdem schwankte Lucas. Das Abenteuer erschien ihm allzu gewagt. Die Gefahren eines Rittes in den Regenwald, auf unbekannten Pfaden fernab der nächsten Siedlung standen dem von Natur aus vorsichtigen Lucas zu deutlich vor Augen. Vielleicht hätte er nie zugestimmt, aber dann tauchten Norman und ein paar andere Seehundjäger im Mietstall auf. Vergnügt begrüßten sie Lucas – wobei sie nicht versäumten, sich selbst und ihn lautstark an seine Nacht mit den Zwillingen zu erinnern. Norman schlug ihm vergnügt auf die Schultern. »Mann, und wir hatten schon gedacht, du hast keinen Mumm in den Knochen! Was machste denn jetzt? Hab gehört, du bist auf 'm Bau 'ne ganz große Nummer! Schön für dich. Aber reich wirste da nich' bei. Hör zu, wir gehen den Buller rauf, Gold suchen! Magst du nicht mitkommen? Auch dein Glück versuchen?«

David, der eben die Maultiere mit Sätteln und Packtaschen versah, die Normans Gruppe gemietet hatte, schaute den alten Mann mit leuchtenden Augen an. »Haben Sie das schon mal gemacht? Gold waschen, meine ich?«, erkundigte er sich aufgeregt.

Norman schüttelte den Kopf. »Ich nicht. Aber Joe hier, irgendwo in Australien. Der kann's uns zeigen. Soll nicht schwer sein. Pfanne ins Wasser halten, und die Nuggets schwimmen rein!« Er lachte.

Lucas dagegen seufzte. Er ahnte bereits, was gleich auf ihn zukam.

»Siehst du, Luke, alle sagen, es ist leicht!«, kam auch schon die unvermeidliche Bemerkung Davids. »Lass es uns versuchen, bitte!«

Norman sah den Eifer in seinen Augen und lachte Lucas und Dave gleichermaßen zu. »Na, der Junge hat Feuer! Den hält's hier nicht mehr lange, Luke! Was ist jetzt, kommt ihr mit uns, oder denkt ihr noch nach?«

Wenn Lucas etwas ganz sicher nicht anstrebte, so eine Goldsuche mit der ganzen Gruppe. Einerseits war es zwar reizvoll, die Organisation der Angelegenheit auf andere abzuwälzen oder doch mindestens auf mehrere Schultern zu verteilen. Einige der Männer mochten sicher mehr Erfahrung als Waldläufer haben. Aber von Mineralogie hatten sie bestimmt keine Ahnung. Wenn sie Gold fanden, so allenfalls durch puren Zufall, und dann waren Streitigkeiten vorprogrammiert. Lucas winkte ab.

»Wir können hier nicht von einem Augenblick zum anderen weg«, erklärte er. »Aber über kurz oder lang … Man sieht sich, Norm!«

Norman lachte und verabschiedete sich mit einem Händedruck, der Lukes Finger noch minutenlang schmerzen ließ.

»Man sieht sich, Luke! Und womöglich sind wir dann beide reich!«

Sie brachen am Samstag vor Tau und Tag auf. Mr. Miller, der Mietstallbesitzer, hatte Dave tatsächlich ein Pferd geliehen, allerdings war wirklich nur eins verfügbar. So warf Dave dem Tier nur die Packtaschen auf den blanken Rücken und saß dann hinter Lucas auf. Das würde sie nicht eben schneller vorwärtskommen lassen, aber das Pferd war kräftig, und der Farnwald ohnehin schon bald so dicht, dass man kaum traben und galoppieren konnte. Lucas, der zunächst unwillig aufgesessen war, begann den Ritt bald zu genießen. In den letzten Tagen hatte es geregnet, aber jetzt schien die Sonne. Über dem Dschungel stiegen Nebelschwaden auf, verdeckten die Berggipfel und hüllten das Land in ein seltsam unwirkliches Licht. Das Pferd war trittsicher und ruhig, und Lucas genoss es, Daves Körper hinter sich zu spüren. Der Junge saß zwangsläufig dicht an ihn geschmiegt und hatte die Arme um ihn gelegt. Luke fühlte sein Muskelspiel, und der Hauch seines Atems im Nacken verursachte ihm eine wohlige Gänsehaut. Schließlich döste der Junge sogar ein, und sein Kopf sank auf Lucas' Schulter. Die Nebel hoben sich, und der Fluss funkelte in der Sonne, spiegelte mitunter die Felswände, die jetzt oft dicht am Ufer aufragten. Schließlich engten sie den Fluss so sehr ein, dass kein Durchkommen mehr möglich war, und Lucas musste ein Stück zurückreiten, um einen Aufstieg zu finden. Schließlich entdeckte er eine Art Saumpfad – vielleicht von Maoris, vielleicht von früheren Goldsuchern ausgetreten –, auf dem er dem Flusslauf oberhalb der Klippen folgen konnte. Langsam stießen sie so ins Inland vor. Irgendwo hier waren von früheren Expeditionen Gold- und Kohlevorkommen entdeckt worden. Wie und mit welchen Mitteln war Lucas allerdings ein Rätsel. Für ihn sah hier alles gleich aus: eine gebirgige Landschaft, wobei Felsen seltener waren als farnwaldbewachsene Hügel. Ab und zu Steilwände, die zu einem Hochplateau führten, oft Bäche, die mitunter über reizvolle kleinere oder größere Wasserfälle in den Buller River mündeten. Gelegentlich fanden sich auch Sandstrände unten am Fluss, die zum Verweilen einluden – Lucas fragte sich, ob man den Ausflug nicht doch besser mit einem Kanu angegangen wäre als zu Pferde. Möglicherweise war der Sand der

Strände ja auch goldhaltig, doch Lucas musste sich eingestehen, dass er auf keinerlei Kenntnisse zurückgreifen konnte. Wenn er sich nur früher für Geologie oder Mineralogie interessiert hätte statt für Pflanzen und Insekten! Ganz sicher ließen die Erdformationen, das Erdreich oder die Art der Felsen auf Goldvorkommen schließen. Aber nein, er hatte ja Wetas zeichnen müssen! So langsam kam Lucas zu dem Schluss, dass die Menschen in seiner Umgebung – allen voran Gwyneira – nicht gänzlich Unrecht gehabt hatten. Seine Interessen hatten brotlosen Künsten gegolten; ohne das Geld, das sein Vater aus Kiward Station erwirtschaftete, war er ein Nichts, und seine Chancen, die Farm selbst einmal erfolgreich zu managen, waren stets gering gewesen. Gerald hatte Recht gehabt: Lucas hatte auf ganzer Linie versagt.

Während Lucas düsteren Gedanken nachhing, wurde David in seinem Rücken munter.

»He, ich glaube, ich hab geschlafen!«, meldete er sich mit fröhlicher Stimme. »Oh, Mann, Luke, was für ein Anblick! Ist das Buller Gorge?«

Unterhalb des Saumpfads brach sich der Fluss zwischen Felswänden seine Bahn. Der Ausblick über das Flusstal und die Berge ringsum war atemberaubend.

»Ich nehm's an«, sagte Lucas. »Aber wer immer hier Gold gefunden hat – Hinweisschilder hat er nicht aufgestellt.«

»Dann wär's ja auch zu einfach!«, sagte David vergnügt. »Und bestimmt wäre schon alles weg, so viel Zeit, wie wir uns gelassen haben! Du, ich hab Hunger! Wollen wir mal rasten?«

Lucas zuckte die Schultern. Doch der augenblickliche Weg erschien ihm nicht ideal für eine Pause; er war felsig, und es gab kein Gras für das Pferd. So einigten die beiden sich darauf, noch eine halbe Stunde weiterzureiten und einen besseren Platz zu suchen.

»Hier sieht's auch nicht nach Gold aus«, meinte David.

»Und wenn wir schon anhalten, will ich mich auch umsehen.«

Die Geduld der beiden wurde bald belohnt. Kurze Zeit später erreichten sie ein Hochplateau, auf dem nicht nur die allgegenwärtigen Farne wuchsen, sondern auch sattes Gras für das Pferd. Der Buller zog tief unter ihnen seine Bahn, doch direkt unter ihrem Lagerplatz befand sich einer der kleinen Strände. Goldgelber Sand.

»Ob wohl mal jemand auf den Gedanken gekommen ist, den zu waschen?« David biss in ein Brot und entwickelte dabei die gleiche Idee wie Lucas vorhin. »Kann doch gut sein, dass er voller Nuggets ist!«

»Wäre das nicht wieder zu einfach?« Lucas lächelte. Der Eifer des Jungen erheiterte ihn. Aber David mochte den Einfall nicht gleich fallen lassen.

»Eben! Deshalb hat es ja noch keiner getan! Wetten, dass die Stielaugen kriegen, wenn wir da jetzt ganz locker ein paar Nuggets raussieben?«

Lucas lachte. »Versuch es an einem Strand, an den leichter heranzukommen ist. Hier müsstest du fliegen können, um runterzukommen.«

»Auch wieder ein Grund, weshalb es noch keiner versucht hat! Hier, Luke, liegt unser Gold! Ich bin ganz sicher! Ich klettere runter!«

Lucas schüttelte besorgt den Kopf. Der Junge schien sich in seine Idee zu verrennen. »Davey, die Hälfte aller Goldsucher ist auf dem Fluss unterwegs. Die sind hier schon durchgekommen und haben wahrscheinlich am Strand dort gerastet, wie wir hier oben. Da ist kein Gold, glaub mir!«

»Woher willst du das denn wissen!« David sprang auf. »Ich glaube jedenfalls an mein Glück! Ich klettere runter und sehe nach!«

Der Junge suchte nach einem guten Ausgangspunkt für die Klettertour, während Lucas entsetzt in den Abgrund blickte.

»David, das sind mindestens fünfzig Yards! Und es geht steil in die Tiefe! Du kannst da nicht runtersteigen!«

»Aber sicher kann ich!« Der Junge verschwand bereits über den Rand der Klippe.

»Dave!« Lucas hatte das Gefühl, seine Stimme klänge wie ein Kreischen. »Dave, warte! Lass mich dich wenigstens anseilen!«

Lucas hatte keine Ahnung, ob die Seile, die sie eingesteckt hatten, lang genug waren, doch er suchte panisch in den Satteltaschen.

David aber wartete gar nicht. Er schien keine Gefahr zu sehen; das Klettern machte ihm Spaß, und er war offensichtlich schwindelfrei. Allerdings war er kein erfahrener Bergsteiger und konnte nicht erkennen, ob ein Felsvorsprung fest war oder abbruchgefährdet, und er rechnete nicht ein, dass die Erde auf dem scheinbar sicheren Vorsprung, auf dem sogar etwas Gras wuchs und den er sorglos mit seinem ganzen Gewicht belastete, noch regennass und schlüpfrig war.

Lucas hörte den Schrei, noch bevor er alle Seile zusammengerafft hatte. Sein erster Impuls war, zur Klippe zu rennen, aber dann wurde ihm klar, dass David tot sein musste. Niemand konnte einen Sturz aus dieser Höhe überleben. Lucas begann zu zittern und lehnte die Stirn sekundenlang gegen die Packtaschen, die immer noch auf dem geduldigen Pferd lagen. Er wusste nicht, ob er den Mut aufbringen würde, auf den zerschmetterten Körper des Geliebten hinunterzuschauen ...

Plötzlich hörte er eine schwache, erstickte Stimme.

»Luke ... hilf mir! Luke!«

Lucas rannte. Das konnte nicht wahr sein, er konnte nicht ...

Dann sah er den Jungen auf einer Felsnase, vielleicht zwanzig Meter unter ihm. Er blutete aus einer Wunde über dem Auge, und sein Bein schien seltsam verkrümmt, aber er lebte.

»Luke, ich glaube, ich hab mir das Bein gebrochen! Es tut so weh …«

David wirkte verängstigt; er schien mit den Tränen zu kämpfen, aber er lebte! Und seine augenblickliche Position war auch nicht sehr gefährlich. Die Felsnase bot genügend Platz für einen, wenn auch nicht für zwei Menschen. Lucas würde sich abseilen, den Jungen zu sich ans Seil holen und ihm beim Aufstieg helfen müssen. Er überlegte, ob er das Pferd dabei einsetzen konnte, doch ohne Sattel, an dessen Horn man den Strick knoten konnte, war das nicht sehr erfolgversprechend. Zudem kannte er das Tier nicht. Wenn es durchging, während sie am Strick hingen, konnte es sie umbringen. Also einer der Felsen! Lucas schlang das Seil darum. Es war nicht lang genug, um einen Abstieg ganz bis ins Flusstal zu ermöglichen, doch bis zu Davids Platz reichte es mühelos.

»Ich komme, Davey! Ganz ruhig!« Lucas schob sich über die Felskante. Sein Herz klopfte heftig, und sein Hemd war jetzt schon nass von Schweiß. Lucas war nie geklettert – große Höhen machten ihm Angst. Doch das Abseilen war einfacher als gedacht. Der Fels war nicht glatt, und Lucas fand immer wieder Halt an Vorsprüngen, was ihm Mut für den späteren Wiederaufstieg machte. Er durfte nur nicht in den Abgrund blicken …

David hatte sich nahe an den Rand der Felsnase geschleppt und erwartete Lucas mit ausgestreckten Armen. Doch Lucas hatte die Entfernung nicht optimal eingeschätzt. Wie sich jetzt herausstellte, geriet er etwas zu weit links von David auf Höhe der Felsnase. Er würde das Seil leicht in Schwingungen versetzen müssen, bis der Junge es ergreifen konnte. Lucas wurde übel, wenn er nur daran dachte. Bis jetzt hatte er immer noch ein bisschen Halt am Felsen, doch um zu schwingen, musste er jeden Kontakt mit dem Stein aufgeben.

Er atmete tief durch.

»Ich komme jetzt, David! Greif nach dem Seil, und zieh mich zu dir. Sobald ich mit einem Fuß Halt habe, schiebst du dich rüber, und ich nehm dich in Empfang. Ich halt dich, keine Angst!«

David nickte. Sein Gesicht war blass und tränenüberströmt. Doch er wirkte gefasst, und er war geschickt. Bestimmt würde es ihm gelingen, das Seil zu ergreifen.

Lucas löste sich vom Felsen. Er stieß sich schwungvoll ab, um möglichst ohne längeres Pendeln sofort bei Dave zu landen. Beim ersten Mal schwang er jedoch in die falsche Richtung und blieb zu weit von dem Jungen entfernt. Er hangelte nach dem Halt für seinen Fuß; dann versuchte er es ein weiteres Mal. Diesmal gelang es. David ergriff das Seil, während Lucas' Fuß nach einer Stütze angelte.

Aber dann gab der Strick nach! Der Felsen oben auf der Klippe musste sich bewegt haben, oder Lucas' ungeschickt geknüpfter Knoten hatte sich gelockert. Zuerst schien sein Körper nur ein Stück weit abzurutschen. Er schrie auf – und dann ging alles in Sekundenbruchteilen. Das Seil oberhalb der Klippe löste sich vollkommen. Lucas fiel, und David klammerte sich an den Strick. Der Junge versuchte verzweifelt, den Absturz des Freundes aufzuhalten, doch aus seiner liegenden Position heraus war es hoffnungslos. Das Seil rutschte durch seine Finger, immer schneller und schneller. Wenn es bis ans Ende durchschoss, würde nicht nur Lucas in die Tiefe fallen, auch Davids letzte Chance wäre dahin. Mit dem Strick konnte er sich vielleicht noch ins Flussbett abseilen. Ohne würde er auf der Felsnase verhungern und verdursten. Die Gedanken schossen Lucas durch den Kopf, während er immer tiefer abrutschte. Er musste eine Entscheidung treffen – Davey konnte ihn nicht halten, und wenn er überhaupt lebend unten ankam, würde er sich auf jeden Fall verletzen. Dann half das Seil keinem von ihnen. Lucas beschloss, einmal im Leben das Richtige zu tun.

»Halt das Seil!«, rief er zu David hinauf. »Halt unbedingt das Seil fest, egal was passiert!«

Gezogen von seinem Gewicht, schoss das Seil immer schneller durch Davids Finger. Sie mussten bereits verbrannt sein; womöglich würde er gleich schon aus Schmerz aufgeben.

Lucas sah zu ihm auf, sah das verzweifelte und doch so schöne Jungengesicht, das er so sehr liebte, dass er bereit war, dafür zu sterben. Dann ließ er los.

Die Welt war ein Meer aus Schmerzen, die wie Messerstiche durch Lucas' Rücken rasten. Er war nicht tot, aber er wünschte es sich in jeder dieser grauenhaften Sekunden. Sehr lange konnte es nicht mehr dauern, bis der Tod ihn ereilte. Nach einem Sturz von vielleicht zwanzig Yard war Lucas auf Davids »Goldstrand« aufgeschlagen. Er konnte die Beine nicht bewegen, und sein linker Arm war gelähmt: Ein offener Bruch; der zersplitterte Knochen hatte das Fleisch durchstoßen. Wenn es nur schnell endete ...

Lucas biss die Zähne zusammen, um nicht zu schreien, und hörte Davids Stimme von oben.

»Luke! Halt durch, ich komme!«

Und tatsächlich, der Junge hatte das Seil gehalten und nun geschickt irgendwo auf der Felsnase befestigt. Lucas betete, dass David nicht ebenfalls abrutschte, doch tief im Herzen wusste er, dass Davids Knoten hielten ...

Zitternd vor Angst und Schmerz verfolgte er, wie der Junge sich abseilte. Trotz des gebrochenen Beins und seiner gewiss zerschundenen Finger hangelte er sich gekonnt am Felsen entlang und erreichte schließlich den Strand. Vorsichtig lastete er sein Gewicht auf das gesunde Bein, musste dann aber kriechen, um zu Lucas zu gelangen.

»Ich brauch 'ne Krücke«, sagte er gespielt munter. »Und

dann versuchen wir, am Fluss entlang nach Hause zu kommen ... oder im Fluss, wenn's sein muss. Was ist mit dir, Luke? Ich bin glücklich, dass du lebst! Der Arm heilt schon wieder, und ...«

Der Junge kauerte sich neben Lucas und untersuchte seinen Arm.

»Ich ... ich sterbe, Davey«, flüsterte Lucas. »Es ist nicht nur der Arm. Aber du ... du kommst zurück, Dave. Versprich mir, dass du nicht aufgibst ...«

»Ich gebe nie auf!«, sagte David, doch es gelang ihm nicht, dabei zu lachen. »Und du ...«

»Ich ... hör zu, Dave, würdest du ... könntest du ... mich in den Arm nehmen?« Der Wunsch brach aus Lucas heraus; er konnte sich nicht bezähmen. »Ich ... möchte ...«

»Du möchtest auf den Fluss schauen?«, fragte David freundlich. »Er ist wunderschön und glänzt wie Gold. Aber ... vielleicht ist es besser, wenn du still liegen bleibst ...«

»Ich sterbe, Dave«, wiederholte Lucas. »Eine Sekunde früher oder später ... bitte ...«

Der Schmerz war rasend, als David ihn aufrichtete, schien dann aber plötzlich zu verschwinden. Lucas spürte nichts mehr außer dem Arm des Knaben um seinen Körper, seinen Atem, die Schulter, an die er sich lehnte. Er roch seinen Schweiß, der ihm süßer erschien als der Rosengarten in Kiward Station, und er hörte das Schluchzen, das David jetzt nicht mehr unterdrücken konnte. Lucas ließ den Kopf zur Seite sinken und hauchte einen verstohlenen Kuss auf Davids Brust. Der Junge spürte ihn nicht, zog den Sterbenden aber noch fester an sich.

»Alles wird gut!«, flüsterte er. »Alles wird gut. Du schläfst jetzt ein bisschen, und dann ...«

Steinbjörn Sigleifson wiegte den Sterbenden in den Armen, wie seine Mutter es mit ihm gemacht hatte, als er noch klein gewesen war. Auch er fand Trost in dieser Umarmung; sie hielt die Angst von ihm fern, gleich ganz allein, verletzt und ohne Decken und Proviant auf diesem Strandstück verlassen zu werden. Schließlich presste er sein Gesicht in Lucas' Haar und schmiegte sich schutzsuchend an ihn.

Lucas schloss die Augen und überließ sich ganz diesem überwältigenden Glücksgefühl. Alles war gut. Er hatte, was er sich gewünscht hatte. Er war da, wo er hingehörte.

## 11

George Greenwood führte sein Pferd in den Mietstall von Westport und wies den Besitzer an, es gut zu füttern. Man schien dem Mann trauen zu können; die Anlage machte einen relativ gepflegten Eindruck. Überhaupt gefiel ihm diese kleine Stadt an der Mündung des Buller River. Bislang war sie winzig, gerade mal zweihundert Einwohner, aber schon jetzt stießen immer mehr Goldsucher dazu – und auf die Dauer würde auch Kohle gefördert werden. Was George anging, interessierte dieser Rohstoff ihn weitaus mehr als das Gold. Die Entdecker der Kohlevorkommen suchten nach Investoren, die auf lange Sicht für den Aufbau einer Mine sorgten, vorerst jedoch für eine Eisenbahnverbindung. Denn solange es keine Möglichkeit gab, die Kohle preiswert abzutransportieren, war eine Förderung unrentabel. George wollte seinen Aufenthalt an der Westküste nun unter anderem dazu nutzen, sich einen Eindruck von dem Land und den möglichen Verkehrsverbindungen zu machen. Es war immer gut für einen Kaufmann, sich umzusehen – und in diesem Sommer erlaubte ihm sein aufstrebendes Unternehmen in Christchurch zum ersten Mal, ohne unmittelbare geschäftliche Interessen von einer Schaffarm zur anderen zu reisen. Jetzt im Januar, nachdem die Schafschur und die aufreibende Zeit des Ablammens vorüber waren, konnte er es auch wagen, seinen endlosen Problemfall Howard O'Keefe ein paar Wochen sich selbst zu überlassen. George seufzte allein bei dem Gedanken an Helens hoffnungslosen Gatten! Dank seiner Unterstützung, den wertvollen Zuchttieren und intensiver Beratung warf O'Keefes Farm nun endlich etwas Profit ab, aber Howard blieb ein unsicherer Kandidat. Der Mann neigte zum Aufbrausen, zum Trinken, er nahm Ratschläge ungern an und wenn, dann grundsätzlich nur von George selbst, nicht von dessen Untergebenen und schon gar nicht von Reti, Helens ehemaligem Schüler, der sich langsam zu Georges rechter Hand entwickelte. Jedes Gespräch, jede Ermahnung, die Schafe zum Beispiel im April endlich abzutreiben, um bei einem eventuellen plötzlichen Wintereinbruch keine Tiere zu verlieren, erforderten also einen Ritt von Christchurch nach Haldon. Und so gern George und Elizabeth auch mit Helen zusammen waren – mitunter hatte der erfolgreiche junge Geschäftsmann anderes zu tun, als die Angelegenheiten eines kleinen Farmers zu regeln. Dazu ärgerte ihn Howards Halsstarrigkeit und sein Umgang mit Helen und Ruben. Beide zogen sich immer wieder den Zorn ihres Mannes beziehungsweise Vaters zu – paradoxerweise deshalb, weil Helen sich Howards Ansicht nach zu viel, Ruben zu wenig um die Belange der Farm kümmerte. Helen hatte längst begriffen, dass Georges Hilfe das Einzige war, das ihre wirtschaftliche Existenz nicht nur retten, sondern ihre Lebensumstände obendrein drastisch verbessern konnte, und sie war im Gegensatz zu ihrem Gatten durchaus in der Lage, Georges Ratschläge und ihre Beweggründe zu verstehen. Immer drängte sie Howard, sie umzusetzen, was diesen umgehend aufbrausen ließ. Es belastete das Verhältnis, wenn George sie dann in Schutz nahm, und auch die offensichtliche Begeisterung des kleinen Ruben für »Onkel George« war O'Keefe ein Dorn im Auge. Greenwood versorgte den Jungen freigebig mit den Büchern, die er sich wünschte, und schenkte ihm Vergrößerungsgläser und Botanisiertrommeln, um seine wissenschaftlichen Interessen zu fördern. Howard dagegen hielt das für Unsinn – Ruben sollte die Farm übernehmen, und dazu reichten Grundkenntnisse im Lesen, Schreiben und Rechnen. Ruben allerdings interessierte sich überhaupt nicht für die Farmarbeit, und auch nur begrenzt für Flora und Fauna. Seine diesbezüglichen »Forschungen« waren eher von seiner kleinen Freundin Fleur initiiert. Ruben teilte mehr die geisteswissenschaftliche Begabung seiner Mutter. Er las schon jetzt die Klassiker in den Originalsprachen, und sein ausgeprägtes Gerechtigkeitsgefühl mochte ihn für eine Laufbahn als Geistlicher oder auch für ein Jurastudium prädestinieren. Als Farmer sah George ihn nicht – ein massiver Konflikt zwischen Vater und Sohn schien vorprogrammiert. Greenwood befürchtete, dass auch seine eigene Zusammenarbeit mit O'Keefe auf Dauer scheitern würde – und mochte an die Folgen für Helen und Ruben kaum denken. Aber damit konnte er sich später beschäftigen. Sein aktueller Ausflug an die Westcoast war eine Art Urlaub für ihn; er wollte die Südinsel endlich näher kennen lernen und neue Märkte entdecken. Außerdem motivierte ihn eine weitere Vater-Sohn-Tragödie: George war – auch wenn er das niemandem verraten hatte – auf der Suche nach Lucas Warden.

Inzwischen war es über ein Jahr her, dass der Erbe von Kiward Station verschwunden war, und das Gerede in Haldon hatte sich weitgehend gelegt. Die Gerüchte um Gwyneiras Kind waren verstummt; man nahm allgemein an, dass ihr Gatte in London weilte. Da die Leute im Ort Lucas Warden ohnehin kaum zu Gesicht bekommen hatten, vermissten sie ihn nicht. Außerdem war der örtliche Bankier nicht der diskreteste, und so kamen immer wieder Nachrichten von Lucas' immensen finanziellen Erfolgen im Mutterland in Umlauf. Die Leute in Haldon nahmen selbstverständlich an, Lucas verdiene dieses Geld unmittelbar mit dem Malen neuer Bilder. Tatsächlich aber verkauften die Galerien in der Hauptstadt nur die längst vorhandenen Bestände. Auf Georges Bitten hin hatte Gwyneira inzwischen schon die dritte Auswahl an Aquarellen und Ölgemälden nach London geschickt. Sie erzielten dort immer bessere Preise, und George war am Gewinn beteiligt – neben seiner Neugier ein weiterer guter Grund, den verlorenen Künstler aufzuspüren.

Neugier spielte allerdings auch eine Rolle. Nach George Greenwoods Meinung war Geralds Fahndung nach seinem Sohn viel zu oberflächlich verlaufen. Er fragte sich, warum der alte Warden nicht wenigstens Boten ausgesandt hatte, um nach Lucas zu suchen, wenn er sich schon nicht selbst auf den Weg machte, was kein Problem gewesen wäre, denn Gerald kannte die Westcoast wie seine Westentasche, und viele andere »Verstecke« für Lucas kamen eigentlich nicht in Frage. Wenn Lucas sich nicht irgendwo falsche Papiere besorgt hatte – was George für unwahrscheinlich hielt –, hatte er die Südinsel gar nicht verlassen, denn die Passagierlisten der Schiffe waren zuverlässig, und Lucas' Name erschien nicht darauf. Auf den Schaffarmen der Ostküste hielt er sich ebenfalls nicht auf, das hätte sich herumgesprochen. Und für ein Unterschlüpfen bei einem Maori-Stamm war Lucas schlichtweg zu englisch geprägt. Er hätte sich nie an den Lebensstil der Ureinwohner anpassen können und beherrschte auch kaum ein Wort ihrer Sprache. Also die Westcoast – und da gab es nur eine Hand voll Ansiedlungen. Warum hatte Gerald sie nicht besser durchforstet? Was war vorgefallen, dass der alte Warden offensichtlich ganz froh war, seinen Sohn los zu sein – und warum reagierte er erst so verzögert und fast etwas gezwungen auf die letztendliche Geburt seines Enkels? George wollte es wissen – und Westport war nun schon die dritte Siedlung, in der er nach Lucas zu fragen gedachte. Nur wen? Den Stallbesitzer? Das wäre immerhin ein Anfang.

Miller, der Betreiber des Mietstalls, schüttelte jedoch den Kopf.

»Ein junger Gentleman mit einem alten Wallach? Nicht dass ich wüsste. Und Gentlemen haben wir hier eh nicht viele.« Er lachte. »Es kann aber auch sein, dass ich nichts davon mitbekommen habe. Ich hatte bis vor kurzem einen Stalljungen, aber der ... na ja, ist 'ne lange Geschichte. Jedenfalls war er sehr zuverlässig und hat die Leute, die nur eine Nacht blieben, oft allein abgefertigt. Am besten, Sie fragen im Pub. Der kleinen Daphne da entgeht garantiert nichts ... jedenfalls nichts, was mit Männern zu tun hat!«

George lachte pflichtschuldig über den offensichtlichen Scherz, auch wenn er ihn nicht ganz verstanden hatte, und bedankte sich für den Hinweis. In den Pub wollte er sowieso. Es konnte schließlich sein, dass man dort Zimmer vermietete. Außerdem hatte er Hunger.

Der Schankraum überraschte ihn ebenso positiv wie der Mietstall. Auch hier herrschten relative Ordnung und Sauberkeit. Allerdings schien man die Wirtschaft und das Bordell kaum zu trennen. Das rothaarige junge Mädchen, das George gleich nach seinem Eintreffen nach seinen Wünschen fragte, war stark geschminkt und trug die auffallende Kleidung eines Bar-Girls.

»Ein Bier, was zu essen und ein Zimmer, falls es hier welche gibt«, orderte George. »Und ich suche ein Mädchen namens Daphne.«

Die Rothaarige lächelte. »Bier und Sandwich wird gleich erledigt, aber Zimmer vermieten wir nur stundenweise. Falls Sie mich allerdings mitbuchen wollen und nicht kleinlich sind, lasse ich Sie anschließend drin pennen. Wer hat mich denn so warm empfohlen, dass Sie gleich beim Reinschneien nach mir fragen?«

George erwiderte ihr Lachen. »Du bist also Daphne. Aber ich muss dich enttäuschen. Du wurdest mir nicht aufgrund übergroßer Diskretion empfohlen, sondern eher, weil du hier wahrscheinlich jeden kennst. Sagt dir der Name Lucas Warden etwas?«

Daphne runzelte die Stirn. »Auf Anhieb nicht. Aber irgendwie kommt er mir bekannt vor ... Ich hol mal Ihr Essen und denk dabei darüber nach.«

George hatte inzwischen ein paar Münzen aus der Tasche geholt, mit deren Hilfe er die Auskunftsbereitschaft Daphnes zu steigern hoffte. Das aber schien nicht nötig zu sein; das Mädchen spielte anscheinend nichts vor. Im Gegenteil, es strahlte, als es aus der Küche kam.

»Ein Mr. Warden war auf dem Schiff, mit dem ich aus England gekommen bin!«, erklärte sie eifrig. »Ich hab ja gewusst, dass ich den Namen kannte. Aber der Mann hieß nicht Lucas, sondern Harald oder so. Und er war schon älter. Wieso wollen Sie denn das alles wissen?«

George war verblüfft. Mit solchen Auskünften hätte er hier absolut nicht gerechnet. Aber gut, Daphne und ihre Familie waren offensichtlich wie Helen und Gwyneira mit der *Dublin* nach Christchurch gesegelt. Ein seltsames Zusammentreffen, aber ihm half es nicht unmittelbar weiter.

»Lucas Warden ist Geralds Sohn«, erwiderte George. »Ein großer, schlanker Mann, hellblond, graue Augen, sehr gute Umgangsformen. Und es gibt Grund zu der Annahme, dass er irgendwo hier an der Westcoast unterwegs ist.«

Daphnes offener Ausdruck wurde zu Misstrauen. »Und Sie sind hinter ihm her? Sind Sie Polizist oder so?«

George schüttelte den Kopf.

»Ein Freund«, erklärte er. »Ein Freund mit sehr guten Nachrichten. Ich bin überzeugt, Mr. Warden wäre erfreut, mich zu sehen. Falls Sie also doch was wissen ...«

Daphne zuckte die Schultern. »Wäre sowieso egal«, murmelte sie. »Aber wenn Sie es nun schon wissen wollen, es war ein Mann namens Luke hier – den Nachnamen weiß ich nicht –, aber auf den passt die Beschreibung. Wobei es jetzt, wie ich schon sagte, ohnehin egal ist. Luke ist tot. Aber wenn Sie wollen, können Sie mit David sprechen ... falls der mit

Ihnen reden will. Bis jetzt spricht er mit kaum jemandem. Er ist ziemlich fertig.«

George erschrak – und wusste im gleichen Moment, dass die Kleine Recht haben musste. So viele Männer wie Lucas Warden gab es garantiert nicht an der Westcoast, und dieses Mädchen war eine scharfe Beobachterin. George erhob sich. Das Sandwich, das Daphne gebracht hatte, sah zwar gut aus, doch ihm war der Appetit vergangen.

»Wo finde ich diesen David?«, fragte er. »Wenn Lucas ... wenn er wirklich tot ist, will ich das wissen. Gleich.«

Daphne nickte. »Tut mir Leid, Sir, wenn es wirklich Ihr Lucas ist. War ein netter Kerl. Bisschen seltsam, aber in Ordnung. Kommen Sie mit, ich bringe Sie zu David.«

Zu Georges Verwunderung führte sie ihn nicht aus dem Lokal, sondern die Treppe hinauf. Hier mussten sich die Zimmer des Stundenhotels befinden ...

»Ich dachte, Sie vermieten nicht langfristig«, meinte er, als das Mädchen zielstrebig einen plüschigen Salon durchquerte, von dem mehrere nummerierte Zimmer abgingen.

Daphne nickte. »Deshalb hat Miss Jolanda auch Zeter und Mordio geschrien, als ich David hinaufbringen ließ. Aber wo sollten die Leute denn hin mit ihm, so schwer krank, wie er war? 'nen Doc haben wir noch nicht. Der Barbier hat das Bein geschient, aber so fiebrig und halb verhungert konnten sie ihn doch nicht in den Stall legen! Also hab ich mein Zimmer zur Verfügung gestellt. Die Kunden mach ich jetzt zusammen mit Mirabelle, und die Alte zieht mir den halben Lohn als Zimmermiete ab. Dabei zahlen die Kerle ganz gern für das Doppel, ich nehm garantiert nicht weniger ein. Na ja, die Alte ist gierig wie 'n Höllenschlund. Ich hau auch bald ab hier. Wenn Davey gesund ist, nehm ich meine Kinder und such mir was Neues.«

Kinder hatte sie also auch schon. George seufzte. Das Mädchen musste ein hartes Leben führen! Dann aber konzentrierte George sich nur noch auf das Zimmer, das Daphne jetzt öffnete, und den jungen Mann, der auf dem Bett lag.

David war kaum mehr als ein Knabe. Er wirkte klein in dem plüschigen Doppelbett, und sein geschientes und dick bandagiertes rechtes Bein, das in einer komplizierten Konstruktion aus Stützen und Seilen hochgelagert war, verstärkte diesen Eindruck. Der Junge lag mit geschlossenen Augen da. Sein hübsches Gesicht unter dem wirren blonden Haar war blass und abgehärmt.

»Davey?«, fragte Daphne freundlich. »Hier ist Besuch für dich. Ein Herr aus …«

»Christchurch«, ergänzte George.

»Er will Luke gekannt haben. Davey, wie hieß Luke mit Nachnamen? Das weißt du doch?«

Für George, der inzwischen einen kurzen Blick durchs Zimmer geworfen hatte, war die Frage ohnehin schon beantwortet. Auf dem Nachttisch des Jungen lag ein Skizzenblock mit Zeichnungen, gehalten in einem absolut typischen Stil.

»Denward«, sagte der Junge.

Eine Stunde später kannte George die ganze Geschichte. David erzählte von Lucas' letzten Monaten als Bauarbeiter und Bauzeichner und schilderte schließlich ihre unselige Goldsuche.

»Es ist ganz allein meine Schuld!«, sagte er verzweifelt. »Luke wollte das alles gar nicht … und dann musste ich auch noch versuchen, diesen Felsen herunterzuklettern. Ich hab ihn umgebracht! Ich bin ein Mörder!«

George schüttelte den Kopf. »Du hast einen Fehler gemacht, Junge, vielleicht auch mehrere. Aber wenn es so war, wie du erzählt hast, war es ein Unfall. Hätte Lucas das Seil besser befestigt, wäre er noch am Leben. Du darfst dir nicht endlos Vorwürfe machen, damit ist keinem gedient.«

Im Stillen dachte er, dass dieser Unfall genau zu Lucas passte. Ein Künstler, hoffnungslos unfähig im praktischen Leben. Dabei so ein Talent, so eine Vergeudung!

»Wie bist du dann gerettet worden?«, fragte George. »Ich meine, wenn ich es recht verstanden habe, wart ihr doch ziemlich weit weg von hier.«

»Wir ... wir waren gar nicht so weit weg«, sagte David. »Wir hatten uns beide verrechnet. Ich dachte, wir wären bestimmt vierzig Meilen geritten, dabei waren es gerade mal fünfzehn. Aber zu Fuß hätte ich das trotzdem nicht geschafft ... mit dem verletzten Bein. Ich war sicher, sterben zu müssen. Aber erst ... erst hab ich Luke begraben. Gleich am Strand. Nicht sehr tief, fürcht ich, aber ... aber es gibt hier doch keine Wölfe, oder?«

George versicherte ihm, dass kein wildes Tier auf Neuseeland den Toten ausgraben würde.

»Und dann hab ich gewartet ... darauf gewartet, dass ich auch sterbe. Drei Tage, glaub ich ... irgendwann weiß ich nichts mehr, ich hatte dann Fieber, hab's auch nicht mehr zum Fluss geschafft, um Wasser zu trinken ... Aber inzwischen war unser Pferd nach Hause gekommen, da hat Mr. Miller sich wohl gedacht, dass was nicht stimmt. Wollte gleich einen Suchtrupp schicken, aber die Männer haben ihn ausgelacht. Luke ... Luke war nicht so geschickt mit Pferden, wissen Sie. Alle haben gedacht, er hat den Gaul einfach nicht richtig festgebunden, und er ist ihm weggelaufen. Aber als wir dann nicht wiederkamen, haben sie doch ein Boot raufgeschickt. Der Barbier ist sogar mitgefahren. Und sie haben mich gleich gefunden. Nur zwei Stunden paddeln, sagten sie. Ich hab da aber gar nichts von mitgekriegt. Als ich aufwachte, war ich hier ...«

George nickte und strich dem Jungen übers Haar. David wirkte so jung. George musste unweigerlich an das Kind denken, mit dem seine Elizabeth gerade schwanger ging. In ein paar Jahren würde er vielleicht auch so einen Sohn haben – so eifrig, so tapfer, aber hoffentlich unter einem besseren Stern geboren als dieser junge Mann hier. Was mochte Lucas in David gesehen haben? Den Sohn, den er sich wünschte? Oder eher den Liebhaber? George war nicht dumm, und er kam aus der Großstadt. Gleichgeschlechtliche Neigungen waren ihm nicht fremd, und Lucas' Auftreten – dazu Gwyneiras jahrelange Kinderlosigkeit – hatten von Anfang an den Verdacht in ihm geschürt, der junge Warden sei eher Knaben als Mädchen zugeneigt. Nun, ihn ging das nichts an. Und was David betraf, ließen die verliebten Blicke, die er Daphne zuwarf, keinen Zweifel an seiner sexuellen Orientierung. Daphne erwiderte diese Blicke jedoch nicht. Eine weitere unvermeidliche Enttäuschung für den Jungen.

George dachte kurz nach.

»Hör zu, David«, sagte er dann. »Lucas Warden ... Luke Denward ... war nicht so allein auf der Welt, wie du geglaubt hast. Er hatte Familie, und ich denke, seine Frau hat das Recht darauf, zu erfahren, wie er gestorben ist. Wenn es dir wieder gut geht, wird im Mietstall ein Pferd auf dich warten. Dann reitest du in die Canterbury Plains und suchst nach Gwyneira Warden auf Kiward Station. Wirst du das tun ... für Luke?«

David nickte ernsthaft. »Wenn Sie meinen, dass er es gewollt hätte.«

»Das hätte er sicher gewollt, David«, erwiderte George. »Und hinterher reitest du nach Christchurch und kommst in meine Firma. Greenwood Enterprises. Da wirst du zwar kein Gold finden, aber einen einträglicheren Job als den als Stallbursche. Wenn du ein kluger Junge bist – und das bist du bestimmt, sonst hätte Lucas dich nicht protegiert – kannst du es auf Dauer zu Wohlstand bringen.«

David nickte wieder, diesmal jedoch unwillig.

Daphne dagegen warf George einen freundlichen Blick zu.

»Sie werden ihm einen Job geben, in dem er sitzen kann,

nicht wahr?«, meinte sie, als sie den Besucher schließlich hinausführte. »Der Barbier sagt, er wird immer hinken, das Bein ist kaputt. Auf dem Bau und im Stall kann er nicht mehr arbeiten. Aber wenn Sie ihm eine Stelle im Büro beschaffen ... dann kommt er auch auf andere Gedanken, was Mädchen angeht. Es war gut für ihn, dass er nicht auf Luke abfuhr, aber ich bin auch nicht die passende Braut.«

Sie sprach ruhig und ohne jede Bitterkeit, und George verspürte ein leises Bedauern, dass dieses tatkräftige, kluge Geschöpf ein Mädchen war. Als Mann hätte Daphne in dem neuen Land ihr Glück machen können. Als Mädchen konnte sie nur das sein, was sie wohl auch in London geworden wäre – eine Hure.

Es sollte mehr als ein halbes Jahr vergehen, bevor Steinbjörn Sigleifson die Schritte seines Pferdes wirklich über die Auffahrt von Kiward Station lenkte. Der Junge hatte lange im Bett gelegen und dann erst mühsam wieder gehen lernen müssen. Außerdem war ihm der Abschied von Daphne und den Zwillingen schwer gefallen – auch wenn die Mädchen ihm jeden Tag zuredeten, nun endlich aufzubrechen. Letztendlich war ihm aber gar nichts anderes übrig geblieben. Miss Jolanda verlangte nachdrücklich, dass er das Zimmer in ihrem Bordell räumte, und Mr. Miller erlaubte ihm zwar, sein Lager wieder im Stall aufzuschlagen, aber eine Gegenleistung dafür konnte er nicht mehr erbringen. Überhaupt gab es in ganz Westport keine Arbeit für einen Krüppel – die hartgesottenen Coaster hatten ihm das schonungslos mitgeteilt. Dabei bewegte der Junge sich schon wieder ganz geschickt, doch er hinkte stark, und lange konnte er nicht auf den Beinen sein. Also war er schließlich losgeritten – und stand nun fassungslos vor Staunen vor der Fassade des Herrenhauses, in dem Lucas Warden gelebt hatte. Nach wie vor hatte er keine Ahnung, weshalb sein Freund Kiward Station verlassen hatte, aber er musste gewichtige Gründe gehabt haben, einen solchen Luxus aufzugeben. Gwyneira Warden mochte ein ziemlicher Drache sein! Steinbjörn – nachdem er Daphne verlassen hatte, sah er keinen Grund, weiter an dem Namen David festzuhalten – überlegte ernsthaft, unverrichteter Dinge kehrtzumachen. Wer konnte schon sagen, was er sich von Lukes Frau anhören musste! Womöglich machte auch sie ihn verantwortlich für dessen Tod.

»Was machst du hier? Nenn mir deinen Namen und dein Begehr!«

Steinbjörn fuhr zusammen, als er das helle Stimmchen hinter sich hörte. Es kam von unten aus dem Gebüsch, und der junge Isländer – aufgewachsen mit dem Glauben an Feen und Elfen, die in Steinen hausten – vermutete im ersten Moment einen Geist.

Das kleine Mädchen auf dem Pony, das dann hinter ihm auftauchte, machte allerdings einen recht diesseitigen Eindruck, auch wenn Reiterin und Pferd feenhaft zart wirkten. Steinbjörn hatte noch nie ein so kleines Pony gesehen, auch wenn die Pferde auf seiner Heimatinsel ebenfalls nicht groß waren. Aber diese winzige Rotschimmelstute – deren Farbe perfekt mit dem rotblonden Haar der kleinen Reiterin harmonierte – wirkte wie ein Vollblutpferd in Miniaturausgabe. Das Mädchen lenkte die Stute entschlossen neben ihn.

»Wird's bald?«, fragte sie frech.

Steinbjörn musste lachen. »Mein Name ist Steinbjörn Sigleifson, und ich suche die Lady Gwyneira Warden. Dies hier ist doch Kiward Station, nicht wahr?«

Das Mädchen nickte ernst. »Ja, aber jetzt ist Schafschur, da ist Mummy nicht im Haus. Gestern hat sie in Schuppen drei Aufsicht gemacht, heute ist sie in Nummer zwei. Sie wechselt sich mit dem Vorarbeiter ab. Großvater macht Schuppen eins.«

Steinbjörn wusste zwar nicht, wovon das Mädchen sprach, war aber überzeugt davon, dass die Kleine Recht hatte.

»Kannst du mich dahin bringen?«, erkundigte er sich.

Das Mädchen runzelte die Stirn. »Du bist ein Besucher, nicht? Also muss ich dich eigentlich ins Haus bringen, und da musst du deine Karte in die silberne Schale legen. Und dann kommt Kiri und heißt dich willkommen, und anschließend Witi, und dann gehst du in den kleinen Salon und kriegst Tee ... ach ja, und ich muss dich unterhalten, sagt Miss Helen. Das ist so was wie miteinander reden. Über das Wetter und so. Du bist doch ein Gentleman, oder?«

Steinbjörn verstand immer noch nichts, konnte dem Mädchen einen gewissen Unterhaltungswert aber nicht absprechen.

»Ich bin übrigens Fleurette Warden, und das ist Minty.« Sie wies auf das Pony.

Steinbjörn betrachtete das Kind gleich mit mehr Interesse. Fleurette Warden – das musste Lukes Tochter sein! Also hatte er auch dieses entzückende Kind verlassen ... Steinbjörn verstand seinen Freund immer weniger.

»Ich glaube, ich bin kein Gentleman«, beschied er die Kleine schließlich. »Jedenfalls hab ich keine Karte. Könnten wir nicht einfach ... ich meine, kannst du mich nicht einfach gleich zu deiner Mutter bringen?«

Fleurette schien auch nicht allzu viel Lust auf höfliche Konversation zu hegen und ließ sich erweichen. Sie setzte ihr Pony vor Steinbjörns Pferd, das sich anstrengen musste, mitzuhalten. Die kleine Minty machte kurze, aber recht schnelle Schritte, und Fleurette bewegte sie souverän. Auf dem kurzen Weg zu den Scherschuppen verriet sie ihrem neuen Freund, dass sie eben aus der Schule käme, wo sie eigentlich nicht allein hinreiten dürfte, aber zurzeit eben doch, weil während der Schafschur kein Begleiter abkömmlich war. Sie erzählte von ihrem Freund Ruben und ihrem kleinen Bruder Paul, den sie ziemlich dumm fand, weil er nicht redete, sondern nur schrie – vor allem, wenn Fleurette ihn in den Arm nahm.

»Der mag uns alle nicht, nur Kiri und Marama«, sagte sie. »Guck mal, da ist Schuppen zwei. Wetten, dass Mummy da drin ist?«

Die Scherschuppen waren langgestreckte Gebäude, die Platz für mehrere Pferche boten und es den Scherern ermöglichten, auch bei Regen im Trockenen zu arbeiten. Davor und dahinter befanden sich weitere Gatter, in denen die noch nicht geschorenen Schafe auf die Schur, die fertigen auf den Abtrieb zurück auf ihre Weiden warteten. Steinbjörn verstand kaum etwas von Schafen, hatte in seiner Heimat aber schon viele gesehen – und beim Vergleich mit ihnen fiel selbst dem Laien auf, dass er hier Spitzentiere vor sich hatte. Vor der Schur sahen die Schafe von Kiward Station wie saubere, flauschige Wollknäuel auf Beinen aus. Danach wurden sie durch ein Hygienebad getrieben und wirkten zwar etwas gerupft, aber doch gut genährt und munter. Fleurette war inzwischen abgestiegen und hatte ihr Pony mit einem fachmännischen Knoten vor dem Schuppen angebunden. Steinbjörn tat es ihr nach und folgte ihr nach innen, wo ihm sofort ein durchdringender Geruch nach Mist, Schweiß und Wollfett entgegenschlug. Fleurette schien ihn nicht zu bemerken. Sie schob sich zielsicher durch das geordnete Chaos aus Männern und Schafen. Steinbjörn beobachtete fasziniert, wie die Scherer die Tiere blitzschnell ergriffen, auf den Rücken legten und binnen kurzem von ihrer Wolle befreiten. Dabei schienen sie miteinander zu wetteifern. Sie riefen sich und vor allem der Aufsicht im Schuppen ständig triumphierend neue Zahlen zu.

Wer hier Buch führte, musste höllisch aufpassen. Doch die junge Frau, die zwischen den Männern umherging und deren Ergebnisse notierte, schien nicht überfordert. Entspannt scherzte sie mit den Scherern, und sie machte nicht den Anschein, als würden ihre Aufzeichnungen jemals angezweifelt.

Gwyneira Warden trug ein schlichtes graues Reitkleid und hatte ihr langes rotes Haar nachlässig zu einem Zopf geflochten. Sie war klein, aber offensichtlich ebenso energisch wie ihre Tochter – und als sie Steinbjörn jetzt ihr Gesicht zuwandte, war er verblüfft über so viel Schönheit. Was hatte Luke Warden bloß dazu getrieben, eine solche Frau zu verlassen? Steinbjörn konnte sich kaum satt sehen an ihren edlen Zügen, den sinnlichen Lippen und den faszinierenden, indigoblauen Augen. Er merkte erst, dass er sie anstarrte, als ihr Lächeln einem irritierten Ausdruck wich, und wandte sofort die Augen ab.

»Das ist Mummy. Und das ist Stein ... Stein ... irgendwas mit Stein«, versuchte Fleur sich an einer förmlichen Vorstellung.

Steinbjörn hatte sich inzwischen wieder gefangen und hinkte auf Gwyneira zu.

»Lady Warden? Steinbjörn Sigleifson. Ich komme aus Westport. Mr. Greenwood bat mich ... nun, ich war mit Ihrem verstorbenen Mann zusammen, als ...« Er hielt ihr die Hand hin.

Gwyneira nickte. »Mrs. Warden, nicht Lady«, verbesserte sie mechanisch, während sie ihn begrüßte. »Aber seien Sie willkommen. George erwähnte tatsächlich ... aber hier können wir uns nicht unterhalten. Warten Sie einen Augenblick.«

Die junge Frau schaute sich suchend um, entdeckte dann einen älteren, dunkelhaarigen Mann unter den Scherern und wechselte kurz ein paar Worte mit ihm. Dann verkündete sie den Männern im Schuppen, dass Andy McAran von nun an die Aufsicht übernehmen werde.

»Und ich erwarte, dass ihr den Vorsprung haltet! Bislang liegt dieser Schuppen deutlich in Führung vor eins und drei. Lasst euch das nicht wegnehmen! Ihr wisst: Den Siegern winkt ein Fass besten Whiskeys!« Sie winkte den Männern freundlich und wandte sich dann Steinbjörn zu. »Kommen Sie, gehen wir ins Haus. Aber vorher suchen wir meinen Schwiegervater. Er sollte auch hören, was Sie zu sagen haben.«

Steinbjörn folgte Gwyn und ihrer Tochter zu den Pferden. Dort stieg Gwyneira rasch und ohne Hilfe auf eine kräftige braune Stute. Der Junge bemerkte jetzt auch die Hunde, die ihr ständig folgten.

»Werdet ihr nicht gebraucht, Finn und Flora? Ab mit euch in den Schuppen. Du kommst mit, Cleo.« Die junge Frau scheuchte zwei der Collies zurück zu den Schafscherern; die dritte, eine ältere Hündin, die um die Nase herum allmählich grau wurde, schloss sich den Reitern an.

Schuppen eins, wo Gerald die Aufsicht führte, befand sich westlich vom Haupthaus. Die Reiter hatten eine knappe Meile zurückzulegen. Gwyneira ritt schweigend, und Steinbjörn richtete das Wort ebenfalls nicht an sie. Nur Fleur sorgte für allgemeine Unterhaltung, indem sie aufgeregt von der Schule berichtete, in der es heute offensichtlich zu einem Streit gekommen war.

»Mr. Howard war ganz böse mit Ruben, weil er in der Schule war und ihm nicht mit den Schafen geholfen hat. Wo die Scherer doch in ein paar Tagen kommen. Mr. Howard hat noch Schafe auf den Hochweiden, und die sollte Ruben wohl holen, aber Ruben ist schrecklich ungeschickt mit Schafen! Ich hab ihm gesagt, ich komm ihm morgen helfen. Ich bring Finn oder Flora mit, dann geht das wie der Wind ...«

Gwyneira seufzte. »Mal abgesehen davon, dass O'Keefe nicht sonderlich begeistert davon sein wird, dass eine Warden mit ein paar Silkham-Collies seine Schafe eintreibt, während sein Sohn Latein lernt ... Pass auf, dass er nicht auf dich schießt!«

Steinbjörn fand die Ausdrucksweise der Mutter ebenso seltsam wie die der Tochter, aber Fleur schien zu verstehen.

»Er meint, Ruben müsste das alles gern tun, weil er ein Junge ist«, bemerkte Fleurette.

Gwyn seufzte nochmals und verhielt ihr Pferd vor dem nächsten Scherschuppen, der dem anderen aufs Haar glich. »Da ist er nicht der Einzige. Hier ... kommen Sie, Mr. Sigleifson, hier arbeitet mein Schwiegervater. Oder warten Sie lieber hier, ich hole ihn raus. Da drin herrscht genauso ein Krach wie in meinem ...«

Doch Steinbjörn war schon abgestiegen und folgte ihr in den Schuppen. Es wäre nicht höflich gewesen, den alten Mann gleich vom Sattel aus zu begrüßen. Außerdem hasste er es, wenn die Menschen aufgrund seines Hinkens Rücksicht auf ihn nahmen.

In Schuppen eins herrschte ein genauso reges, lärmendes Treiben wie in Gwyneiras Abteilung, doch die Atmosphäre schien hier anders – deutlich gespannter, nicht so freundlich. Die Männer schienen auch weniger motiviert, eher getrieben und gehetzt. Und der kräftige ältere Mann, der sich zwischen den Scherern bewegte, tadelte auch eher, statt zu scherzen. Dazu standen eine halb volle Flasche Whiskey und ein Glas neben der Tafel, auf der er die Ergebnisse notierte. Er nahm eben einen weiteren Schluck, als Gwyneira eintrat und ihn ansprach.

Steinbjörn sah in ein aufgedunsenes, vom Whiskey gezeichnetes Gesicht und blutunterlaufene Augen.

»Was machst du denn hier?«, blaffte er Gwyneira an. »Schon fertig mit den fünftausend Schafen in Schuppen zwei?«

Gwyneira schüttelte den Kopf. Steinbjörn bemerkte ihren zugleich besorgten und vorwurfsvollen Blick auf die Flasche.

»Nein, Gerald, Andy macht die Aufsicht. Ich wurde abberufen. Und ich denke, du solltest auch kommen. – Gerald, dies ist Mr. Sigleifson. Er ist gekommen, um uns von Lucas' Tod zu berichten.« Sie stellte Steinbjörn vor, doch das Gesicht des alten Mannes spiegelte nur Verachtung.

»Und deshalb lässt du den Schuppen im Stich? Um zu hören, was der Lustknabe deines schwanzlutschenden Gatten zu sagen hat?«

Gwyneira wirkte erschrocken, doch zu ihrer Erleichterung schaute ihr junger Besucher verständnislos. Ihr war vorhin schon sein nordischer Akzent aufgefallen – wahrscheinlich hatte er die Worte überhört oder gar nicht verstanden.

»Gerald, der junge Mann hat Lucas als Letzter lebend gesehen ...« Sie versuchte es noch einmal mit Ruhe, doch der Alte funkelte sie an.

»Und hat ihn wohl zum Abschied noch geküsst, was? Verschone mich mit diesen Geschichten, Gwyn. Lucas ist tot. Er soll in Frieden ruhen, aber lass mir bitte auch meine Ruhe! Und den Kerl da will ich nicht mehr in meinem Haus sehen, wenn ich hier fertig bin!«

Warden wandte sich ab.

Gwyneira führte Steinbjörn mit entschuldigendem Ausdruck hinaus. »Verzeihen Sie, aus meinem Schwiegervater spricht der Whiskey. Er hat es niemals verwunden, dass Lucas ... nun, dass er war, wie er war, und dass er letztlich die Farm verlassen hat ... desertiert ist, wie Gerald es ausdrückt. Dabei hatte er selbst weiß Gott seinen Anteil daran. Aber das sind alte Geschichten, Mr. Sigleifson. Ich danke Ihnen jedenfalls, dass Sie da sind. Gehen wir ins Haus, Sie können sicher eine Erfrischung vertragen ...«

Steinbjörn wagte das Herrenhaus kaum zu betreten. Er war sicher, dort einen Fehler nach dem anderen zu machen. Luke hatte ihn mitunter auf korrekte Tischsitten und Regeln der Höflichkeit aufmerksam gemacht, und auch Daphne schien sich in der Hinsicht auszukennen. Aber er selbst hatte keine Ahnung und fürchtete, sich schrecklich vor Gwyneira zu blamieren. Die jedoch führte ihn ganz selbstverständlich durch eine Seitentür hinein, nahm ihm die Jacke ab und klingelte dann auch nicht nach dem Mädchen, sondern traf gleich im Salon auf die Kinderfrau Kiri. Neuerdings sperrte Gerald sich nicht mehr dagegen, dass die junge Frau die Kinder beim Putzen und sonstigen Hausarbeiten mit sich herumschleppte. Wenn er Kiri in die Küche verbannte, so war ihm schließlich klar geworden, würde auch Paul dort aufwachsen.

Gwyneira begrüßte Kiri freundlich und nahm eins der Babys aus dem Tragekorb.

»Mr. Sigleifson, mein Sohn Paul«, stellte sie vor, doch die letzten Worte gingen im ohrenbetäubenden Geschrei des Babys unter. Paul schätzte es gar nicht, von der Seite seiner Ziehschwester Marama gerissen zu werden.

Steinbjörn stellte inzwischen Überlegungen an. Paul war noch ein Baby. Er musste während Lukes Abwesenheit geboren worden sein.

»Ich geb's auf«, seufzte Gwyneira und legte das Kind in sein Körbchen zurück. »Kiri, würdest du die Kinder bitte mitnehmen – Fleur auch, sie muss noch was essen, und was wir zu bereden haben, ist nicht für ihre Ohren bestimmt. Und vielleicht machst du uns einen Tee – oder Kaffee, Mr. Sigleifson?«

»Sagen Sie bitte Steinbjörn ...«, meinte der Junge schüchtern. »Oder David. Luke hat mich David genannt.«

Gwyneiras Blick streifte seine Züge und sein wirres Haar. Dann lächelte sie. »Er war immer ein bisschen neidisch auf Michelangelo«, bemerkte sie dann. »Kommen Sie, setzen Sie sich. Sie hatten einen langen Ritt ...«

Zu seiner Verwunderung fand Steinbjörn die Unterhaltung mit Gwyneira Warden gar nicht so schwierig. Er hatte zunächst befürchtet, sie hätte noch nichts von Lucas' Tod gewusst, doch George Greenwood hatte wohl schon vorgearbeitet. Gwyneira hatte die erste Trauer längst überwunden und fragte nur teilnahmsvoll nach Steinbjörns Zeit mit ihrem

Mann, wie er ihn kennen gelernt hatte und wie seine letzten Monate verlaufen waren.

Schließlich schilderte Steinbjörn die Umstände seines Todes, nicht ohne sich erneut die Schuld zu geben.

Doch Gwyneira sah die Angelegenheit ähnlich wie Greenwood und drückte sich eher noch drastischer aus. »Sie können doch nichts dafür, dass Lucas unfähig war, einen Knoten zu binden. Er war ein guter Mensch, ich habe ihn weiß Gott geschätzt. Und wie es aussieht, war er wohl auch ein sehr begabter Künstler. Aber hoffnungslos lebensuntüchtig. Dabei ... ich glaube, er hat sich immer gewünscht, auch einmal ein Held zu sein. Und das hat er am Ende erreicht, nicht wahr?«

Steinbjörn nickte. »Alle sprechen mit großer Hochachtung von ihm, Mrs. Warden. Die Leute überlegen, ob sie nicht den Felsen nach ihm benennen. Den Felsen, den ... den wir heruntergestürzt sind.«

Gwyneira war gerührt. »Ich glaube, mehr hat er sich nie gewünscht«, sagte sie leise.

Steinbjörn befürchtete schon, sie würde in Tränen ausbrechen, wo er doch keine Ahnung hatte, wie man eine Lady formvollendet tröstete. Dann aber fing sie sich doch wieder und fragte den jungen Mann weiter aus. Zu seiner Verwunderung erkundigte sie sich ausgiebig nach Daphne, an die sie sich noch gut erinnerte. Nach Greenwoods Bericht über sein Treffen mit dem Mädchen hatte Helen sofort nach Westport geschrieben, aber bislang noch keine Antwort erhalten. Steinbjörn bestätigte jetzt ihre Annahme, die rothaarige Daphne in Westport sei mit ihrem früheren Zögling identisch, und er berichtete auch von den Zwillingen. Gwyneira war ganz aus dem Häuschen, als sie von Laurie und Mary hörte.

»Also hat Daphne die Mädchen gefunden! Wie hat sie das bloß geschafft? Und sie sind alle wohlauf? Daphne sorgt für sie?«

»Nun ja, sie ...« Steinbjörn wurde ein bisschen rot. »Sie ... tun auch selbst was. Sie tanzen. Hier ... hier, Luke hat sie gemalt.« Der Junge hatte seine Satteltaschen mit hereingebracht und suchte jetzt nach einer Mappe, in der er anschließend herumblätterte. Erst als er die Zeichnungen schon herauszog, schien ihm klar zu werden, dass sie wohl kaum für die Augen einer Lady bestimmt waren. Gwyneira jedoch zuckte mit keiner Wimper, als sie einen Blick darauf warf. Um die Galerien in London zu beschicken, hatte sie Lucas' Arbeitszimmer inzwischen gründlich durchforstet und war längst nicht mehr so unschuldig wie noch vor ein paar Monaten. Lucas hatte schon vorher Akte gemalt – zuerst Jungen, deren Posen denen des »David« glichen, aber auch Männer in eindeutigeren Stellungen. Einige der Bilder zeigten Spuren häufigen Gebrauchs. Lucas hatte sie wohl immer wieder herausgenommen, angesehen und ...

Gwyneira fiel auf, dass auch die Aktbilder der Zwillinge, und vor allem eine Studie der jungen Daphne, Fingerabdrücke zeigten. Lucas? Wohl kaum!

»Daphne gefällt Ihnen wohl?«, fragte sie ihren jungen Besucher vorsichtig.

Steinbjörn errötete noch tiefer. »Oh ja, sehr! Ich wollte sie heiraten. Aber sie will mich nicht.« Aus der Stimme des Jungen klang aller Schmerz des verschmähten Liebhabers. Niemals war dieser junge Mann Lucas' »Lustknabe« gewesen!

»Sie werden ein anderes Mädchen heiraten«, sagte Gwyneira tröstend. »Sie ... Sie mögen doch Mädchen?«

Steinbjörn blickte sie mit einem Gesichtsausdruck an, als wäre das die dümmste Frage, die ein Mensch stellen konnte. Dann gab er bereitwillig weitere Auskünfte zu seinen Zukunftsplänen. Er würde George Greenwood aufsuchen und in dessen Firma eintreten.

»Eigentlich wollte ich ja lieber Häuser bauen«, meinte er betrübt. »Ich wollte Architekt werden. Luke sagte, ich sei begabt. Aber dazu müsste ich nach England, Schulen besuchen, und das kann ich mir nicht leisten. Aber hier, noch etwas …«

Steinbjörn verschloss Lucas' Skizzenmappe und schob sie Gwyneira hinüber. »Ich hab Ihnen Lukes Bilder mitgebracht. All die Zeichnungen … Mr. Greenwood meint, die wären vielleicht wertvoll. Ich will mich nicht daran bereichern. Wenn ich nur vielleicht eine behalten könnte. Die von Daphne …«

Gwyneira lächelte. »Sie können selbstverständlich alle behalten. Lucas hätte das sicher gewollt …« Sie überlegte kurz und schien dann einen Entschluss zu fassen. »Ziehen Sie Ihre Jacke an, David, wir reiten nach Haldon. Es gibt da noch etwas, das Lucas gewollt hätte.«

Der Direktor der Bank von Haldon schien Gwyneira für verwirrt zu halten. Er fand tausend Gründe, sich ihrem Wunsch zu widersetzen, beugte sich schließlich aber ihrer entschlossenen Forderung. Widerwillig schrieb er das Konto, auf das Lucas' Einkünfte aus den Bilderverkäufen eingingen, auf Steinbjörn Sigleifsons Namen um.

»Sie werden das noch bereuen, Mrs. Warden! Da häuft sich ein Vermögen an. Ihre Kinder …«

»Meine Kinder haben bereits ein Vermögen. Sie sind die Erben von Kiward Station, und zumindest meine Tochter macht sich nicht das Geringste aus Kunst. Wir brauchen das Geld nicht, aber dieser Junge hier war Lucas' Schüler. Ein … Seelenverwandter sozusagen. Er braucht das Geld, er weiß es zu schätzen, und er soll es haben! Hier, David, müssen Sie unterschreiben. Mit vollem Namen, das ist wichtig.«

Steinbjörn stockte der Atem, als er die Summe auf dem Konto sah. Doch Gwyneira nickte ihm nur freundlich zu. »Nun machen Sie schon, ich muss zurück in meinen Scherschuppen, das Vermögen meiner Kinder mehren! Und Sie kümmern sich in London am besten selbst um diese Galerie. Damit sie Sie nicht übervorteilen, wenn Sie die restlichen Bilder verkaufen. Sie sind jetzt sozusagen Verwalter von Lucas' künstlerischem Erbe. Also machen Sie was draus!«

Steinbjörn Sigleifson zögerte nicht länger, sondern setzte seinen Namen unter das Dokument.

Lucas' »David« hatte seine Goldmine gefunden.

# ANKUNFT

*Canterbury Plains – Otago*
*1870–1877*

# 1

»Paul, Paul, wo steckst du denn schon wieder?«

Helen rief nach dem aufmüpfigsten unter ihren Schülern, obwohl sie genau wusste, dass der Junge sie kaum hören würde. Paul Warden spielte bestimmt nicht friedlich mit den Maori-Kindern in unmittelbarer Nähe ihres improvisierten Schulhauses. Wenn er verschwand, bedeutete das in aller Regel Schwierigkeiten. Entweder prügelte er sich irgendwo mit seinem Erzfeind Tonga – dem Häuptlingssohn des auf Kiward Station siedelnden Maori-Stammes –, oder er lauerte Ruben und Fleurette auf, um ihnen irgendwelche Streiche zu spielen. Dabei waren seine Einfälle nicht immer komisch. Ruben war ziemlich verzweifelt gewesen, als Paul neulich ein Tintenfass über sein neuestes Buch ausgeschüttet hatte. Das war nicht nur deshalb ärgerlich, weil der Junge sich diese Gesetzessammlung lange gewünscht und erst jetzt durch George Greenwood aus England bekommen hatte, sondern auch, weil das Buch äußerst wertvoll war. Gwyneira hatte ihnen das Geld natürlich ersetzt, war aber ebenso erschrocken über die Tat ihres Sohnes wie Helen.

»Er ist doch gar nicht mehr so klein!«, erregte sie sich, während der elfjährige Paul ungerührt daneben stand. »Paul, du wusstest, was das Buch gekostet hat! Und das war kein Versehen! Meinst du, auf Kiward Station wächst das Geld an den Bäumen?«

»Nö, aber an den Schafen!«, entgegnete Paul nicht ganz unrichtig. »Und wir können uns jede Woche so 'n blöden Schinken leisten, wenn wir bloß Lust darauf haben!« Dabei funkelte er Ruben boshaft an. Der Junge wusste genau, wie es um die wirtschaftliche Lage in den Canterbury Plains stand. Howard O'Keefe verdiente zwar erheblich besser, seit Greenwood Enterprises ihn protegierte, doch von Geralds Ehrentitel Schaf-Baron war er weit entfernt. Die Herden und der Wohlstand auf Kiward Station waren auch in den letzten zehn Jahren stetig gewachsen, und für Paul Warden gab es tatsächlich fast keinen Wunsch, der unerfüllt blieb. Dabei stand ihm der Sinn weniger nach Büchern. Paul wollte lieber das schnellste Pony, freute sich an Spielzeuggewehren und Pistolen – und hätte wohl auch schon ein eigenes Luftgewehr besessen, hätte George Greenwood es bei seinen Bestellungen in England nicht immer wieder »vergessen«. Helen betrachtete Pauls Entwicklung mit Sorge. Ihrer Ansicht nach wurden dem Jungen zu wenig Grenzen gesetzt. Sowohl Gwyneira als auch Gerald machten ihm zwar teure Geschenke, kümmerten sich sonst aber kaum um ihn. Auch dem Einfluss seiner Pflegemutter Kiri war Paul bereits weitgehend entwachsen. Er hatte sich längst die Ansicht seines vergötterten Großvaters zu Eigen gemacht, die weiße Rasse sei den Maoris überlegen. Das war letztlich auch immer wieder Anlass für die endlosen Streitereien mit Tonga. Der Häuptlingssohn war genauso selbstsicher wie der Erbe des Schaf-Barons, und die Jungen stritten erbittert darum, wem das Land gehörte, auf dem sowohl Tongas Leute als auch die Wardens lebten. Helen beunruhigte auch das. Tonga würde höchstwahrscheinlich einmal die Nachfolge seines Vaters antreten, so wie Paul Gerald beerbte. Wenn dann immer noch Feindschaft zwischen den Männern bestand, konnte es schwierig werden. Und jede blutige Nase, mit der einer der Jungen nach Hause kam, vertiefte die Kluft zwischen ihnen.

Wenigstens gab es Marama. Das beruhigte Helen ein wenig, denn Kiris Tochter, Pauls »Ziehschwester«, hatte eine Art sechsten Sinn für die Zusammenstöße der Jungs und pflegte auf jedem Kampfplatz aufzutauchen, um zu schlichten. Wenn sie hier gerade harmlos Hüpfspiele mit ein paar Freundinnen machte, hatten Paul und Tonga sich zurzeit wohl nicht in der Wolle. Marama lächelte Helen denn auch verschwörerisch zu. Sie war ein entzückendes Kind, zumindest nach Helens Maßstäben. Ihr Gesicht war schmaler als das der meisten Maori-Mädchen, und ihr samtiger Teint war schokoladenfarben. Tätowierungen trug sie noch nicht, sie würde wahrscheinlich auch nie nach traditioneller Sitte geschmückt werden. Die Maoris gingen immer mehr von diesem Brauch ab und trugen auch kaum noch traditionelle Kleidung. Sie waren sichtlich bemüht, sich den *pakeha* anzupassen – was Helen einerseits erfreulich fand, was sie manchmal aber auch mit einem unbestimmten Bedauern erfüllte.

»Wo ist Paul, Marama?«, wandte Helen sich nun direkt an das Mädchen. Paul und Marama kamen gewöhnlich zusammen zum Unterricht aus Kiward Station. Wenn Paul sich über irgendetwas geärgert hätte und vorzeitig heimgeritten wäre, wüsste sie das.

»Weggeritten, Miss Helen. Er ist einem Geheimnis auf der Spur«, verriet Marama mit heller Stimme. Die Kleine war eine gute Sängerin, ein Talent, das bei ihrem Volk geschätzt war.

Helen seufzte. Sie hatten gerade ein paar Bücher gelesen, in denen sich es um Piraten und Schatzsuche, geheimnisvolle Länder und Gärten drehte, und nun suchten alle Mädchen nach verzauberten Rosengärten, während die Jungen begeistert Schatzkarten zeichneten. Ruben und Fleur hatten das in diesem Alter auch getan, doch bei Paul musste man immer die Befürchtung hegen, dass seine Geheimnisse nicht gar so harmlos waren. Vor kurzem zum Beispiel hatte er Fleurette in helle Aufregung versetzt, indem er ihr geliebtes Pferd Minette, eine Tochter der Ponystute Minty mit dem Zuchthengst Madoc, entführt und im Rosengarten von Kiward Station versteckt hatte. Seit Lucas' Tod wurde die Anlage kaum noch gepflegt, und natürlich kam niemand darauf, das Pferd dort zu suchen – zumal Minette auch vom Hof der O'Keefes und nicht aus ihrem eigenen Stall entführt worden war. Helen starb bereits tausend Tode bei dem Gedanken, dass Gerald sicher ihren Mann für den Verlust des wertvollen Tieres verantwortlich machen würde. Schließlich hatte Minette selbst auf sich aufmerksam gemacht, indem sie wieherte und im Garten herumgaloppierte. Das geschah aber erst, nachdem sie sich in dem von Gras überwucherten Geviert gründlich satt gefressen hatte – Stunden, in denen die verzweifelte Fleurette ihr Pferd im Hochland herumirren oder gar von Viehdieben entführt wähnte.

Überhaupt Viehdiebe ... das war auch so ein Thema, das die Farmer in den Canterbury Plains seit einigen Jahren beunruhigte. Während die Neuseeländer sich noch vor einer Dekade damit gerühmt hatten, nicht wie die Australier von Sträflingen abzustammen, sondern eine Gesellschaft rechtschaffener Siedler zu bilden, zeigten sich jetzt auch hier kriminelle Elemente. Im Grunde kein Wunder – der reiche Viehbestand von Farmen wie Kiward Station und das stetig wachsende Vermögen ihrer Besitzer weckten Begehrlichkeiten. Zumal der Aufstieg für neue Einwanderer heute nicht mehr so einfach war. Die ersten Familien waren etabliert, das Land nicht mehr umsonst oder fast umsonst zu haben, der Walfang und die Seehundbänke weitgehend ausgeschöpft. Allerdings kam es immer noch zu spektakulären Goldfunden. Nach wie vor war es also möglich, auch aus dem Nichts heraus sein Glück zu machen – nur nicht unbedingt in den Canterbury Plains. Aber gerade das Alpenvorland und die Herden der großen Vieh-Barone wurden in der letzten Zeit zum Operationsgebiet und zum Opfer brutaler Viehdiebe. Und das alles hatte mit einem Mann angefangen, der für Helen und die Wardens ein alter Bekannter war: James McKenzie.

Helen hatte es zunächst gar nicht glauben wollen, als Howard fluchend aus dem Pub nach Hause kam und den Namens von Geralds einstigem Vormann nannte.

»Weiß der Geier, weshalb Warden den Kerl an die Luft gesetzt hat, aber jetzt kriegen wir alle die Quittung. Die Arbeiter reden von ihm, als wäre er ein Held. Klaut nur die besten Tiere, sagen sie, die von den reichen Säcken. Die Viecher der kleinen Farmer lässt er laufen. Was für ein Blödsinn! Wie will er das denn unterscheiden? Aber sie haben eine diebische Freude daran. Würde mich nicht wundern, wenn sich um den Kerl demnächst 'ne Bande bildet.«

»Wie Robin Hood«, war Helens erster Gedanke gewesen; dann aber hatte sie sich für ihre romantischen Anfälle gerügt. Auch die Verklärung des Viehdiebes durch die einfachen Leute gehörte für sie ins Reich der Fantasie.

»Wie soll ein Mann das allein geregelt bekommen«, bemerkte sie Gwyn gegenüber. »Die Schafe zusammentreiben, aussondern, scheren, über die Berge bringen ... Dafür braucht man doch einen ganzen Trupp.«

»Oder einen Hund wie Cleo ...«, erklärte Gwyneira unbehaglich und dachte an den Welpen, den sie James zum Abschied geschenkt hatte. McKenzie war ein begnadeter Hundeführer. Sicher stand Friday ihrer Mutter inzwischen kaum nach – mehr noch, sie hatte sie längst überrundet. Cleo war mittlerweile uralt und fast taub. Sie klebte zwar immer noch an Gwyn wie ihr Schatten, doch als Arbeitshund konnte man sie nicht mehr einsetzen.

Es dauerte dann auch nicht mehr lange, bis die Lobeshymnen auf James McKenzie seinen genialen Sheepdog mit einbezogen. Für Gwyn gab es keinen Zweifel mehr, als erstmals Fridays Name fiel.

Gerald machte zum Glück keine Bemerkung über James' Fähigkeiten als Schäfer und das Fehlen des Welpen, das er damals eigentlich bemerkt haben musste. Andererseits waren Gerald und Gwyneira in jenem unglückseligen Jahr andere Dinge im Kopf herumgegangen. Wahrscheinlich hatte der Schaf-Baron den kleinen Hund einfach vergessen. Jedenfalls verlor er jetzt Jahr für Jahr etliche Stück Vieh durch McKenzies Treiben – ebenso wie Howard, die Beasleys und alle anderen größeren Schafzüchter. Helen hätte gern gewusst, wie Gwyneira darüber dachte, aber die Freundin erwähnte McKenzie mit keinem Wort, wenn es sich irgendwie vermeiden ließ.

Helen hatte nun genug von ihrer sinnlosen Suche nach Paul. Sie würde mit dem Unterricht beginnen, egal ob er dabei war oder nicht. Die Wahrscheinlichkeit, dass er noch irgendwann erschien, war ohnehin ziemlich groß. Paul respektierte Helen; vielleicht war sie der einzige Mensch, dem er überhaupt gehorchte, und manchmal glaubte sie, dass seinen ständigen Attacken gegen Ruben, Fleurette und Tonga auch Eifersucht zugrunde lag. Der aufgeweckte Häuptlingssohn gehörte zu ihren Lieblingsschülern, und Ruben und Fleurette nahmen ohnehin eine Sonderstellung ein. Paul dagegen war zwar nicht dumm, machte aber kaum durch besondere schulische Leistungen auf sich aufmerksam. Er spielte lieber den Klassenclown – und machte damit sowohl sich selbst als auch Helen das Leben schwer.

Heute bestand allerdings kaum die Chance, dass Paul die Schule noch irgendwann während des Unterrichts erreichte. Dafür war der Junge schon zu weit weg; er hatte sich, gleich als Ruben sich verschwörerisch an seine Schwester Fleur wandte, an die Fersen der beiden Älteren geheftet. Geheimnisse, das wusste er schon, rankten sich fast immer um irgendetwas Verbotenes, und für Paul gab es nichts Schöneres, als Fleur bei irgendeinem kleinen Vergehen zu ertappen. Er hatte dann keinerlei Hemmungen, es auszuplaudern, auch wenn die Ergebnisse dabei selten zufrieden stellend waren. Besonders Kiri bestrafte die Kinder eigentlich nie, und auch Pauls Mutter war ziemlich langmütig, wenn sie Fleurette beim Flunkern erwischte oder wenn bei ihren wilden Spielen mal eine Vase oder ein Glas zu Bruch gingen. Paul selbst passierten solche Missgeschicke selten. Er war von Natur aus geschickt; außerdem war er praktisch bei den Maoris aufgewachsen. Der geschmeidige Gang des Jägers, die Fähigkeit, sich nahezu lautlos an die Beute anzuschleichen – all das hatte er ebenso gelernt wie sein Rivale Tonga. Die Maori-Männer machten keinen Unterschied zwischen dem kleinen *pakeha* und ihrem eigenen Nachwuchs. Wenn Kinder da waren, kümmerte man sich um sie, und es gehörte zu den Aufgaben der Jäger, die Jungen in ihre Künste einzuweisen, ebenso wie die Frauen die Mädchen unterrichteten. Paul hatte immer zu ihren begabtesten Schülern gehört, und nun halfen ihm diese Fertigkeiten, unbemerkt hinter Fleurette und Ruben herzuschleichen. Schade nur, dass es hier höchstwahrscheinlich um ein Geheimnis des jungen O'Keefe ging, statt um einen Fehler seiner Schwester. Bestimmt würde Miss Helens Strafe nicht so hart ausfallen, dass es sich lohnte, dafür ihre Strafpredigt fürs Petzen auf sich zu nehmen. Eine bessere Wirkung hätte es erzielt, den Jungen bei seinem Vater zu verpfeifen, doch an Howard O'Keefe traute Paul sich nicht heran. Er wusste, dass Helens Mann und sein Großvater einander nicht mochten, und Geralds Feinden würde Paul nicht zuarbeiten, das war Ehrensache! Paul hoffte nur, dass sein Großvater das auch zu schätzen wusste. Er versuchte ständig, Gerald zu imponieren, aber meist sah der alte Warden einfach über ihn hinweg. Paul nahm ihm das nicht übel. Sein Großvater hatte Wichtigeres zu tun, als mit kleinen Jungen zu spielen – auf Kiward Station war Gerald Warden schließlich fast so etwas wie der liebe Gott. Aber irgendwann würde Paul einen ganz großen Wurf landen, und dann würde Gerald ihn bemerken müssen! Der Junge wünschte sich nichts mehr, als von ihm gelobt zu werden.

Nun aber Ruben und Fleurette – was mochten die zu verschleiern haben? Paul war schon misstrauisch geworden, als

Ruben nicht sein eigenes Pferd genommen hatte, sondern vor Fleurette auf Minette geklettert war. Überhaupt – eine seltsame Art zu reiten! Minette trug keinen Sattel, sodass beide Reiter Platz auf ihrem Rücken hatten. Ruben saß vorn und führte die Zügel; Fleurette hatte sich hinter ihm platziert und schmiegte den Oberkörper an ihn, sogar die Wange hielt sie an seinen Rücken gepresst und die Augen geschlossen. Ihr lockiges, rotgoldenes Haar fiel offen über ihre Schultern – Paul erinnerte sich, dass einer der Viehtreiber gesagt hatte, die Kleine sähe zum Anbeißen aus. Das musste bedeuten, dass der Kerl es gern mit ihr getrieben hätte. Wobei Paul bislang nur unbestimmte Vorstellungen darüber hatte, wie das ging. Doch eins stand fest: Fleurette wäre wohl die Letzte, die ihm dazu einfiele. Das Wort Schönheit im Zusammenhang mit seiner Schwester war für Paul undenkbar. Warum kuschelte sie sich wohl so an Ruben? Ob sie Angst hatte, herunterzufallen? Eigentlich unwahrscheinlich, Fleurette war eine äußerst sichere Reiterin.

Es half nichts, Paul musste näher heran und mithören, was die beiden tuschelten. Wie dumm, dass sein Pony Minty so schnelle und kurze Schritte machte! Es war kaum möglich, sie im Gleichschritt mit Minette zu bewegen und damit weniger aufzufallen. Allerdings waren Fleurette und Ruben offensichtlich völlig arglos. Sie hätten die Hufschläge hören müssen, achteten aber nicht darauf. Lediglich Gracie, Fleurs Hütehündin, die ihrer Herrin so selbstverständlich folgte wie Cleo ihrer Mutter, warf argwöhnische Seitenblicke ins Gebüsch. Doch Gracie würde nicht anschlagen, schließlich kannte sie Paul.

»Denkst du, wir finden diese vermaledeiten Schafe?«, fragte Ruben gerade. Seine Stimme klang nervös, beinahe ängstlich.

Fleurette hob ihr Gesicht sichtlich ungern von seinem Rücken.

»Ja, sicher«, murmelte sie. »Keine Sorge. Gracie treibt die im Handumdrehen zusammen. Wir ... hätten sogar noch Zeit für eine Pause.«

Paul bemerkte verblüfft, wie ihre Hände an Rubens Hemd herumspielten und ihre Finger sich durch die Knopfleiste auf seine nackte Brust vortasteten.

Der Junge schien nicht abgeneigt. Er griff sogar kurz nach hinten und streichelte über Fleurs Hals. »Ach, ich weiß nicht ... die Schafe ... mein Vater bringt mich um, wenn ich sie nicht zurückbringe.«

Das war es also. Ruben waren wieder mal die Schafe ausgebüxt. Paul konnte sich auch gut vorstellen, welche es waren. Er hatte schon gestern auf dem Schulweg gesehen, wie dilettantisch der Zaun am Pferch für die jungen Widder geflickt worden war.

»Hast du den Zaun denn jetzt wenigstens in Ordnung gebracht?«, fragte Fleur. Die beiden Reiter erreichten eben einen Bachlauf und passierten eine besonders schöne, grasbewachsene Uferstelle, die geschützt zwischen Felsen und Nicau-Palmen lag. Fleurettes kleine braune Hände lösten sich von Rubens Brust und griffen geschickt nach den Zügeln. Sie verhielt Minette, rutschte von ihrem Rücken und warf sich ins Gras, wo sie sich provozierend räkelte. Ruben band das Pferd an einen Baum und legte sich neben sie.

»Mach sie richtig fest, sonst ist sie gleich weg ...«, befahl Fleur. Sie hielt die Augen zwar halb geschlossen, doch Rubens ungeschickter Knoten war ihr trotzdem aufgefallen. Das Mädchen liebte ihren Freund, doch an seinen zwei linken Händen verzweifelte sie ebenso wie damals Gwyneira an dem Mann, den Fleur für ihren Vater hielt. Allerdings hatte Ruben keine künstlerischen Neigungen, sondern wünschte sich, nach Dunedin zu gehen, um an der dort entstehenden Universität Jura zu studieren. Helen würde das unterstützen – Howard hatte er seine Pläne sicherheitshalber noch nicht vorgelegt.

Jetzt stand der Junge widerstrebend auf und kümmerte sich um das Pferd. Immerhin nahm er Fleur ihre Bestimmtheit nicht übel. Er kannte seine Schwächen ja selbst – und er bewunderte Fleurettes Lebenstüchtigkeit rückhaltlos.

»Ich mach den Zaun morgen«, murmelte er jetzt, was Paul in seinem Versteck hinter den Felsen, das er eben gefunden hatte, verständnislos den Kopf schütteln ließ. Wenn Ruben die Widder wieder in den kaputten Pferch sperrte, würden sie bis morgen noch einmal entlaufen.

Fleurette äußerte sich ähnlich. »Ich kann dir ja helfen«, stellte sie in Aussicht, und dann schwiegen die beiden eine Zeit lang. Paul ärgerte sich, weil er nichts sehen konnte, und schlich sich schließlich um die Steine herum, wo sich ihm ein besseres Blickfeld bot. Was er da sah, ließ ihm fast den Atem stocken. Die Küsse und Zärtlichkeiten, die Ruben und Fleur auf ihrem Lager unter den Bäumen tauschten, kamen dem, was Paul unter »es miteinander treiben« verstand, ziemlich nahe! Fleur lag im Gras, ihr Haar wie leuchtendes Gespinst darauf ausgebreitet; auf ihrem Gesicht lag ein Ausdruck völliger Entrückung. Ruben hatte ihre Bluse geöffnet und streichelte und küsste ihre Brüste, die Paul ebenfalls mit Interesse betrachtete. Er hatte seine Schwester bestimmt seit fünf Jahren nicht mehr nackt gesehen. Auch Ruben wirkte glücklich; er ließ sich sichtlich Zeit und schob seinen Körper nicht hektisch hin und her wie der Mann des Maori-Paares, das Paul einmal von weitem beobachtet hatte. Auch lag er nicht vollständig auf, sondern halb neben Fleur – so richtig trieben sie es also wohl doch noch nicht. Doch Paul war sicher, dass Gerald Warden sich trotzdem brennend dafür interessieren würde.

Fleurette hatte die Arme um Ruben gelegt und streichelte seinen Rücken. Schließlich tasteten ihre Finger sich unter den Bund seiner Breeches und liebkosten ihn darunter. Ruben stöhnte vor Wonne und schob sich nun ganz über sie.

Also doch …

»Nein, lass, Liebster ...« Fleurette schob Ruben sanft von sich herunter. Sie schien keine Angst zu haben, wirkte aber entschlossen. »Ein bisschen müssen wir uns noch für die Hochzeitsnacht aufheben ...« Sie hatte die Augen jetzt geöffnet und lächelte Ruben an. Der junge Mann erwiderte das Lächeln. Ruben war ein gut aussehender Junge, der vom Vater vor allem die ein wenig herben, sehr männlich wirkenden Gesichtszüge und das dunkle, lockige Haar geerbt hatte. Ansonsten kam er eher nach Helen. Sein Gesicht war schmaler als Howards, die Augen grau und verträumt. Dazu war er größer; eher hoch aufgeschossen als kompakt, mit sehnigen Muskeln. In seinem sanften Blick stand durchaus Begehren, doch es war eher Vorfreude als nackte Lust. Fleurette seufzte glücklich. Sie fühlte sich geliebt.

»Wenn es denn eine Hochzeitsnacht geben wird ...«, meinte Ruben schließlich besorgt. »Ich könnte mir vorstellen, dass dein Großvater und mein Vater nicht eben glücklich darüber wären.«

Fleurette zuckte die Achseln. »Aber unsere Mütter werden nichts dagegen haben«, meinte sie optimistisch. »Da werden die zwei sich fügen müssen. Was haben sie bloß gegeneinander? Ich meine, so eine Fehde, über Jahre hinweg, das ist doch krank!«

Ruben nickte. Er hatte ein ausgleichendes Naturell, während Fleurette schneller aufbrauste. So gesehen wäre ihr eine lebenslange Fehde durchaus zuzutrauen. Ruben konnte sich eine Fleurette mit dem Flammenschwert denn auch sehr gut vorstellen. Er lächelte, wurde dann aber wieder ernst.

»Ich kenne die Geschichte!«, verriet er seiner Freundin schließlich. »Onkel George hat sie aus diesem geschwätzigen Bankier in Haldon rausgekitzelt und dann meiner Mutter erzählt. Willst du sie hören?« Ruben spielte mit einer rotgoldenen Haarsträhne.

Paul spitzte die Ohren. Das wurde ja immer besser! Wie es

aussah, würde er heute nicht nur die Geheimnisse von Fleur und Ruben erfahren, sondern auch noch Details aus der Familiengeschichte!

»Machst du Witze?«, fragte Fleurette. »Ich brenne darauf! Warum hast du es mir überhaupt noch nie erzählt?«

Ruben zuckte mit den Schultern. »Kann es sein, dass wir immer irgendetwas anderes zu tun hatten?«, fragte er spitzbübisch und küsste sie.

Paul seufzte. Jetzt bloß keine weiteren Verzögerungen! So langsam musste er sich auf den Weg machen, wenn er halbwegs pünktlich zu Hause sein wollte. Kiri und seine Mutter würden Fragen stellen, wenn Marama allein nach Hause kam – und dann fanden sie bestimmt heraus, dass er die Schule geschwänzt hatte!

Aber auch Fleur war begieriger auf die Geschichte als auf erneute Zärtlichkeiten. Behutsam wehrte sie Ruben ab und setzte sich auf. Sie schmiegte sich an ihn, während er erzählte, nutzte die Zeit aber schon, ihre Bluse zuzuknöpfen. Wahrscheinlich war auch ihr aufgegangen, dass es Zeit war, die Schafe zu suchen.

»Also, mein Vater und dein Großvater waren schon in den Vierzigerjahren hier, als es noch kaum Siedler gab, nur Walfänger und Seehundjäger. Aber damals machte man noch viel Geld damit, und außerdem spielten beide sehr geschickt Poker und Black Jack. Jedenfalls hatten sie ein Vermögen in der Tasche, als sie in die Canterbury Plains kamen. Mein Vater wohl nur auf der Durchreise, er wollte in die Gegend von Otago, hatte irgendwas von Gold munkeln hören. Aber Warden dachte an eine Schaffarm – und versuchte, meinen Vater zu überreden, sein Geld in Vieh zu investieren. Und in Land. Gerald hatte sofort gute Beziehungen zu den Maoris. Er fing gleich an, mit ihnen zu kungeln. Wobei die Kai Tahu nicht ganz abgeneigt waren. Der Stamm hatte schon mal Land verkauft, und sie kamen mit den Käufern gut zurecht.«

»Und?«, fragte Fleur. »Sie kauften also Land ...«

»Nicht so schnell. Während sich die Verhandlungen hinzogen und Howard sich nicht entscheiden konnte, wohnten sie bei eben diesen Siedlern – Butler hießen sie. Und Leonard Butler hatte eine Tochter. Barbara.«

»Aber das war meine Großmutter!« Fleurs Interesse war jetzt geweckt.

»Richtig. Nur eigentlich hätte sie meine Mutter werden sollen«, erklärte Ruben. »Jedenfalls verliebte sich mein Vater in Barbara, und sie sich wohl auch in ihn. Aber ihr Vater war nicht so begeistert von ihm, jedenfalls meinte Howard, er brauchte noch mehr Geld, um ihm zu imponieren ...«

»Also zog er nach Otago und fand Gold und – inzwischen verheiratete sich Barbara mit Gerald? Oh, wie traurig, Ruben!« Fleur seufzte ob der vermeintlichen Romantik.

»Nicht ganz.« Ruben schüttelte den Kopf. »Howard wollte das Geld hier und jetzt machen. Es kam zu einem Kartenspiel ...«

»Und er verlor? Gewann Gerald das ganze Geld?«

»Fleurette, nun lass mich doch einmal ausreden!«, meinte Ruben streng und wartete, bis Fleurette entschuldigend nickte. Sie brannte offensichtlich darauf, die Geschichte weiterzuhören.

»Howard hatte sich vorher bereit erklärt, Teilhaber an Geralds Schafzucht zu werden – sie hatten sogar schon einen Namen für die Farm: Kiward Station, nach Warden und O'Keefe. Aber dann verspielte er nicht nur sein eigenes Geld, sondern auch das, was Gerald ihm gegeben hatte, um das Land bei den Maoris zu bezahlen!«

»Oh nein!«, rief Fleur, die mit einem Mal verstand, warum Gerald wütend war. »Mein Großvater wollte ihn sicher umbringen!«

»Es kam jedenfalls zu einigen sehr hässlichen Szenen«, erklärte Ruben. »Letztendlich lieh Mr. Butler Gerald etwas Geld

– schon um vor den Maoris nicht das Gesicht zu verlieren, denen war der Landkauf immerhin versprochen. Gerald erstand dann einen Teil des Landes, das heute Kiward Station bildet, und Howard wollte nicht zurückstecken. Er hatte wohl immer noch Hoffnung, Barbara zu heiraten. Jedenfalls steckte er seine letzten Pennys in ein Stück steiniges Land mit ein paar halb verhungerten Schafen drauf. Unsere wundervolle Farm. Dabei war Barbara Gerald längst versprochen. Das Geld war ihre Mitgift. Und später erbte sie natürlich auch noch das Land vom alten Butler. Kein Wunder, dass Gerald kometenhaft zum Schaf-Baron aufstieg.«

»Und dass Howard ihn hasst!«, bemerkte Fleur. »Oh, was für eine schreckliche Geschichte. Und die arme Barbara! Ob sie Gerald wohl geliebt hat?«

Ruben zuckte die Schultern. »Davon hat Onkel George nichts gesagt. Aber wenn sie doch eigentlich meinen Vater heiraten wollte ... da kann's mit der Liebe für Gerald kaum weit her gewesen sein.«

»Was Gerald nun wieder Howard übel nahm. Oder nahm er ihm gerade übel, dass er Barbara heiraten musste? Nein, das wäre zu schrecklich!« Fleur war tatsächlich blass geworden. Gute Geschichten gingen ihr immer nahe.

»Das sind jedenfalls die Geheimnisse von Kiward und O'Keefe Station«, schloss Ruben. »Und mit diesem Erbe werden wir dann demnächst vor meinen Vater und deinen Großvater treten und erklären, dass wir heiraten wollen. Beste Voraussetzungen, findest du nicht?« Er lachte bitter.

Noch schlechtere Voraussetzungen, wenn Gerald vorher was läuten hört, dachte Paul schadenfroh. Dieser Ausflug ins Alpenvorland hatte sich wirklich gelohnt! Aber jetzt musste er sehen, dass er wegkam. Geräuschlos schlich er sich zurück zu seinem Pferd.

## 2

Paul erreichte die Farm der O'Keefes ziemlich exakt bei Unterrichtsende, aber natürlich wagte er sich nicht in Helens Blickfeld, sondern wartete hinter der nächsten Wegbiegung auf die anderen Kinder von Kiward Station. Marama lächelte ihm erfreut zu und kletterte ohne große Fragen hinter ihm aufs Pony.

Tonga beobachtete dies mit verkniffener Miene. Auch dass Paul ein Reitpferd besaß, während er den weiten Schulweg zu Fuß zurücklegen oder während der Schulzeit bei einem anderen Stamm Quartier nehmen musste, war Salz in seinen Wunden. In der Regel bevorzugte er Ersteres, denn Tonga stand gern im Mittelpunkt des Geschehens und wollte seinen Feind auf keinen Fall aus den Augen verlieren. Dabei war ihm Maramas Freundlichkeit Paul gegenüber ein besonderer Dorn im Auge. Er empfand ihre Zuneigung für den Jungen als Verrat – eine Sichtweise, mit der er bei den Erwachsenen in seinem Stamm jedoch ziemlich allein stand. Für die Maoris war Paul Maramas Ziehbruder, den sie selbstverständlich liebte. Sie betrachteten die *pakeha* nicht als Gegner, und ihre Kinder erst recht nicht. Tonga sah das allerdings zunehmend anders. In letzter Zeit begehrte er viele Dinge, über die Paul und die anderen Weißen verfügten. Er hätte auch gern Pferde, Bücher und buntes Spielzeug besessen und in einem Haus wie Kiward Station gewohnt. Seine Familie und sein Stamm – auch Marama – verstanden das nicht, doch Tonga fühlte sich betrogen.

»Ich sag Miss Helen, dass du geschwänzt hast!«, rief er seinem Erzfeind jetzt hinterher, während Paul davontrabte. Doch der Junge lachte nur darüber. Tonga knirschte zornig mit den

Zähnen. Wahrscheinlich würde er nicht wirklich petzen. Es stand einem Häuptlingssohn nicht an, sich zum Verräter zu erniedrigen. Die relativ geringe Strafe, die Paul erhalten hätte, stand in keinem Verhältnis dazu.

»Wo warst du denn?«, fragte Marama mit ihrer singenden Stimme, als die Reiter sich ausreichend weit von Tonga entfernt hatten. »Miss Helen hat dich gesucht.«

»Ich hab Geheimnisse aufgedeckt!«, erklärte Paul wichtig. »Du glaubst nicht, was ich herausgefunden habe!«

»Hast du einen Schatz gefunden?«, fragte Marama sanft. Es hörte sich nicht so an, als wäre ihr die Sache besonders wichtig. Wie die meisten Maoris machte sie sich nicht viel aus den Dingen, die *pakeha* als wertvoll erachteten. Hätte man Marama einen Goldbarren und einen Jadestein hingehalten, hätte sie sich wahrscheinlich für Letzteren entschieden.

»Nein, sag ich doch, ein Geheimnis! Um Ruben und Fleur. Die treiben es miteinander!« Paul wartete Beifall heischend auf Maramas Reaktion. Die fiel allerdings sparsam aus.

»Ach, das weiß ich doch, dass die sich lieben! Das weiß jeder!«, behauptete Marama gelassen. Wahrscheinlich betrachtete sie es als ganz selbstverständlich, dass die beiden ihren Gefühlen auch Taten folgen ließen. Bei den Stämmen herrschte eine sehr lockere Sexualmoral. Solange ein Paar sich unter Ausschluss der Öffentlichkeit liebte, beachtete man es einfach nicht. Bereiteten die beiden sich allerdings ein gemeinsames Lager im Gemeinschaftshaus, galt eine Ehe als geschlossen. Das verlief gänzlich unspektakulär und meist ohne größere Vorverhandlungen der Eltern. Auch große Feste zur Feier einer Hochzeit waren eher unüblich.

»Aber sie können nicht heiraten!«, trumpfte Paul auf. »Weil es eine alte Fehde zwischen meinem Großvater und Rubens Vater gibt.«

Marama lachte. »Aber es heiraten doch nicht Mr. Gerald und Mr. Howard, sondern Ruben und Fleur!«

Paul schnaubte. »Du verstehst das nicht! Hier geht es um Familienehre! Fleur verrät ihre Ahnen …«

Marama runzelte die Stirn. »Was haben denn die Ahnen damit zu tun? Die Ahnen wachen über uns, die wollen unser Bestes. Man kann sie nicht verraten. Glaub ich wenigstens. Jedenfalls habe ich noch nie davon gehört. Außerdem ist noch gar nicht von Hochzeit die Rede.«

»Aber bald!«, erklärte Paul gehässig. »Sobald ich Großvater von Fleur und Ruben erzählt habe, wird sehr schnell von all dem die Rede sein! Das kannst du mir glauben!«

Marama seufzte. Sie hoffte, dann nicht im großen Haus zu sein, denn sie hatte immer ein wenig Angst, wenn Mr. Gerald herumpolterte. Miss Gwyn mochte sie gern und Fleur eigentlich auch. Sie verstand nicht, was Paul gegen sie hatte. Aber Mr. Gerald … Marama beschloss, gleich in die Siedlung zu gehen und dort beim Kochen zu helfen, statt ihrer Mutter auf Kiward Station zur Hand zu gehen. Vielleicht konnte sie ja wenigstens Tonga besänftigen. Der hatte sie vorhin so wütend angesehen, als sie zu Paul aufs Pferd geklettert war. Und Marama hasste es, wenn jemand ihr böse war.

Gwyneira erwartete ihren Sohn im Empfangszimmer, das sie inzwischen zu einer Art Büro umfunktioniert hatte. Schließlich gaben hier ohnehin niemals Gäste Visitenkarten ab, um dann die Benachrichtigung der Familie beim Tee zu erwarten. Also konnte sie den Raum auch anderweitig nutzen. Große Angst vor den Reaktionen ihres Schwiegervaters hatte sie dabei nicht mehr. Gerald ließ ihr mittlerweile bei fast allen Entscheidungen, die das Haus betrafen, freie Hand und erhob auch selten Einwände, wenn sie sich in die Angelegenheiten der Farm einmischte. Nun arbeiteten die beiden auch auf diesem Gebiet gut zusammen. Sowohl Gerald als auch Gwyneira waren geborene Farmer und Viehzüchter, und nachdem Gerald vor einigen Jahren auch Rinder angeschafft hatte, kristallisierten sich immer mehr klare Zuständigkeiten heraus: Gerald kümmerte sich um die Longhorns, Gwyneira beaufsichtigte die Schaf- und Pferdezucht. Letzteres war im Grunde die größere Aufgabe, aber darüber, dass Gerald oft zu betrunken war, um rasch komplexe Entscheidungen zu treffen, wurde nicht gesprochen. Stattdessen wandten die Arbeiter sich einfach an Gwyn, wenn es ihnen nicht geraten schien, den Herrn des Anwesens anzusprechen, und erhielten dann klare Anweisungen. Im Grunde hatte Gwyneira damit ihren Frieden mit ihrem Dasein und vor allem mit Gerald gemacht. Insbesondere seit sie seine und Howards Geschichte kannte, konnte sie ihn nicht mehr so abgrundtief hassen wie in den ersten Jahren nach Pauls Geburt. Ihr war längst klar, dass er Barbara Butler nie geliebt hatte. Ihre Ansprüche, ihre Vorstellung vom Leben in einem Herrenhaus und der Erziehung ihres Sohnes zum Gentleman mochten ihn zwar fasziniert haben – aber letztlich sicher auch entmutigt. Gerald fehlte das Naturell eines Landedelmanns; er war ein Spieler, Haudegen und Glücksritter – und durchaus auch ein fähiger Farmer und Geschäftsmann. Der rücksichtsvolle »Gentleman«, mit dem Barbara eine Vernunftehe führte, nachdem sie ihrer wirklichen Liebe entsagen musste, war er nie und wollte er auch niemals sein. Die Begegnung mit Gwyneira musste ihm dann vor Augen geführt haben, nach welcher Frau er sich wirklich sehnte – und zweifellos hatte es ihn zur Weißglut getrieben, dass Lucas nichts mit ihr anzufangen wusste. Gwyneira war sich inzwischen sicher, dass Gerald etwas wie Liebe für sie empfunden haben musste, als er sie nach Kiward Station holte, und dass sich in jener furchtbaren Dezembernacht nicht nur sein Ärger über Lucas' Unfähigkeit entladen hatte, sondern auch der jahrelange Zwang, für die Frau, die er begehrte, nichts als ein »Vater« zu sein.

Inzwischen war Gwyn sich auch sicher, dass Gerald sein damaliges Vorgehen bereute, auch wenn nie ein Wort der Entschuldigung über seine Lippen kam. Sein immer unmäßigeres Trinken, seine Zurückhaltung und Nachsicht ihr gegenüber – und Paul gegenüber – sprachen für sich.

Nun hob sie den Kopf von Papieren, die Schafzucht betreffend, und sah auf, als ihr Sohn hereinstürmte.

»Hallo, Paul! Was hast du es denn so eilig?«, fragte sie lächelnd. Dabei fiel es ihr wie immer schwer, sich rückhaltlos über Pauls Heimkehr zu freuen. Ihr Friedensschluss mit Gerald war eine Sache, die Angelegenheit mit Paul eine andere. Sie schaffte es einfach nicht, den Jungen zu lieben. Nicht so, wie sie Fleur liebte, so selbstverständlich und bedingungslos. Wenn sie Paul gegenüber etwas empfinden wollte, musste sie stets ihren Verstand einschalten: Er sah gut aus mit seinem dunkelrot-braunen Wuschelhaar – Gwyneira hatte ihm nur die Farbe, nicht die Struktur vererbt. Statt Kräusellöckchen hatte sein Schopf die Fülle, die Geralds Haar auch heute noch auszeichnete. Sein Gesicht erinnerte an Lucas, allerdings hatte er entschlossenere, weniger weiche Züge, und die braunen Augen blickten klar und oft hart, nicht sanft und verträumt wie die seines Halbbruders. Er war klug, doch Pauls Begabungen lagen eher im mathematischen als im künstlerischen Bereich. Er würde sicher einmal ein guter Kaufmann. Und er war geschickt. Gerald hätte sich keinen besseren Erben für die Farm wünschen können. Gwyneira fand allerdings, dass es dem Jungen manchmal an Gefühl für die Tiere und vor allem die Menschen auf Kiward Station mangelte – wobei sie sich dieser Empfindungen schon wieder schalt. Sie wollte das Gute an Paul sehen, wollte ihn lieben, doch wenn sie ihn ansah, empfand sie nicht mehr, als sie beispielsweise für Tonga empfand: Ein netter Junge, klug und seinen späteren Aufgaben sicher gewachsen. Aber es war nicht die tiefe, herzzerreißende Liebe, die sie Fleurette entgegenbrachte.

Sie hoffte nur, dass Paul diesen Mangel nicht bemerkte, und bemühte sich stets, besonders freundlich und langmütig zu sein. Auch jetzt verzieh sie ihm bereitwillig, dass er ohne Gruß an ihr vorbeiwollte.

»Ist etwas passiert, Paul?«, fragte sie besorgt. »Hattest du Ärger in der Schule?« Gwyn wusste, dass Helen es nicht immer leicht mit Paul hatte, und kannte auch seine dauernde Rivalität mit Ruben und Tonga.

»Nein, nichts. Ich muss Großvater sprechen, Mom. Wo kann er sein?« Paul hielt sich nicht mit Höflichkeiten auf.

Gwyn sah auf die große Standuhr, die eine Wand des Arbeitszimmers beherrschte. Noch eine Stunde bis zum Abendessen. Gerald dürfte also mit dem Aperitif begonnen haben.

»Da, wo er um diese Zeit immer ist«, bemerkte sie. »Im Salon. Und du weißt wohl, dass man ihn in dieser Stunde besser nicht anspricht. Vor allem nicht, wenn man ungewaschen und ungekämmt ist wie du. Wenn du meinen Rat hören willst: Geh erst in dein Zimmer, und zieh dich um, bevor du ihm vor Augen trittst.«

Zwar nahm Gerald selbst das Umziehen vor dem Abendessen längst nicht mehr sonderlich ernst, und auch Gwyneira pflegte ihre Kleidung nur zu wechseln, wenn sie aus dem Stall kam. Das Nachmittagskleid, das sie heute trug, würde sie auch zum Essen anbehalten. Aber bei den Kindern konnte Gerald streng sein – genauer gesagt suchte er um diese Zeit des Tages nur einen Grund, mit irgendjemandem zu zanken. Dabei war die Stunde vor dem gemeinsamen Abendessen deutlich die gefährlichste. Wenn erst mal serviert wurde, war Geralds Alkoholpegel gewöhnlich auf einem Stand, der keine größeren Ausbrüche mehr möglich machte.

Paul überschlug kurz seine Möglichkeiten. Wenn er jetzt gleich mit der Neuigkeit zu Gerald ging, würde der zwar explodieren – doch in Abwesenheit des »Opfers« hatte das keine große Wirkung. Es wäre deutlich besser, Fleur von Angesicht zu Angesicht zu verpfeifen; dann war die Chance auch größer, dass er, Paul, jede Kleinigkeit der nachfolgenden Auseinandersetzung mitbekam. Außerdem hatte seine Mutter Recht: Wenn Gerald wirklich schlecht gelaunt war, ließ er ihn vielleicht gar nicht erst dazu kommen, seine Neuigkeiten loszuwerden, sondern entlud seinen Zorn gleich auf Paul.

Der Junge entschied sich deshalb tatsächlich dafür, zunächst in sein Zimmer zu gehen. Er würde ordentlich gekleidet zum Essen erscheinen, während Fleur garantiert zu spät kam – und dann auch noch in Reitzeug. Dann würde er sie zuerst ihre Entschuldigung stammeln und anschließend die Bombe platzen lassen! Selbstzufrieden stieg Paul die Treppe hinauf. Er bewohnte das frühere Zimmer seines Vaters, das heute nicht mehr mit Zeichenutensilien und Büchern, sondern mit Spielzeug und Angelzeug voll gestopft war. Der Junge zog sich sorgfältig um. Er war voller Vorfreude.

Fleurette hatte nicht zu viel versprochen. Ihre Hündin Gracie sammelte die versprengten Schafe tatsächlich blitzschnell ein, als Ruben und das Mädchen sie erst gefunden hatten. Aber auch das erwies sich nicht als schwierig. Die jungen Widder strebten ins Hochland, zu den Weidegründen der Mutterschafe. Flankiert von Gracie und Minette wandten sie sich jedoch bereitwillig zurück Richtung Farm. Gracie verstand keinen Spaß und trieb Ausbrecher rasch wieder zur Herde. Zudem war die Gruppe klein und übersichtlich. So konnte Fleurette das Gatter des Paddocks lange vor Dunkelwerden hinter den Tieren schließen – und vor allem lange bevor Howard aus dem Vorwerk zurückkam, wo er sich um seine letzten Rinder kümmerte. Die Tiere sollten nun endlich verkauft werden, nachdem Howard sich gegen George Greenwoods Rat endlos an die Rinderzucht als zweites

Standbein geklammert hatte. O'Keefe Station bot kein geeignetes Land für Rinder; hier konnten nur Schafe und Ziegen gedeihen.

Fleurette sah nach dem Stand der Sonne. Es war noch nicht spät, aber wenn sie Ruben jetzt tatsächlich wie versprochen bei der Zaunreparatur half, kam sie nicht rechtzeitig zum Abendessen. Nun war das weiter nicht schlimm – ihr Großvater verzog sich nach der Mahlzeit meist bald mit einem letzten Whiskey in seine Räume, und ihre Mutter und Kiri würden ihr sicher noch etwas zu essen aufbewahren. Doch Fleur hasste es, dem Personal mehr Arbeit zu machen als nötig. Außerdem lag ihr nichts daran, womöglich noch Howard in die Arme zu laufen und dann – Gipfel des Schreckens! – mitten während der Abendmahlzeit zu Hause hereinzuplatzen. Andererseits konnte sie Ruben mit dem Zaun kaum allein lassen. Dann waren die Widder am nächsten Tag garantiert wieder im Hochland.

Zu Fleurettes Erleichterung näherte sich jetzt Rubens Mutter – mit ihrem braven Maultier, das sie bereits mit Werkzeug und Zaunmaterial beladen hatte.

Helen zwinkerte ihr zu. »Reite ruhig nach Hause, Fleur, wir machen das hier schon«, sagte sie freundlich. »Es war sehr nett, dass du Ruben geholfen hast, die Schafe zurückzubringen. Da hast du es wirklich nicht verdient, zu Hause noch Ärger zu bekommen. Und den bekommst du sicher, wenn du zu spät heimkehrst.«

Fleurette nickte dankbar. »Ich komm dann morgen wieder zur Schule, Miss Helen!«, erklärte sie. Ein Vorwand, den sie immer noch gebrauchte, um Ruben täglich nahe zu sein. An sich hatte Fleurette die Schule so ziemlich abgeschlossen. Sie konnte gut rechnen, lesen und schreiben, hatte die wichtigsten Klassiker zumindest im Ansatz gelesen, allerdings nicht in der Originalsprache wie Ruben. Fleur hielt Griechisch- und Lateinkenntnisse für absolut überflüssig. Insofern gab es kaum noch etwas, das Helen ihr beibringen konnte. Allerdings hatte Gwyneira nach Lucas' Tod viele seiner Botanik- und Zoologielehrbücher in Helens Schule schaffen lassen. Fleur schmökerte mit Interesse darin, während Ruben sich seinen weiterführenden Studien widmete. Im nächsten Jahr würde er nach Dunedin gehen müssen, wenn er wirklich studieren wollte. Helen mochte noch gar nicht daran denken, wie sie Howard das schmackhaft machen sollte. Obendrein war auch kein Geld fürs Studium da; Ruben würde George Greenwoods großzügige Hilfe annehmen müssen – zumindest bevor er sich so weit auszeichnen konnte, dass er ein Stipendium gewann. Doch ein Studium in Dunedin würde Ruben und Fleurette vorerst trennen. Helen erkannte die offensichtliche Verliebtheit der beiden ebenso klar wie Marama und hatte auch schon mit Gwyn darüber gesprochen. Grundsätzlich hatten die Mütter nichts gegen die Verbindung der beiden einzuwenden, aber natürlich fürchteten sie die Reaktionen Wardens und O'Keefes und waren sich außerdem einig, dass die Sache noch ein paar Jahre Zeit habe. Ruben war gerade siebzehn, Fleur noch nicht ganz sechzehn. Helen und Gwyn empfanden das einvernehmlich als zu jung, um sich fest zu binden.

Ruben half Fleurette, ihre Stute wieder mit dem Sattel zu versehen, den sie vorher abgenommen hatten, um zusammen reiten zu können. Er küsste sie verstohlen, bevor sie aufstieg.

»Bis morgen, ich liebe dich!«, sagte er leise.

»Nur bis morgen?«, entgegnete sie lachend.

»Nein, bis zum Himmel. Und noch ein paar Sterne weiter!« Rubens Hand streifte sanft die ihre, und Fleurette lächelte strahlend, als sie vom Hof ritt. Ruben sah ihr nach, bis der letzte Schimmer ihres rotgoldenen Haars und des ebenso leuchtenden Schweifs ihrer Rotschimmelstute mit dem Abendlicht verschmolzen war. Erst Helens Stimme weckte ihn aus seiner Versunkenheit.

»Nun komm, Ruben, der Zaun steht nicht von allein wieder auf. Wir wollen doch fertig werden, bis dein Vater nach Hause kommt!«

Fleurette trieb ihr Pferd zu einer flotten Gangart an und wäre fast pünktlich zum Essen auf Kiward Station gewesen. Aber dann traf sie niemanden in den Ställen an, dem sie Minette zum Abwarten übergeben konnte, und musste es folglich selbst tun. Als die Stute abgerieben, getränkt und mit Futter versorgt im Stall stand, war der erste Gang sicher schon aufgetischt. Fleurette seufzte. Natürlich konnte sie heimlich ins Haus schleichen und das Abendessen ganz schwänzen. Sie fürchtete allerdings, dass Paul sie beobachtet hatte, als sie auf den Hof geritten war: Hinter seinem Fenster war eine Bewegung zu sehen gewesen, und er würde sie bestimmt verraten. Also stellte Fleur sich dem Unvermeidlichen. Immerhin würde sie etwas zu essen bekommen. Nach dem Tag im Hochland war sie halb verhungert. Sie beschloss, die Sache optimistisch anzugehen, und setzte ein strahlendes Lächeln auf, als sie das Esszimmer betrat.

»Guten Abend, Großvater, guten Abend, Mummy! Ich bin ein klitzekleines bisschen zu spät heute, weil ich mich ein klitzekleines bisschen mit der Zeit verschätzt habe, als … äh, als …«

Zu dumm, so schnell wollte ihr keine Ausrede einfallen. Dabei konnte sie Gerald unmöglich sagen, dass sie den Tag damit verbracht hatte, Howard O'Keefes Schafe einzutreiben.

»Als du deinem Liebsten geholfen hast, Schafe zu jagen?«, fragte Paul mit sardonischem Ausdruck.

Gwyneira fuhr auf. »Paul, was soll das denn? Musst du deine Schwester immer ärgern?«

»Hast du nun oder hast du nicht?«, fragte Paul frech.

Fleurette wurde rot. »Ich ...«

»Mit wem hast du Schafe gejagt?«, erkundigte sich Gerald. Er war ziemlich betrunken. Vielleicht hätte er Fleur gar keine besondere Szene gemacht, doch ein Teil von Pauls Bemerkungen drang nun doch zu ihm durch.

»Mit ... äh, mit Ruben. Ihm und Miss Helen waren ein paar Widder ausgekommen und ...«

»Ihm und seinem sauberen Vater, meinst du wohl!«, höhnte Gerald. »Ist ja wieder typisch für den alten Howard, dass er zu blöde oder zu geizig ist, seine Viecher einzusperren. Und das feine Söhnchen muss ein Mädchen bitten, ihm beim Viehtreiben zu helfen ...«

Der alte Mann lachte.

Paul runzelte die Stirn. Das hier lief gar nicht so, wie er es sich vorgestellt hatte.

»Fleur treibt es mit Ruben!«, platzte er heraus und erntete zunächst ein paar Sekunden fassungsloses Schweigen.

Dann reagierte wieder zuerst Gwyneira. »Paul, woher hast du nur solche Ausdrücke! Du entschuldigst dich jetzt sofort, und ...«

»Mo... Moment!« Gerald unterbrach sie mit unsicherer, aber lauter Stimme. »Wa... was sagt der Junge? Sie ... treibt es ... mit dem O'Keefe-Jungen?«

Gwyneira hoffte, dass Fleurette jetzt einfach leugnen würde, aber man brauchte das Mädchen nur anzusehen, um zu erkennen, dass an Pauls bösartiger Behauptung zumindest etwas Wahres dran war.

»Es ist nicht wie du denkst, Großvater!«, bemühte Fleur sich zu versichern. »Wir ... also, wir ... äh, treiben es natürlich nicht miteinander, wir ...«

»Ach nein? Was dann?«, donnerte Gerald.

»Ich hab's aber gesehen, ich hab's aber gesehen!«, sang Paul.

Gwyneira gebot ihm mit strenger Stimme Schweigen.

»Wir ... wir lieben uns. Wir wollen heiraten«, stieß Fleur

hervor. Jetzt hatte sie es wenigstens gesagt. Auch wenn dies sicher nicht die ideale Situation für diese Enthüllung war.

Gwyneira versuchte, die Lage zu entschärfen.

»Fleur, meine Süße, du bist noch keine sechzehn! Und Paul geht nächstes Jahr erst zur Universität …«

»Ihr wollt was?«, brüllte Gerald. »Heiraten? Den Spross von diesem O'Keefe? Ja, bist du denn von allen guten Geistern verlassen, Fleurette?«

Fleur zuckte die Schultern. Feigheit konnte man ihr jedenfalls nicht vorwerfen. »Das sucht man sich nicht aus, Großvater. Wir lieben uns. Das ist so, und da kann man nichts dran ändern.«

»Das werden wir ja sehen, ob sich daran etwas ändern lässt!« Gerald sprang auf. »Du wirst den Kerl auf keinen Fall wiedersehen! Vorerst hast du Hausarrest! Schluss mit Schule – ich hab mich sowieso schon gefragt, was das O'Keefe-Weib dir noch beibringen soll! Ich reite jetzt nach Haldon und schnapp mir diesen O'Keefe! Witi! Bring mir meine Flinte!«

»Gerald, du übertreibst!« Gwyneira versuchte, ruhig zu bleiben. Vielleicht konnte sie Warden ja wenigstens davon überzeugen, die irrsinnige Idee aufzugeben, Ruben – oder Howard? – heute noch zu stellen. »Das Kind ist kaum sechzehn und zum ersten Mal verliebt. Da spricht doch noch keiner von Hochzeit …«

»Das Kind erbt einen Teil von Kiward Station, Gwyneira! Da denkt der alte O'Keefe *natürlich* an Heirat. Aber das kläre ich jetzt ein für alle Mal! Und du sperrst die Kleine ein. Aber hurtig! Zu essen braucht sie nichts mehr, sie soll fasten und über ihre Sünden nachdenken!« Gerald ergriff seine Flinte, die der erschrockene Witi tatsächlich gebracht hatte, und schlüpfte in einen Wachsmantel. Dann stürmte er hinaus.

Fleurette machte Anstalten, ihm zu folgen. »Ich muss weg, Ruben warnen!«, stieß sie hervor.

Gwyneira schüttelte den Kopf. »Wo willst du denn ein

Pferd hernehmen? Die Reitpferde sind alle im Stall, und eins von den Jungtieren ohne Sattel in den Busch reiten ... nein, das lasse ich nicht zu, Fleur, da brichst du dir den Hals und das Pferd mit. Ganz abgesehen davon, dass Gerald dich einholen würde. Lass die Kerle das unter sich regeln! Ich bin sicher, es kommt keiner zu Schaden. Wenn er auf den Alten trifft, werden sie sich anschreien, sich vielleicht die Nasen blutig schlagen ...«

»Und wenn er auf Ruben trifft?«, fragte Fleur mit bleichem Gesicht.

»Dann bringt er ihn um!«, freute sich Paul.

Das war ein Fehler. Jetzt konzentrierte sich die Aufmerksamkeit von Mutter und Tochter auf ihn.

»Du verräterischer kleiner Bastard!«, rief Fleurette. »Weißt du eigentlich, was du da angestellt hast, du miese Ratte? Wenn Ruben umkommt, dann ...«

»Fleurette, beruhige dich, dein Freund wird es schon überleben«, begütigte Gwyneira mit größerer Überzeugung, als sie tatsächlich besaß. Sie kannte Geralds aufbrausendes Temperament; außerdem war er wieder stark angetrunken. Allerdings hoffte sie auf Rubens ausgleichendes Wesen. Helens Sohn würde sich bestimmt nicht provozieren lassen. »Und du, Paul, verschwindest augenblicklich auf dein Zimmer. Ich will dich hier nicht wiedersehen, bis mindestens übermorgen. Du hast Hausarrest ...«

»Fleur auch, Fleur auch!« Paul konnte es nicht lassen.

»Das ist etwas ganz anderes, Paul«, sagte Gwyneira streng, und wieder einmal fiel es ihr schwer, auch nur einen Funken Sympathie für dieses Kind aufzubringen, das sie geboren hatte. »Großvater bestraft Fleur, weil er meint, dass sie sich in den falschen Jungen verliebt hat. Aber ich bestrafe dich, weil du boshaft bist, weil du Leute bespitzelst und verrätst – und daran auch noch Freude hast! So verhält sich kein Gentleman, Paul Warden. So verhält sich nur ein Ungeheuer!« Gwyneira wusste in dem Moment, in dem sie es aussprach, dass Paul ihr dieses Wort nie vergeben würde. Aber es ging mit ihr durch. Sie spürte nur noch Hass auf dieses Kind, das man ihr aufgezwungen hatte, das letztlich Ursache für Lucas' Tod gewesen war und das nun alles tat, auch Fleurs Leben zu zerstören und die ohnehin schwankende Harmonie von Helens Familie in den Grundfesten zu erschüttern.

Paul blickte seine Mutter an, leichenblass ob der Abgründe, die er in ihren Augen sah. Das war kein Wutausbruch wie bei Fleurette; Gwyneira schien zu meinen, was sie sagte. Paul schluchzte auf, obwohl er sich schon vor mindestens einem Jahr entschlossen hatte, ein Mann zu sein und auf keinen Fall mehr zu weinen.

»Wird's bald? Verschwinde!« Gwyneira hasste sich selbst für ihre Worte, aber sie konnte sich nicht zurückhalten. »Verschwinde auf dein Zimmer!«

Paul stürmte hinaus. Fleurette sah ihre Mutter fassungslos an.

»Das war hart«, bemerkte sie ernüchtert.

Gwyneira griff mit zitternden Fingern nach ihrem Weinglas, überlegte es sich dann jedoch anders, ging zum Wandschrank und schenkte sich einen Brandy ein. »Du auch, Fleurette? Ich glaube, wir brauchen jetzt beide eine Beruhigung. Und dann können wir nur abwarten. Irgendwann wird Gerald ja zurückkommen, wenn er nicht unterwegs vom Pferd fällt und sich den Hals bricht.«

Sie kippte ihren Brandy hinunter.

»Und was Paul angeht ... es tut mir Leid.«

Gerald Warden durchquerte den Busch wie vom Teufel geritten. Die Wut über den jungen Ruben O'Keefe schien ihn zerreißen zu wollen. Bisher hatte er Fleurette niemals als Frau gesehen. Sie war immer ein Kind für ihn gewesen, Gwyneiras kleine Tochter, niedlich, aber verhältnismäßig uninteressant.

Doch jetzt war die Kleine flügge, jetzt warf sie genauso stolz den Kopf zurück wie damals die siebzehnjährige Gwyneira, gab genauso selbstbewusst Widerworte. Und Ruben, dieser kleine Dreckskerl, wagte es, sich ihr zu nähern! Einer Warden! Seinem Besitz!

Gerald beruhigte sich erst wieder ein wenig, als er O'Keefes Farm erreichte und die ärmlichen Scheunen, Ställe und vor allem das Wohnhaus mit dem seinen verglich. Howard konnte nicht ernsthaft annehmen, dass er seine Enkelin hierher verheiraten würde.

Hinter den Fenstern des Hauses brannte Licht. Howards Pferd und das Maultier standen im Pferch vor dem Haus. Der Bastard war also zu Hause. Und sein ungeratener Sohn wohl auch, denn Gerald sah die Silhouetten von drei Menschen um den Tisch in der Hütte. Nachlässig warf er die Zügel seines Pferdes über einen Zaunpfosten und nahm die Flinte aus ihrem Futteral. Ein Hund schlug an, als er zum Haus ging, aber drinnen reagierte niemand.

Gerald riss die Tür auf. Wie erwartet sah er Howard, Helen und ihren Sohn am Esstisch, wo soeben Eintopf aufgetischt wurde. Die drei sahen erschrocken zur Tür, unfähig, sofort zu reagieren. Gerald nutzte den Vorteil der Überraschung. Er stürmte ins Haus und warf den Tisch um, als er sich auf Ruben stürzte.

»Karten auf den Tisch, Bürschchen! Was hast du mit meiner Enkelin?«

Ruben wand sich in seinem Griff. »Mr. Warden ... können wir nicht ... wie vernünftige Menschen miteinander reden?«

Gerald sah rot. Genau so hätte sein ungeratener Sohn Lucas auf eine solche Anschuldigung reagiert. Er schlug zu. Sein linker Haken schleuderte Ruben durch die halbe Stube. Helen schrie auf. Im gleichen Moment erwischte Howard Gerald. Allerdings weniger treffsicher. O'Keefe war gerade erst aus dem

Pub in Haldon zurückgekommen. Auch er war nicht mehr nüchtern. Gerald steckte den Schlag O'Keefes mühelos weg und konzentrierte sich wieder auf Ruben, der sich mit blutender Nase aufrappelte.

»Mr. Warden, bitte ...«

Howard nahm Gerald in den Schwitzkasten, bevor er seinen Sohn noch einmal angehen konnte.

»Also schön! Reden wir wie vernünftige Leute!«, zischte er. »Was gibt's, Warden, dass du hier hereinschneist und auf meinen Sohn eindrischst?«

Gerald versuchte sich umzuwenden, um ihn anzusehen. »Dein verfluchter Mistkerl von Sohn hat meine Enkelin verführt! *Das* ist los!«

»Du hast *was*?« Howard ließ von Gerald ab und wandte sich Ruben zu. »Du sagst mir auf der Stelle, dass das nicht wahr ist!«

Rubens Gesicht sprach Bände, ebenso wie vorhin Fleurs.

»Ich habe sie natürlich nicht verführt!«, stellte er immerhin richtig. »Nur ...«

»Nur was? Ein bisschen entjungfert?«, donnerte Gerald.

Ruben war leichenblass. »Ich muss Sie bitten, nicht in diesem Ton von Fleur zu sprechen!«, sagte er ruhig. »Mr. Warden, ich liebe Ihre Enkelin. Ich werde sie heiraten.«

»Du wirst was?«, brüllte Howard. »Ich verstehe ja, dass die kleine Hexe dir den Kopf verdreht ...«

»Du wirst Fleurette auf keinen Fall heiraten, du kleiner Wichser!«, tobte Gerald.

»Mr. Warden! Vielleicht könnten wir zu einer weniger drastischen Ausdrucksweise finden«, versuchte es Helen.

»Ich werde Fleurette auf jeden Fall heiraten, egal, was ihr beide dagegen habt ...« Ruben sprach gelassen und im Brustton der Überzeugung.

Howard griff nach seinem Sohn und hielt ihn ebenso an der Hemdbrust fest, wie Gerald es eben getan hatte. »Du wirst jetzt erst mal die Klappe halten! Und du, Warden, verschwindest hier! Zügig. Und du packst dir deine kleine Hure von Enkelin. Ich will sie nicht mehr hier sehen, verstehst du? Mach ihr das klar, oder ich tu es selbst, und danach verführt sie keinen mehr ...«

»Fleurette ist nicht ...«

»Mr. Warden!« Helen stellte sich zwischen die Männer. »Bitte gehen Sie. Howard meint es nicht so. Und was Ruben angeht ... Wir alle hier haben höchste Achtung vor Fleurette. Die Kinder haben vielleicht ein paar Küsse getauscht, aber ...«

»Du wirst Fleurette nie wieder anrühren!« Gerald machte Anstalten, Ruben noch einmal zu schlagen, ließ es dann aber, so hilflos hing der Junge im Würgegriff seines Vaters.

»Er wird sie nicht mehr anrühren, das verspreche ich dir. Und jetzt raus! Ich werde das mit ihm regeln, Warden, verlass dich drauf!«

Helen wusste plötzlich nicht mehr, ob sie wirklich wollte, dass Gerald ging. Howards Stimme klang so bedrohlich, dass sie ernsthaft um Rubens Sicherheit fürchtete. Howard war schon vor Geralds Auftauchen wütend gewesen. Er hatte die jungen Widder eintreiben müssen, als er nach Hause kam, denn Helens und Rubens Bemühungen, den Zaun in Ordnung zu bringen, hatten dem Freiheitsdrang der Tiere nicht standgehalten. Zum Glück hatte Howard die Widder in den Stall treiben können, bevor sie erneut ins Hochland flüchteten. Allerdings hatte diese Zusatzarbeit seine Laune nicht gerade verbessert. Als Gerald jetzt die Hütte verließ, bedachte er Ruben mit einem mörderischen Blick.

»Du treibst es also mit der kleinen Warden«, stellte er fest. »Und hegst nach wie vor große Pläne, nicht wahr? Hab gerade den Maori-Jungen von Greenwood im Pub getroffen, und der *gratuliert* mir noch dazu, dass die Universität von Dunedin dich aufnehmen will! Für ein Jurastudium! Ja, das weißt du noch nicht, solche Briefe lässt du ja über deinen lieben Onkel George befördern! Aber das treib ich dir jetzt aus, mein Junge! Zähl gut mit, Ruben O'Keefe, das hast du doch gelernt. Und Jura, das sind die Rechtswissenschaften, nicht? Auge um Auge, Zahn um Zahn! Dieses Recht studieren wir jetzt. Das hier ist für die Schafe!«

Er versetzte Ruben einen Schlag. »Und das hier für das Mädchen!« Ein rechter Haken. »Das für Onkel George!« Ein linker Haken. Ruben ging zu Boden.

»Für das Jurastudium!« Howard versetzte ihm einen Tritt in die Rippen. Ruben stöhnte auf.

»Und dafür, dass du dich für was Besseres hältst!« Ein weiterer brutaler Tritt, diesmal in die Nierengegend. Ruben krümmte sich. Helen versuchte, Howard von ihm wegzuziehen.

»Und das hier ist für dich, weil du mit dem kleinen Scheißkerl immer gemeinsame Sache machst!« Howard landete den nächsten Treffer auf Helens Oberlippe. Sie stürzte, versuchte dabei aber immer noch, ihren Sohn zu schützen.

Immerhin schien Howard jetzt zu sich zu kommen. Das Blut in Helens Gesicht ernüchterte ihn.

»Ihr seid das gar nicht wert ... ihr ...«, stammelte er und stakste unsicher auf den Schrank in der Küche zu, in dem Helen den Whiskey aufbewahrte. Eine ordentliche Sorte, nicht der billigste. Sie pflegte ihn für Besucher bereitzuhalten; vor allem George Greenwood brauchte einen Schluck, wenn er mit Howard fertig war. Jetzt trank Howard den Schnaps in langen Zügen und wollte die Flasche dann wieder hineinstellen. Doch als er den Schrank schließen wollte, überlegte er es sich anders und nahm sie mit.

»Ich schlaf im Stall!«, verkündete er. »Kann euch nicht mehr sehen ...«

Helen atmete auf, als er nach draußen verschwand.

»Ruben ... ist es schlimm? Bist du ...«

»Alles in Ordnung, Mom«, flüsterte Ruben, doch sein Aussehen bewies das Gegenteil. Er blutete aus Platzwunden über dem Auge und der Lippe; das Nasenbluten war ebenfalls schlimmer geworden, und er hatte Mühe, sich aufzurichten. Sein linkes Auge schwoll zu. Helen half ihm auf.

»Komm, leg dich ins Bett. Ich verarzte dich«, bot sie ihm an. Doch Ruben schüttelte den Kopf.

»Ich will nicht in sein Bett!«, sagte er fest und schleppte sich stattdessen zu der schmalen Pritsche neben dem Kamin, auf der er im Winter zu schlafen pflegte. Im Sommer suchte er sich seit Jahren einen Schlafplatz im Stall, um seine Eltern nicht zu stören.

Er zitterte, als Helen mit einer Schüssel Wasser und einem Lappen zu ihm kam, um sein Gesicht abzuwaschen. »Es ist nichts, Mom ... Mein Gott, hoffentlich geschieht Fleur nichts.«

Helen tupfte ihm vorsichtig das Blut von der Lippe. »Fleur wird nichts passieren. Aber wie ist er dahintergekommen? Verflixt, ich hätte doch ein Auge auf diesen Paul werfen sollen!«

»Irgendwann hätten sie's sowieso erfahren«, meinte Ruben. »Und dann ... ich werde morgen von hier verschwinden, Mom. Mach dich schon mal darauf gefasst. Ich bleibe keinen Tag länger in seinem Haus ...« Er wies in die Richtung, in die Howard verschwunden war.

»Du wirst morgen krank sein«, sagte Helen. »Und wir sollten nichts überstürzen. George Greenwood ...«

»Onkel George kann uns da auch nicht mehr helfen, Mutter. Ich gehe nicht nach Dunedin. Ich gehe nach Otago. Da gibt es Gold. Ich ... ich werde welches finden, und dann hole ich Fleur hier heraus. Und dich auch. Er ... er darf dich nicht mehr schlagen!«

Helen sagte nichts mehr. Sie bestrich die Wunden ihres Sohnes mit einer kühlenden Salbe und saß bei ihm, bis er eingeschlafen war. Dabei dachte sie an all die Nächte, die sie so bei ihm verbracht hatte, wenn er krank war oder aus einem Albtraum aufschreckte und sie einfach bei sich haben wollte. Ruben hatte sie immer glücklich gemacht. Aber jetzt hatte Howard auch das zerstört. Helen schlief nicht in dieser Nacht.

Sie weinte.

## 3

Auch Fleurette weinte sich in dieser Nacht in den Schlaf. Sowohl sie als auch Gwyneira und Paul hörten Gerald spät am Abend zurückkommen, aber keiner brachte den Mut auf, den Alten zu fragen, was vorgefallen war. Am Morgen war Gwyneira dann die Einzige, die wie gewohnt zum Frühstück herunterkam. Gerald schlief seinen Rausch aus, und Paul wagte sich nicht zu zeigen, solange nicht die Chance bestand, seinen Großvater zwecks Aufhebung des Stubenarrests auf seine Seite zu ziehen. Fleurette hockte verschreckt und antriebslos in einer Ecke ihres Bettes, Gracie an sich gepresst wie ihre Mutter damals Cleo und gepeinigt von den schrecklichsten Vorstellungen. Dort fand sie Gwyneira, nachdem Andy McAran ihr Meldung über einen unangekündigten Besucher im Stall gemacht hatte. Gwyn vergewisserte sich sorgfältig, dass sich weder bei Gerald noch bei Paul etwas regte, bevor sie ins Zimmer ihrer Tochter schlüpfte.

»Fleurette? Fleurette, es ist neun Uhr! Was machst du denn noch im Bett?« Gwyneira schüttelte so tadelnd den Kopf, als wäre es ein ganz normaler Tag, und Fleur hätte nur die Zeit für die Schule verschlafen. »Jetzt zieh dich an, aber schnell. Im Pferdestall ist jemand für dich. Und der kann ganz sicher nicht ewig warten.«

Sie lächelte ihrer Tochter verschwörerisch zu.

»Da ist jemand, Mummy!« Fleurette sprang auf. »Wer? Ist es Ruben? Oh, wenn es Ruben ist, wenn er lebt …«

»Natürlich lebt er, Fleurette. Dein Großvater ist ein Mann, der rasch wilde Drohungen ausstößt und schnell die Fäuste gebraucht. Aber er bringt doch niemanden um! Zumindest nicht gleich – wenn er den Jungen jetzt bei uns in der Scheune antrifft, garantiere ich für nichts mehr.« Gwyneira half Fleur, rasch in ein Reitkleid zu schlüpfen.

»Du passt aber auf, dass er nicht kommt, ja? Und Paul ...« Fleurette schien sich vor ihrem Bruder fast ebenso zu fürchten wie vor ihrem Großvater. »Er ist ein solcher Mistkerl! Du glaubst doch nicht wirklich, dass wir ...«

»Ich halte den Jungen für viel zu intelligent, als dass er das Risiko eingeht, dich zu schwängern«, sagte Gwyneira nüchtern. »Und du, Fleurette, bist genauso klug wie er. Ruben will zum Studieren nach Dunedin, und du musst noch ein paar Jahre älter werden, bevor an eine Ehe auch nur zu denken ist. Und dann sind die Chancen für einen jungen Anwalt, der möglicherweise in der Firma von George Greenwood arbeitet, viel größer als für einen Farmjungen, dessen Vater von der Hand in den Mund lebt. Behalt das auch heute Morgen im Auge, wenn du den Jungen triffst. Obwohl ... nach dem, was McAran so erzählt hat, ist der heute kaum in der Lage, jemanden zu schwängern ...«

Gwyneiras letzte Bemerkung nährte wieder einmal Fleurs schlimmste Befürchtungen. Statt ihren Wachsmantel zu suchen – draußen regnete es in Strömen –, warf sie sich nur hastig ein Tuch über die Schultern und eilte dann die Treppen hinunter. Ihr Haar hatte sie auch nicht gebürstet. Das zu entwirren hätte wahrscheinlich Stunden gedauert. Gewöhnlich pflegte sie es abends zu kämmen und zu flechten, aber gestern hatte sie nicht die Energie dazu aufgebracht. Nun wallte es ziemlich wild um ihr schmales Gesicht, doch Ruben O'Keefe erschien sie dennoch als das schönste Mädchen, das er jemals gesehen hatte. Fleurette dagegen war eher entsetzt vom Anblick ihres Freundes. Der Junge lag mehr als er saß auf einem Stapel Heu. Nach wie vor schmerzte ihn jede Bewegung. Sein Gesicht war verschwollen, ein Auge ganz geschlossen, und die Platzwunden nässten noch.

»Oh Gott, Ruben! War das mein Großvater?« Fleurette wollte ihn umarmen, doch Ruben wehrte sie ab.

»Vorsicht«, ächzte er. »Meine Rippen ... ich weiß nicht, ob sie gebrochen oder nur geprellt sind ... jedenfalls tut es höllisch weh.«

Fleurette umfasste ihn sanfter. Sie glitt neben ihn und bettete sein zerschundenes Gesicht an ihre Schulter.

»Der Teufel soll ihn holen!«, schimpfte sie. »Von wegen, er bringt niemanden um! Bei dir wäre es ihm fast gelungen!«

Ruben schüttelte den Kopf. »Es war nicht Mr. Warden. Es war mein Vater. Und beinahe hätten sie's in schönster Eintracht zusammen gemacht! Die beiden sind sich ja spinnefeind, aber was uns angeht, besteht völlige Übereinstimmung. Ich gehe weg, Fleur. Ich halte das nicht mehr aus!«

Fleurette sah ihn fassungslos an. »Du gehst weg? Du verlässt mich?«

»Soll ich hier warten, bis sie uns beide umbringen? Wir können uns doch nicht in alle Ewigkeit heimlich treffen – erst recht nicht mit dem kleinen Spitzel, den du da im Haus hast. Es war doch Paul, der uns verraten hat, oder?«

Fleur nickte. »Und er wird's immer wieder tun. Aber du ... du kannst nicht ohne mich weggehen! Ich komme mit!« Entschlossen straffte sie sich und schien in Gedanken bereits ihre Sachen zu packen. »Du wartest hier, ich brauche nicht viel. In einer Stunde können wir fort sein!«

»Ach, Fleur, das geht doch nicht. Aber ich verlasse dich auch nicht. Ich denke in jeder Minute, jeder Sekunde an dich. Ich liebe dich. Aber ich kann dich auf keinen Fall mit nach Otago nehmen ...« Ruben streichelte sie mit ungeschickten Bewegungen, während Fleur fieberhaft nachdachte. Wenn sie mit ihm fliehen wollte, lief das auf einen Gewaltritt hinaus – Gerald würde ihnen zweifellos einen Suchtrupp hinterherschicken, sobald er ihre Abwesenheit bemerkte. Doch Ruben konnte in seinem augenblicklichen Zustand auf keinen Fall schnell reiten ... und was redete er da überhaupt von Otago?

»Ich denke, du willst nach Dunedin?«, erkundigte sie sich und küsste seine Stirn.

»Ich hab's mir anders überlegt«, erklärte Ruben. »Wir haben immer gedacht, dein Großvater erlaubt uns zu heiraten, wenn ich erst Anwalt bin. Aber er wird nie die Erlaubnis geben, nach gestern Abend ist mir das endgültig klar. Wenn es mit uns etwas werden soll, muss ich Geld verdienen. Nicht ein bisschen, sondern ein Vermögen. Und in Otago wurde Gold gefunden ...«

»Du willst es mit Goldschürfen versuchen?«, fragte Fleur überrascht. »Aber ... wer sagt dir, dass du etwas findest?«

Im Stillen empfand Ruben das als eine gute Frage, denn er hatte nicht die geringste Ahnung, wie er die Goldsuche anfangen sollte. Aber zum Teufel, das hatten andere doch auch geschafft!

»In der Gegend um Queenstown findet jeder Gold«, behauptete er. »Da gibt's Nuggets, so groß wie Fingernägel.«

»Und die liegen einfach so in der Gegend herum?«, meinte Fleurette misstrauisch. »Brauchst du nicht einen Claim? Eine Ausrüstung? Hast du Geld, Ruben?«

Ruben nickte. »Ein bisschen. Ein paar Ersparnisse. Onkel George hat mich bezahlt, als ich letztes Jahr in seiner Firma ausgeholfen habe, und auch fürs Dolmetschen bei den Maoris, wenn Reti nicht zur Verfügung stand. Es ist natürlich nicht viel.«

»Ich hab gar nichts«, sagte Fleurette bekümmert. »Sonst hätte ich's dir gegeben. Aber was ist mit einem Pferd? Wie willst du hinkommen, zum Lake Wakatipu?«

»Ich hab das Maultier von meiner Mutter«, erklärte Ruben.

Fleurette schlug die Augen gen Himmel. »Nepumuk? Du willst mit dem alten Nepumuk über die Berge? Wie alt ist der jetzt? Fünfundzwanzig? Das ist völlig unmöglich, Ruben, nimm eins von unseren Pferden!«

»Damit der alte Warden mich als Pferdedieb jagen lässt?«, fragte Ruben bitter.

Fleurette schüttelte den Kopf. »Nimm Minette. Sie ist klein, aber kräftig. Und sie gehört mir. Keiner kann mir verbieten, sie dir zu leihen. Aber du musst gut auf sie aufpassen, hörst du? Und du musst sie mir zurückbringen.«

»Du weißt, dass ich wiederkomme, sobald ich nur eben kann!« Ruben richtete sich mühsam auf und zog Fleurette in seine Arme. Sie schmeckte sein Blut, als er sie küsste. »Ich hole dich. Das ... das ist so sicher, wie morgen die Sonne aufgeht! Ich finde Gold, und dann hole ich dich! Du vertraust mir doch, Fleurette?«

Fleurette nickte und erwiderte seine Umarmung so zärtlich und vorsichtig wie sie nur konnte. Sie zweifelte nicht an seiner Liebe. Wenn sie wenigstens sicher wäre, was seinen zukünftigen Reichtum betraf ...

»Ich liebe dich und ich warte auf dich!«, sagte sie sanft.

Ruben küsste sie noch einmal. »Ich mache schnell. Sooo viele Goldsucher gibt's noch nicht bei Queenstown. Noch ist es so was wie ein Geheimtipp. Also wird es jede Menge gute Claims geben und massenhaft Gold, und ...

»Aber du wirst auch zurückkommen, falls du kein Gold findest, ja?«, vergewisserte sich Fleurette. »Dann denken wir uns etwas anderes aus!«

»Ich finde Gold!«, behauptete Ruben. »Denn eine andere Möglichkeit gibt es nicht. Aber jetzt muss ich gehen. Ich bin schon viel zu lange hier. Wenn dein Großvater mich sieht ...«

»Meine Mutter passt auf. Bleib noch hier, Ruben, ich sattele dir Minette, du kannst ja kaum aufstehen. Am besten suchst du dir erst einen Unterschlupf und kurierst dich aus. Wir könnten ...«

»Nein, Fleurette. Keine weiteren Risiken, kein langer Abschied. Ich komme zurecht, das ist alles halb so schlimm. Sieh du nur zu, dass du Mutter irgendwie das Maultier zurückgibst.« Ruben zog sich mühsam hoch und tat zumindest so, als ginge er Fleurette beim Satteln zur Hand. Als sie das Pferd gerade aufzäumen wollte, stand Kiri in der Tür, in der Hand zwei prall gefüllte Satteltaschen. Sie lächelte Fleurette zu.

»Hier, das schickt deine Mutter. Für den Jungen, der nicht wirklich da ist.« Kiri schaute weisungsgemäß durch Ruben hindurch. »Ein bisschen Wegzehrung für ein paar Tage, und warme Sachen, noch von Mr. Lucas. Er wird das brauchen, meint sie.«

Ruben wollte erst ablehnen, doch die Maori nahm ihn gar nicht zur Kenntnis, stellte die Taschen ab und wandte sich gleich wieder zum Gehen. Fleurette befestigte die Taschen am Sattel, dann führte sie Minette hinaus.

»Pass ja auf ihn auf!«, flüsterte sie der Stute zu. »Und bring ihn mir zurück!«

Ruben zog sich mühsam in den Sattel, schaffte es dann aber doch noch, sich zu Fleurette herunterzubeugen und sie zum Abschied zu küssen.

»Wie sehr liebst du mich?«, fragte er leise.

Sie lächelte. »Bis in den Himmel. Und noch ein paar Sterne weiter. Wir sehen uns bald!«

»Wie sehen uns bald!«, beteuerte Ruben.

Fleurette sah ihm nach, bis er hinter dem Vorhang aus Regen verschwand, der ihr heute den Blick auf die Alpen verwehrte. Ihr Herz tat ihr weh, Ruben so schief und schmerzverkrümmt auf dem Pferd hängen zu sehen. Eine gemeinsame Flucht wäre nie gelungen – Ruben konnte nur vorankommen, wenn er unbehelligt blieb.

Paul sah den Jungen ebenfalls abreiten. Er hatte bereits wieder Wachposten an seinem Fenster bezogen und überlegte, ob er Gerald wecken sollte. Aber bis er zu dem vordrang, wäre

Ruben sicher über alle Berge – mal ganz abgesehen davon, dass seine Mutter ihn bestimmt im Blick behielt. Ihr Ausbruch von gestern stand ihm noch deutlich vor Augen. Er hatte bestätigt, was Paul immer gewusst hatte: Gwyneira liebte seine Schwester viel mehr als ihn. Von ihr hatte er nichts zu erwarten. Aber was seinen Großvater anging, gab es Hoffnung. Sein Großvater war berechenbar, und wenn Paul lernte, ihn richtig zu nehmen, würde er zu ihm halten. Von jetzt an, entschied Paul, gäbe es zwei gegnerische Fraktionen in der Familie Warden: seine Mutter und Fleur, Gerald und Paul. Er musste nur noch Gerald davon überzeugen, wie nützlich er ihm war!

Gerald tobte, als er herausfand, wohin die Stute Minette verschwunden war. Gwyneira konnte ihn nur mit Mühe daran hindern, Fleurette zu schlagen.

»Immerhin ist der Kerl jetzt weg!«, tröstete er sich schließlich. »Ob nach Dunedin oder sonst wohin, soll mir egal sein. Wenn er hier noch mal auftaucht, erschieße ich ihn wie einen tollwütigen Hund, das muss dir klar sein, Fleurette! Aber bis dahin bist du auch nicht mehr hier. Ich werde dich an den nächsten Mann verheiraten, der halbwegs passend ist!«

»Sie ist noch viel zu jung zum Heiraten«, sagte Gwyneira. Im Grunde dankte auch sie dem Himmel, dass Ruben die Canterbury Plains erst einmal verlassen hatte. Wohin, hatte Fleur ihr nicht erzählt, aber sie konnte es sich denken. Was zu Lucas' Zeiten Walfang und Seehundjagd gewesen war, hatte sich jetzt zum Goldrausch gewandelt. Wer schnell Vermögen machen und sich als Mann beweisen wollte, strebte nach Otago. Rubens Eignung zum Miner schätzte sie allerdings ähnlich pessimistisch ein wie Fleurette.

»Sie war alt genug, sich diesem Bastard im Busch hinzugeben. Da kann sie auch mit einem ehrenwerten Mann das Bett teilen. Wie alt ist sie? Sechzehn? Im nächsten Jahr ist sie siebzehn. Dann kann sie sich verloben. Ich kann mich gut an ein Mädchen erinnern, das mit siebzehn nach Neuseeland kam...«

Gerald fixierte Gwyneira, die dabei blass wurde und ein Gefühl in sich aufsteigen spürte, das fast an Panik grenzte. Als sie siebzehn war, hatte Gerald sich in sie verliebt – und sie für seinen Sohn nach Übersee geholt. Fing der alte Mann jetzt womöglich an, auch Fleur mit anderen Augen zu sehen? Gwyneira hatte sich bisher nie viel dabei gedacht, dass das Mädchen ihr täuschend ähnlich sah. Wenn man davon absah, dass Fleurette noch graziler war als ihre Mutter, ihr Haar etwas dunkler und die Augenfarbe eine andere, hätte man Fleur und die junge Gwyneira verwechseln können... Hatte Pauls dumme Petzerei das jetzt womöglich auch Gerald vor Augen geführt?

Fleurette schluchzte und wollte tapfer erwidern, dass sie niemals und unter keinen Umständen einen anderen Mann heiraten würde als Ruben O'Keefe, aber Gwyneira nahm sich zusammen und gebot ihr mit einem Kopfschütteln und einer Handbewegung zu schweigen. Es brachte nichts, sich zu streiten. Zumal das Auffinden eines »halbwegs passenden« jungen Mannes nicht einfach werden dürfte. Die Wardens gehörten zu den ältesten und angesehensten Familien der Südinsel; nur wenige andere waren ihnen gesellschaftlich und finanziell ebenbürtig. Deren Söhne ließen sich an zwei Händen abzählen – und sie waren sämtlich entweder bereits verlobt, verheiratet oder viel zu jung für Fleurette. Der Sohn des jungen Lord Barrington zum Beispiel war gerade mal zehn, und George Greenwoods Ältester sogar erst fünf Jahre alt. Wenn Geralds Wut erst verraucht war, würde auch ihm das klar werden. Die Gefahr im eigenen Hause erschien Gwyn da viel realer, aber wahrscheinlich sah sie auch hier Gespenster. Gerald hatte sie in all den Jahren nur einmal angerührt, volltrunken und im Affekt, und er schien es bis heute zu bereuen. Also gab es keinen Grund, die Pferde scheu zu machen.

Gwyneira zwang sich zur Ruhe und mahnte auch Fleurette zur Gelassenheit. Wahrscheinlich würde die leidige Angelegenheit in einigen Wochen vergessen sein.

Doch hier täuschte sie sich. Zwar geschah vorerst nichts, aber acht Wochen nach Rubens Abritt machte Gerald sich auf den Weg zu einem Viehzüchtertreffen in Christchurch. Offizielle Begründung für dieses »Festessen mit anschließendem Besäufnis«, wie Gwyneira es nannte, waren die stetig zunehmenden Viehdiebstähle in den Canterbury Plains. In den letzten Monaten waren um die tausend Schafe allein in ihrer Region verschwunden, und nach wie vor war der Name McKenzie im Gespräch.

»Weiß der Himmel, wohin er mit den Viechern verschwindet!«, polterte Gerald. »Aber er steckt bestimmt dahinter! Der Kerl kennt das Hochland wie seine Westentasche. Wir werden noch mehr Patrouillen ausschicken, eine regelrechte Miliz werden wir aufstellen!«

Gwyneira zuckte die Schultern und hoffte, dass niemand ihr anmerkte, wie heftig ihr Herz noch heute schlug, wenn sie an James McKenzie dachte. Im Stillen lächelte sie über seine Husarenstückchen und darüber, was er wohl zu ein paar weiteren Patrouillen in den Bergen sagen würde. Bislang waren nur Teile des Voralpenlandes erschlossen; die Region war riesig und mochte noch ganze Täler und Weidegründe verbergen. Die Tiere hier zu bewachen war gänzlich unmöglich, obwohl die Viehzüchter zumindest der Form halber Viehhüter ins Hochland schickten. Die verbrachten dann das halbe Jahr in primitiven, speziell dafür erstellten Blockhütten, meist zu zweit, um nicht völlig zu vereinsamen. Dabei vertrieben sie sich die Zeit mit Kartenspielen, Jagen und Fischen, weitgehend unkontrolliert von ihren Arbeitgebern. Die Zuverlässigeren von ihnen hielten die Schafe dabei im Auge, andere sahen sie so gut wie nie. Ein Mann und ein guter Hütehund konnten jeden Tag Dutzende Tiere wegtreiben, ohne dass es unmittelbar auffiel. Wenn James tatsächlich einen noch unbekannten Zufluchtsort und vor allem ein Vertriebssystem für das gestohlene Vieh gefunden hatte, würden die Schaf-Barone ihn nie finden – höchstens durch Zufall.

Dennoch boten McKenzies Aktivitäten immer Gesprächsstoff und willkommene Anlässe, sich zu Viehzüchtertreffen oder gemeinsamen Expeditionen ins Hochland zusammenzutun. Auch diesmal würde man wieder viel reden, aber wenig erreichen. Gwyneira war froh, dass sie selbst nie zur Teilnahme aufgefordert wurde. Sie leitete zwar de facto die Schafzucht auf Kiward Station, aber ernst genommen wurde nur Gerald. Sie atmete auf, als er vom Hof ritt, im Schlepptau erstaunlicherweise Paul. Der Junge und sein Großvater waren sich seit der Geschichte mit Ruben und Fleurette näher gekommen. Anscheinend begriff Gerald endlich, dass es nicht reichte, einen Erben zu zeugen. Der zukünftige Besitzer von Kiward Station musste auch in die Arbeit auf der Farm eingeführt werden – und in die Gesellschaft von seinesgleichen. Nun ritt Paul stolz neben Gerald nach Christchurch, und Fleurette konnte sich endlich ein bisschen entspannen. Nach wie vor schrieb Gerald ihr streng vor, wohin sie gehen und wann sie nach Hause zu kommen hatte; Paul beobachtete Fleur dabei und verriet seinem Großvater jeden kleinsten Verstoß gegen seine Anordnungen. Nach den ersten paar Schimpftiraden trug Fleurette das zwar mit Fassung, aber belastend war es doch. Immerhin hatte das Mädchen viel Freude an seinem neuen Pferd. Gwyneira hatte ihr Igraines letzte Tochter, Niniane, zum Zureiten anvertraut. Die Vierjährige glich in Temperament und Aussehen ihrer Mutter – und wenn Gwyn ihre Tochter auf Ninianes Rücken über die Weiden stieben sah, überkam sie wieder das ungute Gefühl wie vor kurzem im Salon: Auch Gerald musste meinen, hier die junge Gwyneira vor sich zu sehen. So hübsch, so wild und so völlig außer seiner Reichweite, wie ein Mädchen es nur sein konnte.

Seine Reaktion darauf nährte ihre Befürchtungen: Er zeigte sich schlechter gelaunt als sonst, schien eine unerklärliche Wut auf jeden zu hegen, der ihm begegnete, und konsumierte noch mehr Whiskey als sonst. Lediglich Paul schien ihn in diesen Nächten besänftigen zu können.

Gwyn wäre das Blut in den Adern gefroren, hätte sie gewusst, was die beiden dann im Herrenzimmer redeten.

Das Ganze begann stets damit, dass Gerald Paul aufforderte, ihm von der Schule und seinen Abenteuern im Busch zu erzählen, und endete damit, dass der Junge von Fleur sprach – die er natürlich keineswegs als den bezaubernd unschuldigen Wildfang schilderte, der Gwyn damals gewesen war, sondern als verderbt, verräterisch und böse. Gerald konnte seine verbotenen Fantasien rund um seine Enkelin leichter ertragen, wenn sie sich um ein solch kleines Biest rangelten – aber er wusste natürlich, dass er das Mädchen schleunigst loswerden musste.

In Christchurch schien sich eine Gelegenheit dazu zu ergeben. Als Gerald und Paul von der Viehzüchterversammlung zurückkehrten, wurden sie von Reginald Beasley begleitet.

Gwyneira begrüßte den alten Freund ihrer Familie freundlich und kondolierte ihm noch einmal zum Tod seiner Frau. Mrs. Beasley war Ende des letzten Jahres plötzlich verschieden – ein Schlaganfall in ihrem geliebten Rosengarten. Gwyneira fand im Grunde, die alte Dame hätte keinen schöneren Tod haben können, was natürlich nichts daran änderte, dass Mr. Beasley sie schmerzlich vermisste. Gwyn bat Moana, ein besonders gutes Essen vorzubereiten, und suchte erstklassigen Wein heraus. Beasley war als Feinschmecker und Weinkenner bekannt, und er strahlte denn auch über das ganze runde und rote Gesicht, als Witi die Flasche bei Tisch entkorkte.

»Ich habe ebenfalls gerade eine Sendung bester Weine aus Kapstadt bekommen«, erklärte er und schien sich dabei besonders an Fleurette zu wenden. »Darunter sehr leichte, die Damen werden sie lieben. Was bevorzugen Sie, Miss Fleur? Weißwein oder Rotwein?«

Fleurette hatte sich darüber nie besondere Gedanken gemacht. Sie trank selten Wein, und wenn, dann den, der gerade auf den Tisch kam. Doch Helen hatte ihr selbstverständlich vermittelt, sich wie eine Dame zu benehmen.

»Das kommt sehr auf die Sorte an, Mr. Beasley«, erwiderte sie höflich. »Rotweine sind oft sehr schwer, und Weißweine haben mitunter viel Säure. Ich würde es wohl einfach Ihnen überlassen, das richtige Getränk auszuwählen.«

Mr. Beasley schien mit dieser Antwort äußerst zufrieden zu sein und schilderte im Folgenden ausführlich, warum er südafrikanische Weine inzwischen fast den französischen vorzog.

»Kapstadt ist ja auch viel näher«, sagte Gwyneira schließlich, um die Sache abzuschließen. »Und preiswerter ist der Wein da auch.«

Fleur grinste in sich hinein. Ihr war dieses Argument auch als Erstes eingefallen, doch Miss Helen hatte ihr beigebracht, dass eine Dame auf keinen Fall und unter keinen Umständen mit einem Herrn über Geld redete. Ihre Mutter hatte diese Schule eindeutig nicht durchlaufen.

Beasley erläuterte denn auch wortreich, dass finanzielle Erwägungen da wirklich keine Rolle spielten, und leitete gleich zu anderen, wesentlich teureren Investitionen über, die er in der letzten Zeit getätigt hatte. So waren weitere Schafe importiert, die Rinderzucht vergrößert worden ...

Fleurette fragte sich, warum der kleine Schaf-Baron dabei

immer wieder sie fixierte, als müsste sie ein persönliches Interesse an der Kopfzahl seiner Cheviot-Herde hegen. Interesse entwickelte sie erst, als das Gespräch auf Pferdezucht kam. Beasley züchtete nach wie vor reinrassige Vollblutpferde.

»Wir könnten sie aber durchaus auch mal mit einem Ihrer Cobs kreuzen, wenn Ihnen ein Vollblut zu heftig wäre«, erklärte er Fleurette eifrig. »Das wäre überhaupt mal ein interessanter Ansatz ...«

Fleurette runzelte die Stirn. Sie konnte sich kaum einen Vollblüter vorstellen, der gehwilliger war als Niniane – wenn auch natürlich schneller. Aber warum, um Himmels willen, sollte sie Interesse daran zeigen, auf Vollblutpferde umzusatteln? Nach Ansicht ihrer Mutter waren die viel zu empfindlich für die langen und harten Ritte durch den Busch.

»Das macht man in England häufig«, unterbrach Gwyneira, die mittlerweile ähnlich verwirrt von Beasleys Verhalten war wie Fleurette. Sie war die Pferdezüchterin in der Familie! Warum also sprach Beasley nicht sie an, wenn es um Kreuzungen ging? »Zum Teil werden es ganz gute Jagdpferde. Aber oft haben sie auch die Härte und Dickköpfigkeit der Cobs, gepaart mit der Explosivität und Schreckhaftigkeit des Vollbluts. Das wünsche ich mir eigentlich nicht für meine Tochter.«

Beasley lächelte einlenkend. »Oh, es war ja auch nur ein Vorschlag. Miss Fleurette soll natürlich völlig freie Hand haben in Bezug auf ihr Pferd. Wir könnten auch mal wieder eine Jagd veranstalten. In den letzten Jahren habe ich das völlig vernachlässigt, aber ... Hätten Sie Spaß am Jagdreiten, Miss Fleur?«

Fleurette nickte. »Klar, warum nicht?«, meinte sie mäßig interessiert.

»Obgleich es natürlich immer noch an Füchsen fehlt«, sagte Gwyn lächelnd. »Haben Sie mal überlegt, welche einzuführen?«

»Um Himmels willen!«, ereiferte sich Gerald, wobei das Gespräch eine Wendung nahm und sich um die karge, einheimische Tierwelt auf Neuseeland drehte.

Hier konnte auch Fleurette einiges beisteuern, sodass die Mahlzeit schließlich in angeregter Unterhaltung ausklang. Fleur entschuldigte sich gleich darauf, um in ihr Zimmer zu gehen. Sie verbrachte die Abende neuerdings damit, lange Briefe an Ruben zu schreiben, und gab sie auch ganz hoffnungsvoll in Halden auf, obwohl der Posthalter wenig optimistisch war. »Ruben O'Keefe, Goldminen, Queenstown« schien ihm keine sehr feste Adresse. Die Briefe kamen bisher allerdings nicht zurück.

Gwyneira machte sich zunächst in der Küche zu schaffen, beschloss dann aber, sich noch kurz zu den Herren zu gesellen. Sie nahm sich im Salon ein Glas Portwein und schlenderte damit ins Nebenzimmer, in dem die Herren nach dem Essen zu rauchen, zu trinken und gelegentlich zu spielen pflegten.

»Sie hatten Recht, sie ist entzückend!«

Gwyneira verharrte interessiert vor der halb offenen Tür, als sie Beasleys Stimme hörte.

»Anfangs war ich ja ein wenig skeptisch – ein so junges Mädchen, fast noch ein Kind. Aber jetzt, wo ich sie gesehen habe: Sie ist schon sehr reif für ihr Alter. Und so gut erzogen! Eine richtige kleine Lady.«

Gerald nickte. »Sag ich doch. Sie ist absolut reif für die Ehe. Unter uns gesagt muss man schon ein bisschen aufpassen. Sie wissen selbst, wie das ist, mit den vielen Männern hier auf den Farmen. Da verliert so manches Kätzchen den Verstand, wenn es rollig wird.«

Beasley kicherte. »Aber sie ist doch ... Ich meine, verstehen Sie mich richtig, ich bin nicht fixiert darauf, ich hätte mich sonst auch durchaus für eine ... nun, vielleicht eine Witwe interessiert, eher in meinem Alter. Aber wenn sie in dem Alter schon Affären haben ...«

»Reginald, ich muss doch sehr bitten!«, unterbrach Gerald ihn streng. »Fleurs Ehre ist über jeden Zweifel erhaben. Ich denke ja nur deshalb an eine frühe Verheiratung, damit es so bleibt. Der Apfel ist reif, wenn Sie verstehen, was ich meine!«

Beasley lachte wieder. »Eine wahrhaft paradiesische Vorstellung! Und was sagt nun das Mädchen selbst dazu? Werden Sie ihr meine Werbung überbringen, oder soll ich mich ihr ... äh, selbst erklären?«

Gwyneira konnte kaum glauben, was sie da hörte. Fleurette und Reginald Beasley? Der Mann musste weit über fünfzig sein, eher noch in den Sechzigern. Alt genug, um Fleurs Großvater zu sein!

»Lassen Sie mal, das mache ich. Kommt ja sicher etwas überraschend. Aber sie wird zustimmen, da machen Sie sich mal keine Sorgen! Schließlich ist sie eine Lady, wie Sie schon sagten.« Gerald hob noch einmal die Whiskeyflasche. »Auf unsere Verwandtschaft«, lächelte er. »Auf Fleur!«

»Nein, nein und nochmals nein!«

Fleurettes Stimme schallte aus dem Herrenzimmer, in das Gerald sie zum Gespräch gebeten hatte, durch den gesamten Salon bis in Gwyneiras Büro. Sie klang nicht sehr damenhaft – eher so, als mache die junge Fleurette ihrem Großvater soeben die Szene seines Lebens. Gwyneira hatte es vorgezogen, sich diesen Auftritt nicht unmittelbar anzutun. Sollte Gerald sich allein mit Fleur auseinander setzen, sie konnte hinterher immer noch vermittelnd eingreifen. Schließlich musste Beasley abgewiesen werden, ohne dass man ihn verletzte. Obgleich eine kleine Abfuhr dem alten Herrn nicht geschadet hätte. Wie konnte er nur an eine sechzehnjährige Braut denken! Gwyneira hatte sich allerdings vergewissert, dass Gerald noch nicht zu betrunken war, als er Fleur zu sich befahl, und sie hatte ihre Tochter vorgewarnt.

»Denk daran, Fleur, er kann dich nicht zwingen. Vielleicht haben sie es schon herumerzählt, dann gibt das einen kleinen Skandal. Aber ich kann dir versichern, dass Christchurch schon andere Affären überstanden hat. Bleib einfach ruhig, und mach deinen Standpunkt klar.«

Ruhig bleiben lag Fleurette allerdings gar nicht.

»Ich soll mich fügen?«, schleuderte sie Gerald denn auch entgegen. »Ich denke gar nicht daran! Bevor ich den alten Kerl heirate, gehe ich ins Wasser! Im Ernst, Großvater, ich stürze mich in den See!«

Gwyneira musste lächeln. Woher hatte Fleur bloß dieses Theatralische? Vermutlich aus einem von Helens Büchern. Tatsächlich würde ihr ein Sturz in den Tümpel bei Kiward Station kaum etwas schaden. Erstens war das Wasser flach, zweitens konnte Fleur dank ihrer und Rubens Maori-Freunde hervorragend schwimmen.

»Oder ich gehe ins Kloster!«, führte Fleurette soeben aus. Es gab zwar noch keins auf Neuseeland, aber das schien ihr im Moment entfallen zu sein. Gwyneira schaffte es immer noch, die Sache von der komischen Seite zu nehmen. Dann aber hörte sie Geralds Stimme und war erneut alarmiert. Da war etwas faul ... der alte Mann musste deutlich mehr getrunken haben, als Gwyneira geglaubt hatte. Als sie Fleur vorbereitet hatte? Oder erst jetzt, während Fleur ihre kindischen Drohungen ausstieß?

»Du willst doch nicht ins Kloster, Fleurette! Das ist wohl der letzte Ort, an den du willst. Wo du jetzt schon Spaß dran findest, dich mit deinem dreckigen kleinen Freund im Heu zu wälzen! Wart's ab, meine Kleine, es sind schon andere kirre geworden. Du brauchst einen Mann, Fleur, du ...«

Fleurette schien die Bedrohung jetzt ebenfalls zu spüren. »Mutter erlaubt es auch gar nicht, wenn ich jetzt schon heirate ...«, sagte sie jetzt mit deutlich leiserer Stimme. Das brachte Gerald aber noch mehr in Rage.

»Deine Mutter wird tun, was ich will! Wir ziehen hier andere Saiten auf, das kann ich dir flüstern!« Gerald riss das Mädchen zurück, das eben die Tür geöffnet hatte, um ihm zu entfliehen. »Ihr alle werdet endlich einmal das tun, was ich will!«

Gwyneira, die sich dem Herrenzimmer inzwischen voller Angst genähert hatte, stürzte dazu. Sie sah eben noch, wie Fleurette in einen Sessel geschleudert wurde und dort schluchzend und verängstigt sitzen blieb. Gerald machte Anstalten, sich auf sie zu stürzen, wobei eine Whiskeyflasche zu Bruch ging. Kein Verlust, die Flasche war leer. Gwyneira schoss durch den Kopf, dass sie vorhin noch drei viertel voll gewesen war.

»Aufmüpfig ist das Stütchen, ja?«, zischte Gerald seiner Enkelin zu. »Noch unberührt von Zaum und Zügel? Na, das ändern wir jetzt. Du wirst schon lernen, dich deinem Reiter zu fügen ...«

Gwyneira riss ihn von ihr weg. In ihrer Wut und der Angst um ihre Tochter entwickelte sie Riesenkräfte. Zu genau erkannte sie das Funkeln in Geralds Augen wieder, das sie seit Pauls Zeugung in ihren schlimmsten Träumen verfolgte.

»Wie kannst du es wagen, sie anzufassen!«, fuhr sie ihn an. »Lass sie sofort in Ruhe!«

Gerald zitterte. »Schaff sie mir aus den Augen!«, stieß er zwischen den Zähnen hervor. »Sie hat Hausarrest. So lange, bis sie sich die Sache mit Beasley überlegt hat. Sie ist ihm versprochen! Ich werde mein Wort nicht brechen!«

Reginald Beasley hatte oben in seinen Räumen gewartet, aber vollständig war ihm die Szene natürlich nicht entgangen. Peinlich berührt trat er vor die Tür und traf Gwyneira und ihre Tochter auf der Treppe an.

»Miss Gwyn ... Miss Fleur ... bitte verzeihen Sie mir!«

Beasley war heute nüchtern, und ein Blick in Fleurettes junges, verstörtes Gesicht und die zornglühenden Augen ihrer Mutter sagten ihm, dass er keine Chancen hatte.

»Ich ... ich konnte nicht ahnen, dass es für Sie eine solche ... äh, Zumutung bedeuten würde, meine Werbung anzunehmen. Schauen Sie, ich bin nicht mehr jung, aber so alt nun auch wieder nicht, und ich ... ich würde Sie sehr in Ehren halten ...«

Gwyneira funkelte ihn an. »Mr. Beasley, meine Tochter will nicht in Ehren gehalten, sondern erst einmal erwachsen werden. Und dann wünscht sie sich wahrscheinlich einen Mann in ihrem Alter – und zumindest einen Mann, der sich ihr selbst erklärt und keinen anderen alten Bock vorschickt, um sie in sein Bett zu zwingen. Habe ich mich klar ausgedrückt?«

Eigentlich hatte sie ja höflich bleiben wollen, aber der Anblick von Geralds Gesicht über Fleurette im Sessel hatte sie zutiefst erschrocken. Diesen alten Freier hier musste sie als Erstes loswerden. Aber das dürfte nicht schwierig sein. Und dann musste ihr irgendetwas zu der Sache mit Gerald einfallen. Sie selbst hatte damals nicht gemerkt, auf welchem Pulverfass sie lebte. Aber Fleurette musste sie schützen!

»Miss Gwyn, ich ... wie gesagt, Miss Fleur, es tut mir Leid. Und unter diesen Umständen wäre ich durchaus bereit ... äh, von der Verlobung zurückzutreten.«

»Ich bin nicht mit Ihnen verlobt!«, sagte Fleur mit zittriger Stimme. »Das kann ich gar nicht, ich ...«

Gwyneira zog das Mädchen weiter. »Diese Entscheidung freut mich und ehrt Sie«, beschied sie Reginald Beasley mit gezwungenem Lächeln. »Vielleicht teilen Sie es dann auch meinem Schwiegervater mit, damit diese leidige Angelegenheit aus der Welt geschafft wird. Ich habe Sie immer geschätzt und würde Sie als Freund des Hauses ungern verlieren.«

Hoheitsvoll schritt sie an Beasley vorbei. Fleurette stolperte neben ihr her. Sie schien noch etwas sagen zu wollen, doch Gwyneira erlaubte ihr nicht, stehen zu bleiben.

»Erzähl ihm bloß nichts von Ruben, sonst fühlt er sich noch in seiner Ehre gekränkt«, zischte sie ihrer Tochter zu. »Du bleibst jetzt in deinem Zimmer – am besten, bis er weg ist. Komm um Himmels willen nicht heraus, solange dein Großvater betrunken ist!«

Gwyneira schloss zitternd die Tür hinter ihrer Tochter. Das hier war erst einmal abgewendet. Heute Abend würde Gerald mit Beasley trinken; da waren keine weiteren Ausbrüche zu befürchten. Und morgen würde er sich wegen der heutigen Attacke zu Tode schämen. Aber was kam dann? Wie lange würden Geralds Selbstvorwürfe ausreichen, ihn von seiner Enkelin fern zu halten? Und genügte die Sicherheit einer Zimmertür, um ihn aufzuhalten, wenn er zu betrunken war und sich womöglich einredete, er müsste das Mädchen für ihren künftigen Gatten »zureiten«?

Gwyns Entschluss war gefasst. Sie musste ihre Tochter wegschicken.

# 4

Diesen Entschluss in die Tat umzusetzen, erwies sich jedoch als schwierig. Weder fand sich ein Vorwand, das Mädchen wegzuschicken, noch eine passende Familie, die sie aufnehmen konnte. Gwyn hatte an einen Haushalt mit Kindern gedacht – nach wie vor mangelte es in Christchurch an Erzieherinnen, und eine so hübsche und gebildete Haustochter wie Fleur sollte in jeder jungen Familie willkommen sein. In der Praxis kamen dafür allerdings nur die Barringtons und die Greenwoods in Frage – und Antonia Barrington, eine eher unscheinbare junge Frau, lehnte das Ansinnen sofort ab, als Gwyn vorsichtig vorfühlte. Gwyn konnte es ihr nicht verdenken. Schon die ersten Blicke des jungen Lords auf die hübsche Fleurette überzeugten sie davon, dass ihre Tochter hier vom Regen in die Traufe käme.

Elizabeth Greenwood allerdings hätte Fleur gern aufgenommen. George Greenwoods Zuneigung zu ihr und seine Treue waren über jeden Zweifel erhaben. Er war auch für Fleur ein geachteter »Onkel«, und in seinem Haushalt hätte sie obendrein mehr über Buchführung und Unternehmensverwaltung lernen können. Allerdings waren die Greenwoods im Aufbruch zu einem Besuch in England. Georges Eltern wollten ihre Enkelkinder endlich kennen lernen, und Elizabeth konnte vor Aufregung kaum an sich halten.

»Ich hoffe bloß, dass seine Mutter mich nicht wiedererkennt«, vertraute sie Gwyneira ihre Ängste an. »Sie denkt doch, ich käme aus Schweden. Wenn sie jetzt feststellt, dass ...«

Gwyneira schüttelte lächelnd den Kopf. Es war völlig

unmöglich, in der schönen, gepflegten jungen Frau von heute, deren tadellose Manieren sie zu einer Stütze der Christchurcher Gesellschaft gemacht hatten, das halb verhungerte, schüchterne Waisenmädchen wiederzuerkennen, das vor fast zwanzig Jahren London verlassen hatte.

»Sie wird dich lieben«, versicherte sie der Jüngeren. »Und mach bloß keinen Unsinn und versuch, dir einen schwedischen Akzent zuzulegen oder so was. Du sagst, du bist in Christchurch aufgewachsen, und das stimmt ja auch. Also sprichst du Englisch, und fertig!«

»Aber sie hören doch, dass ich Cockney spreche«, sorgte sich Elizabeth.

Gwyn lachte. »Elizabeth, verglichen mit dir sprechen wir alle ein schreckliches Englisch – außer natürlich Helen, von der hast du's ja übernommen. Also reg dich nicht auf.«

Elizabeth nickte unsicher. »Na ja, George sagt sowieso, ich würde nicht allzu viel reden müssen. Seine Mutter führt Gespräche am liebsten ganz allein ...«

Gwyneira lachte wieder. Begegnungen mit Elizabeth waren immer erfrischend. Sie war viel intelligenter als die brave, aber etwas langweilige Dorothy in Haldon und die niedliche Rosemary, die inzwischen mit dem Bäckergesellen ihres Ziehvaters verlobt war. Wieder einmal fragte sie sich, was aus den anderen drei Mädchen geworden war, die auf der *Dublin* mit ihnen gereist waren. Helen hatte inzwischen Nachricht aus Westport erhalten. Eine Mistress Jolanda erklärte verärgert, Daphne sei zusammen mit den Zwillingen – und den Einnahmen eines ganzen Wochenendes – spurlos verschwunden. Die Dame hatte die Frechheit, das Geld von Helen zurückzufordern. Helen ließ ihren Brief unbeantwortet.

Schließlich verabschiedete Gwyn sich herzlich von Elizabeth – nicht ohne ihr die übliche Einkaufsliste mitzugeben, die jede Frau auf Neuseeland einer Freundin in die Hand drückte, die ins Mutterland reiste. Natürlich konnte man über Georges Firma praktisch alles bestellen, was es in London zu kaufen gab, aber ein paar intime Wünsche vertrauten die Frauen seinen Lieferlisten doch ungern an. Elizabeth versprach, die Londoner Kaufhäuser in Gwyns Auftrag leer zu räumen, und Gwyneira schied in bestem Einvernehmen – allerdings ohne eine Lösung für Fleurette.

Im Laufe der nächsten Monate entspannte sich allerdings auch die Lage auf Kiward Station. Gerald war nach seinem Angriff auf Fleur deutlich ernüchtert. Er ging seiner Enkelin aus dem Weg – und Gwyneira sorgte dafür, dass Fleurette es genauso hielt. Was Paul anging, so verstärkte der alte Mann seine Bemühungen, ihn in die Farmarbeit einzuführen. Die beiden verschwanden oft schon früh am Morgen irgendwo auf den Viehweiden, um erst gegen Abend wieder aufzutauchen. Im Anschluss daran trank Gerald zwar seinen abendlichen Whiskey, erreichte aber nie ein Stadium der Trunkenheit wie bei seinen früheren, ganztägigen Sauforgien. Den Berichten seines Großvaters zufolge schlug Paul auch gut ein, während Kiri und Marama eher Besorgnis äußerten. Gwyneira belauschte ein Gespräch zwischen ihrem Sohn und dem Maori-Mädchen, das sie ziemlich beunruhigte.

»Wiramu ist kein schlechter Kerl, Paul! Er ist fleißig, ein guter Jäger und ein guter Schafhirte. Es ist ungerecht, ihn zu entlassen!«

Marama putzte im Garten Silber. Im Gegensatz zu ihrer Mutter tat sie das gern; sie liebte das glänzende Metall. Manchmal sang sie dabei, aber das mochte Gerald nicht hören, denn er konnte die Musik der Maoris nicht leiden. Gwyn erging es in gewisser Weise ähnlich, aber sie erinnerte sich nur an das Trommeln aus jener verhängnisvollen Nacht. Maramas Balladen, mit süßer Stimme vorgetragen, mochte sie, und erstaunlicherweise schien auch Paul ihnen gern zu lauschen. Heute aber musste er sich vor seiner Freundin brüsten, indem er von seinem gestrigen Ausflug mit Gerald berichtete. Die beiden hatten Weiden auf dem Weg in die Berge kontrolliert, wobei ihnen der Maori-Junge Wiramu begegnet war. Wiramu brachte die Beute eines überaus erfolgreichen Angelausflugs zu seinem Stamm in Kiward Station. Das war an sich kein Grund, ihn zu bestrafen, aber der Junge gehörte zu einer der Viehhüter-Patrouillen, die Gerald vor kurzem eingesetzt hatte, um den Aktivitäten von James McKenzie ein Ende zu setzen. Deshalb hätte Wiramu im Hochland sein müssen, nicht bei seiner Mutter im Dorf. Gerald hatte einen Wutanfall bekommen und den Jungen zusammengestaucht. Anschließend ließ er Paul das Strafmaß bestimmen. Paul entschied sich, Wiramu fristlos zu entlassen.

»Großvater bezahlt ihn nicht dafür, dass er angelt!«, erklärte Paul gewichtig. »Er muss an seinem Platz bleiben!«

Marama schüttelte den Kopf. »Aber ich denke, die Patrouillen ziehen sowieso herum. Da ist es doch eigentlich egal, wo Wiramu gerade ist. Und die Männer fischen auch alle. Sie müssen fischen und jagen. Oder gebt ihr ihnen Proviant mit?«

»Es ist eben nicht egal!«, trumpfte Paul auf. »McKenzie stiehlt die Schafe nicht hier neben dem Haus, sondern oben im Hochland. Da müssen die Männer patrouillieren. Und für ihren eigenen Bedarf dürfen sie auch fischen und jagen. Aber nicht für das ganze Dorf.« Der Junge war felsenfest davon überzeugt, im Recht zu sein.

»Tun sie auch gar nicht!« Marama ließ nicht locker. Sie versuchte verzweifelt, Paul den Standpunkt ihrer Leute klar zu machen; sie konnte gar nicht begreifen, weshalb das überhaupt so schwierig war. Paul war praktisch bei den Maoris aufgewachsen. War es denn möglich, dass er dort nichts gelernt hatte außer der Technik der Fischer und Jäger? »Aber sie haben den Fluss und das Land darum herum neu entdeckt. Da hatte noch nie jemand gefischt, ihre Reusen waren voll. Das alles konnten sie nicht gleich essen und den Fisch auch nicht trocknen – schließlich sollen sie patrouillieren. Wäre nicht einer ins Dorf gelaufen, wäre der Fisch verdorben. Und das ist eine Schande, Paul, das weißt du doch! Man lässt keine Nahrung verderben, das mögen die Götter nicht!«

Wiramu war von der hauptsächlich aus Maoris bestehenden Gruppe bestimmt worden, die Fische ins Dorf zu bringen und den Ältesten von dem enormen Fischreichtum des neu entdeckten Gewässers zu berichten. Auch das Land in der Umgegend sollte fruchtbar und für hiesige Verhältnisse reich an jagdbarem Wild sein. Es war gut möglich, dass der Stamm bald aufbräche, um dort eine Zeit lang mit Fischen und Jagen zu verbringen. Für Kiward Station wäre das eine positive Entwicklung. In der Umgebung des Lagers würde niemand Vieh stehlen, wenn die Maoris ein Auge darauf hielten. So weit aber hatten weder Gerald noch sein Enkel denken können oder wollen. Stattdessen hatten sie die Maoris verärgert. Bestimmt würden Wiramus Leute in den Bergen jeden Viehdieb übersehen, und auch die Arbeit der Patrouille würde sich in Zukunft eher lasch gestalten.

»Tongas Vater sagt, er wird das neue Land für sich und seinen Stamm beanspruchen«, erklärte Marama obendrein. »Wiramu wird ihn hinführen. Wenn Mr. Gerald stattdessen nett zu ihm gewesen wäre, hätte er es euch gezeigt, und ihr hättet es vermessen lassen können!«

»Wir finden das auch so!«, trumpfte Paul auf. »Da brauchen wir nicht zu irgendwelchen hergelaufenen Bastarden nett zu sein.«

Marama schüttelte den Kopf, verzichtete aber darauf, den Jungen darauf hinzuweisen, dass Wiramu keineswegs ein Bastard war, sondern der geachtete Neffe des Häuptlings.

»Tonga sagt, die Kai Tahu melden den Landbesitz in Christchurch an«, führte sie aus. »Er kann genauso gut lesen und schreiben wie du, und Reti hilft ihnen auch. Es war dumm, Wiramu zu entlassen, Paul. Es war einfach nur dumm!«

Paul stand zornig auf und warf dabei den Besteckkasten mit dem Silber um, das Marama schon geputzt hatte. Er tat es bestimmt mit Absicht, denn üblicherweise bewegte er sich mit mehr Geschick. »Du bist ein Mädchen und nur eine Maori. Wie kannst du wissen, was dumm ist?«

Marama lachte und sammelte das Silber gelassen wieder auf. Sie nahm nicht allzu schnell etwas übel. »Du wirst ja sehen, wer das Land kriegt!«, sagte sie ruhig.

Gwyneira bestärkte dieses Gespräch in ihren Befürchtungen. Paul machte sich unnötig Feinde. Er verwechselte Stärke mit Härte, was in seinem Alter vielleicht normal war. Aber Gerald hätte ihn dafür rügen müssen, statt auch noch Wasser auf seine Mühlen zu geben. Wie konnte er den gerade zwölfjährigen Jungen bestimmen lassen, ob er einen Arbeiter entließ oder nicht?

Fleurette immerhin nahm ihr gewohntes Leben wieder auf und besuchte oft sogar Helen auf O'Keefe Station – natürlich nur, wenn Gerald und Paul sicher unterwegs waren und auch mit Howards plötzlichem Auftauchen nicht zu rechnen war. Gwyn fand das leichtsinnig und hielt es für besser, wenn die Frauen sich in Haldon trafen. Das Maultier Nepumuk hatte sie Helen zurückgeschickt.

Nach wie vor schrieb Fleurette lange Briefe nach Queenstown, erhielt aber keine Antwort. Helen ging es ähnlich; auch sie machte sich größte Sorgen um ihren Sohn.

»Wenn er wenigstens nach Dunedin gegangen wäre«, seufzte sie. In Haldon gab es neuerdings einen Teeausschank, in dem auch ehrbare Frauen einen Platz zum Sitzen und Austausch von Neuigkeiten fanden. »Er hätte doch einen Posten als Bürodiener oder so etwas annehmen können. Aber Gold schürfen …«

Gwyn zuckte die Achseln. »Er will reich werden. Und vielleicht hat er ja Glück, die Goldvorkommen sollen da wirklich riesig sein.«

Helen verdrehte die Augen. »Gwyn, ich liebe meinen Sohn über alles. Aber das Gold müsste schon an Bäumen wachsen und ihm auf den Kopf fallen, damit er es findet. Er geht nach meinem Vater, Gwyn, und der war nur glücklich, wenn er in seiner Studierstube sitzen und sich in althebräische Texte versenken konnte. Bei Ruben sind es Gesetzestexte. Ich denke, er wäre ein guter Anwalt oder Richter, möglicherweise auch Kaufmann. George Greenwood sagte, er käme gut mit den Kunden aus – er ist ein verbindlicher Mensch. Aber Bäche umleiten, um Gold zu waschen oder Stollen zu graben oder was immer sie da tun, das liegt ihm nicht.«

»Für mich wird er's tun!«, sagte Fleur mit verklärtem Gesichtsausdruck. »Für mich macht er alles. Auf jeden Fall wird er es versuchen!«

Bislang machten allerdings weniger die Goldfunde von Ruben O'Keefe als die immer dreisteren Viehdiebstähle des James McKenzie in Haldon von sich reden. Zurzeit litt vor allem ein großer Schafzüchter namens John Sideblossom an McKenzies Übergriffen.

Sideblossom lebte am Westende des Lake Pukaki, schon hoch in den Bergen. Er kam selten nach Haldon und praktisch nie nach Christchurch, verfügte aber in den Ausläufern der Alpen über riesigen Landbesitz. Seine Tiere verkaufte er in Dunedin, sodass er nicht zu George Greenwoods Kundenstamm gehörte.

Trotzdem schien Gerald ihn zu kennen. Tatsächlich freute

er sich wie ein Kind, als er eines Tages die Nachricht erhielt, Sideblossom wünsche sich in Haldon mit gleichgesinnten Viehzüchtern zu treffen, um eine weitere Strafexpedition gegen James McKenzie in die Berge zu planen.

»Er ist fest davon überzeugt, dieser McKenzie säße in seiner Gegend!«, erklärte Gerald bei seinem obligatorischen Whiskey vor dem Essen. »Irgendwo oberhalb der Seen dort, und er muss neues Land erschlossen haben. John tippt darauf, dass er über einen Pass verschwindet, den wir nicht kennen. Und er setzt auf großflächige Suchaktionen. Wir müssen unsere Männer zusammenziehen und den Kerl endgültig ausräuchern.«

»Weiß Sideblossom denn, was er sagt?«, erkundigte Gwyneira sich gleichmütig. In den letzten Jahren hatten fast alle Viehbarone der Canterbury Plains an ihrem Kaminfeuer Treibjagden geplant. Meistens kamen sie dann aber gar nicht erst zustande, weil sich eben doch nicht genug Leute zusammenfanden, um das Land ihrer Nachbarn zu durchkämmen. Man brauchte eine charismatischere Persönlichkeit als Reginald Beasley, um die eigenbrötlerischen Schafzüchter zu einen.

»Das kann ich dir flüstern!«, dröhnte Gerald. »Johnny Sideblossom ist der wildeste Hund, den du dir denken kannst! Ich kenn ihn noch vom Walfang, ganz junger Spund damals, so alt wie Paul jetzt …«

Paul spitzte die Ohren.

»Heuerte als Schiffsjunge an, mit seinem Daddy. Aber der Alte soff wie ein Loch, und als es eines Tages ans Harpunieren ging und der Wal wie verrückt um sich schlug, hat's ihn aus dem Boot gefegt – genauer gesagt, das ganze Boot hat's umgeworfen, und alle sprangen raus. Nur der Kleine blieb bis zur letzten Sekunde und schoss noch die Harpune ab, bevor der Kahn kenterte. Hat den Wal erledigt, Johnny Sideblossom! Mit zehn Jahren! Seinen Alten hatte es erwischt, aber davon ließ er sich nicht schrecken. Wurde zum gefürchtetsten Harpunier der Westcoast. Aber kaum hört er von den Goldfunden bei Westport, ist er da hin. Den Buller River rauf und runter, und immer erfolgreich. Schließlich hat er oben am Lake Pukaki Land gekauft. Und bestes Vieh, zum Teil sogar von mir. Wenn ich's recht bedenke, hat der Schurke von McKenzie da 'ne Herde von mir hochgetrieben. Muss bald zwanzig Jahre her sein …«

Siebzehn, dachte Gwyneira. Sie erinnerte sich daran, dass James sich hauptsächlich deshalb um diesen Auftrag gerissen hatte, um ihr aus dem Weg zu gehen. Ob er die Exkursion damals schon ausgeweitet und sein Traumland gefunden hatte?

»Ich werde ihm schreiben, dass wir das Treffen hier machen können! Ja, das ist eine gute Idee! Ein paar andere lad ich noch dazu ein, und dann machen wir endlich Nägel mit Köpfen! Wir kriegen den Kerl, keine Sorge. Wenn Johnny was anfängt, wird's richtig!« Gerald hätte am liebsten gleich zu Feder und Tinte gegriffen, aber jetzt trug Kiri das Essen auf. Nichtsdestotrotz nahm er sein Ansinnen gleich am nächsten Tag in Angriff, und Gwyn seufzte bei dem Gedanken an das Gelage und Besäufnis, das der großen Strafexpedition vorausgehen würde. Dennoch war sie gespannt auf Johnny Sideblossom. Wenn auch nur die Hälfte der Geschichten stimmte, mit denen Gerald die Tischrunde beim Essen unterhielt, musste Sideblossom ein Teufelskerl sein – und womöglich ein gefährlicher Gegner für James McKenzie.

Fast alle Viehzüchter der Gegend nahmen Geralds Einladung an, und diesmal schien es wirklich nicht nur um das Feiern zu gehen. James McKenzie hatte es deutlich zu weit getrieben. Und John Sideblossom schien tatsächlich die Fähigkeiten zu haben, die Männer zu führen. Gwyneira fand ihn durchaus imponierend. Er ritt einen kräftigen schwarzen Hengst – sehr repräsentativ, aber auch wohlerzogen und leicht zu handhaben. Wahrscheinlich überprüfte er auf diesem Pferd auch seine Weiden und beaufsichtigte den Viehtrieb. Dazu war er groß; er überragte selbst die kräftigsten Männer unter den Schaf-Baronen um fast einen Kopf. Sein Körper war fest und muskulös, sein Gesicht braun gebrannt und gut geschnitten, das dunkle Haar dicht und lockig. Er trug es halb lang, was seinen rauen Typ noch hervorhob. Dabei war er von sprühender, einnehmender Persönlichkeit. Er beherrschte das Gespräch der Männer sofort, schlug alten Freunden auf die Schultern, lachte dröhnend mit Gerald und schien Whiskey konsumieren zu können als wäre es Wasser, ohne dass man es ihm anmerkte. Zu Gwyneira und den wenigen anderen Frauen, die ihre Männer zu dem Treffen begleitet hatten, war er ausgesucht höflich. Trotzdem mochte Gwyn ihn nicht, ohne dass sie einen Grund dafür hätte nennen können. Doch sie verspürte schon auf den ersten Blick einen gewissen Widerwillen. Lag es daran, dass seine Lippen schmal und hart waren und ein Lächeln zeigten, das sich nicht in seinen Augen spiegelte? Oder waren es diese Augen selbst – so dunkel, dass sie fast schwarz wirkten, kalt wie die Nacht und abschätzend? Gwyneira bemerkte, dass seine Blicke eindeutig zu abschätzend auf ihr ruhten – weniger auf ihrem Gesicht als auf ihrer immer noch schlanken Figur und den weiblichen Formen. Als junges Mädchen wäre sie dabei rot geworden, aber jetzt gab sie den Blick selbstsicher zurück. Sie war die Herrin hier, er der Besucher, und sie war an keinerlei Kontakt interessiert, der darüber hinausging. Am liebsten hätte sie auch Fleurette von Geralds altem Freund und Saufkumpan fern gehalten, aber das war natürlich nicht möglich, denn das Mädchen wurde zum abendlichen Bankett erwartet. Doch Gwyn verwarf den Gedanken, ihre Tochter zu warnen: Fleur würde dann alles daran setzen, unattraktiv auszusehen – und damit wahrscheinlich erneut Geralds Zorn erwecken. So beobachtete Gwyn nur argwöhnisch ihren unheimlichen Besucher, als Fleur die Treppe herunterkam – so strahlend und hübsch zurechtgemacht wie Gwyneira an ihrem ersten Abend auf Kiward Station. Das Mädchen trug ein cremefarbenes schlichtes Kleid, das die leichte Bräune ihrer ansonsten hellen Haut hervorhob. An den Ärmeln, im Ausschnitt und in der Taille war es mit Applikationen in goldfarbener und brauner Lochstickerei besetzt, passend zu Fleurettes ungewöhnlicher, hellbrauner, fast ins Gold spielender Augenfarbe. Ihr Haar hatte sie nicht aufgesteckt, sondern nur rechts und links am Kopf zu Strähnen geflochten und die dünnen Zöpfe dann am Hinterkopf zusammengebunden. Das sah hübsch aus, hatte aber vor allem den praktischen Effekt, ihr das Haar aus dem Gesicht zu halten. Fleurette frisierte sich immer selbst; was das betraf, hatte sie die Hilfe der Hausmädchen von klein auf abgelehnt.

Fleurs zarte Gestalt und ihr offenes Haar ließen sie elfenhaft wirken. So ähnlich sie ihrer Mutter sah und so sehr sich auch ihre Temperamente glichen: Fleurettes Ausstrahlung war doch eine gänzlich andere. Das Mädchen wirkte anschmiegsamer und fügsamer als die junge Gwyn, und von den goldbraunen Augen ging eher ein Leuchten als ein provozierendes Funkeln aus.

Die Männer im Saal starrten fasziniert auf ihre Erscheinung, doch während die meisten eher bezaubert wirkten, erkannte Gwyneira in John Sideblossoms Blick einen Ausdruck der Begierde. Für ihr Empfinden hielt er Fleurettes Hand einen Moment zu lange, als er das Mädchen höflich begrüßte.

»Gibt es auch eine Mrs. Sideblossom?«, fragte Gwyn, als Gäste und Gastgeber sich schließlich zum Essen gesetzt hatten. Gwyneira hatte sich selbst John Sideblossom als Tischdame zugeteilt, doch der Mann nahm so wenig Notiz von ihr, dass es fast schon unhöflich war. Stattdessen hatte er nur

Augen für Fleur, die ein eher gelangweiltes Gespräch mit dem alten Lord Barrington führte. Der Lord hatte seine Geschäfte in Christchurch seinem Sohn übergeben und sich selbst auf einer Farm in den Canterbury Plains zur Ruhe gesetzt, wo er mit mäßigem Erfolg Pferde und Schafe züchtete.

John Sideblossom warf Gwyn einen Blick zu, als habe er sie eben erst bemerkt.

»Nein, es gibt keine Mrs. Sideblossom mehr«, entgegnete er auf Gwyns Frage. »Meine Gattin starb vor drei Jahren bei der Geburt meines Sohnes.«

»Das tut mir Leid«, bemerkte Gwyn und hatte selten eine Floskel so ehrlich gemeint. »Auch für das Kind – ich habe doch richtig verstanden, dass es überlebt hat?«

Der Farmer nickte. »Ja, mein Sohn wächst jetzt praktisch bei den Maori-Hausangestellten auf. Keine besonders gute Lösung, aber solange er noch klein ist, mag es gehen. Auf Dauer muss ich mich allerdings nach etwas anderem umsehen. Es ist nur nicht leicht, ein passendes Mädchen zu finden ...« Dabei fixierte er weiterhin Fleur, was Gwyn irritierte und ärgerte. Der Mann sprach von einem Mädchen wie von einem Paar Reithosen!

»Ist Ihre Tochter schon jemandem versprochen?«, erkundigte er sich ganz nüchtern. »Sie scheint mir ein sehr wohlerzogenes Mädchen zu sein.«

Gwyn wusste vor Verblüffung kaum etwas zu sagen. Mit langen Vorreden hielt dieser Mann sich jedenfalls nicht auf!

»Fleurette ist noch sehr jung ...«, meinte sie schließlich ausweichend.

Sideblossom zuckte die Schultern. »Das spricht nicht gegen sie. Ich war immer der Meinung, man könnte die jungen Dinger gar nicht früh genug verheiraten, sonst kommen sie nur auf dumme Gedanken. Und sie gebären leichter, solange sie jung sind. Hat mir die Hebamme damals gesagt, als Marylee starb. Marylee war bereits fünfundzwanzig.«

Nach den letzten Worten wandte er sich von Gwyneira ab. Irgendetwas, das Gerald gerade sagte, musste seine Aufmerksamkeit erregt haben, und wenige Minuten später war er in ein angeregtes Gespräch mit einigen anderen Viehzüchtern vertieft.

Gwyneira blieb ruhig, kochte innerlich aber vor Wut. Sie war es gewohnt, dass Mädchen nicht um ihrer Persönlichkeit willen, sondern aus dynastischen oder finanziellen Gründen umworben wurden. Aber dieser Kerl trieb es eindeutig zu weit. Allein, wie er von seiner verstorbenen Frau sprach: »Marylee war schon fünfundzwanzig.« Das hörte sich ja an, als wäre sie ohnehin bald an Altersschwäche gestorben, egal ob sie Sideblossom vorher noch ein Kind geschenkt hätte oder nicht.

Als die Gäste sich später in lockeren Gruppen im Salon zusammenfanden, um zu plaudern und die letzten Tischgespräche zu beenden, bevor die Damen sich zu Tee und Likör in Gwyneiras Salon, die Herren zu Zigarren und Whiskey in Geralds Refugium zurückzogen, gesellte Sideblossom sich auf direktem Weg zu Fleurette.

Gwyneira, die ihrem Gespräch mit Lady Barrington nicht entfliehen konnte, beobachtete nervös, wie er Fleur ansprach. Anscheinend verhielt er sich aber höflich und ließ sogar seinen Charme spielen. Fleurette lächelte verlegen und ließ sich dann ungezwungen in eine Unterhaltung verwickeln. Ihrem Gesichtsausdruck nach zu urteilen, sprachen die beiden wohl von Hunden und Pferden. Jedenfalls wäre Gwyneira sonst nichts eingefallen, das Fleur so wach und interessiert wirken ließe. Als es Gwyn endlich gelang, sich von Lady Barrington loszureißen und unauffällig in Sideblossoms Richtung zu schlendern, bestätigte sich ihre Annahme.

»Natürlich zeige ich Ihnen die Stute gern. Wenn Sie möchten, können wir morgen zusammen ausreiten. Ich habe Ihren Hengst betrachtet, er ist wirklich schön!« Fleurette schien den

Besucher sympathisch zu finden. »Oder reisen Sie morgen schon ab?«

Die meisten Anwesenden würden gleich am nächsten Tag zurück zu ihren Farmen reiten. Die Organisation der Strafexpedition war nun beschlossen, und die Männer beabsichtigten, im Umkreis Leute auszuheben, die bereit waren, sich daran zu beteiligen. Einige Schafzüchter wollten selbst mitreiten, andere versprachen, zumindest ein paar bewaffnete Reiter beizusteuern.

John Sideblossom jedoch schüttelte den Kopf. »Nein, ich bleibe ein paar Tage hier, Miss Warden. Wir haben vereinbart, die Leute aus der Gegend von Christchurch hier zu sammeln und dann gemeinsam zu meiner Farm zu reiten. Sie wird der Ausgangspunkt für alle weiteren Aktivitäten. Insofern nehme ich Ihr Angebot gern an. Der Hengst führt übrigens Araberblut. Ich konnte vor ein paar Jahren einen Wüstenaraber in Dunedin erstehen und habe unsere Farmpferde mit ihm gekreuzt. Die Ergebnisse sind sehr hübsch – manchmal aber etwas leicht.«

Gwyn war vorerst beruhigt. Solange die beiden über Pferdezucht diskutierten, würde Sideblossom sich zu benehmen wissen. Und womöglich gefiel er Fleurette tatsächlich. Die Verbindung wäre passend: Sideblossom war angesehen und besaß fast noch mehr Land als Gerald Warden, wobei es allerdings weniger fruchtbar war. Natürlich war der Mann ziemlich alt für Fleur, aber auch das lag noch im Rahmen. Wenn sie selbst nur kein so ungutes Gefühl dabei gehabt hätte! Wenn der Mann nicht so kalt und gefühllos gewirkt hätte! Und dann war da natürlich noch die Sache mit Ruben O'Keefe. Fleurette würde sich bestimmt nicht bereitwillig von ihrer Liebe verabschieden.

Dennoch schien sie in den nächsten Tagen Freude an John Sideblossoms Gesellschaft zu finden. Der Mann war ein verwegener Reiter, was Fleur gefiel, und er konnte wohl auch spannend erzählen und war ein guter Zuhörer. Dazu hatte er Charme und eine mutwillige Art, die das Mädchen anziehend fand. Fleur lachte, als Sideblossom beim Tontaubenschießen mit Gerald nicht auf die Taube anlegte, sondern ihr eine der verwahrlosten Rosen aus dem Garten vom Stängel schoss.

»Die Rose der Rose!«, sagte er – zwar wenig originell, doch Fleur schien sich geschmeichelt zu fühlen. Paul dagegen wirkte verärgert. Er bewunderte John Sideblossom schon seit Geralds Berichten über ihn, und nachdem er ihn nun persönlich kannte, vergötterte er ihn geradezu. Sideblossom hatte allerdings kaum Augen für den Jungen. Entweder trank und redete er mit Gerald, oder er bemühte sich um Fleur. Paul überlegte, wie er es schaffen konnte, ihm reinen Wein über seine Schwester einzuschenken. Doch vorerst fand sich keine Gelegenheit dazu.

John Sideblossom war ein Mann von raschen Entschlüssen und gewohnt, zu bekommen, was er wollte. Kiward Station hatte er vor allem aufgesucht, um die Schafzüchter aus Canterbury endlich zu mobilisieren. Als er dann aber Fleurette Warden kennen lernte, traf er sehr schnell die Entscheidung, bei dieser Gelegenheit auch ein anderes anstehendes Problem zu lösen. Er brauchte eine neue Frau – und hier war ihm unversehens eine passende Kandidatin begegnet. Jung, begehrenswert, aus guter Familie und offensichtlich hochgebildet. Zumindest in den ersten Jahren würde er den Hauslehrer für seinen kleinen Thomas sparen können. Die Verbindung mit den Wardens würde ihm auch weitere Türen in der guten Gesellschaft von Christchurch und Dunedin öffnen. Wenn er richtig verstanden hatte, stammte Fleurettes Mutter sogar aus englischem Adel. Ein bisschen wild schien das Mädchen allerdings zu sein, und die Mutter neigte offenbar zur Herrschsucht. Sideblossom jedenfalls hätte seiner Frau niemals erlaubt, sich an der Führung der Farm zu beteiligen und sogar den Viehtrieb zu leiten! Aber das war Wardens Problem; Fleurette würde er sich schon zurechtstutzen. Dabei konnte sie ihr offensichtlich geliebtes Viehzeug gern mitbringen – die Stute würde fantastische Fohlen bringen, und auch die Hütehündin war auf jeden Fall ein Gewinn. Aber wenn Fleur erst schwanger wäre, konnte sie das Tier natürlich nicht mehr selbst führen. Sideblossom machte sich jetzt schon daran, sich bei Gracie einzuschmeicheln – was ihm weitere Sympathien Fleurettes einbrachte. Nach drei Tagen war der Farmer überzeugt, dass Fleur seine Werbung nicht ablehnen würde. Und Gerald Warden sollte glücklich sein, das Mädchen so gut zu verheiraten.

Gerald hatte Johns Werbung um Fleur mit einem lachenden und einem weinenden Auge beobachtet. Diesmal schien das Mädchen nicht abgeneigt – Gerald fand sogar, seine Enkelin flirte ziemlich schamlos mit seinem alten Freund. Doch in seine Erleichterung darüber mischte sich Eifersucht. John würde haben, was er, Gerald, nicht bekommen konnte. Sideblossom würde Fleur nicht mit Gewalt nehmen müssen, sie würde sich freiwillig hingeben. Gerald ertränkte seine verbotenen Gedanken im Whiskey.

Zumindest war er vorbereitet, als Sideblossom sich am vierten Tag seines Aufenthalts auf Kiward Station zu ihm gesellte und ihm seine Heiratsabsichten vortrug.

»Du weißt, alter Freund, bei mir ist sie gut versorgt«, sagte Sideblossom. »Lionel Station ist groß. Zugegeben, das Herrenhaus ist vielleicht nicht so großartig wie dieses hier, aber es ist komfortabel. Personal haben wir reichlich. Das Mädchen wird von vorn und hinten umsorgt. Um das Kind muss sie sich natürlich selbst kümmern. Aber sie hat dann sicher auch bald eigene – dann geht das in einem Aufwasch. Hast du irgendwelche Einwände, dass ich ihr einen Antrag mache?« Sideblossom versorgte sich selbst mit einem Whiskey.

Gerald schüttelte den Kopf und ließ sich ebenfalls einschenken. Sideblossom hatte Recht; was er vorschlug, war die beste Lösung. »Ich habe keine Einwände. Viel Geld hat die Farm allerdings nicht flüssig als Mitgift. Wärst du mit einer Schafherde zufrieden? Über zwei Zuchtstuten könnten wir auch reden ...«

Die beiden Männer verbrachten die nächste Stunde in genüsslichem Handel um Fleurettes Mitgift. Beide waren mit allen Wassern gewaschen, was Viehhandel anging. Die Angebote flogen nur so hin und her. Gwyneira, die wieder mal horchte, war nicht beunruhigt: In ihren Ohren klang das nach Blutauffrischung für die Schafherden von Lionel Station. Fleurettes Name fiel kein einziges Mal.

»Ich mu ... muss dich allerdings warnen!«, meinte Gerald, als die Männer sich schließlich einig waren und die Höhe der Mitgift mit Handschlag bestätigt und viel weiterem Whiskey besiegelt hatten. »Die Kl ... Kleine ist nicht ei ... einfach. Hat sich da in eine Sache mit einem Nachbarjungen reingesteigert ... sind bloß Dummheiten, der Kerl ist in ... inzwischen auch abgehauen. Aber du kenn ... kennst ja die Weiber ...«

»Ich hatte eigentlich nicht den Eindruck, als wäre Fleurette abgeneigt«, wunderte sich Sideblossom. Wie immer erschien er auch jetzt noch vollkommen nüchtern, obwohl die erste Whiskeyflasche längst geleert war. »Warum machen wir nicht gleich Nägel mit Köpfen und fragen sie? Los, lass sie rufen! Ich bin jetzt in der Stimmung für einen Verlobungskuss! Und morgen sollten die anderen Viehzüchter zurück sein. Dann können wir's gleich bekannt geben.«

Fleurette, die gerade von einem Ausritt zurückgekommen war und nun Anstalten machte, sich zum Abendessen umzuziehen, wunderte sich über Witis schüchternes Klopfen an ihrer Tür.

»Miss Fleur, Mr. Gerald wünschen Sie sprechen. Er ... wie hat er gesagt? Er bitten Sie, gleich kommen in sein Zimmer.« Der Maori-Diener überlegte offensichtlich, ob er noch eine Bemerkung anfügen sollte, und entschied sich dafür: »Am besten Sie machen schnell. Die Männer viel Whiskey, wenig Geduld.«

Nach der Geschichte mit Reginald Beasley war Fleur argwöhnisch, was plötzliche Einladungen in Geralds Zimmer betraf. Instinktiv beschloss sie, sich nicht allzu attraktiv herzurichten, sondern schloss ihr Reitkleid wieder, statt das dunkelgrüne Seidenkleid überzuziehen, das Kiri ihr herausgelegt hatte. Am liebsten hätte sie auch ihre Mutter zugezogen, aber sie wusste nicht, wo Gwyneira steckte. Der viele Besuch und dazu die Arbeit auf der Farm nahmen Gwyns Zeit sehr in Anspruch. Zurzeit gab es zwar nicht allzu viel zu tun – es war Januar; Schur und Lammen waren vorbei, und die Schafe befanden sich größtenteils frei im Hochland –, aber der diesjährige Sommer war ungewöhnlich nass, und so fielen ständig Reparaturen an, und die Heuernte wurde zum Glücksspiel. Fleur beschloss, nicht auf Gwyn zu warten und vor allem keine Zeit mit einer Suche nach ihr zu verschwenden. Was immer Gerald wollte, musste sie mit ihm selbst regeln. Und Übergriffe waren auch kaum zu befürchten. Witi hatte schließlich von »den Männern« gesprochen. Sideblossom würde also ebenfalls zugegen sein und mäßigend wirken.

John Sideblossom war unangenehm überrascht, als Fleur das Herrenzimmer noch im Reitrock und mit wirrem Haar betrat. Ein bisschen besser herrichten hätte sie sich wohl können, obwohl sie unzweifelhaft entzückend aussah. Nein, es würde ihm nicht schwer fallen, ein bisschen Romantik heraufzubeschwören.

»Miss Fleur«, sagte er, »gestatten Sie, dass ich das Wort ergreife?« Sideblossom verbeugte sich formvollendet vor dem Mädchen. »Schließlich geht es mich am meisten an, und ich bin nicht der Mann, der andere als Brautwerber vorschickt.«

Er blickte in Fleurs erschrockene Augen und meinte, das nervöse Flackern darin als Ermunterung deuten zu können.

»Ich habe Sie zwar erst vor drei Tagen zum ersten Mal gesehen, Miss Fleur, aber ich war vom ersten Augenblick an entzückt von Ihnen, von Ihren wunderschönen Augen und Ihrem sanften Lächeln. Ihre Freundlichkeit in den letzten Tagen ließen mich zudem hoffen, dass auch Ihnen meine Begleitung nicht ganz unangenehm war. Und deshalb – ich bin ein Mann von kühnen Entschlüssen, Miss Fleur, und ich denke, Sie werden es an mir lieben lernen –, deshalb habe ich beschlossen, bei Ihrem Großvater um Sie zu werben. Er hat einer Verbindung zwischen uns freudig zugestimmt. Ich darf Sie hiermit also mit Billigung Ihres Vormundes förmlich um Ihre Hand bitten.«

Sideblossom lächelte und ließ sich vor Fleur auf ein Knie sinken. Gerald unterdrückte ein Lachen, als er bemerkte, dass Fleur nicht wusste, wohin sie schauen sollte.

»Ich ... Mr. Sideblossom, das ist sehr nett, aber ich liebe einen anderen«, stieß sie schließlich hervor. »Mein Großvater müsste Ihnen das eigentlich gesagt haben, und ...«

»Miss Fleur«, unterbrach Sideblossom sie selbstsicher, »wen immer Sie zu lieben glauben, in meinen Armen werden Sie ihn bald vergessen.«

Fleurette schüttelte den Kopf. »Ich werde ihn niemals vergessen, Sir! Ich habe ihm die Ehe versprochen ...«

»Fleur, red nicht solch einen verdammten Blödsinn!«, fuhr Gerald auf. »John ist der richtige Mann für dich! Nicht zu jung, nicht zu alt, gesellschaftlich passend, und reich ist er auch. Was willst du mehr?«

»Ich muss meinen Mann lieben können!«, stieß Fleurette verzweifelt hervor. »Und ich ...«

»Die Liebe wächst mit der Zeit«, erklärte Sideblossom. »Also komm, Mädchen! Du hast die letzten drei Tage mit mir verbracht. So unangenehm kann ich dir also nicht sein.«

In seinen Augen flackerte Ungeduld.

»Sie ... Sie sind mir nicht unangenehm, aber ... aber deshalb werde ich Sie doch nicht ... heiraten. Ich fand Sie nett, aber ... aber ...«

»Hör auf, dich zu zieren, Fleurette!«, unterbrach Sideblossom das Gestammel des Mädchens. Fleurs Einwände waren ihm herzlich egal. »Sag Ja, und dann können wir über die Modalitäten reden. Ich denke, wir feiern die Hochzeit noch in diesem Herbst – gleich wenn die leidige Angelegenheit mit James McKenzie aus der Welt geschafft ist. Du kannst vielleicht gleich mit nach Lionel Station reiten ... natürlich in Begleitung deiner Mutter, es muss schon alles korrekt zugehen ...«

Fleurette atmete tief durch, gefangen in einem Zustand zwischen Ärger und Panik. Warum zum Teufel hörte niemand ihr zu? Sie beschloss, klar und unmissverständlich zu sagen, was sie meinte. Diese Männer mussten doch fähig sein, schlichte Tatsachen hinzunehmen!

»Mr. Sideblossom, Großvater ...« Fleurette hob die Stimme. »Ich habe es jetzt mehrmals gesagt, und so langsam bin ich es leid, mich zu wiederholen. Ich werde Sie nicht heiraten! Ich danke Ihnen für den Antrag, und ich weiß Ihre Zuneigung zu schätzen, aber ich bin bereits gebunden. Und jetzt werde ich auf mein Zimmer gehen. Bitte entschuldige mich beim Abendessen, Großvater, ich bin unpässlich.«

Fleur zwang sich, nicht aus dem Zimmer zu rennen, sondern sich langsam und gemessen umzuwenden. Stolz erhobenen Hauptes verließ sie das Zimmer und schlug auch nicht die Tür hinter sich zu. Aber dann floh sie wie vom Teufel gejagt durch den Salon und die Treppe hinauf. Am besten, sie schloss sich in ihrem Zimmer ein, bis Sideblossom abgereist war. Das Flackern in seinen Augen hatte ihr gar nicht gefallen. Der Mann war es sicher nicht gewohnt, abgewiesen zu werden. Und irgendetwas sagte ihr, dass er gefährlich werden konnte, wenn etwas nicht nach seinem Kopf ging.

# 5

Am nächsten Tag füllte Kiward Station sich mit Männern und Pferden. Die Schaf-Barone der Canterbury Plains hatten sich nicht lumpen lassen: Die Teilnehmerzahl der »Strafexpedition« war auf Kompaniestärke angewachsen. Dabei gefielen Gwyneira nur wenige der Männer, die Geralds Freunde angeworben hatten. Es gab kaum Maori-Viehhüter und auch relativ wenige Farmangestellte. Stattdessen schienen die Züchter in den Pubs oder den Baracken der Neusiedler Leute gesucht zu haben, und viele von ihnen erschienen Gwyn Abenteurer, wenn nicht gar finsteres Gesindel zu sein. Auch deshalb begrüßte sie es, dass Fleurette sich an diesem Tag den Ställen fern hielt. Zumal Gerald sich nicht lumpen ließ und die Alkoholvorräte freigebig plünderte. Die Männer tranken und feierten in den Scherschuppen, während sich die Viehhüter von Kiward Station, in der Regel alte Freunde McKenzies, unangenehm berührt zurückzogen.

»Herrgott, Miss Gwyn«, brachte Andy McAran ihre Bedenken auf den Punkt. »Die werden James jagen wie einen räudigen Wolf. Sie reden allen Ernstes davon, ihn abzuschießen! Das hat er doch wohl nicht verdient, dass man ihm diesen Abschaum auf den Hals schickt. Alles wegen der paar Schafe!«

»Der Abschaum kennt sich im Hochland nicht aus«, meinte Gwyneira und wusste nicht, ob sie damit ihren alten Hirten oder sich selbst beruhigen wollte. »Die treten sich da nur gegenseitig auf die Füße, McKenzie wird sich totlachen über sie! Wart's nur ab, das alles verläuft im Sande. Wenn sie bloß schon weg wären! Ich mag das Volk auch nicht auf dem Hof. Kiri und Moana hab ich schon weggeschickt, Marama erst recht. Und ich hoffe, die Maoris bewachen ihr Lager. Haltet ihr ein Auge auf unsere Pferde und das Sattelzeug? Ich will nicht, dass etwas wegkommt.«

Was das betraf, erwartete Gwyn allerdings noch eine sehr unangenehme Überraschung. Ein Teil der Männer war zu Fuß gekommen, und Gerald – zunächst schwer verkatert, gegen Mittag bereits wieder betrunken und äußerst erbost über Fleurettes erneute Renitenz – versprach ihnen Pferde aus Kiward Station. Gwyn setzte er davon allerdings nicht gleich in Kenntnis, sodass sie keine Zeit hatte, Arbeitspferde von den Sommerkoppeln holen zu lassen. Stattdessen verteilten die Männer am Nachmittag johlend ihre teuren Cobs. Fleurette verfolgte vom Fenster ihres Zimmers aus hilflos, wie sich einer nach dem anderen an Niniane versuchte.

»Mutter, er kann sie ihnen doch nicht einfach mitgeben! Sie gehört doch uns!«, jammerte sie.

Gwyneira zuckte die Schultern. »Er leiht sie ihnen nur, sie dürfen sie nicht behalten. Aber mir passt es auch nicht. Die meisten dieser Kerle können nicht mal richtig reiten. Das ist allerdings auch von Vorteil. Du siehst ja jetzt schon, wie die Pferde sie runterbuckeln. Wenn sie wiederkommen, müssen wir das ganze Einreiten wiederholen.«

»Aber Niniane …«

»Ich kann nichts daran ändern, Kind. Meine Morgaine wollen sie auch. Vielleicht kann ich ja morgen noch mal mit Gerald reden, aber heute ist er völlig verrückt. Und dieser Sideblossom benimmt sich, als wäre er hier mindestens Teilhaber, er weist den Leuten Quartiere an und kommandiert sie herum, und mich behandelt er wie Luft. Wenn der Kerl weg ist, mache ich drei Kreuze. Du wirst übrigens heute Abend nicht zum Bankett kommen. Das habe ich geklärt. Du bist krank. Ich will nicht, dass Sideblossom dich noch mal zu Gesicht kriegt!«

Im Stillen hatte Gwyneira natürlich längst geplant, ihre

Pferde in der Nacht noch in Sicherheit zu bringen. Auf keinen Fall würde sie ihre wertvollen Zuchtstuten mit dem Suchtrupp ins Hochland schicken. Stattdessen hatte sie mit Andy McAran, Poker Livingston und den anderen Getreuen vereinbart, die Stuten in der Nacht wegzutreiben. Sollten sie sich irgendwo auf den Weiden vergnügen, in den nächsten Tagen hatte sie Zeit genug, sie wieder einzusammeln. Stattdessen würden die Männer die Arbeitspferde holen und in die Boxen stellen. Das mochte am Morgen für ein bisschen Aufruhr sorgen, aber Sideblossom würde das Unternehmen sicher nicht verschieben, nur weil plötzlich andere Pferde da waren als versprochen.

Das verriet sie Fleurette allerdings nicht. Ihre Angst, das Mädchen könnte sich an der Aktion beteiligen wollen, war zu groß.

»Deine Niniane ist spätestens übermorgen wieder da!«, tröstete sie Fleur stattdessen. »Sie wird ihren Möchtegernreiter absetzen und nach Hause kommen. Solchen Unsinn lässt sie nicht mit sich machen. Aber jetzt muss ich mich umziehen. Abendessen mit den Anführern des Kriegszuges. Was für ein Aufwand für einen einzigen Mann!«

Gwyn verzog sich, und Fleurette blieb zornig und grübelnd zurück. Sie mochte sich mit ihrer Hilflosigkeit nicht abfinden. Es war pure Gemeinheit von Gerald, Niniane weggeben zu wollen. Dann reifte ein Plan in Fleur. Sie würde das Pferd in Sicherheit bringen, während die Männer sich im Salon betranken. Dazu musste sie sich allerdings gleich aus ihrem Zimmer schleichen, schließlich führte jeder Weg in die Ställe durch den Salon, der zurzeit aber wohl leer wäre. Die Gäste für das Bankett zogen sich um. Und draußen herrschte das schiere Chaos. Da fiel sie auch nicht auf, wenn sie ihr Haar unter einem Tuch verbarg und sich beeilte. Von der Küchentür bis zur Scheune waren es nur wenige Schritte. Wenn jemand sie sah, würde er sie für ein Küchenmädchen halten.

Vielleicht wäre Fleurs Plan sogar gelungen, hätte Paul seine Schwester nicht beobachtet. Der Junge war wieder einmal schlecht gelaunt. Sein Idol John Sideblossom beachtete ihn nicht, und Gerald hatte seine Bitte, mit auf die Strafexpedition gehen zu dürfen, mit schroffen Worten abgelehnt. So hatte er nichts Rechtes zu tun, lungerte bei den Ställen herum und war natürlich höchst interessiert, als Fleurette sich nun in der Scheune verbarg. Paul konnte sich zusammenreimen, was sie vorhatte. Aber er würde dafür sorgen, dass Gerald sie nachher auf frischer Tat ertappte.

Gwyneira brauchte ihre ganze Geduld und Langmut, um das abendliche Bankett durchzustehen. Außer ihr waren nur Männer zugegen, und ausnahmslos alle waren schon zu Beginn des Essens angetrunken. Vorher leerten sie auch noch ein paar Gläser; dabei wurde Wein gereicht, und bald begannen die ersten zu lallen. Alle lachten sie über die dümmlichsten Scherze, riefen sich Zoten zu und verhielten sich auch gegenüber Gwyneira alles andere als gentlemanlike.

Wirklich unwohl fühlte sie sich aber erst, als John Sideblossom nach dem letzten Gang plötzlich zu ihr trat.

»Wir müssen ein paar Worte reden, Miss Gwyn«, sagte er in seiner direkten Art, und wieder einmal wirkte er nüchtern inmitten dieser ganzen Horde von Trunkenbolden. Inzwischen kannte Gwyneira ihn allerdings etwas besser und wusste die Anzeichen von Trunkenheit zu erkennen. Seine Lider sanken dann etwas tiefer, und sein Blick wirkte nicht kühl und distanziert, sondern argwöhnisch und flackernd. Sideblossom hielt seine Gefühle im Zaum, doch sie brodelten dichter unter der Oberfläche.

»Ich denke, Sie wissen, dass ich gestern um die Hand Ihrer Tochter geworben habe. Fleurette hat mich abgewiesen.«

Gwyneira zuckte die Schultern. »Das ist ihr gutes Recht. In

zivilisierten Gegenden werden Mädchen gefragt, bevor man sie verheiratet. Und wenn Sie Fleur nicht gefallen haben, kann ich auch nichts daran ändern.«

»Sie könnten ein gutes Wort für mich einlegen ...«, meinte Sideblossom.

»Ich fürchte, das würde nichts nützen«, bemerkte Gwyn und spürte, dass auch ihre Gefühle langsam an die Oberfläche drängten. »Und ich würde es auch nicht ohne weiteres tun. Ich kenne Sie nicht sehr gut, Mr. Sideblossom, aber was ich gesehen habe, gefällt mir nicht ...«

Sideblossom grinste. »Ach, sieh an! Ich gefalle der Lady nicht! Und was haben Sie an mir auszusetzen, Lady Warden?«, fragte er kalt.

Gwyneira seufzte. Eigentlich hatte sie sich nicht auf eine Diskussion einlassen wollen ... aber gut, wenn er es wollte!

»Dieser Kriegszug gegen einen einzelnen Mann«, begann sie, »erscheint mir nicht angemessen. Und Sie haben einen schlechten Einfluss auf die anderen Viehzüchter. Ohne Ihre Einflüsterungen hätte ein Lord Barrington sich nie dazu herabgelassen, solche Schlägertrupps zusammenzustellen, wie sie jetzt da draußen lauern. Ihr Verhalten mir gegenüber ist beleidigend, wobei wir von Fleurette noch gar nicht reden. Ein Gentleman, Mr. Sideblossom, würde sich in Ihrer Lage bemühen, das Mädchen umzustimmen. Sie dagegen brüskieren Fleurette, indem Sie diese Angelegenheit mit dem Pferd initiieren. Denn das war doch Ihre Idee, oder? Gerald ist für Intrigen längst zu betrunken!«

Gwyneira sprach rasch und voller Zorn. Das alles zerrte an ihren Nerven. Und dann war da auch noch Paul, der sich zu ihnen gesellt hatte und ihren Ausbruch aufmerksam verfolgte.

Sideblossom lachte. »Touché, meine Liebe! Eine kleine Strafaktion. Ich mag es nicht, wenn man mir nicht gehorcht. Aber warten Sie ab. Ich werde Ihre Kleine schon noch kriegen.

Wenn wir zurück sind, werde ich die Werbung fortsetzen. Auch gegen Ihren Willen, Lady!«

Gwyneira wollte dieses Gespräch nur noch beenden. »Dann wünsche ich Ihnen viel Erfolg«, sagte sie steif. »Und du, Paul, kommst jetzt bitte mit mir nach oben. Ich hasse es, wenn du hinter mir herschleichst und lauschst!«

Der Junge fuhr zusammen. Aber was er hier gehört hatte, war den Anpfiff wert gewesen. Vielleicht war Gerald gar nicht der richtige Ansprechpartner für die Sache mit Fleurette. Es würde ihr viel mehr wehtun, wenn dieser Mann ihren »Pferdediebstahl« vereitelte.

Während Gwyneira sich in ihre Räume zurückzog, machte Paul auf dem Absatz kehrt und suchte John Sideblossom. Der Farmer schien sich in der Gesellschaft der anderen zunehmend zu langweilen. Kein Wunder – außer ihm waren inzwischen alle volltrunken.

»Sie ... wollen meine Schwester heiraten?«, sprach Paul ihn an.

Sideblossom schaute verwundert zu ihm hinunter.

»Ich hab die Absicht, ja. Noch jemand, der was dagegen einzuwenden hat?«, fragte er leicht belustigt.

Paul schüttelte den Kopf. »Von mir aus können Sie sie haben. Aber Sie sollten etwas über sie wissen. Fleurette tut immer so lieb. Aber tatsächlich hatte sie schon einen Freund. Ruben O'Keefe.«

Sideblossom nickte. »Ich weiß«, sagte er desinteressiert.

»Aber sie hat Ihnen nicht alles gesagt!«, trumpfte Paul auf. »Sie hat Ihnen nicht gesagt, dass sie es mit ihm getrieben hat! Aber ich hab's gesehen!«

Sideblossoms Interesse erwachte. »Was sagt du da? Deine Schwester ist keine Jungfrau mehr?«

Paul zuckte die Achseln. Der Begriff »Jungfrau«, sagte ihm nichts.

»Fragen Sie sie selbst«, sagte er. »Sie ist in der Scheune!«

John Sideblossom fand Fleurette in der Box der Stute Niniane, wo das Mädchen sich gerade fragte, was sie jetzt am besten tun sollte. Niniane einfach ins Freie jagen? Dann bestand die Gefahr, dass sie gar nicht vom Stall weglief, sondern in der Nähe der anderen Pferde blieb. Vielleicht war es besser, sie wegzureiten und auf einer entfernteren Koppel unterzubringen. Das erschien Fleurette allerdings recht gewagt. Schließlich musste sie dann zu Fuß zurückkommen, vorbei an allen Nebengebäuden, die mit den betrunkenen Männern des Suchtrupps voll gestopft waren.

Während sie noch überlegte, kraulte sie das Pferd unter dem Stirnschopf und redete mit ihm. Die anderen Pferde regten sich, und Gracie schnüffelte im Stroh. Bei all dem entging Fleurette, dass jemand leise die Tür öffnete. Als Gracie aufmerksam wurde und anschlug, war es zu spät. John Sideblossom stand in der Stallgasse und grinste Fleurette an.

»Soso, meine Kleine. Nachts drücken wir uns also in den Ställen herum. Ich bin etwas überrascht, dich hier allein anzutreffen.«

Fleurette erschrak und schob sich instinktiv hinter ihr Pferd.

»Das sind unsere Ställe«, bemerkte sie dann tapfer. »Ich kann hier sein, wann ich will. Und ich drücke mich auch nicht herum, ich besuche mein Pferd.«

»Du besuchst dein Pferd. Wie rührend …« Sideblossom kam näher. Fleur erschien seine Annäherung wie das Anschleichen eines Raubtiers, und in seinen Augen stand wieder das gefährliche Funkeln von vorhin. »Hattest du nicht auch anderweitig Besuch?«

»Ich weiß nicht, was Sie meinen.« Fleurette hoffte, dass ihre Stimme fest klang.

»Das weißt du ganz genau. Spielst mir hier das Unschuldslamm vor, das sich einem jungen Spund versprochen hat, und tatsächlich treibst du's mit ihm im Heu! Gib dir keine

Mühe, Fleurette, ich weiß es aus sicherer Quelle, auch wenn ich euch heute nicht in flagranti ertappt habe. Aber du hast Glück, Schatz. Ich nehme auch gebrauchte Ware. Ich mache mir nicht so viel aus schüchternen Jungfern. Ist nur mühsam, die zu knacken. Also keine Sorge, du darfst in Weiß vor den Traualtar. Aber einen kleinen Vorgeschmack kann ich mir doch jetzt schon nehmen, oder?«

Mit einer raschen Bewegung zog er Fleurette hinter dem Pferd hervor. Niniane erschrak und floh in eine Boxecke. Gracie begann zu bellen.

»Lassen Sie mich!« Fleurette trat nach ihrem Angreifer, doch Sideblossom lachte nur. Seine starken Arme drückten sie an die Stallwand, und seine Lippen fuhren über ihr Gesicht.

»Sie sind betrunken, lassen Sie mich los!« Fleur versuchte, ihn zu beißen, doch allem Whiskey zum Trotz funktionierten Sideblossoms Reflexe noch hervorragend. Er zuckte zurück und schlug ihr ins Gesicht. Fleur fiel rückwärts aus der Box heraus und landete auf einem Strohballen. Sideblossom war über ihr, bevor sie sich aufraffen und weglaufen konnte.

»Nun zeig doch mal, was du zu bieten hast …« Sideblossom riss ihre Bluse auf und bewunderte ihre noch leichten Rundungen.

»Hübsch … gerade mal eine Hand voll!« Lachend griff er nach ihr. Fleurette versuchte wieder zu treten, doch er legte sein Bein über ihre Knie und hielt sie damit still.

»Nun hör endlich auf, wie ein Pferd herumzutoben, das zum ersten Mal geritten wird! Du hast doch schon Erfahrung, hab ich gehört. Also lass mich …« Er suchte nach dem Verschluss ihres Rocks, wurde bei dem raffiniert geschnittenen Reitkleid aber nicht gleich fündig. Fleurette versuchte zu schreien und biss ihm in die Hand, als er sie daran hinderte.

»Ich mag's, wenn eine Frau Temperament hat!«, stieß er lachend hervor.

Fleur schluchzte inzwischen. Gracie bellte immer noch, hysterisch und schrill. Und dann durchdrang eine schneidende Stimme den Tumult im Stall.

»Lassen Sie meine Tochter los, bevor mein Temperament mit mir durchgeht!« In der Tür stand Gwyneira, ein Gewehr in der Hand, das sie auf John Sideblossom gerichtet hielt. Hinter ihr erkannte Fleur Andy McAran und Poker Livingston.

»Nun mal langsam, ich ...« Sideblossom ließ von Fleurette ab und hob beschwichtigend die Hände.

»Wir unterhalten uns gleich noch. Fleur, hat er dir was getan?« Gwyn reichte Andy die Waffe und nahm ihre Tochter in den Arm.

Fleurette schüttelte den Kopf. »Nein. Er ... er hatte mich gerade erst gepackt. Oh, Mummy, es war schrecklich!«

Gwyneira nickte. »Ich weiß, Kind. Aber jetzt ist es vorbei. Geh schnell ins Haus. Soweit ich gesehen habe, ist die Party im Salon zu Ende. Aber es könnte sein, dass dein Großvater mit dem harten Kern noch im Herrenzimmer zecht, also sei vorsichtig. Ich komme gleich nach.«

Fleurette ließ sich das nicht zweimal sagen. Fröstelnd zog sie die Fetzen ihrer Bluse über der Brust zusammen und ergriff die Flucht. Die Männer machten ihr respektvoll Platz, als sie in die Scheune stürzte und von dort zur Küchentür rannte. Sie sehnte sich nach der Sicherheit ihres Zimmers – und ihre Mutter konnte sich darauf verlassen, dass sie den Salon schnell wie der Wind durchqueren würde ...

»Wo ist denn Sideblossom?« Gerald Warden hatte den Abend noch längst nicht beendet. Natürlich war er schwer betrunken, ebenso wie die anderen Viehzüchter, die sich jetzt noch im Herrenzimmer zuprosteten. Das hielt ihn allerdings nicht davon ab, noch ein Kartenspiel vorzuschlagen. Reginald Beasley, so angetrunken wie selten, hatte bereits zugestimmt, und auch Barrington war nicht abgeneigt. Fehlte noch der vierte Mann. Und John Sideblossom war Gerald seit jeher der liebste Kumpan gewesen, wenn es darum ging, seine Mitspieler beim Black Jack auszunehmen.

»Der is' vorhin gegangen. Ins Bett wahrscheinlich«, gab Barrington Auskunft. »Können nix mehr ver... vertragen, die ju... jungen Spunde...«

»Johnny Sideblossom hat sich noch nie um 'ne Runde gedrückt!«, verteidigte Gerald seinen Freund. »Der hat bis jetzt noch jeden untern Tisch gesoffen. Muss doch hier irgendwo sein...« Gerald war betrunken genug, um sich unter dem Tisch nach Sideblossom umzusehen. Beasley warf noch einen Blick in den Salon, aber da saß nur Paul – anscheinend in ein Buch vertieft, tatsächlich wartend. Irgendwann mussten Fleur und Sideblossom schließlich wiederkommen. Und hier bot sich noch eine weitere Chance, seine Schwester zu kompromittieren.

»Suchen Sie Mr. Sideblossom?«, fragte er höflich und mit so klangvoller Stimme, dass es auch ja niemandem im Herrenzimmer entgehen konnte. »Der ist mit meiner Schwester im Stall.«

Gerald Warden stürmte aus dem Herrenzimmer, erfüllt von so heiliger Wut, wie eigentlich nur der Whiskey sie hervorbringt.

»Diese verdammte kleine Hure! Erst tut sie, als könnte sie kein Wässerchen trüben, und dann verschwindet sie mit Johnny im Heu! Wo sie genau weiß, dass so was die Mitgift hochtreibt. Wenn er sie jetzt überhaupt noch nimmt, dann nur, wenn er meine halbe Farm dazukriegt!«

Beasley folgte ihm kaum weniger empört. Seine Werbung hatte sie abgelehnt. Und jetzt wälzte sie sich mit Sideblossom im Stroh?

Die Männer schienen zunächst unschlüssig, ob sie den Haupteingang oder die Küchentür nehmen sollten, um das Paar in der Scheune zu stellen, sodass für Sekunden Stille herrschte, in die das Geräusch der Küchentür drang: Fleurette schob sich in den Salon – und stand erschrocken ihrem Großvater und seinen Zechkumpanen gegenüber.

»Du kleines verruchtes Flittchen!« Gerald verpasste ihr die zweite Ohrfeige dieses Abends. »Wo hast du deinen Liebhaber, hm? Wo ist Johnny? Ein Teufelskerl ist er ja, dich hier halb vor meinen Augen ins Heu zu zerren! Aber so benimmt man sich nicht, Fleurette, so nicht!« Er stieß sie gegen die Brust, aber sie blieb auf den Beinen. Allerdings gelang es ihr nicht, die Fetzen ihrer Bluse weiter festzuhalten. Sie schluchzte auf, als der dünne Stoff ihre Brüste den Blicken aller Männer preisgab.

Immerhin schien der Anblick Gerald zu ernüchtern. Wäre er allein gewesen, hätte sich hier zwar sicher anderes gerührt als sein Schamgefühl, aber nun regte sich vor allem sein gesundes Geschäftsinteresse. Nach dieser Geschichte würde er Fleurette niemals an einen anständigen Mann loswerden. Sideblossom musste sie nehmen, und das hieß, dass ihre Würde halbwegs gewahrt bleiben musste.

»Bedeck dich jetzt, und geh in dein Zimmer!«, befahl er, während er den Blick abwandte. »Wir werden morgen deine Verlobung bekannt geben, und wenn ich den Kerl mit vorgehaltener Waffe vor den Traualtar zwingen muss. Und dich auch! Jetzt wird nicht weiter herumgezickt!«

Fleurette war zu erschrocken und erschöpft, um etwas zu antworten. Sie raffte ihre Bluse zusammen und floh die Treppe hinauf.

Gwyneira fand sie eine Stunde später, schluchzend und bibbernd unter ihrer Bettdecke. Gwyn selbst zitterte ebenfalls, allerdings eher vor Wut. Zunächst auf sich selbst, weil sie sich zuerst Sideblossom vorgenommen und dann die Pferde in

Sicherheit gebracht hatte, statt Fleurette zu begleiten. Andererseits hätte das auch nicht viel gebracht. Die beiden Frauen hätten sich Geralds Ausbrüche bloß gemeinsam anhören können, statt in einstündigem Abstand. Denn die Männer hatten sich natürlich auch jetzt noch nicht zurückgezogen. John Sideblossom hatte sich nach Gwyns Standpauke im Stall zu ihnen gesellt und ihnen wer weiß was erzählt. Auf jeden Fall wartete Gerald nun bereits auf Gwyneira, um mehr oder weniger dieselben Vorwürfe und Drohungen auf sie niederprasseln zu lassen wie vorhin auf Fleur. An einer andersartigen Darstellung des Falles war er deutlich nicht interessiert, ebenso wenig wie seine »Zeugen«. Morgen, darauf bestand er, würden Fleur und John sich verloben.

»Und das ... das Schlimmste ist, er hat Recht ...«, stammelte Fleur. »Mir wird ... wird doch jetzt keiner mehr glauben. Die ... die erzählen das im ganzen Landkreis herum. Wenn ich jetzt Nein sage, vor dem ... dem Pfarrer, lachen sie mich aus.«

»Dann sollen sie doch lachen!«, meinte Gwyneira fest. »Du wirst diesen Sideblossom nicht heiraten, so wahr ich hier stehe!«

»Aber ... aber Großvater ist mein Vormund. Er wird mich zwingen.« Fleurette schluchzte.

Gwyneira fasste einen Entschluss. Fleur musste hier weg. Und sie würde nur gehen, wenn sie ihr die Wahrheit enthüllte.

»Hör zu, Fleur, Gerald Warden kann dich zu gar nichts zwingen. Er ist streng genommen auch nicht dein Vormund ...«

»Aber ...«

»Es gilt als dein Vormund, weil er als dein Großvater gilt. Das ist er aber nicht. Lucas Warden war nicht dein Vater.«

Jetzt war es heraus. Gwyneira biss sich auf die Lippen.

Fleurette blieb ihr Schluchzen im Hals stecken.

»Aber ...«

Gwyn setzte sich neben sie und nahm sie in den Arm. »Hör zu, Fleur. Lucas, mein Mann, war ein guter Mensch. Aber er … nun, er konnte keine Kinder zeugen. Wir haben es versucht, aber es hat nicht geklappt. Und dein Großva … und Gerald Warden machte uns das Leben zur Hölle, weil er keinen Erben für Kiward Station hatte. Und da habe ich … da habe ich …«

»Du hast meinen Vat … deinen Mann, wollte ich sagen, betrogen?« In Fleurettes Stimme lag Fassungslosigkeit.

Gwyn schüttelte den Kopf. »Nicht mit dem Herzen, wenn du verstehst. Nur um ein Kind zu bekommen. Danach war ich ihm immer treu.«

Fleurette runzelte die Stirn. Gwyn sah geradezu, wie es in ihrem Kopf arbeitete.

»Und woher kommt dann Paul?«, fragte sie schließlich.

Gwyn schloss die Augen. Nicht auch das noch …

»Paul ist ein Warden«, sagte sie. »Aber lass uns nicht über Paul reden. Fleurette, ich glaube, du solltest hier weggehen …«

Fleur schien sie gar nicht zu hören.

»Wer ist mein Vater?«, fragte sie leise.

Gwyneira überlegte kurz. Aber dann entschloss sie sich, die Wahrheit zu sagen.

»Unser damaliger Vormann. James McKenzie.«

Fleurette sah sie mit riesigen Augen an.

»*Der* McKenzie?«

Gwyneira nickte. »Genau der. Es tut mir Leid, Fleur …«

Fleurette schien zunächst sprachlos. Aber dann lächelte sie.

»Das ist aufregend. Richtig romantisch. Weißt du noch, wie Ruben und ich als Kinder immer Robin Hood gespielt haben? Und jetzt bin ich sozusagen … die Tochter eines Freisassen!«

Gwyneira verdrehte die Augen. »Fleurette, werde erwachsen! Das Leben im Hochland ist nicht romantisch, es ist hart und gefährlich. Du weißt, was Sideblossom mit James tun will, wenn er ihn findet.«

»Hast du ihn geliebt?«, fragte Fleurette mit glänzenden Augen. »Deinen James, meine ich? Hast du ihn richtig geliebt? Warst du traurig, als er wegging? Warum ist er überhaupt weggegangen? Wegen mir? Nein, das kann nicht sein. Ich erinnere mich an ihn. Ein großer Mann mit braunem Haar, nicht? Er hat mich auf seinem Pferd reiten lassen und immer gelacht ...«

Gwyneira nickte schmerzlich. Aber sie durfte Fleurette in ihren Träumereien nicht unterstützen.

»Ich habe ihn nicht geliebt. Es war nur eine Vereinbarung, eine Art ... Geschäft zwischen uns. Als du geboren wurdest, war es vorbei. Und es hatte nichts mit mir zu tun, dass er ging.«

Streng genommen war das nicht einmal gelogen. Es hatte mit Gerald zu tun gehabt, und mit Paul. Gwyneira spürte den Schmerz noch immer. Aber Fleurette musste nichts davon wissen. Sie durfte nichts davon wissen!

»Jetzt lass uns davon aufhören, Fleur, sonst ist die Nacht bald vorbei. Du musst weg hier, bevor sie morgen eine große Verlobung feiern und alles noch schlimmer machen. Pack ein paar Sachen ein. Ich hol dir Geld aus meinem Büro. Du kannst alles haben, was da ist, aber es ist nicht viel, die meisten Einnahmen gehen direkt auf die Bank. Andy wird noch wach sein, er kann dir Niniane holen. Und dann reitest du wie der Teufel, damit du weit weg bist, wenn die Kerle morgen ihren Rausch ausgeschlafen haben.«

»Du hast nichts dagegen, dass ich zu Ruben reite?«, fragte Fleurette atemlos.

Gwyneira seufzte. »Mir wäre sehr viel wohler, wenn ich sicher wäre, dass du ihn fändest. Aber es ist die einzige Möglichkeit, zumindest solange die Greenwoods noch in England sind. Verflixt, ich hätte dich mitschicken sollen! Aber jetzt ist es zu spät. Such deinen Ruben, heirate ihn und werde glücklich!«

Fleur umarmte sie. »Und du?«, fragte sie leise.

»Ich bleibe hier«, meinte Gwyn. »Jemand muss sich um die Farm kümmern, und das tue ich gern, wie du weißt. Gerald und Paul . . . nun, die muss ich wohl nehmen, wie sie sind.«

Eine Stunde später saß Fleurette auf ihrer Stute Niniane und galoppierte auf die Berge zu. Sie war mit ihrer Mutter überein gekommen, dass sie nicht direkt nach Queenstown reiten sollte. Gerald würde sich denken können, dass sie Ruben suchte, und ihr Männer hinterherschicken.

»Versteck dich ein paar Tage im Hochland, Fleur«, hatte Gwyn ihr geraten. »Und dann reitest du am Rand der Alpen nach Otago. Vielleicht findest du Ruben schon irgendwo am Weg. Soviel ich weiß, ist Queenstown ja nicht der einzige Ort, wo sie Gold gefunden haben.«

Fleurette war skeptisch. »Aber Sideblossom reitet ins Hochland«, meinte sie ängstlich. »Wenn er mich sucht . . .«

Gwyn schüttelte den Kopf. »Fleur, der Weg nach Queenstown ist ausgetreten, aber das Hochland ist groß. Er wird dich nicht finden – du bist wie eine Stecknadel im Heuhaufen. Also reite jetzt.«

Letztlich hatte Fleur dies eingesehen, doch sie fürchtete sich zu Tode, als sie die Schritte ihres Pferdes jetzt zuerst in Richtung Haldon lenkte und dann zu den Seen, wo irgendwo Sideblossoms Farm lag.

Und wo irgendwo ihr Vater kampierte ... der Gedanke stimmte sie seltsam glücklich. Sie würde nicht allein im Hochland sein. Auch James McKenzie war ein Gejagter.

# 6

Das Land oberhalb der Seen Tekapo, Pukaki und Ohau war wunderschön. Fleurette konnte sich nicht satt sehen an den kristallklaren Seen und Bächen, den seltsamen Felsformationen und dem samtigen Grün der Weideflächen. Gleich dahinter ragten die Alpen auf. Sideblossom hatte Recht: Es war keineswegs ausgeschlossen, dass hier noch verborgene Täler und Seen auf ihre Entdecker warteten. Übermütig lenkte Fleurette ihre Stute immer weiter auf die Berge zu. Sie hatte Zeit. Vielleicht fand sie ja Gold! Allerdings hatte sie keine Ahnung, wo man am besten danach suchte. Eine genauere Betrachtung der eiskalten Bergbäche, aus denen sie trank und in denen sie sich schaudernd einer Katzenwäsche unterzog, hatte jedenfalls keine Nuggets offenbart. Dafür hatte sie Fische gefangen und sich nach drei Tagen getraut, ein Feuer zu machen und sie zu braten. Anfangs war sie zu verängstigt gewesen und hatte ständig mit dem Auftauchen von Sideblossoms Männern gerechnet. Inzwischen aber neigte sie der Ansicht ihrer Mutter zu: Das Land war viel zu groß, um es zu durchsuchen. Ihre Verfolger würden nicht wissen, wo sie anfangen sollten, und inzwischen hatte es auch geregnet. Selbst wenn die Verfolger Suchhunde einsetzten – und zumindest auf Kiward Station gab es keine geeigneten Tiere –, war die Spur längst ausgewaschen und kalt.

Inzwischen bewegte Fleur sich ganz selbstverständlich im Hochland. Sie hatte oft genug mit gleichaltrigen Maori-Kindern gespielt und ihre Freunde in deren Dörfern besucht. Deshalb wusste sie genau, wo sie essbare Wurzeln fand, wie man Mehl zu Takakau verknetete und buk, Fische fing und Feuer entfachte. Sie hinterließ auch kaum Spuren ihrer Anwesenheit. Erkaltete Feuerstellen bedeckte sie sorgfältig mit Erde, und Abfälle vergrub sie. Ganz sicher folgte ihr niemand. In ein paar Tagen würde sie sich nach Osten zum Lake Wakatipu wenden, wo Queenstown lag.

Wenn sie das Abenteuer nur nicht ganz allein zu bestehen hätte! Nach fast zwei Wochen Ritt fühlte Fleur sich einsam. Es war schön, sich nachts an Gracie zu schmiegen, doch viel mehr sehnte sie sich nach menschlicher Gesellschaft.

Dabei schien sie nicht die Einzige zu sein, die Vertreter ihrer eigenen Art vermisste. Auch Niniane wieherte manchmal verloren in die Weite, obwohl sie Fleurettes Hilfen brav folgte.

Letztlich aber war es Gracie, die Gesellschaft fand. Die kleine Hündin war vorangelaufen, während Niniane sich einen steinigen Pfad entlangtastete. Fleurette musste sich ebenfalls auf den Weg konzentrieren, und so schaute sie völlig verblüfft, als sie hinter einem Felsen, wo das steinige Land wieder in eine grasbewachsene Ebene auslief, zwei dreifarbige Hunde miteinander spielen sah. Fleurette glaubte zunächst an eine Sinnestäuschung. Doch wenn sie Gracie plötzlich doppelt gesehen hätte, müssten die Hunde sich doch im Gleichklang bewegen! Stattdessen sprangen die beiden einander an, hetzten hintereinander her und genossen offensichtlich das Zusammensein. Und sie sahen sich ähnlich wie ein Ei dem anderen!

Fleurette ritt näher heran, um Gracie zu sich zu rufen. Dabei stellte sie nun doch Unterschiede zwischen den Hündinnen fest. Die neue war etwas größer als Grace, ihre Nase etwas länger. Aber sie war ein reinrassiger Border Collie, da gab es keinen Zweifel. Wo mochte sie hingehören? Border Collies, da war Fleur sicher, streunten nicht und jagten nicht. Ohne ihre Besitzer würden sie sich nicht so weit ins Hochland begeben. Außerdem machte dieses Tier einen gepflegten Eindruck.

»Friday!« Eine Männerstimme. »Friday, wo bleibst du? Es wird Zeit, sie einzutreiben!«

Fleur sah sich um, konnte den Rufenden aber nicht erkennen. Friday, die Hündin, wandte sich nach Westen, wo die Ebene sich scheinbar endlos dehnte. Aber dann hätte man ihren Herrn eigentlich sehen müssen. Fleur erschien das merkwürdig. Friday ihrerseits schien sich nur ungern von Gracie zu trennen. Dann aber nahm Gracie plötzlich Witterung auf, schaute sich mit leuchtenden Augen nach Fleurette und ihrem Pferd um – und gleich darauf setzten beide Hunde sich wie von unsichtbaren Fäden gezogen in Bewegung.

Fleur folgte ihnen scheinbar ins Nichts, erkannte aber rasch, dass sie einer optischen Täuschung aufgesessen war. Das Grasland reichte hier nicht bis zum Horizont, sondern fiel in Terrassen ab. Friday und Gracie eilten sie herunter. Dann erkannte auch Fleur, was die Hunde so magisch anzog. Auf der untersten, jetzt gut einsehbaren Terrasse grasten vielleicht fünfzig Schafe, gehütet von einem Mann, der ein Maultier am Zügel führte. Als er Friday mit Grace im Schlepptau kommen sah, blickte er genauso verwirrt wie Fleur – um dann misstrauisch in die Richtung zu schauen, aus der die Hündin gekommen war. Fleurette ließ Niniane die Terrassen herabspringen. Sie war eher neugierig als ängstlich. Schließlich sah der fremde Hirte nicht gefährlich aus, und solange sie auf dem Pferd saß, konnte er ihr auch kaum etwas anhaben. Sein schwer beladenes Maultier taugte bestimmt nicht zu einer Verfolgung.

Gracie und Friday hatten sich inzwischen darangemacht, die Schafe zusammenzutreiben. Sie arbeiteten dabei so geschickt und selbstverständlich im Team, als hätten sie nie etwas anderes getan.

Der Mann stand wie zur Salzsäule erstarrt, als er Fleurette auf ihrer Stute heransprengen sah.

Fleur blickte in ein wettergegerbtes, kantiges Gesicht mit üppigem braunem Bart und braunem Haar, in das sich bereits graue Strähnen mischten. Der Mann war kräftig, dabei aber schlank, seine Kleidung abgetragen, der Packsattel auf dem Maultier verschlissen, aber ordentlich und gepflegt. Doch die braunen Augen des Hirten blickten Fleurette an, als habe er einen Geist gesehen.

»Sie kann es nicht sein«, sagte er leise, als sie ihr Pferd vor ihm verhielt. »Das ist nicht möglich ... und der Hund kann es auch nicht sein. Sie ... sie muss jetzt bald zwanzig Jahre alt sein. Gott im Himmel ...« Der Mann schien um Fassung zu ringen. Wie haltsuchend griff er nach seinem Sattel.

Fleur zuckte die Schultern. »Ich weiß zwar nicht, wer ich nicht sein soll, Sir, aber Sie haben einen schönen Hund.«

Der Mann schien die Fassung wiederzuerlangen. Er atmete tief ein und aus, blickte Fleur aber immer noch ungläubig an.

»Das Kompliment kann ich nur zurückgeben«, sagte er jetzt ein wenig flüssiger. »Ist ... ist sie ausgebildet? Als Sheepdog, meine ich?«

Fleur hatte nicht das Gefühl, als interessiere der Mann sich tatsächlich für Gracie; es schien, als wollte er Zeit gewinnen, während es hinter seiner Stirn fieberhaft arbeitete. Doch Fleur nickte und schaute sich nach einer geeigneten Aufgabe um, die Hunde zu erproben. Dann lächelte sie und gab Gracie einen Befehl. Die kleine Hündin flitzte los.

»Der große Widder da rechts. Sie wird ihn zwischen den Felsen dort durchtreiben.« Fleurette näherte sich den Felsen. Gracie hatte den Widder bereits separiert und wartete auf weitere Anweisungen. Friday lag hinter ihr auf der Lauer, jederzeit bereit, der anderen Hündin beizuspringen.

Die aber brauchte keine Hilfe. Der Widder trabte gelassen zwischen den Steinen hindurch.

Der Mann nickte und lächelte jetzt ebenfalls. Er schien deutlich entspannter. Offenbar war er zu einem Ergebnis gekommen.

»Das Mutterschaf da hinten«, sagte er, wies auf ein rundliches Tier und pfiff Friday. Woraufhin die kleine Hündin pfeilschnell die Herde umrundete, das angegebene Schaf heraustrieb und auf die Felsen zusteuerte. Doch das Mutterschaf war weniger fügsam als Gracies Widder. Friday brauchte drei Anläufe, bis sie es glücklich zwischen den Felsen durchgetrieben hatte.

Fleurette lächelte zufrieden.

»Gewonnen!«, erklärte sie.

Die Augen des Mannes leuchteten auf, und Fleur meinte fast etwas wie Zärtlichkeit darin zu erkennen.

»Sie haben übrigens schöne Schafe«, sprach sie hastig weiter. »Ich kenne mich da aus. Ich bin ... von einer Schaffarm.«

Der Mann nickte wieder. »Sie sind Fleurette Warden von Kiward Station«, sagte er dann. »Herrgott, im ersten Moment dachte ich schon, ich sehe Gespenster! Gwyneira, Cleo, Igraine ... Sie sind Ihrer Mutter wie aus dem Gesicht geschnitten! Und Sie sitzen genauso elegant zu Pferde. Aber das war vorauszusehen. Ich weiß noch, wie Sie als Kind gequengelt haben, bis ich Sie aufsitzen ließ.« Er lächelte. »Aber Sie werden sich nicht an mich erinnern. Wenn ich mich vorstellen darf ... James McKenzie.«

Fleurette starrte ihn jetzt ebenfalls an, bis sie verlegen den Blick senkte. Was erwartete der Mann von ihr? Sollte sie so tun, als habe sie nie von seinem Ruf als Viehdieb gehört? Ganz zu schweigen von der immer noch unfassbaren Tatsache, dass dieser Mann ihr Vater war?

»Ich ... hören Sie, Sie dürfen nicht denken, dass ich ... dass ich hergekommen bin, weil ich Sie verhaften wollte oder so ...«, setzte sie schließlich an. »Ich ...«

McKenzie lachte dröhnend, nahm sich dann aber zusammen und antwortete der erwachsenen Fleur genauso ernst wie damals dem vierjährigen Mädchen. »Das hätte ich auch niemals von Ihnen erwartet, Miss Fleur. Sie hatten schon immer ein Faible für Freisassen. Waren Sie nicht eine Zeit lang mit einem gewissen Ruben Hood verbandelt?« Sie sah den Schalk in seinen Augen aufblitzen und erkannte ihn plötzlich wieder. Als Kind hatte sie ihn Mr. James genannt, und er war immer ihr besonderer Freund gewesen.

Fleurettes Befangenheit fiel von ihr ab.

»Immer noch!«, nahm sie das Spiel auf. »Ruben Hood und ich sind einander versprochen ... das ist einer der Gründe, weshalb ich hier bin.«

»Aha«, meinte McKenzie. »Der Sherwood-Wald wird wohl zu klein für die wachsende Anzahl eurer Anhänger. Nun, da kann ich helfen, Lady Fleur ... Allerdings sollten wir jetzt erst einmal die Schafe in Sicherheit bringen. Der Boden hier wird mir etwas zu heiß. Möchten Sie mich begleiten, Miss Fleur, um mir mehr von Ihnen und Ihrer Mutter zu erzählen?«

Fleurette nickte eifrig. »Gern. Aber ... Sie sollten sich besser irgendwohin auf den Weg machen, wo Sie wirklich sicher sind. Und die Schafe vielleicht einfach zurückgeben. Mr. Sideblossom ist mit einem Suchtrupp unterwegs ... einer halben Armee, sagt meine Mutter. Mein Großvater ist auch dabei. Sie wollen Sie festnehmen und mich ...«

Fleurette schaute sich wachsam um. Bislang hatte sie sich hier sicher gefühlt, doch wenn Sideblossom mit seinen Vermutungen Recht hatte, befand sie sich zurzeit auf dem Gelände von Lionel Station, Sideblossoms Land. Und womöglich hatte der Anhaltspunkte dafür, wo McKenzie sich aufhielt.

McKenzie lachte wieder. »Sie, Miss Fleur? Was haben Sie denn angestellt, dass man Ihnen einen Suchtrupp hinterherschickt?«

Fleur seufzte. »Ach, das ist eine lange Geschichte ...«

McKenzie nickte. »Gut, dann verschieben wir das lieber, bis wir in Sicherheit sind. Folgen Sie mir einfach, und Ihre Hündin kann Friday zur Hand gehen. Umso schneller sind wir hier weg.« Er pfiff Friday, die genau zu wissen schien, was er von ihr erwartete. Sie trieb die Schafe seitlich über die Terrasse, nach Westen, auf die Alpen zu.

McKenzie stieg auf sein Maultier. »Sie brauchen sich keine Sorgen zu machen, Miss Fleur. Die Gegend, in die wir reiten, ist völlig sicher.«

Fleurette schloss sich ihm an. »Sagen Sie einfach Fleur zu mir«, bat sie. »Das alles ist sowieso ... sehr seltsam, aber es klingt noch seltsamer, wenn mein ... also, wenn jemand wie Sie mich Miss nennt.«

McKenzie warf ihr einen prüfenden Blick zu.

Die beiden ritten eine Zeit lang schweigend nebeneinander, während die Hunde die Schafe zunächst über wenig einladendes, steiniges Gelände trieben. Hier wuchs nur noch wenig Gras, dazu stieg der Weg an. Fleur fragte sich, ob McKenzie sie wirklich in die Berge führte, konnte es sich aber kaum vorstellen.

»Wie sind Sie ... ich meine, wie kommen Sie dazu, dass ...«, platzte sie schließlich heraus, während Niniane sich geschickt über den steinigen Grund tastete. Der Weg wurde immer schwieriger und führte jetzt durch ein schmales Bachbett, das von Steilwänden begrenzt war. »Sie waren doch Vormann auf Kiward Station, und ...«

McKenzie lachte grimmig. »Du meinst, warum ein geachteter und annehmbar bezahlter Arbeiter sich zum Viehdieb wandelt? Auch das ist eine lange Geschichte ...«

»Ist aber auch ein weiter Weg.«

McKenzie streifte sie wieder mit diesem fast zärtlichen Blick.

»Also gut, Fleur. Als ich von Kiward Station wegging, hatte ich eigentlich vor, mir eigenes Land zu kaufen und eine Schafzucht zu beginnen. Ich hatte ein bisschen gespart, und ein paar Jahre früher hätte ich sicher Erfolg gehabt. Aber jetzt ...«

»Was ist jetzt?«, fragte Fleur.

»Es ist kaum noch möglich, hier zu annehmbaren Preisen Weideland zu erstehen. Die großen Viehzüchter – Warden, Beasley, Sideblossom – reißen sich nach und nach alles unter den Nagel. Maori-Land gilt seit ein paar Jahren als Besitz der Krone. Ohne Erlaubnis des Gouverneurs können die Maoris das nicht verkaufen. Und diese Erlaubnis erhalten nur ausgewählte Interessenten. Außerdem sind die Grenzen sehr ungenau. Sideblossom zum Beispiel gehört das Weideland zwischen dem See und den Bergen. Bislang beansprucht er das Land bis zu den Terrassen, auf denen wir uns getroffen haben. Wenn sich jetzt aber noch weiteres findet, wird er selbstverständlich behaupten, es gehöre ebenfalls ihm. Und niemand wird Einspruch erheben, es sei denn, die Maoris raffen sich auf und erklären ihre Besitzansprüche. Aber das tun sie fast nie. Die haben ja eine ganz andere Einstellung zum Land als wir. Gerade hier im Alpenvorland siedeln sie selten langfristig. Sie kommen allenfalls im Sommer ein paar Wochen her, um zu fischen und zu jagen. Daran hindern die Viehzüchter sie nicht – jedenfalls nicht, wenn sie klug sind. Die weniger Klugen aber kriegen Ärger. Das sind dann die Zwischenfälle, die man in England als ›Maori-Kriege‹ verbucht.«

Fleurette nickte. Miss Helen hatte von Aufständen erzählt, aber das hatte sich hauptsächlich auf der Nordinsel zugetragen.

»Ich fand damals jedenfalls kein Land. Das Geld hätte höchstens für eine winzige Farm gereicht, und Vieh hätte ich mir gar nicht mehr kaufen können. Also ritt ich nach Otago, Gold suchen. Viel lieber hätte ich allerdings selbst neue Vorhaben ausgemacht. Ich kenne mich da ein bisschen aus, Fleur, ich war beim Goldrausch in Australien dabei. Also dachte ich, es kann nicht schaden, einen Umweg zu reiten und mich umzusehen ... na ja, und dann fand ich das hier.«

McKenzie umfasste die Landschaft mit einer weiten,

schwungvollen Bewegung des Armes, und Fleurette bekam große Augen. Das Flussbett hatte sich schon während der letzten Minuten des Rittes erweitert; jetzt tat sich der Blick auf eine Hochebene auf. Sattes Gras, weite Weideflächen, die sich über sanfte Hänge hinzogen. Die Schafe verteilten sich sofort.

»Gestatten – McKenzie Station!«, sagte James lächelnd. »Bislang nur besiedelt von mir und einem Maori-Stamm, der einmal im Jahr vorbeikommt und genauso gut auf Mr. Sideblossom zu sprechen ist wie ich. Der zäunt neuerdings nämlich große Weideflächen ein, und dabei hat er die Maoris wohl von einem ihrer Heiligtümer abgeschnitten. Jedenfalls sind sie mit mir gut Freund. Wir lagern zusammen, tauschen Geschenke aus ... sie verraten mich nicht.«

»Und wohin verkaufen Sie die Schafe?«, fragte Fleur neugierig.

James lachte. »Du willst wirklich alles wissen! Aber gut, ich habe da einen Händler in Dunedin. Der schaut nicht so genau hin, wenn gute Tiere kommen. Und ich verkaufe ja auch selbst gezogene. Wenn Zuchttiere gebrannt sind, gebe ich sie nicht weg, dann bleiben sie hier, und ich gebe erst die Lämmer ab. So, komm, hier ist gleich mein Lager. Ziemlich primitiv, aber ich will keine Hütte bauen. Falls sich doch mal ein Viehhirte hierher verirrt.« McKenzie führte Fleurette zu einem Zelt und einer Feuerstelle. »Du kannst dein Pferd da anbinden, ich hab Seile zwischen den Bäumen gespannt. Da ist reichlich Gras, und mit dem Maultier soll es sich wohl vertragen. Ein schönes Pferd. Verwandt mit Gwyns Stute?«

Fleurette nickte. »Ihre Tochter. Und Gracie hier ist Cleos Tochter. Natürlich sieht sie ihr ähnlich.«

McKenzie lachte. »Das reinste Familienzusammentreffen. Friday ist auch Cleos Tochter. Gwyn hat sie mir zum Abschied geschenkt ...«

Wieder der zärtliche Ausdruck in seinen Augen, wenn er von Gwyneira sprach.

Fleur überlegte. Die Sache mit ihrer Zeugung sollte eine Geschäftsbeziehung gewesen sein? James' Gesicht sprach eine andere Sprache. Und Gwyneira hatte ihm zum Abschied einen Welpen geschenkt – wo sie mit Cleos Nachwuchs doch sonst so eigen war. Für Fleur ließ das tief blicken.

»Meine Mutter muss Sie ziemlich gemocht haben …«, meinte sie vorsichtig.

James zuckte die Achseln. »Vielleicht nicht genug … Aber nun erzähl, Fleur, wie geht es ihr? Und dem alten Warden? Der junge ist ja tot, hörte ich. Aber du hast einen Bruder?«

»Ich wünschte, ich hätte keinen!«, stieß Fleurette heftig hervor und wurde sich im gleichen Moment der erfreulichen Tatsache bewusst, dass Paul ja nur ihr Halbbruder war.

McKenzie lächelte. »Also die lange Geschichte. Magst du Tee, Fleur, oder lieber Whiskey?« Er entfachte das Feuer neu, setzte Wasser auf und nahm eine Flasche aus einer seiner Satteltaschen. »Tja, ich werde mir jetzt einen genehmigen. Auf den Schreck mit dem Geist!« Er goss Whiskey in ein Trinkgeschirr und prostete ihr zu.

Fleurette überlegte. »Einen kleinen Schluck«, sagte sie dann. »Meine Mutter sagt, manchmal wirkt es wie Medizin …«

James McKenzie war ein guter Zuhörer. Er saß gelassen am Feuer, als Fleur die Geschichte von Ruben und Paul erzählte, von Beasley und Sideblossom und davon, dass sie auf keinen Fall einen von ihnen zum Mann haben wollte.

»Dann bist du jetzt also auf dem Weg nach Queenstown«, schloss er schließlich. »Um deinen Ruben zu suchen … Herrgott, wenn deine Mutter damals mal so viel Schneid gehabt hätte …« Er biss sich auf die Lippen, sprach dann aber ruhiger weiter. »Wenn du magst, können wir ein Stück zusammenreiten. Die Sache mit Sideblossom klingt nicht ungefährlich. Ich denke, ich bringe die Schafe nach Dunedin und verschwinde für ein paar Monate. Mal sehen, vielleicht versuch ich mein Glück auf den Goldfeldern!«

»Oh, das wäre schön«, murmelte Fleur. McKenzie schien zu wissen, wovon er sprach, wenn es um Goldfunde ging. Wenn sie ihn dazu brächte, sich mit Ruben zusammenzutun, konnte das Abenteuer vielleicht sogar ein Erfolg werden.

McKenzie hielt ihr die Hand hin. »Also, auf gute Partnerschaft! Aber du weißt natürlich, worauf du dich einlässt. Wenn sie uns schnappen, bist du dran, denn ich bin ein Viehdieb. Von Rechts wegen müsstest du mich der Polizei ausliefern.«

Fleurette schüttelte den Kopf. »Ich muss Sie nicht ausliefern«, stellte sie richtig. »Nicht als Familienangehörigen. Ich sage einfach, Sie sind ... Sie sind mein Vater.«

James McKenzies Gesicht hellte sich auf. »Gwyneira hat es dir also gesagt!«, meinte er mit strahlendem Lächeln. »Und hat sie dir von uns erzählt, Fleur? Hat sie vielleicht gesagt ... hat sie endlich gesagt, dass sie mich geliebt hat?«

Fleur kaute auf ihrer Unterlippe. Sie konnte ihm nicht wiederholen, was Gwyn gesagt hatte. Aber sie war auch überzeugt davon, dass es nicht die Wahrheit war. In den Augen ihrer Mutter hatte der Widerhall des gleichen Leuchtens gestanden, das sie in James' Gesicht sah.

»Sie ... sie sorgt sich um dich«, sagte sie schließlich. Und das war immerhin die Wahrheit. »Ich bin sicher, sie würde dich gern wiedersehen.«

Fleurette verbrachte die Nacht in James' Zelt. Er selbst schlief am Feuer. Am nächsten Morgen wollten sie früh aufbrechen, nahmen sich aber noch Zeit, in einem Bach zu fischen und Fladenbrot als Wegzehrung zu backen.

»Zumindest bis wir die Seen hinter uns gelassen haben, möchte ich nicht rasten«, erklärte McKenzie. »Wir reiten die Nacht durch und passieren die bewohnten Gegenden während der dunkelsten Stunden. Es ist anstrengend, Fleur, aber bisher war es nie gefährlich. Die großen Farmen liegen abgelegen. Und auf den kleinen halten die Leute Augen und Ohren geschlossen. Manchmal finden sie dann als Belohnung ein gutes Jungtier zwischen ihren Schafen – nicht zurückzuverfolgen zu einer der großen Stations, sondern hier geboren. Die Qualität der kleinen Herden rund um die Seen wird immer besser.«

Fleur lachte. »Gibt es eigentlich nur den Weg durchs Flussbett heraus aus dieser Gegend?«, erkundigte sie sich.

McKenzie schüttelte den Kopf. »Nein. Du kannst auch am Fuß der Berge nach Süden reiten. Das ist die einfachere Strecke, das Land fällt leicht ab, und irgendwann folgst du einfach einem Bachlauf nach Osten. Allerdings ist es der weitere Weg. Er führt eher ins Fjordland als in die Canterbury Plains. Ein Fluchtweg, aber nicht alltagstauglich. So, sattele dein Pferd. Wir wollen los, bevor Sideblossom uns auf die Spur kommt.«

McKenzie schien nicht allzu besorgt. Er trieb die Schafe – eine stattliche Anzahl – ganz selbstverständlich wieder über den Weg, den sie gestern gekommen waren. Die Tiere reagierten unwillig darauf, von den gewohnten Weidegründen weggetrieben zu werden. Vor allem McKenzies »eigene« Zuchtschafe blökten protestierend, als die Hunde sie zusammentrieben.

Auf Kiward Station hatte Sideblossom keine Zeit mit der Suche nach den ausgetauschten Pferden verloren. Ihm war es egal, ob die Männer mit Arbeitspferden oder Zuchttieren beritten waren – Hauptsache, sie kamen voran. Letzteres wurde ihm noch wichtiger, als die Männer Fleurettes Flucht entdeckten.

»Ich hol sie mir beide!«, tönte Sideblossom zornglühend. »Den Kerl und das Mädchen. Er kann zur Feier unserer Hochzeit gehängt werden! Also los jetzt, Warden, wir reiten – nein, nicht nach dem Frühstück! Ich will hinter dem kleinen Biest her, solange die Spur noch heiß ist.«

Das erwies sich natürlich als hoffnungslos. Fleur hatte keine Spuren hinterlassen. Die Männer konnten nur hoffen, ihr tatsächlich auf den Fersen zu sein, als sie in Richtung der Seen und Sideblossoms Farm ritten. Warden vermutete allerdings, dass Fleur ins Hochland geflohen war. Zwar schickte er ein paar Männer auf schnellen Pferden direkt Richtung Queenstown, rechnete aber nicht ernstlich mit ihrem Erfolg. Niniane war kein Rennpferd. Wenn Fleur ihre Verfolger abhängen wollte, ging das nur in den Bergen.

»Und wo wollen Sie diesen McKenzie jetzt suchen?«, fragte Reginald Beasley mutlos, als der Trupp schließlich auf Lionel Station einritt. Die Farm lag idyllisch am Rand des Sees; dahinter tat sich die unendliche Bergwelt der Alpen auf. McKenzie konnte überall dort sein.

Sideblossom grinste. »Wir haben einen kleinen Scout!«, verriet er den Männern. »Ich denke, inzwischen wird er bereit sein, uns zu führen. Bevor ich abritt, war er noch ... wie soll ich sagen ... ein bisschen unkooperativ ...«

»Einen Scout?«, fragte Barrington. »Reden Sie nicht in Rätseln, Mann!«

Sideblossom sprang vom Pferd. »Kurz bevor ich in die Plains aufbrach, habe ich einen Maori-Jungen losgeschickt, ein paar Pferde aus dem Hochland zu holen. Aber er fand sie nicht. Sie wären weggelaufen, meinte er. Wir haben ihn dann ein bisschen ... nun, unter Druck gesetzt, und dann erzählte er was von einem Pass oder einem Flussbett, irgend so was, jedenfalls soll dahinter noch offenes Land liegen. Das wird er uns morgen zeigen. Oder ich halt ihn bei Wasser und Brot, bis der Himmel einstürzt!«

»Sie haben den Jungen eingesperrt?«, fragte Barrington schockiert. »Was sagt denn der Stamm dazu? Verärgern Sie bloß nicht Ihre Maoris ...«

»Ach, der Knabe arbeitet schon ewig für mich. Gehört wahrscheinlich gar nicht zu den örtlichen Stämmen, und sonst wär's mir auch egal. Jedenfalls führt er uns morgen zu diesem Pass.«

Der Junge erwies sich als klein, abgemagert und völlig verängstigt. Die Tage der Abwesenheit Sideblossoms hatte er tatsächlich in einer dunklen Scheune verbracht und war nun ein zitterndes Bündel. Barrington beschwor Sideblossom, das Kind erst einmal freizulassen, doch der Farmer lachte nur.

»Wenn ich ihn jetzt laufen lasse, verschwindet er. Er kann morgen abhauen, sobald er uns den Weg gezeigt hat. Und wir brechen früh auf, meine Herren, beim ersten Sonnenstrahl. Also halten Sie sich zurück mit dem Whiskey, falls Sie nichts vertragen!«

Bemerkungen wie diese kamen bei den Farmern aus den Plains verständlicherweise nicht gut an, doch gemäßigte Vertreter der Vieh-Barone wie Barrington und Beasley waren ohnehin schon längst nicht mehr begeistert von ihrem charismatischen Führer. Im Unterschied zu früheren Expeditionen zum Aufspüren McKenzies glich diese keinem lockeren Jagdausflug, sondern einer militärischen Operation.

Sideblossom hatte das Alpenvorland oberhalb der Canterbury Plains systematisch durchkämmt, wozu er seine Leute in kleinere Trupps eingeteilt und penibel überwacht hatte. Bisher hatten die Männer geglaubt, dass es dabei schon in erster Linie um die Suche nach McKenzie ging. Aber jetzt, da Sideblossom offensichtlich konkrete Anhaltspunkte hatte, wo der Viehdieb sich verbarg, ging ihnen auf, dass sie bislang eher hinter Fleurette Warden her gewesen waren, was ein Teil der Männer übertrieben fand. Die Hälfte war ohnehin der Meinung, Fleur würde bald von selbst wieder auftauchen. Und wenn sie Sideblossom nicht heiraten wollte – nun, das musste man wohl ihr überlassen.

Jedenfalls fügten sie sich jetzt, wenn auch unwillig, den

Anweisungen des Farmers und verabschiedeten sich von der eigentlichen Idee, hier vor McKenzies Festnahme noch ein gutes Abendessen und erstklassigen Whiskey vorzufinden.

»Gefeiert«, darüber ließ Sideblossom keine Zweifel, »wird nach der Jagd!«

Am Morgen erwartete der Farmer die Männer bereits bei den Ställen, den heulenden, schmutzigen Maori-Jungen an seiner Seite. Sideblossom ließ den Kleinen vorauslaufen, nicht ohne ihm schreckliche Strafen für den Fall anzudrohen, dass er den Männern entkam.

Dabei schien das kaum möglich, schließlich saßen alle auf Pferden, und das Kind war zu Fuß.

Der Junge erwies sich jedoch als ausdauernder Läufer und hüpfte leichtfüßig über das steinige Gelände im Alpenvorland, in dem sich besonders Barringtons und Beasleys Vollblutpferde schwer taten.

Irgendwann schien er sich mit dem Weg nicht mehr sicher zu sein, doch ein paar scharfe Worte Sideblossoms ließen ihn endgültig klein beigeben. Der junge Maori führte den Suchtrupp durch einen Bach in ein ausgetrocknetes Flussbett, das sich wie mit einem Messer ausgeschnitten zwischen Steinwänden hindurchwand ...

McKenzie und Fleur hätten vielleicht noch fliehen können, hätten die Hunde vor ihnen die Schafe nicht gerade eben um eine Flussbiegung getrieben, noch dazu an einer Stelle, an der das Flussbett bereits breiter wurde. Dazu blökten die Schafe immer noch herzzerreißend – wieder ein Vorteil für die Verfolger, die sich beim Anblick der Herde im Flussbett auffächerten, um den Weg nach vorn abzuschneiden.

McKenzies Blick fiel direkt auf Sideblossom, dessen Pferd

vor der Abteilung herschritt. Der Viehdieb verhielt sein Maultier. Er stand wie erstarrt.

»Da sind sie! Es sind zwei!«, rief plötzlich jemand aus dem Suchtrupp. Der Ruf riss McKenzie aus seiner Starre. Verzweifelt sah er sich nach einem Fluchtweg um. Er würde einen Vorsprung haben, wenn er umdrehte; die Männer mussten ja erst durch die sicher dreihundertköpfige Schafherde, die sich im Flussbett drängte. Aber sie hatten schnelle Pferde und er nur das Maultier, das obendrein seine gesamte Habe schleppte. Es war aussichtslos. Allerdings nicht für Fleurette ...

»Fleur, dreh um!«, rief James ihr zu. »Reite, wie ich es dir gesagt habe. Ich versuche, sie aufzuhalten.«

»Aber du ... wir ...«

»Reite, Fleurette!« McKenzie griff rasch in seine Gürteltasche, woraufhin ein paar der Männer das Feuer eröffneten. Zum Glück halbherzig und nicht gut gezielt. Der Viehdieb beförderte einen kleinen Beutel zutage und warf ihn dem Mädchen zu.

»Hier, nimm! Und jetzt reite, verdammt noch mal, reite!«

Sideblossom hatte seinen Hengst inzwischen durch die Schafherde hindurchgelenkt und McKenzie fast erreicht. Noch Sekunden, dann würde er Fleurette erkennen, die bislang von ein paar Felsen verdeckt war. Das Mädchen kämpfte den heftigen Wunsch nieder, McKenzie beizustehen; er hatte Recht, sie hatten keine Chance.

Noch ein wenig halbherzig, aber mit klaren Hilfen ließ sie Niniane wenden, während McKenzie langsam auf Sideblossom zu ritt.

»Wem gehören diese Schafe?«, stieß der Viehzüchter hasserfüllt hervor.

McKenzie sah ihn gleichmütig an. »Welche Schafe?«

Fleur erkannte noch aus den Augenwinkeln, dass Sideblossom ihn vom Maultier zog und unbeherrscht auf ihn einprügelte. Dann war sie fort. Niniane galoppierte in halsbrecherischem Tempo zurück ins »McKenzie-Hochland«. Gracie folgte ihr, nicht jedoch Friday. Fleur schalt sich, dass sie die Hündin nicht gerufen hatte, aber jetzt war es zu spät. Sie atmete auf, als sie das gefährlich felsige Gelände des Flussbetts hinter sich hatte und Niniane ihre Hufe auf Gras setzte. So schnell das Pferd laufen konnte, ritt sie nach Süden.

Niemand würde sie mehr einholen.

# 7

Queenstown, Otago, lag in einer natürlichen Bucht am Ufer des Lake Waikatipu, umschlossen von gewaltigen, schroffen Bergen. Die Natur des Umlands war überwältigend, der See riesig und stahlblau, die Farnwälder und Weiden weitläufig und leuchtend grün, die Bergwelt majestätisch und rau und sicher noch völlig unerforscht. Lediglich die Stadt selbst war winzig. In Vergleich zu der Hand voll einstöckiger Häuser, die hier offenbar rasch erbaut worden waren, wirkte selbst Haldon wie eine Großstadt. Das einzige hervorstechende Gebäude war ein zweistöckiger Holzbau mit der Aufschrift »Daphne's Hotel«.

Fleurette bemühte sich, nicht enttäuscht zu sein, als sie über die staubige Main Street ritt. Sie hatte eine größere Ansiedlung erwartet, schließlich galt Queenstown zurzeit als Zentrum des Goldrausches in Otago. Andererseits konnte man kaum auf der Hauptstraße Gold waschen. Wahrscheinlich lebten die Miner auf ihren Claims, irgendwo im Busch um die Stadt herum. Und wenn der Ort übersichtlich war, musste es umso leichter sein, Ruben ausfindig zu machen. Tapfer hielt Fleur auf das Hotel zu und band Niniane davor an. Eigentlich hätte sie erwartet, dass ein Hotel über eigene Stallungen verfügte, aber dieses Haus sah schon beim Eintreten anders aus als das Hotel in Christchurch, in dem sie manchmal mit der Familie abgestiegen war. Anstelle einer Rezeption gab es hier einen Schankraum. Offensichtlich verband man den Betrieb eines Hotels mit dem eines Pub.

»Wir haben noch geschlossen!«, rief eine Mädchenstimme hinter der Theke, als Fleur näher trat. Sie erblickte eine junge blonde Frau, die dort eifrig hantierte. Als sie Fleur erkannte, blickte sie verwundert auf.

»Sind Sie ... ein neues Mädchen?«, fragte sie verblüfft. »Ich dachte, die kämen mit der Kutsche. Nicht vor nächster Woche ...« Die junge Frau hatte sanfte blaue Augen und sehr helle, zarte Haut.

Fleurette lächelte ihr zu.

»Ich brauche ein Zimmer«, sagte sie, ein wenig verunsichert ob des seltsamen Empfangs. »Das hier ist doch ein Hotel?«

Die junge Frau musterte Fleur verblüfft. »Sie wollen ... jetzt? Allein?«

Fleurette wurde rot. Natürlich, es war ungewöhnlich, dass ein Mädchen ihres Alters allein reiste.

»Ja, ich bin gerade angekommen. Ich will meinen Verlobten treffen.«

Das Mädchen schien erleichtert. »Dann kommt der ... Verlobte also gleich.« Sie sprach das Wort »Verlobter« aus, als ob Fleur es nicht ganz ernst meinte.

Fleur fragte sich, ob ihr Auftritt so merkwürdig war. Oder war das Mädchen nicht ganz richtig im Kopf?

»Nein, mein Verlobter weiß nicht, dass ich komme. Und ich weiß auch nicht genau, wo er ist. Deshalb brauche ich ja ein Zimmer. Ich will wenigstens wissen, wo ich heute Nacht schlafen werde. Und ich kann das Zimmer bezahlen, ich habe Geld ...«

Das stimmte. Fleurette trug nicht nur das bisschen Geld ihrer Mutter bei sich – auch das Säckchen, das McKenzie ihr im letzten Moment zugeworfen hatte und das sich als Geldbörse erwies. Der Beutel enthielt ein kleines Vermögen in Golddollars – offenbar alles, was ihr Vater in den letzten Jahren mit seinen Viehdiebstählen »verdient« hatte. Fleur wusste nur nicht, ob sie es für ihn aufheben oder für sich selbst behalten sollte. Aber damit konnte sie sich später beschäftigen. Ihre Hotelrechnung jedenfalls würde kein Problem sein.

»Sie wollen also die ganze Nacht bleiben?«, fragte das offenbar geistesgestörte Mädchen. »Ich hol Ihnen mal Daphne!« Offensichtlich erleichtert über diesen Einfall verschwand die Blonde in der Küche.

Ein paar Minuten später erschien eine etwas ältere Frau. Ihr Gesicht zeigte bereits erste Falten und Spuren von zu langen Nächten und zu viel Whiskey. Aber ihre Augen waren leuchtend grün und wach, und ihr üppiges rotes Haar war keck aufgesteckt.

»Sieh an, ein Rotschopf!«, sagte sie lachend, als sie Fleur erblickte. »Und goldene Augen, ein seltenes Schätzchen! Also, wenn du bei mir anfangen wolltest, dich würd ich sofort nehmen. Aber Laurie meinte, du wolltest nur ein Zimmer ...«

Fleurette erzählte ihre Geschichte noch einmal. »Ich weiß gar nicht, was Ihre Angestellte so komisch daran findet«, endete sie ein wenig verärgert.

Die Frau lachte. »Daran ist gar nichts komisch, nur ist Laurie nicht an Hotelgäste gewöhnt. Schau, Kleines, ich weiß nicht, wo du herkommst, aber ich tippe auf Christchurch oder Dunedin, wo reiche Leute in feinen Hotels absteigen. Bei uns hier liegt die Betonung eher auf ›Absteige‹, wenn du verstehst, was ich meine. Die Leute mieten die Zimmer für ein oder zwei Stunden, und die Begleitung dazu liefern wir.«

Fleurette wurde glühend rot. Sie war unter Huren geraten! Das hier war ein ... nein, sie mochte das Wort gar nicht denken.

Daphne beobachtete sie lächelnd und hielt sie fest, als sie nach draußen stürmen wollte. »Nun warte doch mal, Kleine! Wo willst du denn hin? Du brauchst keine Angst zu haben, hier wird dich niemand vergewaltigen.«

Fleur hielt inne. Wahrscheinlich war es wirklich albern zu fliehen. Daphne sah nicht Furcht erregend aus – und das Mädchen von eben schon gar nicht.

»Wo kann ich denn schlafen? Gibt es hier auch eine … eine …«

»Ehrenwerte Pension?«, fragte Daphne. »Leider nein. Die Männer, die hier durchkommen, schlafen im Mietstall bei ihren Pferden. Oder sie reiten gleich in eins der Goldgräberlager. Da findet sich immer ein Schlafplatz für einen Neuen.«

Fleur nickte. »Gut. Dann … dann mache ich das jetzt auch. Vielleicht finde ich dort ja meinen Verlobten.« Tapfer nahm sie ihre Tasche auf und wollte erneut hinausgehen.

Daphne schüttelte den Kopf. »Das geht auf keinen Fall, Mädchen! Ein Kind wie du, allein unter hundert, zweihundert Kerlen, ausgehungert bis zum Gehtnichtmehr – die verdienen doch höchstens so viel, dass sie sich hier alle halbe Jahre mal ein Mädchen gönnen können! Das sind keine Gentlemen, kleine Miss. Und dein ›Verlobter‹ – wie heißt der Knabe? Vielleicht kenne ich ihn.«

Fleurette errötete erneut, diesmal vor Empörung. »Ruben würde nie … er würde nie …«

Daphne lachte. »Da wäre er aber ein seltenes Ausnahmeexemplar seiner Gattung! Glaub mir, Kind, am Ende landen alle hier. Es sei denn, sie sind schwul. Aber das wollen wir in deinem Fall mal nicht annehmen.«

Fleur konnte mit dem Wort nicht viel anfangen, war sich aber dennoch sicher, dass Ruben dieses Etablissement nie betreten hatte. Trotzdem nannte sie Daphne seinen Namen. Die überlegte lange und schüttelte schließlich den Kopf.

»Nie gehört. Und ich hab ein gutes Gedächtnis für Namen. Sieht also aus, als hätte dein Liebster hier noch kein Vermögen gemacht.«

Fleur nickte. »Wenn er ein Vermögen gemacht hätte, hätte er mich ja auch schon geholt!«, sagte sie im Brustton der Überzeugung. »Aber jetzt muss ich los, es wird ja gleich dunkel. Wo sagten Sie, sind diese Lager?«

Daphne seufzte. »Da kann ich dich nicht hinschicken, Mädchen, beim besten Willen nicht, und vor allem nicht bei Nacht. Du kämst garantiert nicht intakt wieder raus. Also wird mir wohl nichts anderes übrig bleiben, als dir ein Zimmer zu vermieten. Die ganze Nacht.«

»Aber ich ... ich möchte nicht ...« Fleur wusste nicht, wie sie aus der Angelegenheit wieder herauskommen sollte. Andererseits schien sich kaum eine Alternative zu bieten.

»Kindchen, die Zimmer haben Türen, und die Türen haben Schlösser. Du kannst Zimmer eins haben. Das gehört sonst den Zwillingen, und die haben selten Kunden. Komm mit, ich zeig's dir. Den Hund ...«, sie wies auf Gracie, die vor Fleur lag und sie mit dem altbekannten Collie-Blick anbetend ansah, »kannst du mitnehmen. Ist wahrscheinlich sauberer als die meisten Kerle. Du brauchst keine Angst zu haben«, fügte sie hinzu, als Fleurette zögerte. Dann stieg sie die Treppe hinauf.

Fleurette folgte nervös, doch im zweiten Stock ähnelte Daphne's Hotel zu ihrer Erleichterung eher dem White Hart in Christchurch als einem Sündenpfuhl. Eine weitere blonde Frau – die der von unten verblüffend ähnlich sah – wienerte den Flur. Sie grüßte verwundert, als Daphne ihren Gast vorbeiführte.

Daphne blieb stehen und lächelte ihr zu. »Dies ist Miss ... Wie heißt du überhaupt?«, erkundigte sie sich. »Ich muss mir unbedingt ordentliche Anmeldeformulare anschaffen, wenn ich die Zimmer demnächst mehrstündig vermieten will!« Sie zwinkerte.

Fleurette überlegte hastig. Sicher war es nicht gut, ihren richtigen Namen zu nennen. »Fleurette«, antwortete sie schließlich. »Fleur McKenzie.«

»Verwandt oder verschwägert mit einem gewissen James?«, fragte Daphne. »Der soll auch so einen Hund haben.«

Fleur wurde schon wieder rot. »Äh ... nicht dass ich wüsste ...«, stammelte sie.

»Sie haben ihn übrigens gefangen, den armen Kerl. Und dieser Sideblossom von Lionel Station will ihn hängen«, erklärte Daphne, erinnerte sich dann aber an ihre Vorstellung. »Du hast es gehört, Mary – Fleur McKenzie. Sie hat eins unserer Zimmer gemietet.«

»Die ... die ganze Nacht?«, erkundigte sich auch Mary.

Daphne seufzte. »Die ganze Nacht, Mary, wir werden ehrbar. So, hier ist Zimmer eins. Komm rein, Mädchen!«

Sie schloss das Zimmer auf, und Fleurette betrat einen erstaunlich wohnlich eingerichteten kleinen Raum. Die Möbel waren schlicht, aus einheimischen Hölzern grob gezimmert, das Bett breit und blitzsauber bezogen. Überhaupt strahlte das ganze Etablissement nur so vor Sauberkeit und Ordnung. Fleur beschloss, an nichts anderes mehr zu denken.

»Es ist schön!«, sagte sie und meinte es ehrlich. »Vielen Dank, Miss Daphne. Oder Missis?«

Daphne schüttelte den Kopf. »Miss. In meinem Gewerbe verehelicht man sich eher selten. Wobei nach all meinen Erfahrungen mit Männern – und das sind viele, Kind – hab ich nichts Nennenswertes verpasst. So, dann lasse ich dich mal allein, damit du dich frisch machst. Mary oder Laurie bringen dir gleich Wasser zum Waschen.« Sie wollte die Tür schließen, doch Fleurette hielt sie auf.

»Ja ... nein ... ich muss mich erst um mein Pferd kümmern. Wo sagten Sie, ist der Mietstall? Und wo kann ich vielleicht noch etwas über ... meinen Verlobten erfahren?«

»Der Mietstall ist um die Ecke«, gab Daphne Auskunft. »Da kannst du dich erkundigen, aber ich glaube kaum, dass der alte Ron was weiß. Der ist sowieso nicht der Hellste, merkt sich garantiert nie einen Kunden, höchstens sein Pferd. Vielleicht weiß Ethan Bescheid, der Posthalter. Betreibt gleichzeitig den Laden und das Telegrafenamt. Du kannst es gar nicht verfehlen, hier schräg gegenüber. Aber beeil dich, Ethan macht gleich zu. Der ist immer der Erste im Pub.«

Fleurette bedankte sich nochmals und folgte Daphne die Treppe hinunter. Ihr war ebenfalls daran gelegen, schnell fertig zu werden. Wenn erst der Betrieb im Pub begann, verschanzte sie sich besser in ihrem Zimmer.

Der Laden war tatsächlich leicht zu finden. Ethan, ein dürrer, glatzköpfiger Mann mittleren Alters, räumte gerade die Auslagen ein, um zu schließen.

»Die Goldgräber kenn ich eigentlich alle«, antwortete er auf Fleurettes einleitende Frage. »Ich nehm ja die Post für sie an. Und da steht meistens nur so was drauf wie ›John Smith, Queenstown‹. Das holen sie sich dann hier ab, wobei sich bei den John Smiths schon mal zwei Burschen drum prügeln ...«

»Mein Freund heißt Ruben. Ruben O'Keefe«, erklärte Fleurette eifrig, obwohl ihr Verstand ihr schon sagte, dass sie hier kaum weiterkäme. Wenn es stimmte, was Ethan sagte, mussten ihre Briefe hier gelandet sein. Und offensichtlich hatte niemand sie abgeholt.

Der Posthalter dachte nach. »Nein, Miss, tut mir Leid. Ich kenne den Namen – für den kommen alle naselang Briefe an. Hab ich alle hier liegen. Aber der Mann selbst ...«

»Vielleicht hat er ja einen anderen Namen genannt!«, fiel Fleurette zu ihrer Erleichterung ein. »Wie ist es mit Davenport? Ruben Davenport?«

»Davenports hab ich drei«, meinte Ethan gelassen. »Aber keinen Ruben.«

Bitter enttäuscht wollte Fleur schon hinausgehen, beschloss dann aber, noch einen letzten Versuch zu machen. »Vielleicht erinnern Sie sich ja daran, wie er aussieht. Ein großer, schlanker Mann ... na ja, eher ein Junge, er ist achtzehn. Und er hat graue Augen, so ein bisschen wie der Himmel vor dem Regen. Und dunkelbraunes Haar, wuschelig, mit einem Stich Kastanienrot ... Er kriegt es nie ordentlich gekämmt.« Sie lächelte verträumt, während sie ihn beschrieb, doch die Miene des Posthalters ließ sie sofort wieder nüchtern werden.

»Kenne ich nicht. Was ist mit dir, Ron? Irgend 'ne Idee?« Ethan wandte sich an einen kleinen dicken Mann, der eben eingetreten war und nun wartend an der Ladentheke lehnte.

Der Dicke zuckte die Achseln. »Was hat er denn für 'n Maultier?«

Fleurette erinnerte sich, dass Daphne den Besitzer des Mietstalls Ron genannt hatte, und schöpfte wieder Hoffnung.

»Er hat ein Pferd, Mister! Eine kleine Stute, sehr kompakt, so ähnlich wie meine hier ...« Sie wies durch die offene Tür auf Niniane, die immer noch vor dem Hotel wartete. »Nur kleiner, und ein Rotschimmel. Sie heißt Minette.«

Dan nickte bedächtig. »Schickes Pferd!«, erklärte er dann, wobei er offen ließ, ob er Niniane oder Minette meinte. Fleurette konnte vor Ungeduld kaum still stehen.

»Hört sich nach dem kleinen Rube Kays an. Der mit Stue Peters zusammen diesen komischen Claim hat, oben am Shotover River. Stue kennste doch. Das ist der ...«

»Der Kerl, der sich immer beschwert, dass mein Werkzeug nichts taugt! Ja, an den erinnere ich mich. Und an den anderen auch, aber der sagt nich' viel. Stimmt, die haben so 'n Pferd.« Er wandte sich Fleur zu. »Da kannste heute aber nich' mehr hinreiten, Lady. Das sind bestimmt zwei Stunden in die Berge.«

»Und ob der sich freut, dich zu sehen ...?«, unkte Ron. »Ich will ja nix sagen, aber wenn sich 'n Kerl so 'ne Mühe macht, dass er seinen Namen ändert und in den letzten Winkel von Otago abhaut, um von dir wegzukommen ...«

Fleurette wurde glühend rot, war aber zu glücklich über ihre Entdeckung, um sich zu ärgern.

»Er freut sich bestimmt, mich zu sehen«, versicherte sie.

»Aber heute ist es wirklich zu spät. Kann ich mein Pferd bei Ihnen unterstellen, Mister … Mister Ron?«

Fleur verbrachte eine erstaunlich ungestörte Nacht in ihrem Zimmer bei Daphne. Zwar drang von unten Klavierspiel zu ihr hinauf, und im Pub wurde wohl auch getanzt – außerdem herrschte bis etwa Mitternacht ein lebhaftes Kommen und Gehen auf dem Flur –, aber sie selbst blieb völlig unbehelligt und schlief irgendwann beruhigt ein. Am Morgen war sie früh wach und wunderte sich nicht sehr darüber, dass außer ihr noch niemand auf den Beinen zu sein schien. Zu ihrer Überraschung erwartete sie unten eins der blonden Mädchen.

»Ich soll Ihnen Frühstück machen, Miss Fleur«, sagte sie artig. »Daphne meint, Sie hätten einen langen Ritt vor sich, den Shotover hinauf, um Ihren Verlobten zu treffen. Laurie und ich finden das sehr romantisch!«

Dann war das also Mary. Fleur bedankte sich für den Kaffee, das Brot und die Eier und fühlte sich nicht gestört, als Mary sich zutraulich zu ihr setzte – nachdem sie auch Gracie ein Schälchen mit Fleischresten serviert hatte. »Süßer Hund, Miss. Ich hab auch mal so einen gekannt. Aber is' lange her …« Marys Gesicht wirkte beinahe verträumt. Die junge Frau sah ganz und gar nicht so aus, wie Fleur sich eine Hure vorgestellt hätte.

»Früher dachten wir immer, wir fänden auch mal einen netten Jungen«, plauderte Mary weiter und streichelte Gracie. »Aber das Dumme ist, dass ein Mann nicht zwei Mädchen heiraten kann. Und trennen wollen wir uns nicht. Wir müssten Zwillinge finden.«

Fleurette lachte. »Ich dachte, in Ihrem Gewerbe heiratet man nicht«, wiederholte sie Daphnes Bemerkung von gestern.

Mary schaute sie aus runden blauen Augen sehr ernst an. »Das ist aber nicht unser Gewerbe, Miss. Wir sind anständige

Mädchen, das weiß jeder. Na ja, wir tanzen ein bisschen. Aber wir tun nichts Unkeusches. Also, nichts *richtig* Unkeusches. Nichts mit Männern.«

Fleurette wunderte sich. Konnte sich ein so kleines Etablissement wie Daphnes wirklich zwei Küchenmädchen leisten?

»Wir putzen auch bei Mister Ethan und beim Friseur, Mr. Fox, damit wir was dazuverdienen. Aber immer ehrbar, da passt Daphne schon auf. Wenn uns einer anrührt, macht sie Ärger. Gewaltigen Ärger!« Marys Kinderaugen schauten verklärt. Sie schien tatsächlich ein bisschen zurückgeblieben. Ob Daphne sich deshalb der Mädchen annahm? Aber jetzt musste sie wirklich gehen.

Mary winkte ab, als sie das Zimmer bezahlen wollte. »Das regeln Sie mal mit Daphne, Miss, wenn Sie mal wieder reinschauen. Sie können auch heute Abend gern wiederkommen, soll ich Ihnen ausrichten. Falls das nichts wird mit ... mit Ihrem Freund ...«

Fleurette nickte dankbar und lächelte in sich hinein. Offensichtlich war sie bereits Stadtgespräch in Queenstown. Und die Gemeinde schien nicht sehr optimistisch, was ihre Liebesangelegenheiten anging. Fleurette selbst war umso glücklicher, als sie jetzt zunächst nach Süden am See entlangritt, und dann den breiten Fluss hinauf nach Westen. Größere Goldgräberlager passierte sie dabei nicht. Die lagen auf dem Gelände alter Schaffarmen, meist näher an Queenstown als Rubens Claim. Die Männer hatten dort Barackensiedlungen erbaut, doch in Marys Augen handelte es sich eher um eine Art Neuauflage von Sodom und Gomorrha. Die junge Frau hatte das sehr plastisch ausgeführt; anscheinend kannte sie ihre Bibel. Fleur war jedenfalls froh, Ruben nicht in dieser Horde rauer Gesellen suchen zu müssen. Sie lenkte Niniane am Flussufer entlang und freute sich an der klaren und ziemlich kalten Luft. In den Canterbury Plains war es jetzt, im

Spätsommer, noch warm, aber diese Gegend lag höher, und die Bäume am Weg vermittelten bereits einen Vorgeschmack des herbstlichen Farbenspiels, das hier zu erwarten war. In wenigen Wochen würden die Lupinen blühen.

Fleur fand es allerdings sonderbar, dass die Gegend so menschenleer war. Wenn man hier Claims abstecken konnte, hätte es doch eigentlich vor Goldsuchern wimmeln müssen!

Ethan, der Posthalter, führte genaue Aufzeichnungen über die Lage der einzelnen Claims und hatte ihr Rubens und Stues Schürfgebiet genau beschrieben. Es wäre aber auch so nicht schwer zu finden gewesen. Die Männer lagerten am Fluss, und sowohl Gracie als auch Niniane wurden ihrer eher gewahr als Fleur. Niniane spitzte die Ohren und stieß dann ein ohrenbetäubendes Wiehern aus – das gleich darauf erwidert wurde. Auch Gracie witterte und sauste los, um Ruben zu begrüßen.

Fleur sah zuerst Minette. Die Stute stand etwas abseits vom Flussufer angebunden neben einem Maultier und schaute aufgeregt zu ihr hinüber. Näher am Fluss erkannte Fleur eine Feuerstelle sowie ein primitives Zelt. Zu nah am Fluss, schoss es ihr durch den Kopf. Wenn der Shotover plötzlich anschwoll – und das kam bei Flüssen, die aus dem Gebirge gespeist wurden, häufig vor –, würde er das Lager davonreißen.

»Minnie!« Fleurette rief ihre Stute an, und Minette antwortete mit tiefem, glücklichem Brummen. Niniane strebte auf sie zu. Fleur ließ sich aus dem Sattel gleiten, um ihr Pferd zu umarmen. Aber wo war Ruben? Aus dem lichten Wald, der gleich hinter dem Lager begann, hörte sie das Geräusch von Sägen und Hammerschläge – die dann aber plötzlich verstummten. Fleurette lächelte. Gracie musste Ruben entdeckt haben.

Tatsächlich kam der Junge gleich darauf im Laufschritt aus dem Wald. Fleurette schien das Ganze wie ein Wirklichkeit gewordener Traum. Ruben war da, sie hatte ihn gefunden! Und auf den ersten Blick sah er gut aus. Sein schmales Gesicht war braun gebrannt, und seine Augen leuchteten wie immer, wenn er sie sah. Doch als er sie in die Arme schloss, spürte sie seine Rippen; er war erschreckend mager. Dazu waren seine Züge von Müdigkeit und Erschöpfung geprägt, seine Hände rau und voller Wunden und Abschürfungen. Ruben war nach wie vor kein begnadeter Handarbeiter.

»Fleur, Fleur! Wie kommst du hierher? Wie hast du mich gefunden? Hast du die Geduld verloren und bist weggelaufen? Du bist schrecklich, Fleurette!« Er lachte sie an.

»Ich dachte, ich nehme das Reichwerden selbst in die Hand«, bemerkte Fleurette und zog den Beutel ihres Vaters aus der Tasche ihres Reitkleides. »Schau, du brauchst kein Gold mehr zu finden. Aber deshalb bin ich nicht weggelaufen. Ich musste ... ich ...«

Ruben achtete gar nicht auf den Beutel, sondern nahm ihre Hand. »Erzähl mir das später. Erst zeige ich dir das Lager. Es ist ein wunderschöner Platz hier, viel besser als diese fürchterliche alte Schaffarm, auf der wir zunächst gehaust haben. Komm, Fleur ...«

Er zog sie mit sich Richtung Wald, doch Fleur schüttelte den Kopf.

»Erst das Pferd anbinden, Ruben! Wie hast du es eigentlich geschafft, Minette in all den Monaten nicht zu verlieren?«

Ruben grinste. »*Sie* hat aufgepasst, *mich* nicht zu verlieren. Das war doch ihr Auftrag, Fleur, gib's zu! Du hast ihr gesagt, sie soll auf mich aufpassen!« Er streichelte Gracie, die winselnd an ihm hochsprang.

Schließlich stand Niniane sicher vertäut neben Minette und dem Muli, und Fleurette folgte dem aufgeregten Ruben durchs Lager.

»Hier schlafen wir ... nichts Großartiges, aber sauber. Du machst dir keinen Begriff, wie es auf den Farmen war ... und hier, der Bach. Der führt Gold!« Er wies auf ein schmales, aber munter zum Shotover fließendes Bächlein.

»Woran sieht man das?«, erkundigte sich Fleur.

»Das sieht man nicht, das weiß man!«, belehrte sie Ruben. »Man muss es herauswaschen. Ich zeige dir nachher, wie es geht. Aber wir bauen jetzt sowieso eine Waschrinne. Hier ... hier, das ist Stue!«

Rubens Partner hatte seinen Arbeitsplatz jetzt auch verlassen und kam den beiden entgegen. Fleurette fand ihn auf Anhieb sympathisch. Ein muskulöser, hellblonder Riese mit freundlichem, breitem Gesicht und lachenden blauen Augen.

»Stuart Peters, zu Ihren Diensten, Ma'am!« Er hielt Fleurette eine gewaltige Pranke entgegen, in der ihre zarte Hand völlig verschwand. »Sie sind genauso hübsch wie Ruben gesagt hat, wenn ich mir die Bemerkung erlauben darf!«

»Sie sind ein Schmeichler, Stue!« Fleurette lachte und warf einen Blick auf das Bauwerk, an dem Stuart gerade gearbeitet hatte. Es handelte sich um eine flache Rinne aus Holz, die auf Pfosten abwärts geführt und von einem kleinen Wasserfall gespeist wurde.

»Das ist eine Goldwaschrinne!«, erklärte Ruben eifrig. »Hier füllt man das Erdreich ein, dann leitet man Wasser durch. Es spült den Sand raus, und das Gold bleibt hier an den Stegen hängen ...«

»Riffel«, verbesserte Stuart.

Fleurette war beeindruckt. »Sie verstehen was von Goldförderung, Mr. Peters?«, fragte sie.

»Stue. Sagen Sie einfach Stue. Nun ja, eigentlich bin ich Schmied«, räumte Stuart ein. »Aber ich hab schon mal geholfen, so ein Ding zu bauen. Ist eigentlich ganz leicht. Obwohl die alten Miner da 'ne Wissenschaft draus machen wollen. Wegen der Fließgeschwindigkeit des Wassers und so ...«

»Aber das ist Unsinn!«, stimmte Ruben ihm zu. »Wenn was schwerer ist als Sand, wird es später rausgewaschen, das ist doch logisch. Egal wie schnell das Wasser fließt. Also muss das Gold hier drinbleiben!«

Fleurette fand das eigentlich nicht. So schnell, wie dieser Bach floss, würden zumindest kleine Goldkörner mit ausgeschwemmt werden. Aber es kam natürlich darauf an, auf Nuggets welcher Größe die Jungs scharf waren. Vielleicht konnte man es sich hier ja leisten, nur die größeren auszusieben. Also nickte sie brav und folgte den beiden zurück zum Lager. Stue und Ruben waren schnell übereingekommen, eine Pause einzulegen. Kurz darauf brodelte Kaffee in einem primitiven Behältnis über dem Feuer. Fleurette registrierte nebenbei den mageren Haushalt der beiden Goldsucher. Es gab lediglich einen Topf und zwei Essgeschirre, ihren Kaffeebecher musste sie schon mit Ruben teilen. Nach erfolgreichem Goldrausch sah das nicht aus.

»Na ja, wir fangen ja auch erst an«, verteidigte sich Ruben, als Fleur eine vorsichtige Bemerkung in diese Richtung machte. »Wir haben den Claim erst vor zwei Wochen abgesteckt und bauen jetzt erst unsere Waschrinne.«

»Was erheblich schneller ginge, wenn uns dieser Ethan, dieser Halsabschneider in Queenstown, nicht den letzten Dreck an Werkzeugen verkaufen würde!«, schimpfte Stuart. »Im Ernst, Fleur, in zwei Tagen haben wir drei Sägeblätter verschlissen. Und vorgestern hat sich wieder ein Spaten verbogen. Ein Spaten! Die Dinger halten sonst doch ein Leben lang. Und die Stiele kann ich auch jeden zweiten Tag austauschen, man kriegt sie nicht ordentlich am Spatenhals fest. Keine Ahnung, woher Ethan das Zeug bezieht, aber es ist teuer und taugt nichts.«

»Aber der Claim hier ist schön, nicht?«, fragte Ruben und schaute verklärt über seinen Uferstreifen. Fleur musste ihm Recht geben. Aber sie hätte es noch schöner gefunden, wenn sie auch Gold gesehen hätte.

»Wer … äh, hat euch denn geraten, den Claim abzustecken?«, erkundigte sie sich vorsichtig. »Ich meine, bisher seid ihr doch noch ganz allein hier. War das eine Art Geheimtipp?«

»Das war Eingebung!«, erklärte Stuart stolz. »Wir haben den Platz gesehen und – Bingo! Das hier ist unser Claim. Hier machen wir unser Vermögen!«

Fleurette runzelte die Stirn. »Das heißt ... bisher hat hier in der Gegend noch niemand Gold gefunden?«

»Nicht viel«, gab Ruben zu. »Aber es hat auch noch keiner gesucht!«

Die beiden Jungen blickten sie Beifall heischend an. Fleur lächelte bemüht und beschloss, die Sache selbst in die Hand zu nehmen.

»Habt ihr es denn erst mal mit Goldwaschen versucht?«, fragte sie. »Im Bach, meine ich. Du wolltest mir doch zeigen, wie das geht.«

Ruben und Stuart nickten gleichzeitig. »Ein bisschen haben wir da schon gefunden«, behaupteten sie und holten eifrig eine Pfanne.

»Wir zeigen es dir jetzt, und dann kannst du ein bisschen Goldwaschen, während wir an der Rinne weiterarbeiten!«, erklärte Ruben. »Bestimmt bringst du uns Glück!«

Da Fleurette sicher keine zwei Lehrer brauchte und Stuart den beiden wohl auch Gelegenheit bieten wollte, allein zu sein, verzog Rubens Partner sich wieder bachaufwärts. In den nächsten Stunden hörten sie nichts von ihm außer gelegentlichen Flüchen, wenn wieder ein Werkzeug zu Bruch gegangen war.

Fleurette und Ruben nutzten die Einsamkeit zunächst, um sich richtig zu begrüßen. Sie mussten wieder erkunden, wie süß ihre Küsse schmeckten und wie selbstverständlich ihre Körper aufeinander reagierten.

»Wirst du mich jetzt heiraten?«, fragte Fleurette schließlich schläfrig. »Ich meine ... ich kann nicht gut hier mit euch leben, ohne dass wir verheiratet sind.«

Ruben nickte ernsthaft. »Stimmt, das geht nicht. Aber das Geld ... Fleur, ich will ehrlich sein. Bis jetzt habe ich überhaupt nichts gespart. Das bisschen, was ich auf den Goldfeldern bei Queenstown verdient habe, ging hier in die Ausrüstung. Und das bisschen, das wir hier bislang rausgeholt haben, ging in neues Werkzeug. Stuart hat Recht, der alte Ethan verkauft nur Ausschuss. Ein paar alte Miner haben noch Waschpfannen und Schaufeln und Spitzhacken, die sie aus Australien rübergebracht haben. Aber was wir hier kaufen, hält bloß ein paar Tage und kostet ein kleines Vermögen!«

Fleur lachte. »Dann geben wir das hier mal lieber für etwas anderes aus«, sagte sie und zückte zum zweiten Mal an diesem Tag den Beutel ihres Vaters. Diesmal sah Ruben hin – und geriet beim Anblick der Golddollars in regelrechte Verzückung.

»Fleur! Das ist wundervoll! Wo hast du es her? Sag nicht, du hast deinen Großvater ausgeraubt! Aber so viel Geld! Damit können wir die Waschrinne fertig stellen, eine Blockhütte bauen, vielleicht noch ein paar Helfer einstellen! Fleur, damit holen wir alles Gold aus dieser Erde, das drin ist!«

Fleurette äußerte sich nicht zu diesen Plänen, sondern erzählte ihm erst die Geschichte ihrer Flucht.

»Ich fasse es nicht! James McKenzie ist dein Vater!«

Fleurette hatte ein bisschen geargwöhnt, ob Ruben es vielleicht wusste. Schließlich hatten ihre Mütter praktisch keine Geheimnisse voreinander, und was Helen wusste, war in aller Regel auch zu Ruben durchgesickert. Der Junge hatte aber wirklich keine Ahnung gehabt und nahm an, dass auch Helen nicht eingeweiht war.

»Ich dachte nur immer, es gäbe ein Geheimnis um Paul«, meinte er stattdessen. »Da schien meine Mutter irgendwas zu wissen. Aber eben auch nur meine Mutter. Ich habe nie etwas erfahren.«

Inzwischen hatten die beiden die Arbeit am Bach wirklich aufgenommen, und Fleur lernte den Umgang mit der Goldpfanne. Bisher hatte sie immer gedacht, das Gold werde herausgesiebt, tatsächlich aber arbeitete man auch bei dieser einfachsten Fördermethode nach dem Prinzip des Ausschwemmens. Es erforderte einiges Geschick, die Pfanne so zu schwingen und zu schütteln, dass die leichteren Bestandteile des Erdreichs herausgeschwemmt wurden, bis zum Schluss zunächst eine schwarze Masse übrig blieb, der so genannte Black Sand, und dann endlich das Gold zutage trat. Ruben tat sich schwer damit, doch Fleurette hatte den Bogen sehr bald heraus. Sowohl Ruben als auch Stuart bewunderten sie für ihre offensichtliche Naturbegabung. Fleur selbst war weniger begeistert. Denn egal, wie geschickt sie wusch – es geschah einfach zu selten, dass winzige Spuren Gold in der Pfanne hängen blieben. Am Abend hatte sie fast sechs Stunden intensiv gearbeitet, während die Männer weitere zwei Sägeblätter verschlissen hatten, beim Bau ihrer Waschrinne aber noch nicht wesentlich weitergekommen waren. Fleurette fand das inzwischen nicht mehr allzu wichtig. Sie hielt die Goldförderung durch eine Waschrinne hier ohnehin für aussichtslos. Die geringfügigen Spuren an Gold, die sie heute herausgewaschen hatte, wären der Strömung des Baches zum Opfer gefallen. Und ob sich die Mühe lohnte? Stuart schätzte den Wert ihrer Ausbeute auf nicht einmal einen Dollar.

Dennoch schwärmten die Männer weiter von großen Goldfunden, während sie die Fische brieten, die Fleurette nebenbei aus dem Bach geholt hatte. Mit dem Verkauf von Fischen, dachte sie bitter, hätte sie sicher mehr Geld verdient als mit der ganzen Goldwäscherei.

»Morgen müssen wir erst mal nach Queenstown und neue Sägeblätter kaufen«, seufzte Stuart, als er sich schließlich zurückzog, wieder mit viel Verständnis für das junge Paar. Er behauptete, ebenso gut unter den Bäumen bei den Pferden schlafen zu können wie im Zelt.

»Und heiraten!«, sagte Ruben ernsthaft, wobei er Fleurette in die Arme nahm. »Glaubst du, es wäre sehr schlimm, wenn wir die Hochzeitsnacht heute schon mal vorwegnähmen?«

Fleur schüttelte den Kopf und schmiegte sich an ihn. »Wir werden es einfach keinem erzählen!«

## 8

Der Sonnenaufgang über den Bergen war wie geschaffen für einen Hochzeitstag. Die Alpen schienen rotgold und malvenfarben zu leuchten, in der Luft lag der Duft von Wald und frischem Gras, und das Murmeln des Baches vermischte sich mit dem Rauschen des Flusses zu einer ganz eigenen Gratulation. Fleurette fühlte sich glücklich und erfüllt, als sie in Rubens Armen erwachte und den Kopf aus dem Zelt streckte. Gracie begrüßte sie mit einem feuchten Hundekuss.

Fleur streichelte sie. »Schlechte Nachricht, Grace, aber ich hab jemanden gefunden, der besser küsst!«, sagte sie lachend. »Los jetzt, weck Stuart, ich mache Frühstück. Wir haben heute noch viel vor, Gracie! Lass die Männer ja nicht den großen Tag verschlafen!«

Stuart sah gutmütig darüber hinweg, dass Fleurette und Ruben bei den Vorbereitungen auf ihren Ritt kaum die Hände voneinander lassen konnten. Beide Männer fanden es allerdings verwunderlich, dass Fleur auf Mitnahme des halben Hausstandes bestand.

»Wir kommen doch spätestens morgen wieder her!«, meinte Stuart. »Klar, wenn wir schon richtig loslegen und für die Mine einkaufen und so, kann es etwas länger dauern, aber …«

Fleur schüttelte den Kopf. Sie hatte in dieser Nacht nicht nur ganz neue Wonnen der Liebe kennen gelernt, sondern auch gründlich nachgedacht. Auf keinen Fall wollte sie das Geld ihres Vaters in das aussichtslose Unternehmen einer Mine stecken. Allerdings musste sie Ruben das erst diplomatisch klar machen.

»Hört mal, Jungs, das mit der Mine hat doch so keinen

Zweck«, setzte sie vorsichtig an. »Ihr sagt selbst, die Materiallage ist ungenügend. Glaubt ihr, daran ändert sich was, wenn wir jetzt etwas mehr Geld haben?«

Stuart schnaubte. »Garantiert nicht. Der alte Ethan wird uns weiterhin sein unnützes Zeug verkaufen.«

Fleur nickte. »Dann machen wir Nägel mit Köpfen. Du bist Schmied. Kannst du gutes und schlechtes Werkzeug auseinander halten? Nicht erst, wenn du schon damit arbeitest, sondern gleich im Einkauf?«

Stuart nickte. »Das will ich meinen! Wenn ich die Wahl habe …«

»Gut«, fiel Fleur ihm ins Wort. »Also werden wir in Queenstown einen Wagen mieten oder gleich kaufen. Wir können die Cobs vorspannen, die schaffen beide was weg! Und dann fahren wir nach … welches ist die nächstgrößere Stadt? Dunedin? Wir fahren nach Dunedin. Und da kaufen wir Werkzeug und sonstiges Material, das die Goldgräber hier brauchen.«

Ruben nickte bewundernd. »Sehr gute Idee. Die Mine läuft uns ja nicht weg. Aber wir werden nicht gleich einen Wagen brauchen, Fleur, wir können das Maultier beladen.«

Fleurette schüttelte den Kopf. »Wir kaufen den größten Wagen, den die Cobs ziehen können, und beladen ihn mit so viel Material, wie es eben geht. Das bringen wir nach Queenstown und verkaufen es an die Miner. Wenn es stimmt, dass die alle unzufrieden mit Ethans Laden sind, sollten wir damit richtig Profit machen!«

Am Nachmittag dieses Tages traute der Friedensrichter in Queenstown Fleurette McKenzie und Ruben Kays, der sich dazu wieder auf seinen richtigen Namen O'Keefe besann. Fleurette trug ihr cremefarbenes Kleid, das nach der Reise nicht einmal zerdrückt war. Mary und Laurie hatten darauf bestanden, es vor der Trauung zu plätten. Die beiden schmückten Fleurs Haar auch aufgeregt mit Blumen und bekränzten die Zaumzeuge von Niniane und Minette für den Ritt zum Pub, in dem mangels Kirche oder sonstigem Versammlungsraum die Trauung stattfand. Stuart war Trauzeuge für Ruben, für Fleurette bürgte Daphne, während Mary und Laurie vor Rührung nicht aufhören konnten zu weinen.

Ethan überreichte Ruben seine sämtliche Post des letzten Jahres als Hochzeitsgeschenk. Ron lief stolzgeschwellt herum, da Fleurette jedem erzählte, die glückliche Zusammenführung mit ihrem Gatten sei nur seinem ausgeprägten Pferdeverstand zu verdanken. Schließlich ließ Fleurette ein Goldstück springen und lud die ganze Stadt Queenstown zur Feier ihrer Hochzeit ein – nicht ganz ohne Berechnung, gab es ihr doch Gelegenheit, nicht nur sämtliche Bürger kennen zu lernen, sondern diese auch ein wenig auszuhorchen. Nein, in der Gegend von Rubens Claim habe nie jemand Gold gefunden, bestätigte ihr der Friseur, der seit Gründung der Stadt hier ansässig war und ursprünglich natürlich auch als Goldsucher gekommen war.

»Aber da ist sowieso wenig zu verdienen, Miss Fleur«, erklärte er. »Zu viele Leute, zu wenig Gold. Klar, es findet immer mal einer ein riesiges Nugget. Aber das Geld haut er dann meistens auch gleich auf den Kopf. Und was ist es denn schon? Zwei-, dreihundert Dollar vielleicht, für die ganz großen Glückspilze. Das reicht nicht mal für 'ne Farm und ein paar Viecher. Mal ganz abgesehen davon, dass die Kerle dann ja auch verrückt werden und all das Geld in noch mehr Claims, noch mehr Waschrinnen und noch mehr Maori-Helfer stecken. Am Ende ist es dann weg, aber neue Funde bleiben aus. Als Friseur und Bader dagegen ... Hier in der Gegend hängen tausend Männer rum, und alle müssen die Haare geschnitten kriegen. Und jeder haut sich mal die Hacke ins Bein oder prügelt sich oder wird sonstwie krank ...«

Fleurette sah das ähnlich. Die Fragen, die sie den Goldwäschern stellte, von denen sich inzwischen ein Dutzend in Daphnes Hotel eingefunden hatte und dem freien Whiskey reichlich zusprach, hätten dagegen fast einen Aufstand entfesselt. Schon die Erwähnung von Ethans Werkzeuglieferungen brachte die Gemüter zum Kochen. Am Ende war Fleur davon überzeugt, mit der Gründung ihres geplanten Eisenwarenladens nicht nur reich, sondern auch noch lebensrettend tätig zu werden: Wenn hier nicht bald etwas geschah, würden die Männer Ethan letztlich lynchen.

Während Fleurette Erkundigungen einzog, unterhielt sich Ruben mit dem Friedensrichter. Der Mann war kein Jurist, sondern arbeitete eigentlich als Sargtischler und Totengräber.

»Einer musste den Job ja machen«, meinte er schulterzuckend zu Rubens Frage nach seiner Wahl. »Und die Kerle meinten, ich wäre interessiert, sie dran zu hindern, sich gegenseitig umzubringen. Weil es mir schließlich Arbeit spart...«

Fleur betrachtete die Unterhaltung der beiden mit Wohlwollen. Wenn Ruben hier Gelegenheit zu juristischen Studien fand, würde er auch nach der Rückkehr aus Dunedin nicht darauf drängen, gleich zu seinem Claim zurückzukehren.

Fleurette und Ruben verbrachten ihre zweite Hochzeitsnacht in dem komfortablen Doppelbett von Daphnes Zimmer eins.

»Wir werden es in Zukunft die Hochzeitssuite nennen«, bemerkte Daphne.

»Passiert jedenfalls nicht oft, dass hier eine entjungfert wird!«, kicherte Ron.

Stuart, der dem Whiskey schon gut zugesprochen hatte, grinste ihm verschwörerisch zu.

»Schon passiert!«, verriet er dann.

Gegen Mittag des nächsten Tages brachen die Freunde nach Dunedin auf. Ruben hatte von seinem neuen Freund einen Wagen erstanden – »Nimm ihn ruhig, Junge, die paar Särge kann ich auch mit der Schubkarre zum Friedhof bringen!« –, und Fleurette führte weitere interessante Gespräche. Diesmal mit den wenigen ehrbaren Frauen des Ortes: der Frau des Friedensrichters und der des Friseurs. Am Ende hatte sie eine weitere Einkaufsliste für Dunedin.

Als sie zwei Wochen später mit voll beladenem Wagen zurückkamen, fehlte eigentlich nur noch ein Schuppen, um den Verkauf zu eröffnen. Was das betraf, hatte Fleurette nicht vorgesorgt, sondern mit beständigem schönem Wetter gerechnet. Der Herbst in Queenstown war allerdings regnerisch, und im Winter fiel Schnee. Immerhin hatte es in Queenstown in letzter Zeit keine Todesfälle gegeben. Der Friedensrichter stellte folglich sein Sarglager für den Verkauf zur Verfügung. Er war der Einzige, der nicht nach neuen Werkzeugen fragte. Dafür ließ er sich von Ruben die juristische Literatur erklären, für die so mancher Dollar aus McKenzies Vermögen draufgegangen war.

Der Verkauf der Ladung brachte das Geld allerdings schnell wieder herein. Die Goldsucher stürmten Rubens und Stuarts Geschäft; schon am zweiten Tag nach der Eröffnung waren sämtliche Werkzeuge ausverkauft. Die Damen brauchten etwas länger, um ihre Auswahl zu treffen – zumal die Frau des Friedensrichters sich zunächst ein wenig zierte, ihren Salon als Ankleidezimmer für alle weiblichen Wesen des Ortes zur Verfügung zu stellen.

»Sie können doch den Nebenraum des Sarglagers nehmen«, meinte sie mit einem missbilligenden Blick auf Daphne und ihre Mädchen, die bereits darauf brannten, die Kleider und Dessous anzuprobieren, die Fleur in Dunedin gekauft hatte. »Wo Frank sonst die Toten aufbahrt …«

Daphne zuckte die Schultern. »Wenn da gerade frei ist. An

mir soll's nicht liegen. Tja, und wenn nicht – wetten, dass noch nie einer von den Kerlen einen so schönen Abgang hatte?«

Es war leicht, Stuart und Ruben zu einer weiteren Fahrt nach Dunedin zu überreden, und nach der zweiten Verkaufsaktion war Stuart bis über beide Ohren in die Tochter des Friseurs verliebt und wollte auf keinen Fall zurück in die Berge. Ruben hatte die Buchführung des kleinen Geschäfts übernommen und stellte zu seiner Verwunderung fest, was Fleurette längst wusste: Jede der Fahrten brachte erheblich mehr Geld in die Kasse als ein Jahr auf den Goldfeldern. Ganz abgesehen davon, dass er sich viel eher zum Kaufmann eignete als zum Goldgräber. Als die letzten Schwielen und Verletzungen an seinen Händen geheilt waren, nachdem er sechs Wochen lang nur die Feder statt Schaufel und Spitzhacke führte, war er vollständig für die Geschäftsidee gewonnen.

»Wir sollten einen Schuppen bauen«, meinte er schließlich. »Eine Art Warenhaus. Dann könnten wir auch das Sortiment vergrößern.«

Fleurette nickte. »Haushaltsgegenstände. Die Frauen benötigen dringend ordentliche Töpfe und schönes Geschirr … Nun wink nicht gleich ab, Ruben. Auf die Dauer wird die Nachfrage nach solchen Waren steigen, denn es wird mehr Frauen geben. Queenstown wird eine Stadt!«

Sechs Monate später feierten die O'Keefes die Eröffnung des »O'Kay Warehouse« in Queenstown, Otago. Der Name war Fleurette eingefallen, und sie war sehr stolz darauf. Neben den neuen Verkaufsräumen besaß das junge Unternehmen inzwischen zwei weitere Wagen und sechs schwere Kaltblutzugpferde. Fleurette konnte ihre Cobs also wieder reiten, und die Toten der Gemeinde wurden erneut stilvoll von Pferden zum Friedhof gezogen, statt mit dem Handkarren abgeliefert zu werden. Stuart Peters hatte die Handelsverbindungen mit Dunedin gefestigt und kündigte daraufhin seine Stellung als Chefeinkäufer. Er wollte heiraten und war die ständigen Fahrten zur Küste leid. Stattdessen eröffnete er mit seinem Anteil am Gewinn eine Schmiede in Queenstown, die sich gleich als erheblich ergiebigere »Goldgrube« erwies als jede der umliegenden Minen. Fleurette und Ruben heuerten an seiner statt einen älteren Goldgräber als Leiter des Fuhrunternehmens an. Leonard McDunn war gelassen, verstand sich auf Pferde und wusste auch seine Leute gut zu nehmen. Fleurette machte sich lediglich Sorgen wegen der Lieferungen für die Damen.

»Ich kann ihn nicht ernstlich Dessous auswählen lassen«, klagte sie Daphne ihr Leid, mit der sie sich, zum Entsetzen der inzwischen drei ehrbaren Frauen in Queenstown, angefreundet hatte. »Er wird ja schon rot, wenn er mir nur die Kataloge mitbringen soll. Zumindest jedes zweite oder dritte Mal werde ich mitfahren müssen ...«

Daphne zuckte die Schultern. »Schick meine Zwillinge. Sie sind zwar nicht die Klügsten – Verhandlungen und so etwas kann man ihnen nicht überlassen. Aber sie haben einen guten Geschmack, darauf hab ich immer Wert gelegt. Sie wissen, wie man sich als Dame kleidet und natürlich auch, was wir im ›Hotel‹ brauchen. Außerdem kommen sie mal raus und verdienen eigenes Geld.«

Fleurette war anfangs ein wenig skeptisch, dann aber schnell überzeugt. Mary und Laurie brachten eine ideale Kombination von sittsamen Kleidungsstücken und herrlich verruchten Kleinteilen mit, die zu Fleurs Verwunderung reißenden Absatz fanden – und das nicht nur bei den Huren. Stuarts junge Frau erstand errötend ein schwarzes Korsett, und ein paar Bergleute glaubten, ihre Maori-Frauen mit bunten Dessous erfreuen zu müssen. Fleur bezweifelte zwar, dass die sich dafür begeistern konnten, aber Geschäft war Geschäft. Und diskrete Umkleideräume zur Anprobe – ausgestattet mit großen Spiegeln statt des deprimierenden Podests für die Särge – gab es jetzt natürlich auch.

Ruben ließ die Arbeit im Laden immer noch genügend Zeit für juristische Studien, die ihm weiterhin Spaß machten, auch wenn er den Traum, Anwalt zu werden, endgültig begraben hatte. Zu seiner Begeisterung konnte er das Gelernte bald praktisch umsetzen: Der Friedensrichter suchte immer häufiger seinen Rat und zog ihn schließlich auch bei Verhandlungen hinzu. Ruben erwies sich dabei als verbindlich und korrekt, und als die nächsten Wahlen anstanden, sorgte der bisherige Richter für eine Überraschung. Er stellte sich nicht zur Wiederwahl, sondern schlug Ruben als seinen Nachfolger vor.

»Seht es mal so, Leute!«, erklärte der alte Sargtischler in seiner Ansprache. »Bei mir gab's immer 'nen Interessenkonflikt: Wenn ich verhindert habe, dass die Leute sich gegenseitig umbrachten, brauchten wir keine Särge. So gesehen hab ich mir mit meinem Amt selbst das Geschäft kaputtgemacht. Beim jungen O'Keefe ist es anders herum, denn wer sich die Köpfe einschlägt, kauft kein Werkzeug mehr. Bei dem liegt es im ureigensten Interesse, für Ruhe und Ordnung zu sorgen. Also wählt ihn, und lasst mich in Ruhe!«

Die Bürger von Queenstown folgten seinem Rat, und Ruben wurde mit überwältigender Mehrheit zum neuen Friedensrichter gewählt.

Fleurette freute sich für ihn, obwohl sie die Argumentation nicht ganz einsah. »Man kann sich auch mit unseren Werkzeugen die Köpfe einschlagen«, raunte sie Daphne zu. »Und ich hoffe sehr, dass Ruben seine Kunden nicht zu oft von diesem löblichen Tun abhält.«

Der einzige Wermutstropfen in Fleurettes und Rubens Glück in der aufblühenden Goldgräberstadt war der mangelnde Kontakt zu ihren Familien. Beide hätten ihren Müttern gern geschrieben, wagten es aber nicht.

»Ich will nicht, dass mein Vater erfährt, wo ich bin«, stellte Ruben klar, als Fleurette Anstalten machte, ihrer Mutter zu schreiben. »Und du hältst es vor deinem Großvater auch besser verborgen. Wer weiß, was den beiden sonst einfällt. Du warst eindeutig minderjährig, als wir geheiratet haben. Sie könnten auf den Gedanken kommen, uns Schwierigkeiten zu machen. Außerdem befürchte ich, dass mein Vater seinen Ärger an meiner Mutter ausließe. Es wäre nicht das erste Mal. Ich darf ohnehin nicht daran denken, was da nach meinem Weggang geschehen ist.«

»Aber irgendwie müssen wir sie benachrichtigen!«, meinte Fleurette. »Weißt du was? Ich schreibe Dorothy. Dorothy Candler. Die kann es meiner Mutter erzählen.«

Ruben griff sich an den Kopf. »Bist du verrückt? Wenn du Dorothy schreibst, erfährt es auch Mrs. Candler. Und dann kannst du es ebenso gut in Haldon auf dem Marktplatz hinausschreien. Wenn überhaupt, schreib lieber Elizabeth Greenwood. Der traue ich mehr Diskretion zu.«

»Aber Onkel George und Elizabeth sind in England«, wandte Fleurette ein.

Ruben zuckte die Schultern. »Na und? Irgendwann werden sie schon zurückkommen. So lange müssen unsere Mütter sich eben gedulden. Und wer weiß, vielleicht erfährt Miss Gwyn ja auch etwas über James McKenzie. Der sitzt doch irgendwo in Canterbury im Gefängnis. Gut möglich, dass sie Verbindung mit ihm aufnimmt.«

# 9

James McKenzie wurde in Lyttelton der Prozess gemacht. Dabei ging es zunächst drunter und drüber, da John Sideblossom eine Verhandlung in Dunedin befürwortete. Dort, so argumentierte er, beständen bessere Chancen, auch die Hehler des Viehdiebes ausfindig zu machen und so den ganzen Verbrecherring auszuheben.

Lord Barrington sprach sich jedoch energisch dagegen aus. Seiner Ansicht nach wollte Sideblossom sein Opfer nur deshalb nach Dunedin schleppen, weil er die Richter dort besser kannte und eher die Hoffnung sah, den Viehdieb am Ende hängen zu können.

Am liebsten hätte er das wohl sofort und ohne größeres Aufsehen erledigt, gleich nachdem er McKenzie gefangen hatte. Diesen Triumph schrieb er sich inzwischen ganz allein auf seine Fahnen; schließlich hatte er McKenzie niedergeschlagen und festgenommen. Nach Ansicht der anderen Männer wäre die Schlägerei im Flussbett allerdings kaum nötig gewesen. Im Gegenteil, hätte Sideblossom den Viehdieb nicht vom Maultier gerissen und erst mal verprügelt, hätten die Jäger seinem Komplizen nachsetzen können. So war der zweite Mann – einige Leute aus dem Suchtrupp behaupteten, es sei ein Mädchen gewesen – entkommen.

Die anderen Vieh-Barone hatten es auch nicht gebilligt, dass Sideblossom den gefangenen McKenzie wie einen Sklaven am Pferd mitgeschleift hatte. Sie sahen keinen Grund, dass der ohnehin böse zusammengeschlagene Mann laufen sollte, obwohl sein Maultier zur Verfügung stand. Irgendwann hatten besonnene Männer wie Barrington und Beasley die Verantwortung übernommen und Sideblossom für sein Vorgehen gerügt. Da McKenzie die Mehrzahl seiner Verbrechen in Canterbury begangen hatte, so war die fast einhellige Meinung, sollte er sich dort auch für seine Taten verantworten. Sideblossoms Protesten zum Trotz befreiten die Männer um Barrington den Viehdieb am Tag nach der Verhaftung, nahmen ihm sein Ehrenwort ab, nicht zu fliehen, und führten ihn nur leicht gefesselt nach Lyttelton, wo er bis zur Verhandlung inhaftiert blieb. Sideblossom bestand allerdings darauf, seinen Hund zu behalten, was McKenzie mehr zu schmerzen schien, als die Prellungen nach der Schlägerei und die Hand- und Fußfesseln, mit denen Sideblossom ihn sogar nachts gebunden hatte, eingeschlossen in seiner Scheune. Er bat die Männer mit rauer Stimme, den Hund mitlaufen zu lassen.

Sideblossom erwies sich hier aber als nicht beeinflussbar. »Das Tier kann für mich arbeiten«, erklärte er. »Wird sich schon einer finden, der es führen kann. So ein erstklassiger Sheepdog ist teuer. Ich behalte ihn ein, als kleinen Ausgleich für die Schäden, die der Kerl verursacht hat.«

So blieb Friday zurück und jaulte herzzerreißend, als die Männer ihren Herrn vom Hof führten.

»Viel Spaß wird John kaum daran haben«, meinte Gerald. »Diese Köter sind auf einen Schäfer geprägt.«

Gerald stand bei der Auseinandersetzung um McKenzie ein wenig zwischen den Fronten. Einerseits war Sideblossom einer seiner ältesten Freunde, andererseits musste er mit den Männern aus Canterbury auskommen. Und wie fast alle anderen empfand auch er eine widerwillige Hochachtung vor dem genialen Viehdieb. Natürlich war er wütend über seine Verluste, doch seine Spielernatur hatte durchaus Verständnis dafür, dass jemand nicht immer den allerehrenhaftesten Weg nahm, sein Leben zu fristen. Und wenn derjenige dabei noch mehr als zehn Jahre lang durchkam, ohne auch nur einmal gefasst zu werden, nötigte ihm das Achtung ab.

McKenzie versank nach Fridays Verlust in düsteres Schweigen, das er kein einziges Mal brach, bis die Gitter des Gefängnisses von Lyttelton sich hinter ihm schlossen.

Die Männer von Canterbury waren enttäuscht; sie hätten zu gern aus erster Hand gehört, wie McKenzie die Diebstähle bewerkstelligt hatte, wie seine Hehler hießen und wer der mysteriöse, geflohene Komplize war. Immerhin brauchten sie nicht lange auf die Verhandlung zu warten. Unter dem Vorsitz des Ehrenwerten Richters Justice Stephen wurde sie gleich für den nächsten Monat angesetzt.

Lyttelton besaß inzwischen einen eigenen Gerichtssaal – längst schon wurden die Verhandlungen nicht mehr im Pub oder unter freiem Himmel geführt, wie in den ersten Jahren üblich. Beim Prozess gegen James McKenzie erwies sich der Raum allerdings als zu klein, um all die Bürger von Canterbury zu fassen, die einen Blick auf den berüchtigten Viehdieb werfen wollten. Selbst die geschädigten Schaf-Barone und ihre Familien mussten früh anreisen, um gute Plätze zu bekommen. Gerald, Gwyneira und der aufgeregte Paul nahmen deshalb schon am Tag zuvor Quartier im White Hart in Christchurch, um dann über den Bridle Path nach Lyttelton zu fahren.

»Du meinst ›reiten‹«, meinte die erstaunte Gwyneira, als Gerald ihr diese Pläne darlegte. »Schließlich ist es der Bridle Path!«

Gerald lachte vergnügt. »Du wirst dich wundern, wie der Weg sich verändert hat«, sagte er zufrieden. »Inzwischen ist er gut ausgebaut und leicht befahrbar. Wir werden also mit der Kutsche vorfahren, ausgeruht und angemessen gekleidet.«

Am Tag des Gerichtstermins trug er einen seiner besten Anzüge. Und Paul, in seinem ersten Dreiteiler überhaupt, sah sehr erwachsen aus.

Gwyneira dagegen quälte sich mit der Frage herum, was wohl angemessen war. Wenn sie ehrlich war, hatte sie sich seit Jahren keine solchen Gedanken mehr um Kleidung gemacht. Aber sosehr sie sich sagte, dass es letztlich egal war, was eine Dame in mittleren Jahren bei einer Gerichtsverhandlung trug, solange es ordentlich und nicht zu auffällig war – ihr Herz schlug heftig, wenn sie nur daran dachte, James McKenzie wiederzusehen. Schlimmer noch, auch er würde sie sehen, und natürlich würde er sie erkennen. Aber was würde er bei ihrem Anblick empfinden? Würden seine Augen wieder aufleuchten wie damals, als sie dies gar nicht zu schätzen gewusst hatte? Oder würde er eher Mitleid empfinden, weil sie gealtert war, weil erste Falten ihr Gesicht prägten, weil Sorgen und Angst sich darin eingeschrieben hatten? Vielleicht würde er einfach nur Gleichmut empfinden; vielleicht war sie nur noch eine ferne, blasse Erinnerung, ausgelöscht durch zehn Jahre wildes Leben. Wenn der geheimnisvolle »Komplize« nun wirklich eine Frau gewesen war? Seine Frau?

Gwyneira schalt sich ihrer Gedanken, die manchmal zu mädchenhaften Träumen wurden, wenn sie sich die Wochen mit James wieder in Erinnerung rief. Konnte er die Tage am Seeufer vergessen haben? Die verzauberten Stunden im Steinkreis? Aber nein, sie waren ja im Streit geschieden. Er würde ihr nie verzeihen, dass sie Paul geboren hatte. Noch etwas, das Paul zerstört hatte …

Gwyneira entschied sich schließlich für ein schlichtes, dunkelblaues Kleid mit Pellerine, vorn geknöpft, wobei die Schildpattknöpfe kleine Kostbarkeiten waren. Kiri steckte ihr Haar auf – eine strenge Frisur, die aber durch das kecke, zum Kleid passende Hütchen aufgelockert wurde. Gwyneira hatte das Gefühl, Stunden vor dem Spiegel zu verbringen, um hier und da noch eine Locke herauszuzupfen, das Hütchen ein bisschen zu verrücken und die Ärmelmanschette des Kleides so zu ordnen, dass der Schildpattknopf daran zu sehen war.

Als sie schließlich in der Kutsche saß, war sie bleich vor Erwartung, Angst – und einer Art Vorfreude. Wenn das so weiterging, würde sie sich in die Wangen kneifen müssen, um ein wenig Farbe zu bekommen, bevor sie den Gerichtssaal betrat. Aber immer noch besser, als zu erröten: Gwyn hoffte, im Angesicht McKenzies nicht rot anzulaufen. Sie fröstelte und redete sich ein, es sei nur der kühle Herbsttag. Sie konnte ihre Finger nicht ruhig halten. Verkrampft knetete sie die Vorhänge an den Fenstern der Kutsche.

»Was ist denn, Mutter?«, fragte Paul schließlich, und Gwyn fuhr zusammen. Paul hatte ein feines Gespür für menschliche Schwächen. Er durfte auf keinen Fall mitbekommen, dass irgendetwas zwischen ihr und James McKenzie war.

»Bist du nervös wegen Mr. McKenzie?«, bohrte er jetzt schon nach. »Großvater sagt, du hättest ihn gekannt. Er hat ihn ja auch gekannt. Er war Vormann auf Kiward Station. Verrückt, Mutter, dass er dann plötzlich wegläuft und Schafe stiehlt, nicht wahr?«

»Ja, völlig verrückt«, stieß Gwyneira hervor. »Hätte ich ihm … hätten wir alle ihm nicht zugetraut.«

»Und nun wird er womöglich gehängt!«, bemerkte Paul genüsslich. »Fahren wir hin, Großvater, wenn er gehängt wird?«

Gerald schnaubte. »Der Halunke wird nicht gehängt. Hat Glück mit dem Richter. Stephen ist kein Viehzüchter. Den lässt es kalt, dass er die Leute an den Rand des Ruins gebracht hat …«

Gwyneira musste fast lächeln. Soviel sie wusste, waren McKenzies Diebstähle für keinen der Betroffenen mehr als Nadelstiche gewesen.

»Aber ein paar Jahre wird er hinter Gitter kommen. Und wer weiß, vielleicht erzählt er uns ja heute noch ein bisschen was über die Hintermänner. Er scheint doch nicht alles allein gemacht zu haben …« Gerald glaubte nicht an die Geschichte mit der Frau in Gesellschaft McKenzies. Er glaubte eher an einen jungen Komplizen, hatte diesen aber nur als Schemen gesehen.

»Besonders der Hehler wäre interessant. So gesehen hätten wir bessere Chancen gehabt, wenn der Kerl in Dunedin vor Gericht gekommen wäre. Da hat Sideblossom schon Recht. Da ist er übrigens! Schaut nur! Wusst ich doch, dass er sich die Verhandlung gegen den Kerl nicht entgehen lässt.«

John Sideblossom ließ seinen schwarzen Hengst an der Kutsche der Wardens vorbeigaloppieren und grüßte höflich. Gwyneira seufzte. Auf ein Wiedersehen mit dem Schaf-Baron aus Otago hätte sie nur zu gern verzichtet!

Immerhin hatte Sideblossom Gerald seine Parteinahme für die Männer aus Canterbury nicht übel genommen und ihm und seiner Familie sogar Sitze im Gerichtssaal reserviert. Er begrüßte Gerald herzlich, Paul ein wenig herablassend und Gwyneira mit eisiger Kälte.

»Ist ihre reizende Tochter wieder aufgetaucht?«, fragte er spöttisch, als sie sich setzte – auf den vier reservierten Plätzen, so weit weg von ihm wie möglich.

Gwyneira antwortete nicht. Dafür beeilte sich Paul, seinem Idol zu versichern, man hätte nie wieder von Fleurette gehört.

»In Haldon erzählt man, sie muss in irgendeinem Sündenpfuhl gelandet sein!«, verkündete Paul, woraufhin Gerald ihn streng zurechtwies. Gwyneira reagierte nicht. Sie hatte sich in den letzten Wochen angewöhnt, immer seltener auf Paul einzugehen. Der Junge war ihrem Einfluss längst entwachsen – wenn sie überhaupt je welchen gehabt hatte. Er orientierte sich nur noch an Gerald; auch Helens Schulstunden besuchte er kaum noch. Gerald sprach immer wieder davon, einen Hauslehrer für den Jungen einzustellen, doch Paul war der Ansicht, für einen Farmer und Viehzüchter habe er genug Schulwissen erworben. Bei der Arbeit auf der Farm sog er das Wissen der Viehhirten und Schafscherer allerdings weiterhin auf wie ein Schwamm. Er war zweifellos der Erbe, den Gerald sich gewünscht hatte – wenn auch kaum der Partner, von dem George Greenwood träumte. Der junge Maori Reti, der Georges Geschäfte führte, solange dieser in England war, beschwerte sich bei Gwyneira. Seiner Ansicht nach zog Gerald einen zweiten Ignoranten wie Howard O'Keefe heran – allerdings einen mit weniger Erfahrung und mehr Macht.

»Der Junge lässt sich jetzt schon nichts sagen«, klagte Reti. »Die Farmarbeiter mögen ihn nicht, und die Maoris hassen ihn geradezu. Aber Mr. Gerald lässt ihm ja alles durchgehen. Die Aufsicht über einen Scherschuppen! Ein zwölfjähriger Junge!«

Gwyneira hatte das alles schon von den Scherern selbst gehört, die sich ungerecht behandelt fühlten. In seinem Drang, sich wichtig zu machen und den traditionellen Wettkampf zwischen den Scherschuppen zu gewinnen, hatte Paul deutlich mehr Schuren vermerkt, als tatsächlich stattgefunden hatten. Den Scherern konnte das natürlich nur recht sein, schließlich wurden sie nach Stückzahl bezahlt. Aber später stimmten die Mengen der Vliese nicht mit den Eintragungen überein. Gerald tobte und machte die Scherer dafür verantwortlich. Die anderen Scherer beschwerten sich, weil der Wettkampf manipuliert und die Prämien falsch verteilt worden waren. Alles in allem war es ein schreckliches Durcheinander, und Gwyn musste schließlich allen einen deutlich höheren Lohn zahlen, damit die Scherkolonnen im nächsten Jahr überhaupt wiederkamen.

Gwyneira hatte Pauls Unarten gründlich satt. Am liebsten hätte sie ihn für ein paar Jahre nach England oder zumindest nach Dunedin aufs Internat geschickt. Davon wollte Gerald allerdings nichts hören, und so tat Gwyn, was sie immer schon getan hatte, seit Paul geboren war: Sie ignorierte ihn.

Jetzt, im Gerichtssaal, verhielt er sich Gott sei Dank still. Er lauschte der Unterhaltung zwischen Gerald und Sideblossom und den frostigen Begrüßungen der anderen Schaf-Barone für den Besucher aus Otago. Der Saal füllte sich rasch, und Gwyn winkte Reti zu, der sich als einer der Letzten in den Raum drückte. Es gab wohl ein paar Schwierigkeiten – einige *pakeha* wollten dem Maori nicht Platz machen –, doch die Erwähnung des Namens Greenwood öffnete Reti sämtliche Türen.

Schließlich schlug es zehn Uhr, und pünktlich auf die Minute betrat der Ehrenwerte Sir Justice Stephen seinen Gerichtssaal und eröffnete das Verfahren. Für die meisten Zuschauer wurde es allerdings erst interessant, als der Angeklagte hereingeführt wurde. James McKenzies Auftauchen rief eine Mischung aus Beschimpfungen und Hochrufen hervor. James selbst reagierte weder auf das eine noch das andere, sondern hielt den Kopf gesenkt und schien froh zu sein, dass der Richter dem Publikum Einhalt gebot.

Gwyneira spähte hinter dem großen Farmarbeiter hervor, hinter den sie sich gesetzt hatte – eine schlechte Wahl, denn sowohl Gerald als auch Paul hatten eine bessere Sicht. Aber sie hatte ja vor Sideblossom fliehen wollen. James McKenzie konnte sie erst richtig mustern, als er auf den Platz neben seinem lustlos wirkenden Pflichtverteidiger geführt wurde. Vor allem sah er endlich auf, nachdem er Platz genommen hatte.

Gwyneira fragte sich seit Tagen, was sie empfinden würde, wenn sie James erneut nahe kam. Ob sie ihn überhaupt erkennen und wieder das in ihm sehen könnte, was sie damals ... ja, was? Beeindruckt hatte? Verzaubert hatte? Was immer es gewesen war, es lag zwölf Jahre zurück. Vielleicht war ihre Aufregung überflüssig. Vielleicht würde er nur noch ein Fremder für sie sein, den sie auf der Straße nicht einmal erkannt hätte.

Doch schon der erste Blick auf den großen Mann auf der Anklagebank belehrte sie eines Besseren. James McKenzie hatte sich kaum verändert. Zumindest nicht für Gwyneira. Nach den Zeichnungen in den Zeitungen, die von seiner Verhaftung berichteten, hatte sie mit einem wilden, bärtigen Gesellen gerechnet, doch jetzt war McKenzie glatt rasiert und trug saubere, schlichte Kleidung. Nach wie vor war er schlank und sehnig, doch das Muskelspiel unter seinem schon etwas abgetragenen weißen Hemd verriet seine Kraft. Sein Gesicht war braun gebrannt – außer an den Stellen, die zuvor der Bart verdeckt hatte. Seine Lippen wirkten schmal – ein Zeichen, dass er sich Sorgen machte. Gwyneira hatte diesen Ausdruck oft an ihm gesehen. Und dann seine Augen ... Nichts, gar nichts hatte sich an ihrem verwegenen, wachen Ausdruck geändert. Natürlich stand jetzt kein spöttisches Lachen darin, sondern Anspannung und vielleicht so etwas wie Angst, doch die Fältchen von früher waren noch da, wenn auch tiefer eingegraben, so wie James' ganzer Ausdruck härter, reifer und viel ernster geworden war. Gwyneira hätte ihn auf den ersten Blick erkannt. Oh ja, sie hätte ihn unter allen Männern auf der Südinsel, wenn nicht der ganzen Welt erkannt.

»James McKenzie!«

»Euer Ehren?«

Gwyneira hätte auch seine Stimme wiedererkannt. Diese dunkle, warme Stimme, die so zärtlich sein konnte, aber auch fest und sicher, wenn er seinen Männern oder den Hütehunden Befehle zurief.

»Mr. McKenzie, man wirft Ihnen vor, sowohl in den Canterbury Plains als auch im Gebiet um Otago Viehdiebstähle großen Ausmaßes verübt zu haben. Bekennen Sie sich schuldig?«

McKenzie zuckte die Schultern. »In der Gegend wird viel gestohlen. Ich wüsste nicht, was mich das angeht ...«

Der Richter sog scharf die Luft ein. »Es gibt Aussagen ehrenwerter Männer, dass man Sie mit einer Herde gestohlener Schafe oberhalb des Lake Wanaka angetroffen habe. Geben Sie wenigstens das zu?«

James McKenzie wiederholte die Bewegung von eben. »Gibt viele McKenzies. Gibt viele Schafe!«

Gwyneira musste fast lachen, machte sich dann aber eher Sorgen. Dies war wohl die sicherste Methode, den Ehrenwerten Sir Justice Stephen zur Weißglut zu treiben. Dabei war es völlig sinnlos zu leugnen. McKenzies Gesicht zeigte noch Spuren der Schlägerei mit Sideblossom – und auch Sideblossom musste übel zugerichtet gewesen sein. Gwyn empfand eine gewisse Genugtuung, dass sein Auge noch deutlich stärker blutunterlaufen war als das von James.

»Kann irgendjemand im Saal bezeugen, dass es sich hier um den Viehdieb McKenzie und nicht zufällig um jemand anderen dieses Namens handelt?«, fragte der Richter seufzend.

Sideblossom stand auf. »Ich kann es bezeugen. Und wir haben auch einen Beweis hier, der wohl jeden Zweifel ausräumen dürfte.« Er wandte sich zum Eingang des Saales, wo er einen Helfer aufgestellt hatte. »Lass den Hund frei!«

»Friday!« Ein kleiner schwarzer Schatten flog wie der Wind durch den Gerichtssaal, direkt auf James McKenzie zu. Der schien dabei sofort zu vergessen, welche Rolle er vor diesem Gericht zu spielen gedacht hatte. Er beugte sich herab, fing die Hündin auf und streichelte sie. »Friday!«

Der Richter verdrehte die Augen. »Das hätten wir weniger dramatisch haben können, aber sei's drum. Nehmen Sie zu Protokoll, dass der Mann mit dem Hütehund konfrontiert wurde, der die gestohlene Schafherde zusammenhielt, und das Tier als das seine anerkannte. Mr. McKenzie, Sie wollen mir jetzt doch wohl nicht erzählen, der Hund habe auch einen Doppelgänger.«

James lächelte sein altes Lächeln. »Nein«, sagte er. »Der Hund ist einmalig!« Friday hechelte und leckte James' Hände. »Euer Ehren, wir ... wir können diese Verhandlung kurz halten. Ich will alles sagen und alles gestehen, sofern Sie mir zusichern, dass Friday bei mir bleiben kann. Auch im Gefängnis. Sehen Sie sich das Tier an, es hat offensichtlich kaum gefressen, seit es von mir getrennt wurde. Die Hündin ist diesem ... Sie ist Mr. Sideblossom zu nichts nütze, sie hört auf niemanden ...«

»Mr. McKenzie, wir verhandeln hier nicht über Ihren Hund!«, meinte der Richter streng. »Aber da Sie nun schon gestehen wollen: Die Diebstähle auf Lionel Station, auf Kiward Station, Beasley Farms, Barrington Station ... das alles geht auf Ihr Konto?«

McKenzie reagierte mit dem schon bekannten Schulterzucken. »Gibt viele Diebstähle. Wie gesagt. Ich mag ab und an ein Schaf mitgenommen haben ... so 'n Hund braucht ja Training.« Er wies auf Friday, was dröhnendes Gelächter im Saal auslöste. »Aber tausend Schafe ...«

Der Richter seufzte wieder. »Also schön. Sie wollen es nicht anders. Rufen wir also Zeugen auf. Als Erstes hätten wir hier Randoph Nielson, Vormann auf Beasley Farms ...«

Nielsons Auftritt eröffnete einen Reigen von Arbeitern und Viehzüchtern, die durchweg bezeugten, dass auf den genannten Farmen Hunderte von Tieren gestohlen worden waren. Viele hatte man später in McKenzies Herde wiedergefunden. Das alles war ermüdend, und James hätte den Vorgang abkürzen können, doch er zeigte sich jetzt verstockt und leugnete jedes Wissen über das gestohlene Vieh.

Während die Zeugen Zahlen und Daten herunterbeteten und McKenzies Finger streichelnd und tröstend über Fridays weiches Fell wanderten, ließ er die Blicke durch den Raum schweifen. Es gab Dinge, die ihn im Vorfeld dieses Verfahrens mehr beschäftigt hatten als die Angst vor dem Strang. Die Verhandlung fand in Lyttelton statt – Canterbury Plains, verhältnismäßig nahe an Kiward Station. Würde sie also da sein? Würde Gwyneira kommen? In den Nächten vor der Verhandlung rief James sich jeden Augenblick, jede noch so winzige Begebenheit mit Gwyneira in Erinnerung. Von jener ersten

Begegnung im Stall bis zu ihrem Abschied, als sie ihm Friday geschenkt hatte. Nachdem sie ihn betrogen hatte? Seit damals hatte es keinen Tag gegeben, an dem James nicht darüber nachgedacht hatte. Was war damals geschehen? Wen hatte sie ihm vorgezogen? Und warum hatte sie so verzweifelt und traurig gewirkt, als er sie gedrängt hatte zu reden? Sie hätte doch eigentlich zufrieden sein müssen. Immerhin hatte sich das Geschäft mit dem anderen ebenso ausgezahlt wie das mit ihm ...

James sah Reginald Beasley in der ersten Reihe, daneben die Barringtons – den jungen Lord hatte er auch im Verdacht gehabt, doch Fleurette hatte ihm auf seine vorsichtigen Fragen hin versichert, dass er kaum Kontakt mit den Wardens hielt. Würde er sich nicht weiter für Gwyneira interessiert haben, wenn er der Vater ihres Sohnes wäre? Um die Kinder, die in der Bank zwischen ihm und seiner unscheinbaren Frau saßen, schien er sich jedenfalls rührend zu kümmern. George Greenwood war nicht anwesend. Aber auch der kam nach Fleurs Aussagen kaum als Pauls Vater in Frage. Er hielt zwar regen Kontakt mit allen Farmern, hatte aber stets eher Helen O'Keefes Sohn Ruben protegiert.

Und da war sie. In der dritten Reihe, halb verdeckt von ein paar stämmigen Viehhütern vor ihr, die vermutlich auch noch aussagen sollten. Sie spähte zu ihm hin, musste sich dabei ein bisschen verrenken, um ihn im Blick zu behalten, aber das schaffte sie mühelos, schlank und beweglich, wie sie war. Oh ja, sie war schön! Genauso schön, so wach und aufmerksam wie früher. Ihr Haar sprengte schon wieder die strenge Frisur, in die sie es zu zwingen versucht hatte. Ihr Gesicht war blass, die Lippen leicht geöffnet. James versuchte nicht, ihren Blick zu fesseln, das wäre zu schmerzlich gewesen. Später vielleicht, wenn sein Herz nicht mehr so wild pochte und wenn er nicht mehr fürchtete, seine Augen könnten alles verraten, was er noch für sie empfand ... Vorerst zwang er sich, den Blick von ihr zu wenden und weiter über die Zuschauerbänke schweifen zu lassen. Neben Gwyneira erwartete er Gerald zu sehen, aber da saß ein Kind, ein Junge, vielleicht zwölf Jahre alt. James hielt den Atem an. Natürlich, das musste Paul sein, ihr Sohn. Paul war längst alt genug, um seinen Großvater und seine Mutter zu dieser Verhandlung zu begleiten. James musterte den Jungen. Vielleicht verriet sein Vater sich ja in seinen Zügen ... Fleurette ähnelte ihm selbst zwar kaum, aber das konnte bei jedem Kind verschieden sein. Und bei diesem hier ...

McKenzie erstarrte, als er sich das Gesicht des Jungen näher ansah. Das konnte nicht sein! Aber es stimmte ... der Mann, dem Paul wie ein Ei dem anderen ähnelte, saß schließlich direkt neben ihm: Gerald Warden.

McKenzie sah bei beiden das gleiche kantige Kinn, die aufmerksamen, eng zusammenstehenden braunen Augen, die fleischige Nase. Klare Züge, ein gleichermaßen entschlossener Ausdruck in dem alten wie in dem jungen Gesicht. Hier war kein Zweifel möglich, dieses Kind war ein Warden. James' Gedanken rasten. Wenn Paul Lucas' Sohn war, warum hatte der Vater sich damals an die Westcoast verdrückt? Oder ...

Die Erkenntnis nahm James den Atem wie ein plötzlicher Schlag in den Magen. Geralds Sohn! Es konnte nicht anders sein, das Kind zeigte kein bisschen Ähnlichkeit mit Gwyneiras Gatten. Und das mochte auch der Grund für Lucas' Flucht gewesen sein. Er hatte seine Frau nicht beim Ehebruch mit einem Fremden ertappt, sondern mit dem eigenen Vater ... aber das war völlig unmöglich! Gwyneira hätte sich Gerald niemals freiwillig hingegeben. Und wenn, hätte sie es diskret gehandhabt. Lucas hätte nie davon erfahren. So aber ... Gerald musste Gwyneira in sein Bett gezwungen haben.

James empfand tiefe Reue und Wut auf sich selbst. Jetzt endlich wurde ihm klar, warum Gwyn nicht hatte reden können, warum sie krank vor Scham und hilflos vor Angst vor ihm gestanden hatte. Sie konnte ihm das nicht gestehen, dann wäre alles noch schlimmer gekommen. James hätte den Alten erschlagen.

Stattdessen hatte er, James, Gwyneira auch noch verlassen. Hatte alles noch schlimmer gemacht, indem er sie mit Gerald allein ließ und sie zwang, dieses unselige Kind aufzuziehen, von dem Fleurette nur voller Abscheu gesprochen hatte. James fühlte Verzweiflung in sich aufsteigen. Gwyn konnte ihm das nie verzeihen. Er hätte es wissen müssen oder ihre Weigerung zu reden zumindest ohne Fragen akzeptieren sollen. Er hätte ihr vertrauen müssen. Aber so ...

James richtete den Blick noch einmal verstohlen auf ihr schmales Gesicht – und erschrak, als sie den Kopf hob und ihn ansah. Und dann war plötzlich alles ausgelöscht. Der Gerichtssaal verschwamm vor seinen und Gwyneiras Augen, Paul Warden hatte es nie gegeben. In einem magischen Kreis standen sich nur noch Gwyn und James gegenüber. Er sah sie als junges Mädchen, das sich so furchtlos auf das Abenteuer Neuseeland eingelassen hatte, aber hoffnungslos vor dem Problem stand, Thymian für die englische Küche auftreiben zu müssen. Er wusste noch genau, wie sie ihn angelacht hatte, als er ihr das Sträußchen überreichte. Und dann ihre seltsame Frage, ob er der Vater ihres Kindes sein wollte ... die gemeinsamen Tage am See und in den Bergen. Das unglaubliche Gefühl, als er Fleur das erste Mal in ihren Armen gesehen hatte.

Zwischen Gwyneira und James schloss sich in diesem Augenblick ein lange zerrissenes Band, und es würde sich nie wieder lösen.

»Gwyn ...« James' Lippen formten unhörbar ihren Namen, und Gwyneira lächelte leicht, als hätte sie ihn verstanden. Nein, sie nahm ihm nichts übel. Sie hatte ihm alles vergeben – und sie war frei. Jetzt endlich war sie frei für ihn. Wenn er nur mit ihr hätte reden können! Sie mussten es noch einmal versuchen, sie gehörten zusammen. Wenn dieser unselige Prozess doch nicht wäre! Wenn er ebenfalls frei wäre! Wenn man ihn, um Himmels willen, bloß nicht hängte ...

»Euer Ehren, ich denke, wir können diese Sache abkürzen!« James McKenzie meldete sich zu Wort, als der Richter gerade den nächsten Zeugen aufrufen wollte.

Richter Stephen hob hoffnungsvoll den Blick. »Sie wollen gestehen?«

McKenzie nickte. In der nächsten Stunde gab er mit ruhiger Stimme Auskunft über seine Diebstähle und darüber, wie die Schafe nach Dunedin gebracht wurden. »Aber Sie müssen verstehen, dass ich den Namen des Händlers nicht nennen kann, der mir die Tiere abnahm. Er hat nie nach dem meinen gefragt, ich nicht nach dem seinen.«

»Aber er muss Ihnen doch bekannt sein!«, meinte der Richter unwillig.

Wieder zuckte McKenzie die Achseln. »Ich kenne einen Namen, doch ob es der seine ist...? Außerdem bin ich kein Verräter, Euer Ehren. Der Mann hat mich nicht betrogen, er hat mich ordentlich bezahlt – verlangen Sie nicht von mir, dass ich wortbrüchig werde.«

»Und dein Komplize?«, brüllte jemand aus dem Saal. »Wer war der Kerl, der uns durch die Lappen gegangen ist?«

McKenzie schaffte es, verwirrt dreinzuschauen. »Welcher Komplize? Ich habe immer allein gearbeitet, Euer Ehren, allein mit meinem Hund. Das schwöre ich, so wahr mir Gott helfe.«

»Und wer war dann der Mann, der bei Ihrer Verhaftung mit Ihnen zusammen war?«, erkundigte sich der Richter. »Manche meinen ja auch, es sei eine Frau gewesen ...«

McKenzie nickte mit gesenktem Kopf. »Ja, richtig, Euer Ehren.«

Gwyneira fuhr zusammen. Also doch eine Frau! James hatte also geheiratet oder zumindest mit jemandem zusammengelebt. Dabei ... als er sie eben so angesehen hatte ... eben noch hatte sie gedacht ...

»Was soll das heißen, ›ja, richtig‹?«, fragte Sir Justice unwillig. »Ein Mann, eine Frau, ein Geist?«

»Eine Frau, Euer Ehren«, McKenzie hielt den Kopf immer noch gesenkt. »Ein Maori-Mädchen, mit dem ich zusammenlebte.«

»Und dem gibste das Pferd, wenn du selbst auf 'm Muli sitzt, und dann reitet es weg wie der Teufel?«, rief jemand aus dem Saal, was Gelächter auslöste. »Das kannste deiner Großmutter erzählen!«

Richter Stephen rief die Zuhörer zur Ruhe.

»Ich muss gestehen«, bemerkte er dann, »dass die Geschichte auch in meinen Ohren ein wenig seltsam klingt.«

»Das Mädchen war mir kostbar«, sagte McKenzie ruhig. »Das ... das Wertvollste, das mir je begegnet ist. Ich würde ihr immer das beste Pferd geben, ich würde alles für sie tun. Ich würde mein Leben für sie geben. Und warum sollte ein Mädchen nicht reiten können?«

Gwyneira biss sich auf die Lippen. Also hatte James tatsächlich eine neue Liebe gefunden. Und wenn er das hier überlebte, würde er zu seinem Mädchen zurückkehren ...

»Aha«, meinte der Richter trocken. »Ein Maori-Mädchen. Hat das schöne Kind auch einen Namen und einen Stamm?«

McKenzie schien kurz zu überlegen. »Sie gehört zu keinem Stamm. Sie ... es würde zu weit führen, das hier zu erklären, aber sie stammt aus der Vereinigung eines Mannes und einer Frau, die nie in einem Gemeinschaftshaus das Lager teilten. Ihre Verbindung war trotzdem gesegnet. Sie erfolgte, um ... um ...« Er suchte Gwyneiras Blick. »Um die Tränen eines Gottes zu trocknen.«

Der Richter runzelte die Stirn. »Also, um eine Einführung in heidnische Zeugungszeremonien hatte ich eigentlich nicht gebeten. Es sind Kinder im Saal! Das Mädchen war also von seinem Stamm verbannt und namenlos ...«

»Nicht namenlos. Ihr Name ist Pua ... Pakupaku Pua.« McKenzie sah Gwyn in die Augen, als er diesen Namen nannte, und sie hoffte, dass niemand sie jetzt ansah, denn sie wurde abwechselnd blass und rot. Wenn es stimmte, was sie zu verstehen glaubte ...

Als das Gericht sich ein paar Minuten später zur Beratung zurückzog, eilte sie durch die Reihen, ohne sich vorher bei Gerald oder Sideblossom zu entschuldigen. Sie brauchte jemanden, der ihr das hier bestätigte, jemand, der besser Maori sprach als sie. Außer Atem fand sie sich Reti gegenüber.

»Reti! Was für ein Glück, dass Sie da sind! Reti, was ... was bedeutet *pua?* Und *pakupaku?*«

Der Maori lachte. »Das sollten Sie nun aber wirklich wissen, Miss Gwyn. *Pua* heißt Blume, und *pakupaku* ...«

»Heißt *klein* ...«, flüsterte Gwyneira. Sie hatte das Gefühl, vor Erleichterung schreien, weinen, tanzen zu müssen. Aber sie lächelte nur.

Das Mädchen hieß Kleine Blume. Jetzt verstand Gwyn, was McKenzies beschwörender Blick ihr hatte sagen wollen. Er musste Fleurette gefunden haben.

James McKenzie wurde zu einer Haftstrafe von fünf Jahren verurteilt, abzusitzen im Gefängnis von Lyttelton. Seinen Hund durfte er natürlich nicht bei sich behalten. John Sideblossom sollte sich um das Tier kümmern, sofern er Wert darauf legte. Richter Stephen war das völlig gleichgültig. Das Gericht, so betonte er nochmals, sei nicht zuständig für Haustiere.

Was folgte, war hässlich. Die Gerichtsdiener und der Police Officer mussten McKenzie mit Gewalt von Friday wegreißen. Die Hündin ihrerseits biss Sideblossom, als er sie anleinte.

Paul erzählte hinterher voller Schadenfreude, der Viehdieb habe geweint.

Gwyneira hörte ihm gar nicht zu. Sie wohnte auch der Urteilsverkündung nicht bei, dazu war sie zu aufgewühlt. Paul würde Fragen stellen, wenn er sie so sah, und sie fürchtete seine oft erschreckende Intuition.

Stattdessen wartete sie draußen unter dem Vorwand, frische Luft und ein wenig Bewegung zu brauchen. Um der Menge zu entgehen, die vor dem Gerichtsgebäude auf das Urteil wartete, schlenderte sie um den Saal herum – und hatte dabei unversehens eine letzte Begegnung mit James McKenzie. Der Verurteilte wand sich im Griff zweier stämmiger Männer, die ihn mit Gewalt durch den Hinterausgang zur wartenden Gefängniskutsche zerrten. Bislang hatte er erbittert gekämpft, doch bei Gwyns Anblick beruhigte er sich.

»Ich sehe dich wieder«, formten seine Lippen. »Gwyn, ich sehe dich wieder!«

## 10

Seit dem Prozess gegen James McKenzie waren kaum sechs Monate vergangen, als Gwyneira von einem aufgeregten kleinen Maori-Mädchen bei ihrer täglichen Arbeit gestört wurde. Wie immer hatte sie einen geschäftigen Morgen hinter sich, getrübt wieder einmal durch eine Auseinandersetzung mit Paul. Der Junge hatte zwei Maori-Viehhüter beleidigt – und das jetzt, kurz vor der Schur und dem Auftrieb ins Hochland, wo nun wirklich jede Hand gebraucht wurde. Die beiden Männer waren unersetzlich, erfahren, zuverlässig, und es gab nicht den geringsten Grund, sie zu brüskieren, weil sie den Winter zu einer der traditionellen Wanderungen ihres Stammes genutzt hatten. Das war normal: Wenn die Vorräte aufgebraucht waren, die der Stamm für den Winter eingelagert hatte, zogen die Maoris fort, um in anderen Gegenden des Landes zu jagen. Dann waren die Häuser am See von einem Tag zum anderen verlassen, und es kam auch niemand mehr zur Arbeit, von wenigen treuen Hausangestellten einmal abgesehen. Für Neuankömmlinge unter den *pakeha* war das anfangs befremdlich, doch langjährige Siedler waren längst daran gewöhnt. Zumal die Stämme auch nicht irgendwann verschwanden, sondern nur, wenn sie unweit ihrer Dörfer nichts mehr zu essen fanden oder bei den *pakeha* genug verdienten, um etwas zu kaufen. Wenn es Zeit für die Aussaat auf ihren Feldern war und Schur und Viehauftrieb reichlich Arbeit boten, kamen sie zurück. So auch Gwyneiras zwei Arbeiter, die absolut nicht verstanden, warum Paul sie wegen ihrer Abwesenheit rüde beschimpfte.

»Mr. Paul muss doch wissen, wir kommen wieder!«,

meinte einer der Männer verärgert. »Er so lange geteilt Lager mit uns. War wie Sohn als klein war, wie Bruder von Marama. Aber jetzt ... nur Ärger. Nur weil Ärger mit Tonga. Er sagt, wir nicht hören auf ihn, hören auf Tonga. Und Tonga wollen, dass weg. Aber ist Unsinn. Tonga noch nicht trägt *tokipoutangata*, Beil von Häuptling ... und Mr. Paul noch nicht Herr von Farm!«

Gwyneira seufzte. Im Moment gab ihr Ngopinis letzte Bemerkung eine gute Handhabe, die Männer zu beschwichtigen. Ebenso wie Tonga noch nicht Häuptling war, gehörte auch Paul die Farm noch nicht; er durfte also niemanden verwarnen oder gar entlassen. Als Entschuldigung reich mit Saatgut beschenkt, erklärten die Maoris sich schließlich bereit, weiter für Gwyn zu arbeiten. Doch wenn Paul den Betrieb irgendwann einmal übernahm, würden die Leute ihm weglaufen. Wahrscheinlich würde Tonga das ganze Lager verlegen, wenn er eines Tages die Häuptlingswürde trug, um Paul nicht mehr sehen zu müssen.

Gwyneira suchte ihren Sohn auf und hielt ihm dies alles vor, doch Paul zuckte nur die Schultern. »Dann stelle ich eben Neusiedler als Arbeiter ein. Die sind eh einfacher zu führen! Und Tonga wird sich sowieso nicht trauen, von hier zu verschwinden. Die Maoris brauchen das Geld, das sie hier verdienen, und das Land, auf dem sie wohnen. Wer lässt sie denn sonst bei sich siedeln? Das Land gehört doch jetzt alles den weißen Viehzüchtern. Und die brauchen keine Unruhestifter!«

Verärgert musste Gwyn sich eingestehen, dass Paul Recht hatte. Tongas Stamm würde nirgendwo willkommen sein. Doch der Gedanke beruhigte sie nicht, sondern machte ihr eher Angst. Tonga war ein Heißsporn. Niemand konnte sagen, was geschah, wenn ihm das alles klar wurde, was Paul eben angeführt hatte.

Und nun kam auch noch das kleine Mädchen in den Stall,

in dem Gwyn gerade ihr Pferd sattelte. Noch eine offenbar eingeschüchterte Maori. Hoffentlich nicht mit weiteren Beschwerden über Paul.

Doch das Mädchen gehörte nicht zu dem Stamm nebenan. Stattdessen erkannte Gwyn eine von Helens kleinen Schülerinnen. Sie näherte sich scheu und knickste vor Gwyn wie ein braves englisches Schulkind.

»Miss Gwyn, Miss Helen schickt mich. Ich soll Ihnen sagen, auf der O'Keefe Farm warte jemand auf Sie. Und Sie sollen schnell kommen, vor der Dunkelheit, bevor Mr. Howard heimkehrt – falls er heute Abend nicht in den Pub geht.« Das Kind sprach ein hervorragendes Englisch.

»Wer kann denn da auf mich warten, Mara?«, fragte Gwyneira verblüfft. »Es weiß doch jeder, wo ich wohne ...«

Die Kleine nickte ernst. »Es ist ein Geheimnis!«, erklärte sie wichtig. »Und ich darf es auch niemandem sagen, nur Ihnen!«

Gwyneiras Herz klopfte heftig. »Fleurette? Ist es meine Tochter? Ist Fleur zurückgekehrt?« Sie konnte es kaum glauben, hoffte sie doch, dass ihre Tochter längst mit Ruben vereint irgendwo in Otago lebte.

Mara schüttelte den Kopf. »Nein, Miss, es ist ein Mann ... äh, ein Gentleman. Und ich soll Ihnen sagen, Sie möchten sich bitte beeilen.« Bei den letzten Worten knickste sie wieder.

Gwyneira nickte. »Gut, Kind. Hol dir rasch ein wenig Zuckerzeug aus der Küche. Moana hat vorhin Kekse gebacken. Ich spanne in der Zeit die Chaise an. Dann kannst du mit mir zusammen heimfahren.«

Das Mädchen schüttelte den Kopf. »Ich kann gut laufen, Miss Gwyn. Nehmen Sie lieber Ihr Pferd. Miss Helen sagt, es ist sehr, sehr eilig!«

Gwyneira verstand nun wirklich nichts mehr, fuhr aber gehorsam mit dem Satteln fort. Also keine Inspektion der Scherschuppen heute, sondern ein Besuch bei Helen. Wer konnte der mysteriöse Besucher sein? Sie zäumte Raven, eine Tochter der Stute Morgaine, im Eiltempo auf, wobei dieses Eiltempo der Stute lag. Raven setzte sich gleich eifrig in Trab, als Gwyneira die Gebäude von Kiward Station hinter sich ließ. Inzwischen war der Schleichweg zwischen den Farmen so gut ausgetreten, dass Gwyn ihr Pferd kaum noch am Zügel halten musste, um ihm über schwierige Wegstrecken hinwegzuhelfen. Den Bach übersprang Raven mit einem mächtigen Satz. Gwyneira dachte mit triumphierendem Lächeln an die letzte Jagd, die Reginald Beasley veranstaltet hatte. Der Farmer war inzwischen wieder verheiratet, mit einer Witwe aus Christchurch, die vom Alter her zu ihm passte. Sie führte den Haushalt vorzüglich und pflegte den Rosengarten mit nie endender Sorgfalt. Sehr leidenschaftlich wirkte sie allerdings nicht – Beasley suchte sein Vergnügen deshalb nach wie vor in der Rennpferdezucht. Umso mehr wurmte es ihn, dass Gwyneira und Raven bisher jede Schleppjagd gewonnen hatten. Für die Zukunft plante er den Bau einer Rennbahn. Dann würden ihre Cobs seine Vollblüter nicht mehr abhängen!

Kurz vor Helens Farm musste Gwyn ihr Pferd allerdings zügeln, um nicht die Kinder niederzureiten, die aus der Schule kamen.

Tonga und ein oder zwei weitere Maoris aus der Siedlung am See grüßten eher mürrisch. Nur Marama lächelte freundlich wie immer.

»Wir lesen ein neues Buch, Miss Gwyn!«, erklärte sie vergnügt. »Eins für Erwachsene! Von Mr. Bulwer-Lytton. Der ist ganz berühmt in England! In dem Buch geht's um ein Lager von den Römern, die sind ein ganz alter Stamm in England. Ihr Lager liegt bei einem Vulkan, und der bricht aus. Es ist sooo traurig, Miss Gwyn ... ich hoffe bloß, dass die Mädchen am Leben bleiben. Wo Glaucos Jone doch so liebt! Aber die Leute sollten wirklich klüger sein. Man schlägt sein Lager nicht so nah an den Feuerbergen auf. Und dann noch ein großes, mit Schlafhäusern und allem! Was meinen Sie, ob Paul das Buch auch lesen möchte? Er liest so wenig in der letzten Zeit, das ist nicht gut für einen Gentleman, sagt Miss Helen. Ich werde ihn nachher suchen und ihm das Buch bringen!« Marama hüpfte davon, und Gwyneira lächelte in sich hinein. Sie grinste noch, als sie auf Helens Hof hielt.

»Deine Kinder zeigen gesunden Menschenverstand«, neckte sie Helen, die gleich aus dem Haus kam, als sie Hufschläge hörte. Sie wirkte erleichtert, als sie Gwyn erkannte und keinen anderen Besucher. »Ich wusste nie, was ich an Bulwer-Lytton nicht mochte, aber Marama bringt es auf den Punkt: alles ein Fehler der Römer. Hätten die nicht am Vesuv gebaut, wäre Pompeji nicht untergegangen, und Mr. Bulwer-Lytton hätte sich die ganzen 500 Seiten sparen können. Du solltest den Kindern nur nahe bringen, dass das Ganze nicht in England spielt ...«

Helens Lächeln wirkte gezwungen. »Marama ist ein kluges Kind«, sagte sie. »Aber jetzt komm, Gwyn, wir dürfen keine Zeit verschwenden. Wenn Howard ihn hier findet, bringt er ihn um. Er ist doch immer noch wütend, dass Warden und Sideblossom ihn bei der Zusammenstellung des Suchtrupps übergangen haben ...«

Gwyneira runzelte die Stirn. »Welcher Suchtrupp? Und wen bringt er um?«

»Na, McKenzie. James McKenzie! Ach ja, stimmt, ich hatte Mara den Namen nicht genannt – sicherheitshalber. Aber er ist hier, Gwyn. Und er will dringend mit dir reden!«

Gwyneira schienen die Beine wegzuknicken. »Aber ... James ist in Lyttelton im Gefängnis. Er kann nicht ...«

»Er ist ausgebrochen, Gwyn! Und jetzt mach, gib mir das Pferd. McKenzie ist in der Scheune.«

Gwyneira flog geradezu auf die Scheune zu. Ihre Gedanken überschlugen sich. Was sollte sie ihm sagen? Was wollte er ihr sagen? Aber James war da ... er war da, sie würden sich ...

James McKenzie zog Gwyneira in die Arme, kaum dass sie die Scheune betrat. Sie hatte keine Zeit, sich zu wehren, und wollte es auch gar nicht. Aufatmend schmiegte sie sich an James' Schulter. Es war dreizehn Jahre her, aber es fühlte sich immer noch so wundervoll an wie damals. Hier war sie sicher. Egal, was um sie herum geschah – wenn James die Arme um sie legte, war sie behütet vor der Welt.

»Gwyn, es ist lange her ... Ich hätte dich nie verlassen dürfen.« James flüsterte die Worte in ihr Haar. »Ich hätte das mit Paul wissen müssen. Stattdessen ...«

»Ich hätte es dir sagen sollen«, meinte Gwyneira. »Aber ich hätte es nie über die Lippen gebracht ... wir sollten jetzt aufhören mit den Entschuldigungen, wir wussten doch immer, was wir wollten ...« Sie lächelte ihm spitzbübisch zu. McKenzie konnte sich an dem glücklichen Ausdruck in ihrem vom Ritt erhitzten Gesicht gar nicht satt sehen. Aber er nutzte natürlich seine Chance und küsste ihren so bereitwillig dargebotenen Mund.

»Also gut, kommen wir zur Sache!«, sagte er dann streng, während der alte Schalk in seinen Augen tanzte. »Stellen wir vor allem eines klar – und ich möchte die Wahrheit hören und nichts als die Wahrheit. Jetzt, da es keinen Ehemann mehr gibt, dem du Loyalität schuldest, und kein Kind mehr belogen werden muss: War es damals wirklich nur ein Geschäft, Gwyn? Ging es wirklich nur um das Kind? Oder hast du mich nicht doch geliebt? Zumindest ein bisschen?«

Gwyneira lächelte, legte dann aber ihre Stirn in Falten, als würde sie angestrengt nachdenken. »Ein bisschen? Doch, ja, wenn ich es mir recht überlege, habe ich dich ein bisschen geliebt.«

»Gut.« James blieb ebenfalls ernst. »Und nun? Da du länger darüber nachgedacht und eine so wunderschöne Tochter großgezogen hast? Da du frei bist, Gwyneira, und niemand dir mehr befehlen kann? Liebst du mich immer noch ein bisschen?«

Gwyneira schüttelte den Kopf. »Ich glaube nicht«, erklärte sie langsam. »Jetzt liebe ich dich sehr!«

James nahm sie noch einmal in die Arme, und sie genoss seinen Kuss.

»Liebst du mich genug, um mit mir zu kommen?«, fragte er. »Genug, um mit mir zu fliehen? Das Gefängnis ist schrecklich, Gwyn. Ich muss da raus!«

Gwyneira schüttelte den Kopf. »Wie stellst du dir das vor? Wo willst du hin? Wieder Schafe stehlen? Wenn sie dich diesmal erwischen, hängst du! Und mich stecken sie ins Gefängnis.«

»Sie haben mich mehr als zehn Jahre lang nicht gekriegt!«, meinte er trotzig.

Gwyn seufzte. »Weil du dieses Land und diesen Pass gefunden hast. Das ideale Versteck. Sie nennen es übrigens McKenzie Highland. Wahrscheinlich wird es noch so heißen, wenn keiner mehr sich an John Sideblossom und Gerald Warden erinnert.«

McKenzie grinste.

»Aber du glaubst doch nicht im Ernst, dass wir so etwas noch mal finden! Du musst die fünf Jahre Haft hinter dich bringen, James. Wenn du dann wirklich frei bist, sehen wir weiter. Ich könnte ohnehin nicht einfach von hier fort. Die Menschen hier, die Tiere, die Farm ... James, das alles hängt an mir. Die gesamte Schafhaltung. Gerald trinkt mehr als er arbeitet, und wenn überhaupt, kümmert er sich nur noch ein bisschen um die Rinderzucht. Aber auch das überlässt er mehr und mehr Paul ...«

»Wobei der Knabe nicht sonderlich beliebt ist ...«, brummte James. »Fleurette hat mir da einiges erzählt, ebenso der Police Officer in Lyttelton. Ich weiß so gut wie alles über die Canterbury Plains. Mein Gefängniswärter langweilt sich, und ich bin der Einzige, mit dem er den ganzen Tag reden kann.«

Gwyn lächelte. Sie kannte den Officer flüchtig von gesellschaftlichen Anlässen und wusste, dass er gern plauderte.

»Paul ist schwierig, ja«, gab sie zu. »Umso mehr brauchen die Leute mich. Zumindest jetzt noch. In fünf Jahren wird alles anders aussehen. Bis dahin ist Paul fast volljährig, und er wird sich nichts mehr von mir sagen lassen. Ich weiß auch gar nicht, ob ich auf einer Farm leben möchte, die von Paul geleitet wird. Aber vielleicht können wir für uns ja ein Stück Land abzweigen. Nach allem, was ich für Kiward Station geleistet habe, steht es mir zu.«

»Nicht genug Land für eine Schafzucht«, meinte James bedauernd.

Gwyn zuckte die Achseln. »Aber vielleicht für eine Hunde- oder Pferdezucht. Deine Friday ist berühmt, und meine Cleo ... sie lebt übrigens noch, aber es geht bald zu Ende. Die Farmer würden sich um einen Hund reißen, den du ausgebildet hast.«

»Aber fünf Jahre, Gwyn ...«

»Noch viereinhalb!« Gwyneira schmiegte sich erneut an ihn. Fünf Jahre erschienen auch ihr endlos, aber sie konnte sich keine andere Lösung vorstellen. Und auf gar keinen Fall eine Flucht ins Hochland oder das Leben in einem Goldgräberlager.

McKenzie seufzte. »Also schön, Gwyn. Aber die Chance jetzt musst du mir lassen! Jetzt bin ich frei. Ich denke nicht daran, freiwillig zurück in eine Zelle zu gehen. Wenn sie mich nicht kriegen, schlag ich mich zu den Goldfeldern durch. Und glaub mir, Gwyn, ich finde Gold!«

Gwyneira lächelte. »Du hast ja wohl auch Fleurette gefunden. Aber mach so was nie wieder mit mir, wie diese Sache mit dem Maori-Mädchen vor Gericht! Ich dachte, mir bleibt das Herz stehen, als du von deiner großen Liebe gesprochen hast!«

James grinste sie an. »Was sollte ich denn sonst machen? Ihnen verraten, dass ich eine Tochter habe? Ein Maori-Mädchen suchen sie nicht, da wissen sie genau, dass sie keine Chance haben. Obwohl Sideblossom natürlich vermutet, dass sie all das Geld hat.«

Gwyn runzelte die Stirn. »Welches Geld, James?«

McKenzie grinste noch breiter. »Nun, da die Wardens in dieser Hinsicht wohl versagt haben, habe ich mir erlaubt, meiner Tochter eine ausreichende Mitgift zu geben. All das Geld, das ich mit den Schafen verdient habe in den Jahren. Glaub mir, Gwyn, ich war ein reicher Mann! Und Fleur wird hoffentlich besonnen damit umgehen.«

Gwyn lächelte. »Das beruhigt mich. Ich hatte Angst um sie und ihren Ruben. Ruben ist ein guter Kerl, aber er hat zwei linke Hände. Ruben als Goldgräber ... das wäre, als wolltest du als Friedensrichter anfangen.«

McKenzie sah sie strafend an. »Oh, ich habe ein ausgeprägtes Gerechtigkeitsgefühl, Miss Gwyn! Was meinst du, weshalb sie mich mit Robin Hood vergleichen? Ich habe nur die reichen Säcke bestohlen, nie die Leute, die sich ihr Brot mit ihrer Hände Arbeit verdienen! Gut, meine Art ist vielleicht etwas unkonventionell ...«

Gwyneira lachte. »Sagen wir, du bist kein Gentleman, und ich bin wohl auch keine Lady mehr, nach allem, was ich mir mit dir geleistet habe. Aber weißt du was? Es ist mir egal!«

Sie küssten sich noch einmal, und James zog Gwyneira sanft ins Heu; aber dann wurden sie von Helen unterbrochen.

»Ich störe nicht gern, ihr zwei, aber eben waren Leute vom Police Office hier. Ich hab Blut und Wasser geschwitzt, aber sie wollten nur herumfragen und haben keine Anstalten gemacht, die Farm zu durchsuchen. Nur – wie es aussieht, wird es ein großer Aufruhr. Die Vieh-Barone haben bereits von Ihrem Ausbruch gehört, Mr. McKenzie, und sofort Leute geschickt, die Sie wieder fassen sollen. Mein Gott, konnten Sie nicht noch ein paar Wochen warten? Mitten in der Schafschur wäre Ihnen keiner nachgejagt, aber jetzt gibt's reichlich Arbeiter, die seit Monaten nichts Rechtes zu tun haben. Die brennen auf ein Abenteuer! Auf jeden Fall sollten Sie hier bleiben, bis es dunkel ist, und dann schleunigst verschwinden. Am besten zurück ins Gefängnis. Sich zu stellen wäre das Sicherste. Aber das müssen Sie selbst wissen. Und du, Gwyn, reitest möglichst schnell nach Hause. Nicht, dass deine Leute argwöhnisch werden! Das ist kein Spaß, Mr. McKenzie. Die Männer, die eben hier waren, hatten Order, Sie zu erschießen!«

Gwyneira zitterte vor Angst, als sie James zum Abschied küsste. Wieder einmal würde sie um ihn fürchten müssen. Und das gerade jetzt, wo sie sich endlich gefunden hatten.

Natürlich legte auch sie ihm nahe, zurück nach Lyttelton zu gehen, doch James winkte ab. Er wollte nach Otago. Erst Friday holen – »Der helle Wahnsinn!«, kommentierte Helen – und dann in die Goldfelder.

»Gibst du ihm wenigstens was zu essen mit?«, fragte Gwyn kläglich, als ihre Freundin sie hinausbegleitete. »Und vielen Dank, Helen. Ich weiß, welches Risiko du eingegangen bist.«

Helen winkte ab. »Wenn bei den Kindern alles lief wie geplant, ist er schließlich Rubens Schwiegervater ... Oder willst du immer noch leugnen, dass Fleurette von ihm ist?«

Gwyn lächelte. »Du wusstest das doch immer schon, Helen! Du hast mich selbst zu Matahorua geschickt und ihren Rat gehört. Und, hab ich mir nicht einen guten Mann ausgesucht?«

James McKenzie wurde in der Nacht darauf gefasst, wobei er Glück im Unglück hatte. Er lief einem Suchtrupp aus Kiward Station in die Arme, angeführt von seinen alten Freunden Andy McAran und Poker Livingston. Wären die beiden allein gewesen, hätten sie ihn sicher laufen lassen, aber sie waren gemeinsam mit zwei neuen Arbeitern unterwegs und wollten das Risiko nicht eingehen. Immerhin machten sie keine Anstalten, auf James zu schießen, aber der besonnene McAran teilte die Ansicht von Helen und Gwyn. »Wenn jemand von Beasley oder Barrington Station dich findet, knallen sie dich ab wie einen Hund! Wobei wir von Sideblossom noch gar nicht reden! Warden – unter uns gesagt – ist selbst ein Gauner. Der hat noch so etwas wie Verständnis für dich. Aber Barrington ist tief enttäuscht von dir. Schließlich hattest du dein Ehrenwort gegeben, nicht zu fliehen.«

»Aber doch nur auf dem Weg nach Lyttelton!«, verteidigte James seine Ehre. »Das galt nicht für fünf Jahre Haft!«

Andy zuckte die Schultern. »Jedenfalls ist er sauer. Und Beasley hat eine Heidenangst, noch mehr Schafe zu verlieren. Die zwei Zuchthengste, die er aus England geholt hat, kosten ein Vermögen. Die Farm ist belastet bis zum Gehtnichtmehr. Der kennt kein Pardon! Am besten sitzt du deine Strafe ab.«

Immerhin war der Police Officer nicht böse, als McKenzie zurückkehrte.

»War meine eigene Schuld«, brummte er. »Demnächst werde ich Sie einschließen, McKenzie! Das haben Sie jetzt davon!«

McKenzie blieb ganze drei weitere Wochen brav in Haft, doch als er dann ausbrach, lagen besondere Umstände vor, die den Officer diesmal vor die Tür von Gwyneira auf Kiward Station führten.

Gwyneira begutachtete gerade eine Gruppe Mutterschafe und ihre Lämmer – ein letztes Mal vor dem Auftrieb ins Hochland –, als sie Laurence Hanson, den obersten Gesetzeshüter der County Canterbury, die Auffahrt hinaufreiten sah. Hanson kam nur langsam vorwärts, was daran lag, dass er irgendetwas Kleines, Schwarzes an der Leine mit sich führte. Der

Hund wehrte sich heftig; er machte immer nur dann ein paar Schritte, wenn er Gefahr lief, stranguliert zu werden. Danach stemmte er wieder alle viere in den Boden.

Gwyn runzelte die Stirn. War einer ihrer Hofhunde ausgebrochen? Eigentlich passierte das nie. Und wenn, war doch sicher nicht gleich der Polizeichef zuständig. Rasch verabschiedete sie die beiden Maori-Viehhüter und sandte sie mit den Schafen ins Hochland.

»Ich sehe euch im Herbst!«, sagte sie zu den beiden, die den Sommer bei den Tieren in einer der Weidehütten verbringen sollten. »Achtet vor allem darauf, dass mein Sohn euch hier nicht vor dem Herbst sieht!« Es war illusorisch anzunehmen, dass die Maoris den ganzen Sommer auf den Weiden verbringen würden, ohne zwischendurch ihre Frauen zu besuchen. Aber vielleicht zogen die Frauen ja zu ihnen hinauf. Das konnte man nie wissen; die Stämme waren beweglich. Gwyneira wusste nur, dass Paul sowohl die eine als auch die andere Lösung missbilligen würde.

Jetzt aber ging sie zuerst einmal zum Haus, um den erhitzten Police Officer zu begrüßen, der ihr bereits entgegenkam. Er wusste, wo die Ställe lagen, und wollte offenbar sein Pferd unterstellen. Also schien er es nicht eilig zu haben. Gwyn seufzte. Eigentlich hatte sie anderes zu tun, als den Tag mit Hanson zu verplaudern. Andererseits würde er sicher in allen Einzelheiten von James berichten.

Als Gwyn bei den Pferdeställen ankam, war Hanson eben dabei, den Hund loszubinden, dessen Leine er wohl am Sattel befestigt hatte. Das Tier war zweifellos ein Collie, doch in erbarmungswürdigem Zustand. Sein Fell war stumpf und verklebt, und er war so mager, dass man trotz des langen Haars die Rippen erkennen konnte. Als der Sheriff sich zu ihm herunterbeugte, fletschte das Tier die Zähne und knurrte. Ein so unfreundliches Gesicht war selten bei einem Border. Gwyneira erkannte die Hündin trotzdem sofort.

»Friday!«, sagte sie zärtlich. »Lassen Sie mich, Sheriff, vielleicht erinnert sie sich. Sie war schließlich mein Hund, bis sie fünf Monate alt war.«

Hanson schien skeptisch, ob die Hündin sich wirklich an die Frau erinnerte, von der sie ihre ersten Lektionen im Schaftrieb bekommen hatte, doch Friday reagierte auf Gwyneiras sanfte Stimme. Zumindest wehrte sie sich nicht, als Gwyn sie streichelte und ihre Leine vom Sattelgurt des Pferdes löste.

»Wo haben Sie sie her? Das ist doch …«

Hanson nickte. »Das ist McKenzies Hündin, ja. Kam vor zwei Tagen in Lyttelton an, völlig erschöpft. Sie sehen ja, wie sie aussieht. McKenzie hat sie vom Fenster aus gesehen und einen Aufstand entfesselt. Aber was sollte ich machen, ich kann sie ja nicht ins Gefängnis lassen! Wo kämen wir da hin? Wenn der eine 'nen Hund halten darf, will der Nächste 'ne Miezekatze, und wenn die Katze den Kanarienvogel von 'nem dritten Kerl frisst, kommt's zum Gefängnisaufstand.«

»Na, so schlimm wird's schon nicht sein.« Gwyn lächelte. Zumeist verbrachten die Häftlinge in Lyttelton gar nicht genug Zeit in Haft, um sich ein Haustier zuzulegen. Meist kamen sie zum Ausnüchtern und waren nach einem Tag wieder draußen.

»Jedenfalls geht so was nicht!«, sagte der Sheriff streng. »Ich hab das Tier dann mit nach Hause genommen, aber es wollte nicht bleiben. Kaum ging die Tür auf, rannte es wieder zum Gefängnis. In der zweiten Nacht ist McKenzie dann ausgebrochen. Diesmal hat er wirklich ein Schloss geknackt und beim Metzger prompt Fleisch für den Köter gestohlen. War zum Glück nicht schlimm. Der Metzger hat hinterher behauptet, es sei ein Geschenk gewesen, also gibt's kein weiteres Verfahren … und McKenzie hatten wir am nächsten Tag auch gleich wieder. Aber so geht das natürlich nicht weiter. Der Mann bringt sich für den Köter um Kopf und Kragen. Na ja, da hab ich halt gedacht … weil Sie den Hund gezüchtet haben und Ihr alter Hund doch gerade gestorben ist …«

Gwyneira schluckte. Auch jetzt noch konnte sie nicht an Cleo denken, ohne dass ihre Augen feucht wurden. Sie hatte auch noch keinen neuen Hund ausgewählt. Die Wunde war zu frisch. Aber hier war Friday. Und sie glich ihrer Mutter aufs Haar.

»Da haben Sie richtig gedacht!«, sagte sie ruhig. »Friday kann hier bleiben. Sagen Sie Mr. McKenzie, dass ich auf sie aufpasse. Solange, bis er uns ... äh, sie abholt. Aber nun kommen Sie herein und nehmen Sie eine Erfrischung, Officer. Sie müssen nach dem langen Ritt sehr durstig sein.«

Friday lag hechelnd im Schatten. Noch immer war sie an der Leine, und Gwyn wusste, dass sie ein Risiko einging, als sie sich jetzt zu ihr herunterbeugte und den Strick löste.

»Komm mit, Friday!«, sagte sie sanft.

Die Hündin folgte ihr.

# 11

Ein Jahr nach James McKenzies Verurteilung kehrten George und Elizabeth Greenwood aus England zurück, und Helen und Gwyneira erhielten endlich Nachricht von ihren Kindern. Elizabeth nahm Fleurs Bitte um Diskretion sehr ernst und fuhr selbst mit ihrer kleinen Chaise nach Haldon, um die Briefe zu überbringen. Nicht einmal ihren Mann hatte sie eingeweiht, als sie sich mit Helen und Gwyn auf der Farm der O'Keefes traf. Beide bestürmten sie natürlich mit Fragen nach der Reise, die der jungen Frau offensichtlich gut getan hatte. Elizabeth wirkte entspannter und in sich ruhend.

»London war wunderbar!«, sagte sie mit verklärtem Blick. »Georges Mutter, Mrs. Greenwood, ist ein bisschen ... nun ja, gewöhnungsbedürftig. Aber erkannt hat sie mich nicht, sie fand mich sehr wohlerzogen!« Elizabeth strahlte wie das kleine Mädchen von damals und sah Helen Beifall heischend an. »Und Mr. Greenwood ist reizend und sehr nett zu den Kindern. Georges Bruder mochte ich allerdings nicht. Und dann die Frau, die er geheiratet hat! Sie ist richtig ordinär!« Elizabeth rümpfte selbstgefällig ihr Näschen und legte sorgfältig ihre Serviette zusammen. Gwyneira bemerkte, dass sie es immer noch mit haargenau den gleichen Gesten tat, die Helen den Mädchen damals eingebimst hatte. »Aber nun, da ich die Briefe fand, tut es mir Leid, dass wir die Reise so lange ausgedehnt haben«, entschuldigte sich Elizabeth. »Sie müssen sich die größten Sorgen gemacht haben, Miss Helen – und Miss Gwyn. Aber wie es aussieht, sind Fleur und Ruben wohlauf.«

Helen und Gwyneira waren tatsächlich erleichtert, und

nicht nur wegen der Nachrichten von Fleur, sondern auch über deren ausführliche Erzählungen von Daphne und den Zwillingen.

»Daphne muss die kleinen Mädchen irgendwo in Lyttelton aufgetrieben haben«, las Gwyn aus einem der Briefe Fleurs vor. »Anscheinend lebten sie auf der Straße und hielten sich durch Diebereien über Wasser. Daphne hat sich der Mädchen angenommen und sich rührend um sie gekümmert. Miss Helen kann stolz auf sie sein, obwohl sie natürlich ... das Wort muss man eigentlich buchstabieren ... eine H-u-r-e ist.« Gwyneira lachte. »Also hast du deine Schäfchen alle wiedergefunden, Helen. Aber was machen wir nun mit den Briefen? Verbrennen? Das würde mir sehr Leid tun, aber Gerald oder Paul dürfen sie auf keinen Fall finden, und Howard doch wohl auch nicht!«

»Ich hab ein Versteck«, sagte Helen verschwörerisch und ging zu einem ihrer Küchenschränke. In der Rückwand befand sich ein loses Brett, hinter dem man unauffällig Kleinigkeiten deponieren konnte. Helen bewahrte hier auch etwas erspartes Geld und ein paar Andenken aus Rubens Kinderzeit auf. Verlegen zeigte sie den anderen Frauen eine seiner Zeichnungen und eine Locke.

»Wie süß!«, erklärte Elizabeth und gestand den älteren Frauen, dass sie eine Locke von George in einem Medaillon bei sich trug.

Gwyneira hätte sie fast um diesen greifbaren Beweis ihrer Liebe beneidet, aber dann warf sie einen Blick auf die kleine Hündin, die vor dem Kamin lag und sie anbetend ansah. Nichts konnte sie enger mit James verbinden als Friday.

Ein weiteres Jahr später kamen Gerald und Paul verärgert von einer Viehzüchterversammlung aus Christchurch zurück.

»Der Gouverneur weiß nicht, was er tut!«, schimpfte Gerald und schenkte sich einen Whiskey ein. Nach kurzer Überlegung füllte er auch ein kleines Glas für den vierzehnjährigen Paul. »Verbannung auf Lebenszeit! Wer will das kontrollieren? Wenn es ihm drüben nicht gefällt, ist er mit dem nächsten Schiff wieder da!«

»Wer ist wieder da?«, erkundigte Gwyneira sich mäßig interessiert. Das Essen wurde gleich serviert, und sie gesellte sich mit einem Glas Portwein zu den Männern – schon um Gerald im Auge zu behalten. Es gefiel ihr gar nicht, dass er Paul jetzt schon zum Trinken einlud. Der Junge würde das noch früh genug lernen. Außerdem war sein Temperament auch nüchtern kaum zu kontrollieren. Unter Alkoholeinfluss würde er noch schwieriger werden.

»McKenzie! Der verdammte Viehdieb! Der Gouverneur hat ihn begnadigt!«

Gwyneira spürte, wie das Blut aus ihrem Gesicht wich. James war frei?

»Allerdings unter der Bedingung, dass er schleunigst das Land verlässt. Sie schaffen ihn mit dem nächsten Schiff nach Australien. So weit, so gut – er kann gar nicht weit genug weg sein. Aber da drüben ist er ein freier Mann. Wer will ihn hindern, zurückzukommen?«, polterte Gerald.

»Wäre das nicht unklug?«, fragte Gwyneira tonlos. Wenn James nun wirklich für immer nach Australien ging ... Sie freute sich für ihn über die Begnadigung, aber sie selbst hätte ihn dann verloren.

»In den nächsten drei Jahren schon«, meinte Paul. Er nippte an seinem Whiskey und beobachtete seine Mutter aufmerksam.

Gwyn kämpfte um Haltung.

»Aber dann? Seine Strafe wäre verbüßt. Noch ein paar Jahre, und sie wäre verjährt. Und wenn er dann noch genug Grips hat, um nicht über Lyttelton einzureisen, sondern vielleicht über Dunedin ... Er kann auch seinen Namen ändern, es schert sich doch kein Mensch darum, was in den Passagierlisten steht. Was ist denn, Mutter? Du siehst gar nicht gut aus ...«

Gwyneira klammerte sich an den Gedanken, dass Paul sicher Recht hatte. James würde eine Möglichkeit finden, zu ihr zurückzukommen. Aber sie musste ihn noch einmal sehen! Sie musste es aus seinem eigenen Mund hören, bevor sie wirklich hoffen konnte.

Friday schmiegte sich an Gwyn, die sie geistesabwesend kraulte. Plötzlich hatte sie eine Idee.

Natürlich, die Hündin! Gwyn würde morgen nach Lyttelton reiten und Friday dem Officer zurückbringen, damit er sie James bei der Entlassung übergab. Dabei konnte sie den Mann fragen, ob sie James sehen dürfte, um mit ihm über Friday zu sprechen. Schließlich hatte sie jetzt fast zwei Jahre für das Tier gesorgt. Hanson würde es ihr sicher nicht verweigern. Er war ein gutmütiger Kerl und bestimmt völlig arglos, was ihre Beziehung zu McKenzie betraf.

Wenn das nur nicht auch die Trennung von Friday bedeutet hätte! Gwyn blutete das Herz, wenn sie nur daran dachte. Doch es half nichts, Friday gehörte zu James.

Natürlich zeigte Gerald sich erbost, als Gwyn erklärte, das Tier morgen zurückzubringen. »Damit der Kerl in Australien ohne Verzögerung weiterstehlen kann?«, sagte er höhnisch. »Du bist verrückt, Gwyn!«

Gwyneira zuckte die Schultern. »Mag sein, aber sie gehört nun mal ihm. Und es wird leichter für ihn sein, eine ehrliche Anstellung zu finden, wenn er den Hütehund mitbringt.«

Paul schnaubte. »Der sucht sich doch keine ehrliche Anstellung! Einmal Glücksritter, immer Glücksritter!«

Gerald wollte ihm eifrig beipflichten, doch Gwyn lächelte nur.

»Ich habe von professionellen Spielern gehört, die später

sehr ehrbar zu Schaf-Baronen aufgestiegen sind«, bemerkte sie ruhig.

Am nächsten Tag brach sie in aller Herrgottsfrühe nach Lyttelton auf. Die Strecke war lang, und selbst die lebhafte Raven trabte erst nach fünf Stunden scharfen Rittes über den Bridle Path. Friday, die ihr nachlief, wirkte schon ganz ausgepumpt.

»Du kannst dich im Office ausruhen«, sagte Gwyn freundlich. »Wer weiß, vielleicht lässt Hanson dich sogar schon zu deinem Herrn. Und ich nehme mir ein Zimmer im White Hart. An einem Tag ohne mich werden Paul und Gerald schon nichts anstellen.«

Laurence Hanson fegte eben sein Büro, als Gwyn die Tür zum Police Office öffnete, hinter dem auch die Zellen der Gefangenen lagen. Sie war nie hier gewesen, aber sie fühlte prickelnde Vorfreude. Gleich würde sie James sehen! Zum ersten Mal seit fast zwei Jahren!

Hanson strahlte, als er sie erkannte. »Mrs. Warden! Miss Gwyn! Das ist ja mal eine Überraschung. Ich hoffe, ich verdanke Ihren Besuch keinen unangenehmen Umständen? Sie wollen nicht etwa ein Verbrechen melden?« Der Officer zwinkerte. Offensichtlich hielt er das für so gut wie unmöglich – eine ehrbare Frau hätte stets einen männlichen Familienangehörigen vorgeschickt. »Und was für ein wunderschöner Hund die kleine Friday geworden ist! Wie ist es, Kleine, willst du mich immer noch beißen?«

Er beugte sich zu Friday herab, die sich diesmal zutraulich näherte. »Was für ein weiches Fell sie hat! Wirklich, Miss Gwyn, erstklassig gepflegt!«

Gwyneira nickte und erwiderte seine Begrüßung rasch. »Der Hund ist der Grund für mein Kommen, Officer«, kam sie dann gleich zur Sache. »Ich hörte, dass Mr. McKenzie begnadigt worden ist und bald frei kommt. Da wollte ich das Tier zurückbringen.«

Hanson legte die Stirn in Falten. Gwyn, die eigentlich gleich noch die Bitte vorbringen wollte, zu James vorgelassen zu werden, hielt inne, als sie seine Miene sah.

»Das ist natürlich sehr lobenswert von Ihnen«, bemerkte der Officer. »Aber Sie kommen zu spät. Die *Reliance* ist heute Morgen in See gestochen, Richtung Botany Bay. Und laut Verordnung des Gouverneurs mussten wir Mr. McKenzie an Bord bringen.«

Gwyneira sank das Herz. »Aber wollte er denn nicht auf mich warten? Er ... er wollte doch sicher nicht ohne den Hund ...«

»Was haben Sie denn, Miss Gwyn? Ist Ihnen nicht gut? Setzen Sie sich doch, ich mache Ihnen gern einen Tee!« Hanson schob ihr besorgt einen Stuhl hin. Erst dann beantwortete er ihre Frage.

»Nein, natürlich wollte er nicht ohne den Hund weg. Er bat mich, ihn holen zu dürfen, aber das konnte ich natürlich nicht erlauben. Und dann ... dann sagte er tatsächlich voraus, dass Sie kommen würden! Ich hätte das nie gedacht ... dieser weite Weg für diesen Schurken, und das Tier ist Ihnen doch inzwischen auch ans Herz gewachsen! Aber McKenzie war sich sicher. Er bat herzzerreißend um Aufschub, doch die Order war klar: Ausweisung mit dem nächsten Schiff, und das war die *Reliance*. Und diese Chance konnte er sich nicht entgehen lassen. Aber warten Sie mal, er hat Ihnen einen Brief hinterlassen!« Der Officer machte sich umständlich auf die Suche. Gwyn hätte ihn erwürgen können. Warum hatte er das nicht gleich gesagt?

»Hier ist er, Miss Gwyn. Ich nehme an, er bedankt sich für die Betreuung des Tieres ...« Hanson drückte ihr einen schlichten, aber nach wie vor ordentlich verschlossenen Umschlag in die Hand und wartete gespannt. Sicher hatte er den

Brief bisher nur deshalb nicht geöffnet, weil er davon ausging, dass sie ihn in seinem Beisein lesen würde. Den Gefallen tat Gwyn ihm allerdings nicht.

»Die ... die *Reliance*, sagten Sie ... ist es sicher, dass sie bereits ausgelaufen ist? Könnte es nicht sein, dass sie noch im Hafen liegt?« Gwyneira schob den Brief scheinbar achtlos in eine Tasche ihres Reitkleides. »Manchmal verzögert sich doch das Auslaufen ...«

Hanson zuckte die Schultern. »Ich hab's nicht überprüft. Aber wenn, liegt sie eh nicht am Kai, sondern ankert irgendwo in der Bucht. Da kommen Sie nicht mehr hin, höchstens mit 'nem Ruderboot ...«

Gwyneira stand auf. »Ich schaue es mir auf jeden Fall noch mal an, Officer, man weiß ja nie. Vorerst jedenfalls vielen Dank. Auch für ... Mr. McKenzie. Ich glaube, er weiß genau, was Sie für ihn getan haben.«

Gwyneira hatte das Büro verlassen, bevor Hanson noch reagieren konnte. Sie schwang sich auf Raven, die draußen gewartet hatte, und pfiff der Hündin. »Kommt, wir versuchen es. Ab zum Hafen!«

Gwyn sah sofort beim Erreichen der Kais, dass sie verloren hatte. Hier lag kein hochseetaugliches Schiff vor Anker, und bis zur Botany Bay waren es mehr als tausend Seemeilen. Trotzdem rief sie einem der im Hafen herumhängenden Fischer eine Frage zu.

»Ist die *Reliance* schon lange weg?«

Der Mann warf der erhitzten Frau einen kurzen Blick zu. Dann wies er aufs Wasser.

»Da hinten seh'n Sie se noch, Ma'am! Fährt gerade raus. Nach Sydney, heißt es ...«

Gwyneira nickte. Mit brennenden Augen sah sie dem Schiff hinterher. Friday schmiegte sich an sie und winselte, als wüsste sie genau, was vorging. Gwyn streichelte sie und zog den Brief aus der Tasche.

*Meine geliebte Gwyn,*

*ich weiß, du wirst kommen, um mich vor dieser unglückseligen Reise noch einmal zu sehen, aber es ist zu spät. Du wirst mein Bild also weiter im Herzen tragen müssen. Ich jedenfalls habe das deine vor Augen, wenn ich nur an dich denke, und es vergeht kaum eine Stunde, in der ich das nicht tue. Gwyn, in den nächsten Jahren werden ein paar Meilen mehr zwischen uns liegen als zwischen Haldon und Lyttelton, aber für mich macht das keinen Unterschied. Ich habe dir versprochen, zurückzukommen, und ich habe meine Versprechen noch immer gehalten. Also warte auf mich, verlier die Hoffnung nicht. Ich komme wieder, sobald es mir eben sicher erscheint. Wenn du am wenigsten mit mir rechnest, werde ich da sein! Solange hast du Friday, sie wird dich an mich erinnern. Glück und Segen für dich, meine Lady, und versichere auch Fleur meiner Liebe, wenn du von ihr hörst.*

*Ich liebe dich*

*James*

Gwyneira drückte den Brief an sich und starrte weiter auf das Schiff, das langsam in der Weite der Tasmanischen See verschwand. Er würde zurückkommen – falls er dieses Abenteuer überlebte. Aber sie wusste, dass James die Verbannung als Chance empfand. Er zog die Freiheit in Australien der Langeweile in der Zelle vor.

»Und diesmal hatten wir nicht mal die Chance, mitzugehen«, seufzte Gwyn und streichelte Fridays weiches Fell. »Also komm, reiten wir nach Hause. Das Schiff kriegen wir nicht mehr, und wenn wir noch so schnell schwimmen!«

Die Jahre auf Kiward und O'Keefe Station vergingen im gewohnten Gleichmaß. Nach wie vor mochte Gwyneira die Arbeit auf der Farm, während Helen sie verabscheute. Dabei blieb gerade an Helen immer mehr Landarbeit hängen; sie überstand das alles nur dank George Greenwoods tatkräftiger Hilfe.

Howard O'Keefe kam über den Verlust seines Sohnes nicht hinweg. Dabei hatte er kaum ein freundliches Wort für Ruben gehabt, solange der noch da war, und eigentlich hätte ihm längst klar sein müssen, dass der Junge sich nicht für die Farmarbeit eignete. Dennoch war er der Erbe gewesen, und Howard war fest davon ausgegangen, Ruben würde irgendwann zur Vernunft kommen und den Hof übernehmen. Außerdem hatte er sich jahrelang in dem Umstand gesonnt, dass O'Keefe Station einen Erben hatte – im Gegensatz zu Gerald Wardens prachtvoller Farm. Aber jetzt war Gerald ihm wieder voraus. Sein Enkel Paul ging die Übernahme von Kiward Station mit Elan an, während Howards Erbe seit Jahren verschollen war. Immer wieder bedrängte er Helen, ihm den Aufenthaltsort des Jungen zu verraten. Er war überzeugt, dass sie etwas wusste, denn sie weinte nicht mehr jeden Abend in ihr Kissen, wie im ersten Jahr nach Rubens Flucht, sondern wirkte stolz und zuversichtlich. Helen sagte jedoch nichts, egal wie er ihr zusetzte, und dabei ging er nicht immer zimperlich vor. Besonders wenn er spät nachts aus dem Pub heimkehrte – wo er womöglich Gerald und Paul stolz am Tresen lehnen und mit örtlichen Geschäftsleuten über irgendwelche Belange von Kiward Station verhandeln sah –, brauchte er ein Ventil für seine Wut.

Wenn Helen ihm nur verriete, wo der Knabe sich herumtrieb! Er würde hinreiten und ihn an den Haaren zurückschleifen. Er würde ihn von dieser kleinen Hure herunterreißen, die kurz nach ihm geflohen war, und ihm das Wort *Pflicht* einprügeln. Howard ballte voller Vorfreude die Fäuste, wenn er nur daran dachte.

Vorläufig sah er allerdings nicht viel Sinn darin, das Erbe für Ruben zu bewahren. Sollte der doch die Farm neu aufbauen, wenn er zurückkam. Geschah ihm recht, wenn er dann erst die Zäune erneuern und die Dächer der Scherschuppen reparieren musste! Howard verlegte sich jetzt erst mal darauf, schnell Geld zu verdienen. Dazu gehörte, vielversprechende Nachwuchstiere aus seinen Herden eher zu verkaufen, als selbst damit weiterzuzüchten und das Risiko einzugehen, die Tiere im Hochland zu verlieren. Nur schade, dass George Greenwood und dieser hochnäsige Maori-Junge, auf den er so viel hielt und den er Howard immer wieder als Berater vor die Nase setzen wollte, das nicht einsahen.

»Howard, das Ergebnis der letzen Schur war völlig unbefriedigend!«, gab George seinem Sorgenkind bei einem seiner letzten Besuche zu bedenken. »Kaum durchschnittliche Wollqualität, dazu ziemlich verschmutzt. Dabei waren wir doch schon auf einem wirklich hohen Level! Wo sind denn all die erstklassigen Herden, die Sie aufgebaut hatten?« George bemühte sich, ruhig zu bleiben. Schon deshalb, weil Helen neben ihnen saß und ohnehin schon verhärmt und hoffnungslos aussah.

»Die drei besten Zuchtwidder sind vor ein paar Monaten nach Lionel Station verkauft«, bemerkte Helen bitter. »An Sideblossom.«

»Richtig!«, trumpfte Howard auf und schenkte Whiskey nach. »Er wollte sie unbedingt haben. Seiner Meinung nach waren sie besser als alles, was die Wardens an Zuchttieren anboten!« Beifall heischend blickte er auf sein Gegenüber.

George Greenwood seufzte. »Sicher. Weil Gwyneira Warden ihre besten Widder natürlich für sich selbst behält. Die verkauft nur die zweite Garnitur. Und was soll das jetzt mit den Rindern, Howard? Sie haben wieder welche angeschafft. Und dabei waren wir uns doch einig, dass Ihr Land das nicht trägt …«

»Gerald Warden verdient gut mit seinen Rindern!«, wiederholte Howard trotzig uralte Argumente.

George musste sich zwingen, ihn nicht zu schütteln – und ebenso, nicht selbst immer wieder in die alten Vorhaltungen zu verfallen. Howard begriff es einfach nicht: Er verkaufte wertvolles Zuchtvieh, um damit Zusatzfutter für die Rinder zu kaufen. Die setzte er dann natürlich für den gleichen Preis um, den die Wardens erzielten und der auf den ersten Blick ziemlich hoch erschien. Wie wenig Gewinn das Geschäft aber wirklich abwarf, erfasste nur Helen, die sich ausrechnen konnte, wann ihre Farm wieder vor dem Ruin stand, wie schon ein paar Jahre zuvor.

Aber auch Greenwoods geschäftlich klügere Partner, die Wardens auf Kiward Station, gaben ihm in letzter Zeit zu denken. Zwar florierte dort nach wie vor sowohl die Schaf- als auch die Rinderzucht, doch unter der Oberfläche brodelte es. George merkte es anfangs vor allem daran, dass Gerald und Paul Warden Gwyneira nicht mehr bei ihren Verhandlungen hinzuzogen. Gerald zufolge musste Paul in die Geschäfte eingeführt werden, und seine Mutter wirkte dabei angeblich weniger hilfreich als hemmend.

»Lässt den Jungen nicht von der Leine, wenn Sie verstehen, was ich meine!«, erklärte Gerald und schenkte Whiskey nach. »Immer weiß sie alles besser, das fällt mir schon auf die Nerven. Wie soll es da Paul gehen, der gerade erst anfängt?«

Im Gespräch mit den beiden stellte George dann aber schnell fest, dass Gerald bezüglich der Schafzucht auf Kiward Station längst den Überblick verloren hatte. Und Paul fehlten Verständnis und Weitsicht – kein Wunder bei einem gerade Sechzehnjährigen. In Sachen Zucht entwickelte er wundersame Theorien, die allen Erfahrungswerten widersprachen. So hätte er am liebsten wieder mit Merino-Schafen gezüchtet.

»Fine Wool ist doch eine gute Sache. Qualitativ besser als

Down Type. Wenn wir nur genug Merino einkreuzen, bekommen wir eine ganz neue Mischung, die alles revolutioniert!«

George konnte darüber nur den Kopf schütteln, doch Gerald lauschte dem Jungen mit leuchtenden Augen. Ganz im Gegensatz zu Gwyneira, die eher Wutanfälle entwickelte.

»Wenn ich den Jungen gewähren lasse, geht alles vor die Hunde!«, ereiferte sie sich, als George einen Tag später ihre Gesellschaft suchte und ihr ziemlich aufgewühlt von der Unterhaltung mit Gerald und Paul berichtete. »Gut, auf die Dauer erbt er die Farm, dann habe ich ohnehin nichts mehr zu sagen. Aber bis dahin hat er noch ein paar Jahre Zeit, zur Vernunft zu kommen. Wenn Gerald nur ein bisschen einsichtiger wäre und entsprechend auf ihn einwirken würde! Ich verstehe nicht, was mit ihm los ist. Mein Gott, der Mann verstand doch mal was von Schafzucht!«

George zuckte die Schultern. »Jetzt versteht er wohl mehr von Whiskey.«

Gwyneira nickte. »Er versäuft seinen Verstand. Entschuldigen Sie, dass ich das so sage, aber alles andere wäre beschönigend. Dabei brauchte ich dringend Unterstützung. Das Problem mit Pauls Zuchtideen ist ja nicht das einzige. Im Gegenteil, es ist noch das geringste. Gerald ist bei guter Gesundheit – es wird Jahre dauern, bis Paul die Farm übernimmt. Und selbst wenn ihm dann ein paar Schafe eingehen, das verkraftet der Betrieb. Aber die Konflikte mit den Maoris sind leider nur zu aktuell. Bei denen gibt es so etwas wie Volljährigkeit wohl nicht, oder sie definieren es anders. Jedenfalls haben sie jetzt Tonga zum Häuptling gewählt ...«

»Tonga ist der Junge, den Helen unterrichtet hat, erinnere ich mich da richtig?«, fragte George.

Gwyneira nickte. »Ein sehr gescheites Kind. Und Pauls Erzfeind. Fragen Sie mich nicht wieso, aber die zwei haben sich schon im Sandkasten in den Haaren gelegen. Ich glaube, es geht um Marama. Tonga hat ein Auge auf sie geworfen, aber sie betet Paul an, seit sie zusammen in der Wiege lagen. Auch jetzt noch: Keiner der Maoris will mehr mit ihm zu tun haben, aber Marama ist immer da. Sie redet mit ihm, versucht auszugleichen – Paul merkt gar nicht, was für einen Schatz er da hat! Tonga jedenfalls hasst ihn, und ich glaube, er plant irgendetwas. Die Maoris sind viel verschlossener, seit Tonga das Heilige Beil trägt. Sie kommen zwar noch zur Arbeit, sind aber nicht mehr so fleißig, nicht mehr so ... harmlos. Ich habe das Gefühl, da braut sich was zusammen, obwohl alle mich für verrückt erklären.«

George überlegte. »Ich könnte Reti mal vorschicken. Vielleicht findet er etwas heraus. Unter sich sind sie bestimmt gesprächiger. Aber eine Feindschaft zwischen der Führung von Kiward Station und dem Maori-Stamm am See ist immer kritisch. Sie brauchen doch die Arbeiter!«

Gwyneira nickte. »Außerdem mag ich sie. Kiri und Moana, meine Hausmädchen, sind längst Freundinnen geworden, aber jetzt wechseln sie kaum noch ein persönliches Wort mit mir. Miss Gwyn, ja, Miss Gwyn, nein – mehr kommt nicht von ihnen. Ich hasse das alles. Ich habe schon überlegt, selbst mit Tonga zu sprechen ...«

George schüttelte den Kopf. »Lassen Sie uns erst einmal sehen, was Reti erreicht. Wenn Sie über Pauls und Geralds Kopf hinweg irgendwelche Verhandlungen einleiten, machen Sie die Sache nicht besser.«

Greenwood streckte seine Fühler aus, und was er erfuhr, war so alarmierend, dass er schon eine Woche später erneut nach Kiward Station ritt, begleitet von seinem Assistenten Reti.

Diesmal bestand er darauf, dass Gwyneira an der Unterredung mit Gerald und Paul teilnahm – am liebsten hätte er überhaupt nur mit Gerald und Gwyn gesprochen. Der alte Warden bestand allerdings darauf, seinen Enkel zuzuziehen.

»Tonga hat Klage eingereicht. Im Gouverneursamt in Christchurch, aber das geht auf die Dauer natürlich nach Wellington. Er beruft sich auf den Vertrag von Waitangi. Demzufolge wurden die Maoris beim Erwerb von Kiward Station übervorteilt. Tonga verlangt, die Besitzurkunden für null und nichtig zu erklären oder zumindest einen Vergleich zu schließen. Das bedeutet eine Rückgabe von Land oder Ausgleichszahlungen.«

Gerald kippte seinen Whiskey herunter. »Blödsinn! Die Kai Tahu haben den Vertrag damals nicht mal unterschrieben!«

George nickte. »Das ändert aber nichts an seiner Gültigkeit. Tonga wird sich darauf berufen, dass der Vertrag bisher stets durchgesetzt wurde, wenn es zugunsten der *pakeha* ging. Jetzt fordert er das gleiche Recht für die Maoris. Egal, was sein Großvater 1840 entschieden hat.«

»Dieser Affe!«, tobte Paul. »Ich werde ihn ...«

»Du hältst den Mund!«, sagte Gwyneira streng. »Wenn du nicht diese kindische Fehde begonnen hättest, wäre das ganze Problem gar nicht erst entstanden. Haben die Maoris Chancen, damit durchzukommen, George?«

Greenwood zuckte die Achseln. »Ausgeschlossen ist es nicht.«

»Es ist sogar gut möglich«, mischte Reti sich ein. »Der Gouverneur ist sehr interessiert an einem guten Auskommen zwischen Maoris und *pakeha*. Die Krone weiß sehr wohl zu schätzen, dass die Konflikte sich hier in Grenzen halten. Da werden sie wegen einer Farm keinen Aufstand riskieren.«

»Aufstand ist ja wohl zu viel gesagt! Wir packen uns ein paar Gewehre und räuchern die Bande aus!«, erregte sich Gerald. »Das hat man nun von seiner Gutmütigkeit. Jahrelang hab ich sie am See siedeln lassen, sie konnten sich frei auf meinem Land bewegen und ...«

»Und haben immer für Hungerlöhne für Sie gearbeitet«, fiel Reti ihm ins Wort.

Paul sah aus, als wollte er sich auf ihn stürzen.

»Ein intelligenter junger Mann wie Tonga kann durchaus einen Aufstand entfesseln, täuschen Sie sich da nicht!«, meinte auch George. »Wenn er die anderen Stämme aufhetzt – mit dem bei O'Keefe fängt er an; dessen Land wurde auch vor 1840 erworben. Und was ist mit Beasleys? Mal ganz abgesehen davon: Glauben Sie, Leute wie Sideblossom haben Verträge gewälzt, bevor sie den Maoris das Land abkungelten? Wenn Tonga da anfängt, die Bücher zu prüfen, entfesselt er einen Flächenbrand. Und dann brauchen wir nur noch einen jungen ...«, er warf einen Blick auf Paul, »oder alten Heißsporn wie diesen Sideblossom, der Tonga von hinten erschießt. Dann bricht der Sturm los. Der Gouverneur wird gut daran tun, einen Vergleich zu unterstützen.«

»Gibt es denn schon Vorschläge?«, erkundigte sich Gwyn. »Haben Sie mit Tonga gesprochen?«

»Er will auf jeden Fall das Land, auf dem die Siedlung liegt ...«, begann Reti, was sofort Proteste von Gerald und Paul zur Folge hatte.

»Das Land direkt neben der Farm? Unmöglich!«

»Ich will den Kerl nicht als Nachbarn haben! Das geht doch nie gut!«

»Ansonsten hätte er wohl am liebsten Geld ...«, führte Reti weiter aus.

Gwyn überlegte. »Also, Geld ist schwierig, das müssen wir ihm klar machen. Eher Land. Vielleicht könnte man ja einen Tausch arrangieren. Die Streithähne so nah nebeneinander wohnen zu lassen ist sicher nicht geschickt ...«

»Jetzt reicht's mir aber!« Gerald fuhr auf. »Du glaubst nicht wirklich, dass wir mit dem Kerl verhandeln, Gwyn! Kommt überhaupt nicht in Frage. Er kriegt weder Geld noch Land. Allenfalls eine Kugel zwischen die Augen!«

Der Konflikt spitzte sich weiter zu, als Paul am nächsten Tag einen Maori-Arbeiter niederschlug. Der Mann behauptete, nichts getan zu haben; er habe höchstens einen Befehl ein bisschen zu langsam ausgeführt. Paul dagegen erklärte, der Arbeiter sei unverschämt geworden und habe auf Tongas Forderungen angespielt. Ein paar andere Maoris zeugten für ihren Stammesbruder. Kiri weigerte sich an diesem Abend, Paul das Dinner zu servieren, und selbst der sanfte Witi schnitt ihn. Gerald, wieder einmal sturzbetrunken, entließ daraufhin wutschnaubend das gesamte Hauspersonal. Obwohl Gwyn hoffte, dass die Leute es nicht ernst nahmen, erschienen am nächsten Tag weder Kiri noch Moana zur Arbeit. Auch die anderen Maoris blieben den Ställen und Gartenanlagen fern, nur Marama machte sich eher ungeschickt in der Küche zu schaffen.

»Ich kann nicht gut kochen«, entschuldigte sie sich bei Gwyneira, schaffte es aber immerhin, zum Frühstück mit Pauls Lieblingsmuffins aufzuwarten. Spätestens am Mittag geriet sie dann aber an ihre Grenzen und servierte Süßkartoffeln und Fisch. Am Abend gab es erneut Süßkartoffeln und Fisch und am nächsten Mittag Fisch und Süßkartoffeln.

Auch das trug dazu bei, dass Gerald am Nachmittag des zweiten Tages wütend in Richtung Maori-Dorf stapfte. Doch schon auf halbem Weg zum See begegnete ihm eine Wache, bewaffnet mit Speeren. Zurzeit könne man ihn nicht durchlassen, erklärten die beiden Maoris ernst. Tonga sei nicht im Dorf, und niemand anders habe die Befugnis, Verhandlungen zu führen.

»Es ist Krieg!«, sagte einer der jungen Wächter gelassen. »Tonga sagen, ab jetzt Krieg!«

»Sie werden sich wohl neue Arbeiter in Christchurch oder Lyttelton suchen müssen«, meinte Andy McAran zwei Tage später bedauernd zu Gwyn. Die Arbeit auf der Farm geriet hoffnungslos in Verzug, doch Gerald und Paul reagierten nur mit Wut, wenn einer der Männer den Streik der Maoris dafür verantwortlich machte. »Die Leute vom Dorf werden sich hier nicht mehr blicken lassen, bevor der Gouverneur in der Land-Sache entschieden hat. Und Sie, Miss Gwyn, halten um Gottes willen ein Auge auf Ihren Sohn! Mr. Paul steht kurz vor der Explosion. Und im Dorf tobt Tonga. Wenn da einer die Hand gegen den anderen erhebt, gibt es Tote!«

# 12

Howard O'Keefe suchte nach Geld. Er war so wütend wie schon lange nicht mehr. Wenn er heute Abend nicht in den Pub käme, würde er ersticken! Oder Helen erschlagen – obwohl die diesmal wirklich nichts dafür konnte. Schuld an der Sache trug eher dieser Warden, der seine Maoris bis aufs Blut verärgert hatte. Und Howards missratener Sohn Ruben, der sich sonstwo herumtrieb, statt seinem Vater bei Schafschur und Weideauftrieb zu helfen!

Howard durchsuchte hektisch die Küche seiner Frau. Irgendwo hob Helen sicher Geld auf – ihre eiserne Reserve, wie sie es nannte. Der Teufel mochte wissen, wie sie das von ihrem kargen Haushaltsgeld abzweigte! Bestimmt ging da etwas nicht mit rechten Dingen zu! Und überhaupt war es ja letztlich sein Geld. Alles hier gehörte ihm!

Howard riss einen weiteren Schrank auf, wobei er jetzt auch George Greenwood verfluchte. Dabei war der Wollhändler heute nur Überbringer schlechter Nachrichten gewesen. Die Scherer-Kolonne, die gewöhnlich in diesem Teil der Canterbury Plains arbeitete und zuerst Kiward, dann O'Keefe Station zu besuchen pflegte, würde in diesem Jahr nicht erscheinen. Die Männer wollten gleich nach Otago weiterziehen, wenn sie die Arbeit bei Beasley beendet hatten. Zum Teil lag es daran, dass der Kolonne viele Maori-Scherer angehörten, die sich weigerten, für die Wardens zu arbeiten. Gegen Howard hatten sie zwar nichts, doch in den letzten Jahren hatten die Scherer sich bei ihm so unwohl gefühlt und so viel Zusatzarbeit leisten müssen, dass sie den Umweg scheuten.

»Verwöhntes Volk!«, schimpfte Howard und hatte damit

nicht ganz Unrecht – die Schaf-Barone hätschelten ihre Scherer, die sich selbst als Crème de la Crème der Farmarbeiter betrachteten. Die großen Farmen überboten sich mit Prämien für die besten Scherschuppen, sorgten für erstklassige Verpflegung und luden zu Festen bei Abschluss der Arbeit. Selbstverständlich hatten die Akkord-Scherer auch nichts anderes zu tun, als die Messer zu schwingen: Das Ein- und Austreiben der Schafe, erst recht das Einsammeln vor der Schur, übernahmen die Viehhüter der Farmen. Nur O'Keefe konnte hier nicht mithalten. Er hatte nur wenige Helfer, durchweg junge, unerfahrene Maoris aus Helens Schule; deshalb mussten die Schafscherer helfen, die Schafe zu sammeln und nach der Schur wieder auf Paddocks zu verteilen, um Platz in den Schuppen zu schaffen. Wobei Howard das alles nicht bezahlte, sondern lediglich das Scheren selbst. Und auch den Preis dafür hatte er im letzten Jahr gedrückt, weil die Qualität der Vliese nicht ausreichend war und er dies zumindest teilweise den Scherern anlastete. Heute hatte er die Quittung dafür bekommen.

»Sie müssen sehen, ob Sie Hilfe in Haldon finden«, meinte George schulterzuckend. »In Lyttelton wären die Arbeitskräfte zwar billiger, aber die Hälfte kommt aus der Großstadt, die haben noch nie im Leben ein Schaf gesehen. Bis Sie da genügend Leute angelernt haben, ist der Sommer vorbei. Und beeilen Sie sich. Die Wardens werden sich auch in Haldon umhören. Aber die haben immerhin ihre normale Anzahl an Farmarbeitern, die alle scheren können. Gut, sie werden die drei- oder vierfache Zeit brauchen, um mit der Schur fertig zu werden, aber Miss Gwyn packt das.«

Helen hatte angeregt, sich auch bei den Maoris nach Helfern zu erkundigen. Das war eigentlich die beste Idee, denn seit Tongas Stamm die Wardens bestreikte, waren viele erfahrene Viehhüter frei. Howard grummelte zwar, weil ihm der Einfall nicht selber gekommen war, sagte aber nichts, als

Helen sich gleich auf den Weg ins Dorf machte. Er selbst würde nach Haldon reiten – und dafür brauchte er Geld!

Inzwischen hatte er bereits den dritten Küchenschrank durchwühlt, wobei zwei Tassen und ein Teller zu Bruch gegangen waren. Verärgert warf er das Geschirr aus dem letzten Hängeschrank gleich ganz zu Boden. Ohnehin nur angeschlagene Teetassen ... aber hier! Halt, da war etwas! Begierig löste Howard das lose Brett an der hinteren Wand des Schrankes. Na also, drei Dollar! Zufrieden steckte er das Geld in die Tasche. Aber was bewahrte Helen wohl noch hier auf? Hatte sie Geheimnisse?

Howard warf einen Blick auf Rubens Zeichnung und seine Locke; dann schleuderte er beides beiseite. Sentimentales Zeug! Aber da – Briefe. Howard griff tief ins Versteck und holte einen Schwung ordentlich gebundener Briefe heraus.

Er brauchte etwas, um die Schrift zu entziffern ... verdammt, es war so dunkel in dieser Hütte!

Howard ging mit den Briefen zum Tisch und hielt sie unter die Petroleumlampe. Jetzt endlich erkannte er den Absender:

*Ruben O'Keefe, O'Kay Warehouse, Main Street, Queenstown, Otago*

Da hatte er ihn! Und sie! Er hatte Recht gehabt – Helen stand längst in Verbindung mit seinem missratenen Sohn! Fünf Jahre lang hatte sie ihn an der Nase herumgeführt! Na, die konnte was erleben, wenn sie wiederkam!

Vorerst aber trieb Howard die Neugier. Was tat Ruben in Queenstown? Howard hoffte sehnlichst, dass der Junge zumindest am Hungertuch nagte – und hatte da kaum Zweifel. Nur wenige Goldsucher kamen zu Reichtum, und Ruben war nun wirklich nicht der Geschickteste. Gespannt riss er den letzten Brief auf.

*Liebe Mutter!*

*Ich habe die große Freude, dir die Geburt deiner ersten Enkelin anzuzeigen. Die kleine Elaine Florence erblickte am zwölften Oktober das Licht der Welt. Es war eine leichte Geburt, und Fleurette ist wohlauf. Das Baby ist so klein und zierlich, dass ich zunächst kaum glauben konnte, dass ein so winziges Wesen gesund und lebensfähig ist. Die Hebamme versicherte uns jedoch, alles sei völlig in Ordnung, und nach der Lautstärke, die Elaine beim Schreien entwickelt, darf ich wohl annehmen, dass sie sowohl in Bezug auf ihre zierliche Gestalt als auch auf ihre Durchsetzungskraft meiner geliebten Frau gleichkommen wird. Der kleine Stephen ist ganz bezaubert von seiner Schwester und will sie pausenlos in den Schlaf wiegen. Fleurette hat Angst, er könnte dabei die Wiege umwerfen, doch Elaine scheint den Wirbel zu mögen und kräht ganz vergnügt, wenn er es wilder und wilder treibt.*

*Auch sonst ist von uns und unserem Unternehmen nur Positives zu berichten. O'Kays Warehouse floriert, auch und gerade die Damenmodenabteilung. Fleurette hatte Recht, als sie das damals anregte. Queenstown wird immer mehr zur Stadt, und die weibliche Bevölkerung nimmt stetig zu.*

*Meine Tätigkeit als Friedensrichter füllt mich weiterhin aus. Demnächst wird auch die Stelle eines Police Officers geschaffen – der Ort mausert sich in jeder Beziehung.*

*Das Einzige, was zu unserem Glück fehlt, ist der Kontakt zu dir und zu Fleurettes Familie. Vielleicht ist ja die Geburt unseres zweiten Kindes ein guter Anlass, Vater endlich einzuweihen. Wenn er von unserem erfolgreichen Leben in Queenstown hört, muss er einsehen, dass ich damals richtig gehandelt habe, O'Keefe Station zu verlassen. Das Warenhaus bringt längst viel mehr Gewinn ein, als ich mit der Farm je hätte erwirtschaften können. Ich verstehe, dass Vater an seiner Scholle hängt, aber er wird akzeptieren, dass ich ein anderes Leben bevorzuge. Fleurette würde euch außerdem gern einmal besuchen. Ihrer Ansicht nach ist Gracie hoffnungslos unterbeschäftigt, seit sie nur noch Kinder und keine Schafe mehr hütet.*

*Es grüßen dich und vielleicht auch Vater*
*dein dich liebender Sohn Ruben, deine Schwiegertochter*
*Fleurette und die Kinder*

Howard schnaubte vor Wut. Ein Warenhaus! Ruben hatte sich also kein Beispiel an ihm genommen, sondern – wie konnte es anders sein – an seinem vergötterten Onkel George! Womöglich hatte der ihm auch das Startkapital dafür zur Verfügung gestellt – alles klammheimlich, jeder hatte etwas gewusst, nur er nicht! Und die Wardens lachten sicher über ihn! Die konnten zufrieden sein mit dem Schwiegersohn in Queenstown, der zufällig O'Keefe hieß. Sie hatten ja ihren Erben!

Howard stieß die Briefe vom Tisch und sprang auf. Heute Nacht würde er Helen zeigen, was er von ihrem »liebenden Sohn« und seinem »florierenden Unternehmen« hielt! Aber erst in den Pub! Erst mal schauen, ob er ein paar ordentliche Schafscherer fand – und einen guten Tropfen! Und falls dieser Warden da herumhing ...

Howard griff nach seinem Gewehr, das neben der Tür hing. Der sollte was erleben! Die *alle* sollten was erleben!

Gerald und Paul Warden saßen an einem Ecktisch im Pub von Haldon, in Verhandlungen mit drei jungen Männern vertieft, die sich soeben als Schafscherer beworben hatten. Zwei kamen wohl ernstlich in Frage, einer hatte sogar schon bei einer Schererkolonne gearbeitet. Warum er dort nicht mehr erwünscht war, wurde schnell klar: Der Mann schüttete den Whiskey noch schneller herunter als Gerald. In der augenblicklichen Notlage war er trotzdem Gold wert; man würde ihn nur sorgfältig beaufsichtigen müssen. Der zweite Mann hatte auf verschiedenen Farmen als Viehhüter gearbeitet und dabei auch das Scheren gelernt. Sicher war er nicht schnell, aber dennoch von Nutzen. Was den dritten Mann anging, war Paul sich nicht sicher. Er redete viel, doch mit Beweisen für seine Kenntnisse konnte er nicht aufwarten. Paul beschloss, den beiden ersten einen festen Vertrag anzubieten und den dritten auf Probe mitzunehmen. Die zwei Auserwählten schlugen sofort ein, als er diesen Vorschlag machte. Der dritte Mann jedoch blickte interessiert zur Theke.

Howard O'Keefe gab dort gerade bekannt, dass er Schafscherer suchte. Paul zuckte die Achseln. Schön, wenn der Kerl die Probearbeit auf Kiward Station nicht wollte, sollte O'Keefe ihn haben.

O'Keefe hatte allerdings eher ein Auge auf ihre erste Wahl geworfen. Joe Triffles, den Trinker. Anscheinend kannten sich die Männer. Jedenfalls schlenderte O'Keefe jetzt zu ihnen hinüber und grüßte Triffles, ohne Paul und Gerald auch nur eines Blickes zu würdigen.

»Tag, Joe! Ich such ein paar gute Schafscherer. Interessiert?«

Joe Triffles zuckte die Schultern. »Sonst gern, Howard, aber ich hab gerade hier eingeschlagen. Gutes Angebot, vier Wochen festes Gehalt und Kopfprämien für jedes geschorene Schaf.«

Howard baute sich wütend vor dem Tisch auf.

»Ich zahle dir mehr!«, erklärte er.

Joe schüttelte bedauernd den Kopf. »Ist zu spät, Howie, hab mein Wort gegeben. Wusst ja nicht, dass das hier 'ne Auktion wird, dann hätt ich gewartet ...«

»Und wärst über 'n Tisch gezogen worden!« Gerald lachte. »Der Kerl hier tönt zwar rum, aber er konnte seine Scherer schon letztes Jahr nicht bezahlen! Deshalb will diesmal auch keiner hin. Außerdem regnet's in seine Scherschuppen rein.«

»Dafür will ich 'nen Aufpreis!«, bemerkte der dritte Mann, der Gerald noch nicht zugesagt hatte. »Kriegt man sonst Rheuma von!«

Die Männer lachten jetzt alle, und Howard schäumte vor Wut.

»So, ich kann nicht bezahlen?«, brüllte er. »Mag ja sein, dass meine Farm nicht so viel abwirft wie dein vornehmes Kiward Station. Aber ich brauchte dafür auch nicht die Butler-Erbin mit Gewalt in mein Bett zerren! Hat sie um mich geweint, Gerald? Hat sie dir erzählt, wie glücklich sie mit mir war? Und hat's dich angetörnt?«

Gerald sprang auf und musterte Howard mit höhnischen Blicken. »Ob sie mich angetörnt hat? Barbara, diese Heulsuse? Dieses farblose kleine Ding ohne Mumm in den Knochen? Hör zu, Howard, von mir aus hättest du sie haben können! Mit der Kneifzange hätte ich das magere Ding nicht angefasst. Aber du musstest ja die Farm verspielen! Mein Geld, Howard! Mein sauer verdientes Geld. Und so wahr mir Gott helfe, bevor ich wieder auf Walfang ging, stieg ich lieber auf die kleine Barbara! Und nach wem sie in der Hochzeitsnacht geheult hat, war mir völlig gleich!«

Howard stürzte sich auf ihn. »Sie war mir versprochen!«, schrie er Gerald an. »Sie war mein!«

Gerald wehrte seine Hiebe ab. Er war bereits schwer betrunken, aber noch gelang es ihm, unter Howards ungezielten Schlägen wegzutauchen. Dabei sah er das Kettchen mit dem Jadestück, das Howard immer noch um den Hals trug. Mit einem Ruck zog er es an sich und hielt es hoch, damit alle im Pub es sehen konnten.

»Deshalb trägst du noch immer ihr Geschenk!«, spottete er. »Wie rührend, Howie! Ein Zeichen ewiger Liebe! Was sagt deine Helen dazu?«

Die Männer im Pub lachten. Howard griff in hilfloser Wut nach seinem Andenken, doch Gerald dachte nicht daran, es zurückzugeben.

»Barbara war keinem versprochen«, fuhr er stattdessen fort. »Egal, wie viel Tand ihr getauscht habt! Glaubst du, Butler hätte sie einem Habenichts und Spieler wie dir gegeben? Du hättest auch im Gefängnis landen können, wegen Veruntreuung der Gelder! Aber dank meiner und Butlers Nachsicht hast du deine Farm bekommen, hast deine Chance gehabt! Und was hast du daraus gemacht? Ein verrottetes Haus und ein paar verwahrloste Schafe! Bist die Frau nicht wert, die du dir in England bestellt hast! Kein Wunder, dass dein Sohn dir weggelaufen ist!«

»Das weißt du also auch schon!«, stieß O'Keefe hervor, schlug zu und landete einen Schwinger auf Wardens Nase. »Jeder weiß von meinem wunderbaren Sohn und seiner wunderbaren Frau – hast du die beiden womöglich finanziert, Warden? Um mir eins auszuwischen?«

In seiner flammenden Wut hielt Howard inzwischen alles für möglich. Ja, so musste es gewesen sein! Die Wardens steckten hinter der Ehe, die ihm seinen Sohn entfremdet hatte, hinter dem Warenhaus, das Ruben die Möglichkeit gab, auf Howard und seine Farm zu pfeifen ...

O'Keefe duckte sich unter Geralds rechtem Haken, senkte den Kopf und rammte ihn Gerald mit Wucht in den Magen. Der krümmte sich zusammen. Howard nutzte die Chance, gezielt mit einem Kinnhaken nachzusetzen, und Gerald wurde durch den halben Pub geschleudert. Mit einem hässlichen Laut krachte sein Schädel auf eine Tischkante.

Im Raum herrschte entsetztes Schweigen, als er leblos zu Boden sank.

Paul sah einen dünnen Blutfaden aus Geralds Ohr rinnen.

»Großvater! Großvater, hörst du mich!« Entsetzt kauerte Paul sich neben den leise stöhnenden Mann. Gerald öffnete langsam die Augen, doch er schien durch Paul und die gesamte Szenerie in der Bar hindurchzustieren. Mühsam versuchte er noch einmal, sich aufzurichten.

»Gwyn ...«, flüsterte er. Dann wurden seine Augen glasig.

»Großvater!«

»Gerald! Bei Gott, das wollte ich nicht, Paul! Das wollte ich nicht!«

Zu Tode erschrocken stand Howard O'Keefe vor Gerald Wardens Leiche. »Oh Gott, Gerald ...«

Die anderen Männer im Pub regten sich langsam. Jemand rief nach einem Arzt. Die meisten hatten allerdings nur Augen für Paul, der jetzt langsam aufstand und Howard mit einem Blick fixierte, der starr und tödlich kalt war.

»Sie haben ihn umgebracht!«, sagte Paul leise.

»Aber ich ...« Howard zog sich zurück. Die Kälte und der Hass in Pauls Augen waren fast körperlich spürbar. Howard wusste nicht, wann er jemals zuvor eine solche Angst empfunden hatte. Instinktiv tastete er nach seinem Gewehr, das er vorhin an einen Stuhl gelehnt hatte. Doch Paul war schneller. Seit der Maori-Revolte auf Kiward Station trug er demonstrativ einen Revolver. Zur Selbstverteidigung, wie er behauptete, schließlich konnte Tonga jederzeit einen Angriff starten. Bisher hatte Paul die Waffe allerdings noch nie gezogen. Auch jetzt war er nicht schnell. Kein Revolverheld aus den Groschenheften, die seine Mutter als junges Mädchen verschlungen hatte, nur ein eiskalter Killer, der die Waffe langsam aus dem Holster nahm, zielte und schoss. Howard O'Keefe hatte keine Chance. Seine Augen spiegelten noch Unglauben und Angst, als die Kugel ihn zurückschleuderte. Er war tot, noch bevor er auf den Boden prallte.

»Paul, um Himmels willen, was hast du getan!« George Greenwood hatte den Pub erst betreten, nachdem die Schlägerei zwischen Gerald und Howard schon im Gange war. Jetzt wollte er eingreifen, doch Paul richtete die Waffe auch auf ihn. Sein Blick flackerte.

»Ich habe ... es war Notwehr! Ihr alle habt es gesehen! Er hat nach dem Gewehr gegriffen!«

»Paul, steck die Waffe weg!« George hoffte nur noch, ein

weiteres Blutbad verhindern zu können. »Das kannst du alles dem Officer erzählen. Wir schicken nach Mr. Hanson ...«

Das friedliche kleine Haldon hatte nach wie vor keinen eigenen Gesetzeshüter.

»Hanson kann mich mal! Es war Notwehr, das kann jeder hier bezeugen. Und er hat meinen Großvater getötet!« Paul kniete neben Gerald nieder. »Ich habe ihn gerächt! Das ist nur fair. Ich hab dich gerächt, Großvater!« Pauls Schultern zuckten im Rhythmus seines Schluchzens.

»Sollen wir ihn festsetzen?«, fragte Clark, der Besitzer des Pubs, leise in die Runde.

Richard Candler wehrte erschrocken ab. »Bloß nicht! Solange er die Waffe hat ... wir sind doch nicht lebensmüde! Da soll Hanson sich mit herumärgern. Jetzt holen wir erst mal den Doktor.« Über einen Arzt verfügte Haldon immerhin, und wie sich herausstellte, war der auch schon benachrichtigt. Er erschien gleich darauf im Pub und stellte rasch den Tod Howard O'Keefes fest. An Gerald wagte er sich allerdings nicht heran, solange Paul seinen Großvater schluchzend in den Armen hielt.

»Können Sie nicht was machen, dass er ihn loslässt?«, fragte Clark, an George Greenwood gewandt. Er war offensichtlich interessiert daran, die Leichen so bald als möglich aus seiner Wirtschaft zu schaffen. Möglichst noch vor der Sperrstunde; die Schießerei würde das Geschäft sicher beleben.

Greenwood zuckte die Achseln. »Lasst ihn. Solange er weint, schießt er wenigstens nicht. Und regt ihn bloß nicht weiter auf. Wenn er meint, es war Notwehr, dann war's eben Notwehr. Was ihr morgen dem Officer erzählt, ist eine andere Sache.«

Paul kam langsam wieder zu sich und erlaubte dem Arzt, seinen Großvater zu untersuchen. Mit einem letzten Funken Hoffnung im Blick beobachtete er, wie Doktor Miller den alten Mann abhorchte.

Doktor Miller schüttelte den Kopf. »Tut mir Leid, Paul, da ist nichts mehr zu machen. Schädelbruch. Er ist auf der Tischkante aufgeschlagen. Der Kinnhaken hat ihn nicht umgebracht, aber der unglückliche Sturz. Im Grunde war's ein Unfall, Junge, tut mir Leid.« Er klopfte Paul tröstend auf die Schulter. Greenwood fragte sich, ob er wusste, dass der Junge Howard erschossen hatte.

»Wir lassen die beiden jetzt zum Bestatter bringen, morgen kann Hanson sie sich ansehen«, bestimmte Miller. »Gibt es jemanden, der den Jungen nach Hause bringt?«

George Greenwood bot sich an, während die Bürger von Haldon eher verhalten reagierten. Schießereien war man hier nicht gewöhnt, selbst Schlägereien waren selten. Normalerweise hätte man die Streithähne auch gleich getrennt, aber in diesem Fall war das Wortgefecht zwischen Gerald und Howard zu fesselnd gewesen. Wahrscheinlich hatte jeder der anwesenden Männer sich schon darauf gefreut, es gleich seiner Gattin weiterzuerzählen. Morgen, dachte George seufzend, war es Stadtgespräch. Doch im Grunde spielte es keine Rolle. Er musste jetzt erst einmal Paul nach Hause schaffen und dann überlegen, was man tun konnte. Ein Warden in einem Mordprozess? In George sträubte sich alles. Es musste eine Möglichkeit geben, die Sache niederzuschlagen.

Gwyneira hätte die Rückkehr von Paul und Gerald gewöhnlich verschlafen. In den letzten Monaten war sie abends noch erschöpfter als sonst, denn neben der Arbeit auf der Farm blieb nun ja auch die Hausarbeit an ihr hängen. Gerald hatte zwar notgedrungen die Anstellung weißer Farmarbeiter bewilligt, aber kein Hauspersonal. So ging ihr nach wie vor nur Marama zur Hand – und das reichlich ungeschickt. Das Mädchen hatte seiner Mutter Kiri zwar im Haus geholfen, seit es klein war, doch Marama hatte kein Geschick dafür. Ihre

Begabung lag auf künstlerischem Gebiet; sie galt jetzt schon als kleine *tohunga* bei ihrem Stamm, unterwies andere Mädchen im Singen und Tanzen und erzählte fantasievolle Mischungen aus den Sagen ihres Volkes und den Märchen der *pakeha*. Sie konnte einen Maori-Haushalt führen, Feuer machen und Speisen auf heißen Steinen oder in der Glut garen. Möbel zu polieren, Teppiche zu klopfen und Gerichte stilvoll zu servieren lag ihr jedoch nicht. Dabei war gerade die Küche Gerald ein Anliegen, und um ihn nicht zu erzürnen, tasteten sich Gwyn und Marama nun gemeinsam an die Rezepte der verstorbenen Barbara Warden heran. Zum Glück konnte Marama fließend Englisch lesen. Die Bibel war in der Küche also nicht mehr vonnöten.

Heute Abend hatten Paul und Gerald allerdings in Haldon gegessen. Marama und Gwyn hatten sich mit Brot und Früchten begnügt. Danach saßen sie noch einträglich vor dem Kamin zusammen.

Gwyn fragte, ob die Maoris dem Mädchen seine »Streikbrecherei« übel nahmen, doch Marama verneinte.

»Tonga ist natürlich böse«, sagte sie mit ihrer singenden Stimme. »Er will, dass alle tun, was er sagt. Aber das ist nicht Brauch bei uns. Wir entscheiden selbst, und ich habe ihm noch nicht im Gemeinschaftshaus beigelegen, auch wenn er meint, dass ich es eines Tages tun werde.«

»Haben deine Mutter und dein Vater da nicht ein Wort mitzureden?« Gwyneira verstand die Bräuche der Maoris immer noch nicht ganz. Sie konnte nach wie vor nicht fassen, dass die Mädchen ihre Männer selbst wählten und oft genug mehrmals wechselten.

Marama schüttelte den Kopf. »Nein. Meine Mutter sagt nur, es wäre seltsam, wenn ich Paul beiliege, weil wir doch Milchgeschwister sind. Es wäre unschicklich, wenn er einer von uns wäre, aber er ist *pakeha* und auch sonst ganz anders … er ist sicher kein Mitglied des Stammes.«

Gwyneira hätte sich fast an ihrem Sherry verschluckt, als Marama so selbstverständlich von Beischlaf mit ihrem siebzehnjährigen Sohn sprach. Allerdings dämmerte ihr jetzt ein Verdacht, weshalb Paul so aggressiv auf die Maoris reagierte. Er wollte ausgestoßen werden. Um eines Tages Marama beiliegen zu dürfen? Oder einfach, um unter den *pakeha* nicht auch noch als »anders« verschrien zu werden?

»Du magst Paul also lieber als Tonga?«, fragte Gwyn vorsichtig.

Marama nickte. »Ich liebe Paul«, sagte sie schlicht. »So wie *rangi papa* liebte.«

»Warum?« Die Frage kam Gwyneira über die Lippen, bevor sie nachdenken konnte. Dann schoss ihr die Röte ins Gesicht. Sie hatte schließlich zugegeben, dass sie an ihrem eigenen Sohn nichts Liebenswertes finden konnte. »Ich meine«, schwächte sie ab, »Paul ist schwierig und ...«

Marama nickte wieder. »Liebe ist auch nicht einfach«, erklärte sie dann. »Paul ist wie ein reißender Strom, den man durchwaten muss, bevor man zu den besten Fischgründen gelangt. Aber er ist ein Strom von Tränen, Miss Gwyn. Muss man stillen durch Liebe. Nur dann kann er ... kann er ein Mensch werden ...«

Gwyn hatte lange über die Worte des Mädchens nachgedacht. Sie schämte sich wie so oft für alles, was sie Paul angetan hatte, indem sie ihn nicht liebte. Aber sie hatte doch nun wirklich wenig Gründe dazu! Während sie sich zum hundertsten Mal schlaflos im Bett herumwälzte, schlug Friday an. Das war ungewöhnlich. Zwar hörte sie im Erdgeschoss Männerstimmen, aber sonst pflegte die Hündin nicht auf Pauls und Geralds Rückkehr zu reagieren. Hatten die beiden einen Gast mitgebracht?

Gwyneira warf sich einen Morgenmantel über und ging

hinaus. Es war noch nicht spät; vielleicht waren die Männer noch nüchtern genug, um sie über den Erfolg ihrer Suche nach Schafscherern zu informieren. Und falls sie irgendeinen Zechkumpan eingeschleppt hätten, wüsste sie wenigstens, was sie am nächsten Morgen erwartete.

Um sich im Zweifelsfall ungesehen wieder zurückziehen zu können, schlich sie lautlos auf die Treppe – und war verwundert, als sie George Greenwood im Salon erkannte. Er führte den erschöpft wirkenden Paul soeben in Geralds Herrenzimmer und entfachte dort die Lichter. Gwyneira folgte den beiden.

»Guten Abend, George ... Paul«, gab sie sich zu erkennen. »Wo steckt Gerald? Ist etwas passiert?«

George Greenwood erwiderte den Gruß nicht. Er hatte zielstrebig die Vitrine geöffnet, holte eine Flasche Brandy heraus, den er dem allgegenwärtigen Whiskey vorzog, und füllte drei Gläser mit der bernsteingelben Flüssigkeit.

»Hier, trink, Paul. Und Sie, Miss Gwyn, werden auch etwas brauchen.« Er reichte ihr ein Glas. »Gerald ist tot, Gwyneira. Howard O'Keefe hat ihn erschlagen. Und Paul hat Howard O'Keefe getötet.«

Gwyneira brauchte Zeit, um das alles zu begreifen. Sie trank langsam ihren Brandy, während George ihr die Vorgänge schilderte.

»Es war Notwehr!«, verteidigte sich Paul. Er schwankte zwischen Schluchzen und verstockter Abwehr.

Gwyn blickte George fragend an.

»Man kann es so sehen«, meinte Greenwood zögernd. »O'Keefe griff zweifellos nach seiner Flinte. Aber in der Praxis hätte es noch ewig gedauert, bis er das Ding aufgehoben, entsichert und in Anschlag gebracht hätte. Bis dahin hätten die anderen Männer ihn längst entwaffnet. Paul hätte ihn selbst mit einem gut gezielten Faustschlag stoppen oder ihm zumindest die Waffe entwinden können. Ich fürchte, das werden die Zeugen auch so schildern.«

»Dann war es Rache!«, trumpfte Paul auf und kippte seinen Brandy hinunter. »Er hat als Erster getötet!«

»Zwischen einem Faustschlag mit unglücklichen Folgen und einem gezielten Schuss in die Brust besteht ein Unterschied!«, gab George zurück, jetzt auch ein wenig aufgebracht. Er nahm die Brandyflasche, bevor Paul sich nachschenken konnte. »O'Keefe wäre mit Sicherheit höchstens des Totschlags angeklagt worden. Wenn überhaupt. Die meisten Leute im Pub werden aussagen, Geralds Tod war ein Unfall.«

»Und soviel ich weiß, gibt es auch kein Recht auf Rache«, seufzte Gwyn. »Was du getan hast, Paul, nennt man Selbstjustiz – und das ist strafbar.«

»Die können mich nicht einsperren!« Pauls Stimme klang brüchig.

George nickte. »Oh doch. Und ich fürchte, dass der Officer genau das tun wird, wenn er morgen hier eintrifft.«

Gwyneira hielt ihm ihr Glas noch einmal hin. Sie konnte sich nicht erinnern, je zuvor mehr als einen Schluck Brandy genossen zu haben, aber heute brauchte sie es. »Also, was nun, George? Können wir etwas tun?«

»Ich bleibe nicht hier!«, rief Paul. »Ich fliehe, ich gehe ins Hochland. Ich kann leben wie die Maoris! Man wird mich niemals finden!«

»Rede keinen Unsinn, Paul!«, fuhr Gwyneira ihn an.

George Greenwood drehte sein Glas in den Händen.

»Vielleicht hat er gar nicht so Unrecht, Gwyneira«, meinte er. »Wahrscheinlich kann er nichts Besseres tun, als zu verschwinden, bis ein wenig Gras über die Sache gewachsen ist. In einem Jahr oder so haben die Jungs im Pub den Vorfall vergessen. Und unter uns gesagt, ich glaube kaum, dass Helen O'Keefe die Angelegenheit mit sehr viel Energie verfolgen wird. Wenn Paul zurückkommt, wird man die Sache natürlich verhandeln. Aber dann kann er die Notwehr-Theorie glaubhafter vertreten. Sie kennen doch die Leute, Gwyn! Morgen erinnert man sich noch daran, dass der eine nur ein altes Gewehr hatte und der andere einen Trommelrevolver. In drei Monaten erzählt man sich vermutlich, beide wären mit Kanonen bewaffnet gewesen ...«

Gwyneira nickte. »Zumindest sparen wir uns das Aufsehen um einen Prozess, solange diese heikle Sache mit den Maoris noch läuft. Für Tonga ist das alles ein gefundenes Fressen ... geben Sie mir bitte noch einen Brandy, George. Ich kann das alles nicht glauben. Wir sitzen hier und unterhalten uns über strategisch kluges Vorgehen, und dabei sind zwei Menschen umgekommen!«

Während George ihr Glas noch einmal füllte, schlug Friday erneut an.

»Der Officer!« Paul griff nach seinem Revolver, doch George fiel ihm in den Arm. »Um Himmels willen, mach dich nicht unglücklich, Junge! Wenn du noch jemanden erschießt – oder gar Hanson bedrohst –, hängst du, Paul Warden! Und all dein Vermögen und dein Name retten dich nicht!«

»Der Officer kann es auch gar nicht sein«, meinte Gwyn und erhob sich leicht schwankend. Selbst wenn die Leute aus Haldon noch bei Nacht einen Boten nach Lyttelton gesandt hätten, konnte Hanson erst am nächsten Nachmittag erscheinen.

Stattdessen stand Helen O'Keefe zitternd und durchweicht vom Regen in der Tür von der Küche zum Salon. Verwirrt ob der Stimmen im Herrenzimmer hatte sie sich nicht getraut einzutreten – und schaute nun unsicher von Gwyneira zu George Greenwood.

»George ... was machst du ...? Egal, Gwyn, du musst mich heute Nacht irgendwo unterbringen. Ich kann gern auch im Stall schlafen, wenn du mir nur ein paar trockene Sachen gibst. Ich bin völlig durchnässt. Nepumuk ist nicht sehr schnell.«

»Aber was machst du hier?« Gwyneira legte den Arm um ihre Freundin. Helen war nie zuvor auf Kiward Station gewesen.

»Ich ... Howard hat Rubens Briefe gefunden ... Er hat sie überall im Haus herumgeworfen und das Geschirr zerschlagen ... Gwyn, wenn er heute Nacht betrunken heimkommt, bringt er mich um!«

Als Gwyn der Freundin vom Tod Howards berichtete, zeigte sie sich sehr gefasst. Die Tränen, die sie vergoss, galten eher all dem Leid, dem Schmerz und dem Unrecht, das sie erlebt und gesehen hatte. Die Liebe zu ihrem Mann war längst erloschen. Viel mehr zeigte sie sich besorgt darüber, Paul könne wegen Mordes vor Gericht gestellt werden.

Gwyneira suchte alles Geld zusammen, das sie im Haus finden konnte, und wies Paul an, nach oben zu gehen und seine Sachen zu packen. Sie wusste, dass sie ihm eigentlich dabei helfen sollte; der Junge war verwirrt und völlig erschöpft. Bestimmt konnte er keinen klaren Gedanken mehr fassen. Als er die Treppe heraufstolperte, kam ihm allerdings schon Marama mit einem Bündel entgegen.

»Ich brauche deine Satteltaschen, Paul«, sagte sie sanft. »Und dann müssen wir in die Küche, wir sollten ein paar Lebensmittel mitnehmen, meinst du nicht auch?«

»Wir?«, fragte Paul unwillig.

Marama nickte. »Natürlich. Ich komme mit dir. Ich bin da.«

# 13

Officer Hanson war nicht wenig verwundert, als er am nächsten Tag nicht Paul Warden, sondern Helen O'Keefe auf Kiward Station antraf. Natürlich zeigte er sich wenig begeistert von der Situation.

»Miss Gwyn, in Haldon gibt es Leute, die Ihren Sohn des Mordes beschuldigen. Und nun hat er sich auch noch der Untersuchung des Falles entzogen. Ich weiß nicht, was ich davon halten soll.«

»Ich bin überzeugt, er kommt zurück«, erklärte Gwyn. »Das alles ... der Tod seines Großvaters, und dann auch noch, dass Helen plötzlich hier auftauchte ... er hat sich schrecklich vor ihr geschämt. Das alles war zu viel für ihn.«

»Na, dann hoffen wir das Beste. Nehmen Sie die Sache nicht auf die leichte Schulter, Miss Gwyn. Wie es aussieht, hat er dem Mann geradewegs in die Brust geschossen. Und O'Keefe, da sind die Zeugen sich einig, war praktisch unbewaffnet.«

»Aber er hat ihn doch herausgefordert«, meinte Helen. »Mein Mann, Gott hab ihn selig, konnte sehr provozierend sein, Sheriff. Und der Junge war bestimmt nicht mehr nüchtern.«

»Der Junge konnte die Situation vielleicht nicht ganz einschätzen«, fügte George Greenwood hinzu. »Der Tod seines Großvaters hatte ihn völlig aus der Bahn geworfen. Und als er dann sah, dass Howard O'Keefe zur Waffe griff ...«

»Sie wollen nicht ernsthaft dem Opfer die Schuld geben!«, rügte Hanson streng. »Die alte Jagdflinte war doch keine Bedrohung!«

»Das stimmt«, lenkte George ein. »Was ich sagen wollte, war eher … nun, es waren höchst unglückliche Umstände. Diese dumme Schlägerei, der schreckliche Unfall. Wir alle hätten eher eingreifen müssen. Aber ich denke, die Untersuchung kann warten, bis Paul zurückkommt.«

»*Falls* er zurückkommt!«, brummte Hanson. »Ich hätte nicht übel Lust, einen Suchtrupp auszuschicken.«

»Meine Männer stehen Ihnen gern zur Verfügung«, erklärte Gwyneira. »Glauben Sie mir – ich sähe meinen Sohn auch lieber in Ihrem sicheren Gewahrsam als irgendwo allein im Hochland. Zumal er von den Maori-Stämmen keine Unterstützung zu erwarten hat.«

Damit hatte sie zweifellos Recht. Denn obwohl der Sheriff zunächst auf eine Untersuchung verzichtete und auch nicht den Fehler beging, den Vieh-Baronen mitten in der Schur ihre Arbeiter zwecks Aufstellung eines Suchtrupps zu entziehen: Tonga nahm die Angelegenheit nicht einfach so hin. Paul hatte Marama. Egal ob sie freiwillig mit ihm gegangen war oder nicht – Paul hatte das Mädchen, das Tonga wollte. Und jetzt endlich schützten Paul die Mauern der *pakeha*-Häuser nicht mehr. Es gab nicht mehr den reichen Viehzüchter und den Maori-Jungen, den keiner richtig ernst nahm. Jetzt gab es nur noch zwei Männer im Hochland. Für Tonga war Paul vogelfrei. Doch vorerst wartete er. Er war nicht so dumm wie die Weißen, dem Geflohenen kopflos hinterherzusetzen. Irgendwann würde er erfahren, wo Paul und Marama steckten. Und dann würde er ihn finden.

Gwyneira und Helen beerdigten Gerald Warden und Howard O'Keefe. Danach nahmen beide ihr Leben wieder auf, wobei sich für Gwyneira nicht viel änderte. Sie organisierte die

Schafschur und machte zunächst den Maoris ein Friedensangebot.

Mit Reti als Dolmetscher wanderte sie ins Dorf und nahm die Verhandlungen auf.

»Ihr sollt das Land haben, auf dem euer Dorf steht«, erklärte sie und lächelte verunsichert. Tonga stand ihr mit starrem Gesicht gegenüber, gestützt auf das Heilige Beil als Zeugnis seiner Häuptlingswürde. »Ansonsten müssen wir uns etwas überlegen. Ich habe nicht viel Bargeld – nach der Schafschur wird das allerdings etwas besser aussehen, und vielleicht können wir auch Wertanlagen verkaufen. Ich bin noch nicht sehr weit mit Mr. Geralds Nachlass. Aber sonst … wie wäre es mit dem Land zwischen unseren eingezäunten Weiden und O'Keefe Station?«

Tonga zog eine Augenbraue hoch. »Miss Gwyn, ich weiß Ihre Bemühungen zu schätzen, aber ich bin nicht dumm. Ich weiß genau, dass Sie keinerlei Handhabe besitzen, hier irgendwelche Angebote zu machen. Sie sind nicht die Erbin von Kiward Station – tatsächlich gehört die Farm Ihrem Sohn Paul. Und Sie wollen nicht ernsthaft behaupten, er hätte Sie ermächtigt, in seinem Namen mit mir zu verhandeln?«

Gwyneira schlug die Augen nieder. »Nein, das hat er nicht. Aber, Tonga, wir leben hier zusammen. Und wir haben immer in Frieden gelebt …«

»Ihr Sohn hat diesen Frieden gebrochen!«, sagte Tonga hart. »Er hat mich und meine Leute beleidigt … Ihr Mr. Gerald hat zudem meinen Stamm betrogen. Das ist lange her, ich weiß, aber wir haben länger gebraucht, um es herauszufinden. Eine Entschuldigung dafür ist bislang nicht erfolgt …«

»Ich entschuldige mich!«, meinte Gwyn.

»Sie tragen nicht das Heilige Beil! Ich akzeptiere Sie durchaus, Miss Gwyn, als *tohunga*. Sie verstehen mehr von Viehzucht als die meisten Ihrer Männer. Aber rechtlich gesehen sind Sie nichts und haben nichts.« Er wies auf ein kleines Mädchen, das am Rand des Verhandlungsplatzes spielte. »Kann dieses Kind für die Kai Tahu sprechen? Nein. Ebenso wenig sprechen Sie, Miss Gwyn, für den Stamm der Wardens.«

»Aber was machen wir dann?«, fragte Gwyn verzweifelt.

»Das Gleiche wie zuvor. Wie befinden uns im Kriegszustand. Wir werden Ihnen nicht helfen, im Gegenteil, wir werden Sie behindern, wo es nur geht. Wundern Sie sich nicht, dass niemand Ihre Schafe scheren will? Wir haben das verhindert. Wir werden auch Ihre Straßen sperren, den Abtransport Ihrer Wolle behindern – wir lassen die Wardens nicht zur Ruhe kommen, Miss Gwyn, bis der Gouverneur ein Urteil gesprochen hat und Ihr Sohn bereit ist, es anzuerkennen.«

»Ich weiß nicht, wie lange Paul wegbleiben wird«, meinte Gwyneira hilflos.

»Dann wissen wir auch nicht, wie lange wir kämpfen werden. Ich bedauere das, Miss Gwyn«, schloss Tonga und wandte sich ab.

Gwyneira seufzte. »Ich auch.«

In den nächsten Wochen kämpfte sie sich durch die Schafschur, tatkräftig unterstützt von ihren Männern und den beiden Arbeitern, die Gerald und Paul noch in Haldon verpflichtet hatten. Joe Triffle musste ständig überwacht werden, doch wenn man ihn vom Alkohol fern hielt, leistete er als Scherer so viel wie drei gewöhnliche Viehhüter. Helen, die bislang noch keine Helfer hatte, beneidete Gwyn um diesen fähigen Mann.

»Ich würde ihn dir ja abtreten«, sagte Gwyn. »Doch glaub mir, du allein kannst ihn nicht kontrollieren, das geht nur, wenn die ganze Kolonne an einem Strang zieht. Aber ich schicke sie dir sowieso alle, sobald wir hier fertig sind. Es dauert nur so elend lange. Kriegst du die Schafe so lange ernährt?«

Die Weiden um die Farmen herum waren zurzeit der Schur zumeist abgefressen. Man trieb die Tiere dann den Sommer über ins Hochland.

»Mehr schlecht als recht«, murmelte Helen. »Ich gebe ihnen das Futter, das für die Rinder bestimmt war. Die hat George ja in Christchurch verkauft, sonst hätte ich nicht mal die Beerdigung bezahlen können. Auf Dauer werde ich auch die Farm verkaufen müssen. Ich bin nicht wie du, Gwyn, ich schaffe das nicht allein. Und wenn ich ehrlich sein soll: Ich mag auch keine Schafe.« Ungeschickt streichelte sie den jungen Hütehund, den Gwyn ihr als Erstes geschenkt hatte. Das Tier war voll ausgebildet und half ihr enorm bei der Arbeit auf der Farm. Allerdings kontrollierte Helen ihn nur ungenügend. Der einzige Vorteil, den sie Gwyn gegenüber hatte, lag in ihrem nach wie vor freundschaftlichen Verhältnis zu den Maoris. Ihre Schulkinder halfen ihr ganz selbstverständlich bei der Farmarbeit, und so hatte Helen zumindest Gemüse aus dem Garten, Eier, Milch und häufig frisches Fleisch, wenn die kleinen Jungen sich in der Jagd übten oder ihre Eltern ihnen Fische als Geschenk für die Lehrerin mitgaben.

»Hast du Ruben schon geschrieben?«, fragte Gwyn.

Helen nickte. »Aber du weißt ja, wie lange es dauert. Die Post geht erst nach Christchurch und dann nach Dunedin …«

»Dabei könnten die Wagen vom O'Kay Warehouse sie bald mitnehmen«, bemerkte Gwyneira. »Fleur schrieb in ihrem letzten Brief, dass eine Lieferung für sie in Lyttelton erwartet wird. Sie müssen also jemanden hinschicken, um sie abzuholen. Wahrscheinlich sind sie schon auf dem Weg. Aber jetzt lass uns mal über meine Wolle reden – die Maoris drohen, unsere Wege nach Christchurch zu sperren, und ich traue Tonga zu, die Wolle schlichtweg zu rauben – als kleinen Vorschuss auf die Ausgleichszahlungen, die der Gouverneur ihm zusprechen wird. Na, die Suppe gedenke ich ihm zu versalzen. Bist du einverstanden, dass wir alles zu dir bringen, in deinem Kuhstall lagern, bis deine Schur ebenfalls abgeschlossen ist, und dann alles über Haldon befördern? Wir werden etwas später auf den Markt kommen als die anderen Züchter, aber daran können wir nichts ändern ...«

Tonga tobte, doch Gwyns Plan ging auf. Während seine Männer die Straßen bewachten, wobei ihre Begeisterung zunehmend schwand, übernahm George Greenwood die Wolle von Kiward Station und O'Keefe Station in Haldon. Tongas Leute, denen er üppigen Verdienst versprochen hatte, wurden darüber ungeduldig und hielten ihm vor, dass sie um diese Zeit gewöhnlich Geld bei den *pakeha* verdienten.

»Fast genug für das ganze Jahr!«, klagte Kiris Mann. »Stattdessen werden wir jetzt herumziehen müssen und jagen, wie früher. Kiri freut sich nicht auf einen Winter im Hochland!«

»Vielleicht trifft sie da ja wieder mit ihrer Tochter zusammen!«, gab Tonga böse zurück. »Und deren *pakeha*-Mann. Dem kann sie dann ihr Leid klagen – er ist schließlich verantwortlich.«

Tonga hatte noch nichts von Paul und Marama gehört. Aber er war geduldig. Er wartete. Und dann ging seinen Straßensperren doch noch ein Planwagen ins Netz. Allerdings kam er nicht aus Kiward Station, sondern aus Christchurch, enthielt keine Vliese, sondern Damenkleider, und eigentlich gab es keinen vertretbaren Grund, ihn anzuhalten. Aber Tongas Männer gerieten langsam außer Kontrolle. Und brachten damit mehr Dinge in Bewegung, als Tonga geahnt hätte.

Leonard McDunn steuerte sein schweres Gefährt über die immer noch ziemlich holprige Landstraße von Christchurch nach Haldon. Das war natürlich ein Umweg, aber sein Arbeitgeber Ruben O'Keefe hatte ihm aufgetragen, in Haldon ein paar Briefe abzugeben und sich auch ein wenig auf einer Farm in der Gegend umzusehen.

»Aber unauffällig, McDunn, bitte! Wenn mein Vater dahinterkommt, dass meine Mutter Kontakt zu mir hält, kommt sie in Teufels Küche. Meine Frau meint sowieso, das Risiko wäre zu groß, aber ich habe so ein ungutes Gefühl ... Ich kann nicht glauben, dass die Farm wirklich so sehr floriert, wie meine Mutter behauptet. Wahrscheinlich wird es reichen, wenn Sie sich in Haldon ein bisschen umhören. In dem Ort kennt jeder jeden, und zumindest die Ladenbesitzerin ist sehr gesprächig ...«

McDunn hatte freundlich genickt und lachend die Bemerkung gemacht, er übe dann schon ein bisschen geschickte Verhörtechnik. In Zukunft, so dachte er auch jetzt wieder erfreut, würde er das brauchen können. Dies war seine letzte Reise als Fahrer für O'Keefe. Die Bevölkerung von Queenstown hatte ihn kürzlich zum Police Constabler gewählt. McDunn, ein vierschrötiger, ruhiger Mann um die fünfzig, wusste die Ehre und die mit der Stellung verbundene größere Sesshaftigkeit zu schätzen. Er fuhr jetzt vier Jahre für O'Keefe, das war genug.

Dennoch genoss er diese Tour nach Christchurch, auch dank der angenehmen Gesellschaft, die ihm zuteil wurde. Rechts neben ihm auf dem Bock saß Laurie, links Mary – oder umgekehrt, ganz sicher hielt er die Zwillinge auch jetzt noch nicht auseinander. Den beiden schien das allerdings egal zu sein. Die eine redete so vergnügt wie die andere auf McDunn ein, stellte wissbegierig Fragen und blickte mit der naiven Neugier eines Kindes auf das Land ringsum. McDunn wusste, dass Mary und Laurie als Einkäuferinnen und Mädchen für alles im O'Kay Warehouse unschätzbare Arbeit leisteten. Sie waren höflich und gut erzogen und konnten sogar lesen und schreiben. Ihr Naturell jedoch war schlicht; sie waren leicht zu beeindrucken und leicht zu erfreuen, konnten aber auch in tiefe Krisen stürzen, wenn man sie falsch anfasste. Das kam allerdings selten vor; meist waren die beiden bester Stimmung.

»Sollen wir bald mal anhalten, Mr. McDunn?«, fragte Mary fröhlich.

»Wir haben für ein Picknick eingekauft, Mr. McDunn! Sogar gegrillte Hähnchenschenkel aus diesem chinesischen Geschäft in Christchurch …«, zwitscherte Laurie.

»Es ist doch wirklich Hähnchen, Mr. McDunn? Nicht Hund? Im Hotel haben sie gesagt, in China essen die Leute Hundefleisch.«

»Können Sie sich vorstellen, dass jemand Gracie isst, Mr. McDunn?«

McDunn schmunzelte, wobei ihm das Wasser im Munde zusammenlief. Mr. Lin, der Chinese in Christchurch, schob seinen Kunden bestimmt keine Hundeschenkel als Hähnchen unter.

»Hütehunde wie Gracie sind viel zu teuer, um sie zu essen«, sagte er. »Was habt ihr denn noch in euren Körben? Beim Bäcker wart ihr auch, stimmt's?«

»Oh ja, wir haben Rosemary besucht! Denken Sie nur, Mr. McDunn, sie ist mit uns auf dem gleichen Schiff nach Neuseeland gereist!«

»Und jetzt ist sie mit dem Bäcker in Christchurch verheiratet. Ist das nicht aufregend?«

McDunn fand die Ehe mit einem Bäcker in Christchurch zwar nicht allzu abenteuerlich, enthielt sich aber eines Kommentars. Stattdessen schaute er sich nach einer guten Stelle zum Rasten um. Sie hatten es nicht eilig. Wenn er einen einladenden Platz fand, konnte er die Pferde zwei Stunden ausspannen und fressen lassen.

Aber dann geschah etwas Merkwürdiges. Die Straße machte eine Kehre, die den Blick auf einen kleinen See freigab – und auf eine Art Sperre. Jemand hatte einen Baumstamm quer über die Straße gelegt, der von ein paar Maori-Kriegern bewacht wurde. Die Männer wirkten martialisch und furchteinflößend. Ihre Gesichter waren vollständig mit Tätowierungen oder entsprechender Bemalung bedeckt, ihre Oberkörper nackt und glänzend, und sie trugen eine Art Lendenschurz, der knapp über den Knien endete. Dazu waren sie mit Speeren bewaffnet, die sie jetzt drohend vor McDunn erhoben.

»Kriecht mal nach hinten, Mädels!«, rief er Mary und Laurie zu, bemüht, die beiden nicht zu verschrecken.

Schließlich hielt er an.

»Was du wollen auf Kiward Station?«, fragte einer der Maori-Krieger drohend.

McDunn zuckte die Schultern. »Ist das hier nicht der Weg nach Haldon? Ich bin mit Waren unterwegs nach Queenstown.«

»Du lügen!«, stieß der Krieger hervor. »Das Weg nach Kiward Station, nicht nach Wakatipu. Du Essen für Wardens!«

McDunn verdrehte die Augen und demonstrierte Gelassenheit.

»Ich bin ganz sicher nicht das Essen für die Wardens, wer immer das ist. Ich hab nicht mal Lebensmittel geladen, nur Damenwäsche.«

»Damen…?« Der Krieger runzelte die Stirn. »Du zeigen!«

Mit einer raschen Bewegung sprang er halb auf den Bock und zerrte an der Plane. Mary und Laurie kreischten erschrocken. Die anderen Krieger johlten beifällig.

»Nun mal langsam!«, schimpfte McDunn. »Sie machen ja alles kaputt! Ich kann Ihnen den Wagen gern öffnen, aber…«

Der Krieger hatte inzwischen ein Messer gezogen und die Plane rasch von der Halterung geschnitten. Zum Ergötzen seiner Kumpane lag die Ladung nun offen vor ihm – sowie die Zwillinge, die sich wimmernd aneinander schmiegten.

McDunn war jetzt ernstlich besorgt. Im Wagen befanden sich zum Glück keine Waffen oder Eisengegenstände, die man als solche nutzen konnte. Er selbst hatte ein Gewehr, doch bis er es in Anschlag gebracht hätte, hätten die Männer ihn längst entwaffnet. Auch sein Messer zu ziehen war viel zu riskant. Außerdem sahen die Burschen eigentlich nicht wie professionelle Wegelagerer aus, eher wie Viehhüter, die Krieg spielten. Vorerst ging kaum Gefahr von ihnen aus.

Unter den Dessous, die der Maori jetzt zur Begeisterung seiner Stammesbrüder aus dem Wagen zog und sich kichernd vor die Brust hielt, lagerte allerdings brisantere Ware. Wenn die Männer die Fässer besten Brandys fanden und gleich an Ort und Stelle probierten, konnte es brenzlig werden. Inzwischen waren weitere Leute aufmerksam geworden. Anscheinend befand man sich in der Nähe eines Maori-Dorfes. Auf jeden Fall näherten sich ein paar Halbwüchsige und ältere Männer, die meisten von ihnen allerdings westlich gekleidet und nicht tätowiert. Einer von ihnen beförderte gerade eine Kiste besten Beaujolais – Mr. Rubens Privatbestellung – unter einer Lage Korsetts zutage.

»Ihr mitkommen!«, sagte einer der Neuankömmlinge streng. »Das Wein für Wardens. Ich mal Hausdiener, ich kenne! Wir euch bringen zu Häuptling! Tonga wissen, was tun!«

McDunns Begeisterung, dem großen Häuptling vorgestellt zu werden, hielt sich in Grenzen. Er glaubte zwar nach wie vor nicht an Gefahr für Leib und Leben, aber wenn er seinen Wagen jetzt in das Lager der Aufständischen lenkte, konnte er die Ladung abschreiben – und den Wagen und die Pferde womöglich auch.

»Mir folgen!«, bestimmte der frühere Hausdiener und setzte sich in Bewegung. McDunn warf einen abschätzenden Blick über die Landschaft. Sie war weitgehend flach, und vor ein paar hundert Metern hatte sich der Weg auch gegabelt – da hatten sie vermutlich die falsche Richtung eingeschlagen. Dies hier war offensichtlich ein Privatweg, und die Maoris hatten eine Fehde mit dem Besitzer. Die Tatsache, dass die Zufahrt nach Kiward Station besser ausgebaut war als die öffentliche Straße, hatte McDunn zum falschen Abbiegen verleitet. Wenn es ihm nun aber gelang, quer durch den Busch nach links auszubrechen, müsste er eigentlich wieder auf den offiziellen Weg nach Haldon stoßen … Leider stand der Maori-Krieger immer noch vor ihm, diesmal mit einem Büstenhalter auf dem Kopf posierend – ein Bein auf dem Bock, das andere im Innern des Wagens.

»Eigene Schuld, wenn du dir wehtust«, murmelte McDunn, während er den Wagen in Bewegung setzte. Es dauerte ein wenig, bis die schweren Shire-Horses in Gang kamen, aber dann, das wusste Leonard, hatten sie durchaus Feuer. Als die Pferde die ersten Schritte gemacht hatten, schnalzte er ihnen zu und lenkte gleichzeitig scharf nach links. Das plötzliche Antraben brachte den mit den Dessous tanzenden Krieger aus dem Gleichgewicht. Er kam gar nicht dazu, seinen Speer zu schwingen, bevor McDunn ihn aus dem Wagen stieß. Laurie und Mary schrien auf. Leonard hoffte, dass der Wagen den Mann nicht überrollte.

»Duckt euch, Mädels! Und festhalten!«, rief er nach hinten, wo soeben ein Hagel von Speeren auf die Kisten mit Korsetts niederging. Nun, das würde das Fischbein aushalten. Die beiden Shires waren jetzt im Galopp, und ihre Schritte ließen die Erde erbeben. Mit einem Reitpferd hätte man den Wagen leicht einholen können, doch zu McDunns Erleichterung setzte niemand ihnen nach.

»Alles in Ordnung, Mädchen?«, rief er Mary und Laurie zu, als er die Pferde zu weiteren Anstrengungen anspornte und dabei betete, das Land würde nicht plötzlich uneben. So schnell wären die Kaltblüter nicht zu stoppen, und ein Achsenbruch war das Letzte, das er sich jetzt leisten konnte. Doch die Gegend blieb flach, und bald kam auch schon ein Weg in Sicht. McDunn wusste nicht, ob es wirklich die Straße nach Haldon war; eigentlich war sie zu schmal und zu gewunden. Aber sie war deutlich befahrbar und zeigte Spuren von Pferdefuhrwerken – eher leichte Buggys als Planwagen zwar, doch deren Fahrer riskierten bestimmt auch keine Achsenbrüche, indem sie sich auf unebene Wege einließen. McDunn spornte seine Pferde weiter an. Erst als er das Maori-Lager mindestens eine Meile hinter sich wähnte, verhielt er das Gespann zu ruhigerer Gangart.

Laurie und Mary krochen aufatmend nach vorn.

»Was war denn das, Mr. McDunn?«

»Wollten die uns etwas tun?«

»Dabei sind die Eingeborenen doch freundlich.«

»Ja, Rosemary sagt, sie sind sonst nett!«

McDunn atmete auf, als die Zwillinge ihr munteres Geplapper wieder aufnahmen. Alles schien glimpflich abgegangen. Jetzt musste er nur noch herausfinden, wohin dieser Weg führte.

Bei Mary und Laurie meldete sich nach überstandenem Abenteuer erneut der Hunger, doch die drei kamen überein, das Brot, die Hähnchen und Rosemarys köstliche Teekuchen doch besser auf dem Bock zu genießen. McDunn war die Sache mit den Maoris immer noch unheimlich. Er hatte von Aufständen auf der Nordinsel gehört. Aber hier? Mitten in den friedlichen Canterbury Plains?

Nach wie vor wand sich der Pfad in Richtung Westen. Eine offizielle Straße war das kaum; es sah eher aus wie ein Weg, der jahrelang immer wieder begangen und dadurch ausgetreten war. Buschwerk und Baumgruppen hatte man umgangen, nicht niedergemacht. Und hier war nun auch noch ein Bach …

McDunn seufzte. Die Furt sah nicht gefährlich aus und war

sicher vor kurzem noch durchfahren worden. Aber womöglich noch nie mit einem so schweren Wagen wie dem seinen. Sicherheitshalber ließ er die Mädchen absteigen und lavierte sein Gespann vorsichtig durchs Wasser. Dann hielt er an, um die Zwillinge wieder einzuladen – und erschrak, als er Mary schreien hörte.

»Da, Mr. McDunn! Maoris! Die haben bestimmt nichts Gutes im Sinn!«

Die Mädchen verkrochen sich panisch unter der Ladung, während McDunn die Gegend nach Kriegern absuchte. Er sah aber nur zwei Kinder, die eine Kuh vor sich hertrieben.

Die beiden kamen neugierig näher, als sie den Wagen sahen.

McDunn lächelte ihnen zu, und die Kinder winkten schüchtern. Dann grüßten sie zu seinem Erstaunen in sehr gutem Englisch.

»Guten Tag, Mister.«

»Können wir helfen, Mister?«

»Sind Sie fahrender Händler, Mister? Wir haben von Kesselflickern gelesen!« Das Mädchen schaute neugierig unter die nur provisorisch befestigte Plane.

»Ach was, Kia, das sind bestimmt noch mehr Schafsvliese von den Wardens. Miss Helen hat denen doch erlaubt, alles bei ihr zu lagern«, meinte der Junge und hinderte die Kuh geschickt daran, auszubrechen.

»Unsinn! Die Scherer sind längst hier und haben alles mitgebracht. Das ist sicher ein Tinker! Nur dass die Pferde nicht gefleckt sind!«

McDunn lächelte. »Wir sind zwar Händler, kleine Lady, aber keine Kesselflicker«, sagte er zu dem Mädchen. »Wir wollen mit einer Fuhre nach Haldon, aber ich glaube, wir haben uns verfahren.«

»Nicht sehr«, tröstete das Mädchen.

»Wenn Sie am Haus den richtigen Zufahrtsweg nehmen, kommen Sie nach zwei Meilen auf die Straße nach Haldon«, führte der Junge präziser aus und musterte verwundert die Zwillinge, die sich inzwischen wieder ans Licht getraut hatten. »Warum sehen die Frauen genau gleich aus?«

»Das sind ja gute Nachrichten«, sagte McDunn, ohne auf den Jungen einzugehen. »Könnt ihr mir auch sagen, wo ich hier überhaupt bin? Das ist doch nicht mehr … wie hieß es gleich? Kiward Station?«

Die Kinder kicherten, als hätte er einen Witz gemacht.

»Nein, das ist O'Keefe Station. Aber Mr. O'Keefe ist tot.«

»Den hat Mr. Warden totgeschossen!«, fügte das Mädchen hinzu.

Als Police Officer, überlegte McDunn amüsiert, konnte man sich kaum auskunftsfreudigere Menschen wünschen. In Haldon waren die Leute mitteilsam, da hatte Ruben wohl Recht.

»Und nun ist er im Hochland, und Tonga sucht ihn.

»Pssst, Kia, das darfst du doch nicht sagen!«

»Wollen Sie zu Miss Helen, Mister? Sollen wir sie holen? Sie ist im Scherschuppen, oder …«

»Nein, Matiu, sie ist im Haus. Weißt du nicht? Sie hat gesagt, sie muss kochen für all die Leute …«

»Miss Helen?«, quietschte Laurie.

»Unsere Miss Helen?«, echote Mary.

»Sagen die auch immer das Gleiche?«, fragte der Junge verwundert.

»Ich glaube, du bringst uns jetzt erst mal zu dieser Farm«, sagte McDunn gelassen. »Wie es aussieht, haben wir hier nämlich genau das gefunden, was wir gesucht haben.«

Und Mr. Howard, dachte er mit grimmigem Lächeln, dürfte wohl auch kein Hindernis mehr darstellen.

Eine halbe Stunde später waren die Pferde ausgespannt und standen in Helens Stall. Helen – völlig aufgelöst vor Freude und Überraschung – hatte ihre lange verloren geglaubten

Zöglinge von der *Dublin* in die Arme geschlossen. Sie konnte immer noch kaum glauben, dass die halb verhungerten Kinder von damals sich zu so fröhlichen, sogar etwas drallen jungen Frauen ausgewachsen hatten, die jetzt ganz selbstverständlich das Regiment in ihrer Küche übernahmen.

»Das soll für eine ganze Kompanie Männer reichen, Miss Helen?«

»Nie und nimmer, Miss Helen, das müssen wir strecken.«

»Sollen das Pastetchen werden, Miss Helen? Da nehmen wir aber besser mehr Süßkartoffeln und nicht so viel Fleisch.«

»Brauchen die Kerle auch gar nicht, sonst werden sie übermütig!«

Die Zwillinge kicherten vergnügt.

»Und so können Sie kein Brot kneten, Miss Helen! Warten Sie, wir machen erst mal Tee!«

Mary und Laurie hatten jahrelang die Kundschaft in Daphnes Hotel bekocht. Die Versorgung einer Schafscherer-Kolonne bereitete ihnen keinerlei Schwierigkeiten. Während sie zwitschernd in der Küche werkelten, saß Helen mit Leonard McDunn am Küchentisch. Er erzählte von dem seltsamen Maori-Überfall, der ihn hergeführt hatte, während Helen die Umstände von Howards Tod berichtete.

»Natürlich trauere ich um meinen Mann«, erklärte sie und strich das schlichte, dunkelblaue Kleid glatt, das sie seit Howards Beerdigung fast ständig trug. Für schwarze Trauerkleidung hatte das Geld nicht gereicht. »Aber irgendwie ist es auch eine Erleichterung ... Entschuldigen Sie, Sie müssen mich für völlig herzlos halten ...«

McDunn schüttelte den Kopf. Er fand Helen O'Keefe ganz und gar nicht herzlos. Im Gegenteil, er hatte sich an ihrer Freude kaum satt sehen können, als sie vorhin die Zwillinge in die Arme schloss. Mit ihrem leuchtend braunen Haar, dem schmalen Gesicht und den ruhigen grauen Augen schien sie ihm auch äußerst attraktiv. Allerdings wirkte sie erschöpft und ausgelaugt und war blass trotz der Sonnenbräune. Man sah ihr an, dass die Situation sie überforderte. Die Küche war offensichtlich ebenso wenig der Ort, an dem sie sich wohl fühlte, wie der Kuhstall. Sie war vorhin sehr erleichtert gewesen, als die Maori-Kinder ihr angeboten hatten, die Kuh gleich zu melken.

»Ihr Sohn hat schon durchblicken lassen, dass sein Vater nicht immer ganz einfach war. Was wollen Sie nun mit der Farm anfangen? Verkaufen?«

Helen zuckte die Achseln. »Wenn jemand sie haben will ... Das Einfachste wäre, sie Kiward Station einzuverleiben. Dann würde Howard uns zwar aus dem Grab heraus verfluchen, aber das wäre mir ziemlich egal. Als Einzelunternehmen ist die Farm im Grunde nicht rentabel. Es gibt zwar viel Land, aber es ernährt die Tiere nicht ausreichend. Wenn man es trotzdem bearbeiten will, braucht man große Fachkenntnis und Einstiegskapital. Die Farm ist heruntergewirtschaftet, Mr. McDunn. Man muss es leider so sagen.«

»Und Ihre Freundin aus Kiward Station ... sie ist die Mutter von Miss Fleur, nicht wahr?«, fragte Leonard. »Hat sie kein Interesse an der Übernahme?«

»Interesse schon ... oh, vielen Dank, Laurie, ihr seid einfach wundervoll, was hätte ich nur ohne euch gemacht!« Helen hielt Laurie, die eben mit frischem Tee an den Tisch kam, ihre Tasse hin.

Laurie füllte sie so geschickt, wie Helen es ihr auf dem Schiff beigebracht hatte.

»Woher wissen Sie, dass das Laurie ist?«, fragte Leonard verblüfft. »Ich kenne niemanden, der die beiden auseinander halten kann.«

Helen lachte. »Wenn man es den Zwillingen selbst überließ, pflegte Mary den Tisch zu decken, und Laurie servierte. Achten Sie mal darauf – Laurie ist die aufgeschlossenere, Mary bleibt auch gern im Hintergrund.«

Das war Leonard zwar noch nie aufgefallen, doch er bewunderte Helens Beobachtungsgabe. »Was ist nun mit Ihrer Freundin?«

»Nun, Gwyneira hat eigene Probleme«, meinte Helen. »Sie sind doch selbst mitten hineingeraten. Dieser Maori-Häuptling versucht, sie in die Knie zu zwingen, und sie hat keine Chance, über Pauls Kopf hinweg irgendetwas zu tun. Vielleicht, wenn der Gouverneur endlich entscheidet ...«

»Und die Möglichkeit, dass dieser Paul zurückkommt und seine Probleme selber löst?«, meinte Leonard. Es erschien ihm ziemlich unfair, die beiden Frauen mit dieser Misere allein zu lassen. Allerdings hatte er Gwyneira Warden noch nicht kennen gelernt. Wenn die ihrer Tochter ähnlich war, konnte sie es sicher mit einem halben Kontinent voller renitenter Wilder aufnehmen.

»Problemlösung ist nicht gerade die Stärke der männlichen Wardens.« Helen lächelte schief. »Und was Pauls Rückkehr angeht ... die Stimmung in Haldon wendet sich langsam, George Greenwood hat da schon Recht gehabt. Zuerst wollten sie ihn ja alle am liebsten lynchen, aber inzwischen überwiegt das Mitgefühl mit Gwyn. Sie meinen, sie brauchte einen Mann auf der Farm, und da sind sie schon mal bereit, über so ein paar Kleinigkeiten wie Mord hinwegzusehen.«

»Sie sind zynisch, Miss Helen!«, rügte Leonard.

»Ich bin realistisch. Paul hat einen unbewaffneten Mann ohne Warnung in die Brust geschossen. Vor zwanzig Zeugen. Aber lassen wir das, ich will ihn auch nicht hängen sehen. Was würde das schon ändern? Wenn er allerdings zurückkommt, eskaliert die Sache mit dem Häuptling. Und dann hängt er vielleicht für den nächsten Mord.«

»Der Junge scheint tatsächlich mit dem Strick zu liebäugeln«, seufzte Leonard. »Ich ...«

Er wurde unterbrochen, als jemand an die Tür klopfte. Laurie öffnete. Gleich darauf flitzte ein kleiner Hund zwischen ihren Beinen hindurch. Hechelnd baute sich Friday vor Helen auf.

»Mary, komm schnell! Ich glaub, das ist Miss Gwyn! Und Cleo! Dass die noch lebt, Miss Gwyn!«

Doch Gwyneira schien die Zwillinge nicht wahrzunehmen. Sie war dermaßen aufgebracht, dass sie die beiden gar nicht erkannte.

»Helen«, stieß sie hervor, »ich bringe diesen Tonga um! Ich konnte mich gerade noch beherrschen, nicht mit dem Gewehr ins Dorf zu reiten! Andy sagt, seine Leute hätten einen Planwagen überfallen – weiß der Himmel, was der bei uns wollte und wo er jetzt ist! Im Dorf amüsieren sie sich jedenfalls köstlich und rennen mit Büstenhaltern und Damenschlüpfern herum ... oh, Verzeihung, Mister, ich ...« Gwyneira wurde rot, als sie sah, dass Helen Männerbesuch hatte.

McDunn lachte. »Schon gut, Mrs. Warden. Ich bin über die Existenz weiblicher Unterwäsche unterrichtet, um nicht zu sagen: Ich habe sie verloren. Der Wagen gehörte mir. Gestatten, Leonard McDunn, von O'Kay Warehouse.«

»Warum fahren Sie nicht einfach mit nach Queenstown?«, fragte McDunn ein paar Stunden später und sah Helen an.

Gwyneira hatte sich beruhigt und gemeinsam mit Helen und den Zwillingen die hungrigen Schafscherer gefüttert. Sie lobte alle für den guten Fortgang der Schur, auch wenn sie über die Qualität der Wolle ziemlich erschrocken war. Sie hatte gehört, O'Keefe produziere viel Ausschuss, aber so groß hatte sie sich die Probleme nicht vorgestellt. Jetzt saß sie mit Helen und McDunn vor dem Kamin und öffnete eben eine der glücklich geretteten Flaschen Beaujolais.

»Auf Ruben und seinen hervorragenden Geschmack!«, sagte sie vergnügt. »Wo hat er den bloß her, Helen? Das ist doch bestimmt die erste Flasche Wein, die seit Jahren in diesem Haus entkorkt wird!«

»In den Werken von Mr. Bulwer-Lytton, Gwyn, die ich mit meinen Schülern zu lesen pflege, wird gelegentlich in gepflegtem Kreise Alkohol konsumiert«, bemerkte Helen geziert.

McDunn nahm einen Schluck; dann machte er den Vorschlag mit Queenstown: »Im Ernst, Miss Helen, Sie wünschen sich doch bestimmt, Ihren Sohn und Ihre Enkel zu sehen. Jetzt ist die Gelegenheit. In ein paar Tagen sind wir da.«

»Jetzt, mitten in der Schur?« Helen winkte ab.

Gwyneira lachte. »Du glaubst doch nicht wirklich, Helen, dass meine Leute ein Schaf mehr oder weniger scheren, weil du danebenstehst! Und selbst ins Hochland treiben willst du die Schafe auch nicht, oder?«

»Aber ... aber jemand muss die Leute verpflegen ...« Helen war unschlüssig. Das Angebot kam zu plötzlich; sie konnte es nicht annehmen. Und doch war es äußerst verlockend!

»Bei mir haben sie sich auch selbst verpflegt. O'Toole macht nach wie vor ein weit besseres Irish Stew, als Moana und ich es je geschafft haben. Von dir reden wir da gar nicht. Du bist meine liebste Freundin, Helen, aber deine Kochkunst ...«

Helen lief rot an. Gewöhnlich hätte ihr die Bemerkung nichts ausgemacht. Doch vor Mr. McDunn war es ihr peinlich.

»Erlauben Sie den Männern, ein paar Schafe zu schlachten, und dann lassen wir ihnen noch eins von unseren Fässchen da, die immerhin mit meinem Leben verteidigt wurden. Ist zwar eine Sünde, weil der Brandy zu gut ist für die Bande, aber man wird Sie anschließend für immer lieben!«, schlug McDunn mit Gemütsruhe vor.

Helen lächelte. »Ich weiß nicht ...«, zierte sie sich.

»Aber ich weiß!«, sagte Gwyn resolut. »Ich würde zu gern

selbst fahren, bin auf Kiward Station aber unabkömmlich. Also bist du hiermit zu unserer gemeinsamen Abgesandten erklärt. Schau in Queenstown nach dem Rechten. Und wehe, Fleurette hat den Hund nicht ordentlich trainiert! Außerdem nehmt ihr das Pony mit für unsere Enkel. Damit die nicht genauso lausige Reiter werden wie du!«

# 14

Helen liebte Queenstown von dem Moment an, als sie die kleine Stadt am Ufer des gewaltigen Sees Wakatipu schimmern sah. Die neuen, adretten Häuser spiegelten sich in der glatten Seeoberfläche, und ein kleiner Hafen bot Platz für bunte Ruder- und Segelboote. Die Berge mit ihren schneebedeckten Gipfeln rahmten das Bild ein. Vor allem hatte Helen mindestens schon einen halben Tag lang kein einziges Schaf zu Gesicht bekommen!

»Man wird bescheiden«, vertraute sie Leonard McDunn an, dem sie nach acht gemeinsamen Tagen auf dem Kutschbock bereits mehr über sich verraten hatte als Howard während ihrer ganzen Ehe. »Als ich vor Jahren nach Christchurch kam, habe ich geweint, weil die Stadt so gar nichts mit London gemeinsam hatte. Und nun freue ich mich über ein solches Städtchen, weil ich dort mit Menschen zu tun haben werde und nicht mit Wiederkäuern.«

Leonard lachte. »Oh, Queenstown hat eine Menge mit London gemeinsam, Sie werden sehen. Natürlich nicht die Größe, aber die Lebendigkeit. Hier ist was los, Miss Helen, hier spüren Sie den Fortschritt, den Aufbruch! Christchurch ist hübsch, aber da geht es doch mehr darum, alte Werte zu bewahren und englischer zu wirken als englisch. Denken Sie nur mal an die Kathedrale und die Universität! Da meinen Sie doch, Sie wären in Oxford! Aber hier ist alles neu, alles im Aufschwung. Die Goldsucher allerdings sind ein wildes Volk und sorgen für manchen Ärger. Undenkbar, die nächste Police Station in vierzig Meilen Entfernung zu haben! Aber diese Burschen bringen auch Geld und Leben in die

Stadt. Es wird Ihnen hier gefallen, Miss Helen, glauben Sie mir!«

Helen gefiel es schon, als der Wagen über die Main Street polterte, die ebenso wenig gepflastert war wie die in Haldon, aber von Menschen bevölkert: Hier stritt sich ein Goldsucher mit dem Posthalter, weil der angeblich einen Brief geöffnet hatte. Da kicherten zwei Mädchen und spähten in den offenen Laden des Frisörs, wo gerade ein gut aussehender junger Mann einen neuen Haarschnitt bekam. In der Schmiede wurden Pferde beschlagen, und zwei alte Miner fachsimpelten über ein Maultier. Und das »Hotel«, bekam einen neuen Anstrich. Eine rothaarige Frau in einem auffälligen grünen Kleid beaufsichtigte die Maler und schimpfte dabei wie ein Rohrspatz.

»Daphne!« Die Zwillinge zwitscherten gleichzeitig los und wären beinahe vom Wagen gefallen. »Daphne, wir haben Miss Helen mitgebracht!«

Daphne O'Rourke wandte sich um. Helen blickte in das bekannte Katzengesicht. Daphne sah älter aus, vielleicht ein bisschen verlebt, und war stark geschminkt. Als sie Helen auf dem Kutschbock sah, trafen sich ihre Blicke. Gerührt bemerkte Helen, dass Daphne errötete.

»Guten ... guten Tag, Miss Helen!«

McDunn wollte es kaum glauben, aber die selbstbewusste Daphne knickste vor ihrer Lehrerin wie ein kleines Mädchen.

»Halten Sie an, Leonard!«, rief Helen. Sie wartete kaum, bis McDunn die Pferde gezügelt hatte, als sie schon vom Bock sprang und Daphne in die Arme schloss.

»Nicht doch, Miss Helen, wenn das einer sieht ...«, sagte Daphne. »Sie sind eine Lady. Sie sollten nicht mit einer wie mir gesehen werden.« Sie senkte den Blick. »Tut mir Leid, Miss Helen, was aus mir geworden ist.«

Helen lachte und umarmte sie noch einmal. »Was ist denn Schreckliches aus dir geworden, Daphne? Eine Geschäftsfrau! Eine wunderbare Pflegemutter für die Zwillinge. Eine bessere Schülerin kann sich wohl niemand wünschen.«

Daphne errötete noch einmal. »Vielleicht hat Sie einfach noch niemand über meine Art der ... der Geschäfte aufgeklärt«, sagte sie leise.

Helen drückte sie an sich. »Geschäfte richten sich nach Angebot und Nachfrage. Das habe ich von einem anderen meiner Kinder gelernt, von George Greenwood. Und was dich angeht ... nun, wenn Nachfrage nach Bibeln bestanden hätte, hättest du sicher Bibeln verkauft.«

Daphne kicherte. »Mit größtem Vergnügen, Miss Helen.«

Während sie die Zwillinge begrüßte, brachte McDunn Helen zum O'Kay Warehouse. Sosehr Helen die Begegnung mit Daphne und den Zwillingen genossen hatte – noch schöner war es, ihren eigenen Sohn, Fleurette und ihre Enkel in die Arme zu schließen.

Der kleine Stephen hing gleich an ihren Rockschößen, doch Elaine zeigte eindeutig mehr Begeisterung, als sie das Pony sah.

Helen warf einen Blick auf ihren Rotschopf und die lebhaften Augen, die schon jetzt ein tieferes Blau zeigten als bei den meisten Babys.

»Ganz klar Gwyns Enkelin«, sagte Helen. »Von mir hat sie gar nichts. Passt auf, zum dritten Geburtstag wünscht sie sich ein paar Schafe!«

Leonard McDunn rechnete seine letzte Einkaufsfahrt gewissenhaft mit Ruben O'Keefe ab, bevor er seine neue Aufgabe in Angriff nahm. Das Police Office musste erst gestrichen, das Gefängnis mit Stuart Peters Hilfe mit Gittern versehen werden. Helen und Fleur halfen mit Matratzen und Laken aus dem Warenhaus aus, um die Zellen ordentlich einzurichten.

»Fehlt bloß noch, dass ihr Blumen reinstellt«, brummte McDunn, und auch Stuart war beeindruckt.

»Ich behalte einen Nachschlüssel!«, neckte der Schmied. »Falls ich mal Gäste unterbringen muss.«

»Du kannst gleich probesitzen«, drohte McDunn. »Aber mal im Ernst – ich fürchte, wir werden heute schon voll. Miss Daphne plant einen Irischen Abend. Wetten, dass sich am Ende die halbe Kundschaft prügelt?«

Helen runzelte die Stirn. »Das wird aber nicht gefährlich, Leonard, oder? Passen Sie bloß auf sich auf! Ich ... wir ... wir brauchen unseren Constabler in einem Stück!«

McDunn strahlte. Es gefiel ihm außerordentlich, dass Helen sich um ihn sorgte.

Kaum drei Wochen später wurde er allerdings mit einem ernsteren Problem konfrontiert als den üblichen Streitigkeiten unter Goldsuchern.

Hilfe suchend wartete er im O'Kay Warehouse, bis Ruben Zeit für ihn hatte. Aus den hinteren Räumen des Schuppens klangen Stimmen und Gelächter, doch Leonard wollte nicht aufdringlich sein. Zumal er immerhin in offizieller Mission unterwegs war. Schließlich wartete hier nicht Leonard auf seinen Freund, sondern der Police Officer auf den Friedensrichter. Trotzdem atmete er auf, als Ruben sich endlich losriss und zu ihm nach vorn kam.

»Leonard! Entschuldige, dass ich dich warten ließ!« O'Keefe wirkte beschwingt. »Aber wir haben was zu feiern. Sieht aus, als ob ich zum dritten Mal Vater werde! Jetzt sag mir aber erst einmal, was anliegt. Wie kann ich dir helfen?«

»Ein dienstliches Problem. Und eine Art rechtliches Dilemma. Vorhin erschien ein gewisser John Sideblossom in meinem Büro, ein vermögender Farmer, der in die Goldminen investieren will. Er war ganz aufgedreht. Ich müsste unbedingt einen Mann verhaften, den er im Goldgräberlager gesehen hat. Einen James McKenzie.«

»James McKenzie?«, fragte Ruben. »Der Viehdieb?«

McDunn nickte. »Der Name kam mir gleich bekannt vor. Wurde vor ein paar Jahren im Hochland gefasst und in Lyttelton zu einer Gefängnisstrafe verurteilt.«

Ruben nickte. »Ich weiß.«

»Hattest schon immer ein gutes Gedächtnis, Herr Richter!«, sagte Leonard anerkennend. »Weißt du auch, dass sie McKenzie begnadigt haben? Sideblossom sagt, man hätte ihn nach Australien geschickt.«

»Sie haben ihn ausgewiesen«, berichtigte Ruben. »Australien war das Nächstliegende. Die Viehbarone hätten ihn lieber in Indien gesehen oder sonst wo. Und am liebsten im Magen eines Tigers.«

McDunn lachte. »Genau den Eindruck machte dieser Sideblossom. Tja, wenn er Recht hat, ist McKenzie zurück, obwohl er lebenslänglich wegbleiben sollte. Deshalb müsste ich ihn nun verhaften, sagt dieser Sideblossom. Aber was mache ich mit ihm? Auf Lebenszeit einsperren kann ich ihn kaum. Und fünf Jahre Gefängnis hat auch wenig Sinn – die hat er ja streng genommen schon rum. Mal ganz abgesehen davon, dass ich den Platz gar nicht habe. Fällt Ihnen dazu was ein, Herr Richter?«

Ruben versuchte, so zu tun, als denke er nach. Doch für McDunn spiegelte sich in seiner Miene eher Freude. Trotz dieses McKenzie. Oder wegen?

»Pass auf, Leonard«, meinte Ruben schließlich. »Erst mal findest du raus, ob dieser McKenzie wirklich der ist, den Sideblossom meint. Und dann sperrst du ihn genauso lange ein, wie der Kerl noch in der Stadt ist. Sag ihm, du nimmst ihn in Schutzhaft. Sideblossom hätte ihn bedroht, und du wolltest keinen Ärger.«

McDunn grinste.

»Aber erzähl meiner Frau nichts davon!«, mahnte Ruben. »Es soll eine Überraschung werden. Ach ja, und spendier Mr. McKenzie vor dem Einsperren noch eine Rasur und einen anständigen Haarschnitt, sofern das nötig ist. Er wird Damenbesuch bekommen – gleich nach seinem Einzug in dein Grand Hotel!«

Während der ersten Wochen einer Schwangerschaft hatte Fleurette stets nah am Wasser gebaut, und so weinte sie sich auch jetzt die Augen aus, als sie McKenzie im Gefängnis besuchte. Ob aus Freude über das Wiedersehen oder aus Verzweiflung über seine erneute Gefangenschaft ließ sich nicht feststellen.

James McKenzie selbst dagegen schien wenig beunruhigt. Er war eigentlich bester Stimmung gewesen, bis Fleurette in Tränen ausbrach. Jetzt hielt er sie im Arm und streichelte ihr unbeholfen über den Rücken.

»Nun wein nicht, Kleine, mir passiert hier doch nichts! Draußen wär's viel gefährlicher. Mit diesem Sideblossom habe ich noch ein Hühnchen zu rupfen!«

»Warum musstest du ihm auch gleich wieder in die Arme laufen?«, schluchzte Fleurette. »Was hast du überhaupt auf den Goldfeldern gemacht? Du wolltest doch keinen Claim abstecken?«

McKenzie schüttelte den Kopf. Er sah auch keineswegs so aus wie einer der Glücksritter, die auf den alten Schaffarmen nahe der Goldfunde ihr Lager aufschlugen, und McDunn hatte ihn weder zu Bad und Rasur nötigen noch ihm mit Geld dafür aushelfen müssen. James McKenzie wirkte eher wie ein gut situierter Rancher auf Reisen. Von Kleidung und Reinlichkeit her hätte man ihn nicht von seinem alten Feind Sideblossom unterscheiden können.

»Ich habe in meinem Leben genug Claims abgesteckt und

mit dem einen in Australien sogar recht gut verdient. Das Geheimnis ist, die Goldfunde nicht gleich in einem Etablissement wie dem von Miss Daphne zu verjubeln.« Er lachte seine Tochter an. »Auf den Goldfeldern hier hab ich natürlich deinen Gatten gesucht. Muss man schließlich erst darauf kommen, dass der inzwischen in der Main Street residiert und harmlose Reisende einbuchten lässt.« Er zwinkerte Fleurette zu. Noch vor dem Treffen mit ihr hatte er Ruben kennen gelernt und war sehr zufrieden mit seinem Schwiegersohn.

»Und was passiert jetzt?«, fragte Fleurette. »Werden sie dich nach Australien zurückschicken?«

McKenzie seufzte. »Ich hoffe nicht. Die Passage kann ich mir zwar mühelos leisten ... nun guck nicht so, Ruben, ist alles ehrlich verdient! Ich schwöre, ich hab da drüben nicht ein Schaf gestohlen! Aber es wäre ein erneuter Zeitverlust. Natürlich würde ich gleich zurückkommen, diesmal aber mit anderen Papieren. So etwas wie mit diesem Sideblossom passiert mir nicht wieder. Aber so lange müsste Gwyn weiter warten. Und ich bin sicher, sie ist das Warten leid – genau wie ich!«

»Falsche Papiere sind auch keine Lösung«, meinte Ruben. »Das ginge, wenn Sie in Queenstown leben möchten, an der Westcoast oder irgendwo auf der Nordinsel. Aber wenn ich Sie richtig verstehe, möchten Sie zurück in die Canterbury Plains reiten und Gwyneira Warden heiraten. Nur – da unten kennt Sie jedes Kind!«

McKenzie zuckte die Schultern. »Auch wieder wahr. Ich würde Gwyn entführen müssen. Aber diesmal kenne ich da keine Skrupel!«

»Es wäre besser, sich zu legalisieren«, meinte Ruben streng. »Ich werde dem Gouverneur schreiben.«

»Aber das macht doch Sideblossom schon!« Fleurette schien wieder kurz davor zu stehen, in Tränen auszubrechen. »Hat Mr. McDunn doch erzählt, dass er gewütet hat wie ein Irrer, weil mein Vater hier behandelt wird wie ein Fürst ...«

Sideblossom war mittags im Police Office vorbeigekommen, als die Zwillinge sowohl dem Wärter als auch dem Gefangenen ein Schlemmermahl servierten. Er hatte nicht gerade begeistert darauf reagiert.

»Sideblossom ist Rancher und ein alter Gauner. Wenn sein Wort gegen meins steht, wird der Gouverneur wissen, was zu tun ist«, begütigte Ruben. »Und ich werde ihm die Situation in allen Einzelheiten schildern – einschließlich McKenzies gefestigter finanzieller Situation, seiner Familieneinbindung und den Heiratsplänen. Dazu werde ich seine Qualifikationen und Verdienste herausstreichen. Gut, er hat ein paar Schafe gestohlen. Aber er hat auch das McKenzie-Hochland entdeckt, auf dem Sideblossom jetzt weiden lässt. Der sollte Ihnen dankbar sein, James, statt Mordpläne zu hegen! Und Sie sind ein erfahrener Viehhüter und Züchter, ein ausgesprochener Gewinn für Kiward Station, gerade jetzt nach dem Tod von Gerald Warden.«

»Wir könnten ihm auch eine Anstellung geben!«, mischte Helen sich ein. »Hätten Sie Lust, Verwalter auf O'Keefe Station zu werden, James? Das wäre eine Alternative, falls der liebe Paul Gwyneira in absehbarer Zeit auf die Straße setzt.«

»Oder Tonga«, bemerkte Ruben. Er hatte Gwyneiras rechtliche Situation im Streit mit den Maoris in der letzten Zeit studiert und war wenig optimistisch. Faktisch gesehen waren Tongas Ansprüche berechtigt.

James McKenzie zuckte die Achseln. »O'Keefe Station ist mir so recht wie Kiward Station. Ich will nur mit Gwyneira zusammen sein. Allerdings schätze ich, Friday braucht ein paar Schafe.«

Rubens Schreiben an den Gouverneur ging gleich am nächsten Tag ab, aber natürlich rechnete niemand mit einer raschen Antwort. So langweilte James McKenzie sich erst mal im

Gefängnis, während Helen eine wunderschöne Zeit in Queenstown verbrachte. Sie spielte mit ihren Enkeln, sah mit Herzklopfen zu, wie Fleurette den kleinen Stephen zum ersten Mal aufs Pony setzte, und versuchte Elaine zu trösten, die dabei protestierend weinte. Voller banger Erwartung inspizierte sie die kleine Schule, die gerade eröffnet hatte. Vielleicht bestand hier ja die Möglichkeit, sich nützlich zu machen und für immer in Queenstown zu bleiben. Bislang gab es allerdings nur zehn Schüler, und mit denen kam die junge Lehrerin, ein sympathisches Mädchen aus Dunedin, ganz gut allein zurecht. Auch in Rubens und Fleurettes Laden gab es nicht viel für Helen zu tun; hier standen sich schon die Zwillinge gegenseitig im Weg und überschlugen sich in dem Wunsch, ihrer angebeteten Miss Helen jeden Handschlag abzunehmen. Helen erfuhr nun auch endlich Daphnes ganze Geschichte. Sie lud die junge Frau zum Tee ein, auch wenn die ehrbaren Damen von Queenstown sich darüber vielleicht die Mäuler zerrissen.

»Als ich den Kerl erledigt hatte, ging ich erst mal nach Lyttelton«, erzählte Daphne von ihrer Flucht vor dem lüsternen Morrison. »Am liebsten wäre ich aufs nächste Schiff zurück nach London, aber das ging natürlich nicht. Niemand hätte ein Mädchen wie mich mitgenommen. Ich dachte auch an Australien. Aber die haben da ja weiß Gott genug ... äh, leichte Mädchen, die keine Stelle als Bibelverkäuferin finden. Und dann fand ich die Zwillinge. Die waren unter dem gleichen Vorzeichen da wie ich: Nur weg hier – und ›weg‹ hieß ›Schiff‹.«

»Wie hatten sie einander denn wiedergefunden?«, erkundigte sich Helen. »Sie waren doch in völlig verschiedenen Gegenden.«

Daphne zuckte die Schultern. »Sie sind eben Zwillinge. Was der einen einfällt, fällt auch der anderen ein. Glauben Sie mir, ich hab sie seit über zwanzig Jahren um mich, und sie sind mir immer noch unheimlich. Wenn ich sie damals richtig verstanden hab, sind sie auf dem Bridle Path zusammengetroffen. Wie sie sich dahin durchgeschlagen haben, weiß ich nicht. Jedenfalls trieben sie sich am Hafen herum, stahlen sich ihr Essen zusammen und wollten sich auf ein Boot schmuggeln. Völliger Unsinn, man hätte sie gleich entdeckt. Was sollte ich also tun? Ich hab sie behalten. War ein bisschen nett zu einem Matrosen, und der hat mir dann die Papiere von einem Mädchen besorgt, das auf der Reise von Dublin nach Lyttelton gestorben ist. Offiziell heiße ich Bridey O'Rourke. Das hat mir auch jeder geglaubt, mit meinem roten Haar. Aber die Zwillinge riefen mich natürlich Daphne, also hab ich den Vornamen behalten. Ist ja auch ein guter Name für eine ... Ich meine, es ist ein biblischer Name, den legt man ungern ab.«

Helen lachte. »Irgendwann wird man dich heilig sprechen!«

Daphne kicherte und sah dabei aus wie das kleine Mädchen von damals. »Wir sind dann also an die Westcoast. Sind erst ein bisschen rumgereist und schließlich in einem Puff ... äh, dem Etablissement einer Madame Jolanda gelandet. Ziemlich runtergekommen. Ich hab da erst mal aufgeräumt und für richtigen Umsatz gesorgt. Da hat Ihr Mr. Greenwood mich auch aufgetrieben, allerdings bin ich nicht wegen ihm weg. Es war mehr, weil Jolanda mit nichts zufrieden war. Eines Tages eröffnete sie mir sogar, sie wollte am nächsten Samstag meine Zwillinge versteigern! Würde Zeit, sagte sie, dass die mal eingeritten würden ... äh, dass die mal einer erkannte, wie's in der Bibel heißt.«

Helen musste lachen. »Deine Bibel hast du wirklich im Kopf, Daphne«, sagte sie. »Demnächst prüfen wir dann deine Kenntnisse über *David Copperfield*.«

»Jedenfalls hab ich freitags noch mal richtig auf den Putz gehauen, und dann sind wir mit der Kasse weg. Das war natürlich nicht ladylike.«

»Sagen wir – Auge um Auge, Zahn um Zahn«, bemerkte Helen.

»Na ja, und dann sind wir dem ›Ruf des Goldes‹ gefolgt.« Daphne grinste. »Sehr erfolgreich! Ich würde sagen, siebzig Prozent der Erträge aller Goldminen der Gegend landen bei mir.«

Ruben war verwirrt, beinahe ein wenig beunruhigt, als er schon sechs Wochen nach seinem Brief an den Gouverneur einen sehr offiziell aussehenden Umschlag in Empfang nahm. Der Posthalter überreichte ihm das Schreiben geradezu feierlich.

»Aus Wellington!«, erklärte er gewichtig. »Von der Regierung! Wirste jetzt geadelt, Rube? Kommt die Queen vorbei?«

Ruben lachte. »Unwahrscheinlich, Ethan, äußerst unwahrscheinlich.« Er bezähmte sein Verlangen, den Umschlag gleich aufzureißen, denn Ethan schaute ihm allzu neugierig über die Schulter, und auch Ron vom Mietstall hing schon wieder in dessen Laden herum.

»Ich sehe euch dann später!«, verabschiedete er sich scheinbar gelassen, aber schon auf dem Weg zum Warenhaus spielte er mit dem Umschlag – und änderte dann auch die Route, als er beim Police Office vorbeikam. Das hier ging zweifellos McKenzie an. Also sollte der auch aus erster Hand erfahren, wie der Gouverneur entschieden hatte.

Kurz darauf beugten sich Ruben, McDunn und McKenzie ungeduldig über das Schreiben. Alle stöhnten über die langen Vorreden des Gouverneurs, in denen er zuerst einmal Rubens sämtliche Verdienste um das Gedeihen der jungen Stadt Queenstown hervorhob. Dann aber kam der Gouverneur endlich zur Sache:

*... freuen wir uns, Sie in der Bitte um Begnadigung des Viehdiebs James McKenzie, dessen Fall Sie uns so erhellend dargelegt*

*haben, positiv bescheiden zu können. Auch wir sind der Meinung, dass McKenzie dem jungen Gemeinwesen auf der Südinsel nützlich sein kann, sofern er sich in Zukunft auf den legalen Einsatz seiner zweifellos vorhandenen Begabungen beschränkt. Wir hoffen, damit auch und besonders im Sinne von Mrs. Gwyneira Warden zu handeln, die wir in einem anderen, uns zur Entscheidung vorgelegten Fall leider soeben enttäuschen mussten. Bitte bewahren Sie über letztgenannten Vorfall noch Stillschweigen, das Urteil wurde den Beteiligten bislang noch nicht zugestellt ...*

»Verdammt, das ist die Maori-Sache!«, seufzte James. »Arme Gwyn ... und wie es aussieht, steht sie damit auch noch völlig allein. Ich sollte sofort nach Canterbury aufbrechen.«

McDunn nickte. »Von mir aus steht der Sache nichts im Wege«, sagte er grinsend. »Im Gegenteil, dann wird in meinem Grand Hotel endlich wieder ein Zimmer frei!«

»Ich sollte mich Ihnen eigentlich gleich anschließen, James«, sagte Helen mit leichtem Bedauern. Die eifrigen Zwillinge hatten eben den letzten Gang eines großen Abschiedsessens serviert – Fleurette hatte darauf bestanden, ihren Vater wenigstens noch einmal bei sich zu bewirten, bevor er womöglich für Jahre in Canterbury verschwand. Natürlich hatte er geschworen, sie gemeinsam mit Gwyneira möglichst bald zu besuchen, aber Fleur wusste, wie es auf großen Schaffarmen zuging: Irgendetwas machte die Betreiber immer unabkömmlich.

»Es war wunderschön hier, aber so langsam muss ich mich wieder um die Farm kümmern. Und ich will euch auch nicht ewig zur Last fallen.« Helen faltete ihre Serviette zusammen.

»Du fällst uns doch nicht zur Last!«, sagte Fleurette. »Im Gegenteil! Ich wüsste gar nicht, was wir ohne dich machen sollten, Helen!«

Helen lachte. »Lüg nicht, Fleur, das konntest du noch nie. Im Ernst, Kind, so gut es mir hier gefällt – ich muss mal wieder etwas zu tun haben! Ich habe mein Leben lang unterrichtet. Jetzt nur herumzusitzen und ein bisschen mit den Kindern zu spielen, scheint mir vergeudete Zeit.«

Ruben und Fleurette blickten sich an. Sie schienen sich nicht sicher zu sein, wie sie die Sache anfangen sollten. Schließlich ergriff Ruben das Wort.

»Also schön, wir wollten dich eigentlich erst später fragen, wenn alles unter Dach und Fach ist«, sagte er mit Blick auf seine Mutter. »Aber bevor du jetzt überstürzt wegläufst, kommen wir besser gleich damit heraus. Fleurette und ich – und Leonard McDunn, nicht zu vergessen – haben schon darüber nachgedacht, was du hier anfangen könntest.«

Helen schüttelte den Kopf. »Ich habe mir die Schule bereits angesehen, Ruben, das ...«

»Vergiss doch die Schule, Helen!«, meinte Fleur. »Das hast du nun lange genug gemacht. Wir dachten ... also, zunächst mal planen wir, eine Farm vor der Stadt zu kaufen. Oder eher ein Haus, an Farmbetrieb dachten wir weniger. Aber hier auf der Main Street wird es uns etwas zu betriebsam. Zu laut, zu viel Verkehr ... ich wünsche mir mehr Freiheit für die Kinder. Kannst du dir vorstellen, Helen, dass Stephen noch nie eine Weta gesehen hat?«

Helen fand, ihr Enkel könnte auch ohne diese Erfahrung unbeschadet groß werden.

»Jedenfalls werden wir aus diesem Haus ausziehen«, erklärte Ruben und umfasste das hübsche, zweistöckige Stadthaus mit einer weit ausholenden Bewegung. Der Bau war erst im letzten Jahr fertig gestellt worden, und man hatte bei der Ausstattung an nichts gespart. »Wir könnten es natürlich verkaufen. Aber dann meinte Fleurette, es wäre der ideale Platz für ein Hotel.«

»Ein Hotel?«, fragte Helen verwirrt.

»Ja!«, rief Fleurette. »Schau mal, es hat so viele Zimmer, wir hatten ja gleich mit einer großen Familie gerechnet. Wenn du im Erdgeschoss wohnst und die Zimmer oben vermietest ...«

»Ich soll ein Hotel führen?«, fragte Helen. »Bist du noch bei Trost?«

»Vielleicht eher eine Pension«, half McDunn aus und blickte Helen ermutigend an.

Fleurette nickte. »Das Wort Hotel darfst du nicht missverstehen«, sagte sie eifrig. »Es soll ein ehrenwertes Haus werden. Nicht wie Daphnes Spelunke, in der sich Banditen und leichte Mädchen einnisten. Nein, ich dachte ... wenn ordentliche neue Leute zuziehen, ein Arzt oder Bankangestellter, die müssen doch irgendwo wohnen. Und auch ... na ja, junge Frauen ...« Fleurette spielte mit einer Zeitung, die wie zufällig auf dem Tisch gelegen hatte – das Mitteilungsblatt der anglikanischen Kirchengemeinde von Christchurch.

»Das ist nicht das, was ich denke, oder?«, fragte Helen und nahm ihr die dünne Gazette entschlossen aus der Hand. Die Seite mit den Kleinanzeigen war aufgeschlagen.

*Queenstown, Otago. Welches christliche Mädchen, fest im Glauben und beseelt von Pioniergeist, hat Interesse, die eheliche Verbindung mit einem ehrenhaften, wohl situierten Gemeindemitglied einzugehen ...*

Helen schüttelte den Kopf. Sie wusste nicht, ob sie lachen oder weinen sollte. »Damals waren es Walfänger, heute Goldgräber! Wissen diese ehrenwerten Pfarrersfrauen und Gemeindestützen eigentlich, was sie den Mädchen damit antun?«

»Na ja, es ist Christchurch, Mutter, nicht gleich London. Wenn es den Mädchen nicht gefällt, sind sie in drei Tagen wieder zu Hause«, begütigte Ruben.

»Und da glaubt man ihnen dann auch aufs Wort, dass sie immer noch so tugendhaft und unberührt sind wie bei der Abfahrt!«, spottete Helen.

»Nicht wenn sie bei Daphne gehaust haben«, meinte Fleurette. »Nichts gegen Daphne – mich hätte sie sofort angeworben, als ich damals hier ankam!« Sie lachte. »Aber wenn die Mädchen in einer sauberen, ordentlichen Pension unterkommen, geleitet von Helen O'Keefe, einer Honoratiorin des Ortes? So etwas spricht sich herum, liebste Helen. Man wird die Mädchen und vielleicht auch ihre Eltern schon in Christchurch darauf hinweisen.«

»Und Sie haben die Chance, Helen, den jungen Dingern noch den Kopf zurechtzusetzen«, bemerkte Leonard McDunn, der von der Idee angeworbener Bräute genauso viel zu halten schien wie Helen. »Die sehen doch nur die Nuggets, die so ein glutäugiger Draufgänger heute in der Tasche hat – und nicht die elende Hütte, in der sie morgen landen, wenn er zum nächsten Goldfeld weiterzieht.«

Helen schaute grimmig. »Worauf Sie sich verlassen können! Ich mache keinem Paar nach drei Tagen die Trauzeugin!«

»Also übernimmst du das Hotel?«, fragte Fleurette eifrig. »Traust du es dir zu?«

Helen warf ihr einen fast beleidigten Blick zu. »Meine liebe Fleurette, ich habe in diesem Leben gelernt, die Bibel auf Maori zu lesen, eine Kuh zu melken, Hühner zu schlachten und sogar ein Maultier zu lieben. Da werde ich es wohl auch noch schaffen, eine kleine Pension in Betrieb zu halten.«

Die anderen lachten, aber dann klimperte McDunn auffordernd mit den Schlüsseln. Ein Zeichen zum Aufbruch. Solange Helens Hotel noch nicht bestand, hatte er seinem ehemaligen Häftling erlaubt, noch einmal in der Zelle zu nächtigen. Kein noch so geläuterter Sünder, meinte McDunn, könnte eine Nacht bei Daphne ohne Rückfall überstehen.

Normalerweise hätte Helen Leonard hinausbegleitet, um auf der Terrasse noch ein wenig zu plaudern, aber diesmal suchte McDunn eher die Gesellschaft von Fleurette. Beinahe verschämt wandte er sich an die junge Frau, während James sich von Helen und Ruben verabschiedete. »Ich … äh, will nicht indiskret sein, Miss Fleur, aber … Sie wissen, dass Miss Helen mich interessiert …«

Fleur lauschte dem Gestammel mit gerunzelter Stirn. Was um Himmels willen wollte McDunn? Wenn das ein Heiratsantrag werden sollte, wäre es doch besser, sich gleich an Helen zu wenden.

Schließlich nahm Leonard sich zusammen und brachte seine Frage heraus. »Also … äh, Miss Fleur: Wie in drei Teufels Namen meinte Miss Helen das mit dem Maultier?«

# 15

Paul Warden hatte sich noch nie so glücklich gefühlt.

Eigentlich verstand er selbst nicht, was mit ihm geschehen war. Schließlich kannte er Marama von Kindheit an; sie war immer Bestandteil seines Lebens und oft genug lästig gewesen. Auch jetzt hatte er nur mit gemischten Gefühlen erlaubt, dass sie sich bei seiner Flucht ins Hochland anschloss – und am ersten Tag war er regelrecht wütend geworden, weil ihr Maultier hoffnungslos langsam hinter seinem Pferd hertrottete. Marama war ein Klotz am Bein, er brauchte sie nicht.

Jetzt schämte sich Paul dafür, was er ihr während dieses Rittes alles an den Kopf geworfen hatte. Das Mädchen aber hatte gar nicht hingehört; sie schien niemals hinzuhören, wenn Paul seine Bosheiten verbreitete. Marama sah nur seine guten Seiten. Sie lächelte, wenn er freundlich war, und schwieg, wenn er sich gehen ließ. Die eigene Wut an Marama auszulassen machte keinen Spaß. Paul hatte das schon als Kind gewusst, weshalb sie nie Zielscheibe seiner Streiche geworden war. Und jetzt ... Irgendwann in den letzten Monaten hatte Paul herausgefunden, dass er Marama liebte. Irgendwann, als er feststellte, dass sie ihn nicht gängelte, ihn nicht kritisierte, dass sie keinen Abscheu überwinden musste, wenn sie ihn ansah. Marama hatte ihm selbstverständlich geholfen, einen guten Lagerplatz zu finden. Weit weg von den Canterbury Plains, in dem neu entdeckten Landstrich, den sie die McKenzie Highlands nannten. Für die Maoris war er allerdings nicht neu, erklärte Marama. Sie war mit ihrem Stamm einmal hier gewesen – schon als kleines Kind.

»Weißt du nicht mehr, wie du geweint hast, Paul?«, fragte Marama nun mit ihrer singenden Stimme. »Wir waren doch bis dahin immer zusammen gewesen, und du hast Kiri ›Mutter‹ genannt, genau wie ich. Aber dann war die Ernte schlecht, und Mr. Warden trank immer mehr und hatte Wutanfälle. Viele Männer mochten nicht für ihn arbeiten, und es war auch noch lange hin bis zur Schur ...«

Paul nickte. Gwyneira pflegte den Maoris in solchen Jahren einen Vorschuss zu geben, um sie bis zu den arbeitsreichen Monaten im Frühjahr bei sich zu halten. Das war allerdings ein Risiko: Ein Teil der Männer blieb zwar und erinnerte sich später auch an das gezahlte Geld; ein anderer Teil aber nahm das Geld und verschwand, und wieder andere hatten die Vorauszahlung nach der Schur vergessen und forderten mit rüden Worten das volle Gehalt. Gerald und Paul hatten sich deshalb in den letzten Jahren nicht darauf eingelassen. Sollten die Maoris ruhig wandern. Bis zur Schur würden sie schon zurück sein, und wenn nicht, fanden sich andere Aushilfen. Daran, dass er selbst einmal Opfer dieser Politik geworden war, erinnerte Paul sich nicht.

»Kiri hat dich deiner Mutter in den Arm gegeben, aber du hast nur geweint und geschrien. Und deine Mutter sagte, von ihr aus könnten wir dich mitnehmen, und Mr. Gerald hat sie deshalb beschimpft. Ich weiß das auch nicht mehr alles, Paul, aber Kiri hat es mir später erzählt. Sie sagt, du hast uns immer übel genommen, dass wir dich zurückließen. Aber was konnte sie denn tun? Miss Gwyn hat das sicher auch nicht so gemeint, sie hatte dich doch lieb.«

»Sie hat mich nie gemocht!«, meinte Paul hart.

Marama schüttelte den Kopf. »Nein. Ihr wart nur zwei Bäche, die nicht zusammenfließen. Vielleicht findet ihr euch ja eines Tages. Alle Bäche fließen zum Meer.«

Paul wollte nur ein primitives Lager aufschlagen, aber Marama wünschte sich ein richtiges Haus.

»Wir haben doch sonst nichts zu tun, Paul!«, sagte sie gelassen. »Und du musst bestimmt länger wegbleiben. Warum sollten wir da frieren?«

Also fällte Paul ein paar Bäume – eine Axt fand sich in den schweren Satteltaschen, die Maramas Maultier schleppte. Er zog sie mit Hilfe des geduldigen Mulis auf eine Ebene an einem Bachlauf. Marama hatte die Stelle ausgewählt, weil gleich daneben mehrere gewaltige Felsen aus dem Boden ragten. Die Geister wären hier glücklich, behauptete sie. Und glückliche Geister seien auch neuen Siedlern gewogen. Sie bat Paul, ein paar Schnitzereien an ihrem Haus vorzunehmen, damit es schön aussah und *papa* sich dadurch nicht beleidigt fühlte. Als es endlich ihren Vorstellungen entsprach, führte sie Paul feierlich in den relativ großen, leeren Innenraum.

»Jetzt nehme ich dich zum Mann!«, verkündete sie ernst. »Ich liege dir bei in einem Schlafhaus – auch wenn der Stamm jetzt nicht zugegen ist. Ein paar unserer Ahnen werden schon da sein, um es zu bezeugen. Ich, Marama, Nachkomme derer, die mit der *uruao* nach Aotearoa gekommen sind, will dich, Paul Warden! So sagt man bei euch, nicht wahr?«

»Es ist schon noch ein bisschen komplizierter …«, meinte Paul. Er wusste nicht recht, was er davon halten sollte, aber Marama war heute wunderschön. Sie trug ein buntes Stirnband, hatte sich eine Decke um die Hüften gewunden, und ihre Brüste waren entblößt. Paul hatte sie nie so gesehen; im Haus der Wardens und in der Schule trug sie stets züchtige, westliche Kleidung. Jetzt aber stand sie hier vor ihm, halb nackt, mit glänzender, hellbrauner Haut, sanfte Glut in den Augen – und sie sah ihn an, wie *papa* zu *rangi* aufgesehen haben musste. Sie liebte ihn. Vorbehaltlos, egal was er war und was er getan hatte.

Paul legte die Arme um sie. Er wusste nicht genau, ob Maoris sich zu solchen Anlässen küssten, also rieb er nur seine

Nase sanft an ihrer. Marama kicherte, als sie daraufhin niesen musste. Dann nahm sie ihre Decke ab. Paul stockte der Atem, als sie gänzlich nackt vor ihm stand. Sie war zarter gebaut als die meisten Frauen ihrer Rasse, doch ihre Hüften waren breit, die Brüste voll, ihr Gesäß üppig. Paul schluckte, doch Marama breitete die Decke ganz selbstverständlich auf dem Boden aus und zog Paul zu sich herunter.

»Du willst doch auch mein Mann sein, oder?«, fragte sie.

Paul hätte jetzt antworten müssen, nie daran gedacht zu haben. Bis jetzt hatte er ohnehin selten an eine Ehe gedacht, und wenn, dann an eine arrangierte Verbindung mit einem netten Mädchen weißer Hautfarbe – vielleicht einer Tochter der Greenwoods oder der Barringtons, das wäre passend. Aber welchen Ausdruck würde er in den Augen dieses Mädchens sehen? Würde sie ihn verabscheuen wie seine Mutter? Zumindest würde sie Vorbehalte haben. Spätestens jetzt, nach dem Mord an Howard. Und würde er sie lieben können? Würde er nicht immer wachsam sein, argwöhnisch?

Marama zu lieben war dagegen einfach. Sie war da, willig und zärtlich, ihm völlig ergeben ... Nein, das stimmte nicht, sie war eigenständig. Er hatte sie nie zu etwas zwingen können. Aber er hatte es auch nie gewollt. Vielleicht war dies ja das Wesen der Liebe: Sie musste freiwillig gegeben werden. Eine gezwungene Liebe wie die seiner Mutter war nichts wert.

Also nickte Paul. Aber dann erschien es ihm nicht genug. Es war nicht fair, ihre Liebe nur nach ihrem Ritus zu bestätigen, es musste auch nach dem seinen geschehen.

Paul Warden erinnerte sich an die Trauformel.

»Ich, Paul, nehme dich, Marama, vor Gott und den Menschen ... und den Ahnen ... zu meinem angetrauten Weib ...«

Von diesem Moment an war Paul ein glücklicher Mann. Er lebte mit Marama wie ein Paar bei den Maoris. Er jagte und fischte, während sie kochte und versuchte, einen Garten anzulegen. Ein wenig Saatgut hatte sie mitgebracht – es hatte seinen Grund gehabt, dass ihr schwer beladenes Maultier mit seinem Pferd nicht Schritt halten konnte –, und Marama freute sich wie ein Kind, als die Saat aufging. Am Abend unterhielt sie Paul mit Geschichten und Gesang. Sie erzählte von ihren Ahnen, die vor unendlich langer Zeit mit dem Kanu *uruao* aus Polynesien nach Aotearoa gekommen waren. Jeder Maori, so verriet sie Paul, war voller Stolz auf das Kanu, mit dem seine Vorfahren gereist waren. Bei offiziellen Anlässen nannten sie dieses Kanu wie einen Bestandteil ihres Namens. Natürlich kannte auch jeder die Geschichte von der Entdeckung des neuen Landes. »Wir kamen aus einem Land namens Hawaiki«, berichtete Marama, und ihre Erzählung klang wie ein Lied. »Damals gab es einen Mann mit Namen Kupe, der ein Mädchen namens Kura-maro-tini liebte. Aber er konnte sie nicht heiraten, denn sie hatte bereits seinem Vetter Hoturapa im Schlafhaus beigelegen.«

Paul erfuhr, dass Kupe Hoturapa ertränkte und deshalb aus dem Land fliehen musste. Und wie Kura-maro-tini, die mit ihm ging, eine wunderschöne weiße Wolke über dem Meer stehen sah, die sich dann als das Land Aotearoa entpuppte. Marama sang von gefährlichen Kämpfen mit Kraken und Geistern bei der Landnahme und von Kupes Rückkehr nach Hawaiki.

»Er erzählte den Menschen dort von Aotearoa, fuhr aber nie zurück. Er fuhr nie zurück …«

»Und Kura-maro-tini?«, fragte Paul. »Hat Kupe sie einfach verlassen?«

Marama nickte traurig.

»Ja. Sie blieb allein … aber sie hatte zwei Töchter. Das mag sie getröstet haben. Aber Kupe war wohl kein netter Kerl!«

Die letzten Worte klangen so sehr nach Miss Helens kleiner Musterschülerin, dass Paul lachen musste. Er zog das Mädchen in die Arme.

»Ich werde dich nie verlassen, Marama. Auch wenn ich sonst nicht immer ein netter Kerl war!«

Tonga erfuhr von einem Jungen, der vor John Sideblossoms hartem Regime auf Lionel Station floh, von Paul und Marama. Der Junge hatte von Tongas »Aufstand« gegen die Wardens gehört und brannte nun darauf, sich den vermeintlichen Freischärlern bei ihrem Kampf gegen die *pakeha* anzuschließen.

»Oben im Hochland wohnt noch einer«, berichtete er aufgeregt. »Mit einer Maori-Frau. Es heißt, sie wären in Ordnung. Der Mann ist gastfreundlich. Er teilt sein Essen mit uns, wenn wir wandern. Und das Mädchen ist eine Sängerin. *Tohunga*! Aber ich sage: Alle *pakeha* sind verdorben! Und unsere Mädchen sollen sie nicht haben!«

Tonga nickte. »Du hast Recht«, sagte er ernst. »Kein *pakeha* sollte unsere Mädchen schänden. Und du wirst mein Führer sein und dem Beil des Häuptlings voranschreiten, um das Unrecht zu rächen!«

Der Junge strahlte. Gleich am nächsten Tag führte er Tonga in die Highlands.

Tonga und sein Führer trafen Paul vor seinem Haus an. Der junge Mann hatte Holz gesammelt und half Marama, eine Kochgrube auszuheben. In ihrem Dorf war das nicht üblich gewesen, aber sie hatten beide von diesem Brauch der Maoris gehört und wollten es jetzt ausprobieren. Vergnügt suchte Marama Steine zusammen, und Paul stach seinen Spaten in das vom letzten Regen noch weiche Erdreich.

Tonga trat hinter den Felsen hervor, die nach Maramas Glauben die Götter glücklich stimmten.

»Wessen Grab hebst du aus, Warden? Hast du wieder mal jemanden erschossen?«

Paul fuhr herum und hielt den Spaten vor sich. Marama stieß einen leisen Laut des Schreckens aus. Sie war wunderschön an diesem Tag, trug wieder nur ihren Rock und hatte das Haar mit einem bestickten Stirnband zurückgebunden. Ihre Haut glänzte nach der Anstrengung, und eben noch hatte sie gelacht. Paul schob sich vor sie. Er wusste, dass es kindisch war, aber er wollte nicht, dass jemand sie so leicht bekleidet sah – auch wenn die Maoris sicher keinen Anstoß daran nehmen würden.

»Was soll das, Tonga? Du erschrickst meine Frau. Verschwinde von hier, dies ist nicht dein Land!«

»Eher meins als deins, *pakeha!* Aber wenn du's wissen willst – dein Kiward Station wird dir auch nicht mehr lange gehören. Euer Gouverneur hat für mich entschieden. Wenn du mich nicht auszahlen kannst, werden wir teilen müssen!« Tonga lehnte sich lässig auf das Beil des Häuptlings, das er mitgetragen hatte, um entsprechend würdevoll auftreten zu können.

Marama trat zwischen die beiden. Sie erkannte, dass Tonga den Schmuck des Kriegers trug, und er war nicht einfach aufgemalt – der junge Häuptling hatte sich in den letzten Monaten auf traditionelle Weise tätowieren lassen.

»Tonga, wir werden gerecht verhandeln«, sagte sie sanft. »Kiward Station ist groß, jeder wird seinen Anteil bekommen. Und Paul wird auch nicht mehr dein Feind sein. Er ist mein Mann, er gehört zu mir und meinem Volk. Also ist er auch dein Bruder. Schließ Frieden, Tonga!«

Tonga lachte. »Der? Mein Bruder? Dann soll er auch leben wie mein Bruder! Wir werden sein Land nehmen und sein Haus schleifen. Die Götter sollen das Land zurückbekommen, auf dem dieses Haus steht. Ihr zwei könnt natürlich in unserem Schlafhaus wohnen ...« Tonga ging auf Marama zu. Seine Blicke schweiften anzüglich über ihre nackten Brüste. »Aber vielleicht magst du dann ja auch mit einem anderen das Lager teilen. Noch ist nichts entschieden ...«

»Du verdammter Mistkerl!«

Als Tonga die Hand nach Marama ausstreckte, stürzte Paul sich auf ihn. Augenblicke später wälzten die beiden sich prügelnd, schreiend und fluchend am Boden. Sie schlugen einander, rangen, kratzen und bissen, womit auch immer sie einander verletzen konnten. Marama verfolgte den Kampf gleichmütig. Sie wusste nicht, wie oft sie den beiden Rivalen schon bei einer solch unwürdigen Auseinandersetzung zugeschaut hatte. Kindsköpfe, alle beide!

»Hört auf!«, rief sie schließlich. »Tonga, du bist ein Häuptling! Denk an deine Würde. Und du, Paul ...«

Doch die beiden hörten sie gar nicht, sondern prügelten weiter verbissen aufeinander ein. Marama würde warten müssen, bis einer den anderen auf den Rücken gezwungen hatte. Dabei waren beide ungefähr gleich stark. Marama wusste, dass das Kriegsglück hier schwankte – und sie würde bis ans Ende ihres Lebens darüber nachdenken, ob nicht alles anders gekommen wäre, hätte das Glück diesmal nicht Paul begünstigt, denn Tonga fand sich schließlich am Boden. Paul hockte über ihm, außer Atem, das Gesicht zerkratzt und blutig geschlagen. Aber er triumphierte. Grinsend hob er die Faust.

»Wirst du jetzt noch einmal bezweifeln, dass Marama meine Frau ist, du Bastard? Für immer und ewig?« Er schüttelte Tonga.

Im Gegensatz zu Marama beobachtete der Junge, der den Häuptling hergeführt hatte, den Kampf voller Zorn und Fassungslosigkeit. Für ihn war dies hier keine läppische Schlägerei, sondern ein Machtkampf zwischen Maoris und *pakeha* –

Stammeskrieger gegen Unterdrücker. Und das Mädchen hatte Recht, diese Art der Kriegführung stand einem Häuptling nicht an! Tonga durfte sich nicht raufen wie ein Knabe. Und dann unterlag er auch noch! Er war im Begriff, den letzten Rest seiner Würde zu verlieren ... Der Junge konnte das nicht zulassen. Er hob den Speer.

»Nein! Nein, Junge, nein! Paul!« Marama schrie auf und wollte dem jungen Maori in den Arm fallen. Doch es war zu spät. Paul Warden, der hoch aufgerichtet über seinem bezwungenen Gegner kauerte, brach zusammen, die Brust von einem Speer durchbohrt.

## 16

James McKenzie pfiff vergnügt vor sich hin. Die Mission, die vor ihm lag, war zwar heikel, aber heute gab es nichts, was seiner guten Stimmung Abbruch tat. Er war nun seit zwei Tagen zurück in den Canterbury Plains, und seine Wiedervereinigung mit Gwyneira hatte keine Wünsche offen gelassen. Es war, als hätte es all die Missverständnisse und die vielen Jahre nicht gegeben, die seit den Zeiten ihrer damals noch so jungen Liebe vergangen waren. James musste jetzt noch darüber schmunzeln, wie sehr Gwyn sich damals bemüht hatte, auf keinen Fall von Liebe zu reden! Inzwischen tat sie das ganz ungeniert, und auch sonst war von der Prüderie der walisischen Prinzessin nichts mehr zu spüren.

Vor wem sollte Gwyn sich auch schämen? Das große Haus der Wardens gehörte zurzeit allein ihr und ihm – es war seltsam, das Haus nicht als kaum geduldeter Angestellter zu betreten, sondern davon Besitz zu ergreifen. Von den Sesseln im großen Salon, den Kristallgläsern, dem Whiskey und den edlen Zigarren des Gerald Warden. Noch immer fühlte James sich in der Küche und den Ställen am ehesten heimisch – und hier verbrachte schließlich auch Gwyneira die meiste Zeit. Nach wie vor gab es kein Maori-Personal, und die weißen Viehhüter waren zu teuer und vor allem zu stolz, um einfache Arbeiten zu erledigen. Gwyneira schleppte das Wasser also selbst, erntete Gemüse im Garten und suchte Eier im Hühnerstall. Frischen Fisch und Fleisch hatte sie kaum noch; zum Fischen fehlte Gwyn die Zeit, und den Hühnern den Hals umzudrehen, brachte sie nicht über sich. Deshalb war die Speisekarte abwechslungsreicher geworden, seit James bei ihr war. Er freute sich, ihr das Leben zu erleichtern, auch wenn er sich in ihrem mädchenhaft wirkenden Schlafzimmer noch immer wie ein Gast fühlte. Gwyneira hatte ihm erzählt, Lucas habe die Zimmer für sie gestaltet. Obwohl die verspielten Spitzenvorhänge und die zierlichen Möbel nicht wirklich Gwyns Stil waren, hielt sie wie zum Andenken an ihren Mann daran fest.

Dieser Lucas Warden musste ein seltsamer Mensch gewesen sein! Erst jetzt merkte James, wie wenig er ihn gekannt hatte und wie nah die boshaften Bemerkungen der Viehhüter damals der Wahrheit gekommen waren. Aber irgendetwas in Gwyneira hatte Lucas doch geliebt oder zumindest respektiert. Und auch Fleurettes Erinnerungen an ihren vermeintlichen Vater waren voller Wärme. James begann, Bedauern und Mitgefühl für Lucas zu empfinden. Ein guter, wenn auch schwacher Mensch, geboren zur falschen Zeit und am falschen Ort.

James lenkte sein Pferd in Richtung des Maori-Dorfes am See. Eigentlich hätte er auch zu Fuß dorthin gehen können, doch er kam in offizieller Mission, sozusagen als Gwyneiras Unterhändler, und fühlte sich sicherer – und vor allem wichtiger – auf dem vierbeinigen Statussymbol der *pakeha*. Zumal ihm sein Pferd sehr gut gefiel. Fleurette hatte es ihm geschenkt: ein Sohn ihrer Stute Niniane mit einem Araberblut führenden Reithengst.

Eigentlich hatte McKenzie erwartet, schon früher zwischen Kiward Station und dem Maori-Dorf auf eine Straßensperre zu stoßen. McDunn hatte schließlich so etwas berichtet, und auch Gwyn ärgerte sich darüber, dass man versuchte, sie von der Straße nach Haldon abzuschneiden.

Tatsächlich aber kam James unbehelligt ins Dorf. Er passierte eben die ersten Gebäude, und das große Versammlungshaus kam bereits in Sicht. Doch die Stimmung im Lager war seltsam.

Nichts von der herausfordernden, offenen Abwehr, dem Trotz, von dem Gwyneira, aber auch Andy McAran und Poker Livingston gesprochen hatten. Vor allem kein Triumph über das Urteil des Gouverneurs. James hatte eher das Gefühl, eine Art angespanntes Warten wahrzunehmen. Die Menschen umringten ihn nicht freundlich und schwatzhaft wie bei früheren Besuchen im Dorf, wirkten aber auch nicht bedrohlich. Zwar sah er vereinzelt Männer mit Krieger-Tatoos, aber sie trugen durchweg Hosen und Hemden, keine traditionelle Tracht und keine Speere. Ein paar Frauen erledigten alltägliche Arbeiten und versuchten dabei angestrengt, nicht zum Besucher hinüberzuschauen.

Schließlich trat Kiri aus einem der Häuser.

»Mr. James. Ich höre, Sie wieder da sind«, sagte sie förmlich. »Das ist große Freude für Miss Gwyn.«

James lächelte. Er hatte immer geahnt, dass Kiri und Moana Bescheid wussten.

Doch Kiri erwiderte das Lächeln nicht, sondern blickte ernst zu James auf, als sie weitersprach. Sie wählte ihre Worte mit Bedacht, beinahe vorsichtig. »Und ich will sagen ... Mir tut Leid. Moana auch tut Leid und Witi. Wenn jetzt Frieden, wir gern kommen wieder in Haus. Und wir verzeihen Mr. Paul. Er geändert, sagt Marama. Guter Mann. Für mich guter Sohn.«

James nickte. »Das ist schön, Kiri. Auch für Mr. Paul. Miss Gwyn hofft, dass er bald zurückkommt.« Er war erstaunt, als Kiri sich daraufhin abwandte.

Niemand anders sprach ihn an, bis James schließlich vor das Haus des Häuptlings gelangte. Er stieg ab. Er war sicher, dass Tonga von seiner Ankunft gehört haben musste, doch der junge Häuptling wollte sich offensichtlich bitten lassen.

James hob die Stimme. »Tonga! Wir müssen reden! Miss Gwyn hat den Bescheid des Gouverneurs. Sie möchte verhandeln.«

Tonga trat langsam vor das Haus. Er trug Tracht und Tatoos des Kriegers, aber keinen Speer, dafür das Heilige Beil des Häuptlings. James erkannte die Spuren einer Schlägerei in seinem Gesicht. War der junge Häuptling nicht mehr unumstritten? Hatte er Konkurrenten im eigenen Stamm?

James hielt ihm die Hand hin, doch Tonga nahm sie nicht.

James zuckte die Schultern. Dann eben nicht. In seinen Augen verhielt Tonga sich kindisch, aber was war von einem so jungen Mann schon anderes zu erwarten? James beschloss, das Spiel nicht mitzuspielen, sondern unter allen Umständen höflich zu bleiben. Vielleicht half es ja, an die Ehre des Mannes zu appellieren.

»Tonga, du bist sehr jung und doch schon Häuptling. Das heißt, deine Leute halten dich für einen vernünftigen Mann. Auch Miss Helen hält große Stücke auf dich, und was du beim Gouverneur erreicht hast, ist bewundernswert. Du hast Mut und Durchhaltevermögen bewiesen. Aber jetzt müssen wir zu einer Einigung kommen. Mr. Paul ist nicht da, aber Miss Gwyn wird für ihn verhandeln. Und sie verbürgt sich dafür, dass er sich an ihre Abmachungen halten wird. Er wird es müssen, schließlich liegt ein Beschluss des Gouverneurs vor. Also beende diesen Krieg, Tonga! Auch im Sinne deiner eigenen Leute.« James hielt die Hände ausgebreitet; er war unbewaffnet. Tonga musste erkennen, dass er in Frieden kam.

Der junge Häuptling richtete sich noch weiter auf, sosehr dies bei seiner ohnehin hochgewachsenen Gestalt möglich war. Trotzdem war er immer noch kleiner als James. Er war auch kleiner als Paul gewesen, was ihn all die Jahre seiner Kindheit bekümmert hatte. Aber jetzt trug er die Würde des Häuptlings. Er brauchte sich für nichts zu schämen! Auch nicht für Pauls Ermordung …

»Richte Gwyneira Warden aus, dass wir zu Verhandlungen bereit sind«, sagte er kühl. »Wir hegen keine Zweifel daran, dass sie eingehalten werden. Miss Gwyn ist seit dem letzten Vollmond die Stimme der Wardens. Paul Warden ist tot.«

»Tonga war es nicht …« James hielt Gwyneira in den Armen und erzählte ihr vom Tod ihres Sohnes. Gwyneira schluchzte trocken. Sie fand keine Tränen, und sie hasste sich dafür. Paul war ihr Sohn gewesen, aber sie konnte nicht um ihn weinen.

Kiri stellte schweigend eine Teekanne auf dem Tisch vor ihnen ab. Sie und Moana hatten James zum Haus begleitet. Wie selbstverständlich nahmen die beiden Frauen die Küche und die Wirtschaftsräume wieder in Besitz.

»Du darfst es Tonga nicht zum Vorwurf machen, sonst scheitern womöglich die Verhandlungen. Ich glaube, er macht sich selbst Vorwürfe. Soweit ich verstanden habe, hat einer seiner Krieger die Beherrschung verloren. Er sah die Würde seines Häuptlings bedroht und hat Paul erstochen – von hinten! Tonga muss sich in Grund und Boden schämen. Dabei gehörte der Mörder nicht mal zu Tongas Stamm. Tonga hat also keine Gewalt über ihn. Deshalb wurde er auch nicht bestraft. Tonga hat ihn nur zu seinen Leuten zurückgeschickt. Wenn du willst, kannst du die Sache amtlich untersuchen lassen. Tonga und wohl auch Marama waren Zeugen und würden vor Gericht nicht lügen.« James füllte Tee und viel Zucker in eine Tasse und versuchte, sie Gwyneira in die Hand zu geben.

Gwyneira schüttelte den Kopf. »Was sollte das ändern?«, fragte sie leise. »Der Krieger sah seine Ehre bedroht, Paul sah seine Frau bedroht, Howard fühlte sich beleidigt … Gerald hat ein Mädchen geheiratet, das er nicht liebte … Eins führt zum anderen, und es hört niemals auf. Ich bin das alles so leid, James.« Sie zitterte am ganzen Körper. »Und ich hätte Paul so gern noch gesagt, dass ich ihn liebe.«

James zog sie an sich. »Er hätte gewusst, dass du lügst«, sagte er leise. »Du kannst es nicht ändern, Gwyn.«

Sie nickte. »Ich werde damit leben müssen, und ich werde mich jeden Tag dafür hassen. Es ist seltsam mit der Liebe. Ich konnte nichts für Paul empfinden, aber Marama hat ihn geliebt ... so selbstverständlich, wie sie atmete, und ohne Vorbehalte, egal was Paul getan hat. Sie war seine Frau, sagst du? Wo ist sie? Hat Tonga ihr etwas angetan?«

»Ich nehme an, dass sie offiziell Pauls Frau war. Tonga und Paul haben sich jedenfalls um sie geprügelt. Paul war es also ernst. Wo sie jetzt ist, weiß ich nicht. Ich kenne die Trauerzeremonien der Maoris nicht. Wahrscheinlich hat sie Paul begraben und sich zurückgezogen. Wir werden Tonga fragen müssen oder Kiri.«

Gwyneira straffte sich. Ihre Hände zitterten immer noch, aber sie schaffte es jetzt, die Finger an der Teetasse zu wärmen und die Tasse auch zum Mund zu führen. »Wir müssen es herausfinden. Es darf nicht sein, dass dem Mädchen auch noch etwas passiert. Ich muss sowieso ins Dorf, so bald wie möglich, ich will es hinter mich bringen. Aber heute nicht mehr. Nicht in dieser Nacht. Diese Nacht brauche ich für mich. Ich will allein sein, James ... ich muss nachdenken. Morgen, wenn die Sonne hoch steht, werde ich mit Tonga reden. Ich werde um Kiward Station kämpfen, James! Tonga wird es nicht bekommen!«

James nahm Gwyneira in die Arme und trug sie behutsam in ihr Schlafzimmer. »Was immer du willst, Gwyn. Nur allein lassen werde ich dich nicht. Ich werde da sein, auch in dieser Nacht. Du kannst weinen oder von Paul erzählen ... es muss doch auch gute Erinnerungen geben. Manchmal musst du auch stolz auf ihn gewesen sein! Erzähl mir von ihm und Marama. Oder lass mich dich einfach in den Armen halten. Du musst nicht reden, wenn du nicht willst. Aber du bist nicht allein.«

Gwyneira trug ein schwarzes Kleid, als sie Tonga am Seeufer traf, zwischen Kiward Station und dem Dorf der Maoris. Verhandlungen führte man nicht in geschlossenen Räumen, Götter, Geister und Ahnen sollten Zeugen sein. Hinter Gwyneira standen James, Andy, Poker, Kiri und Moana. Hinter Tonga ungefähr zwanzig grimmig blickende Krieger.

Nachdem ein paar förmliche Begrüßungen ausgetauscht waren, sprach der Häuptling Gwyn noch einmal sein Bedauern über den Tod ihres Sohnes aus – in gemessenen Worten und perfektem Englisch. Gwyneira erkannte Helens Schule. Tonga war eine seltsame Mischung zwischen Wildem und Gentleman.

»Der Gouverneur hat entschieden«, sagte Gwyneira dann mit fester Stimme, »dass der Verkauf des Landes, das man heute Kiward Station nennt, nicht in jeder Hinsicht den Richtlinien des Vertrages von Waitangi entsprach ...«

Tonga lachte spöttisch. »Nicht in jeder Hinsicht? Der Verkauf war rechtswidrig!«

Gwyneira schüttelte den Kopf. »Nein, das war er nicht. Er erfolgte vor dem Vertragsabschluss, der den Maoris einen Mindestpreis für ihr Land zusicherte. Gegen einen Vertrag, der noch nicht bestand – und den die Kai Tahu obendrein nie unterschrieben haben –, konnte man nicht verstoßen. Dennoch hat der Gouverneur befunden, dass Gerald Warden euch beim Kauf übervorteilt hat.« Sie atmete tief durch. »Und nach gründlicher Prüfung der Unterlagen muss ich ihm Recht geben. Gerald Warden hat euch mit einem Taschengeld abgespeist. Ihr habt nur zwei Drittel der Summe bekommen, die euch mindestens zustand. Der Gouverneur hat nun bestimmt, dass wir diese Summe nachzahlen müssen oder euch das entsprechende Land zurückgeben. Letzteres erscheint mir gerechter, denn das Land wird heute teurer gehandelt.«

Tonga musterte sie mit anzüglichem Grinsen. »Wir fühlen

uns geehrt, Miss Gwyn!«, bemerkte er und deutete eine Verbeugung an. »Sie wollen also wirklich Ihr kostbares Kiward Station mit uns teilen?«

Gwyneira hätte diesen arroganten jungen Schnösel gern in seine Schranken verwiesen, aber dafür war jetzt nicht die Zeit. Also beherrschte sie sich und sprach so gemessen weiter, wie sie begonnen hatte. »Ich möchte euch als Ausgleich die Farm anbieten, die man als O'Keefe Station kennt. Ich weiß, dass ihr oft dorthin wandert, und das Hochland ist reicher an Jagd- und Fischgründen als Kiward Station. Dafür eignet es sich weniger für die Schafzucht. Uns wäre also allen gedient. Flächenmäßig ist O'Keefe Station halb so groß wie Kiward Station. Ihr erhaltet also mehr Land, als der Gouverneur euch zugesprochen hat.«

Gwyneira hatte diesen Plan gefasst, kaum dass sie von der Entscheidung des Gouverneurs gehört hatte. Helen wollte verkaufen. Sie würde in Queenstown bleiben, und Gwyneira konnte die Farm in mehreren Raten an sie abzahlen. Die Ausgleichszahlungen würden Kiward Station also nicht mit einem Schlag belasten, und sicher war es auch im Sinne des verstorbenen Howard O'Keefe, wenn sein Land an die Maoris statt an die verhassten Wardens fiel.

Die Männer hinter Tonga raunten miteinander. Offensichtlich traf der Vorschlag bei ihnen auf großes Interesse. Tonga jedoch schüttelte den Kopf.

»Welche Gnade, Miss Gwyn! Ein Stück minderwertiges Land, eine verfallende Farm – und schon sind die dummen Maoris glücklich, ja?« Er lachte. »Nein, das habe ich mir ein bisschen anders vorgestellt.«

Gwyneira seufzte. »Was willst du?«, fragte sie.

»Was ich will ... was ich eigentlich wollte ... war das Land, auf dem wir stehen. Von der Straße nach Haldon bis zu den tanzenden Steinen ...« So nannten die Maoris den Steinkreis auf dem Weg zwischen der Farm und dem Hochland.

Gwyneira runzelte die Stirn. »Aber auf dem Land steht unser Haus! Das ist unmöglich!«

Tonga grinste. »Ich sag ja, dass ich's wollte ... aber wir schulden Ihnen einen gewissen Blutzoll, Miss Gwyn. Ihr Sohn starb durch meine Schuld, wenn auch nicht durch meine Hand. Ich habe es nicht gewollt, Miss Gwyn. Ich wollte ihn bluten sehen, nicht sterben. Ich wollte, dass er zusieht, wie ich sein Haus niederreiße – oder gar darin Wohnung nehme! Mit Marama, meiner Frau. Das hätte ihn mehr geschmerzt als jeder Speer. Aber sei's drum. Ich habe mich entschlossen, Sie zu schonen. Behalten Sie Ihr Haus, Miss Gwyn. Aber ich will das gesamte Land von den tanzenden Steinen bis zu dem Bach, der Kiward Station von O'Keefe Station trennt.« Er blickte sie fordernd an.

Gwyneira hatte das Gefühl, den Boden unter den Füßen zu verlieren. Sie wandte den Blick von Tonga und richtete ihn auf James. In ihren Augen spiegelten sich Verwirrung und Verzweiflung.

»Das sind unsere besten Weiden«, sagte sie. »Dazu gehören zwei der drei Scherschuppen! Fast alles ist eingezäunt!«

James legte den Arm um sie und blickte Tonga fest an.

»Vielleicht solltet ihr zwei noch einmal darüber nachdenken ...«, sagte er ruhig.

Gwyneira richtete sich auf. Ihre Augen funkelten.

»Wenn wir ihnen geben, was sie verlangen«, stieß sie zornig hervor, »können wir ihnen Kiward Station auch gleich ganz überlassen! Vielleicht sollten wir das sogar tun! Es wird ja doch keinen Erben mehr geben. Und du und ich, James, wir können uns auch auf Helens Farm einrichten ...«

Gwyneira holte tief Atem und ließ den Blick über das Land schweifen, das sie zwanzig Jahre lang gehütet und gepflegt hatte.

»Alles wird auseinander fallen«, sagte sie wie zu sich selbst. »Die Zuchtplanung, die Schaffarm, jetzt auch die Longhorns

… und es steckt so viel Arbeit darin. Wir hatten die besten Tiere in Canterbury, wenn nicht auf der ganzen Insel. Verdammt, Gerald Warden hatte seine Fehler, aber das hat er nicht verdient!« Sie biss sich auf die Unterlippe, um nicht zu weinen. Zum ersten Mal hatte sie das Gefühl, um Gerald weinen zu können. Um Gerald, Lucas und Paul.

»Nein!« Die Stimme war leise, aber durchdringend. Eine singende Stimme, die Stimme der geborenen Erzählerin und Sängerin.

Hinter Tonga teilte sich die Gruppe seiner Krieger, um Marama Platz zu machen. Das Mädchen schritt gelassen zwischen ihnen hindurch.

Marama war nicht tätowiert, hatte sich heute aber die Zeichen ihres Stammes auf die Haut gemalt: Sie zierten ihr Kinn und die Haut zwischen Mund und Nase und ließen ihr schmales Gesicht wie eine der Göttermasken wirken, die Gwyn aus Matahoruas Haus kannte. Marama hatte ihr Haar hochgebunden, wie erwachsene Frauen es tun, wenn sie sich zu Festen schmücken. Ihr Oberkörper war nackt, doch sie trug ein Tuch um die Schultern und einen weißen, weiten Rock, den Gwyneira ihr einst geschenkt hatte.

»Wage es nicht, mich deine Frau zu nennen, Tonga! Ich habe dir niemals beigelegen und werde es auch niemals tun. Ich war und bin Paul Wardens Frau. Und dies hier war und ist Paul Wardens Land!« Marama hatte bislang Englisch gesprochen; jetzt wechselte sie in ihre eigene Sprache. Keiner in Tongas Gefolge sollte sie missverstehen. Doch sie sprach zugleich langsam genug, dass Gwyneira und James möglichst kein Wort entging. Jeder auf Kiward Station sollte wissen, was Marama Warden zu sagen hatte.

»Dies ist Land der Wardens, aber auch der Kai Tahu. Und nun wird es ein Kind geben, mit einer Mutter vom Stamme derer, die mit dem Kanu *uruao* nach Aotearoa kamen. Und mit einem Vater vom Stamme der Wardens. Paul hat mir nie gesagt, welches Kanu die Ahnen seines Vaters fuhren, doch von den Ahnen der Kai Tahu wurde unsere Verbindung gesegnet. Die Mütter und Väter von der *uruao* werden das Kind willkommen heißen. Und dies wird sein Land sein.«

Die junge Frau legte die Hände auf ihren Leib und hob die Arme dann zu einer alles umfassenden Geste, als wollte sie das Land und die Berge umarmen.

In den Reihen der Krieger hinter Tonga erhoben sich Stimmen. Beifällige Stimmen. Niemand würde Maramas Kind die Farm streitig machen – erst recht nicht, wenn das ganze Land von O'Keefe Station zurück an die Maori-Stämme fiel.

Gwyneira lächelte und sammelte sich zu einer Entgegnung. Ihr war ein wenig schwindelig, vor allem aber fühlte sie sich erleichtert; nun hoffte sie, dass sie die richtigen Worte wählte und sie auch richtig aussprach. Es war ihre erste Rede in Maori, die weit über alltägliche Dinge hinausging, und sie wollte, dass jeder sie verstand:

»Dein Kind ist vom Stamme derer, die mit der *Dublin* nach Aotearoa kamen. Auch der Familie seines Vaters wird dieses Kind willkommen sein. Als Erbe dieser Farm, die man Kiward Station nennt, im Lande der Kai Tahu.«

Gwyneira versuchte, Maramas Geste von eben nachzuahmen, doch in ihrem Fall waren es Marama und ihr ungeborener Enkel, die sie in die Arme schloss.

## *Danksagungen*

Vielen Dank an meine Lektorin Melanie Blank-Schröder, die gleich an diesen Roman glaubte, und vor allem an meinen genialen Agenten Bastian Schlück.

Danke an Heike, die mir den Kontakt zu Pawhiri vermittelte, und an Pawhiri und Sigrid, die mir unendlich viele Fragen zur Maori-Kultur beantworteten. Wenn sich in meinen Schilderungen trotzdem Fehler eingeschlichen haben, gehen sie allein auf mein Konto.

Vielen Dank an Klara für viele Fachinformationen über Wollqualität und Schafrassen, Hilfe bei den Internetrecherchen rund um Neuseeland-Auswanderer im 19. Jahrhundert und qualifiziertes »Testlesen«.

Dann danke ich natürlich noch den Cobs, die mir immer wieder »den Kopf freigaloppierten« – und Cleo für tausend anbetende Collie-Lächeln.

Sarah Lark